W9-BNG-675

LIBRAIRIE S^T GERMAIN
M^SON BEON
6 RUE NATIONALE
RENNES

MANUEL DU CHRÉTIEN

N° 548

MANUEL
DU CHRÉTIEN

CONTENANT

I — LES EXERCICES DU CHRÉTIEN

II — LES PSAUMES

ET

III — LE NOUVEAU TESTAMENT

Traduction du Chanoine Crampon

IV — LE PETIT OFFICE DE LA Ste VIERGE

V — L'IMITATION DE JÉSUS CHRIST

SOCIÉTÉ DE S. JEAN L'ÉVANGÉLISTE
DESCLÉE & Cie
Imprimeurs du S. Siège et de la S. Congrégation des Rites
PARIS, TOURNAI, ROME
1956

Printed in Belgium

LECTURE DE LA SAINTE ÉCRITURE

Indulgences

a) Aux fidèles, qui, au moins un quart d'heure, liront avec la vénération due à la Parole de Dieu et en manière de lecture spirituelle, l'Écriture sainte, il est accordé

une indulgence de 3 ans.

b) A ceux qui liront quotidiennement quelques versets de l'Évangile, et de plus en baisant le livre des Évangiles réciteront avec dévotion l'une des invocations suivantes : *Que nos péchés soient effacés par ce saint Évangile. — Que la lecture du saint Évangile soit pour nous salut et protection. — Que le Christ, Fils de Dieu, nous enseigne par la parole du saint Évangile*, — il est concédé

une indulgence de 50 jours;

une indulgence plénière aux conditions ordinaires à ceux qui auront accompli cet exercice durant un mois.

une indulgence plénière à l'article de la mort à ceux, qui auront souvent accompli ce pieux exercice, et qui s'étant confessés et ayant communié, ou du moins contrits, invoquent de bouche, si possible, ou simplement de cœur le très saint Nom de Jésus et acceptent la mort, comme châtiment du péché, de la main du Seigneur, avec patience. (S. C. Ind., 13 déc. 1898; S. Paen. Ap., 23 mart. 1932 et 24 apr. 1945).

IMPRIMATUR.

Tornaci, die 10 Augusti 1949.

✠ JULIUS LECOUVET, Vic. Gen.

INDEX GÉNÉRAL

IV — PETIT OFFICE DE LA Ste VIERGE

V — IMITATION DE JÉSUS-CHRIST [1] à [200]

Table Ascétique et Historique

INTRODUCTION

AVANT-PROPOS

Le *Manuel du Chrétien* renferme en un seul volume : les PSAUMES, le NOUVEAU TESTAMENT, l'IMITATION DE JÉSUS CHRIST, et souvent aussi, le PETIT OFFICE DE LA SAINTE VIERGE. On lui a justement donné ce titre de *Manuel*, parce qu'il devrait être entre les mains de tous les chrétiens. Le but de notre vie chrétienne étant l'union parfaite avec Dieu par Jésus Christ, l'usage quotidien de ce manuel nous sera d'un puissant secours pour l'atteindre. En effet, le *Psautier*, si rempli d'allusions au Christ et à l'Eglise son œuvre, fut dans l'ancienne loi et reste dans la nouvelle le livre officiel de prières des enfants de Dieu. Le *Nouveau Testament* nous fait entrer dans l'intimité du Sauveur, en nous rappelant sans cesse sa vie, ses actions et son enseignement. Enfin l'*Imitation de Jésus Christ*, le plus beau livre sorti de la main des hommes, en nous exhortant à pratiquer ses vertus et à imiter sa vie intérieure, si pleine d'humilité et de recueillement, nous conduit à la perfection de l'union divine. — Faite avec un cœur droit et une humble docilité, la lecture assidue de ces écrits, de tout temps encouragée par l'Eglise et en usage parmi les fidèles, n'offre pas seulement à notre piété un aliment solide; elle est aussi le complément de notre instruction religieuse et le rempart de notre foi.

La traduction des Psaumes et du Nouveau Testament est l'œuvre du Chanoine Crampon, universellement connu. Son nom fait autorité et constitue la meilleure des garanties. Au dire des vrais connaisseurs, sa traduction française est la plus fidèle et la plus littéraire. Ajoutons que les notes explicatives sont presque toutes de sa main. — Utilisant les travaux des savants exégètes qui président à la mise au point de l'édition complète de la *Bible Crampon*, nous avons adopté dans ce *Manuel du Chrétien* les mêmes sommaires et divisions logiques : on a ainsi sous les yeux une analyse continue, un véritable commentaire qui court à travers le texte, et qui permet de suivre pas à pas la pensée de l'Auteur inspiré.

« *J'écouterai ce que le Seigneur me dira au fond du cœur.* » (Ps. 84, 9. — Imit. III, 1.)

LES PSAUMES.

Les Psaumes sont un recueil de chants religieux et nationaux en usage chez les Juifs. David est celui qui en a composé le plus grand nombre, environ la moitié, et c'est pourquoi le recueil tout entier qui en compte cent cinquante, porte justement son nom.

Le Psautier était, à proprement parler, le livre de prières des Juifs. Dès l'origine de l'Eglise chrétienne, les Psaumes formèrent et forment encore aujourd'hui la partie principale de l'Office divin; et ils passent tous sur les lèvres de ses ministres une fois par semaine. Ces sublimes cantiques conviennent à toutes les conditions et à toutes les situations de l'âme humaine; venus du ciel par l'inspiration, ils doivent y remonter, en aspirations vives et ardentes, jusqu'à la fin des siècles. — Plusieurs sont Messianiques : ils annoncent la venue du Christ, sa passion, sa résurrection et son règne glorieux. Un certain nombre sont des hymnes en l'honneur de Dieu et de ses perfections infinies; d'autres célèbrent le charme de la loi divine et le bonheur des justes. — Rappelons-nous que David est le type du Messie, qui reproduira dans sa vie les épreuves et les triomphes de son ancêtre. Jérusalem est la figure de l'Eglise, toujours persécutée et toujours triomphante, véritable Sion, où tous les peuples viennent apprendre à connaître et à adorer Dieu. Le Psautier renferme donc en abrégé toute l'histoire de la religion depuis la création jusqu'au jugement final : la lutte des bons et des méchants sur la terre, — le choix d'une famille bénie d'où sortira le peuple de Dieu, — les prodiges opérés en faveur de ce peuple singulier, qui est en même temps une prophétie de l'avenir; l'attente du Messie, le tableau de ses abaissements et la splendeur de son règne éternel, — les persécutions et les victoires de son Eglise, — son retour à la fin des temps, et la consommation du royaume de Dieu.

Il y a plus : chaque âme chrétienne trouve dans les Psaumes sa propre histoire : ses infidélités et ses regrets, ses joies et ses tristesses, ses inquiétudes et ses espérances. Le voyage des Hébreux dans le désert avec son cortège d'épreuves et de miracles, c'est l'image de son pèlerinage sur la terre et des secours surnaturels de la grâce. La manne est sa nourriture quotidienne dans l'Eucharistie, et elle étanche sa soif aux eaux rafraîchissantes qui jaillissent du Cœur sacré du Sauveur. La captivité de Babylone lui rappelle celle du péché, les tristesses de l'exil la font soupirer après le ciel, sa vraie patrie, etc.

Ces saints cantiques, Jésus les connaissait; il les a récités en son nom et au nôtre; les Apôtres et les disciples autour de lui les ont récités, et après eux tous les saints, tous les docteurs, tous les hommes pieux de toutes les contrées de la terre. Jusqu'à la fin des temps le Psautier restera le livre officiel de Prières de l'Eglise et de ses Ministres.

LES QUATRE ÉVANGILES.

Le mot *Evangile* signifie littéralement *bonne nouvelle*. Or, la bonne nouvelle par excellence, c'est la venue de Jésus Christ, sauveur du monde, et l'établissement sur la terre de son règne, c'est à dire de son Eglise, appelée aussi *Royaume de Dieu*. Telle est l'acceptation biblique du mot *Evangile*. Ce mot sert aussi à désigner les relations authentiques, consacrées par l'autorité de l'Eglise, de la vie et des enseignements de Jésus Christ. Celles-ci sont au nombre de quatre. Chacune d'elles réfléchit à sa manière la lumière unique qui a brillé dans le Christ. C'est pourquoi l'Eglise leur a donné ce titre : « Le saint Evangile de Jésus Christ *selon* saint Matthieu,... *selon* saint Marc, etc. »

Avec des différences dans la forme, l'ordre et le ton du récit, les trois premiers Evangiles présentent des rapports frappants de parenté. Cette ressemblance apparaît dans le contenu des trois écrits, qui ont à peu près les deux tiers des récits communs, et s'étend même jusqu'à de minimes détails. De là le nom de *synoptiques* qui leur est donné : ce qui veut dire que leur triple histoire pourrait, sans trop de lacunes, être disposée sur trois colonnes parallèles, et embrassée comme d'un seul regard par le lecteur.

1. — L'Evangile selon S. Matthieu.

Le premier Evangile est attribué, dans le canon des Ecritures, à *saint Matthieu*, que saint Marc et saint Luc désignent aussi sous le nom de Lévi, fils d'Alphée. Il demeurait à Capharnaüm, ville située sur le lac de Tibériade et très importante alors par son mouvement commercial. Aussi était-elle habitée par un grand nombre de publicains, ou fermiers des douanes romaines. Matthieu faisait partie de cette corporation décriée parmi les Juifs ; mais appelé par le Sauveur, il le suivit aussitôt. On ne sait rien de certain sur son ministère apostolique après l'ascension, ni sur son genre de mort.

Au témoignage de la Tradition, c'est en faveur des Juifs de Palestine, que S. Matthieu rédigea son Evangile. Son dessein est principalement dogmatique et apologétique. Il se propose d'y démontrer que Jésus est le Messie promis à leurs pères, et qu'il a fondé le vrai royaume messianique. De là les nombreuses citations de l'Ancien Testament, accompagnées de formules « comme il est écrit », « afin que fût accomplie la parole du prophète », etc. Il montre en même temps que le peuple et ses chefs se sont eux-mêmes exclus de ce royaume par leur aveuglement.

On ignore par qui l'Evangile de S. Matthieu fut traduit en grec; mais comme il est certain que cette version fut faite et officiellement employée dans les églises dès le premier siècle au même titre que le texte original, on ne peut mettre en doute son autorité.

2. — L'Evangile selon S. Marc.

Saint Marc, l'auteur du second Evangile, paraît avoir été le disciple qui figure dans les Actes des Apôtres tantôt sous le nom de *Marc*, tantôt sous celui de *Jean*, tantôt sous les deux réunis (XII, 12, 25; XIII, 5, 13; XV, 39). Sa mère, appelée Marie, habitait Jérusalem; c'est dans sa maison que les premiers fidèles se réunissaient pour célébrer les saints mystères, et c'est là aussi que saint Pierre, miraculeusement délivré de prison, alla directement chercher un asile. Dans sa première épître (V, 13), Pierre appelle Marc *son fils*.

Saint Marc fut aussi admis de bonne heure, sans doute par les soins de son oncle S. Barnabé, dans la société de l'Apôtre des Gentils. Il l'accompagna lors de sa première mission dans l'île de Chypre et en Pamphylie jusqu'à Pergé. Plus tard, nous le retrouvons à Antioche (*Act.* XV, 36 sv.); puis à Rome, parmi les chrétiens qui soulageaient saint Paul durant sa première captivité (*Col.* IV, 10; *Philém.* 24). Il était venu dans cette ville avec saint Pierre, qu'il accompagnait habituellement en qualité d'*interprète*, c'est à dire de secrétaire.

D'après Eusèbe et d'anciennes traditions, l'évangéliste saint Marc fonda l'Eglise patriarcale d'Alexandrie.

S. Marc n'avait pas lui-même entendu ni suivi le Seigneur. Disciple de S. Pierre, il consigna par écrit aussi exactement qu'il le put « les choses que le Seigneur avait dites ou faites », telles qu'il avait si souvent entendu son maître les raconter.

L'Evangile de S. Marc, écrit en grec, renferme peu de discours; son récit rapide, vivant, dramatique, s'attache aux faits; il abonde en détails précis, pittoresques, tels sans doute qu'ils animaient les instructions de S. Pierre, témoin attentif des événements. Ce qu'il envisage en Jésus, c'est surtout le thaumaturge qui par la puissance de ses œuvres merveilleuses et par son empire souverain sur les démons, démontre sans réplique qu'il est réellement le Fils de Dieu.

3. — L'Evangile selon S. Luc.

Saint Luc, originaire d'Antioche, était médecin. Grec de naissance et d'éducation, il fut de bonne heure converti au christianisme.

Pas plus que S. Marc, il n'avait été lui-même témoin des faits qu'il raconte. Mais il lui fut aisé de s'en informer auprès des autorités les plus sûres. Disciple de S. Paul, nul doute qu'il n'ait appris de lui bien des faits évangéliques. Il fut aussi à portée d'emprunter ses renseignements à plusieurs personnages apostoliques qu'il rencontra à Antioche, à Césarée, à Rome, à Jérusalem, comme Pierre, Jacques le Mineur, etc. Il a pu converser aussi avec Marie mère de Jésus, et tirer d'elle les renseignements et les documents qu'il a utilisés pour raconter l'enfance du Sauveur et tracer les ravissants tableaux des deux premiers chapitres de son livre. D'ailleurs il nous apprend lui-même qu'il eut à sa disposition des documents écrits (I, 3).

S. Luc écrit principalement pour les Gentils. Dans aucun autre Evangile Jésus n'apparaît plus clairement comme *Sauveur de tous les hommes sans exception.* Tout ce qui pourrait sembler contraire à cette universalité du christianisme est soigneusement écarté. — De tous les Evangiles, celui de S. Luc est le plus littéraire.

4. — L'Evangile selon S. Jean.

Jean était fils du pêcheur Zébédée, qui exerçait sa profession sur le lac de Tibériade.

Dès l'origine, Jean, avec S. Pierre et S. Jacques, forme le cercle privilégié des disciples intimes. Il s'appelle lui-même *le disciple que Jésus aimait.* Dans la dernière Cène, il occupe une place que les anciens ne donnaient qu'aux personnes les plus chères. Sur le Calvaire, c'est à lui que le Sauveur mourant confia sa mère. Il passa les dernières années de sa longue vie à Ephèse, veillant, avec un soin jaloux, à garder intacte, parmi ses ouailles, la pureté de la foi, et ne se lassant pas de les exhorter à la pratique de la charité fraternelle.

Les Pères ont signalé le caractère tout spécial, éminemment théologique, du quatrième évangile. « Jean resté le dernier, écrit Clément d'Alexandrie, voyant que tout ce qui a rapport à l'*Humanité* du Christ avait été raconté dans les autres évangiles, écrivit à la prière de ses amis et sous l'inspiration du S. Esprit un *Evangile spirituel* ». En effet, plus que les autres évangélistes, il s'attache à découvrir ce qu'il y a d'intime et de profond dans la personne et les enseignements du Sauveur Jésus; et en ce sens il est vrai de dire qu'il les complète. Toutefois son intention est principalement — lui-même nous l'apprend (xx, 31) — d'affermir les fidèles dans leur attachement au dogme fondamental, contesté dès lors par quelques sectes hérétiques, de la divinité de Jésus Christ, de son unité substantielle avec le Père, et de l'union qu'il veut avoir avec nous par son Esprit et par sa grâce.

Autorité des Evangiles. — Composés en pleine période historique, par des auteurs qui furent ou témoins eux-mêmes des événements ou disciples et compagnons des Apôtres, et dont la bonne foi est incontestable; mis immédiatement sous les yeux d'hommes qui, appartenant à la génération contemporaine du Christ, ou du moins à l'âge suivant, pouvaient facilement en contrôler la véracité et avaient intérêt à le faire, nos évangiles canoniques constituent un document historique de la plus haute valeur. Echos et témoins de la foi primitive, ils sont garantis par cette foi elle-même. D'ailleurs « les événements que racontent les évangélistes se rattachent à des faits connus par les historiens profanes et s'harmonisent avec eux. Les coutumes sociales auxquelles ils font allusion sont précisément celles dont les auteurs juifs nous ont laissé de multiples descriptions. Les idées religieuses qu'ils supposent chez leurs contemporains représentent vraiment celles du temps et du pays où vivait Jésus Christ, ainsi que l'attestent les monuments de l'époque. D'autre part, jamais livres n'ont été, depuis dix-neuf siècles, étudiés avec autant d'attention, attaqués avec autant d'âpreté que nos évangiles, et ils sont sortis triomphants de toutes les épreuves. » Dès lors « les faits qu'ils racontent sont la base solide des vérités qu'ils contiennent, et ces vérités, tombées des lèvres de celui qui s'est dit le Fils de Dieu et qui a prouvé son affirmation par ses miracles, deviennent à bon droit les éléments constitutifs de la religion révélée. » (*Lesêtre.*)

LES ACTES DES APÔTRES.

Œuvre de S. Luc, les *Actes des Apôtres* continuent et complètent les Evangiles. L'auteur se propose de raconter comment le *salut* parti de Jérusalem s'est répandu dans l'empire romain selon le programme tracé par le divin Maître. Comme les faits qui forment la trame de sa démonstration sont empruntés principalement à l'apostolat des Apôtres S. Pierre et S. Paul, le titre général, placé depuis en tête du livre, ne répond pas tout à fait à son contenu. Le récit commence avec la descente du Saint Esprit sur les Apôtres le jour de la Pentecôte et se clôt brusquement avec l'arrivée de S. Paul à Rome et ses deux ans de captivité, sans rien dire de sa mort. Cette fin si brusque s'explique par le but particulier de S. Luc. En traçant cette histoire du *Salut*, il veut en même temps expliquer la façon dont il se réalisa par l'entrée des païens et le rejet des juifs, rejet dû à l'incrédulité de ces derniers et non à l'infidélité de Dieu dans ses promesses. La conduite des chefs du judaïsme à Rome vient naturellement clore cette histoire.

Le caractère strictement historique de ce document ne saurait être mis en doute. Rempli des plus précieux renseignements sur les origines chrétiennes, il est de nature à confirmer puissamment notre foi, en même temps qu'à édifier notre piété. Il prépare aussi à l'intelligence plus complète des Epîtres, surtout de celles de S. Paul.

SAINT PAUL ET SES EPÎTRES.

Saint Paul naquit à Tarse en Cilicie dans les premières années de l'ère chrétienne. Il porta d'abord le nom hébreu de Saul. Son père, qui était citoyen romain et juif zélé, l'envoya de bonne heure étudier à Jérusalem. Tout porte à croire qu'il ne connut pas Jésus.

Pharisien rigide, il se montra l'un des plus ardents persécuteurs des premiers fidèles. Après la mort d'Etienne, à laquelle il prit part, il obtint du Sanhédrin l'autorisation d'arrêter à Damas les chrétiens qui s'y trouvaient. C'est là que Dieu l'attendait : terrassé sur le chemin dans une vision miraculeuse, le persécuteur, en arrivant à Damas, était devenu un apôtre, vers l'an 33 de notre ère. (*Act.* 9.)

Le nouvel apôtre ne resta que quelques jours à Damas; il passa en Arabie et y séjourna environ trois ans, se préparant à sa mission. Revenu à Damas, il se mit à « prêcher que Jésus est le Fils de Dieu » (*Gal.* I, 17; *Act.* 9). Après quoi il se rendit à Jérusalem, « pour connaître Pierre » (*Gal.* I, 18), il y vit aussi Jacques, frère du Seigneur et premier évêque de cette ville, les autres Apôtres étant sans doute déjà dispersés.

Contraint par les persécutions des Juifs de quitter Jérusalem (*Act.* 9), Paul se rendit à Césarée et se mit à parcourir la Syrie, puis la Cilicie. Tarse, sa patrie, fut son séjour habituel durant cette période, qu'on peut évaluer de 5 à 6 ans (*Act.* 9-11), ce qui nous conduit vers l'an 42 ou 43.

Ensuite, associé à Barnabé, il vient évangéliser Antioche, et en faire comme le second berceau du christianisme (*Act.* XI, 26). C'est de là qu'il fit (vers 46) son second voyage à Jerusalem : il apportait aux chrétiens pauvres de cette ville des secours en argent, recueillis dans la communauté d'Antioche (*Act.* XI, 27 sv.). A son retour (XII, 25), sur l'appel du

Saint Esprit et après l'imposition des mains (*Act.* XIII, 1-3), il entreprit sa **première mission** proprement dite (46-49). On en trouve le récit dans les *Actes*, chap. 13-14.

Revenu à Antioche, il y demeura assez longtemps (*Act.* XIV, 27), probablement deux ans environ. Durant ce temps se placent l'incident d'Antioche (*Gal.* II, 11), peut-être aussi la composition de l'*épître aux Galates*, et le concile de Jérusalem (*Act.* 15). Ce fut le 3e voyage de Paul dans la Ville sainte. C'est vers 50 ou 51, qu'il fit ce voyage et assista au premier concile (*Act.* 15).

Aussitôt après commence la **deuxième mission**. Après avoir parcouru les principales provinces de l'Asie Mineure, Paul met le pied pour la première fois sur le sol de l'Europe, il évangélise tour à tour Philippes et Thessalonique, Bérée et Athènes, et séjourne environ 18 mois à Corinthe (*Act.* 16-18). C'est de cette dernière ville qu'il écrivit, à un court intervalle, ses deux lettres *aux Thessaloniciens* (vers l'an 52-53). Puis il fit pour la quatrième fois le voyage de Jérusalem, par Ephèse et Césarée (*Act.* 18), et revint à Antioche passer l'hiver de l'an 54-55.

La **troisième mission** de S. Paul est racontée dans les *Actes*, chap. 18-19. Elle dura 3 ans, de 55 à 59; Ephèse était le centre d'où l'Apôtre rayonnait dans les environs, sans comper peut-être une seconde visite à Corinthe (I *Cor.* XVI, 17; II *Cor.* XII, 14 et XIII, 1). Pendant son séjour à Ephèse, il écrivit la lettre *aux Galates* (56), et la *Ire aux Corinthiens* (56 ou 57). Il passe ensuite en Macédoine (*Act.* 19-20), d'où il écrivit la *IIe aux Corinthiens* (57-58), puis à Corinthe, d'où il adresse sa lettre *aux Romains* (hiver de 58 ou 59).

Il se rend à Jérusalem pour la cinquième fois (Pentecôte de l'an 59. — *Act.* 20-21), y est arrêté et conduit à Césarée, où il reste 2 ans prisonnier (an 59-61. — *Act.* 22-23). Après avoir comparu successivement devant les gouverneurs romains Felix et Porcius Festus, il en appelle à César et est envoyé à Rome (an 61. — *Act.* 24-26).

Parti de Césarée pendant l'automne de l'an 61, Paul arrive à Rome au printemps de l'an 62; il y est retenu deux ans captif, dans une maison louée par lui, sous la garde de soldats romains (*Act.* 28). *L'épître aux Philippiens* date certainement de la captivité de Rome; on rapporte souvent à la même période les lettres *à Philémon, aux Colossiens, et aux Ephésiens;* plusieurs, néanmoins, les font remonter à la captivité de Césarée. C'est vers la même époque, 63 ou 64, que doit probablement se placer l'Epître *aux Hébreux.*

Pour la suite de la vie de saint Paul, nous n'avons plus que des renseignements épars dans les épîtres dites *Pasto-*

rales, et quelques témoignages historiques de l'antiquité chrétienne. Mis en liberté vers 64, Paul, en compagnie de Tite, se rendit dans l'île de Crète, où il passa l'hiver; puis, y ayant laissé ce disciple (*Tit.* I, 5), il visita les Eglises de l'Asie Mineure. De là, il vint à Ephèse, où il avait laissé son disciple Timothée; ensuite en Macédoine, d'où il écrivit la *Ire à Timothée* (*I Tim.* I, 3; III, 14). Peu après, il adressa une lettre *à Tite*. — Après avoir séjourné à Nicopolis, il se mit de nouveau en route; passant par Troas, Milet (*II Tim.* IV, 13-20) il arriva à Corinthe. Il y rencontra Pierre, et se rendit avec lui à Rome (*Eusèb.* H. E. II, 24 sv.). Serait-ce au printemps de l'an 67, qu'il partit pour l'Espagne? En tout cas il paraît n'y avoir fait qu'un court séjour; car aucune Eglise de cette contrée ne s'attribue la gloire de l'avoir eu pour apôtre. Peut-être fut-il arrêté dès son arrivée et ramené prisonnier à Rome. De cette seconde captivité de Rome date la *IIe à Timothée*.

D'après la tradition, il aurait été enfermé avec saint Pierre *dans la prison Mamertine;* ensemble les deux Apôtres auraient subi le martyre le même jour et la même année. Ce qui est certain, c'est qu'ils moururent à Rome, Pierre crucifié la tête en bas au Vatican; Paul, citoyen romain, la tête tranchée par le glaive, sur la voie d'Ostie. Cet événement aurait eu lieu le 29 juin de l'an 67 de l'ère chrétienne, la 13e année du règne de Néron, et la 820e de la fondation de Rome.

LES SEPT ÉPÎTRES DES AUTRES APÔTRES.

1. La première, l'*épître de saint Jacques*, est une circulaire adressée à tous les chrétiens sortis du Judaïsme. L'auteur se désigne lui-même dès les premiers mots de l'adresse.

Premier évêque de l'Eglise-mère de Jérusalem, qu'il gouverna pendant trente ans, S. Jacques le Mineur était partout considéré comme l'évêque des circoncis, et il veillait au loin sur les fidèles de la nation juive répandus dans les provinces. Si quelqu'un devait et pouvait, par un langage énergique, corriger les chrétiens des douze tribus, c'était sans contredit l'apôtre S. Jacques, nazaréen dès sa jeunesse, que sa piété et sa fidélité à observer la Loi avaient fait surnommer *le Juste*, en même temps qu'il était l'interprète accrédité de Jésus Christ et son proche parent. Il paraît avoir écrit sa lettre à Jérusalem vers l'an 60.

2-3. *Les deux épîtres de S. Pierre.* — Pierre appelé originairement Simon, fils de Jonas (ou Jean) et frère d'André, était né à Bethsaïde, sur les bords du lac de Génésareth. La vie de cet apôtre, telle qu'elle nous apparaît dans les évangiles, offre un attrait tout particulier, tant par l'ardeur de son zèle et la droiture de son caractère, que par sa chute et son généreux repentir. Le théâtre de ses premières prédications fut la Palestine. Jeté en prison par Hérode Antipas et miraculeusement délivré l'an 42 ou 43, il se rendit vraisemblablement à Antioche d'abord, et ensuite à Rome, où il aurait fondé la première communauté judéo-chrétienne, qui fut dispersée par l'édit de Claude (50) exilant les Juifs de Rome. Les *Actes* (ch. XV) nous le montrent présidant la conférence de Jérusalem (vers 51). De là il aurait traversé les provinces septentrionales de l'Asie Mineure. Une tradition assez sûre le conduit plus tard vers l'ouest, et le fait passer par Corinthe. Il vint certainement à Rome. C'est là que, sous le règne de Néron, il fut crucifié la tête en bas sur la colline du Vatican (en 67).

Des deux épîtres qui portent son nom, la première est adressée aux fidèles « étrangers, dispersés dans le Pont, la Galatie, la Cappadoce, l'Asie et la Bithynie », provinces non évangélisées par saint Paul, mais où le prince des Apôtres avait peut-être prêché la foi.

Son but principal est de consoler ces chrétientés, de les fortifier dans leurs épreuves par les exemples de Jésus Christ et les magnifiques récompenses qui leur sont promises. Comme Paul est le prédicateur de la foi, Pierre est celui de l'espérance : il présente cette vertu comme le principe vivifiant du christianisme (ch. I, 3, 13, 21 ; III, 5, 9, 15 ; IV, 13 ; V, 1, 4, 10). Mais de même que la foi du premier renferme l'espérance et la charité, ainsi l'espérance du second a ses racines dans la foi et se couronne des fruits de la charité chrétienne. Postérieure à la lettre aux Ephésiens, elle paraît avoir été écrite après la première captivité de Paul à Rome, vers l'an 64. Elle semble faire allusion à la première persécution.

La deuxième épître de S. Pierre, adressée aux mêmes lecteurs que la première (II *Pier.* III, 1), n'a pu être écrite avant l'an 64 ou 65. Par l'époque de son envoi, comme par les avertissements qu'elle contient et par le ton qui y règne, elle est comme le testament de l'Apôtre aux fidèles « des douze tribus dispersées » (I *Pier.* I, 1) dont il avait la confiance. Maintenir intacte au milieu d'eux la foi qu'ils ont reçue, les prémunir contre les erreurs funestes qui commençaient à se répandre, les soutenir et les encourager par l'espérance certaine du glorieux retour de Jésus Christ : tel est le but qu'il se propose.

4. La *première épître de S. Jean* semble avoir été plus particulièrement destinée aux Eglises de l'Asie Mineure. On y entend comme la variation d'une pure et sublime harmonie qui revient sans cesse à son motif fondamental : communion

de sainteté avec le Dieu qui est lumière, communion d'amour avec le Dieu qui est amour, et que l'on ne saurait aimer sans aimer aussi tout ce qui est né de lui.

5-6. Les *deux dernières lettres de S. Jean* sont des écrits fort courts, ne contenant rien de dogmatique.

7. *La lettre de S. Jude* comme celle de S. Jacques est appelée *catholique*. On conjecture que l'Apôtre l'adressa aux chrétientés de la Haute-Syrie et de la Mésopotamie. La lettre a été écrite avant l'an 70, et en grec. Elle trahit une profonde conviction et un zèle ardent; on a pu dire, non sans raison, qu'elle « est un vrai cri de guerre jeté à l'hérésie ».

L'APOCALYPSE DE S. JEAN.

Le canon du Nouveau Testament se clôt par un livre prophétique : l'*Apocalypse* ou *Révélation*. Comme il nous l'apprend lui-même (I, 9), S. Jean reçut sa merveilleuse révélation pendant qu'il était en exil dans l'île de Patmos, « presque de nos jours, écrit S. Irénée, savoir vers la fin du règne de Domitien. » Eusèbe et S. Jérôme confirment ce témoignage et précisant davantage, ils assignent à l'exil de S. Jean la quatorzième année du règne de Domitien, c'est à dire l'an 95 après Jésus Christ.

La *pensée fondamentale* de l'Apocalypse, c'est *le retour glorieux de Jésus*. Elle se montre dès le prologue (I, 7), et après avoir pénétré tout le livre (II, 16; III, 11; VI, 2; XIX, 11), elle retentit comme un dernier écho dans l'épilogue (XXII, 7, 12, 20), où trois fois la voix de Jésus répète : « Voici que je viens bientôt », à quoi l'Esprit et l'Epouse répondent : « Oui, venez, Seigneur ! » Que les fidèles fixent donc leur regard sur ce glorieux avènement, qui mettra fin aux épreuves des Justes et couronnera l'œuvre jusque là imparfaite du Messie. En attendant ce triomphe suprême, il leur reste bien des combats à livrer, bien des persécutions à souffrir. A chacun d'eux le Christ dit, comme à l'ange de Smyrne : « Sois fidèle jusqu'à la mort, et je te donnerai la couronne de vie (II, 10). » Soutenir le courage des chrétiens de tous les âges, en soutenant leur foi et leur espérance, tel est donc le *but* de l'Apocalypse.

Les obscurités qu'elle renferme ne l'empêchent pas de produire ce fruit. Impossible de lire ce livre, tout mystérieux qu'il est, sans se sentir rapproché du ciel, de « Celui qui est assis sur le trône et de l'Agneau. » Dans tout cœur fidèle, il réveille de douces et glorieuses espérances, il verse d'intimes consolations au milieu des épreuves de la vie. Nous voyons en effet, à chaque page, que l'Eglise de la terre souffre et combat sous les yeux de Jésus Christ; que rien ne lui arrive qui ne soit prévu et permis par son divin Chef; que le triomphe final est réservé aux élus, tandis que d'effroyables châtiments frappent toujours leurs persécuteurs. Quoi de plus propre à nous faire assister sans trouble et sans faiblesse aux combats de jour en jour plus perfides ou plus violents livrés aux enfants de Dieu?

Prière avant la lecture de l'Écriture Sainte.

Venez, Esprit Saint, remplissez les cœurs de vos fidèles, et allumez-y le feu de votre amour.

℣. Envoyez votre Esprit, et tout sera créé. ℟. Et vous renouvellerez la face de la terre.

Prions.

O Dieu, qui avez instruit les cœurs des fidèles par la lumière du Saint Esprit, donnez-nous par ce même Esprit le goût du bien et la grâce de jouir toujours de ses divines consolations. Nous vous le demandons par J. C. N. S. ℟. Ainsi soit-il.

Je vous salue, Marie,

Veni, Sancte Spíritus, reple tuórum corda fidélium et tui amóris in eis ignem accénde.

℣. Emítte Spíritum tuum, et creabúntur. ℟. Et renovábis fáciem terræ.

Orémus.

Deus, qui corda fidélium Sancti Spíritus illustratióne docuísti : da nobis in eódem Spíritu recta sápere, et de ejus semper consolatióne gaudére. Per Christum Dóminum nostrum.
℟. Amen.

Ave María.

Indulgence de 5 ans — Plénière aux conditions ordinaires, si on la dit chaque jour durant un mois (S. C. des Ind. 8 Mai 1907 : S. Pénit. Ap. 22 Déc. 1932).

ORDINAIRE DE LA MESSE.

On trouvera p. (60), l'indication de la Collecte, de l'Epître et de l'Evangile de tous les Dimanches, Féries et Fêtes de l'année.

PRIÈRES AU BAS DE L'AUTEL.

Faisons avec foi le signe de la Croix, source de gloire pour l'Auguste Trinité et de salut pour nous.

IN nómine Patris, ✠ et Fílii, et Spíritus sancti. Amen.

AU nom du Père, ✠ et du Fils, et du Saint Esprit. Ainsi soit-il.

En signe de tristesse, on omet le Psaume suivant au Temps de la Passion *et aux* Messes des Morts.

Introíbo ad altáre Dei. ℟. Ad Deum qui lætíficat juventútem meam.

Je monterai à l'autel de Dieu. ℟. Du Dieu qui réjouit ma jeunesse.

PSAUME 42.

Judica me Deus, et discérne causam meam de gente non sancta : ab hómine iníquo et dolóso érue me.

Jugez-moi, ô Dieu, et séparez ma cause de celle d'un peuple infidèle : délivrez-moi de l'homme d'injustice et de mensonge.

℟. Car vous êtes ma force, ô mon Dieu ; pourquoi donc m'avez-vous rejeté ? Pourquoi faut-il que je marche dans la tristesse, livré aux coups de mes ennemis ?

℟. Quia tu es Deus fortitúdo mea : quare me repulísti, et quare tristis incédo, dum afflígit me inimícus ?

Envoyez votre lumière et votre vérité ! qu'elles me guident, qu'elles me conduisent sur votre sainte montagne et dans vos tabernacles.

Emítte lucem tuam, et veritátem tuam : ipsa me deduxérunt, et adduxérunt in montem sanctum tuum, et in tabernácula tua.

℟. Et je monterai à l'autel de Dieu, du Dieu qui réjouit ma jeunesse.

℟. Et introíbo ad altáre Dei : ad Deum qui lætíficat juventútem meam.

Et je vous célébrerai sur la harpe, ô Dieu ! mon Dieu ! Pourquoi es-tu triste, ô mon âme, et pourquoi te troubles-tu en moi ?

Confitébor tibi in cíthara, Deus, Deus meus : quare tristis es, ánima mea ? et quare contúrbas me ?

℟. Espère en Dieu ! Car je le louerai encore ; il est mon salut et mon Dieu.

℟. Spera in Deo, quóniam adhuc confitébor illi : salutáre vultus mei, et Deus meus.

Gloire au Père, et au Fils, et au Saint Esprit.

Glória Patri, et Fílio, et Spirítui Sancto.

℟. Maintenant et toujours comme au commencement ; et dans tous les siècles des siècles. Ainsi soit-il.

℟. Sicut erat in princípio, et nunc, et semper : et in sæcula sæculórum. Amen.

Je monterai à l'autel de Dieu. ℟. Du Dieu qui réjouit ma jeunesse.

Introíbo ad altáre Dei. ℟. Ad Deum qui lætíficat juventútem meam.

Notre secours est dans le nom du Seigneur. ℟. Qui a fait le ciel et la terre.

Adjutórium nostrum in nómine ✠ Dómini. ℟. Qui fecit cælum et terram.

Le Prêtre dit alors le Confíteor;
le Servant répond puis dit à son tour le Confíteor.

℟. Misereátur tui omnípotens Deus, et dimíssis peccátis tuis, perdúcat te ad vitam ætérnam.

Amen.

Confíteor Deo omnipoténti, beátæ Maríæ semper Vírgini, beáto Michaéli Archángelo, beáto Joánni Baptístæ, sanctis Apóstolis Petro et Paulo, ómnibus Sanctis, et tibi Pater : quia peccávi nimis cogitatióne, verbo, et ópere : mea culpa, mea culpa, mea máxima culpa. Ideo precor beátam Maríam semper Vírginem, beátum Michaélem Archángelum, beátum Joánnem Baptístam, sanctos Apóstolos Petrum et Paulum, omnes Sanctos, et te Pater, oráre pro me ad Dóminum Deum nostrum.

℟. Que le Dieu tout puissant ait pitié de vous, qu'il vous pardonne vos péchés, et vous conduise à la vie éternelle.

Ainsi soit-il.

Je confesse à Dieu tout puissant, à la bienheureuse Marie toujours Vierge, à saint Michel Archange, à saint Jean Baptiste, aux saints Apôtres Pierre et Paul, à tous les Saints, et à vous, mon Père, que j'ai beaucoup péché par pensées, par paroles, par actions; c'est ma faute, c'est ma faute, c'est ma très grande faute. C'est pourquoi je supplie la bienheureuse Marie toujours Vierge, saint Michel Archange, saint Jean Baptiste, les saints Apôtres Pierre et Paul, tous les Saints, et vous, mon Père, de prier pour moi le Seigneur notre Dieu.

Le Prêtre appelle la miséricorde de Dieu sur les Fidèles.

Misereátur vestri omnípotens Deus, et dimíssis peccátis vestris, perdúcat vos ad vitam ætérnam. Amen.

Que le Dieu tout puissant vous fasse miséricorde, qu'il vous pardonne vos péchés, et vous conduise à la vie éternelle. ℟. Ainsi soit-il.

Que le Seigneur tout puissant et miséricordieux nous donne l'indulgence, l'absolution et la rémission de tous nos péchés.

℟. Ainsi soit-il.

Indulgéntiam, ✠ absolutiónem, et remissiónem peccatórum nostrórum, tríbuat nobis omnípotens et misericors Dóminus. ℟. Amen.

O Dieu, tournez-vous vers nous, vous nous ferez vivre. ℟. Et votre peuple se réjouira en vous.

Deus tu convérsus vivificábis nos. ℟. Et plebs tua lætábitur in te.

Montrez-nous, Seigneur, votre miséricorde. ℟. Et donnez-nous votre salut.

Osténde nobis Dómine misericórdiam tuam. ℟. Et salutáre tuum da nobis.

Seigneur, exaucez ma prière. ℟. Et que mes cris s'élèvent jusqu'à vous.

Dómine exáudi oratiónem meam. ℟. Et clamor meus ad te véniat.

Le Seigneur soit avec vous. ℟. Et avec votre esprit.

Dóminus vobíscum. ℟. Et cum spíritu tuo.

Il monte à l'autel, en implorant encore son pardon.

Prions.

Nous vous en supplions, Seigneur, purifiez-nous de nos iniquités, pour que nous puissions nous approcher du Saint des saints avec des âmes pures. Par J. C. N. S. Ainsi soit-il.

Orémus.

Aufer a nobis, quæsumus Dómine, iniquitátes nostras : ut ad Sancta sanctórum puris mereámur méntibus introíre. Per Christum Dóminum nostrum. Amen.

En baisant l'Autel, qui renferme des reliques de Martyrs :

Nous vous prions, Seigneur, par les mérites de vos Saints, dont les reliques sont ici, et de tous les Saints, de daigner me pardonner tous mes péchés.

Ainsi soit-il.

Orámus te, Dómine, per mérita Sanctórum tuórum, quorum relíquiæ hic sunt, et ómnium Sanctórum : ut indulgére dignéris ómnia peccáta mea. Amen.

LITANIE OU KYRIE ELEISON.

A Dieu le Père qui nous a créés :

Kyrie, eléison.
℟. Kyrie, eléison.
Kyrie, eléison.

Seigneur, ayez pitié !
℟. Seigneur, ayez pitié !
Seigneur, ayez pitié !

A Dieu le Fils, en lui donnant le doux nom de Christ, qui nous rappelle son humanité, par laquelle il nous a rachetés :

℟. Christe, eléison.
Christe, eléison.
℟. Christe, eléison.

℟. Christ, ayez pitié !
Christ, ayez pitié !
℟. Christ, ayez pitié !

Au Saint Esprit qui nous sanctifie :

Kyrie, eléison.
℟. Kyrie, eléison.
Kyrie, eléison.

Seigneur, ayez pitié !
℟. Seigneur, ayez pitié !
Seigneur, ayez pitié !

HYMNE DES ANGES.

(On l'omet aux Messes des Morts et de Pénitence).

Gloria in excélsis Deo : et in terra pax homínibus bonæ voluntátis.

Laudámus te.

Benedícimus te.

Adorámus te.

Glorificámus te.

Grátias ágimus tibi propter magnam glóriam tuam.

Dómine Deus, Rex cæléstis, Deus Pater omnípotens !

Dómine Fili unigénite, Jesu Christe !

Dómine Deus, Agnus Dei, Fílius Patris !

Qui tollis peccáta mundi, miserére nobis.

Gloire à Dieu au plus haut des cieux ; et paix sur la terre aux hommes de bonne volonté.

Vous vous louons.

Nous vous bénissons.

Nous vous adorons.

Nous vous glorifions.

Nous vous rendons grâces à cause de votre grande gloire.

Seigneur Dieu, Roi du ciel, Dieu le Père tout puissant !

Seigneur, Fils unique, Jésus Christ !

Seigneur Dieu, Agneau de Dieu, Fils du Père !

Vous qui effacez les péchés du monde, ayez pitié de nous.

Vous qui effacez les péchés du monde, recevez notre prière.

Vous qui êtes assis à la droite du Père, ayez pitié de nous.

Car vous êtes le seul saint, le seul Seigneur,

Le seul Très Haut, ô Jésus Christ,

Avec le Saint Esprit, dans la gloire de Dieu le Père. Ainsi soit-il.

Qui tollis peccáta mundi, súscipe deprecatiónem nostram.

Qui sedes ad déxteram Patris, miserére nobis.

Quóniam tu solus Sanctus, Tu solus Dóminus;

Tu solus Altíssimus, Jesu Christe.

Cum Sancto Spíritu in glória Dei Patris.

Amen.

Le Célébrant ne salue jamais les fidèles sans baiser l'Autel, pour recevoir lui-même de notre Seigneur la bénédiction qu'il répand sur le peuple. — Sans moi vous ne pouvez rien faire, *a dit Jésus. Puisse-t-il être avec nous et notre esprit durant cette prière ... cette lecture...*

Le Seigneur soit avec vous.

℟. Et avec votre esprit.

Dóminus vobíscum.

℟. Et cum spíritu tuo.

Puis il récite la Collecte, *l'*Epître *et le* Graduel, *ainsi que l'*Allelúia *ou le* Trait, *et la* Séquence *ou Prose de la Fête, s'il y a lieu — et enfin l'*Evangile.

PRIÈRE AVANT L'ÉVANGILE.

Purifiez mon cœur et mes lèvres, Dieu tout puissant qui, d'un charbon ardent, avez purifié les lèvres du prophète Isaïe. Ainsi, par votre miséricordieuse bonté, daignez me purifier, pour que je puisse dignement annoncer votre saint Evangile. Par J. C. N. S. Ainsi soit-il.

Seigneur, bénissez-moi.

Munda cor meum, ac lábia mea, omnípotens Deus, qui lábia Isaíæ prophétæ cálculo mundásti igníto : ita me tua grata miseratióne dignáre mundáre, ut sanctum Evangélium tuum digne váleam nuntiáre. Per Christum Dóminum nostrum.

Jube Dñe benedícere.

Dóminus sit in corde meo, et in lábiis meis : ut digne et competénter annúntiem Evangélium suum. Amen.

Que le Seigneur soit en mon cœur et sur mes lèvres, afin que j'annonce dignement et convenablement son Evangile. Ainsi soit-il.

Prélude avant l'Evangile :

Dóminus vobíscum.

℟. Et cum spíritu tuo.

Inítium — Sequéntia sancti Evangélii secúndum N.

℟. Glória tibi Dómine.

Le Seigneur soit avec vous.

℟. Et avec votre esprit.

Commencement *ou* Suite du saint Evangile selon saint N.

℟. Gloire à vous, Seigneur.

A la fin de l'Evangile, on répond par cette acclamation :

Laus tibi, Christe.

Louange à vous, Christ!

Le Prêtre, en baisant l'Evangile du salut et du pardon, dit :

Per evangélica dicta deleántur nostra delícta.

Que nos péchés soient effacés par ce saint Evangile.

SYMBOLE DE NICÉE.

Le Credo *se dit tous les Dimanches et à certaines fêtes.*

Credo in unum Deum Patrem omnipoténtem, factórem cæli et terræ, visibílium ómnium, et invisibílium.

Et in unum Dóminum Jesum Christum, Fílium Dei unigénitum; et ex Patre natum ante ómnia sæcula; Deum de Deo, lumen de lúmine,

Je crois en un seul Dieu, Père tout puissant, créateur du ciel et de la terre, de toutes les choses visibles et invisibles.

Et en un seul Seigneur Jésus Christ, Fils unique de Dieu, né du Père avant tous les siècles; Dieu de Dieu, lumière de lumière, vrai Dieu de vrai Dieu;

qui n'a pas été fait, mais engendré, consubstantiel au Père, par qui tout a été fait : qui pour nous hommes et pour notre salut est descendu des cieux; qui s'est incarné, par l'opération du Saint Esprit, en la Vierge Marie, ET S'EST FAIT HOMME; qui a été crucifié pour nous, a souffert sous Ponce Pilate et a été enseveli; qui est ressuscité le troisième jour selon les écritures; est monté au ciel, est assis à la droite du Père; qui viendra de nouveau, dans sa gloire, juger les vivants et les morts, et dont le règne n'aura pas de fin.

Deum verum de Deo vero; génitum, non factum, consubstantiálem Patri; per quem ómnia facta sunt; qui propter nos hómines, et propter nostram salútem descéndit de cælis; et incarnátus est de Spíritu Sancto ex María Vírgine, ET HOMO FACTUS EST; crucifíxus étiam pro nobis; sub Póntio Piláto passus, et sepúltus est; et resurréxit tértia die, secúndum Scriptúras; et ascéndit in cælum, sedet ad déxteram Patris; et íterum ventúrus est cum glória judicáre vivos et mórtuos; cujus regni non erit finis.

Et je crois au Saint Esprit, aussi Seigneur, et auteur de la vie, qui procède du Père et du Fils; qui est adoré et glorifié conjointement avec le Père et le Fils; qui a parlé par les Prophètes. Je crois l'Eglise, une, sainte, catholique et apostolique. Je confesse un seul baptême pour la rémission des péchés, et j'attends la résurrection des morts, et la vie du siècle à venir. Ainsi soit-il.

Et in Spíritum Sanctum, Dóminum, et vivificántem, qui ex Patre Filióque procédit; qui cum Patre et Fílio simul adorátur, et conglorificátur; qui locútus est per Prophétas. Et unam, sanctam, cathólicam et apostólicam Ecclésiam. Confíteor unum baptísma in remissiónem peccatórum; et exspécto resurrectiónem mortuórum, et vitam ventúri sæculi.

Amen.

Le Prêtre renouvelle l'attention des fidèles en les saluant.

Dóminus vobíscum.
℟. Et cum spíritu tuo.

Le Seigneur soit avec vous. ℟. Et avec votre esprit.

Puis ayant dit Orémus *à haute voix, il lit l'Offertoire à voix basse.*

OFFRANDE OU OFFERTOIRE.

Suscipe, sancte Pater, omnípotens ætérne Deus, hanc immaculátam Hóstiam, quam ego indígnus fámulus tuus óffero tibi Deo meo vivo et vero, pro innumerabílibus peccátis, et offensiónibus, et negligéntiis meis; et pro ómnibus circumstántibus, sed et pro ómnibus fidélibus Christiánis vivis atque defúnctis : ut mihi et illis profíciat ad salútem in vitam ætérnam. Amen.

Recevez, ô Père saint, Dieu tout puissant et éternel, cette Hostie sans tache que je vous offre, moi votre indigne serviteur, à vous mon Dieu vivant et véritable, pour mes innombrables péchés, offenses et négligences; pour tous ceux qui sont ici présents, et pour tous les fidèles chrétiens, vivants et morts : afin qu'elle nous serve à moi et à eux pour la vie éternelle.

Ainsi soit-il.

Deus, qui humánæ substántiæ dignitátem mirabíliter condidísti, et mirabíliter reformásti : da nobis per hujus aquæ ✠ et vini mystérium, ejus divinitátis esse consórtes, qui humanitátis nostræ fíeri dignátus est párticeps, Jesus Christus Fílius tuus Dóminus noster : Qui tecum vivit et re-

O Dieu qui, par une conduite admirable, avez créé l'homme dans la grandeur, et l'y avez rétabli d'une manière plus admirable encore, faites que par le mystère de cette eau et de ce vin, nous devenions participants de la divinité de celui qui a daigné revêtir notre humanité, Jésus Christ votre Fils, Notre Seigneur, qui

vit et règne, Dieu avec vous en l'unité du Saint Esprit, dans tous les siècles des siècles. Ainsi soit-il.

gnat in unitáte Spíritus Sancti Deus, per ómnia sæcula sæculórum.

Amen.

Nous vous offrons, Seigneur, le calice du salut, suppliant votre bonté qu'il s'élève comme un parfum agréable, en présence de votre divine Majesté, pour notre salut et celui du monde entier. Ainsi soit-il.

Offérimus tibi, Dómine, Cálicem salutáris, tuam deprecántes cleméntiam, ut in conspéctu divínæ Majestátis tuæ, pro nostra et totíus mundi salúte, cum odóre suavitátis ascéndat. Amen.

Recevez-nous, Seigneur, le cœur contrit et l esprit humilié. Que le sacrifice que nous vous présentons aujourd'hui soit agréé par vous, ô Seigneur notre Dieu.

In spíritu humilitátis, et ánimo contríto suscipiámur a te Dómine : et sic fiat sacrifícium nostrum in conspéctu tuo hódie, ut pláceat tibi, Dómine Deus.

Venez, sanctificateur tout puissant, Dieu éternel, et bénissez ce Sacrifice préparé à la gloire de votre saint nom.

Veni, sanctificátor omnípotens, ætérne Deus : et bénedic ✠ hoc sacrifícium tuo sancto nómini præparátum.

LAVEMENT DES MAINS.

Je laverai mes mains parmi les justes, et j'entourerai votre autel, Seigneur :

Lavábo inter innocéncéntes manus meas : et circúmdabo altáre tuum, Dómine :

Pour entendre vos louanges, et pour raconter vos merveilles.

Ut áudiam vocem laudis, et enárrem univérsa mirabília tua.

Seigneur ! j'ai aimé la beauté de votre maison, et le lieu où habite votre gloire.

Dómine diléxi decórem domus tuæ, et locum habitatiónis glóriæ tuæ.

O Dieu, ne perdez pas mon âme avec celle des

Ne perdas cum ímpiis, Deus, ánimam meam :

et cum viris sánguinum vitam meam.

In quorum mánibus iniquitátes sunt : déxtera eórum repléta est munéribus.

Ego autem in innocéntia mea ingréssus sum : rédime me, et miserére mei.

Pes meus stetit in dirécto : in ecclésiis benedícam te, Dómine.

Glória Patri.

impies, et ma vie avec celle des hommes de sang.

Leurs mains sont habituées à l'injustice et leur droite est pleine de présents.

Pour moi, j'ai marché dans l'innocence ; délivrez-moi et ayez pitié de moi.

Mon pied est demeuré ferme dans le droit chemin : dans les assemblées je vous bénirai, Seigneur.

Gloire au Père.

Aux Messes des Morts et du Temps de la Passion, on omet le Glória Patri.

Súscipe sancta Trínitas, hanc oblatiónem, quam tibi offérimus ob memóriam Passiónis, Resurrectiónis et Ascensiónis Jesu Christi Dómini nostri : et in honórem beátæ Maríæ semper Vírginis, et beáti Joánnis Baptístæ, et sanctórum Apostolórum Petri et Pauli, et istórum, et ómnium Sanctórum : ut illis profíciat ad honórem, nobis autem ad salútem : et illi pro nobis intercédere dignéntur in cælis, quorum memóriam ágimus in terris. Per eúmdem Christum Dóminum nostrum. Amen.

Recevez, ô Trinité sainte, cette offrande que nous vous présentons en mémoire de la Passion, de la Résurrection et de l'Ascension de Notre Seigneur Jésus Christ : et en l'honneur de la bienheureuse Marie toujours Vierge, de saint Jean Baptiste, et des saints Apôtres Pierre et Paul, des Martyrs dont les reliques sont ici présentes, et de tous les autres Saints. Qu'elle soit à leur honneur et à notre salut, et que ceux dont nous honorons la mémoire sur la terre, daignent intercéder pour nous dans le ciel. Par le même J. C. N. S.

Ainsi soit-il.

Le Prêtre adresse ce pressant appel aux fidèles :

Priez, mes frères, afin que mon sacrifice, qui est aussi le vôtre, soit agréable à Dieu le Père tout puissant.

℟. Que le Seigneur reçoive par vos mains ce Sacrifice, pour l'honneur et la gloire de son nom, pour notre bien et celui de toute sa sainte Eglise.

Oráte fratres, ut meum ac vestrum sacrifícium acceptábile fiat apud Deum Patrem omnipoténtem.

℟. Suscípiat Dóminus sacrifícium de mánibus tuis, ad laudem et glóriam nóminis sui, ad utilitátem quoque nostram, totiúsque Ecclésiæ suæ sanctæ.

Le Prêtre répond Amen, *et dit la* Secrète, *ainsi appelée, parce qu'il la dit tout bas. Elle a pour but spécial de présenter à Dieu l'oblation proprement dite avec les vœux de l'Eglise et des fidèles. Il y a autant de Secrètes que d'Oraisons au commencement de la Messe. La conclusion de la dernière sert d'introduction à la Préface.*

PRÉFACE.

La Préface est l'ouverture solennelle de la grande prière Eucharistique *ou prière de l'*Action de grâces *faite par le célébrant au nom de toute l'assemblée. Il nous invite à la reconnaissance et à la louange pour tous les bienfaits reçus de Dieu par Jésus Christ dans l'œuvre de notre salut.*

Dans tous les siècles des siècles. ℟. Ainsi soit-il.

℣. Le Seigneur soit avec vous. ℟. Et avec votre esprit.

℣. Haut les cœurs ! ℟. Nous les avons vers le Seigneur.

℣. Rendons grâces au Seigneur notre Dieu. ℟. C'est digne et juste.

Per ómnia sæcula sæculórum. ℟. Amen.

℣. Dóminus vobíscum. ℟. Et cum spíritu tuo.

℣. Sursum corda. ℟. Habémus ad Dóminum.

℣. Grátias agámus Dómino Deo nostro. ℟. Dignum et justum est.

PRÉFACE DE LA TRÈS SAINTE TRINITÉ.

Se dit tous les Dimanches de l'année, sauf aux Temps et aux Fêtes qui ont une Préface propre.

Vere dignum et justum est, æquum et salutáre, nos tibi semper, et ubíque grátias ágere : Dómine sancte, Pater omnípotens, ætérne Deus. Qui cum unigénito Fílio tuo, et Spíritu Sancto, unus es Deus, unus es Dóminus : non in uníus singularitáte persónæ, sed in uníus Trinitáte substántiæ. Quod enim de tua glória, reveláante te, crédimus, hoc de Fílio tuo, hoc de Spíritu Sancto, sine differéntia discretiónis sentímus. Ut in confessióne veræ, sempiternæque Deitátis, et in persónis propríetas, et in esséntia únitas, et in majestáte adorétur æquálitas. Quam laudant Angeli, atque Archángeli, Chérubim quoque ac Séraphim : qui non cessant clamáre quotídie, una voce dicéntes :

Il est vraiment digne et juste, équitable et salutaire, de vous rendre grâces en tout temps et en tout lieu, Seigneur saint, Père tout puissant, Dieu éternel, *qui, avec votre Fils unique et le Saint Esprit, êtes un seul Dieu, un seul Seigneur; non dans l'unité d'une seule personne, mais dans la Trinité d'une seule substance. Car, ce que par votre révélation nous croyons de votre gloire, nous le croyons aussi, sans aucune différence, de votre Fils et du Saint Esprit; en sorte que, dans la confession de la vraie et éternelle Divinité, nous adorons aussi et la propriété dans les personnes, et l'unité dans l'essence, et l'égalité dans la majesté.* C'est elle que louent les Anges et les Archanges, les Chérubins et les Séraphins, qui ne cessent de chanter chaque jour, disant d'une voix unanime :

PRÉFACE DES MORTS.

Vere dignum et justum est, æquum et salutáre, nos tibi semper et

Il est vraiment digne et juste, équitable et salutaire, de vous rendre grâces en tout temps et en tout lieu, Seigneur saint, Père tout puissant, Dieu éternel, par le Christ, notre Seigneur : *en qui vous avez fait briller pour nous l'espérance de la résurrection, afin que si la certitude d'être sujets à la mort nous attriste, la promesse de l'immortalité future nous console : car pour vos fidèles, la vie change, elle ne leur est pas enlevée, et la maison de leur séjour terrestre détruite, une demeure éternelle les attend dans les cieux.* C'est pourquoi unis aux Anges et aux Archanges, aux Trônes et aux Dominations, à toute l'armée des cieux, nous chantons l'hymne de votre gloire, disant sans cesse :

ubíque grátias ágere, Dómine sancte, Pater omnípotens, ætérne Deus, per Christum Dóminum nostrum. In quo nobis spes beátæ resurrectiónis effúlsit : ut quos contrístat certa moriéndi condítio, eósdem consolétur futúræ immortalitátis promíssio. Tuis enim fidélibus, Dómine, vita mutátur, non tóllitur : et dissolúta terréstris hujus incolátus domo, ætérna in cælis habitátio comparátur. Et ídeo cum Angelis et Archángelis, cum Thronis et Dominatiónibus, cumque omni milítia cæléstis exércitus, hymnum glóriæ tuæ cánimus, sine fine dicéntes : Sanctus ...

PRÉFACE COMMUNE.

En semaine aux Fêtes et Féries qui n'en ont point de propre.

Il est vraiment digne et juste, équitable et salutaire, de vous rendre grâces en tout temps et en tout lieu, Seigneur saint, Père tout puissant, Dieu éternel, par le Christ notre Seigneur : Par qui les Anges louent votre Majesté, les Dominations l'adorent, les Puissances la révèrent,

Vere dignum et justum est, æquum et salutáre, nos tibi semper et ubíque grátias ágere : Dómine sancte, Pater omnípotens, ætérne Deus : * per Christum Dóminum nostrum. Per quem Majestátem tuam laudant Angeli, adórant Dominatiónes, tremunt

Potestátes, Cæli, cælorúmque Virtútes, ac beáta Séraphim sócia exsultatióne concélebrant. Cum quibus et nostras voces, ut admítti júbeas deprecámur, súpplici confessióne dicéntes :

les Cieux, les Vertus des cieux, et les bienheureux Séraphins, dans un commun transport la célèbrent. Unissant nos voix aux leurs, nous vous conjurons d'ordonner que nous soyons admis à redire dans une suppliante confession :

Le Sanctus *est le chant des Anges et des saints au ciel. — Le* Benedíctus *est l'acclamation qui a salué l'entrée de Jésus à Jérusalem, et qui salue sa venue sur l'autel.*

Sanctus, Sanctus, Sanctus, Dóminus Deus Sábaoth. Pleni sunt cæli et terra glória tua, hosánna in excélsis.

Saint, Saint, Saint, est le Seigneur Dieu des armées. Les cieux et la terre sont pleins de votre gloire, hosanna au plus haut des cieux !

Benedíctus qui venit in nómine Dómini, hosánna in excélsis.

Béni soit celui qui vient au nom du Seigneur, hosanna au plus haut des cieux !

CANON.

Demandons la paix et l'union pour notre mère la sainte Eglise, pour les pasteurs et les brebis.

TE ígitur, clementíssime Pater, per Jesum Christum Fílium tuum Dóminum nostrum, súpplices rogámus ac pétimus, uti accépta hábeas, et benedícas hæc ✠ dona, hæc ✠ múnera, hæc ✠ sancta sacrifícia illibáta; in primis quæ tibi offérimus pro Ecclésia tua

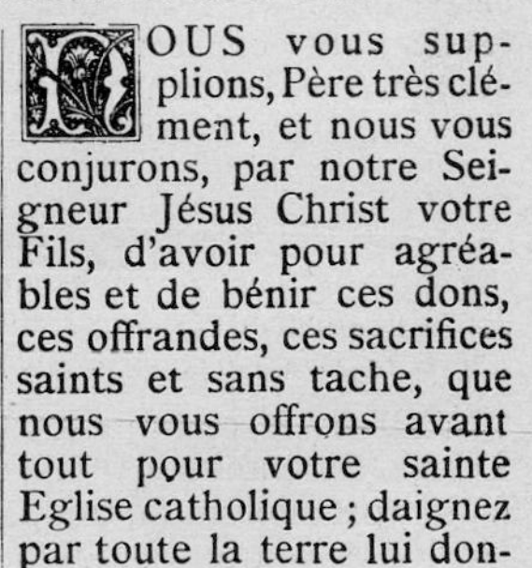

NOUS vous supplions, Père très clément, et nous vous conjurons, par notre Seigneur Jésus Christ votre Fils, d'avoir pour agréables et de bénir ces dons, ces offrandes, ces sacrifices saints et sans tache, que nous vous offrons avant tout pour votre sainte Eglise catholique ; daignez par toute la terre lui donner la paix, la garder, la conserver dans l'unité, et la gouverner en communion avec votre serviteur notre Pape N., avec notre Evêque N. (et notre Roi N.), et tous ceux qui sont orthodoxes, et professent la foi catholique et apostolique

sancta cathólica, quam pacificáre, custodíre, adunáre, et régere dignéris toto orbe terrárum; una cum fámulo tuo Papa nostro N., et Antístite nostro N., (et Rege nostro N.), et ómnibus orthodóxis, atque cathólicæ et apostólicæ fídei cultóribus.

Après avoir prié pour le Pape, l'Evêque, le chef de l'Etat et tous les fidèles en général, pensons spécialement à ceux qui nous sont chers.

Souvenez-vous, Seigneur, de vos serviteurs et de vos servantes, NN., et de tous les assistants, dont vous connaissez la foi et la dévotion, pour qui nous vous offrons ou qui vous offrent ce sacrifice de louange, pour eux et tous les leurs; pour la rédemption de leurs âmes, dans l'espérance de leur salut et de leur conservation, et qui vous rendent leurs devoirs, Dieu éternel, vivant et véritable.

Meménto, Dómine, famulórum, famularúmque tuárum NN. et ómnium circumstántium, quorum tibi fides cógnita est, et nota devótio, pro quibus tibi offérimus, vel qui tibi ófferunt hoc sacrifícium laudis, pro se, suísque ómnibus, pro redemptióne animárum suárum, pro spe salútis et incolumitátis suæ, tibíque reddunt vota sua ætérno Deo, vivo et vero.

Unis à l'Eglise triomphante en vertu de la Communion des Saints, *nous implorons le secours de la Mère de Dieu, des Apôtres et des Martyrs.*

Unis dans la communion et vénérant la mémoire, premièrement de la glorieuse Marie toujours

Communicántes et memóriam venerántes, in primis gloriósæ semper Vírginis Maríæ,

Genitrícis Dei * et Dómini nostri Jesu Christi : sed et beatórum Apostolórum ac Mártyrum tuórum, Petri et Pauli, Andréæ, Jacóbi, Joánnis, Thomæ, Jacóbi, Philíppi, Bartholomæi, Matthæi, Simónis et Thaddæi; Lini, Cleti, Cleméntis, Xysti, Cornélii, Cypriáni, Lauréntii, Chrysógoni, Joánnis et Pauli, Cosmæ et Damiáni, et ómnium Sanctórum tuórum : quorum méritis precibúsque concédas, ut in ómnibus protectiónis tuæ muniámur auxílio. Per eúmdem Christum Dóminum nostrum.
Amen.

Vierge, Mère de Jésus Christ * notre Seigneur et notre Dieu, et ensuite de vos bienheureux Apôtres et Martyrs, Pierre et Paul, André, Jacques, Jean, Thomas, Jacques, Philippe, Barthélemy, Matthieu, Simon et Thaddée, Lin, Clet, Clément, Sixte, Corneille, Cyprien, Laurent, Chrysogone, Jean et Paul, Côme et Damien, et de tous vos Saints : par leurs mérites et leurs prières daignez accorder, qu'en toutes choses, nous soyons munis du secours de votre protection. Par le même Jésus Christ Notre Seigneur.
Ainsi soit-il.

Comme dans l'ancienne loi, le prêtre étend les mains sur l'Hostie et le Calice pour exprimer que la divine Victime est chargée de nos péchés.

Hanc ígitur oblatiónem servitútis nostræ, sed et cunctæ famíliæ tuæ, quæsumus Dómine, ut placátus accípias; diésque nostros in tua pace dispónas, atque ab ætérna damnatióne nos éripi, et in electórum tuórum júbeas grege numerári. Per Christum Dóminum nostrum. Amen.

Donc, Seigneur, cette oblation de votre ministre, et aussi de toute votre famille, nous vous supplions de la recevoir favorablement, d'établir nos jours dans votre paix, enfin d'ordonner que nous soyons préservés de l'éternelle damnation, et enrôlés dans la troupe de vos élus. Par N. S. J. C. Ainsi soit-il.

Puis il prie Dieu de bénir une dernière fois le pain et le vin, et d'opérer en eux le grand miracle de la consécration.

Vous-même, ô Dieu, nous vous en prions, daignez rendre cette oblation pleinement bénie, légitime, parfaite, spirituelle et agréable, afin qu'elle devienne pour nous le Corps et le Sang de votre très cher Fils Notre Seigneur Jésus Christ.

Quam oblatiónem, tu, Deus, in ómnibus, quǽsumus, bene ✠ díctam, ad ✠ scríptam, ra ✠ tam, rationábilem, acceptabilémque fácere dignéris : ut nobis Cor ✠ pus et San ✠ guis fiat dilectíssimi Fílii tui Dómini nostri Jesu Christi.

CONSÉCRATION

Revêtu du Sacerdoce même de Jésus Christ, le prêtre en répétant exactement ses gestes et ses paroles, renouvelle réellement la transsubstantiation de la dernière Cène, et accomplit ainsi l'action essentielle du Sacrifice.

Qui, la veille de sa passion, prit du pain dans ses mains saintes et vénérables, et, ayant levé les yeux au Ciel, vers vous, ô Dieu, son Père tout puissant, vous rendant grâces, il le bénit, le rompit, et le donna à ses disciples, en disant : Prenez et mangez-en tous, CAR CECI EST MON CORPS.

Qui, prídie quam paterétur, accépit panem in sanctas ac venerábiles manus suas; et elevátis óculis in cælum ad te Deum Patrem suum omnipoténtem, tibi grátias agens, bene ✠ díxit, fregit, dedítque discípulis suis dicens : Accípite et manducáte ex hoc omnes : HOC EST ENIM CORPUS MEUM.

En contemplant l'Hostie élevée par le prêtre, disons avec S. Thomas : Mon Seigneur et mon Dieu !

Indulg. de 7 ans — Ind. plénière une fois par mois aux conditions ordinaires (S. Pénit. Ap. 26 Janv. 1937).

Simíli modo, postquam cœnátum est, accípiens et hunc præclárum Cálicem in sanctas ac venerábiles manus suas, item tibi grátias agens, bene ✠ díxit, dedítque discípulis suis, dicens : Accípite et bíbite ex eo omnes : HIC EST ENIM CALIX SANGUINIS MEI, NOVI ET ÆTERNI TESTAMENTI : MYSTERIUM FIDEI : QUI PRO VOBIS ET PRO MULTIS EFFUNDETUR IN REMISSIONEM PECCATORUM. Hæc quotiescúmque fecéritis, in mei memóriam faciétis.

De même, après la Cène, prenant aussi ce précieux Calice entre ses mains saintes et vénérables, et vous rendant pareillement grâces, il le bénit, et le donna à ses disciples en disant : Prenez, et buvez-en tous, CAR CECI EST LE CALICE DE MON SANG, LE SANG DU NOUVEAU ET ÉTERNEL TESTAMENT (MYSTÈRE DE FOI), QUI SERA RÉPANDU POUR VOUS ET POUR LA MULTITUDE EN RÉMISSION DES PÉCHÉS. Toutes les fois que vous ferez ces choses, vous les ferez en mémoire de moi.

Adorons le Sang précieux de l'Agneau divin, dont l'immolation à l'autel et sur la croix ôte les péchés du monde.

Obéissant, le prêtre évoque la mémoire de la si heureuse Passion et du glorieux triomphe du Sauveur, et présente à Dieu ce même Fils immolé sur l'autel, comme l'expression la plus parfaite de l'adoration.

Unde et mémores, Dómine, nos, servi tui, sed et plebs tua sancta, ejúsdem Christi Fílii tui Dómini nostri tam beátæ Passiónis, necnon et ab ínferis Resurrectiónis, sed et in cælos gloriósæ Ascensiónis, offérimus præcláræ majestáti tuæ, de tuis donis

C'est pourquoi, Seigneur, nous, vos serviteurs, et votre peuple saint, nous souvenant de la si heureuse Passion de ce même Christ votre Fils, notre Seigneur, et aussi de sa résurrection des enfers, et de même de sa glorieuse ascension dans les cieux, nous offrons à votre très auguste Majesté, de vos propres dons et bienfaits, l'Hostie pure, l'Hostie sainte, l'Hostie immaculée, le pain sacré de la vie éternelle, et le calice du salut qui n'a pas de fin.

ac datis, Hóstiam ✠ puram, Hóstiam ✠ sanctam, Hóstiam ✠ immaculátam, Panem ✠ sanctum vitæ ætérnæ, et Cálicem ✠ salútis perpétuæ.

Le prêtre demande à Dieu d'agréer notre Sacrifice comme il reçut ceux d'Abel, d'Abraham et de Melchisédech.

Sur ces offrandes, daignez abaisser un regard de complaisance et de bonté, et les avoir pour agréables, ce Sacrifice saint, cette Hostie immaculée ! de même que vous avez daigné recevoir les présents de votre serviteur, le juste Abel, le sacrifice de notre Patriarche Abraham, et celui que vous a offert votre grand-prêtre Melchisédech.

Supra quæ propítio ac seréno vultu respícere dignéris, et accépta habére, sícuti habére dignátus es múnera púeri tui justi Abel, et sacrifícium patriárchæ nostri Abrahæ, et quod tibi óbtulit summus sacérdos tuus Melchísedech, sanctum sacrifícium, immaculátam hóstiam.

Puis, s'inclinant profondément, il continue en demandant que cette Oblation soit présentée à Dieu par Jésus lui-même, l'envoyé céleste par excellence, l'Ange du grand conseil.

Nous vous en supplions, Dieu tout puissant, faites que ces offrandes soient portées par les mains de votre saint Ange sur votre autel sublime, en présence de votre divine Majesté ; afin que nous tous, qui, en participant à cet autel, aurons reçu le Corps et le Sang sacrés de votre Fils,

Supplices te rogámus, omnípotens Deus : jube hæc perférri per munus sancti Angeli tui in sublíme altáre tuum, in conspéctu divínæ majestátis tuæ : ut quotquot, ex hac altáris participatióne, sacrosánctum Fílii tui Cor ✠ pus et Sán ✠ guinem sumpsérimus, omni benedictióne cæléсti, et grátia repleámur. Per eúmdem Christum Dóminum nostrum. Amen.

nous soyons remplis de toute bénédiction céleste et de toute grâce : par le même J. C. N. S.
Ainsi soit-il.

L'Eglise souffrante doit aussi avoir sa part du sacrifice. Prions donc pour les âmes du purgatoire, surtout pour celles qui nous sont chères.

Meménto étiam, Dómine, famulórum, famularúmque tuárum NN., qui nos præcessérunt cum signo Fídei, et dórmiunt in somno pacis. Ipsis Dómine, et ómnibus in Christo quiescéntibus, locum refrigérii, lucis et pacis, ut indúlgeas, deprecámur. Per eúmdem Christum Dóminum nostrum.
Amen.

Souvenez-vous aussi, Seigneur, de vos serviteurs et de vos servantes, NN., qui nous ont précédés avec le signe de la Foi, et dorment du sommeil de la paix. A eux, Seigneur, et à tous ceux qui reposent dans le Christ, accordez, nous vous en supplions, le lieu du rafraîchissement, de la lumière et de la paix : par le même J. C. N. S.
Ainsi soit-il.

Pécheurs, frappons notre poitrine, et, confiants dans la divine miséricorde, demandons de partager un jour la gloire des Saints.

Nobis quoque peccatóribus fámulis tuis de multitúdine miseratiónum tuárum sperántibus, partem áliquam et societátem donáre dignéris, cum tuis sanctis Apóstolis et Martyribus, cum Joánne, Stéphano, Matthía, Bárnaba, Ignátio, Alexándro, Marcellíno, Petro, Felicitáte, Perpétua, Agatha, Lú-

Et à nous aussi pécheurs, qui sommes vos serviteurs, confiants dans la multitude de vos miséricordes, daignez donner le céleste héritage, et nous réunir à vos Apôtres et Martyrs, à Jean, Etienne, Matthias, Barnabé, Ignace, Alexandre, Marcellin, Pierre, Félicité, Perpétue, Agathe, Lucie, Agnès, Cécile, Anastasie, et à tous vos Saints : nous vous en supplions, recevez-nous, par votre miséricorde, dans leur société, en considération non pas de nos mérites, mais de votre indulgence. Par Jésus Christ Notre Seigneur, par qui sans cesse vous créez ces offrandes, vous les sanctifiez, vous les vivifiez, vous les bénissez, et vous nous les donnez.

cia, Agnéte, Cæcília, Anastásia, et ómnibus Sanctis tuis : intra quorum nos consórtium, non æstimátor mériti, sed véniæ, quæsumus, largítor admítte. Per Christum Dóminum nostrum; per quem hæc ómnia, Dómine, semper bona creas, sanctí ✠ ficas, viví ✠ ficas, benedí ✠ cis, et præstas nobis.

Le prêtre termine le Canon par une doxologie à la très sainte Trinité, qui reçoit toute sa gloire de Jésus Christ, victime du Calvaire et de l'Autel.

C'est par lui, avec lui, et en lui, que vous sont rendus tout honneur et toute gloire, ô Dieu, Père tout puissant, en l'unité du Saint Esprit.

Per ip ✠ sum, et cum ip ✠ so, et in ip ✠ so, est tibi Deo Patri ✠ omnipoténti, in unitáte Spíritus ✠ Sancti, omnis honor et glória.

Le prêtre élève la voix pour dire : Per ómnia ... *Et le peuple répond :* Ainsi soit-il, *comme pour ratifier toutes les prières dites à voix basse et s'y associer.*

Dans tous les siècles des siècles. Ainsi soit-il.

Per ómnia sæcula sæculórum. Amen.

LE PATER.

L'Oraison Dominicale est ainsi appelée parce qu'elle nous a été enseignée par Notre Seigneur lui-même.

Prions.

Avertis par le précepte du Sauveur, et instruits par la leçon divine, nous osons dire :

Orémus.

Præcéptis salutáribus móniti, et divína institutióne formáti, audémus dícere :

Pater noster, qui es in cælis : sanctificétur nomen tuum; advéniat regnum tuum; fiat volúntas tua, sicut in cælo et in terra. PANEM NOSTRUM QUOTIDIANUM DA NOBIS HODIE : et dimítte nobis débita nostra, sicut et nos dimíttimus debitóribus nostris. Et ne nos indúcas in tentatiónem.

℟. Sed líbera nos a malo. Amen.

Notre Père, qui êtes aux cieux, que votre nom soit sanctifié; que votre règne arrive; que votre volonté soit faite sur la terre comme au ciel. DONNEZ-NOUS AUJOURD'HUI NOTRE PAIN DE CHAQUE JOUR; et pardonnez-nous nos offenses comme nous pardonnons à ceux qui nous ont offensés. Et ne nous laissez pas succomber à la tentation.

℟. Mais délivrez-nous du mal. Ainsi soit-il.

Le prêtre développe la dernière demande du Pater.

Libera nos, quæsumus Dómine, ab ómnibus malis prætéritis, præséntibus et futúris : et, intercedénte beáta et gloriósa sémper Vírgine Dei Genitríce María, cum beátis Apóstolis tuis Petro et Paulo, atque Andréa, et ómnibus Sanctis, da propítius pacem in diébus nostris : ut ope misericórdiæ tuæ adjúti, et a peccáto simus semper líberi, et ab omni perturbatióne secúri. Per eúmdem Dóminum.

Délivrez-nous, de grâce, Seigneur, de tous les maux passés, présents et à venir; et par l'intercession de la bienheureuse et glorieuse Marie, toujours Vierge, Mère de Dieu, et de vos bienheureux Apôtres Pierre et Paul, et André, et de tous les Saints, daignez nous accorder la paix tous les jours de notre vie; afin que par le secours de votre miséricorde, nous soyons toujours affranchis du péché, et en sûreté au milieu de tous les fléaux qui nous menacent. Par le même J. C.

COMMUNION.

Toutes les prières et cérémonies qui suivent sont une préparation à la Communion.

Dans tous les siècles des siècles. ℟. Ainsi soit-il.

Per ómnia sæcula sæculórum. ℟. Amen.

Comme Jésus à la Cène, le prêtre rompt l'Hostie, le précieux gage de la paix pour nous.

Que la paix du Seigneur soit toujours avec vous.
℟. Et avec votre esprit.

Pax ✠ Dómini sit ✠ semper vobís ✠ cum.
℟. Et cum spíritu tuo.

La partie de l'Hostie mise dans le calice, ou la réunion du Corps et du Sang du Christ, figure sa Résurrection, et aussi l'union des fidèles avec lui.

Que ce mélange et cette consécration du Corps et du Sang de N. S. J. C. que nous allons recevoir, nous soit un gage de la vie éternelle. Ainsi soit-il.

Hæc commíxtio et consecrátio Córporis et Sánguinis Dómini nostri Jesu Christi, fiat accipiéntibus nobis in vitam ætérnam. Amen.

Adressons-nous à Jésus lui-même, en nous frappant la poitrine, et demandons-lui le pardon et la paix.

Aux Messes des Morts, on ne se frappe pas la poitrine et on dit : dona eis réquiem *(3 fois) et à la fin* sempitérnam. Donnez-leur le repos ... éternel.

Agneau de Dieu, qui effacez les péchés du monde, ayez pitié de nous.
Agneau de Dieu, qui effacez les péchés du monde, ayez pitié de nous.
Agneau de Dieu, qui effacez les péchés du monde, donnez-nous la paix.

Agnus Dei, qui tollis peccáta mundi, miserére nobis.
Agnus Dei, qui tollis peccáta mundi, miserére nobis.
Agnus Dei, qui tollis peccáta mundi, dona nobis pacem.

Demandons-lui aussi la paix et l'union pour l'Eglise. (Aux Messes des morts on omet cette prière et le baiser de paix qui la suit.)

Dómine Jesu Christe, qui dixísti Apóstolis tuis : Pacem relínquo vobis, pacem meam do vobis : ne respícias peccáta mea, sed fidem Ecclésiæ tuæ : eámque secúndum voluntátem tuam pacificáre et coadunáre dignéris. Qui vivis et regnas Deus, per ómnia sæcula sæculórum. ℟. Amen.

Seigneur Jésus Christ, qui avez dit à vos Apôtres : « Je vous laisse la paix, je vous donne ma paix, » ne considérez pas mes péchés, mais la foi de votre Eglise; daignez la pacifier et l'unir selon votre sainte volonté. Vous qui, étant Dieu, vivez et régnez dans tous les siècles des siècles.

℟. Ainsi soit-il.

Aux Messes solennelles, les ministres se donnent le baiser de paix, symbole de la charité qui doit unir les chrétiens.

Domine Jesu Christe, Fili Dei vivi, qui ex voluntáte Patris, cooperánte Spíritu Sancto, per mortem tuam mundum vivificásti : líbera me per hoc sacrosánctum Corpus, et Sánguinem tuum, ab ómnibus iniquitátibus meis, et univérsis malis : et fac me tuis semper inhærére mandátis, et a te nunquam separári permíttas. Qui cum eódem Deo Patre et Spíritu Sancto vivis et regnas Deus in sæcula sæculórum.

Amen.

Seigneur Jésus Christ, Fils du Dieu vivant, qui par la volonté du Père et la coopération du Saint Esprit, avez donné par votre mort la vie au monde; délivrez-moi, par ce très saint Corps et par votre Sang, de tous mes péchés et de tous les malheurs. Faites que je m'attache toujours à vos commandements, et ne permettez pas que je me sépare jamais de vous, qui, Dieu avec le même Dieu le Père et le Saint Esprit, vivez et régnez dans les siècles des siècles. Ainsi soit-il.

Seigneur Jésus Christ, que la réception de votre Corps, que je me propose de prendre, bien que très indigne, ne tourne pas à mon jugement et à ma condamnation; mais que, par votre bonté, elle me profite pour la protection de l'âme et du corps, et me procure le salut. Vous qui vivez et régnez, étant Dieu, avec Dieu le Père en l'unité Saint Esprit, dans tous les siècles des siècles.

Ainsi soit-il.

Percéptio Córporis tuí, Dómine Jesu Christe, quod ego indígnus súmere præsúmo, non mihi provéniat in judícium et condemnatiónem : sed pro tua pietáte prosit mihi ad tutaméntum mentis et córporis, et ad medélam percipiéndam. Qui vivis et regnas cum Deo Patre in unitáte Spíritus Sancti Deus, per ómnia sæcula sæculórum.

Amen.

Le prêtre, prenant l'Hostie, se frappe la poitrine, en répétant trois fois les paroles si humbles du centurion.

En prenant le Calice il emprunte son action de grâces au Ps. 115.

Je prendrai le pain du ciel et j'invoquerai le nom du Seigneur.

Seigneur, je ne suis pas digne que vous entriez dans ma maison, mais dites seulement une parole, et mon âme sera guérie.

Que le Corps de N. S. J. C. garde mon âme pour la vie éternelle.

Ainsi soit-il.

Que rendrai-je au Seigneur pour tout ce qu'il m'a donné? Je prendrai le calice du salut et j'invoquerai le nom du Seigneur. Je louerai et j'implorerai

Panem cæléstem accípiam, et nomen Dómini invocábo.

Dómine, non sum dignus ut intres sub teetum meum, sed tantum dic verbo, et sanábitur ánima mea.

Corpus Dómini nostri Jesu Christi custódiat ánimam meam in vitam ætérnam. Amen.

Quid retríbuam Dómino pro ómnibus quæ retríbuit mihi? Cálicem salutáris accípiam, et nomen Dómini invocábo. Laudans invocábo

Dóminum, et ab inimícis meis salvus ero.

Sanguis Dómini nostri Jesu Christi custódiat ánimam meam in vitam ætérnam. Amen.

le Seigneur, et je serai délivré de mes ennemis.

Que le Sang de N. S. J. C. garde mon âme pour la vie éternelle.

Ainsi soit-il.

La Communion des fidèles a lieu maintenant. On récite la Confession des péchés, *pour effacer les fautes légères. Alors le prêtre, tenant l'Hostie, dit :* Voici l'Agneau de Dieu qui ôte les péchés du monde, *et ayant répété trois fois le* Dómine non sum dignus, *il donne la communion en disant :* Que le Corps de N. S. J. C. garde votre âme pour la vie éternelle. Ainsi soit-il.

ACTION DE GRÂCES.

Le célébrant commence aussitôt les prières d'action de grâces, par les deux Oraisons suivantes qu'il récite en purifiant le calice et ses doigts, qu'il tenait joints depuis la Consécration.

Quod ore súmpsimus, Dómine, pura mente capiámus : et de múnere temporáli fiat nobis remédium sempitérnum.

Ce que notre bouche a reçu, Seigneur, puissions-nous le garder dans un cœur pur; et que ce don du temps devienne pour nous un remède éternel.

Corpus tuum, Dómine, quod sumpsi, et Sanguis quem potávi, adhæreat viscéribus meis : et præsta, ut in me non remáneat scélerum mácula, quem pura et sancta refecérunt sacraménta. Qui vivis et regnas in sæcula sæculórum. Amen.

Que votre Corps, Seigneur, que j'ai pris, et votre Sang dont je me suis abreuvé, s'attachent à mon être ; et faites que la souillure du péché ne demeure plus en moi, que les purs et saints mystères ont nourri. Vous qui vivez et régnez dans les siècles des siècles. Ainsi soit-il.

Le prêtre lit l'Antienne appelée Communion, *qui autrefois était suivie d'un Psaume d'action de grâces.*

Puis, se tournant vers le peuple, il l'invite à s'unir à lui pour remercier Dieu du bienfait du Saint Sacrifice.

Le Seigneur soit avec vous. ℟. Et avec votre esprit.	Dóminus vobíscum. ℟. Et cum spíritu tuo.

Alors le célébrant dit une ou plusieurs Oraisons appelées Postcommunions (après la communion). *Presque toutes font allusion aux mystères reçus et sont le complément de l'*Action de grâces. *Le prêtre annonce ensuite la fin du Saint Sacrifice.*

Le Seigneur soit avec vous. ℟. Et avec votre esprit.	Dóminus vobíscum. ℟. Et cum spíritu tuo.
Allez, la Messe est dite. ℟. Rendons grâces à Dieu.	Ite Missa est. ℟. Deo grátias.

Si le Glória in excélsis *n'a pas été dit, l'*Ite Missa est *est remplacé par :*

Bénissons le Seigneur. ℟. Rendons grâces à Dieu.	Benedicámus Dómino. ℟. Deo grátias.

Aux Messes des Morts il est remplacé par :

Qu'ils reposent en paix. ℟. Ainsi soit-il.	Requiéscant in pace. ℟. Amen.

Invocation à la Sainte Trinité.

Que l'hommage de votre serviteur vous plaise, ô sainte Trinité: et faites que le Sacrifice offert par moi, quoique indigne, en présence de votre Majesté, vous soit agréable, et que par votre miséricorde, il me soit favorable et à tous ceux pour qui je l'ai offert. Par J. C. N. S. Ainsi soit-il.	Pláceat tibi sancta Trínitas, obséquium servitútis meæ, et præsta : ut sacrifícium, quod óculis tuæ majestátis indígnus óbtuli, tibi sit acceptábile, mihíque, et ómnibus, pro quibus illud óbtuli, sit, te miseránte, propitiábile. Per Christum Dóminum nostrum. Amen.

Puis il bénit le peuple au nom de la Sainte Trinité.

Benedícat vos omnípotens Deus, Pater, et Fílius, ✠ et Spíritus Sanctus. ℟. Amen.

Que le Dieu tout puissant, Père, Fils et Saint Esprit, vous bénisse.
Ainsi soit-il.

On ne donne pas la Bénédiction aux Messes des Morts.

Le prêtre termine en récitant le commencement de l'Evangile selon S. Jean, qui est le précis le plus admirable des principaux mystères de notre Foi — de la Sainte Trinité, de l'Incarnation et de la Rédemption.

Dóminus vobíscum.
℟. Et cum spíritu tuo.
Inítium sancti Evangélii secúndum Joánnem.
℟. Glória tibi Dómine.

Que le Seigneur soit avec vous. ℟. Et avec votre esprit.
Commencement du Saint Evangile selon S. Jean.
℟. Gloire soit à vous, Seigneur.

Evangile selon S. Jean. Au commencement, *p.* 234*

PRIÈRES APRÈS LES MESSES BASSES.

Indulg. de 10 ans (S. Pénit. Ap. 30 Mai 1934).

Trois *Ave Maria* ou *Je vous salue, Marie.*

Salve, Regína, Mater misericórdiæ : vita, dulcédo et spes nostra, salve. Ad te clamámus, éxsules fílii Evæ ; ad te suspirámus, geméntes et flentes in hac lacrymárum valle. Eia ergo, advocáta nostra, illos tuos misericórdes óculos ad nos convérte. Et Jesum, benedíctum fru-

Salut, ô Reine, Mère de miséricorde, notre vie, notre douceur et notre espérance, salut. — Vers vous nous élevons nos cris, pauvres exilés. malheureux enfants d'Eve. — Vers vous nous soupirons, gémissant et pleurant dans cette vallée de larmes. — De grâce donc, ô notre avocate, tournez vers nous vos regards miséricordieux. — Et après cet exil, montrez-nous Jésus, le fruit béni de vos entrailles. — O clémente, ô miséricordieuse, ô douce Vierge Marie.

℣. Priez pour nous, sainte Mère de Dieu. ℟. Afin que nous devenions dignes des promesses de Jésus Christ.

Prions.

O Dieu, notre refuge et notre force, jetez un regard favorable sur le peuple qui crie vers vous ; et par l'intercession de la glorieuse et immaculée Vierge Marie, Mère de Dieu, par celle de saint Joseph, son Epoux, de vos saints Apôtres Pierre et Paul et de tous les Saints, exaucez, dans votre miséricorde et votre bienveillance, les prières que nous vous adressons pour la conversion des pécheurs, pour la liberté et le triomphe de notre Mère la sainte Eglise. Par le même Jésus Christ Notre Seigneur. Ainsi soit-il.

ctum ventris tui, nobis post exsílium osténde. O clemens, o pia, o dulcis Virgo María !

℣. Ora pro nobis, sancta Dei Génitrix. ℟. Ut digni efficiámur promissiónibus Christi.

Orémus.

Deus refúgium nostrum et virtus, pópulum ad te clamántem propítius réspice ; et intercedénte gloriósa et immaculáta Vírgine Dei Genitríce María, cum beáto Joseph, ejus Sponso, ac beátis Apóstolis tuis Petro et Paulo, et ómnibus Sanctis, quas pro conversióne peccatórum, pro libertáte et exaltatióne sanctæ Matris Ecclésiæ, preces effúndimus, misericors et benígnus exáudi. Per eúmdem Christum Dóminum nostrum. Amen.

On ajoute l'invocation suivante :

Saint Michel Archange, défendez-nous dans le combat ; soyez notre secours contre la méchanceté et les embûches du démon. « Que Dieu lui

Sancte Míchael Archángele, defénde nos in prœ́lio ; contra nequítiam et insídias diáboli esto præsídium. — *Imperet* illi *Deus ;* súpplices deprecámur : tuque, Princeps milítiæ cæléstis Sátanam aliósque spíritus malígnos, qui ad perditiónem animárum pervagántur in mundo, divína virtúte in inférnum detrúde.

℟. Amen.

Cor Jesu sacratíssimum. ℟. Miserére nobis.

commande », nous le demandons en suppliant; et vous, Prince de la milice céleste, repoussez en enfer, par la puissance divine Satan et les autres esprits mauvais qui rôdent dans le monde pour perdre nos âmes. Ainsi soit-il.

Cœur sacré de Jésus.
℟. Ayez pitié de nous.

Indulgence de 7 ans (S. Pén. Ap. 18 Mars 1932).

APRÈS LA SAINTE COMMUNION

PRIÈRE DE S. THOMAS D'AQUIN

(*Indulgence de 3 ans — plénière, si on la dit chaque jour du mois : Confession, Visite d'une église et Prière pour le Pape* (S. Pénit. Ap. 22 Nov. 1934).

JE vous rends grâces, Seigneur saint, Père tout puissant, Dieu éternel, à vous qui, sans aucun mérite de ma part, mais par un effet de votre miséricorde, avez daigné me rassasier, moi pécheur, votre indigne serviteur, du Corps adorable et du Sang précieux de votre Fils, Notre Seigneur Jésus Christ. Et je vous demande que cette Communion sainte ne me soit pas imputée comme une faute digne de châtiment, mais plutôt qu'elle intercède heureusement pour mon pardon. Qu'elle soit l'armure de ma foi et le bouclier de ma bonne volonté. Qu'elle me délivre de mes vices, qu'elle éteigne mes mauvais désirs, qu'elle mortifie en moi la concupiscence; qu'elle augmente en moi la charité et la patience, l'humilité et l'obéissance, et toutes les vertus. Qu'elle me soit une ferme défense contre les embûches de tous mes ennemis, tant visibles qu'invisibles; qu'elle apaise et règle parfaitement les mouvements tant de ma chair que de mon esprit; qu'elle m'unisse fermement à vous, qui êtes le seul et vrai Dieu; et qu'elle soit enfin l'heureuse consommation de ma destinée. Daignez, Seigneur, je vous en prie, me conduire, moi pécheur, à cet ineffable festin, où, avec votre Fils et le Saint Esprit, vous êtes pour vos Saints la lumière véritable, la pleine satisfaction, la joie éternelle, le comble des délices, la félicité parfaite. Mon Dieu, je vous le demande par le même Jésus Christ Notre Seigneur. Ainsi soit-il.

PRIÈRE A JÉSUS CRUCIFIÉ

(à réciter devant un Crucifix ou son image).

Indulgence de 10 ans — Ind. plénière : Confession, Communion et Prière pour le Pape : (S. Pén. Ap. 2 Févr. 1934).

Me voici, ô bon et très doux Jésus, prosterné en votre présence ; je vous prie et vous conjure, avec toute l'ardeur de mon âme, d'imprimer dans mon cœur de vifs sentiments de foi, d'espérance et de charité, un vrai repentir de mes fautes et une très ferme volonté de m'en corriger ; tandis qu'avec un grand amour et une grande douleur, je considère et contemple en esprit vos cinq plaies, ayant devant les yeux ces paroles que déjà le prophète David vous faisait dire de vous-même, ô bon Jésus : *Ils ont percé mes mains et mes pieds ; ils ont compté tous mes os.*

En ego, o bone et dulcíssime Jesu, ante cónspéctum tuum génibus me provólvo, ac máximo ánimi ardóre te oro atque obtéstor, ut meum in cor vívidos fídei, spei et caritátis sensus, atque veram peccatórum meórum pœniténtiam, éaque emendándi firmíssimam voluntátem velis imprímere, dum magno ánimi affèctu et dolóre tua quinque vúlnera mecum ipse consídero, ac mente contémplor, illud præ óculis habens, quod jam in ore ponébat tuo David prophéta de te, o bone Jesu : *Fodérunt manus meas et pedes meos; dinumeravérunt ómnia ossa mea.*

(*Ps.* xxi, 17 et 18.)

VÊPRES DU DIMANCHE

EUS ✠ in adjutórium meum inténde.

℟. Dómine ad adjuvándum me festína.

Glória Patri, et Fílio, * et Spirítui sancto.

Sicut erat in princípio, et nunc, et semper, * et in sǽcula sæculórum. Amen. Allelúia.

Après la Septuagésime, au lieu de Allelúia, *on dit :*

Laus tibi, Dómine, Rex ætérnæ glóriæ.

Au Temps pascal : Ant. unique Allelúia.

Ant. Dixit Dóminus.

On trouvera au Psautier la traduction des Psaumes.

PSAUME 109.

Filiation divine et sacerdoce éternel du Christ. — Notre Seigneur en appelle au témoignage de ce Psaume devant les Pharisiens.

(17e Dim. après la Pent.)

Dixit Dóminus Dómino meo : * Sede a dextris meis :

Donec ponam inimícos tuos, * scabéllum pedum tuórum.

Virgam virtútis tuæ emíttet Dóminus ex Sion : * domináre in médio inimicórum tuórum.

Tecum princípium in die virtútis tuæ in splendóribus Sanctórum : * ex útero ante lucíferum génui te.

Jurávit Dóminus, et non pœnitébit eum : * Tu es sacérdos in ætérnum secúndum órdinem Melchísedech.

Dóminus a dextris tuis, * confrégit in die iræ suæ reges.

Judicábit in natiónibus, implébit ruínas : * conquassábit cápita in terra multórum.

De torrénte in via bibet : * proptérea exaltábit caput.

Glória Patri, *etc.*

On termine tous les Psaumes et les Cantiques par la doxologie Glória Patri, *à moins d'indication contraire.*

Ant. Dixit Dóminus Dómino meo : Sede a dextris meis.

Ant. Magna ópera Dómini.

PSAUME 110.

La manne et la délivrance de l'Egypte sont la figure de l'Eucharistie et de la Rédemption.

Confitébor tibi Dómine in toto corde meo : * in consílio justórum, et congregatióne.

Magna ópera Dómini : * exquisíta in omnes voluntátes ejus.

Conféssio et magnificéntia opus ejus : * et justítia ejus manet in sæculum sæculi.

Memóriam fecit mirabílium suórum, miséricors et miserátor Dóminus : * escam dedit timéntibus se.

Memor erit in sæculum testaménti sui : * virtútem óperum suórum annuntiábit pópulo suo.

Ut det illis hereditátem géntium : * ópera mánuum ejus véritas, et judícium.

Fidélia ómnia mandáta ejus : confirmáta in sæculum sæculi, * facta in veritáte et æquitáte.

Redemptiónem misit pópulo suo : * mandávit in ætérnum testaméntum suum.

Sanctum et terríbile nomen ejus : * inítium sapiéntiæ timor Dómini.

Intelléctus bonus ómnibus faciéntibus eum : * laudátio ejus manet in sæculum sæculi.

Ant. Magna ópera Dómini : exquisíta in omnes voluntátes ejus.

Ant. Qui timet Dóminum.

PSAUME 111.

Bonheur et récompense du juste; châtiment du pécheur.

Beátus vir, qui timet Dóminum : * in mandátis ejus volet nimis.

Potens in terra erit semen ejus : * generátio rectórum benedicétur.

Glória et divítiæ in domo ejus : * et justítia ejus manet in sæculum sæculi.

Exórtum est in ténebris lumen rectis : * miséricors, et miserátor, et justus.

Jucúndus homo qui miserétur et cómmodat, dispónet sermónes suos in judício : * quia in ætérnum non commovébitur.

In memória ætérna erit justus : * ab auditióne mala non timébit.

Parátum cor ejus speráre in Dómino, confirmátum est cor ejus : * non commovébitur donec despíciat inimícos suos.

Dispérsit, dedit paupéribus : justítia ejus manet in sæculum sæculi, * cornu ejus exaltábitur in glória.

Peccátor vidébit, et irascétur, déntibus suis fremet et tabéscet : * desidérium peccatórum períbit.

Ant. Qui timet Dóminum, in mandátis ejus cupit nimis.

Ant. Sit nomen.

PSAUME 112.

Dieu se plaît à combler de biens les humbles qui le louent.

Laudáte púeri Dóminum : * laudáte nomen Dómini.

Sit nomen Dómini benedíctum, * ex hoc nunc, et usque in sæculum.

A solis ortu usque ad occásum, * laudábile nomen Dómini.

Excélsus super omnes Gentes Dóminus, * et super cælos glória ejus.

Quis sicut Dóminus Deus noster, qui in altis hábitat, et humília réspicit in cælo et in terra?

Súscitans a terra ínopem, * et de stércore érigens páuperem :

Ut cóllocet eum cum princípibus, * cum princípibus pópuli sui.

Qui habitáre facit stérilem in domo, * matrem filiórum lætántem.

Ant. Sit nomen Dómini benedíctum in sæcula.

Ant. Deus autem noster.

PSAUME 113.

Les prodiges opérés par Dieu en faveur d'Israël à sa sortie d'Egypte figurent les merveilles de grâce qui accompagnent la Rédemption des âmes dans l'Eglise.

In éxitu Israel de Ægypto, * domus Jacob de pópulo bárbaro :

Facta est Judæa sanctificátio ejus, * Israel potéstas ejus.

Mare vidit, et fugit : * Jordánis convérsus est retrórsum.

Montes exsultavérunt ut aríetes : * et colles sicut agni óvium.

Quid est tibi mare quod fugísti : * et tu Jordánis, quia convérsus es retrórsum?

Montes exsultástis, sicut aríetes, * et colles sicut agni óvium?

A fácie Dómini mota est terra, * a fácie Dei Jacob,

Qui convértit petram in stagna aquárum, * et rupem in fontes aquárum.

Non nobis Dómine, non nobis : * sed nómini tuo da glóriam.

Super misericórdia tua, et veritáte tua : * nequándo dicant Gentes : Ubi est Deus eórum?

Deus autem noster in cælo : * ómnia quæcúmque vóluit, fecit.

Simulácra Géntium argéntum et aurum, * ópera mánuum hóminum.

Os habent, et non loquéntur : * óculos habent, et non vidébunt.

Aures habent, et non áudient; * nares habent, et non odorábunt.

Manus habent, et non palpábunt : pedes habent, et non ambulábunt : * non clamábunt in gútture suo.

Símiles illis fiant qui fáciunt ea : * et omnes qui confídunt in eis.

Domus Israel sperávit in Dómino : * adjútor eórum et protéctor eórum est.

Domus Aaron sperávit in Dómino : * adjútor eórum et protéctor eórum est.

Qui timent Dóminum, speravérunt in Dómino : * adjútor eórum et protéctor eórum est.

Dóminus memor fuit nostri : * et benedíxit nobis :

Benedíxit dómui Israel : * benedíxit dómui Aaron.

Benedíxit ómnibus qui timent Dóminum, *

pusíllis cum majóribus.

Adjíciat Dóminus super vos : * super vos, et super fílios vestros.

Benedícti vos a Dómino, * qui fecit cælum et terram.

Cælum cæli Dómino :* terram autem dedit fíliis hóminum.

Non mórtui laudábunt te Dómine : * neque omnes qui descéndunt in inférnum.

Sed nos qui vívimus, benedícimus Dómino, * ex hoc nunc, et usque in sæculum.

Ant. Deus autem noster in cælo : ómnia quæcúmque vóluit, fecit.

Au Temps pascal : Ant. Allelúia, allelúia, allelúia.

CAPITULE.

II, Cor. 1, 3-4

Benedíctus Deus, et Pater Dómini nostri Jesu Christi, Pater misericordiárum, et Deus totíus consolatiónis, qui consolátur nos in omni tribulatióne nostra.

℟. Deo grátias.

HYMNE.

Lucis Creátor óptime,
Lucem diérum próferens,
Primórdiis lucis novæ,
Mundi parans oríginem :

Qui mane junctum vésperi,
Diem vocári præcipis :
Illábitur tetrum chaos,
Audi preces cum flétibus.

Ne mens graváta crímine,
Vitæ sit exsul múnere,
Dum nil perénne cógitat,
Seséque culpis ílligat.

Cæléste pulset óstium :
Vitále tollat præmium :
Vitémus omne nóxium,
Purgémus omne péssimum.

Præsta, Pater piíssime,
Patríque compar Unice,
Cum Spíritu Paráclito,
Regnans per omne sæculum. Amen.

℣. Dirigátur Dómine orátio mea.

℟. Sicut incénsum in conspéctu tuo.

CANTIQUE

DE LA B. V. MARIE.

S. Luc 1, 46-55.

C'est par l'humble Marie, que Jésus (la Miséricorde incarnée) est donné à toutes les générations.

Magníficat * ánima mea Dóminum :

Et exsultávit spíritus meus : * in Deo salutári meo.

Quia respéxit humilitátem ancíllæ suæ : * ecce enim ex hoc beátam me dicent omnes generatiónes.

Quia fecit mihi magna qui potens est : * et sanctum nomen ejus.

Et misericórdia ejus a progénie in progénies * timéntibus eum.

Fecit poténtiam in bráchio suo : * dispérsit supérbos mente cordis sui.

Depósuit poténtes de sede, * et exaltávit húmiles.

Esuriéntes implévit bonis : * et dívites dimísit inánes.

Suscépit Israel púerum suum; * recordátus misericórdiæ suæ.

Sicut locútus est ad patres nostros, * Abraham, et sémini ejus in sæcula.

LE DIMANCHE A COMPLIES.

Complies est la Prière du soir, *l'heure canoniale qui complète et finit la journée chrétienne.*

Le Lecteur demande la Bénédiction :

℣. Jube domne benedícere.

Bénédiction. Noctem quiétam, et finem perféctum concédat nobis Dóminus omnípotens.

℟. Amen.

LEÇON BRÈVE.

1. Pierre, 5, 8-9.

Ratres, Sóbrii estóte, et vigiláte : quia adversárius vester diábolus tamquam leo rúgiens círcuit, quærens quem dévoret : cui resístite fortes in fide. Tu autem Dómine miserére nobis.

℟. Deo grátias.

℣. Adjutórium nostrum in nómine Dómini.

℟. Qui fecit cælum et terram.

Pater noster.

Ensuite le Célébrant récite alternativement avec le Chœur, comme à la Messe, le Confíteor. *Puis il ajoute :*

℣. Convérte nos Deus salutáris noster. ℟. Et avérte iram tuam a nobis.

℣. Deus in adjutórium meum inténde. ℟. Dómine ad adjuvándum me festína.

Glória Patri, *etc.*

Ant. Miserére.

Au temps pascal. Ant. Allelúia.

PSAUME 4.

Mettons notre confiance en Dieu, et déplorant les péchés commis, remercions-le des bienfaits reçus.

Cum invocárem exaudívit me Deus justítiæ meæ : * in tribulatióne dilatásti mihi.

Miserére mei, * et exáudi oratiónem meam.

Fílii hóminum úsquequo gravi corde? * ut quid dilígitis vanitátem, et quæritis mendácium?

Et scitóte quóniam mirificávit Dóminus sanctum suum : * Dóminus exáudiet me cum clamávero ad eum.

Irascímini, et nolíte peccáre :* quæ dícitis in córdibus vestris, in cubílibus vestris compungímini.

Sacrificáte sacrifícium justítiæ, et speráte in Dómino : * multi dicunt : Quis osténdit nobis bona?

Signátum est super nos lumen vultus tui Dómine : * dedísti lætítiam in corde meo.

A fructu fruménti, vini, et ólei sui * multiplicáti sunt.

In pace in idípsum * dórmiam, et requiéscam :

Quóniam tu Dómine singuláriter in spe * constituísti me.

PSAUME 90.

Le fidèle, sûr de l'amitié et de la protection de Dieu, n'a rien à redouter ni des terreurs, ni des embûches que le monde et le démon préparent d'ordinaire la nuit. Les Anges veillent sur nous.

Qui hábitat in adjutório Altíssimi * in protectióne Dei cæli commorábitur.

Dicet Dómino : Suscéptor meus es tu, et refúgium meum : * Deus meus sperábo in eum.

Quóniam ipse liberávit me de láqueo venántium, * et a verbo áspero.

Scápulis suis obumbrábit tibi : * et sub pennis ejus sperábis.

Scuto circúmdabit te véritas ejus : * non timébis a timóre noctúrno.

A sagítta volánte in die, a negótio perambulánte in ténebris : * ab incúrsu, et dæmónio meridiáno.

Cadent a látere tuo mille, et decem míllia a dextris tuis : * ad te autem non appropinquábit.

Verúmtamen óculis tuis considerábis : * et retributiónem peccatórum vidébis.

Quóniam tu es Dómine spes mea : * Altíssimum posuísti refúgium tuum.

Non accédet ad te malum : * et flagéllum non appropinquábit tabernáculo tuo.

Quóniam Angelis suis mandávit de te : * ut custódiant te in ómnibus viis tuis.

In mánibus portábunt te : * ne forte offéndas ad lápidem pedem tuum.

Super áspidem, et basilíscum ambulábis : * et conculcábis leónem et dracónem.

Quóniam in me sperávit, liberábo eum : * prótegam eum, quóniam cognóvit nomen meum.

Clamábit ad me, et ego exáudiam eum : * cum ipso sum in tribulatióne : erípiam eum et glorificábo eum.

Longitúdine diérum replébo eum * et osténdam illi salutáre meum.

PSAUME 133.

Invitation à louer Dieu, même la nuit.

Ecce nunc benedícite Dóminum, * omnes servi Dómini :

Qui statis in domo Dómini, * in átriis domus Dei nostri.

In nóctibus extóllite manus vestras in sancta, * et benedícite Dóminum.

Benedícat te Dóminus ex Sion, * qui fecit cælum et terram.

Ant. Miserére mihi Dómine, et exáudi oratiónem meam.

Au temps pascal, Ant. Allelúia, allelúia, allelúia.

HYMNE.

Te lucis ante términum
Rerum Creátor póscimus,
Ut pro tua cleméntia
Sis præsul et custódia.

Procul recédant sómnia,
Et nóctium phantásmata;
Hostémque nostrum cómprime,
Ne polluántur córpora.

Præsta, Pater piíssime,
Patríque compar Unice,
Cum Spíritu Paráclito
Regnans per omne sæculum. Amen.

CAPITULE. *Jerem. 14. b*

Tu autem in nobis es Dómine, et nomen sanctum tuum invocátum est super nos, ne derelínquas nos Dómine Deus noster.

℟. Deo grátias.

℟. *br.* In manus tuas Dómine, * Commméndo spíritum meum. In manus. ℣. Redemísti nos Dómine Deus veritátis. Commméndo. Glória Patri. In manus.

℣. Custódi nos Dómine ut pupíllam óculi. ℟. Sub umbra alárum tuárum prótege nos.

Ant. Salva nos.

CANTIQUE DE SIMÉON, *Luc. 2, 29-32.*

Avant la nuit, saluons le Sauveur, la Lumière du monde.

Nunc dimíttis servum tuum Dómine, * secúndum verbum tuum in pace :

Quia vidérunt óculi mei * salutáre tuum.

Quod parásti * ante fáciem ómnium populórum.

Lumen ad revelatiónem Géntium, * et glóriam plebis tuæ Israel.

Ant. Salva nos Dómine vigilántes, custódi nos dormiéntes : ut vigilémus cum Christo, et requiescámus in pace.

℣. Dóminus vobíscum.
℟. Et cum spíritu tuo.

Orémus.

Vísita, quæsumus Dómine, habitatiónem istam, et omnes insídias inimíci ab ea longe repélle : Angeli tui sancti hábitent in ea, qui nos in pace custódiant, et benedíctio tua sit super nos semper. Per Dóminum nostrum.

℣. Dóminus vobíscum.
℟. Et cum spíritu tuo.
℣. Benedicámus Dómino. ℟. Deo grátias.

Bénédiction. Benedícat et custódiat nos omnípotens et miséricors Dóminus, Pater, et Fílius, et Spíritus sanctus.

℟. Amen.

Et l'on ne dit pas Fidélium ánimæ, *mais on dit immédiatement une des Antiennes suivantes.*

ANTIENNES FINALES A LA SAINTE VIERGE

DE L'AVENT AU 2 FÉVRIER

Lma Redemptóris mater, quæ pérvia cæli
Porta manes, et stella maris, succúrre cadénti,
Súrgere qui curat pópulo. Tu quæ genuísti,
Natúra mitránte, tuum sanctum Genitórem.
Virgo prius ac postérius, Gabriélis ab ore
Sumens illud Ave, peccatórum miserére.

℣. Angelus Dómini nuntiávit Maríæ. ℟. Et concépit de Spíritu sancto.

Grátiam tuam, quǽsumus Dómine, méntibus nostris infúnde, ut qui Angelo nuntiánte, Christi Fílii tui Incarnatiónem cognóvimus, per passiónem ejus et crucem ad resurrectiónis glóriam perducámur. Per eúmdem Christum Dóminum nostrum.

A partir des premières Vêpres de Noël :

℣. Post partum, Virgo, invioláta permansísti. ℟. Dei Génitrix, intercéde pro nobis.

Deus qui salútis ætérnæ beátæ Maríæ virginitáte fecúnda humáno géneri prǽmia prætitísti : tríbue, quǽsumus, ut ipsam pro nobis intercédere sentiámus per quam merúimus auctórem vitæ suscípere Dóminum nostrum Jesum Christum Fílium tuum. ℟. Amen.

DU 3 FÉVRIER A PÂQUES

Ave Regína cælórum, Ave Dómina Angelórum :
Salve Radix, salve Porta
Ex qua mundo lux est orta ;
Gaude, Virgo gloriósa,
Super omnes speciósa :
Vale, o valde decóra,
Et pro nobis Christum exóra.

℣. Dignáre me laudáre te, Virgo sacráta. ℟. Da mihi virtútem contra hostes tuos.

Concéde, miséricors Deus, fragilitáti nostræ

præsídium : ut, qui sanctæ Dei Genitrícis memóriam ágimus, intercessiónis ejus auxílio, a nostris iniquitátibus resurgámus. Per eúmdem Christum Dóminum nostrum.
℟. Amen.

PENDANT LE TEMPS PASCAL

Regína cæli, lætáre, allelúia ;
Quia quem meruísti portáre, allelúia,
Resurréxit, sicut dixit, allelúia.
Ora pro nobis Deum, allelúia.
℣. Gaude et lætáre, Virgo María, allelúia.
℟. Quia surréxit Dóminus vere, allelúia.

Deus, qui per Resurrectiónem Fílii tui Dómini nostri Jesu Christi mundum lætificáre dignátus es : præsta quǽsumus, ut per ejus Genitrícem Vírginem Maríam perpétuæ capiámus gáudia vitæ. Per eúmdem Christum Dóminum nostrum.
℟. Amen.

DE LA TRINITÉ A L'AVENT

Salve Regína Mater misericórdiæ, vita, dulcédo, et spes nostra salve. Ad te clamámus éxsules, fílii Hevæ. Ad te suspirámus, geméntes, et flentes, in hac lacrymárum valle. Eia ergo advocáta nostra, illos tuos misericórdes óculos ad nos convérte. Et Jesum benedíctum fructum ventris tui, nobis post hoc exsílium osténde. O clemens, o pia, o dulcis, Virgo María.
℣. Ora pro nobis, sancta Dei Génitrix. ℟. Ut digni efficiámur promissiónibus Christi.

Omnípotens sempitérne Deus, qui gloriósæ Vírginis Matris Maríæ corpus et ánimam, ut dignum Fílii tui habitáculum éffici mererétur, Spíritu sancto cooperánte præparásti : da, ut cujus commemoratióne lætámur, ejus pia intercessióne ab instántibus malis, et a morte perpétua liberémur. Per eúmdem Christum Dóminum nostrum.
℟. Amen.
℣. Divínum auxílium máneat semper nobíscum. ℟. Amen.

ORAISONS,
ÉPÎTRES ET ÉVANGILES

POUR LES DIMANCHES ET FÊTES DE L'ANNÉE.

Le premier chiffre marque le chapitre, les deux autres, le premier et le dernier verset de chaque Evangile ou Epître. — Pour faciliter les recherches nous avons indiqué par une ✠ le commencement et par le signe ¶ la fin de chaque Epître ou Evangile.

PROPRE DU TEMPS.

I. Dim. de l'Avent.

Oraison. Réveillez, s'il vous plaît, Seigneur, votre puissance, et venez; afin que nous méritions d'être arrachés, par votre protection, aux imminents périls où nos péchés nous engagent, et d'en être sauvés par vous, notre libérateur. Vous qui, étant Dieu, vivez et régnez, avec Dieu le Père, en l'unité du Saint Esprit, dans tous les siècles des siècles.

℟. Ainsi soit-il.

Epître, Rom. chap. 13, depuis le verset 11 jusqu'au verset 14, *p.* 428*.

Evangile, Luc 21, verset 25-33, *p.* 219*.

II. Dim. de l'Avent.

Oraison. Seigneur, excitez nos cœurs à préparer les voies de votre Fils unique, afin que par son avènement, nous méritions de vous servir avec des âmes purifiées. Lui qui, étant Dieu, vit.

Ep. Rom. 15, v. 4-13, *p.* 431*.
Ev. Matth. 11, v. 2-10, *p.* 28*.

III. Dim. de l'Avent.

Oraison, Prêtez, Seigneur, votre oreille à nos prières, et éclairez les ténèbres de notre âme, par la grâce de votre visite; Vous qui, étant Dieu, vivez et régnez avec Dieu le Père, en l'unité du Saint Esprit, dans tous les siècles des siècles.

Ep. Philipp. 4, v. 4-7, *p.* 541*.
Ev. Jean 1, v. 19-28, *p.* 236*.

Le Merc. des 4 Temps.

Ev. Luc 1, v. 26-38, *p.* 144*.

Le Vend. des 4 Temps.

Ev. Luc 1, v. 39-47, *p.* 145*.

Le Sam. des 4 Temps.

Ep. II. Thess. 2, 1-8, *p.* 562*.
Ev. Luc 3, v. 1-6, *p.* 153*.

IV. Dim. de l'Avent.

Oraison. Faites paraître, Seigneur, votre puissance, et venez; secourez-nous par votre grande force, afin que, par le secours de votre grâce, votre indulgence miséricordieuse daigne accélérer le remède dont nos péchés nous rendent indignes. Vous qui.

Ep. I. Cor. 4, v. 1-5, *p.* 444*.
Ev. Luc 3, v. 1-6, *p.* 153*.

24 DÉCEMBRE.

La Veille de Noël.

Oraison. O Dieu qui, tous les ans, nous comblez de joie par l'attente de notre rédemption; faites que, recevant avec allégresse votre Fils unique Notre Seigneur Jésus Christ, lorsqu'il vient nous racheter, nous puissions pareillement le contempler avec assurance, lorsqu'il viendra nous juger. Lui qui, étant Dieu, vit et règne.

Ep. Rom. 1, v. 1-6, *p.* 395*.
Ev. Matth. 1, v. 18-21, *p.* 2*.

25 DÉCEMBRE.

Le Jour de Noël.

A la Messe de minuit.

Oraison. O Dieu, qui avez fait briller cette nuit très sainte des splendeurs de la vraie lumière; faites, nous vous en supplions, qu'après avoir connu ici-bas cette lumière mystérieuse, nous puissions jouir, au ciel, des délices dont est la source

Celui qui, étant Dieu, vit et règne avec vous, etc.

Ep. Tite 2, v. 11-15, *p.* 585*.
Ev. Luc 2, v. 1-14, *p.* 148*.

A la Messe de l'aurore.

Oraison. Accordez-nous, ô Dieu tout puissant, que, comme nous sommes éclairés par la nouvelle lumière de votre Verbe incarné, nous fassions resplendir en nos œuvres ce même éclat qui, par la foi, illumine nos âmes. Par le même J. C. N. S.

Ep. Tite 3, v. 4-7, *p.* 586*.
Ev. Luc 2, v. 15-20, *p.* 149*.

A la Messe du jour.

Oraison. Accordez-nous, ô Dieu tout puissant, que la nouvelle naissance de votre Fils unique revêtu de notre chair, nous délivre, nous qu'une antique servitude retient sous le joug du péché. Par le même J. C.

Ep. Hébr. 1, v. 1-12, *p.* 589*.
Ev. Jean 1, v. 1-14, *p.* 234*.

26 DÉCEMBRE.

S. Etienne, 1er Martyr.

Oraison. Accordez-nous, s'il vous plaît, Seigneur, d'imiter ce que nous honorons, afin que nous apprenions à aimer jusqu'à nos ennemis, nous qui célébrons la mort bienheureuse de celui qui sut aussi implorer pour ses persécuteurs, Notre Seigneur Jésus Christ votre Fils; Qui, étant Dieu.

Ep. Act. 6, v. 8-10, et 7, v. 54-59, *p.* 324* et 329*.
Ev. Matth. 23, v. 34-39, *p.* 67*.

27 DÉCEMBRE.

S. Jean Evangéliste.

Oraison. Dans votre bonté, Seigneur, répandez sur votre Eglise l'éclat de la céleste lumière, et faites qu'instruite par les enseignements de votre Apôtre et Evangéliste, le bienheureux Jean, elle arrive à la possession des biens éternels. Par N. S.

Ev. Jean 21, v, 19-24, *p.* 306*.

28 DÉCEMBRE.

Les saints Innocents.

Oraison. O Dieu dont les saints Innocents, vos Martyrs, ont confessé aujourd'hui la gloire, non par leurs paroles, mais par leur mort; mortifiez en nous les passions et les vices, afin que votre foi, que notre langue publie, soit aussi confessée par toute notre conduite et notre vie. Par Notre Seigneur Jésus Christ.

Ep. Apoc. 14, v. 1-5, *p.* 693*.
Ev. Matth. 2, v. 13-18, *p.* 4*.

Le Dimanche dans l'Octave de Noël.

Oraison. Dieu tout puissant et éternel, réglez nos actions sur le modèle de votre bon plaisir; afin qu'au nom de votre Fils bien aimé, nous méritions d'abonder en bonnes œuvres, Lui qui, étant Dieu, vit et règne.

Ep. Galat. 4, v. 1-7, *p.* 513*.
Ev. Luc 2, v. 33-40, *p.* 151*.

29 DÉCEMBRE.

S. Thomas de Cantorbéry.

Oraison. O Dieu, pour la défense de votre Eglise le glorieux Pontife Thomas est tombé sous le glaive des impies; faites, s'il vous plaît, que tous ceux qui implorent son secours, obtiennent l'effet salutaire de leurs demandes. Par Jésus Christ Notre Seigneur.

Ep. Hebr. 5, v. 1-6, *p.* 596*.
Ev. Jean 10, v. 11-16, *p.* 270*.

I JANVIER.

La Circoncision de Notre Seigneur.

Oraison. O Dieu, qui, en rendant féconde la virginité de la bienheureuse Vierge Marie, avez procuré au genre humain le prix du salut éternel, accordez-nous, s'il vous plaît, de ressentir les effets de l'intercession de celle par qui nous avons reçu l'Auteur de la vie, Notre Seigneur Jésus Christ, votre Fils : Qui, étant Dieu, vit et règne.

Ep. Tite 2, v. 11-15, *p.* 585*.
Ev. Luc 2, v. 21, *p.* 150*.

Fête du saint Nom de Jésus.

Oraison. O Dieu, qui avez établi votre Fils unique Sauveur du genre humain, et avez ordonné qu'on l'appelât Jésus, accordez-nous, dans votre bonté, qu'après avoir vénéré son saint Nom sur la terre, nous jouissions également de sa vue dans les cieux. Par le même Jésus Christ Notre Seigneur.

Ep. Act. 4, v. 8-12, *p.* 317*.
Ev. Luc 2, v. 21, *p.* 150*.

6 JANVIER.

Le jour de l'Epiphanie.

Oraison. O Dieu, qui avez en ce jour manifesté votre Fils unique aux gentils, en leur envoyant une étoile pour les guider vers lui; faites, dans votre bonté, que, vous connaissant déjà par la foi, nous arrivions un jour à contempler l'éclat de votre gloire. Par le même J. C.

Ev. Matth. 2, v. 1-12, *p.* 3*.

Sainte Famille.

Oraison. Seigneur J. C. qui, soumis à Marie et à Joseph, avez consacré la vie familiale par d'ineffables vertus : faites qu'avec leur double assistance, nous soyons instruits par les exemples de votre sainte Famille et admis en son éternelle compagnie. Vous qui.

Ep. Colos. 3, v. 12-17, *p.* 549*.
Ev. Luc. 2, v. 42-52, *p.* 152*.

Baptême de Notre Seigneur.

Oraison. O Dieu, dont le Fils unique est apparu sur la terre, revêtu de la substance de notre chair; faites, s'il vous plaît, que nous méritions d'être réformés intérieurement par celui que nous avons reconnu semblable à nous extérieurement; Lui qui.

Ev. Jean 1, v. 29-34, *p.* 236*.

II. Dimanche après l'Epiphanie.

Oraison. Dieu tout puissant et éternel, qui gouvernez les choses du ciel et celles de la terre, exaucez, dans votre clémence, les supplications de votre peuple, et accordez votre paix à nos temps. Par N. S.

Ep. Rom. 12, v. 6-16, *p.* 426*.
Ev. Jean 2, v. 1-11, *p.* 238*.

III. Dimanche après l'Epiphanie.

Oraison. Dieu tout puissant et éternel, regardez d'un œil favorable notre faiblesse; et étendez, pour nous défendre, le bras puissant de votre souveraine Majesté. Par N. S. J. C.

Ep. Rom. 12, v. 16-21, *p.* 427*.
Ev. Matth. 8, v. 1-13, *p.* 18*.

IV. Dimanche après l'Epiphanie.

Oraison. O Dieu, qui savez que, dans notre humaine fragilité, nous ne pourrions subsister au milieu de tant de périls qui nous environnent; donnez-nous la santé de l'âme et du corps, afin que, par votre assistance, nous surmontions ce que nous avons à souffrir pour nos péchés. Par N. S. J. C.

Ep. Rom. 13, v. 8-10, *p.* 428*.
Ev. Matth. 8, v. 23-27, *p.* 20*.

V. Dimanche après l'Epiphanie.

Oraison. Nous vous en supplions, Seigneur, gardez votre famille par une continuelle miséricorde, et comme elle s'appuie sur la seule espérance de votre grâce céleste, faites qu'elle soit toujours munie de votre protection. Par N. S. J. C.

Ep. Coloss. 3, v. 12-17, *p.* 549*.
Ev. Matth. 13, v. 24-30, *p.* 36*.

VI. Dimanche après l'Epiphanie.

Oraison. Faites, s'il vous plaît, Dieu tout puissant, que toujours occupés de saintes pensées, nous cherchions constamment à vous plaire dans nos paroles et dans nos actions. Par J. C. N. S.

Ep. I. Thess. 1, v. 2-10, *p.* 552*.
Ev. Matth. 13, v. 31-35, *p.* 37*.

Dimanche de la Septuagésime.

Oraison. Nous vous supplions, Seigneur, d'exaucer dans votre clémence, les prières de votre peuple; afin que, nous qui sommes justement affligés pour nos péchés, nous soyons miséricordieusement délivrés pour la gloire de votre nom. Par N. S. J. C.

Ep. I. Cor. 9, v. 24-27, et 10, v. 1-5, *p.* 457*.
Ev. Matth. 20, v. 1-16, *p.* 55*.

Dimanche de la Sexagésime.

Oraison. O Dieu! qui voyez que nous ne nous confions en aucune de nos œuvres, daignez nous accorder d'être protégés contre toutes les adversités, par l'assistance du Docteur des nations. Par N. S. J. C.

Ep. II. Cor. 11, v. 19-33, et 12, v. 1-9, *p.* 500*.
Ev. Luc 8, v. 4-15, *p.* 171*.

Dimanche de la Quinquagésime.

Oraison. Daignez, Seigneur, exaucer nos prières dans votre clémence; et, après nous avoir dégagés des liens de nos péchés, gardez-nous de toute adversité. Par N. S.

Ep. I. Cor. 13, v. 1-13, *p.* 466*.
Ev. Luc 18, v. 31-43, *p.* 209*.

Mercredi des Cendres.

Oraison. Dieu tout puissant et éternel, pardonnez au repentir, soyez propice aux supplications, et daignez envoyer du ciel votre saint Ange, pour bénir et sanctifier ces cendres, afin qu'elles deviennent un remède salutaire à ceux qui implorent humblement votre saint nom, qui reconnaissant leurs péchés s'accusent eux-mêmes, déplorent leurs méfaits sous les regards de votre divine clémence, et implorent avec ardeur, par leurs supplications, votre très douce miséricorde. Daignez faire que, par l'invocation de votre très saint nom, tous ceux sur lesquels ces cendres seront répandues, pour le rachat de leurs péchés, reçoivent la santé du corps, et la protection de l'âme. Par J. C. N. S.

Ev. Matth. 6, v. 16-21, *p.* 14*.

Jeudi.

Ev. Matth. 8, v. 5-13, *p.* 19*.

Vendredi.

Ev. Matth. 5, v. 43-48, et 6, v. 1-4, *p.* 13*.

Samedi.

Ev. Marc 6, v. 47-56, *p.* 106*.

I. Dim. de Carême.

Oraison. O Dieu! qui chaque année purifiez votre Église par la pratique du jeûne quadragésimal; faites que vos serviteurs accomplissent par leurs bonnes œuvres le bien qu'ils s'efforcent de mériter par leur abstinence. Par N. S. J. C.

Ep. II. Cor. 6, v. 1-10, *p.* 489*.
Ev. Matth. 4, v. 1-11, *p.* 7*.

Lundi.

Ev. Matth. 25, v. 31-46, *p.* 74*.

Mardi.

Ev. Matth. 21, v. 10-17, *p.* 58*.

Mercr. des 4 Temps.

Ev. Matth. 12, v. 38-50, *p.* 33*.

Jeudi.

Ev. Matth. 15, v. 21-28, *p.* 43*.

Vendr. des 4 Temps.

Ev. Jean 5, v. 1-15, *p.* 248*.

Samedi des 4 Temps.

Ep. I. Thess. 5, v. 14-23, *p.* 559*,
Ev. Matth. 17, v. 1-9, *p.* 47*.

II. Dim. de Carême.

Oraison. O Dieu! qui voyez que nous n'avons de nous-mêmes aucune force, gardez-nous au dedans et au dehors; afin que notre corps soit préservé de toute adversité, et notre âme purifiée de toute pensée mauvaise. Par N. S. J. C.

Ep. I. Thess. 4, v. 1-7, *p.* 557*.
Ev. Matth. 17, v. 1-9, *p.* 47*.

Lundi.

Ev. Jean 8, v. 21-29, *p.* 263*.

Mardi.

Ev. Matth. 23, v. 1-12, *p.* 64*.

Mercredi.

Ev. Matth. 20, v. 17-28, *p.* 56*.

Jeudi.

Ev. Luc 16, v. 19-31, *p.* 203*.

Vendredi.

Ev. Matth. 21, v. 33-46, *p.* 60*.

Samedi.

Ev. Luc 15, v. 11-32, *p.* 200*.

III. Dim. de Carême.

Oraison. Dieu tout puissant, daignez regarder favorablement les vœux de notre humilité, et étendre, pour nous protéger, le bras de votre Majesté. Par N. S. J. C.

Ep. Ephés. 5, v. 1-9, *p.* 529*.
Ev. Luc 11, v. 14-28, *p.* 185*.

Lundi.

Ev. Luc 4, v. 23-30, *p.* 157*.

Mardi.

Ev. Matth. 18, v. 15-22, *p.* 50*.

Mercredi.

Ev. Matth. 15, v. 1-20, *p.* 42*.

Jeudi.

Ev. Luc 4, v. 38-44, *p.* 158*.

Vendredi.

Ev. Jean 4, v. 5-42, *p.* 244*.

Samedi.

Ev. Jean 8, v. 1-11, *p.* 262*.

IV. Dim. de Carême.

Oraison. Faites, s'il vous plaît, Dieu tout puissant, qu'étant avec justice affligés à cause de nos péchés, nous puissions, par la consolation de votre grâce, respirer. Par N. S. J. C.

Ep. Galat. 4, v. 22-31, *p.* 514*.
Ev. Jean 6, v. 1-15, *p.* 252*.

Lundi.

Ev. Jean 2, v. 13-25, *p.* 239*.

Mardi.

Ev. Jean 7, v. 14-31, *p.* 258*.

Mercredi.

Ev. Jean 9, v. 1-38, *p.* 267*.

Jeudi.

Ev, Luc 7. v. 11-16, *p.* 167*.

Vendredi.

Ev. Jean 11, v. 1-45, *p.* 273*.

Samedi.

Ev. Jean 8, v. 12-20, *p.* 262*.

Dim. de la Passion.

Oraison. Daignez, Dieu tout puissant, regarder votre famille d'un œil favorable; et, par vos soins paternels, conduisez-la au dehors, et en même temps, par votre divine assistance, gardez-la au dedans. Par N. S. J. C.

Ep. Hébr. 9, v. 11-15, *p.* 605*.
Ev. Jean 8, v. 46-59, *p.* 265*.

Lundi.

Ev. Jean 7, v. 32-39, *p.* 260*.

Mardi.

Ev. Jean 7, v. 1-13, *p.* 257*.

Mercredi.

Ev. Jean 10, v, 22-38, *p.* 271*.

Jeudi.

Ev. Luc 7, v. 36-50, *p.* 169*.

Vendredi.

Ev. Jean 11, v. 47-54, *p.* 275*.

Samedi.

Ev. Jean 12, v. 10-36, *p.* 277*.

Dim. des Rameaux.

A la bénédiction des Palmes, Ev. Matth. 21, v. 1-9, *p.* 58*.

A la Messe.

Oraison. Dieu tout puissant et éternel, qui, pour donner au genre humain un modèle d'humilité qu'il eût à imiter, avez voulu que notre Sauveur se revêtit de notre chair et endurât le supplice de la croix; faites, dans votre miséricorde, que nous méritions de garder les leçons de sa patience et d'avoir part à sa résurrection. Par le même J. C. N. S.

Ep. Philipp. 2, v. 5-11, *p.* 536*.

La Passion selon S. Matthieu, chap. 26 et 27, *p.* 75*.

Semaine Sainte.

Oraison. Daignez, Seigneur, jeter un regard de miséricorde sur votre famille ici présente, pour laquelle Notre Seigneur Jésus Christ n'a point hésité à se livrer aux mains des méchants, et à souffrir le supplice de la croix; Lui qui, étant.

Lundi Saint.

Ev. Jean 12, v. 1-9, *p.* 276*.

Mardi Saint.

La Passion selon S. Marc, chap. 14 et 15, *p.* 131*.

Mercredi Saint.

La Passion selon S. Luc, chap. 22 et 23, v. 1-53, *p.* 220*.

Jeudi Saint.

Ep. I. Cor. 11, v. 20-32, *p.* 462*.

Ev. Jean 13, v. 1-15, *p.* 281*.

Vendredi Saint.

La Passion selon S. Jean, chap. 18 et 19, *p.* 295*.

Samedi Saint.

Ep. Coloss. 3, v. 1-4, *p.* 548*.

Ev. Matth. 28, v. 1-7, *p.* 86*.

Le Jour de Pâques.

Oraison. O Dieu qui, en ce jour, nous avez, par votre Fils unique vainqueur de la mort, rouvert le chemin de la bienheureuse éternité, secondez par votre secours les vœux que vous nous inspirez en nous prévenant par votre grâce. Par le même J. C. N. S.

Ep. I. Cor. 5, v. 7-8, *p.* 446*.

Ev. Marc 16, v. 1-7, *p.* 139*.

Lundi de Pâques.

Ep. Act. 10, v. 37-43, *p.* 339*.

Ev. Luc 24, v. 13-35, *p.* 230*.

Mardi de Pâques.

Ep. Act. 13, v. 16 et 26-33. *p.* 346* et 347*.

Ev. Luc 24, v. 36-47, *p.* 232*.

Mercredi.

Ep. Act. 3, v. 13-19, *p.* 316*.

Ev. Jean 21, v. 1-14, *p.* 305*.

Jeudi.

Ep. Act. 8, v. 26-40, *p.* 332*.

Ev. Jean 20, v. 11-18, *p.* 302*.

Vendredi.

Ep. I. Pierre 3, v. 18-22, *p.* 638*.

Ev. Matth. 28, v. 16-20, *p.* 87*.

Samedi.

Ep. I. Pierre 2, v. 1-10, *p.* 633*.

Ev. Jean 20, v. 1-9, *p.* 302*.

Dimanche de Quasimodo.

Oraison. Faites, s'il vous plaît, ô Dieu tout puissant, qu'ayant achevé la célébration des fêtes pascales, nous en retenions, par votre grâce, l'esprit dans toute la conduite de notre vie. Par N. S. J. C.

Ep. I. Jean 5, v. 4-10, *p.* 657*.

Ev. Jean 20, v. 19-31, *p.* 303*.

II. Dimanche après Pâques.

Oraison. O Dieu qui, dans l'humiliation de votre Fils, avez relevé le monde abattu; accordez à vos fidèles une joie constante, et faites jouir de l'éternelle allégresse ceux que vous avez arrachés aux dangers d'une mort sans fin. Par le même J. C. N. S.

Ep. I. Pierre 2, v. 21-25, *p.* 635*.

Ev. Jean 10, v. 11-16, *p.* 270*.

Mercredi suivant.

Solennité de S. Joseph.

Oraison. O Dieu, dont la providence ineffable daigna choisir le B. Joseph pour être l'Epoux de votre sainte Mère; faites, nous vous en prions, que le vénérant ici-bas comme protecteur, nous méritions de l'avoir pour intercesseur dans les cieux. O vous qui.

Ev. Luc 3, v. 21-23, *p.* 154*.

III. Dimanche après Pâques.

Oraison. O Dieu, qui découvrez la lumière de votre vérité à ceux qui sont dans l'égarement, afin qu'ils puissent rentrer dans la voie de la justice; donnez à tous ceux qui font profession d'être chrétiens, la grâce d'éloigner d'eux tout ce qui est contraire à ce beau nom, et d'embrasser tout ce qui lui convient. Par N. S. J. C.

Ep. I. Pierre 2, v. 11-19, *p.* 634*.

Ev. Jean 16, v. 16-22, *p.* 290*.

IV. Dimanche après Pâques.

Oraison. O Dieu qui unissez dans une même volonté les cœurs des fidèles, donnez à vos peuples d'aimer ce que vous leur commandez, de désirer ce que vous leur promettez; afin qu'au milieu des changements de ce monde, nos cœurs demeurent fixés là où sont les joies véritables. Par N. S. J. C.

Ep. Jacq. 1, v. 17-21, *p.* 621*.
Ev. Jean 16. v. 5-14, *p.* 289*.

V. Dim. après Pâques.

Oraison. O Dieu, vous de qui procèdent tous les biens, accordez à nos humbles prières que, par votre inspiration, nous nous portions à ce qui est bien, et daignez nous diriger, afin que nous l'accomplissions. Par N. S.

Ep. Jacq. 1, v. 22-27, *p.* 622*.
Ev. Jean 16, v. 23-30, *p.* 291*.

Les Rogations.

Oraison. Faites, s'il vous plaît, ô Dieu tout puissant, que, dans nos afflictions, mettant notre confiance en votre bonté, nous soyons constamment fortifiés par votre protection contre toutes sortes d'adversités. Par N. S.

Ep. Jacq. 5, v. 16-20, *p.* 630*.
Ev. Luc 11, v. 5-13, *p.* 184*.

Veille de l'Ascension.

Ep. Ephés. 4, v. 7-13, *p.* 526*.
Ev. Jean 17, v. 1-11, *p.* 292*.

L'Ascension.

Oraison. Nous vous en prions, ô Dieu tout puissant, faites-nous cette grâce, à nous qui croyons que votre Fils unique, notre Rédempteur, est aujourd'hui monté au ciel, que nous y habitions aussi nous-mêmes en esprit. Par le même J. C.

Ep. Act. 1, v. 1-11, *p.* 308*.
Ev. Marc 16, v. 14-20, *p.* 140*.

Le Dimanche après l'Ascension.

Oraison. Dieu tout puissant et éternel, faites que notre volonté et nos affections se portent constamment vers vous, et que nous servions votre Majesté avec la fidélité d'un cœur sincère. Par N. S. J. C.

Ep. I. Pierre 4, v. 7-11, *p.* 639*.
Ev. Jean 15, v. 26-27, et 16, v. 1-4, *p.* 289*.

Veille de la Pentecôte.

Ep. Act. 19, v. 1-8, *p.* 365*.
Ev. Jean 14, v. 15-21, *p.* 285*.

La Pentecôte.

Oraison. O Dieu, qui en ce jour avez instruit et éclairé les cœurs des fidèles, en y répandant la lumière du Saint Esprit, donnez-nous par le même Esprit de goûter ce qui est bien et de jouir sans cesse de la consolation dont il est la source. Par J. C. N. S.

Ep. Act. 2, v. 1-11, *p.* 311*.
Ev. Jean 14, v. 23-31, *p.* 286*.

Lundi.

Oraison. O Dieu, qui avez donné le Saint Esprit à vos Apôtres, accordez à votre peuple l'objet de son humble prière; et donnez aussi votre paix à ceux que vous avez favorisés du don de la foi. Par N. S. J. C.

Ep. Act. 10, v. 42-48, *p.* 340*.
Ev. Jean 3, v. 16-21, *p.* 242*.

Mardi.

Oraison. Nous vous en prions, Seigneur : que la vertu du Saint Esprit nous assiste, qu'elle purifie nos cœurs dans sa mansuétude, et qu'elle les garde de toute adversité. Par N. S. J. C.

Ep. Act. 8, v. 14-17, *p.* 331*.
Ev. Jean 10, v. 1-10, *p.* 270*.

Mercredi des 4 Temps.

Ep. Act. 2, v. 14-21, *p.* 312*.
Ev. Jean 6, v. 44-52, *p.* 255*.

Jeudi.

Ep. Act. 8, v. 5-9, *p.* 330*.
Ev. Luc 9, v. 1-6, *p.* 175*.

Vendredi des 4 Temps.

Ev. Luc 5, v. 17-26, *p.* 160*.

Samedi des 4 Temps.

Ep. Rom. 5, v. 1-5. *p.* 406*.
Ev. Luc 4, v. 38-44, *p.* 158*.

La Sainte Trinité.

Oraison. Dieu tout puissant et éternel, qui avez accordé à vos serviteurs de reconnaître, dans la confession de la vraie foi, la gloire de l'éternelle Trinité, et d'adorer dans la puissance de votre Majesté l'Unité de nature; faites, s'il vous plaît, que, demeurant fermes dans cette même foi, nous soyons munis en tout temps contre les adversités de toute sorte. Par N. S. J. C.

Ep. Rom. 11, v. 33-36, *p.* 425*.
Ev. Matth. 28, v. 18-20, *p.* 87*.

I. Dim. apr. la Pent.

Oraison. O Dieu, qui êtes la force de ceux qui espèrent en vous, soyez propice à nos demandes; et puisque l'infirmité de l'homme mortel ne peut rien sans vous, accordez-nous le secours de votre grâce, afin qu'étant fidèles à observer vos commandements, nos cœurs comme aussi notre conduite vous plaisent. Par.

Ep. I. Jean 4, v. 8-21, *p.* 656*.
Ev. Luc 6, v. 36-42, *p.* 165*.

Fête S. du Sacrement.

Oraison. O Dieu, qui nous avez, dans un sacrement admirable, laissé un mémorial de votre passion, daignez nous faire la grâce de révérer de telle sorte les mystères sacrés de votre Corps et de votre Sang, que nous ressentions en nous constamment le fruit de la rédemption que vous avez opérée, ô Vous, qui, étant.

Ep. I. Cor 11, v. 23-29, *p.* 463*.
Ev. Jean 6, v. 56-59, *p.* 259*.

II. Dimanche après la Pentecôte.

Oraison. Faites, Seigneur, que nous ayons toujours la crainte et l'amour de votre saint Nom; parce que vous ne cessez jamais de diriger ceux que vous établissez dans la solidité de votre amour. Par Notre Seigneur Jésus Christ.

Ep. I. Jean 3, v. 13-18, *p.* 654*.
Ev. Luc 14, v. 16-24, *p.* 198*.

Fête du Sacré-Cœur.

Oraison. O Dieu, qui daignez miséricordieusement nous enrichir d'infinis trésors de dilection dans le Cœur de votre Fils, blessé par nos péchés, faites, s'il vous plaît, qu'en lui rendant le dévot hommage de notre piété, nous remplissions aussi l'office d'une digne satisfaction. Par le même Jésus Christ Notre Seigneur.

Ep. Ephés. 3, v. 8-19, *p.* 525*.
Ev. Jean 19, v. 31-37, *p.* 300*.

Cœur Très Pur de Marie.

Oraison. Dieu tout puissant et éternel, qui avez préparé dans le Cœur de la bienheureuse Vierge Marie une demeure digne de l'Esprit Saint, soyez-nous propice et faites que, célébrant dévotement la fête de ce Cœur très pur, nous puissions vivre selon votre Cœur. Par J. C. N. S., ... en l'unité du même Saint Esprit.

Ev. Luc 2, v. 48-51, *p.* 152*.

III. Dimanche après la Pentecôte.

Oraison. O Dieu, le protecteur de ceux qui espèrent en vous, sans lequel rien n'est ferme, rien n'est saint : multipliez sur nous les effets de votre miséricorde, afin que, sous votre loi et votre conduite, nous passions de telle sorte par les biens du temps, que nous ne perdions point ceux de l'éternité. Par N. S.

Ep. I. Pierre 5, v. 6-11, *p.* 641*.
Ev. Luc 15, v. 1-10, *p.* 199*.

Cœur Eucharistique.

Oraison. Seigneur Jésus Christ, qui, épanchant les richesses de votre amour envers les hommes, avez établi l'Eucharistie, faites, s'il vous plaît, que nous puissions aimer votre Cœur très aimant, et user toujours dignement d'un si grand Sacrement : Vous qui vivez.

Ep. Ephés. 3, v. 8-19, *p.* 525*.
Ev. Luc 22, v. 15-20, *p.* 221*.

IV. Dimanche après la Pentecôte.

Oraison. Accordez-nous, s'il vous plaît, Seigneur, que le cours du monde soit pour nous calme et paisible sous la conduite de votre providence, et que votre Eglise ait la joie de vous servir dans la tranquillité. Par N. S. J. C.

Ep. Rom. 8, v. 18-20, *p.* 414*.
Ev. Luc 5, v. 1-11, *p.* 159*.

V. Dimanche après la Pentecôte.

Oraison. O Dieu, qui avez préparé des biens invisibles à ceux qui vous aiment, répandez dans nos cœurs le sentiment de votre amour, afin que vous aimant en toutes choses, nous obtenions un jour ces biens que vous nous avez promis et qui surpassent tous nos désirs. Par N. S. J. S.

Ep. I. Pierre 3, v. 8-15, *p.* 636*.
Ev. Matth. 5, v. 20-24, *p.* 11*.

VI. Dimanche après la Pentecôte.

Oraison. Dieu des vertus, l'unique auteur de tout ce qui est excellent, mettez dans nos cœurs l'amour de votre nom, et augmentez en nous l'esprit de religion ; afin que, par vous, ce qui est bon y soit entretenu, et que, en nous inspirant l'amour de la piété, ce que vous entretenez soit conservé en nous. Par N. S.

Ep. Rom. 6, v. 3-11, *p.* 408*.
Ev. Marc 8, v. 1-9, *p.* 110*.

VII. Dimanche après la Pentecôte.

Oraison. O Dieu, dont la providence ne se trompe point dans sa conduite, nous vous supplions d'écarter de nous tout ce qui nous serait nuisible et de nous accorder tout ce qui doit nous être avantageux. Par N. S. J. C.

Ep. Rom. 6, v. 19-23, *p.* 410*.
Ev. Matth. 7, v. 15-21, *p.* 17*.

VIII. Dimanche après la Pentecôte.

Oraison. Nous vous en prions, Seigneur, accordez-nous dans votre bonté la grâce de penser et d'agir toujours selon la justice; afin que, ne pouvant exister sans vous, nous puissions conformer notre vie à votre volonté. Par N. S. J. C.

Ep. Rom. 8, v. 12-17, *p.* 414*.
Ev. Luc 16, v. 1-9, *p.* 202*.

IX. Dimanche après la Pentecôte.

Oraison. Que les oreilles de votre miséricorde, Seigneur, soient ouvertes aux prières de ceux qui l'implorent; et, afin que vous leur accordiez ce qu'ils désirent de vous, faites qu'ils ne vous demandent que ce qui vous est agréable. Par N. S.

Ep. I. Cor. 10, v. 6-13, *p.* 458*.
Ev. Luc 19, v. 41-47, *p.* 213*.

X. Dimanche après la Pentecôte.

Oraison. O Dieu, qui signalez surtout votre puissance en pardonnant au pécheur et en compatissant à ses misères, répandez sur nous l'abondance de vos miséricordes, afin que soupirant après les biens que vous avez promis, nous soyons rendus participants de ces biens dans le ciel. Par N. S. J. C.

Ep. I. Cor. 12, v. 2-11, *p.* 464*.
Ev. Luc 18, v. 9-14, *p.* 208*.

XI. Dimanche après la Pentecôte.

Oraison. Dieu tout puissant et éternel, qui, par l'excès de votre bonté, surpassez les mérites et les désirs de ceux qui vous supplient, répandez sur nous votre miséricorde; faites-nous remise de ce que notre conscience nous fait appréhender, et accordez-nous les grâces que nous n'osons attendre de nos prières. Par N. S.

Ep. I. Cor. 15, v. 1-10, *p.* 471*.
Ev. Marc 7, v. 31-37, *p.* 109*.

XII. Dimanche après la Pentecôte.

Oraison. Dieu tout puissant et miséricordieux, à qui vos fidèles sont redevables du bonheur qu'ils ont de vous rendre un culte agréable et digne de vous; accordez-nous, s'il vous plaît, de nous porter avec ardeur vers les biens que vous avez promis, et d'y courir sans que rien nous fasse tomber. Par N. S.

Ep. II. Cor. 3, v. 4-9, *p.* 483*.
Ev. Luc 10, v. 23-37, *p.* 182*.

XIII. Dimanche après la Pentecôte.

Oraison. Dieu tout puissant et éternel, augmentez en nous la foi, l'espérance et la charité; et pour que nous méritions ce que vous promettez, faites que nous aimions ce que vous commandez. Par N. S. J. C.

Ep. Galat. 3, v. 16-22, *p.* 511*.
Ev. Luc 17, v. 11-19, *p.* 205*.

XIV. Dimanche après la Pentecôte.

Oraison. Que votre bonté, Seigneur, garde à jamais votre Eglise; et, puisque sans vous la nature humaine et mortelle ne peut que faillir, daignez, par votre assistance, la préserver de tout ce qui peut lui nuire, et la porter à ce qui peut contribuer à son salut. Par N. S. J. C.

Ep. Galat. 5, v. 16-24, *p.* 517*.
Ev. Matth. 6, v. 24-33, *p.* 15*.

XV. Dimanche après la Pentecôte.

Oraison. Que votre miséricorde, Seigneur, ne cesse jamais de purifier et de protéger votre Eglise ; et, puisqu'elle ne peut exister sans vous, conduisez-la toujours par votre grâce. Par N. S. J. C.

Ep. Galat. 5, v. 25, 26, et 6, v. 1-10, *p.* 518*.
Ev. Luc 7, v. 11-16, *p.* 167*.

XVI. Dimanche après la Pentecôte.

Oraison. Nous vous en prions, Seigneur : que votre grâce nous prévienne et nous accompagne toujours, et qu'elle nous tienne sans cesse appliqués aux bonnes œuvres. Par N. S. J. C.

Ep. Ephés. 3, v. 13-21, *p.* 525*.
Ev. Luc 14, v. 1-11, *p.* 197*.

XVII. Dimanche après la Pentecôte.

Oraison. Seigneur, nous vous en prions, donnez à votre peuple d'échapper aux influences du démon, et, dans la pureté de son cœur, de ne suivre que vous le seul Dieu. Par N. S. J. C.

Ep. Ephés. 4, v. 1-6, *p.* 526*.
Ev. Matth. 22, v. 34-46, *p.* 64*.

Mercredi des 4 Temps.
Ev. Marc 9, v. 16-28, *p.* 114*.

Vendredi des 4 Temps.
Ev. Luc 7, v. 36-50, *p.* 169*.

Samedi des 4 Temps.
Ep. Hébr. 9, v. 2-12, *p.* 604*.
Ev. Luc 13, v. 6-17, *p.* 194*.

XVIII. Dimanche après la Pentecôte.

Oraison. Daignez, Seigneur, diriger nos cœurs par l'opération de votre miséricorde, parce que sans vous nous ne pouvons vous plaire. Par N. S.

Ep. I. Cor. 1, v. 4-8, *p.* 437*.
Ev. Matth. 9, v. 1-8, *p.* 21*.

XIX. Dimanche après la Pentecôte.

Oraison. Dieu tout puissant et miséricordieux, éloignez de nous, dans votre bonté, tout ce qui s'oppose à notre salut ; afin qu'ayant le corps et l'esprit dégagés de toute entrave, nous puissions marcher dans vos voies avec une entière liberté d'âme. Par N. S.

Ep. Ephés. 4, v. 23-28, *p.* 528*.
Ev. Matth. 22, v. 1-14, *p.* 61*.

XX Dimanche après la Pentecôte.

Oraison. Laissez-vous fléchir, s'il vous plaît, Seigneur, et accordez à vos fidèles le pardon et la paix, afin qu'ils obtiennent à la fois d'être purifiés de toutes leurs fautes, et de vous servir avec un cœur rempli de confiance. Par N. S. J. C.

Ep. Ephés. 5, v. 15-21, *p.* 530*.
Ev. Jean 4, v. 46-53, *p.* 247*.

XXI. Dimanche après la Pentecôte.

Oraison. Nous vous supplions, Seigneur, de garder votre famille par une continuelle miséricorde, afin que, sous votre protection, elle soit préservée de toute adversité, et qu'elle se dévoue aux bonnes œuvres, pour la gloire de votre nom. Par N. S. J. C.

Ep. Ephés. 6, v. 10-17, *p.* 532*.
Ev. Matth. 18, v. 23-35, *p.* 51*.

XXII. Dimanche après la Pentecôte.

Oraison. O Dieu, notre refuge et notre force, écoutez favorablement les pieuses supplications de votre Eglise, vous l'auteur même de toute piété, et faites que nous obtenions sûrement ce que nous vous demandons avec foi. Par N. S.

Ep. Philipp. 1, v. 6-11, *p.* 534*.
Ev. Matth. 22, v. 15-21, *p.* 62*.

XXIII. Dimanche après la Pentecôte.

Oraison. Pardonnez, s'il vous plaît, Seigneur, les offenses de vos peuples; afin que, par votre bonté, nous soyons délivrés des liens des péchés que la fragilité nous a fait commettre. Par N. S. J. C.

Ep. Philipp. 3, v. 17-21, et 4, v. 1-3, *p.* 540*.
Ev. Matth. 9, v, 18-26, *p.* 23*.

XXIV. Dimanche après la Pentecôte.

Oraison. Réveillez, s'il vous plaît, Seigneur, la volonté de vos fidèles serviteurs; afin que, recherchant avec plus d'ardeur le fruit de l'œuvre divine, ils reçoivent, de votre miséricorde, des remèdes plus puissants. Par N. S. J. C.

Ep. Coloss. 1, v. 9-14, *p.* 543*.
Ev. Matth. 24, v. 15-35, *p.* 69*.

Remarque. *S'il y a plus de 24 Dimanches après la Pentecôte, on emprunte l'Epître et l'Evangile de ceux-ci aux Dimanches après l'Epiphanie, mais au dernier Dimanche après la Pentecôte, on prend toujours l'Epître et l'Evangile du 24e Dimanche.*

COMMUN DES SAINTS.

Commun de la Sainte Vierge.

Oraison. Accordez, s'il vous plaît, Seigneur Dieu, à vos serviteurs, de jouir toujours de la santé de l'âme et du corps : et par l'intercession de la glorieuse Marie toujours Vierge, d'être délivrés des tristesses du temps présent et de goûter les joies de l'éternité. Par N. S. J. C.

Ev. Luc 11, 27-28, *p.* 186*.

Vigile des Apôtres.

Oraison. Faites, s'il vous plaît, Dieu tout puissant, que la fête solennelle de votre bienheureux Apôtre (et Evangéliste) *N.*, à laquelle nous préludons, augmente en nous la dévotion et le salut. Par N. S. J. C.

Ev. Jean 15, 12-16, *p.* 288*.

Commun des Papes.

Oraison. Pasteur éternel, regardez favorablement votre troupeau : et gardez-le sous votre perpétuelle protection par le B. *N.* (votre martyr et) Souverain Pontife que vous avez établi comme pasteur de toute l'Eglise. Par N. S. J. C.

Pour plusieurs l'Oraison se dit au pluriel.

Ep. I Pierre 5, 1-4 et 10-11, *p.* 641*.

Ev. Matth. 16, 13-19, *p.* 45*.

Commun de la Dédicace.

Oraison. O Dieu, qui tous les ans renouvelez pour nous l'anniversaire de la consécration de ce saint temple, et qui toujours nous y ramenez sains et saufs pour célébrer vos saints mystères, exaucez les prières de votre peuple et accordez à tous ceux qui entreront dans ce temple pour demander vos grâces, la joie de les avoir obtenues. Par N. S. J. C.

Ep. Apoc. 21, 2-5, *p.* 707*.

Ev. Luc 19, 1-10, *p.* 210*.

Commun d'un Martyr Pontife.

Oraison. Jetez les yeux sur notre faiblesse, Dieu tout-puissant ; et, puisque le poids de notre propre action nous accable, que la glorieuse intercession de votre B. Martyr et Pontife N. nous protège. Par N. S. J. C.

Ep. Jacques 1, 12-18, *p.* 621*.

Autre Ep. II. Cor, 1, 3-7, *p.* 478*.

Ev. Luc 14, 26-33, *p.* 199*.

Autre Ev. Matth, 16, 24-27, *p.* 46*.

Commun d'un Martyr non Pontife.

Oraison. Faites, s'il vous plaît, Dieu tout puissant, que célébrant la naissance de votre B. Martyr *N.*, nous soyons par son intercession fortifiés dans l'amour de votre nom. Par N. S. J. C.

Ep. II. Tim. 2, 8-10, et 3, 10-12, *p.* 578*.

Autre Ep. Jacq, 1, 2-12, *p.* 620*.

Autre Ep. I. Pierre 4, 13-19, *p.* 640*.

Ev. Matth. 10, 34-42, *p.* 27*.

Autre Ev. Matth. 10, 26-33, *p.* 26.

Autre Ev. Jean 12, 24-26, *p.* 278*.

Commun d'un Martyr au temps pascal.

Ev. Jean 15, 1-7, *p.* 287*.

Commun de plusieurs Martyrs, au temps pascal.

Oraison. O Dieu, qui nous faites la grâce d'honorer la naissance au ciel de vos saints Martyrs N. et N., accordez-nous, dans votre bonté, d'être enflammés par les exemples de ceux dont les mérites nous comblent de joie. Par N. S. J. C.

Ep. I. Pierre 1, 3-7, *p.* 631*.
Autre Ep. Apoc. 19, 1-9, *p.* 703*.
Ev. Jean 15, 5-11, *p.* 287*.
Autre Ev. Jean 16, 20-22, *p.* 291*.

Commun de plusieurs Martyrs, hors le temps pascal.

Ep. Hébr. 10, 32-38, *p.* 610*.
Autre Ep. Rom. 5, 1-5, *p.* 406*.
Autre Ep. Rom. 8, 18-23, *p.* 414*.
Autre Ep. II. Cor. 6, 4-10, *p.* 489*.
Autre Ep. Héb. 11, 33-39, *p.* 614*.
Autre Ep. Apoc. 7, 13-17, *p.* 681*.
Ev. Luc 21, 9-19, *p.* 218*.
Autre Ev. Luc 6, 17-23, *p.* 163*.
Autre Ev. Matth. 24, 3-13, *p.* 68*.
Autre Ev. Matth. 5, 1-12, *p.* 9*.
Autre Ev. Matth. 11, 25-30, *p.* 30*.
Autre Ev. Luc 11, 47-51, *p.* 188*.
Autre Ev. Luc 10, 16-20, *p.* 182*.
Autre Ev. Luc 12, 1-8, *p.* 189*.

Commun d'un Confesseur Pontife.

Oraison. Faites, s'il vous plaît, Dieu tout puissant, que la solennité vénérable de votre B. Pontife et Confesseur *N.* augmente en nous la dévotion et le salut. Par N. S. J. C.

Ep. Héb. 7, 23-27, *p.* 602*.
Autre Ep. Hébr. 5, 1-4, *p.* 596*.
Autre Ep. Hébr. 13, 7-17, *p.* 618*.
Ev. Matth. 25, 14-23, *p.* 73*.
Autre Ev. Matth. 24, 42-47, *p.* 71*.
Autre Ev. Luc. 11, 33-36, *p.* 187*.
Autre Ev. Marc 13, 33-37, *p.* 130*.

Commun d'un Docteur.

Oraison. O Dieu, qui avez donné à votre peuple le bienheureux N. comme ministre du salut éternel, faites, s'il vous plaît, que l'ayant eu comme Docteur de vie sur la terre, nous méritions de l'avoir au ciel pour intercesseur. Par N. S. J. C.

Ep. II. Tim. 4, 1-8, *p.* 581*.
Ev. Matth. 5, 13-19, *p.* 10*.

Commun d'un Confesseur non Pontife.

Oraison. O Dieu, qui nous réjouissez par la solennité annuelle du bienheureux N. votre Confesseur, accordez à nous qui célébrons sa naissance, d'imiter aussi ses actions. Par N. S. J. C.

Ep. I. Cor. 4, 9-14, *p.* 445*.
Autre Ep. Philipp. 3, 7-12, *p.* 539*.
Ev. Luc 12, 35-40, *p.* 161*.
Autre Ev. Luc 12, 32-34, *p.* 191*.
Autre Ev. Luc 19, 12-26, *p.* 211*.

Commun d'un Abbé.

Oraison. Nous vous en prions, Seigneur, que l'intercession du B. Abbé N., nous soit une recommandation, afin que, par son patronage, nous obtenions ce que nous ne pouvons avoir par nos mérites. Par N. S. J. C.

Ev. Matth. 19, 27-29, *p.* 54*.

Commun d'une Vierge et Martyre.

Oraison. O Dieu, qui, entre autres miracles de votre puissance, avez accordé même au sexe faible la victoire du martyre, faites, dans votre bonté, qu'honorant la naissance de votre B. Vierge et Martyre N., nous allions à vous en imitant ses exemples. Par N. S. J. C.

Ev. Matth. 25, 1-13, *p.* 72*.
Autre Ev. Matth. 13, 44-52, *p.* 38*.
Autre Ev. Matth. 19, 3-12, *p.* 52*.

Commun d'une Vierge non Martyre.

Oraison. Exaucez-nous, ô Dieu notre Sauveur, afin que, tout en célébrant avec joie la fête de votre B. Vierge N., nous nous y instruisions dans la tendresse d'une pieuse dévotion. Par N. S. J. C.

Ep. II. Cor. 10, 17-18 et 11, 1-2, *p.* 498*.
Autre Ep. I. Cor. 7, 25-34, *p.* 452*.
Ev. Matth. 25, 1-13, *p.* 72*.
Autre Ev. Matth. 13, 44-52, *p.* 38*.

Commun des Saintes Femmes.

Oraison. Exaucez-nous, ô Dieu notre salut, afin que, nous réjouissant de la fête de la bienheureuse N., nous soyons animés de sentiments d'une tendre dévotion. Par N. S.

Ep. I Tim. 5, 3-10, *p.* 572*.
Ev. Matth. 13, 44-52, *p.* 38*.

MESSE DES MORTS.

I. Funérailles.

Oraison. O Dieu, à qui seul il appartient de toujours pardonner et faire miséricorde, nous vous implorons humblement pour l'âme de votre serviteur (servante) N., que vous avez fait sortir aujourd'hui de ce monde; ne la livrez pas au pouvoir de l'ennemi, et ne l'oubliez pas à jamais; mais ordonnez à vos saints Anges de la recevoir et de l'introduire dans le paradis, sa patrie, afin qu'ayant cru et espéré en vous, elle ne souffre point les peines de l'enfer, mais possède les joies éternelles. Par N. S.

Ep. I. Thessal. 4, 13-18, *p.* 558*.
Ev. Jean 11, 21-27, *p.* 254*.

II. Anniversaire.

Oraison. Seigneur Dieu des miséricordes, accordez aux âmes de vos serviteurs et de vos servantes, dont nous célébrons le jour anniversaire de la sépulture, le lieu du rafraîchissement, la béatitude du repos, et la splendeur de la lumière. Par N. S. J. C.

Ev. Jean 6. 37-40, *p.* 225*.

III. Quotidienne.

Oraison. O Dieu, si prompt à pardonner et si désireux de sauver les hommes, nous supplions votre miséricorde, afin que par l'intercession de la bienheureuse Marie toujours Vierge et de tous vos Saints, vous accordiez à tous nos frères, à nos proches et à nos bienfaiteurs qui sont sortis de ce monde, de parvenir à la possession de la béatitude éternelle. Par N. S. J. C.

Ep. Apoc. 14, 13, *p.* 694*.
Ev. Jean 6, 55-55, *p.* 256*.

PROPRE DES SAINTS.

On trouvera ici toutes les Fêtes ou Vigiles du Calendrier de l'Église. Pour les autres Fêtes on peut recourir au Commun des Saints.

FÊTES DE NOVEMBRE.

30. S. André, Apôtre.

Oraison. Nous demandons instamment à votre majesté, Seigneur, que, comme le B. Apôtre André fut prédicateur et pasteur de votre Église, ainsi il soit notre perpétuel intercesseur auprès de vous. Par N. S.

Ep. Rom. 10, 10-18, *p.* 421*.
Ev. Matth. 4, 18-22, *p.* 8*.

FÊTES DE DÉCEMBRE.

2. Ste Bibiane V. M.

Oraison. Dieu, dispensateur de tous les biens,

qui, en votre servante Bibiane, avez uni la fleur de la virginité à la palme du martyre, unissez nos âmes à vous dans la charité, par son intercession, afin que, délivrés des périls, nous obtenions les récompenses éternelles. Par Notre Seigneur Jésus Christ.

Ev. Matth. 13, 44-52, *p.* 38*.

3. S. François Xavier.

Oraison. O Dieu, qui, par la prédication et les miracles du B. François, avez voulu agréger à votre Eglise les peuples des Indes, accordez-nous, dans votre bonté, qu'honorant ses glorieux mérites, nous imitions les exemples de ses vertus. Par Notre Seigneur Jésus Christ.

Ep. Rom. 10, 10-18, *p.* 421*.
Ev. Marc. 16, 15-18, *p.* 140*.

4. S. Pierre Chrysologue.

Oraison. O Dieu, qui avez voulu que le B. et illustre Docteur Pierre Chrysologue, miraculeusement désigné, fût élu pour instruire et gouverner votre Eglise; faites, nous vous en prions, qu'après l'avoir eu ici-bas comme Docteur de vie, nous méritions de l'avoir pour intercesseur dans le ciel. Par Notre Seigneur Jésus Christ.

Ep. II Tim. 4, 1-8, *p.* 581*.
Ev. Matth. 13-19, *p.* 10*.

5. S. Sabbas.

Oraison. Nous vous en prions, Seigneur, que l'intercession du B. Abbé Sabbas nous soit une recommandation, afin que, par son patronage, nous obtenions ce que nous ne pouvons avoir par nos mérites. Par Notre Seigneur Jésus Christ.

Ev. Matth. 19, 27-29, *p.* 54*.

6. S. Nicolas, Ev.

Oraison. O Dieu, qui avez glorifié le B. Pontife Nicolas par d'innombrables miracles, faites, nous vous en prions, que, par ses mérites et ses prières, nous soyons préservés des feux de l'enfer. Par Notre Seigneur Jésus Christ.

Ep. Héb. 13, 7-17, *p.* 618*.
Ev. Matth. 25, 14-23, *p.* 73*.

7. S. Ambroise, E. D.

Oraison. O Dieu, qui avez donné à votre peuple le bienheureux

Ambroise comme ministre du salut éternel, faites, s'il vous plaît, que l'ayant eu comme Docteur de vie sur la terre, nous méritions de l'avoir au ciel pour intercesseur. Par N. S. J. C.

Ep. II. Tim. 4, 1-8, *p.* 581*.
Ev. Matth. 5, 13-19, *p.* 10*.

8. Immac. Conception de la Sainte Vierge.

Oraison. O Dieu, qui par la Conception Immaculée de la Vierge, avez préparé une digne demeure à votre Fils, nous vous demandons que, de même qu'en prévision de la mort de ce même Fils, vous l'avez préservée de toute tache, ainsi, vous nous accordiez de parvenir à vous, purifiés par son intercession. Par le même J. C. N. S.

Ev. Luc 1, 26-28, *p.* 144*.

11. S. Damase, P. C.

Commun des Papes, p. (77).

13. S. Lucie, V. M.

Oraison. Exaucez-nous, ô Dieu notre salut, afin que, tout en célébrant avec joie la fête de votre B. Vierge et Martyre Lucie, nous nous y instruisions dans la tendresse d'une pieuse dévotion. Par N. S. J. C.

Ep. II. Cor. 10, 17-18 ; 11, 1-2, *p.* 498*.
Ev. Matth. 13, 44-52, *p.* 38*.

21. S. Thomas, Apôtre.

Oraison. Donnez-nous, s'il vous plaît, Seigneur, de nous prévaloir de la fête de votre B. Apôtre Thomas; afin que nous soyons toujours soutenus par son patronage, et que nous professions sa foi avec une dévotion convenable. Par N. S. J. C.

Ep. Ephés. 2, 19-22, *p.* 524*.
Ev. Jean 20, 24-29, *p.* 304*.

FÊTES DE JANVIER.

14. S. Hilaire, E. D.

Commun des Docteurs, p. (79).

15. S. Paul, I. Ermite.

Oraison. O Dieu, qui nous réjouissez par la solennité annuelle de votre B. Confesseur Paul, faites, dans votre bonté, que célébrant sa naissance, nous imitions aussi ses actions. Par N. S.

Ep. Phil. 3, 7-12, *p.* 539*.
Ev. Matth. 11, 25-30, *p.* 30*.

16. S. Marcel, P. M.

Commun des Papes, p. (77).

17. S. Antoine, Abbé.

Commun d'un Abbé, p. (80)

18. Chaire de S. Pierre à Rome.

Oraison. O Dieu, qui, en confiant au B. Pierre, votre Apôtre, les clefs du royaume céleste, lui avez donné le pouvoir suprême de lier et de délier; faites que par le secours de son intercession, nous soyons délivrés des liens de nos péchés : Vous qui étant Dieu, vivez.

Ep. I. Pierre 1, 1-7, *p.* 630*.
Ev. Matth. 16, 13-19, *p.* 45*.

19. Ss. Marius, Marthe, Audifax et Abachus, Mm.

Oraison. Seigneur, exaucez votre peuple qui vous implore par le patronage de vos Saints, et accordez-nous de jouir de la paix en cette vie, et de trouver le secours pour la vie éternelle. Par N. S. J. C.

Ep. Hébr. 10, 32-38, *p.* 610*.
Ev. Matth. 24, 3-8, *p.* 68*.

20. Ss. Fabien et Sébastien.

Oraison. Jetez les yeux sur notre faiblesse, Dieu tout puissant, et, puisque le poids de notre propre action nous accable, que la glorieuse intercession de vos bienheureux Martyrs Fabien et Sébastien nous protège. Par N. S. J. C.

Ep. Héb. 10, 32-38, *p.* 610*.
Ev. Matth. 24, 3-8, *p.* 68*.

21. Ste Agnès, V. M.

Oraison. Dieu tout-puissant et éternel, qui choisissez les faibles de ce monde pour confondre tous les forts, faites, dans votre bonté, que célébrant la fête de votre B. Vierge et martyre Agnès, nous éprouvions son patronage auprès de vous. Par N. S. J. C.

Ev. Matth. 25, 1-13, *p.* 72*.

22. Ss. Vincent et Anastase, Mm.

Oraison. Exaucez nos supplications, Seigneur, afin que, nous reconnaissant coupables par notre faute, nous soyons délivrés par l'intercession de vos bienheureux Martyrs Vincent et Anastase. Par N. S. J. C.

Ev. Luc 21, 9-19, *p.* 218*.

23. S. Raymond de Péñafort, C.

Oraison. O Dieu, qui avez choisi le B. Raymond pour en faire un insigne ministre du sacrement de Pénitence, et qui l'avez miraculeusement fait traverser les eaux de la mer, accordez-nous par son intercession de pouvoir porter de dignes fruits de pénitence et parvenir au port du salut éternel. Par N. S.

Ev. Luc 12, 35-40, *p.* 191*.

24. S. Timothée, E. M.

Commun d'un Mart. Pont., *p.* (78).

Ep. I. Timoth. 6, 11-16, *p.* 575*.

25. Conversion de S. Paul, Apôtre.

Oraison. O Dieu, qui avez instruit tout l'univers par les prédications du bienheureux Paul Apôtre, faites-nous, s'il vous plaît, la grâce, à nous qui célébrons aujourd'hui sa conversion, de tendre vers nous en imitant ses exemples. Par N. S. J. C.

Ep. Act. 9, 1-22, *p.* 333*.
Ev. Matth. 19, 27-29, *p.* 54*.

26. S. Polycarpe, E. M.

Commun d'un Mart. Pont., *p.* (78).

Ep. I. Jean 3, 10-16, *p.* 656*.

27. S. Jean Chrysostome.

Oraison. Nous vous en prions, Seigneur, que votre grâce céleste dilate votre Eglise, que vous avez voulu illustrer par les glorieux mérites et enseignements du B. Jean Chrysostome, votre Confesseur et Pontife. Par N. S. J. C.

Ep. II. Tim. 4, 1-8, *p.* 581*.
Ev. Matth. 5, 13-19, *p.* 10*.

28. S. Pierre Nolasque.

Oraison. O Dieu, qui avez divinement inspiré à saint Pierre d'imiter votre charité, en fondant dans votre Eglise une nouvelle famille pour le rachat des fidèles, faites, par son intercession, qu'affranchis de l'esclavage du péché, nous jouissions de la liberté sans fin dans la céleste patrie. O vous, qui.

Ep. et Ev. d'un Conf. non Pont., *p.* (79).

29. S. François de Sales, C. P. D.

Oraison. O Dieu qui pour le salut des âmes, avez voulu que votre B. Confesseur et Pontife François, se fit tout à tous; accordez-nous, dans votre bonté, que remplis de la douceur de votre charité, guidés par ses avis et soutenus par ses mérites, nous obtenions les joies éternelles. Par N. S. J. C.

Ep. et Ev. au 27 Janv., ci-dessus.

30. Ste Martine, V. M.

Commun d'une V. M., *p.* (80).

31. S. Jean Bosco, C.

Oraison. O Dieu qui avez suscité votre confesseur saint Jean pour être le père et le maître des adolescents, et qui par lui, aidé de la Vierge Marie Auxiliatrice, avez voulu faire fleurir de nouvelles familles dans votre Église ; faites, nous vous en prions, qu'enflammés du feu de la même charité, nous puissions conquérir les âmes et ne servir que vous seul. Par N. S. J. C.

Ep. Philipp. 4, 4-9, *p.* 541*.
Ev. Matth. 18, 1-5, *p.* 49*.

FÊTES DE FÉVRIER.

1. S. Ignace, E. M.

Oraison. Jetez les yeux sur notre faiblesse, Dieu tout puissant ; et, puisque le poids de notre propre action nous accable, que votre B. Martyr et Pontife Ignace nous protège. Par N. S. J. C.

Ep. Rom. 8, 35-39, *p.* 416*.
Ev. Jean 12, 14-26, *p.* 278*.

2. Purification de la Sainte Vierge.

Oraison. Dieu tout-puissant et éternel, nous supplions humblement votre majesté, de faire que, comme votre Fils unique revêtu de la substance de notre chair a été aujourd'hui présenté au temple, ainsi nous vous soyons présentés avec des cœurs purs. Par le même J. C. N. S.

Ev. Luc 2, 22-32, *p.* 150*.

3. S. Blaise, E. M.

Commun d'un Mart. Pont., *p.* (78).

4. S. André Corsini, E. C.

Oraison. O Dieu, qui sans cesse faites paraître de nouveaux exemples de vertus dans votre Eglise, accordez à votre peuple de marcher sur les traces de votre B. Confesseur et Pontife André de façon à atteindre les mêmes récompenses. Par N. S. J. C.

Ep. et Ev. du Commun d'un Conf. Pont., *p.* (78).

5. Sainte Agathe, Vierge et Martyre.

Oraison. O Dieu, qui, entre autres miracles de votre puissance, avez accordé au sexe même le plus faible la victoire du martyre, faites, dans votre bonté, qu'honorant la naissance de votre

B. Vierge et Martyre Agathe, nous allions à vous en imitant ses exemples. Par N. S. J. C.

Ep. I. Cor. 1, 26-31, *p.* 439*.
Ev. Matth. 19, 3-12, *p.* 52*.

6. S. Tite, E. C.

Oraison. O Dieu, qui avez orné votre B. Confesseur et Pontife Tite des vertus des Apôtres, accordez à ses mérites et à son intercession, que, menant ici-bas une vie pieuse et sainte, nous méritions de parvenir à la céleste patrie. Par N. S. J. C.

Ev. Luc. 10, 1-9, *p.* 180*.

7. S. Romuald.

Commun d'un Abbé, p. (80).

8. S. Jean de Matha, C.

Oraison. O Dieu, qui avez daigné par S. Jean établir miraculeusement l'ordre de la très sainte Trinité, pour racheter les captifs du pouvoir des Sarrasins, faites, s'il vous plaît, que par le suffrage de ses mérites, et avec votre aide, nous soyons délivrés de la captivité du corps et de l'âme. Par N. S. J. C.

Ep. et Ev. du Commun d'un Conf. non Pont., p. (79).

9. S. Cyrille d'Alexandrie, D.

Oraison. O Dieu, qui avez rendu votre B. Confesseur et Pontife Cyrille, le défenseur invincible de la maternité divine de la très heureuse Vierge Marie, faites, par son intercession, que nous qui la croyons vraiment Mère de Dieu, nous soyons sauvés par sa maternelle protection. Par le même J. C. N. S.

Ep. et Ev. d'un Docteur, p. (79).

10. Ste Scholastique, Vierge.

Oraison. O Dieu, qui avez fait entrer au ciel l'âme de la B. vierge Scholastique sous la forme d'une colombe, pour nous montrer le chemin de l'innocence, accordez-nous, de mener une vie si innocente que nous méritions d'arriver aux joies éternelles. Par N. S.

Ep. et Ev. d'une Vierge, p. (80).

11. N. D. de Lourdes.

Oraison. O Dieu, qui par l'immaculée Conception de la Vierge, avez préparé à votre Fils une demeure digne de Lui, faites, nous vous en supplions, que, célébrant l'Apparition de cette même Vierge, nous obtenions le salut de l'âme et du corps. Par le même.

Ep. Apoc. 11, 19; 12, 1 et 10, *p.* 689*.
Ev. Luc. 1, 26-28, *p.* 144*.

12. Sept saints Fondateurs.

Oraison. Seigneur Jésus Christ, qui pour vénérer la mémoire des douleurs de votre très sainte Mère, avez par les Sept B. Pères enrichi votre Eglise de la nouvelle famille des Servites de Marie, accordez-nous, dans votre bonté, qu'après nous être unis à leurs larmes, nous ayons aussi part à leurs joies : Vous qui vivez.

Ev. Matth. 19, 27-29, *p.* 54*.

14. S. Valentin, Mart.

Commun d'un Mart., p. (78).

15. Ss. Faustin et Jovite.

Commun de plusieurs Martyrs, p. (79).

18. S. Siméon, E. M.

Commun d'un Martyr Pontife, p. (78).

18. Ste Marie Bernard.

Oraison. O Dieu, amant et protecteur des humbles, qui avez réjoui votre servante Marie-Bernard par l'apparition et le colloque de l'Immaculée Vierge Marie, faites, nous vous en prions, que, par les simples sentiers de la foi, nous méritions de parvenir à vous voir dans les cieux. Par Notre Seigneur Jésus Christ.

Ev. Matth. 13, 44-52, *p.* 58*.

22. Chaire de S. Pierre à Antioche.

Comme au 18 Janvier, p. (84).

23. S. Pierre Damien, Docteur.

Oraison. Nous vous en prions, Dieu tout puissant, accordez-nous de suivre les enseignements et les exemples du B. Pierre, votre Pontife et Confesseur, afin que, par le mépris des biens terrestres, nous parvenions aux joies éternelles. Par N. S. J. C.

Commun d'un Docteur, p. (79).

24 ou 25. S. Mathias, Apôtre.

Oraison. O Dieu, qui avez associé le bienheureux Mathias au collège de vos Apôtres, permettez, s'il vous plaît, que par son intercession, nous ressentions toujours les effets de votre miséricorde à votre égard. Par N. S. J. C.

Ep. Act. 1, 15-26, *p.* 309*.
Ev. Matth. 11, 25-30, *p.* 30*.

27. S. Gabriel. de N. D. des Douleurs.

Oraison. O Dieu, qui avez appris au B. Gabriel à méditer constamment les douleurs de votre très douce Mère, et qui par elle l'avez élevé à la gloire de la sainteté et des miracles; donnez-nous par son intercession et à son exemple, de nous associer aux pleurs de votre Mère afin que nous soyons sauvés par sa maternelle protection. Vous qui.

Ep. 1 Jean 2, 14-17, *p.* 651*.
Ev. Marc 10, 13-21, *p.* 118*.

FÊTES DE MARS.

4. S. Casimir, C.

Oraison. O Dieu, qui, au milieu des délices de la cour et des séductions mondaines, avez fortifié saint Casimir d'une constance inébranlable, nous vous demandons, que. par son intercession, vos fidèles méprisent les biens de la terre et aspirent toujours à ceux du ciel. Par N. S. J. C.

Ev. Luc 12, 35-40, *p.* 191*.

6. Ss. Perpétue et Félicité.

Oraison. Accordez-nous, Seigneur notre Dieu, d'honorer sans cesse avec dévotion les triomphes de vos saintes Martyres Perpétue et Félicité, afin que, si nos cœurs sont impuissants à les célébrer dignement, du moins nous soyons assidus à leur offrir nos humbles hommages. Par N. S.

Ev. Matth. 13, 14-52, *p.* 38*.

7. S. Thomas d'Aquin, D.

Oraison. O Dieu, qui éclairez votre Eglise par la science admirable du B. Thomas, votre Confesseur, et qui l'enrichissez par la sainteté de ces œuvres, nous vous en prions, donnez-nous de comprendre clairement son enseignement, et d'imiter parfaitement ses actions. Par N. S. J. C.

Ev. Matth. 5, 13-19, *p.* 10*.

8. S. Jean de Dieu.

Oraison O Dieu, qui avez fait passer sain et sauf à travers les flammes le B. Jean, embrasé de votre amour, et qui par lui avez enrichi votre Eglise d'une nouvelle famille, accordez-nous, en considération de ses mérites, que le feu de votre charité nous purifie de nos vices, et nous fasse parvenir au salut éternel. Par N. S. J. C.

Ev. Matth. 22, 34-46, *p.* 64*.

9. Ste Françoise Romaine.

Oraison. O Dieu, qui entre autres dons de votre grâce, avez favorisé la B. Françoise, votre servante, de la présence familière d'un Ange, nous vous en prions, faites que, par le secours de son intercession, nous méritions d'être introduits dans la société des Anges. Par N. S. J. C.

Ev. Matth. 13, 44-52, *p.* 38*.

10. Les 40 Martyrs.

Oraison. Faites, s'il vous plaît, Dieu tout puissant, que reconnaissant le courage de ces glorieux Martyrs dans leur confession, nous ressentions auprès de vous leur pieuse intercession en notre faveur. Par N. S.

Ep. Hébr. 11, 33-40, *p.* 614*.
Ev. Luc 6, 26-38, *p.* 164*.

12. S. Grégoire.

Commun des Papes, p. (77).

17. S. Patrice.

Oraison. O Dieu, qui avez daigné envoyer le B. Confesseur et Pontife Patrice pour annoncer votre gloire aux nations, accordez-nous, par ses mérites et son intercession, de pouvoir, avec votre grâce, accomplir ce que vous nous commandez. Par N. S. J. C.

Ev. Matth. 25, 14-23, *p.* 73*.

18. S. Cyrille de Jérusalem.

Oraison. Donnez-nous, s'il vous plaît, Dieu tout-puissant, par l'intercession du B. Pontife Cyrille, de vous connaître, vous, le seul vrai Dieu et celui que vous avez envoyé, Jésus Christ, de telle sorte que nous méritions d'être éternellement comptés parmi les brebis qui entendent sa voix. Par le même J. C. N. S.

Ev. Matth. 10, 23-28, *p.* 26*.

19. S. Joseph.

Oraison. Faites, Seigneur, que les mérites de l'Epoux de votre Mère très sainte nous viennent en aide ; afin que les grâces que nous ne pouvons obtenir dans notre faiblesse nous soient accordées par son intercession ; O vous.

Ev. Matth. I, 18-21, *p.* 2*.

21. S. Benoît, abbé.

Commun d'un Abbé, p. (80).

24. S. Gabriel, Arch.

Oraison. O Dieu, qui, parmi les autres Anges, avez choisi l'Archange Gabriel pour annoncer le mystère de votre Incarnation, faites, dans votre bonté, qu'en célébrant sa fête sur la terre, nous éprouvions les effets de son céleste patronage. Vous, qui.

Ev. Luc I, 26-38, *p.* 144*.

25. Annonciation.

Oraison. O Dieu qui avez voulu qu'à la parole de l'Ange votre Verbe prît chair du sein de la bienheureuse Vierge Marie ; accordez à la prière de vos serviteurs, que, nous qui la croyons véritablement Mère de Dieu, nous soyons secourus auprès de vous par son intercession. Par le même J. C. N. S.

Ev. Luc I. 26-38, *p.* 144*.

27. S. Jean Damascène.

Oraison. Dieu tout puissant et éternel, qui, pour affermir le culte des saintes images, avez rempli le B. Jean d'une doctrine céleste et d'une admirable force d'esprit, accordez-nous, par son intercession et à son exemple, d'imiter les vertus et d'éprouver la protection de ceux dont nous honorons les images. Par N. S.

Ev. Luc 6, 6-11, *p.* 162*.

28. S. Jean de Capistran.

Oraison. O Dieu, qui par le B. Jean avez fait triompher vos fidèles des ennemis de la croix par la vertu du très saint Nom de Jésus, faites, s'il vous plaît, qu'ayant vaincu, par son intercession, les embûches de nos ennemis spirituels, nous méritions de recevoir de vous la couronne de justice. Par le même J. C.

Ev. Luc 6, 6-11, *p.* 162*.

FÊTES D'AVRIL.

2. S. François de Paule.

Oraison. O Dieu, grandeur des humbles, qui avez élevé à la gloire de vos Saints le B. Confesseur François, faites, s'il vous plaît, que, par ses mérites et en l'imitant, nous parvenions heureusement aux récompenses promises aux humbles. Par N. S. J. C.

Ep. Phil. 3, 7-12, *p.* 539*
Ev. Luc 12, 32-34, *p.* 191*.

4. S. Isidore, Doct.

Commun d'un Docteur, p. (79).

5. S. Vincent Ferrier.

Oraison. O Dieu, qui avez daigné illustrer votre Eglise par les mérites et les prédications de votre B. Confesseur Vincent, accordez-nous, à nous vosserviteurs, d'être instruits par ses exemples, et, par sa protection, délivrés de toutes les adversités. Par N. S. J. C.

Ev. Luc 12, 35-40, *p.* 191*.

11. S. Léon P. C. D.

Commun des Papes, p. (77).

13. S. Herménégilde.

Oraison. O Dieu, qui avez appris à votre B. Martyr Herménégilde à préférer le royaume du ciel à celui de la terre, donnez-nous de mépriser à son exemple les biens périssables, et de rechercher les biens éternels. Par N. S. J. C.

Ev. Luc 14, 26-33, *p.* 199*.

14. S. Justin Mart.

Oraison. O Dieu, qui, par la folie de la croix, avez si bien enseigné au B. Martyr Justin l'éminente science de Jésus Christ; accordez-nous, par son intercession, qu'ayant déjoué les embûches des erreurs, nous obtenionsla fermeté dans la foi par le même J. C.

Ep. I. Cor. 1, 18-30, *p.* 438*.
Ev. Luc 12, 2-8, *p.* 189*.

17. S. Anicet, P. M.

Commun des Papes, p. (77).

21 S. Anselme, E. D.

Commun d'un Docteur, p. (79).

22. Ss. Soter et Caïus.

Commun des Papes, p. (77).

23. S. Georges, M.

Oraison. O Dieu, qui nous réjouissez par les mérites et l'intercession de votre B. Martyr Georges, faites dans votre bonté que, demandant par lui vos bienfaits, nous les obtenions par l'effet de votre grâce. Par N. S.

Ep. Tim. 2, 8-10; 3, 10-12, *p.* 578*.
Ev. Jean 15, 1-7, *p.* 287*.

24. S. Fidèle, Mart.

Oraison. O Dieu, qui avez daigné décorer de

la palme du martyre et de glorieux miracles, le B. Fidèle, dont le cœur brûlait d'une ardeur séraphique pour la propagation de la vraie foi, nous vous en prions, par ses mérites et son intercession, affermissez-nous tellement par votre grâce dans la foi et la charité, que nous méritions de rester fidèles dans votre service jusqu'à la mort. Par N. S. J. C.

Ev. Jean 15, 1-7, *p.* 287*.

25. S. Marc, Evangéliste.

Oraison. O Dieu, qui avez glorifié le bienheureux Marc, votre Evangéliste, en l'appelant à la dignité de prédicateur de l'Evangile, faites-nous, s'il vous plaît, la grâce de toujours profiter de ses enseignements, et d'être défendus par ses prières. Par N. S. J. C.

Ev. Luc 10, 1-9, *p.* 180*.

26. Ss. Clet et Marcellin.

Commun des Papes, p. (77).

27. S. Pierre Canisius.

Oraison. O Dieu, qui, pour défendre la foi catholique avez fortifié en vertu et en doctrine votre Confesseur, le B. Pierre, faites, dans votre bonté, que par ses exemples et ses avis, les égarés reviennent au salut, et que les fidèles persévèrent dans la confession de la vérité. Par N. S. J. C.

Ep. II Tim. 4, 1-8, *p.* 581*.
Ev. Matth. 5, 13-19, *p.* 10*.

28. S. Paul de la Croix.

Oraison. Seigneur Jésus Christ, qui avez accordé à saint Paul une charité singulière pour prêcher le mystère de la croix, et qui par lui avez voulu faire fleurir dans l'Eglise une nouvelle famille; faites par son intercession, que méditant sans cesse ici-bas, votre passion, nous méritions d'en goûter les fruits dans le ciel; O vous qui, étant Dieu, vivez.

Ep. I. Cor. 1, 17-25, *p.* 438*.
Ev. Luc 12, 1-9, *p.* 180*.

29. S. Pierre de Vérone.

Oraison. Dieu tout puissant, accordez-nous, s'il vous plaît, de garder avec la dévotion convenable la foi de votre B. Martyr Pierre, qui, pour l'extension de cette même foi, mérita d'obtenir la palme du martyre. Par N. S. J. C.

Ep. II. Tim. 2, 8-10; 3, 10-12, *p.* 578*.
Ev. Jean 15, 1-7, *p.* 287*.

30. Ste Catherine de Sienne.

Oraison. Faites, s'il vous plaît, Dieu tout puissant, que célébrant la naissance de votre B. Vierge Catherine, nous goûtions la joie de sa fête annuelle et mettions à profit l'exemple d'une telle vertu. Par N. S. J. C.

Ep. II. Cor. 10, 17-18, 11, 1-2, *p.* 498*.
Ev. Matth. 25, 1-13, *p.* 72*.

FÊTES DE MAI.

1. S. Philippe et S. Jacques, Apôtres.

Oraison. O Dieu, qui nous réjouissez par la solennité annuelle de vos Apôtres Philippe et Jacques, faites, nous vous en prions, qu'en jouissant de leurs mérites, nous profitions de leurs exemples. Par N. S. J. C.

Ev. Jean 14, 1-13, *p.* 284*.

2. S. Athanase.

Oraison. Exaucez, s'il vous plaît, Seigneur, les prières que nous vous offrons en la solennité de votre B. Confesseur et Pontife Athanase, et par l'intercession des mérites de celui qui vous a si dignement servi, pardonnez-nous tous nos péchés. Par N. S. J. C.

Ep. II. Cor. 4, 5-14, *p.* 485*.
Ev. Matth. 10, 23-28, *p.* 26*.

3. Invention de la sainte Croix.

Oraison. O Dieu, qui, en ce jour mémorable où fut retrouvée la Croix, instrument de notre salut, avez renouvelé les merveilles de votre passion, accordez-nous, par la vertu de ce bois de vie, la grâce de la vie éternelle; O vous, qui, étant.

Ep. Philipp. 2, 5-11, *p.* 536*.
Ev. Jean 3, 1-15. *p.* 240*.

4. Ste Monique, Veuve.

Oraison. O Dieu, consolateur des affligés, et salut de ceux qui espèrent en vous, ô vous qui avez miséricordieusement reçu les pieuses larmes de la B. Monique pour la conversion de son Fils Augustin, donnez-nous par leur double intercession, de pleurer nos péchés, et d'en obtenir le pardon de votre bonté. Par N. S. J. C.

Ep. I. Timoth. 5, 3-10, *p.* 372*.
Ev. Luc 7, 11-16, *p.* 167*.

5. S. Pie V, P. C.

Oraison. O Dieu, qui pour écraser les ennemis de votre Eglise, et restaurer le culte divin, avez daigné choisir pour Pontife suprême le bienheureux Pie, faites qu'à l'abri de sa protection et attachés à votre service, nous jouissions de l'éternelle paix, après avoir triomphé de toutes les embûches de nos ennemis. Par N. S. J. C.

Ep. I. Pierre 5, 1-4 et 10-11, *p.* 641*.
Ev. Matth. 16, 13-19, *p.* 45*.

6. S. Jean devant la Porte Latine.

Oraison. O Dieu, qui nous voyez accablés d'une foule de maux, faites, s'il vous plaît, que la glorieuse intercession de votre B. Apôtre et Evangéliste Jean nous protège. Par N. S. J. C.

Ev. Matth. 20, 20-23, *p.* 56*.

7. S. Stanislas, E. M.

Oraison. O Dieu, pour l'honneur de qui le glorieux Pontife Stanislas a succombé sous le glaive des impies, faites, nous vous en prions, que tous ceux qui vous implorent son secours obtiennent l'effet salutaire de leur demande. Par N. S. J. C.

Ev. Jean 15, 1-7, *p.* 287*.

8. Apparition de S. Michel.

Voir au 29 Sept., p. (117).

9. S. Grégoire de Nazianze.

Commun d'un Docteur, p. (79).

10. S. Antonin, E. C.

Oraison. Que nous soyons secourus, Seigneur, par les mérites de votre S. Confesseur et Pontife Antonin, afin que, comme nous proclamons vos merveilles en lui, ainsi nous mettions notre gloire en votre miséricorde envers nous. Par N. S. J. C.

Ev. Matth. 25, 14-23, *p.* 73*.

12. Ss. Nérée, Achille, Domitille et Pancrace, Martyrs.

Oraison. Que toujours, s'il vous plaît, Seigneur, la sainte fête de vos Martyrs Nérée, Achille, Domitille et Pancrace nous ranime, et nous rende dignes de votre service. Par N. S. J. C.

13. S. Robert Bellarmin, D.

Oraison. O Dieu, qui pour combattre les embûches de l'erreur et défendre les droits du Saint-Siège, avez orné d'une érudition et d'une force admirables le B. Robert, votre Pontife et Docteur, accordez-nous par ses mérites et son intercession, de croître dans l'amour de la vérité et de ramener les cœurs égarés à l'unité de votre Eglise. Par N. S. J. C.

Ev. Matth. 5, 13-19, *p.* 10*.

14. S. Boniface M.

Oraison. Faites, s'il vous plaît, ô Dieu tout puissant, que, célébrant la fête de votre B. Martyr Boniface, nous soyons secourus par son intercession auprès de vous. Par N. S. J. C.

Ev. Jean 15, 1-7, *p.* 287*.

15. S. Jean Baptiste de la Salle.

Oraison. O Dieu, qui pour donner l'enseignement chrétien aux pauvres et affermir la jeunesse dans la voie de la vérité, avez suscité le saint Confesseur Jean Baptiste et avez par lui fondé une nouvelle famille dans l'Eglise, accordez-nous, s'il vous plaît, d'être, à son exemple et par son intercession, consumés du zèle de la gloire de Dieu pour le salut des âmes, afin que nous puissions un jour avoir part à sa couronne dans les cieux. Par N. S.

Ev. Matth. 18, 1-5, *p*, 49*.

16. S. Ubald E. C.

Oraison. Nous vous en prions, Seigneur, dans votre bonté envoyez-nous votre secours; et, par l'intercession de votre B. Confesseur et Pontife Ubald, étendez sur nous la droite de votre protection contre toutes les malices du démon. Par N. S. J. C.

Ev. Matth. 25, 14-23, *p.* 73*.

17. S. Pascal Baylon, C.

Oraison. O Dieu, qui avez orné votre B. Confesseur Pascal d'un amour extraordinaire pour les saints mystères de votre Corps et de votre Sang, faites, dans votre bonté, que nous méritions de retirer de ce banquet divin l'abondance de grâces que lui-même y a puisée : O vous qui, etc.

Ev. Luc 12, 35-40, *p.* 101*.

18. S. Venant, M.

Oraison. O Dieu, qui avez consacré ce jour par le triomphe de votre B. Martyr Venant, exaucez les prières de votre peuple, et faites qu'en célébrant ses mérites, nous imitions la constance de sa foi. Par N. S. J. C.

Ev. Jean 15, 1-7, *p.* 287*.

19. S. Pierre Célestin, P.

Oraison. O Dieu, qui avez élevé le B. Pierre Célestin au faîte du souverain pontificat, et qui lui avez appris à lui préférer l'humilité; accordez-nous, dans votre bonté, de mépriser à son exemple tous les biens de ce monde, afin que nous méritions de parvenir heureusement aux récompenses promises aux humbles. Par N. S. J. C.

Ep. I. Pierre 5, 1-4 et 10-11, *p.* 641*.

Ev. Matth. 16, 13-19, *p.* 45*.

20. S. Bernardin, C.

Oraison. Seigneur Jésus, qui avez accordé à votre B. Confesseur Bernardin, un ardent amour pour votre saint nom, nous vous en prions par ses mérites et son intercession, daignez répandre en nous l'esprit de votre charité. Vous qui.

Ev. Matth. 19, 27-29, *p.* 54*.

25. S. Grégoire VII.

Oraison. O Dieu, force de ceux qui espèrent en vous, qui avez fortifié votre B. Confesseur et Pontife Grégoire, par la vertu de constance pour défendre la liberté de l'Eglise, donnez-nous à son exemple et par son intercession, de surmonter avec courage toutes les adversités. Par. N. S.

Ep. I. Pierre 5, 1-4 et 10-11, *p.* 641*.

Ev. Matth. 16, 13-19, *p.* 45*.

26. S. Philippe de Néri, C.

Oraison. O Dieu, qui avez élevé à la gloire de vos Saints votre B. Confesseur Philippe, faites, dans votre bonté, que, célébrant sa fête avec joie, nous mettions à profit l'exemple de ses vertus. Par N. S. J. C.

Ev. Luc 12, 35-40, *p.* 191*.

27. S. Bède le Vénérable.

Oraison. O Dieu, qui illustrez votre Eglise par l'érudition de votre B. Confesseur et Docteur Bède, accordez-nous dans votre bonté, à nous vos serviteurs, d'être éclairés par sa doctrine et secourus par ses mérites. Par N. S. J. C.

Ep. II. Tim. 4, 1-8, *p.* 581*.
Ev. Matth. 5, 13-19, *p.* 10*.

28. S. Augustin de Cantorbéry.

Oraison. O Dieu, qui par la prédication et les miracles de votre B. Confesseur et Pontife Augustin, avez daigné éclairer le peuple anglais de la lumière de la vraie foi, faites que, par son intercession, les cœurs des égarés reviennent à l'unité de votre vérité, et que nous soyons parfaitement unis dans votre volonté. Par N. S. J. C.

Ep. I. Thessal. 2, 2-9, *p.* 553*.
Ev. Luc 10, 1-9, *p.* 180*.

29. Ste Marie Madeleine de Pazzi.

Oraison. O Dieu, qui, aimant la virginité, avez orné de dons célestes la B. Vierge Marie Madeleine, embrasée de votre amour; faites que l'honorant par la célébration de cette fête, nous l'imitions dans sa pureté et sa charité. Par N. S. J. C.

Ep. II. Cor. 10, 17-18; 11, 1-2, *p.* 498*.
Ev. Matth. 25, 1-13, *p.* 72*.

30. S. Félix, P. M.

Commun des Papes, p. (77).

LE MÊME JOUR.

Ste Jeanne d'Arc.

Oraison. O Dieu, qui avez miraculeusement suscité la bienheureuse Jeanne pour défendre la foi et la patrie; faites, s'il vous plaît, par son intercession, que votre Eglise, triomphant des embûches de ses ennemis, jouisse d'une paix perpétuelle. Par Notre Seigneur Jésus Christ.

Ev. Matth. 16, 24-27, *p.* 46*.

31. B. V. M. Reine du Monde.

Oraison. Nous vous prions, Seigneur, faites que, célébrant cette fête en l'honneur de la bienheureuse Vierge Marie notre Reine, nous nous sentions aidés par sa protection et obtenions la paix pour cette vie et la gloire dans la vie future. Par N. S. J. C.

Ev. Luc 1, 26-33, *p.* 144*.

FÊTES DE JUIN.

1. S. Angèle de Mérici, V.

Oraison. O Dieu, qui par la B. Angèle, avez

voulu faire fleurir dans votre Eglise une nouvelle société de pieuses vierges; faites, par son intercession, que menant une vie angélique, et renonçant à tout ce qui est terrestre, nous méritions de jouir des joies éternelles. Par Notre Seigneur Jésus Christ.

Ep. II. Cor. 10, 17-18; 11, 1-2, *p.* 498*.
Ev. Matth. 25, 1-13, *p.* 72*.

2. Ss. Marcellin, Pierre et Erasme, Mm.

Oraison. O Dieu, qui nous réjouissez par la fête annuelle de vos saints Martyrs Marcellin, Pierre et Erasme, accordez-nous, dans votre bonté, d'être enflammés par les exemples de ceux dont les mérites nous comblent de joie. Par Notre Seigneur Jésus Christ.

Ep. Rom. 8, 18-23, *p.* 414*.
Ev. Luc 21, 9-19, *p.* 918.

4. S. François Caracciolo, C.

Oraison. O Dieu, qui avez glorifié le B. François, fondateur d'un nouvel Ordre, par le zèle de la prière et l'amour de la pénitence, accordez à vos serviteurs de profiter de ses exemples, de telle façon que, s'occupant sans cesse à prier et à réduire leur corps en servitude, ils méritent de parvenir à la gloire du ciel. Par N. S. J. C.

Ev. Luc 12, 35-40, *p.* 191*.

5. S. Boniface, E. M.

Oraison. O Dieu, qui avez daigné appeler une multitude de peuples à la connaissance de votre nom par le zèle de votre B. Martyr et Pontife Boniface, faites, dans votre bonté, que célébrant sa fête, nous ressentions aussi son patronage. Par N. S. J. C.

Ev. Matth. 5, 1-12, *p.* 9*.

6. S. Norbert, E. C.

Oraison. O Dieu, qui avez fait de votre B. Confesseur Pontife Norbert un éminent prédicateur de votre parole, et qui par lui avez doté votre Eglise d'une nouvelle famille, faites s'il vous plaît, que par le suffrage de ses mérites, nous puissions, avec votre aide, pratiquer ce qu'il a enseigné par parole et par action. Par N. S. J. C.

Ev. Matth. 25, 14-23, *p.* 73*.

9. Ss. Prime et Félicien, Mm.

Oraison. Accordez-nous, s'il vous plaît, Seigneur, de toujours célébrer la fête de vos saints Martyrs Prime et Félicien, afin que par leur intercession, nous éprouvions les bienfaits de votre protection. Par N. S.

Ev. Matth. 11, 25-30, *p.* 30*.

10. Ste Marguerite.

Oraison. O Dieu, qui avez rendu admirable, par une éminente charité envers les pauvres, la B. Marguerite reine d'Ecosse, faites que, à son exemple et par son intercession, votre charité croisse sans cesse dans nos cœurs. Par N. S. J. C.

Ev. Matth. 13, 44-51, *p.* 38*.

11 S. Barnabé, Apôtre.

Oraison. O Dieu, qui nous réjouissez par les mérites et l'intercession de votre B. Apôtre Barnabé, accordez-nous dans votre bonté, que demandant vos bienfaits par lui, nous les obtenions de votre grâce. Par N. S.

Ep. Act. 11, 21-26, et 13, 1-3, *p.* 342* et 345*.
Ev. Matth. 10, 16-22, *p.* 25*.

12. S. Jean de S.-Facond.

Oraison. O Dieu, auteur de la paix, et amant de la charité, qui avez orné le B. Jean, votre Confesseur, d'un merveilleux don pour apaiser les différends ; accordez-nous, par ses mérites et son intercession, d'être si affermis dans votre charité, que nous ne soyons plus séparés de vous par aucune tentation. Par N. S.

Ev. Luc. 12, 35-40, *p.* 191*.

13. S. Antoine de Padoue, C. D.

Oraison. Que la célébration de la fête de votre B. Confesseur et Docteur Antoine réjouisse votre Eglise, ô Dieu ; afin qu'elle soit toujours munie de secours spirituels et mérite de goûter les joies éternelles. Par N. S.

Ep. II. Tim. 4, 1-8, *p.* 581*.
Ev. Matth.. 5, 13-19, *p.* 10*.

14. S. Basile, E. C. D.

Oraison. Exaucez, s'il vous plaît, Seigneur, les prières que nous vous offrons en la solennité de votre B. Confesseur et Pontife Basile, et par l'intercession des mérites de celui qui vous a si dignement servi, pardonnez-nous tous nos péchés. Par N. S. J. C.

Ep. II. Tim. 4, 1-8, *p.* 581*.
Ev. Luc 14, 26-33, *p.* 199*.

15. Ss. Guy, Modeste et Crescence.

Oraison. Accordez, s'il vous plaît, Seigneur, à votre Eglise, par l'intercession de vos saints Martyrs Vite, Modeste et Crescence, de ne point avoir de sentiments d'orgueil, mais de professer l'humilité qui vous plaît tant; afin que, méprisant le mal, elle pratique tout bien avec une libre charité. Par N. S. J. C.

Ev. Luc 10, 16-20, *p.* 182*.

18. S. Ephrem, D.

Oraison. O Dieu, qui avez voulu glorifier votre Eglise par les mérites éclatants de la vie et le remarquable enseignement de votre B. Confesseur et Docteur Ephrem, nous vous demandons humblement, par son intercession, de la défendre constamment par votre puissance contre les embûches de l'erreur et du mal. Par N. S. J. C.

Ep. II. Tim. 4, 1-8, *p.* 581*.
Ev. Matth. 5, 13-19, *p.* 10*.

19. Ste Julienne de Falconiéri.

Oraison. O Dieu, qui avez daigné nourrir miraculeusement du corps précieux de votre Fils la B. Vierge Julienne, sur le point de mourir, faites, par ses mérites et son intercession, que nous aussi, dans notre agonie, nourris et fortifiés par ce Corps divin, nous soyons conduits jusqu'à la céleste patrie. Par le même N. S.

Ep. II. Cor. 10, 17-18 et 11, 1-2, *p.* 498*.
Ev. Matth. 15, 1-13, *p.* 72*.

20. S. Silvère.

Commun des Papes, p. (77).

21. S. Louis de Gonzague.

Oraison. O Dieu, dispensateur des dons célestes, qui avez réuni dans l'angélique adolescent Louis une innocence et une pénitence également admirables, faites, par ses mérites et ses prières, que n'ayant pas suivi son innocence, nous imitions du moins sa pénitence. Par N. S. J. C.

Ev. Matth. 22, 29-40, *p.* 63*

22. S. Paulin, C. P.

Oraison. Dieu, qui avez promis le centuple

en l'autre monde et la vie éternelle à ceux qui ont tout quitté pour vous ici-bas, faites, dans votre bonté, que marchant sur les traces du saint Pontife Paulin, nous puissions mépriser les biens de la terre et ne désirer que ceux du ciel : Vous qui.

Ep. II. Cor. 8, 9-15, *p.* 493*.
Ev. Luc. 12, 32-34, *p.* 191*.

23. Vigile de S. Jean Baptiste.

Oraison. Faites, s'il vous plaît, Dieu tout-puissant, que votre famille marche dans la voie du salut ; et que suivant les enseignements du B. Précurseur Jean, elle parvienne sûrement à celui qu'il annonça, Notre Seigneur Jésus Christ, votre Fils : Qui.

Ev. Luc 1, 5-17, *p.* 142*.

24. S. Jean Baptiste.

Oraison. O Dieu, qui avez rendu ce jour vénérable par la naissance du bienheureux Jean Baptiste, accordez à votre peuple la grâce de goûter les joies spirituelles, et dirigez les cœurs de tous les fidèles dans la voie du salut éternel. Par N. S.

Ev. Luc 1, 57-68, *p.* 146*.

25. S. Guillaume.

Oraison. O Dieu, qui, pour faciliter la voie du salut à notre faiblesse, avez établi l'exemple et l'assistance de vos Saints, donnez-nous de vénérer les mérites du B. Abbé Guillaume, de manière à mériter le secours de ses prières en marchant sur ces traces. Par N. S.

Ev. Matth. 19, 27-29, *p.* 54*.

26. Ss. Jean et Paul.

Oraison. Nous vous demandons, Dieu tout-puissant, de nous faire ressentir en ce jour de fête une double joie causée par la glorification des bienheureux Jean et Paul, qu'une même foi et un même martyre ont rendus véritablement frères. Par N. S. J. C.

Ev. Luc 12, 1-8, *p.* 189*.

28. S. Irénée, E. M.

Oraison. O Dieu, qui avez accordé à votre B. Martyr et Pontife Irénée de triompher des hérésies par la vérité de la doctrine, et d'assurer heureusement la paix à l'Eglise : faites, s'il vous plaît, que votre peuple reste constant dans la sainte religion et accordez votre paix à notre temps. Par N. S. J. C.

Ep. II. Timoth. 3, 14-17 et 4, 1-5, *p*. 569*.
Ev. Matth. 10, 28-33, *p*. 26*.

LE MÊME JOUR.

Vigile de S. Pierre et de S. Paul.

Oraison. Ne permettez pas, s'il vous plaît, Dieu tout puissant, qu'aucune agitation nous ébranle, nous que vous avez solidement établis sur la pierre de la confession des Apôtres. Par N. S.

Ep. Act. 3, 1-10, *p*. 315*.
Ev. Jean 21, 15-19, *p*. 306*.

29. S. Pierre et S. Paul.

Oraison. O Dieu, qui avez consacré le jour présent par le martyre de vos Apôtres Pierre et Paul, faites à votre Eglise la grâce de suivre en tout les leçons de ceux par le ministère de qui elle a reçu les prémices de la foi. Par N. S. J. C.

Ep. Act. 12, 1-11, *p*. 343*.
Ev. Matth. 16, 13-19, *p*. 45*.

30. Commémoration de S. Paul, Apôtre.

Oraison. O Dieu, qui avez instruit la multitude des nations par la prédication du B. Apôtre Paul, faites, s'il vous plaît, qu'en célébrant sa mémoire, nous éprouvions son patronage auprès de vous. Par N. S. J. C.

Ep. Galat. 1, 11-20, *p*. 506*.
Ev. Matth. 10, 16-22, *p*. 25*.

FÊTES DE JUILLET.

1. Précieux Sang.

Oraison. Dieu tout puissant et éternel, qui ayez établi votre Fils unique Rédempteur du monde, voulant être apaisé par son sang, accordez-nous, s'il vous plaît, de vénérer d'un culte solennel le prix de notre salut, et d'être, par sa vertu, si bien défendus ici-bas des maux de la vie présente, qu'au ciel nous jouissions éternellement de son fruit. Par le même J. C.

Ep. Hébr. 9, 11-15, *p*. 605*.
Ev. Jean 19, 30-35, *p*. 300*.

2. Visitation de la Sainte Vierge.

Oraison. Accordez, s'il vous plaît, Seigneur, à vos serviteurs le don de la grâce céleste; et, comme l'enfantement de la bienheureuse Vierge a été le principe de leur salut, qu'ainsi la pieuse solennité de sa Visitation leur procure un accroissement de paix. Par N. S. J. C.

Ev. Luc 1, 39-47, *p.* 145*.

5. S. Antoine-Marie Zaccaria.

Oraison. Donnez-nous, Seigneur Dieu, d'apprendre dans l'esprit de l'Apôtre Paul la science suréminente de J. C., que le B. Antoine-Marie possédait si merveilleusement, et qui lui a fait établir dans votre Eglise de nouvelles congrégations de clercs et de vierges. Par le même J. C.

Ep. I. Timoth. 4, 8-16, *p.* 371*.
Ev. Marc 10, 15-21, *p.* 118*.

7. Ss. Cyrille et Méthode.

Oraison. Dieu tout puissant et éternel, qui avez accordé aux peuples slaves de parvenir à la connaissance de votre nom par le ministère de vos Bb. Confesseurs et Pontifes Cyrille et Méthode, accordez-nous d'être un jour admis en la société de ceux dont nous nous glorifions de célébrer la fête. Par N. S.

Ev. Luc 10, 1-9, *p.* 180*.

8. Ste Elisabeth.

Oraison. Dieu très clément, qui, entre autres précieux dons, avez accordé à la B. reine Elisabeth le pouvoir d'apaiser les fureurs de la guerre, faites, par son intercession, nous vous le demandons humblement, qu'ayant vécu dans la paix ici-bas, nous arrivions aux joies éternelles. Par Notre Seigneur Jésus Christ.

Ep. I. Tim. 5, 3-10, *p.* 572*.
Ev. Matth. 13, 44-52, *p.* 38*,

10. Les Sept Ss. Frères Martyrs.

Oraison. Faites, s'il vous plaît, Dieu tout puissant, que reconnaissant le courage de ces glorieux Martyrs dans leur confession, nous ressentions auprès de vous leur pieuse intercession en notre faveur. Par Notre Seigneur Jésus Christ.

Ev. Matth. 12, 46-50, *p.* 34*.

11. S. Pie I, P. M.

Oraison. Pasteur éternel, regardez favorablement votre troupeau : et gardez-le sous votre perpétuelle protection par le B. Pie, votre martyr et Souverain Pontife, que vous avez établi comme pasteur de toute l'Eglise. Par N. S. J. C.

Ep. 1 Pierre 5, 1-4 et 10-11, *p.* 641*.
Ev. Matth. 16, 13-19, *p.* 45*.

12. S. Jean Gualbert.

Oraison. Nous vous en prions, Seigneur, que l'intercession du B. Abbé Jean nous soit une recommandation, afin que, par son patronage, nous obtenions ce que nous ne pouvons avoir par nos mérites. Par N. S.

Ev. Matth. 5, 43-48, *p.* 13*.

13. S. Anaclet, P. M.

Commun des Papes, p. (77).

14. S. Bonaventure.

Commun d'un Docteur, p. (79).

15. S. Henri, C.

Oraison. O Dieu, qui en ce jour, avez fait passer votre B. Confesseur Henri du faîte d'un empire terrestre au royaume éternel, nous vous demandons humblement que, comme en le prévenant de l'abondance de votre grâce vous l'avez rendu victorieux des attraits du siècle, ainsi à son exemple vous nous donniez d'éviter les appâts de ce monde et d'arriver à vous avec des cœurs purs. Par N. S. J. C.

Ev. Luc 12, 35-40, *p.* 191*.

16. N. D. du Mont Carmel.

Oraison. O Dieu, qui avez décoré l'ordre de la B. Vierge Marie, votre Mère, du titre insigne de Carmel, accordez-nous, dans votre bonté, que, soutenus par la protection de celle dont nous célébrons aujourd'hui la mémoire par un office solennel, nous méritions de parvenir aux joies éternelles; O vous qui.

Ev. Luc 11, 27-28, *p.* 186*.

17. S. Alexis, Conf.

Oraison. O Dieu, qui nous réjouissez par la solennité annuelle de votre B. Confesseur Alexis, faites, dans votre bonté, que célébrant sa naissance, nous imitions aussi ses actions. Par N. S. J. C.

Ep. I. Tim. 6, 6-12, *p.* 574*.
Ev. Matth. 19, 27-29, *p.* 54*.

18. S. Camille de Lellis.

Oraison. O Dieu, qui avez orné saint Camille

du don d'une charité extraordinaire pour aider les âmes dans la lutte suprême de l'agonie ; nous vous en supplions, par ses mérites, répandez en nous l'Esprit de votre charité, afin que nous méritions, à l'heure du trépas, de vaincre l'ennemi, et de parvenir à la céleste couronne. Par N. S. J. C.

Ep. I. Jean 3, 13-18, *p.* 654*.
Ev. Jean 15, 12-16, *p.* 285*.

19. S. Vincent de Paul.

Oraison. O Dieu, qui avez fortifié le bienheureux Vincent de la vertu des Apôtres pour évangéliser les pauvres et relever l'éclat de l'ordre ecclésiastique, faites, s'il vous plaît, qu'en célébrant ses pieux mérites, nous nous instruisions à l'exemple de ses vertus. Par N. S. J. C.

Ep. I. Corinth. 1, 26-31 et 2, 1, *p.* 439*.
Ev. Matth. 9, 35-38, *p.* 24*.

20. S. Jérôme Emilien.

Oraison. O Dieu, Père des miséricordes, par les mérites et l'intercession du B. Jérôme, dont vous avez voulu faire le soutien et le père des orphelins, faites que nous gardions fidèlement cet esprit d'adoption qui nous donne le nom et la qualité d'enfants de Dieu. Par N. S. J. C.

Ev. Matth. 19, 13-21, *p.* 53*.

21. Ste Praxède.

Commun d'une Vierge non Martyre, p. (80).

22. Ste Madeleine.

Oraison. Nous vous en prions, Seigneur, permettez que nous soyons aidés par l'intercession de de la bienheureuse Marie Madeleine, dont les prières obtinrent de vous que Lazare, son frère, mort depuis quatre jours, sortît vivant du tombeau ; O vous qui, étant Dieu.

Ev. Luc 7, 36,50, *p.* 169*.

23. S. Apollinaire, Ev. Mart.

Oraison. O Dieu, rémunérateur des âmes fidèles, qui avez consacré ce jour par le martyre de votre B. Prêtre Apollinaire, faite, s'il vous plaît, que nous vos serviteurs, qui célébrons sa fête vénérable, nous obtenions notre pardon par ses prières. Par N. S.

Ep. I. Pierre 5, 1-11, *p.* 641*.
Ev. Luc. 22, 24-30, *p.* 222*.

25. S. Jacques le Majeur.

Oraison. Daignez, Seigneur, sanctifier et garder votre peuple, afin que, soutenu par l'assistance de votre Apôtre saint Jacques, il vous soit agréable par sa conduite, et qu'il vous serve avec sécurité. Par Notre Seigneur Jésus Christ.

Ep. I. Cor. 4, 9-15, *p.* 445*.
Ev. Matth. 20, 20-23, *p.* 56*.

26. Sainte Anne.

Oraison. O Dieu, qui par votre grâce, avez rendu la bienheureuse Anne digne de mettre au monde la Mère de votre Fils, accordez-nous, dans votre bonté, d'être assistés auprès de vous par la protection de celle dont nous célébrons la solennité. Par le même Jésus Christ Notre Seigneur.

Ev. Matth. 13, 44-52, *p.* 38*.

27. S. Pantaléon, M.

Commun d'un Mart. non Pont., *p.* (78).

28. Ss. Nazaire et Celse, Victor et Innocent.

Oraison. Que la bienheureuse confession de vos saints Nazaire, Celse, Victor et Innocent nous fortifie, Seigneur, et obtienne de votre bonté des secours pour notre faiblesse. Par Notre Seigneur Jésus Christ.

Ev. Luc 21, 9-17, *p.* 218*.

29. Ste Marthe, Vierge.

Oraison. Exaucez-nous, ô Dieu notre Sauveur, afin que, tout en célébrant avec joie la fête de votre B. Vierge Marthe, nous nous y instruisions dans la tendresse d'une pieuse dévotion. Par N. S.

Ep. II. Cor. 10, 17-18, et 11, 1-2, *p.* 498*.
Ev. Luc 10, 38-42, *p.* 183*.

30. Ss. Abdon et Sennen.

Oraison. O Dieu, qui avez conféré avec abondance à vos saints Abdon et Sennen les trésors de votre grâce pour parvenir à cette gloire, accordez à vos serviteurs le pardon de leurs péchés, afin que, en considération des mérites de vos Saints, ils méritent d'être délivrés de toute adversité Par Notre Seigneur Jésus Christ.

Ep. II. Cor. 6, 4-11, *p.* 489*.
Ev. Matth. 5, 1-12, *p.* 9*.

31. S. Ignace, Conf.

Oraison. O Dieu, qui pour procurer la plus grande gloire de votre nom, avez fortifié votre Eglise militante, en lui donnant une nouvelle armée par le B. Ignace, faites que, combattant comme lui et avec son secours sur la terre, nous méritions d'être couronnés avec lui dans le ciel. Par N. S. J. C.

Ep. II. Tim. 2, 8-10 et 3, 10-12, *p.* 578*.
Ev. Luc 10, 1-9, *p.* 180*.

FÊTES D'AOUT.

1. S. Pierre aux Liens.

Oraison. O Dieu, qui avez délivré de ses liens et fait sortir sain et sauf le B. Apôtre Pierre, brisez, s'il vous plaît, les liens de nos péchés, et, dans votre bonté, éloignez de nous tous les maux. Par N. S. J. C.

Ep. Act. 12, 1-11, *p.* 343*.
Ev. Matth. 16, 13-19, *p.* 45*.

2. S. Alphonse-Marie de Liguori.

Oraison. O Dieu, qui par votre B. Confesseur et Pontife Alphonse-Marie, brûlant du zèle des âmes, avez enrichi votre Eglise d'une nouvelle famille, nous vous demandons, qu'instruits par ses leçons salutaires et fortifiés par ses exemples, nous puissions parvenir heureusement jusqu'à vous. Par N. S. J. C.

Ep. II. Tim. 2, 1-7, *p.* 577*.
Ev. Luc 10, 1-9, *p.* 180*.

3. Invention de S. Etienne.

Oraison. Donnez-nous, s'il vous plaît, Seigneur, d'imiter ce que nous honorons, afin que nous apprenions à aimer aussi nos ennemis, puisque nous célébrons l'Invention de celui qui même pour ses persécuteurs sut prier N. S. J. C., votre Fils; Qui, étant Dieu.

Ep. Actes 6, 8-10 et 7, 54-59, *p.* 324* et 329*.
Ev. Matth. 23, 34-39, *p.* 67*.

4. S. Dominique, C.

Oraison. O Dieu, qui avez daigné éclairer votre Eglise par les mérites et les enseignements de votre B. Confesseur Dominique, faites que, par son intercession, elle ne soit pas privée des secours temporels, et qu'elle croisse toujours en biens spirituels. Par N. S.

Ep. II. Tim. 4, 1-8, *p.* 581*.
Ev. Luc 12, 35-40. *p.* 191*.

5. N. D. des Neiges.

Voir Fêtes de la Ste Vierge, p. (77).

6. Transfiguration.

Oraison. O Dieu, qui dans la glorieuse Transfiguration de votre Fils unique, avez confirmé les mystères de la foi par le témoignage des prophètes, et qui, par une voix sortie de la nuée lumineuse, avez merveilleusement proclamé la parfaite adoption de vos enfants, accordez-nous, dans votre bonté, la grâce de devenir les cohéritiers du Roi de gloire, et de participer un jour à cette même gloire. Par le même J. C. N. S.

Ep. II. Pierre 1, 16-19, *p.* 644*.
Ev. Matth. 17, 1-9, *p.* 47*.

7. S. Gaëtan, Conf.

Oraison. O Dieu, qui avez accordé à votre B. Confesseur Gaëtan d'imiter le genre de vie des Apôtres, donnez-nous, par son intercession et à son exemple, de mettre toujours en vous notre confiance et de ne désirer que les biens du ciel. Par N. S. J. C.

Ev. Matth. 6, 24-33, *p.* 15*.

8. S. Cyriaque et ses Compagnons.

Oraison. O Dieu, qui nous réjouissez par la fête annuelle de vos saints Martyrs Cyriaque, Large et Smaragde, faites, dans votre bonté, que célébrant leur naissance, nous imitions aussi le courage de leur passion. Par N. S. J. C.

Ep. I. Thessal. 2, 13-16, *p.* 554*.
Ev. Marc 16, 15-18, *p.* 140*.

9. S. Jean Marie Vianney, C.

Oraison. Dieu tout-puissant et miséricordieux, qui avez rendu saint Jean Marie admirable par son zèle pastoral et son ardeur soutenue pour la prière et la pénitence, faites, s'il vous plaît, qu'à son exemple et par son intercession, nous puissions gagner au Christ les âmes de nos frères, et parvenir avec eux à la gloire éternelle. Par le même J. C.

Ev. Matth. 9, 35-38; 10, 1, *p.* 24*.

LE MÊME JOUR.

Vigile de S. Laurent.

Oraison. Exaucez nos supplications, Seigneur,

et, par l'intercession de votre B. Martyr Laurent, dont nous prévenons la fête, répandez sur nous, dans votre bonté, votre éternelle miséricorde. Par N. S. J. C.

Ev. Matth. 16, 24-27, *p.* 46*.

10. S. Laurent, M.

Oraison. Faites-nous, s'il vous plaît, ô Dieu tout puissant, la grâce d'éteindre en nous les flammes du vice, vous qui avez donné au bienheureux Laurent la force de surmonter les feux qui le torturaient. Par N. S. J. C.

Ep. II. Cor. 9, 6-10, *p.* 495*.
Ev. Jean 12, 24-26, *p.* 278*.

11. Ss. Tiburce et Suzanne.

Oraison. Seigneur, que la protection de vos saints Martyrs Tiburce et Suzanne nous entoure continuellement, puisque vous ne cessez de regarder favorablement ceux à qui vous accordez le secours d'un tel appui. Par N. S. J. C.

Ep. Hébr. 11, 32-39, *p.* 610*.
Ev. Matth. 19, 27-29, *p.* 54*.

12. Ste Claire, V.

Commun d'une Vierge non Mart., p. (80).

13. Ss. Hippolyte et Cassien, Mm.

Oraison. Faites, s'il vous plaît, Dieu tout puissant, que la fête vénérable de vos bienheureux Martyrs Hippolyte et Cassien augmente en nous la dévotion et le salut. Par N. S. J. C.

Ep. Hébr. 10, 32-38, *p.* 610*.
Ev. Luc 12, 1-8, *p.* 189*.

14. Vigile de l'Assomption.

Oraison. O Dieu, qui avez daigné choisir pour demeure le sein virginal de la B. Vierge Marie, faites, s'il vous plaît, qu'à l'abri sous sa protection, nous puissions assister à sa fête avec joie : Vous qui.

Ev. Luc 11, 27-28, *p.* 186*.

15. Assomption de la Sainte Vierge.

Oraison. Dieu tout-puissant et éternel, qui avez élevé en corps et en âme à la gloire céleste l'Immaculée Vierge Marie, mère de votre Fils; faites, nous nous en prions, que toujours attentifs aux biens d'en-haut, nous méritions d'être associés à sa gloire. Par le même N. S.

Ev. Luc 1, 41-50, *p.* 145.

16. S. Joachim, Père de la B. V. Marie.

Oraison. O Dieu, qui entre tous vos Saints, avez fait choix du B. Joachim, pour être le père de la Mère de votre Fils, faites, s'il vous plaît, que nous ressentions sans cesse la protection de celui dont nous célébrons la fête. Par le même.

Ev. Matth. 1, 1-16, *p.* 1*.

17. S. Hyacinthe, C.

Commun d'un Conf. non Pont., *p.* (79).

19. S. Jean Eudes, C.

Oraison. O Dieu, qui pour promouvoir le culte liturgique des Sacrés Cœurs de Jésus et de Marie, avez merveilleusement enflammé votre B. Confesseur Jean et avez daigné établir par lui de nouvelles familles religieuses dans votre Eglise; accordez-nous, nous vous en prions, en vénérant ses pieux mérites, d'être instruits par les exemples de ses vertus. Par le même.

Ep. 1 Jean 4, 7-11, *p.* 636*.
Ev. Luc 10, 1-9, *p.* 180*.

20. S. Bernard, C. D.

Commun d'un Docteur, *p.* (79).

21. Sainte Jeanne de Chantal.

Oraison. Dieu tout puissant et miséricordieux qui avez revêtu la B. Jeanne Françoise, embrasée de votre amour, d'un courage admirable pour suivre la voie parfaite dans toutes les conditions de la vie, et qui par elle avez voulu doter votre Eglise d'une nouvelle famille : accordez à ses mérites et à ses prières, que connaissant notre faiblesse et plaçant notre confiance en votre puissance, nous triomphions, avec l'aide de la grâce céleste, de tous les obstacles. Par N. S. J. C.

Ev. Matth. 13, 44-52, *p.* 38*.

22. Cœur Immaculé de Marie.

Oraison. Dieu tout-puissant et éternel, qui avez préparé dans le Cœur de la bienheureuse Vierge Marie une demeure digne de l'Esprit-Saint, soyez-nous propice et faites que célébrant dévotement la fête de ce même Cœur immaculé, nous puissions vivre selon votre Cœur. Par N. S... en l'unité du même S.-E.

Ev. Jean 19, 25-27, *p.* 300*.

24. S. Barthélemi, Apôtre.

Oraison. Dieu tout puissant et éternel, qui dans ce jour où nous célébrons la fête de votre bienheureux Apôtre Barthélemi, remplissez nos cœurs de vénération, et de saintes joies, accordez à votre Eglise d'aimer ce qu'il a cru, et de prêcher ce qu'il a lui-même enseigné. Par N. S. J. C.

Ep. I. Cor. 12, 27-31, *p.* 466*.
Ev. Luc 6, 12-19, *p.* 163*.

25. S. Louis, roi de France.

Oraison. O Dieu, qui avez fait passer le bienheureux Confesseur Louis de la royauté terrestre à la gloire du royaume céleste, nous vous prions, par ses mérites et son intercession, de nous faire participer un jour à la gloire du Roi des rois, J. C. votre Fils, qui étant Dieu.

Ev. Luc 19, 12-26, *p.* 211*.

26. S. Zéphyrin.

Commun des Papes, p. (77).

27. S. Joseph Calasanz, C.

Oraison. O Dieu, qui par saint Joseph votre Confesseur, avez daigné procurer à votre Eglise une nouvelle milice pour former la jeunesse à la science et à la piété; donnez-nous, s'il vous plaît, à son exemple et par son intercession, d'agir et d'enseigner de façon à conquérir les récompenses éternelles. Par Notre Seigneur Jésus Christ.

Ev. Matth. 18, 1-5, *p.* 49*.

28. S. Augustin, D.

Oraison. Ecoutez favorablement nos supplications, ô Dieu tout puissant, et puisque vous nous permettez d'espérer avec confiance en votre bonté, accordez-nous, par l'intercession de votre bienheureux Pontife et Confesseur Augustin, de ressentir les effets de votre miséricorde habituelle. Par Notre Seigneur Jésus Christ.

Ep. II. Tim. 4. 1-8, *p.* 581*.
Ev. Matth. 5, 13-19, *p.* 10*.

29. Décollation de S. Jean Baptiste.

Oraison. Nous vous en prions, Seigneur, faites que la fête solennelle de votre saint Précurseur et

Martyr Jean Baptiste, nous procure des grâces efficaces de salut. Vous qui, étant Dieu.

Ev. Marc. 6, 17-29, *p.* 104*.

30. Ste Rose de Lima, V.

Oraison. Dispensateur de tous les biens, Dieu tout puissant, qui, ayant prévenu la B. Rose de la rosée céleste de la grâce, avez voulu la faire fleurir aux Indes, par l'éclat de la virginité et de la patience, faites que nous, vos serviteurs, courant au parfum de ses suaves vertus, nous méritions de devenir la bonne odeur du Christ : Qui vit.

Ep. II Cor. 10, 17-18 et 11, 1-2, *p.* 498.
Ev. Matth. 25, 1-13, *p.* 72*.

31. S. Raymond Nonnat, C.

Oraison. O Dieu, qui avez rendu votre B. Confesseur Raymond admirable dans la libération de vos fidèles captifs des impies, accordez-nous par son intercession, que, délivrés des liens du péché, nous accomplissions avec liberté d'esprit ce qui vous est agréable. Par Notre Seigneur Jésus Christ.

Ev. Luc 12, 35-40, *p.* 191*.

LE MÊME JOUR.

N. D. Médiatrice.

Oraison. O notre médiateur auprès du Père, Seigneur Jésus Christ, qui avez daigné constituer la sainte Vierge, votre mère, notre Médiatrice auprès de vous et, aussi notre mère, faites dans votre bonté, que tous ceux qui viennent à vous pour implorer vos bienfaits, se réjouissent de les obtenir tous par elle : Vous qui... avec le même Dieu le Père.

Ev. Jean 19, 25-27, *p.* 300*.

FÊTES DE SEPTEMBRE.

1. S. Gilles, Abbé.

Commun des Abbés, p. (80).

2. S. Etienne, C.

Oraison. Dieu tout puissant, accordez, s'il vous plaît, à votre Eglise, qu'ayant eu votre B. Confesseur Etienne comme propagateur durant son règne ici-bas, elle mérite de l'avoir comme glorieux défenseur dans le ciel. Par Notre Seigneur Jésus Christ.

Ev. Luc 19, 22-26, *p.* 211*.

3. Pie X, P. C.

Oraison. O Dieu, qui, pour protéger la foi catholique et pour tout restaurer dans le Christ, avez rempli Saint Pie, votre souverain Pontife, de sagesse céleste et de force apostolique ; accordez-nous, dans votre bonté, que, restant fidèles à ses directives et à ses exemples, nous parvenions à la récompense éternelle. Par le même.

Ep. I Thess. 2, 2-8, p. 553*.
Ev. Jean 21, 15-17, p. 306*.

5. S. Laurent Justinien.

Commun d'un Conf. Pont., p. (79).

8. Nativité de la Sainte Vierge.

Oraison. Accordez, s'il vous plaît, Seigneur, à vos serviteurs le don de la grâce céleste ; afin que la solennité de la Nativité de la B. Vierge apporte un accroissement de paix à ceux qui ont reçu de son Enfantement le principe de leur salut. Par N. S. J. C.

Ev. Matth. 1, 1-16, *p.* 1*.

9. S. Gorgon, M.

Commun d'un Mart. non Pont., p. (78).

10. S. Nicolas de Tolentino, C.

Commun d'un Confesseur non Pont., p. (79).

11 Ss. Prote et Hyacinthe, Mm.

Commun de plusieurs Mart., p. (79).

12. S. Nom de Marie.

Oraison. Dieu tout puissant, faites, s'il vous plaît, que vos fidèles, qui mettent leur joie dans le nom et la protection de la très sainte Vierge Marie, méritent, par sa pieuse intercession, d'être délivrés de tous les maux d'ici-bas, et de parvenir aux joies éternelles dans les cieux. Par N. S. J. C.

Ev. Luc 1, 26-38, *p.* 144*.

14. Exaltation de la Sainte Croix.

Oraison. O Dieu, qui chaque année, nous réjouissez en ce jour par la solennité de l'Exaltation de la Sainte Croix, faites, nous vous en prions, que nous obtenions dans le ciel le fruit de la rédemption opérée par votre Fils et dont nous avons connu le mystère sur la terre. Par le même J. C. N. S.

Ep. Philipp. 2, 5-11, *p.* 536*.
Ev. Jean 12, 31-36, *p.* 279*.

15. Notre Dame des sept douleurs.

Oraison. O Dieu, dans la passion duquel un glaive de douleur, selon la prophétie de Siméon, transperça l'âme très douce de la glorieuse Vierge Marie votre Mère, dans votre bonté, faites que vénérant ses souffrances en cette solennité, nous recueillions les heureux fruits de votre passion. Vous qui.

Ev. Jean 19, 25-27, *p.* 300*.

16. Ss. Corneille et Cyprien, Mm.

Commun de plusieurs Mart. Pont., p. (79).

17. Stigmates de S. François.

Oraison. Seigneur J. C., qui, dans le monde refroidi, pour embraser nos cœurs du feu de votre amour, avez renouvelé les sacrés stigmates de votre passion dans la chair du B. François, accordez-nous, dans votre bonté, par ses mérites et ses prières, de porter continuellement la croix, et de faire de dignes fruits de pénitence. Vous qui.

Ev. Matth. 16, 24-27, *p.* 46*.

18. S. Joseph de Copertino.

Oraison. O Dieu, qui avez disposé d'attirer tout à votre Fils élevé au-dessus de terre, faites, dans votre bonté, qu'à l'exemple et par les mérites de votre séraphique Confesseur Joseph, nous élevant au-dessus de tous les désirs terrestres, nous méritions d'arriver auprès de celui : Qui vit.

Ep. I. Cor. 13, 1-8, *p.* 466*.
Ev. Matth. 22, 1-14, *p.* 61*.

19. Ss. Janvier et ses Compagnons.

Oraison. O Dieu, qui nous réjouissez par la solennité annuelle de vos saints Martyrs Janvier et ses Compagnons, faites, dans votre bonté, qu'en étant heureux de leurs mérites, nous soyons enflammés par leurs exemples. Par Notre Seigneur Jésus Christ.

Ep. Hébr. 10, 32-38, *p.* 610*.
Ev. Matth. 24, 1-8, *p.* 68*.

21. S. Matthieu.

Oraison. Faites, Seigneur, que les mérites du bienheureux Apôtre et Evangéliste Matthieu nous soient en aide ; afin que les grâces que notre insuffisance ne peut obtenir, nous soient données par son intercession. Par J. C. N. S.

Ev. Matth. 9, 9-13, *p.* 22*.

22. S. Thomas de Villeneuve.

Oraison. O Dieu, qui avez orné le B. Pontife Thomas de la vertu d'une extraordinaire charité envers les pauvres, nous vous demandons par son intercession, de répandre avec bonté sur tous ceux qui vous invoquent les richesses de votre miséricorde. Par N. S. J. C.

Ep. Hébr. 7, 23-27, *p.* 602*.
Ev. Matth. 25, 14-23, *p.* 73*.

23. S. Lin, P. M.

Commun des Papes, p. (77).

24. N. D. de la Merci.

Oraison. O Dieu, qui par la très glorieuse Mère de votre Fils, avez daigné enrichir votre Eglise d'une nouvelle famille pour la libération des chrétiens captifs des infidèles, faites, s'il vous plaît, que vénérant avec piété l'institutrice d'une si grande œuvre, nous soyons par ses mérites et son intercession délivrés de nos péchés et de la servitude du démon. Par le même J. C. N. S.

Ev. Luc 11, 27-28, *p.* 186*.

26. Ss. Cyprien et Justine.

Oraison. Que la continuelle protection de vos bienheureux Martyrs Cyprien et Justine, nous entoure, Seigneur, car vous ne cessez de regarder favorablement ceux à qui vous accordez l'aide de tels secours. Par N. S.

Ep. Hébr. 10, 32-38, *p.* 610*
Ev. Luc 12, 7-8, *p.* 189*.

27. Ss. Côme et Damien.

Oraison. Faites, ô Dieu tout puissant, que célébrant la naissance de vos bienheureux Martyrs Côme et Damien, nous soyons délivrés, par leur intercession, de tous les maux qui nous menacent. Par N. S. J. C.

Ev. Luc 6, 17-23, *p.* 163*.

28. S. Wenceslas, M.

Oraison. O Dieu, qui par la victoire du martyre avez fait passer le B. Wenceslas d'une principauté terrestre à la gloire céleste, gardez-nous, par ses prières, de toute adversité, et faites-nous partager son bonheur. Par N. S. J. C.

Ev. Matth. 10, 34-41, *p.* 27*.

29. S. Michel, Archange.

Oraison. O Dieu, qui distribuez avec un ordre admirable, aux Anges et aux hommes leurs différents ministères, accordez-nous dans votre bonté, d'être protégés ici-bas pendant notre vie par ceux qui, vous servant dans le ciel, jouissent de votre présence. Par N. S. J. C.

Ep. Apoc. 1, 1-5, *p.* 666*.
Ev. Matth. 18, 1-10, *p.* 49*.

30. S. Jérôme, D.

Oraison. O Dieu, qui avez daigné procurer à votre Eglise, pour expliquer les saintes Ecritures, l'incomparable Docteur votre B. Confesseur Jérôme, faites, nous vous en prions, que, par le suffrage de ses mérites, nous puissions, aidés par vous, pratiquer ce qu'il a enseigné par parole et par action. Par N. S.

Ep. II. Tim. 4, 1-8, *p.* 581*.
Ev. Matth. 5, 13-19, *p.* 10*.

FÊTES D'OCTOBRE.

1. S. Remi, E. C.

Commun d'un Conf. Pont., p. (79).

2. Ss. Anges Gardiens.

Oraison. O Dieu, qui par votre ineffable providence, daignez envoyer vos saints Anges pour nous garder, accordez-nous, nous vous en supplions, d'être toujours protégés et défendus par eux, et de jouir éternellement de leur société. Par J. C. N. S.

Ev. Matth. 18, 1-10, *p.* 49*.

3. Ste Thérèse de l'Enfant Jésus.

Oraison. Seigneur, qui avez dit : Si vous ne devenez comme les petits enfants, vous n'entrerez point dans le royaume des cieux; donnez-nous, s'il vous plaît, de suivre en humilité et simplicité du cœur les traces de la sainte Vierge Thérèse, de telle sorte que nous méritions les récompenses éternelles. Vous qui vivez.

Ev. Matth. 18, 1-4, *p.* 49*.

4. S. François d'Assise.

Oraison. O Dieu, qui par les mérites du bienheureux François, avez enrichi votre Église de la postérité d'une nouvelle famille, accordez-nous de dédaigner à son exemple tous les biens de la terre ; et de nous réjouir éternellement dans la possession des biens célestes. Par J. C. N. S.

Ep. Galat. 6, 14-18, *p.* 519*.
Ev. Matth. 11, 25-30, *p.* 30*.

5. S. Placide et ses Compagnons.

Commun de plusieurs Martyrs, p. (79).

6. S. Bruno, C.

Oraison. Que l'intercession de votre Confesseur saint Bruno nous vienne en aide, s'il vous plaît, Seigneur ; afin que, ayant gravement offensé votre majesté par nos fautes, nous obtenions, par ses mérites et ses prières, le pardon de nos péchés. Par N. S. J. C.

Ev. Luc 12, 35-40, *p.* 191*.

7. Saint Rosaire.

Oraison. O Dieu, dont le Fils unique, par sa vie, sa mort et sa résurrection, nous a acquis les récompenses du salut éternel, faites, s'il vous plaît, que célébrant ces mystères dans le très saint Rosaire de la B. Vierge Marie, nous imitions les exemples qu'ils renferment et obtenions les dons qu'ils promettent. Par le même J. C. N. S.

Ev. Luc 1, 26-38, *p.* 144*.

8. Ste Brigitte.

Oraison. Seigneur notre Dieu, qui par votre Fils unique avez révélé les secrets célestes à la B. Brigitte, faites que par sa pieuse intercession, nous, vos serviteurs, jouissions un jour dans l'éternelle félicité de la manifestation de votre gloire. Par le même.

Ep. I. Tim. 5, 3-10, *p.* 372*.
Ev. Matth. 13, 44-52, *p.* 58*.

9. S. Jean Léonard, C.

Oraison. O Dieu, qui avez daigné pousser d'une manière admirable votre bienheureux Confesseur Jean à propager la foi parmi les gentils, et qui par lui pour instruire les fidèles, avez réuni une nouvelle famille dans votre Eglise ; donnez-nous, à nous vos serviteurs, de profiter de ses instructions, de façon à obtenir les récompenses éternelles. Par N. S.

Ep. II. Cor. 7, 1-6 et 15-18, *p.* 484*.
Ev. Luc 10, 1-9, *p.* 180*.

LE MÊME JOUR.

S. Denis et ses Compagnons, Martyrs.

Oraison. O Dieu, qui en ce jour avez donné force et constance dans sa Passion à votre B. Martyr et Pontife Denis, et qui avez daigné lui adjoindre, pour prêcher aux nations la gloire de votre nom, saint Rustique et saint Eleuthère; accordez-nous, s'il vous plaît, de dédaigner, à leur exemple et par amour pour vous, les prospérités du monde et de n'en point craindre les adversités. Par N. S. J. C.

Ep. Act. 17, 22-34, *p.* 361*.
Ev. Luc 12, 1-8, *p.* 189*.

10. S. François de Borgia, C.

Oraison. Seigneur Jésus Christ, modèle et récompense de la véritable humilité, faites, nous vous en prions, que, comme vous avez rendu le B. François votre glorieux imitateur dans le mépris des honneurs terrestres, vous nous accordiez aussi de l'imiter et de partager sa gloire. Vous qui.

Ev. Matth. 19, 27-29, *p.* 54*.

11. Maternité de Marie.

Oraison. O Dieu, qui avez voulu que votre Verbe prît chair du sein de la bienheureuse Vierge Marie à la parole de l'Ange, faites, nous vous en supplions, que la croyant véritablement Mère de Dieu, nous soyons secourus auprès de vous par son intercession. Par le même.

Ev. Luc 2, 43-52, *p.* 152*.

13. S. Edouard, Roi.

Oraison. O Dieu, qui avez couronné de la gloire éternelle le B. roi Edouard, votre Confesseur, accordez-nous, s'il vous plaît, de l'honorer ici-bas de telle sorte que nous puissions régner avec lui dans le ciel. Par N. S. J. C.

Ev. Luc 12, 35-40, *p.* 191*.

14. S. Callixte I, P. M.

Oraison. O Dieu, qui nous voyez défaillir à cause de notre faiblesse, raffermissez-nous miséricordieusement dans votre amour par les exemples de vos Saints. Par N. S. J. C.

Ep. I. Pierre 5, 1-4 et 10-11, *p.* 641*.
Ev. Matth. 16, 13-19, *p.* 45*.

15. Ste Thérèse.

Oraison. Exaucez-nous, ô Dieu notre salut, afin que nous réjouissant de la fête de votre B. Vierge Thérèse, nous soyons aussi nourris de l'aliment de sa céleste doctrine et instruits par la tendresse d'une pieuse dévotion. Par N. S.

Ev. Matth. 25, 1-13, *p.* 72*.

16. Ste Hedwige.

Oraison. O Dieu, qui avez enseigné à la B. Hedwige à passer avec courage des pompes du siècle dans l'humble chemin de votre croix, faites qu'à son exemple et par ses mérites, nous apprenions à fouler aux pieds les délices périssables du monde, et à vaincre tous les obstacles en embrassant votre croix ; Vous.

Ev. Matth. 13, 14-52, *p.* 38*.

17. Ste Marguerite Marie.

Oraison. Seigneur J. C., qui avez merveilleusement révélé à la B. Vierge Marguerite les richesses insondables de votre Cœur ; donnez-nous, par ses mérites et son imitation, de mériter, en vous aimant en tout et par dessus toute chose, une demeure permanente dans ce divin Cœur. Vous qui.

Ep. Ephés. 3, 8-19, *p.* 325*.
Ev. Matth. 11, 25-30, *p.* 30*.

18. S. Luc, Evang.

Oraison. Nous vous en prions, Seigneur, que votre saint Evangéliste Luc intercède pour nous, lui qui n'a jamais cessé de porter dans son corps la mortification de la croix pour la gloire de votre nom. Par Jésus Christ Notre Seigneur.

Ep. II. Cor. 8, 16-24, *p.* 494*.
Ev. Luc 10, 1-9, *p.* 180*.

19. S. Pierre d'Alcantara.

Oraison. O Dieu, qui dans votre B. Confesseur Pierre, avez daigné faire briller les dons d'une admirable pénitence et d'une sublime contemplation, faites s'il vous plaît, qu'aidés de ses mérites et mortifiant notre chair, nous obtenions plus facilement les biens célestes. Par N. S. J. C.

Ep. Phil. 3, 7-12, *p.* 539*.
Ev. Luc 12, 32-34, *p.* 191*.

20. S. Jean de Kenty, C.

Oraison. Faites, s'il vous plaît, Dieu tout

puissant, qu'à l'exemple de votre saint Confesseur Jean, avançant dans la science des Saints et nous montrant miséricordieux envers les autres, nous obtenions votre indulgence par ses mérites. Par Notre Seigneur Jésus Christ.

Ep. Jacques 2, 12-17, *p.* 624*.
Ev. Luc 12, 35-40, *p.* 191*.

21. S. Hilarion.

Oraison. Nous vous en prions, Seigneur, que l'intercession du B. Abbé Hilarion nous soit une recommandation, afin que, par son patronage, nous obtenions ce que nous ne pouvons avoir par nos mérites. Par Notre Seigneur Jésus Christ.

Ev. Matth. 19, 27-29, *p.* 54*.

23. T. S. Rédempteur.

Oraison. O Dieu, qui avez établi votre Fils unique Rédempteur du monde et qui, par lui, vainqueur de la mort, nous avez miséricordieusement rendus à la vie, accordez-nous, en célébrant ses bienfaits, de vous rester unis par une charité perpétuelle, afin que nous méritions de recueillir les fruits de sa rédemption. Par le même J. C. N. S.

Ep. Ephés. 1, 3-9, *p.* 521*.
Ev. Jean 3, 13-18, *p.* 242*.

24. S. Raphaël, Arch.

Oraison. O Dieu, qui avez donné le B Archange Raphaël pour guide à votre serviteur Tobie, accordez-nous, à nous vos serviteurs, d'être toujours protégés par lui et munis de son secours. Par J. C. N. S.

Ev. Jean 5, 1-5, *p.* 248*.

25. Ss. Chrysanthe et Darie.

Oraison. Seigneur, que la prière de vos saints Martyrs Chrysanthe et Darie nous soit toujours une aide, afin que ceux que nous honorons par nos hommages, nous fassent sentir sans cesse leur miséricordieuse assistance. Par N. S. J. C.

Ep. II. Cor. 6, 4-14, *p.* 489*.
Ev. Luc 11, 47-51, *p.* 188*.

26. S. Evariste, P. M.

Oraison. Pasteur éternel, regardez favorablement votre troupeau : et gardez-le sous votre perpétuelle protection par le B. Evariste, votre Martyr et Souverain Pontife, que vous avez établi comme pasteur de toute l'Eglise. Par N. S. J. C.

Ep. I Pierre 5, 1-4 et 10-11, *p.* 641*.
Ev. Matth. 16, 13-19, *p.* 45*

28. S. Simon et S. Jude.

Oraison. O Dieu, qui par vos bienheureux Apôtres Simon et Jude, nous avez fait la grâce d'arriver à la connaissance de votre nom, accordez-nous de célébrer leur éternelle gloire en avançant dans la vertu, et d'avancer dans la vertu par cette même célébration. Par Jésus Christ Notre Seigneur.

Ep. Ephés. 4, 7-13, *p.* 526*.
Ev. Jean 15, 17-25, *p.* 288*.

DERNIER DIMANCHE D'OCTOBRE.

Fête du Christ Roi.

Oraison. Dieu tout puissant et éternel, qui avez voulu tout restaurer en votre Fils bien aimé, Roi de l'univers; accordez-nous dans votre bonté, que toutes les familles des Nations, dissociées par la blessure du péché, soient soumises au très doux Empire de Celui : Qui.

Ep. Col. 1, 12-20, *p.* 544*.
Ev. Jean 18, 33-37, *p.* 297*.

FÊTES DE NOVEMBRE.

1. Fête de tous les Saints.

Oraison. Dieu tout puissant et éternel, qui nous accordez la grâce d'honorer dans une même solennité les mérites de tous vos Saints, faites qu'assistés de si nombreux intercesseurs, nous obtenions de plus en plus, selon nos désirs, la multitude de vos grâces. Par J. C. N. S.

Ep. Apoc. 7, 2-12, *p.* 680*.
Ev. Matth. 5, 1-12, *p.* 9*.

2. Commémoration des Morts.

Oraison. O Dieu, Créateur et Rédempteur de tous les fidèles, accordez aux âmes de vos serviteurs et de vos servantes la rémission de tous leurs péchés, afin qu'elles obtiennent par nos très humbles prières le pardon qu'elles ont toujours désiré : Vous qui.

Ep. I. Cor. 15, 51-57, *p.* 475*.
Ev. Jean 5, 25-29, *p.* 250*.

4. S. Charles, E. C.

Oraison. Gardez votre Eglise, Seigneur, sous la constante protection de votre Confesseur et Pontife saint Charles, afin que, comme sa sollicitude pastorale l'a rendu glorieux, de même son intercession nous rende fervents dans votre amour. Par N. S. J. C.

Ep. Hébr. 7, 23-27, *p.* 602*.
Ev. Matth. 24, 42-47, *p.* 71*.

9. Dédicace de S. Jean de Latran.

Commun de la Dédicace, p. (78).

10. S. André Avellin, C.

Oraison. O Dieu, qui par l'héroïque vœu d'avancer chaque jour dans la vertu, avez disposé dans le cœur du B. André, votre Confesseur, d'admirables ascensions vers vous; accordez-nous, par ses mérites et son intercession, d'avoir part à cette même grâce, de sorte que tendant toujours au plus parfait, nous arrivions heureusement au faîte de votre gloire. Par N. S. J. C.

Ev. Luc 12, 35-40, *p.* 191*.

11. S. Martin, E.

Oraison. O Dieu, qui voyez que nous ne nous confions en aucune de nos œuvres, daignez nous accorder d'être protégés contre tous les maux, par l'assistance du bienheureux Martin votre Confesseur et Pontife. Par J. C.

Ev. Luc 11, 33-36, *p.* 187*.

12. S. Martin, P. M.

Commun des Papes, p. (77).

13. S. Didace, C.

Oraison. Dieu tout-puissant et éternel, qui par un dessein admirable, choisissez ce qui est faible selon le monde, pour confondre tout ce qui est fort, dans votre bonté, accordez-nous, à notre petitesse, par les prières de votre B. Confesseur Didace, de mériter d'être élevés dans le ciel à la gloire éternelle. Par N. S.

Ep. I. Cor. 4, 9-14, *p.* 445*.
Ev. Luc 12, 32-34, *p.* 191*.

14. S. Josaphat, E. M.

Oraison. Seigneur, réveillez, s'il vous plaît, dans votre Eglise l'Esprit qui remplissait votre B. Martyr et Pontife Josaphat, et le porta à donner sa vie pour ses brebis; afin que, par son intercession, poussés et fortifiés nous aussi par ce même Esprit, nous ne craignions point d'exposer notre vie pour nos frères. Par N. S... en l'unité du même.

Ep. Hébr. 5, 1-6, *p.* 596*.
Ev. Jean 10, 11-16, *p.* 270*.

15. S. Albert le Grand.

Oraison. O Dieu, qui avez rendu grand votre bienheureux Pontife et Docteur Albert par la soumission de la sagesse humaine à la foi divine ; donnez-nous, s'il vous plaît, de nous attacher de telle sorte aux principes de son enseignement, que nous jouissions aux cieux de la lumière parfaite. Par N. S. J. C.

Ep. II. Tim. 4, 1-8, *p.* 581*.
Ev. Matth. 5, 13-19, *p.* 10*.

16. Ste Gertrude, V.

Oraison. O Dieu, qui vous êtes préparé une demeure agréable dans le cœur de la B. Vierge Gertrude, par ses mérites et son intercession, lavez miséricordieusement les taches de notre cœur, et faites-nous jouir de sa société. Par N. S. J. C.

Ep. II. Cor. 10, 17-18; 11, 1-2, *p.* 498*.
Ev. Matth. 25, 1-13, *p.* 72*.

17. S. Grégoire le Thaumaturge.

Oraison. Faites, s'il vous plaît, Dieu tout puissant, que la solennité vénérable de votre B. Pontife et Confesseur Grégoire augmente en nous la dévotion et le salut. Par N. S. J. C.

Ev. Marc 11, 22-24, *p.* 123*.

18. Dédicace des Basiliques des Ss. Apôtres.

Commun de la Dédicace, p. (78).

19. Ste Elisabeth.

Oraison. Dieu de miséricorde, éclairez les cœurs de vos fidèles, et, par les glorieuses prières de la B. Elisabeth, accordez-nous de dédaigner la prospérité de ce monde et de jouir sans cesse des consolations célestes. Par N. S. J. C.

Ev. Matth. 13, 44-52, *p.* 38*.

20. S. Félix de Valois, C.

Oraison. O Dieu, qui avez daigné appeler miraculeusement votre B. Confesseur Félix, de la solitude au ministère du rachat des captifs, faites, s'il vous plaît, que par son intercession votre grâce nous délivre de l'esclavage de nos péchés, et nous fasse arriver à la céleste Patrie. Par N. S. J. C.

Ep. I. Cor. 4, 9-14, *p.* 445*.
Ev. Luc 12, 32-34, *p.* 191*.

21. Présentation de la Sainte Vierge.

Oraison. O Dieu, qui avez voulu qu'en ce jour la bienheureuse Marie toujours Vierge, en qui résidait le Saint Esprit, vous fût présentée dans le temple, faites, nous vous en prions, que, par son intercession, nous méritions de vous être présentés dans le temple de votre gloire. Par J. C.

Ev. Luc 11, 27-28, *p.* 186*.

22. Ste Cécile.

Oraison. O Dieu, qui nous donnez la joie de la solennité annuelle de la B. Cécile, votre Vierge et Martyre; faites que, l'honorant par cet office, nous imitions aussi les exemples de sa sainte vie. Par N. S. J. C.

Ev. Matth. 25, 1-13, *p.* 72*.

23. S. Clément I, Pape et Martyr.

Oraison du Commun des Papes, p. (77).

Ep. Philipp, 3, 17-21, et 4, 1-3, *p.* 540*.
Ev. Matth. 16, 13-19, *p.* 45*.

24. S. Jean de la Croix.

Oraison. O Dieu, qui avez fait de votre Confesseur et Docteur S. Jean un insigne amant de la Croix et de l'absolue abnégation de lui-même, accordez-nous, en marchant toujours sur ses traces, de parvenir à la gloire éternelle. Par N. S.

Ep. II. Tim. 4, 1-8, *p.* 581*.
Ev. Matth. 5, 13-19, *p.* 10*.

25. Ste Catherine, Vierge et Martyre.

Oraison. O Dieu, qui avez donné la loi à Moïse sur le sommet du mont Sinaï et y avez si merveilleusement fait placer par vos saints Anges le corps de votre B. Vierge et Martyre Catherine, accordez-nous, s'il vous plaît, que par ses mérites et son intercession, nous puissions arriver à la montagne qui est le Christ : Qui vit.

Ev. Matth. 25, 1-13, *p.* 72*.

26. S. Silvestre.

Oraison. Dieu très clément, qui avez daigné appeler au désert le saint Abbé Silvestre, méditant pieusement devant une tombe ouverte sur la vanité du siècle, et qui durant sa vie l'avez orné de mérites éclatants; nous vous demandons humblement de dédaigner à son exemple les biens terrestres, afin de jouir de votre éternelle société. Par N. S. J. C.

Ev. Matth. 19, 27-29, *p.* 54*.

27. Médaille Miraculeuse.

Oraison. Seigneur Jésus Christ, qui avez voulu glorifier, par d'innombrables prodiges, la bienheureuse Vierge Marie, votre Mère Immaculée dès sa conception, faites qu'implorant toujours son patronage, nous obtenions les joies éternelles. Vous qui vivez.

Ep. Apoc. 12, 1-5 et 14-16, *p.* 689*.

Ev. Jean 2, 1-11, *p.* 238*.

TABLE DES PSAUMES

D'APRÈS LES SUJETS TRAITÉS.

N. B. — Il arrive souvent que le même Psaume est à la fois une hymne à Dieu, une action de grâces, une prière, etc.; le tableau suivant tient compte seulement de l'idée principale de chaque Psaume.

I. Hymnes en l'honneur de Dieu, célébrant ses perfections en général.

Ps. 8, 103 et 144. — Ajoutez Ps. 17, 18, 23, 28, 33, 35, 45, 46, 47, 49, 64, 65, 67, 74, 75, 76, 92, 94, 95, 96, 98, 110, 112, 113, 133, 135, 138, 141, 148, 150.

II. — Psaumes d'action de grâces.

1° Pour les bienfaits de Dieu envers Israël. Ps. 20, 45, 47, 64, 65, 67, 75, 80, 84, 97, 104, 123, 125, 128, 134, 135, 149.
2° Pour les bienfaits de Dieu envers les bons. Ps. 22, 33, 35, 90, 99, 102, 106, 117, 120, 144, 145.
3° Pour les bienfaits de Dieu envers les particuliers. Ps. 9, 17, 29, 74, 102, 107, 115, 117, 137, 143.

III. — Psaumes de prière.

1° Pour demander à Dieu le pardon de ses péchés. Ps. 6, 24, 31, 37, 50, 101, 129, 142.
2° Confiance en Dieu dans le trouble. Ps. 3, 15, 26, 30, 53, 55, 56, 60, 61, 70, 85. Ajoutez 12, 21, 68, 76, 87.
3° Recours à Dieu dans une profonde détresse. Ps. 4, 5, 10, 27, 40, 54, 58, 63, 69, 108, 119, 139, 140, 142.
4° Demande de secours. Ps. 7, 16, 25, 34, 43, 59, 73, 78, 79, 82, 88, 93, 101, 128, 136.
5° Prière pour le roi ou pour le peuple. Ps. 19, 66, 121, 131, 143.
6° Désir de visiter le tabernacle ou le temple. Ps. 41, 42, 62, 83.

IV. — Psaumes didactiques.

1° Les bons et les méchants. Ps. 1, 5, 7, 9, 10, 11, 13, 14, 16, 23, 24, 31, 33, 35, 36, 49, 51, 52, 57, 72, 74, 83, 90, 91, 93, 111, 120, 124, 126, 127, 132.
2° La loi de Dieu. Ps. 18, 118.
3° Vanité de la vie humaine. Ps. 38, 48, 89.
4° Devoirs de ceux qui gouvernent. Ps. 81, 100.

V. — Principaux Psaumes prophétiques.

Se rapportent au Messie les Ps. 2, 15, 21, 39, 44, 67, 68, 71, 96, 109, 117.

Des passages particuliers d'un grand nombre d'autres Psaumes sont également appliqués au Messie ou à l'Eglise, soit par les écrivains du Nouveau Testament, soit par les Pères, soit par la liturgie; nous les indiquons dans les notes.

VI. — Psaumes en l'honneur de Jérusalem et du temple.

Ps. 14, 23, 67, 80, 86, 131, 133, 134.

VII. — Psaumes historiques, renfermant un abrégé de l'histoire du peuple de Dieu.

Ps. 77, 104, 105.

VIII. — Psaumes de Pénitence.

Ps. 6, 31, 37, 50, 101, 129, 142.

DISTRIBUTION DU PSAUTIER

POUR LA SEMAINE, SELON LE BRÉVIAIRE ROMAIN.

DIMANCHE.

A Matines, Psaumes 1. 2. 3. 8. 9. 10.
A Laudes, 92. 99. 62. 148.
A Prime, 53. 117. 118. depuis le v. 1. jusques et compris le v. 32.
A Tierce, du Ps. 118. depuis le v. 33. jusques et compris le v. 80.
A Sexte, du Ps. 118. depuis le v. 81. jusques et compris le v. 128.
A None, du Ps. 118. depuis le v. 129. jusqu'à la fin.
A Vêpres, Ps. 109. 110. 111. 112. 113.
A Complies, 4. 90. 133.

LUNDI.

A Mat. 13. 14. 16. 17. 19. 20. 29.
A Laudes, 45. 5. 28. 116.
A Prime, 23. 18.
A Tierce, 26. 27. A Sexte, 30. A None, 31. 32.
A Vêpres, 114. 115. 119. 120. 121. A Complies, 6. 7.

MARDI.

A Mat. 34. 36. 37. 38.
A Laudes, 95. 42. 66. 134.
A Prime, 24. A Tierce, 39. A Sexte, 40. 41. A None, 43.
A Vêpres, 122. 123. 124. 125. 126. A Complies. 11. 12. 15.

MERCREDI.

A Mat. 44. 45. 47. 48. 49. 50.
A Laudes, 96. 64. 100. 45.
A Prime, 25. 51. 52. A Tierce, 53. 54. A Sexte, 55. 56. 57. A None, 58. 59.
A Vêpres, 127, 128. 129. 130. 131. A Complies, 33. 60.

JEUDI.

A Mat. 61. 65. 67. 68.
A Laudes, 97. 89. 35. 146.
A Prime, 22. 72. A Tierce, 72. A Sexte, 73. A None, 74. 75.
A Vêpres, 132. 135. 136. 137. A Complies, 69. 70.

VENDREDI.

A Mat. 77. 78. 80. 82.
A Laudes, 98, 142. 84. 147.
A Prime, 21. A Tierce, 79. 81. A Sexte, 83. 86. A None, 88.
A Vêpres, 138. 139. 140. 141. A Complies, 76. 85.

SAMEDI.

A Mat. 104, 105. 106.
A Laudes, 149. 91. 63. 150.
A Prime, 93. 107. A Tierce, 101. A Sexte, 103. A None, 108.
A Vêpres, 143. 144. A Complies, 87. 102.

LES PSAUMES

PSAUME 1.

Bonheur des justes et malheur des méchants.

HEUREUX l'homme qui ne marche pas dans le conseil des impies, qui ne s'arrête pas dans la voie des pécheurs, et qui ne s'assied pas dans la chaire empestée des libertins; 2. mais qui a ses affections dans la loi du Seigneur, et qui la médite le jour et la nuit! 3. Il est comme un arbre planté près d'un cours d'eau, qui donne son fruit en son temps et dont le feuillage ne tombe pas : tout ce qu'il fait réussit.

4. Il n'en est pas ainsi des impies; non, tel n'est pas leur sort. Ils sont comme la poussière que le vent emporte de dessus la face de la terre. 5. C'est pourquoi les impies ne resteront pas debout au jour du jugement, ni les pécheurs dans l'assemblée des justes. 6. Car le Seigneur connaît la voie des justes, mais la voie des impies mène à la ruine.

Ps. 1. — 1. *Marcher dans le conseil des impies*, c'est s'associer à leur perversité, à leurs mauvais desseins; *s'arrêter dans la voie des pécheurs*, c'est imiter leurs actions criminelles; *la chaire empestée des libertins*, ce sont les discours ou les écrits d'hommes frivoles et corrompus qui tournent en dérision Dieu et ses lois; *s'asseoir dans cette chaire*, c'est répéter leurs moqueries sacrilèges. — 5. *Ils ne resteront pas debout*, ils seront condamnés. — 6. *Connaît* d'une connaissance pleine de complaisance et d'amour. — *Mène à la ruine*, à la mort éternelle.

PSAUME 2.

Royauté universelle de Jésus-Christ.

Pourquoi les nations frémissent-elles, et les peuples méditent-ils de vains projets? 2. Les rois de la terre se sont levés et les princes tiennent conseil contre le Seigneur et contre son Christ. 3. "Brisons leurs chaînes, *disent-ils*, jetons loin de nous leur joug!"

4. Celui qui est assis dans les cieux se rit d'eux. Le Seigneur se moque de leur folie. 5. Alors il leur parlera dans sa colère, il les épouvantera dans sa fureur. 6. "C'est moi qu'il a établi roi sur Sion, sa montagne sainte, et je veux annoncer son décret.

7. Le Seigneur m'a dit: Tu es mon Fils, je t'ai engendré aujourd'hui. 8. Demande-moi, et je te donnerai les nations pour héritage, et pour domaine les extrémités de la terre. 9. Tu les régiras avec un sceptre de fer, et tu les briseras comme un vase d'argile."

10. Et maintenant, ô rois, devenez sages; instruisez-vous, juges de la terre! 11. Servez le Seigneur avec crainte, et réjouissez-vous en lui avec tremblement. 12. Attachez-vous à sa loi, de peur que le Seigneur ne s'irrite et que vous ne périssiez hors du droit chemin, lorsque s'allumera sa colère. Heureux tous ceux qui mettent en lui leur confiance!

PSAUME 3.

Confiance en Dieu dans la persécution.

Seigneur, que mes ennemis sont nombreux!

Ps. 2. — Vers. 2. *Son Christ:* ce mot veut dire *oint*, qui a reçu une onction, royale ou sacerdotale; *Messie* a la même signification. — 3. *Leurs chaînes... leur joug:* c'est ainsi que les orgueilleux et les mondains appellent les lois saintes de l'Evangile. — 4-6. *Se rit d'eux*, dédaigne leurs vaines bravades, pendant un certain délai de grâce qui leur est laissé pour se convertir. — 6. *Sur Sion*, colline de Jérusalem sur laquelle fut bâti le temple. C'est de là que partirent les Apôtres, pour conquérir le monde à leur Maître. — 7. *Son décret*, éternel et immuable, par lequel Dieu ordonne aux hommes d'obéir au Roi-Messie. — *Mon Fils*, non par adoption, mais par nature. — *Je t'ai engendré aujourd'hui*, en un jour sans veille ni lendemain, de toute éternité. — 9. Sens: sceptre de douceur et d'amour pour les hommes de bonne volonté, le sceptre du Messie sera une verge de fer pour punir les rebelles. — 11. Sous la loi ancienne, c'est la crainte qui dominait; sous la loi nouvelle, l'amour et la confiance doivent être au premier rang.

Quelle multitude se lève contre moi ! 2. Un grand nombre disent à mon sujet : " Plus de salut pour lui auprès de son Dieu ! "

3. Mais vous, Seigneur, vous êtes mon protecteur et ma gloire, et vous relevez ma tête. 4. De ma voix je crie vers le Seigneur, et il m'exauce de sa montagne sainte. 5. Je me suis couché et je me suis endormi, et je me suis réveillé, car le Seigneur m'a pris sous sa garde. 6. Je ne crains pas les milliers d'ennemis campés autour de moi.

Levez-vous, Seigneur ! sauvez-moi, mon Dieu ! 7. Car *déjà* vous avez frappé tous ceux qui me combattaient injustement ; vous avez brisé les dents des pécheurs. 8. Au Seigneur appartient le salut ! Que votre bénédiction soit sur votre peuple !

PSAUME 4.

Joie et paix dans la confiance en Dieu.

Quand je l'invoque, le Dieu de ma justice m'exauce ; quand je suis dans la détresse, *Seigneur*, vous me mettez au large. 2. Ayez pitié de moi, et *cette fois encore* exaucez ma prière.

3. Enfants des hommes, jusques à quand aurez-vous le cœur endurci ? Pourquoi aimez-vous la vanité et recherchez-vous le mensonge ? 4. Sachez que le Seigneur a fait des merveilles pour son saint ! Le Seigneur m'exauce lorsque je crie vers lui. 5. Tremblez *devant lui*, et renoncez au péché ; repassez avec componction sur votre couche les pensées de votre cœur. 6. Offrez des sacrifices de justice et espérez au Seigneur. Beaucoup disent : " Qui nous fera voir le bonheur ? "

Ps. 3. — 2. A l'âme chrétienne aussi le démon essaie parfois de persuader qu'il n'y a plus de salut pour elle auprès de Dieu : qu'elle emprunte à David sa victorieuse réponse. — 5. *Couché*, au milieu des plus grands dangers. — *Réveillé* sain et sauf, sans accident.

Ps. 4. — 1. *Le Dieu de ma justice :* mon Dieu juste ; ou bien : le Dieu défenseur de ma justice, de ma juste cause. — *Son saint*, David lui-même. — 6-7. *Sacrifices de justice*, offerts avec un cœur droit et pur de mauvais desseins. — *Beaucoup*, parmi les partisans de David, regardant leur cause comme désespérée, *disent* avec découragement : Qui nous fera voir des jours meilleurs ? David leur répond que Dieu

7. La lumière de votre visage, Seigneur, a brillé sur nous comme un signe *de votre faveur*. 8. Vous avez mis la joie dans mon cœur, une joie plus grande que celle que donne à mes ennemis l'abondance du froment, du vin et de l'huile. 9. En paix je me coucherai et je m'endormirai aussitôt; car vous, Seigneur, vous seul, vous m'établissez dans la sécurité.

PSAUME 5.

Prière du matin

Seigneur, prêtez l'oreille à mes paroles, entendez mon gémissement. 2. Soyez attentif à la voix de ma prière, ô mon Roi et mon Dieu, 3. car c'est vous que je supplie, Seigneur, dès le matin vous entendez ma voix; 4. dès le matin je me présente devant vous, et j'observe.

Car vous n'êtes pas un Dieu qui prenne plaisir au mal. 5. Le méchant n'habite pas auprès de vous, et les injustes ne subsistent pas devant vos yeux. 6. Vous haïssez tous les artisans d'iniquité, vous faites périr les menteurs. Le Seigneur a en horreur l'homme de sang et de fraude.

7. Pour moi, grâce à votre grande miséricorde, j'entre dans votre maison, et pénétré de votre crainte, j'adore devant votre temple saint. 8. Seigneur, conduisez-moi dans votre justice; à cause de mes ennemis, dirigez mes pas en votre présence. 9. Car il n'y a pas de sincérité dans leur bouche; leur cœur n'est que mensonge; 10. leur gosier est un sépulcre ouvert; ils ne se servent de leur langue que pour tromper. Châtiez-les, ô Dieu! Qu'ils échouent dans leurs desseins; à cause de leurs impiétés sans nombre, précipitez-les *dans la ruine*, car ils ont provoqué votre colère, Seigneur.

---

a déjà fait luire sur eux *la lumière de son visage*, c'est-à-dire leur a accordé de grandes faveurs, gage de celles qu'il leur réserve encore.

Ps. 5. — 4. *J'observe*, je suis comme en sentinelle, épiant l'arrivée du secours que j'attends de votre bonté. — 5. Il est impossible d'être à la fois dans la compagnie de Dieu et dans celle du méchant. " Séparons-nous donc des pécheurs, non seulement par une vie opposée à la leur, mais encore, en nous retirant de leur odieuse et dangereuse compagnie." — 10. *Un sépulcre ouvert*, d'où s'exhale l'infection, c'est-à-dire des paroles de perfidie et de mort.

11. Et que se réjouissent tous ceux qui espèrent en vous! Ils seront dans une allégresse perpétuelle, et vous habiterez au milieu d'eux; et en vous se glorifieront tous ceux qui aiment votre nom; car votre bénédiction est sur le juste. 12. Seigneur, vous nous entourez de votre bienveillance comme d'un bouclier.

PSAUME 6.

Prière d'une âme pénitente.

Seigneur, ne me punissez pas dans votre colère, et ne me châtiez pas dans votre fureur. 2. Ayez pitié de moi, Seigneur, car je suis sans force; guérissez-moi, Seigneur, car mes os sont ébranlés. 3. Mon âme est dans un trouble extrême, et vous, Seigneur, jusques à quand...?

4. Revenez, Seigneur, et délivrez mon âme; sauvez-moi à cause de votre miséricorde. 5. Car ceux qui meurent ne se souviennent plus de vous; qui chantera vos louanges dans le séjour des morts? 6. Je suis épuisé à force de gémir; chaque nuit je baigne ma couche de mes larmes, j'arrose mon lit de mes pleurs. 7. Mon œil est consumé par le chagrin, mes traits s'altèrent au milieu de tous les ennemis qui m'assiègent.

8. Eloignez-vous de moi, vous tous qui faites le mal! car le Seigneur a entendu la voix de mes larmes; 9. le Seigneur a entendu ma supplication; le Seigneur a accueilli ma prière. 10. Que tous mes ennemis soient confondus et saisis d'épouvante! Qu'ils reculent et qu'ils soient soudain couverts de honte!

PSAUME 7.

Confiance en la justice de Dieu.

Seigneur, mon Dieu, je mets en vous mon es-

Ps. 6. — 1. Que Dieu le frappe, non comme un juge inflexible, mais comme un père; non pour l'anéantir, mais pour le rendre meilleur et lui pardonner. — 3. *Jusques à quand...* son émotion est si forte, qu'il n'achève pas la phrase commencée;... *tarderez-vous à me pardonner?* Le Psalmiste représente *le séjour des morts* comme un lieu sombre et triste, caché dans les profondeurs de la terre, où le défunt ne peut plus prendre part aux fêtes religieuses qui se célébraient dans la maison de Dieu. Tel est le sens des mots : *ne se souviennent plus de vous*, c'est-à-dire ne chantent plus vos louanges dans les cérémonies publiques.

Ps. 7. — 1. *Mon espérance :* la confiance en Dieu est la base sur laquelle doit s'appuyer toute prière.

pérance; sauvez-moi de tous ceux qui me persécutent et délivrez-moi. 2. Ne permettez pas que mon ennemi, semblable à un lion, m'arrache la vie, pendant que je n'ai personne pour me défendre et me sauver.

3. Seigneur, mon Dieu, si j'ai fait cela, s'il y a de l'iniquité dans mes mains, 4. si j'ai rendu le mal à ceux qui m'en ont fait, que je tombe impuissant devant mes ennemis : je l'ai mérité. 5. Que mon ennemi me poursuive et m'atteigne; qu'il foule à terre ma vie, et qu'il traîne ma gloire dans la poussière!

6. Levez-vous, Seigneur, dans votre colère; paraissez dans votre majesté au milieu de mes ennemis; levez-vous en ma faveur, Seigneur, mon Dieu, vous qui avez commandé d'observer la justice! 7. L'assemblée des peuples vous entoure; à cause d'elle, montez sur votre trône élevé. 8. Le Seigneur juge les peuples : rendez-moi justice, Seigneur, selon mon droit et mon innocence. 9. Alors la malice des pécheurs prendra fin, et vous dirigerez le juste dans ses voies, ô Dieu qui sondez les cœurs et les reins.

10. Le secours attendu me viendra du Seigneur, lui qui sauve les hommes au cœur droit. 11. Dieu est un juge équitable, fort et patient : est-ce que sa colère subsisterait tous les jours? 12. Mais si vous ne vous convertissez pas, il brandit son glaive; il bande son arc et l'ajuste; 13. il y dispose des traits meurtriers, des flèches qui portent la flamme.

14. Le méchant est en travail de l'injustice : il

---

3. *Cela :* ce dont ses ennemis l'accusaient auprès de Saül. — 4. *Si j'ai rendu le mal :* David, au contraire, s'était montré très généreux envers Saül. — 6-7. Dans ces deux versets, David prie Dieu de monter sur son trône de juge, et là, en présence d'une multitude attentive, comme les rois d'Orient qui rendaient la justice entourés d'intéressés et de curieux, de prononcer une sentence en sa faveur. — 10. *Les hommes au cœur droit :* cette droiture qui sauve les hommes et fait les saints consiste en trois choses : dans une volonté sincère de plaire à Dieu, dans l'attention à remplir les devoirs qu'il nous impose, dans la promptitude à rentrer dans le chemin de la justice, quand nous avons eu le malheur de nous en écarter. — 13. Ces *traits meurtriers* et ces *flèches brûlantes* sont les éclairs et la foudre, ou tout autre fléau soudain que Dieu envoie. — 14. *En travail,* dans

a conçu le malheur, il enfante l'iniquité. 15. Il ouvre une fosse et la creuse, et il tombe dans la fosse qu'il creusait. 16. Le malheur qu'il a causé reviendra sur sa tête, et son iniquité retombera sur son front.

17. Je louerai le Seigneur à cause de sa justice; je chanterai le nom du Seigneur, le Très Haut.

PSAUME 8.

Dieu admirable dans ses œuvres.

Seigneur, notre souverain Maître, que votre nom est admirable dans toute la terre! Votre gloire resplendit dans les hauteurs des cieux. 2. De la bouche des enfants et de ceux qui sont à la mamelle vous vous êtes préparé une louange, pour confondre vos ennemis, pour réduire au silence l'impie et le blasphémateur.

3. Quand je contemple vos cieux, ouvrage de vos mains, la lune et les étoiles que vous avez créées, *je m'écrie :* 4. Qu'est-ce que l'homme, pour que vous vous souveniez de lui, et le fils de l'homme, pour que vous le visitiez? 5. Vous l'avez fait de peu inférieur aux anges, vous l'avez couronné de gloire et d'honneur. 6. Vous lui

---

les douleurs de l'enfantement, pour donner le jour à *l'injustice*, à quelque entreprise mauvaise. — *Le malheur*, la perte des autres. — *Il enfante l'iniquité*, le crime. — 15. *Une fosse :* à la guerre ou à la chasse, les anciens creusaient des fosses, qu'ils recouvraient ensuite de branchages et d'un peu de terre, pour y faire tomber les hommes ou les bêtes.

Ps. 8. — 1. *Votre nom :* en parlant de Dieu, le nom se prend souvent pour la personne elle-même; l'être de Dieu est invisible, mais il se manifeste dans les œuvres de la nature et de la grâce : cette manifestation, c'est son *nom*. — *Votre gloire;* sens : Dieu fait briller comme un reflet de sa gloire dans les cieux, où il a placé des milliers d'astres. — 2. Sens du verset : un petit enfant éprouve déjà du plaisir à contempler la belle nature, et particulièrement le ciel étoilé; les cris à peine articulés par lesquels il exprime son admiration sont tout à la fois un hymne de louange au Créateur et une confusion pour les impies qui nient Dieu ou le blasphèment. — 4. *Vous le visitiez*, c'est-à-dire, vous preniez de lui un soin paternel. — 5. Bossuet : Uni à un corps, l'homme est inférieur aux anges, qui sont de purs esprits; mais il ne l'est qu'*un peu*, car, comme eux, il a la vie, et l'intelligence, et l'amour; et l'homme n'est heureux que par la participation du bonheur des anges; Dieu est la commune félicité des uns et des autres. *Vous l'avez couronné de gloire*, en le créant à votre image et à votre ressemblance, prérogative d'où découle l'empire sur la création.

avez donné l'empire sur les œuvres de vos mains, vous avez mis toutes choses sous ses pieds : 7. les brebis comme les bœufs, et les animaux des champs, 8. les oiseaux du ciel et les poissons de la mer, qui parcourent les sentiers de l'océan.

9. Seigneur, notre souverain Maître, que votre nom est admirable dans toute la terre !

PSAUME 9.

Action de grâces et prière.

Je vous louerai, Seigneur, de tout mon cœur; je raconterai toutes vos merveilles. 2. Je me réjouirai en vous, *en vous* je ferai éclater mon allégresse; je chanterai votre nom, ô Très Haut.

3. Vous avez fait reculer mes ennemis; ils sont devenus sans force, ils ont péri devant votre face. 4. Vous m'avez rendu justice, vous avez fait triompher ma cause. Prenant place sur votre trône, ô vous qui jugez selon le droit, 5. vous avez châtié les nations, et l'impie a péri; vous avez effacé leur nom à jamais et pour tous les siècles. 6. Les épées de l'ennemi sont pour toujours réduites à l'impuissance, vous avez détruit leurs villes et leur souvenir s'est abîmé avec fracas.

7. Et le Seigneur demeure éternellement. Il a dressé son trône pour le jugement; 8. il juge le monde avec équité, il juge les peuples avec justice. 9. Le Seigneur est un refuge pour le pauvre, un secours au temps de la détresse. 10. Qu'ils espèrent en vous, ceux qui connaissent votre nom, car vous n'abandonnez pas ceux qui vous cherchent, Seigneur.

11. Chantez au Seigneur qui réside en Sion; annoncez parmi les nations ses desseins. 12. Car Celui qui redemande le sang versé s'est souvenu

Ps. 9. — 2. *Je me réjouirai en vous :* Dieu est le fondement et le principe de ma joie. Cette joie, dit S. Jean Chrysostome, suffit à l'âme et lui fait oublier toute volupté terrestre. — 5. *L'impie*, les nations idolâtres, ennemies du peuple de Dieu. — 6. *Avec fracas :* le bruit que ces villes ont fait en tombant est le dernier : un silence de mort plane pour toujours sur leurs ruines. — 10. *Votre nom*, c'est-à-dire les manifestations de la puissance et de la bonté de Dieu. — 12. *Celui qui redemande le sang*, c'est Dieu, qui avait dit à Noé après le déluge (*Gen.* IX. 5) : " Je demanderai compte du sang de

de ses serviteurs, il n'a point oublié le cri des malheureux : 13. « Ayez pitié de moi, *disaient-ils;* voyez l'affliction où me réduisent mes ennemis, 14. ô vous qui me tirez des portes de la mort, afin que je puisse raconter toutes vos louanges aux portes de la fille de Sion ! »

15. Je tressaillirai de joie à cause du salut que vous m'avez donné. Les nations sont tombées dans la fosse qu'elles ont creusée; dans le lacet qu'elles ont caché, s'est pris leur pied. 16. Le Seigneur s'est fait connaître à ses jugements; dans l'œuvre de ses mains l'impie a été enlacé. 17. Les pécheurs doivent retourner au séjour des morts, avec toutes les nations qui oublient Dieu. 18. Car le malheureux n'est pas toujours en oubli, et l'attente des affligés ne périt pas à jamais.

19. Levez-vous, Seigneur; que l'homme sente sa faiblesse! Que les nations soient jugées devant votre face! 20. Seigneur, imposez-leur un maître afin que les peuples sachent qu'ils sont des hommes.

21. Pourquoi, Seigneur, vous tenez-vous éloigné? Pourquoi dédaignez-vous *de nous secourir* au temps de la tribulation? 22. Pendant que le méchant s'enorgueillit, les malheureux se consument; ils sont pris dans les desseins qu'il a conçus. 23. Le pécheur se glorifie dans ses désirs pervers, et le méchant se félicite *de*

votre vie à la main de l'homme " qui l'aura versé. — 14. Tirer quelqu'un *des portes de la mort*, c'est le sauver du plus extrême danger, l'arracher à la mort. — 15. L'image est empruntée à la manière de chasser les animaux féroces; les anciens les prenaient au moyen de fosses recouvertes de branches, ou de lacets habilement dissimulés. — 17. *Le séjour des morts*, pour les pécheurs, c'est l'enfer. — 20. *Imposez-leur un maître*, littéralement *un docteur* ou *un législateur*, qui leur apprenne qu'ils ne sont rien devant Dieu. — 21. *Éloigné :* Dieu est toujours près de nous; mais sa divine présence ne se fait pas toujours sentir. Il paraît quelquefois s'éloigner et se cacher, soit pour éprouver notre patience, soit pour quelque infidélité qu'il voit en nous. — 22. *Se consument* de tristesse et d'indignation, à la vue de cette fortune insolente du méchant et des calamités qui affligent le juste. Ce sentiment ne convient plus aux justes de la loi nouvelle. Ils savent que la vie présente n'est qu'une épreuve passagère, et que " un moment de tribulation chrétiennement supportée leur méritera un poids immense de gloire, " une éternelle félicité.

ses succès. 24. Le pécheur irrite *de plus en plus* le Seigneur; dans sa fureur aveugle, il ne tient compte de rien; Dieu n'est jamais présent à sa pensée. 25. Ses voies en tout temps sont pleines de souillure; il écarte de ses regards vos jugements; il traite en despote tous ses ennemis. 26. Il dit dans son cœur : « Je ne serai jamais ébranlé; je suis pour toujours à l'abri du malheur. » 27. Sa bouche est pleine de malédiction, d'amertume et de tromperie; sous sa langue est la peine et la douleur. 28. Avec les puissants il se met en embuscade dans des lieux couverts, pour assassiner l'innocent; ses yeux épient l'homme sans défense. 29. Il est aux aguets dans un fourré, comme un lion dans son repaire; il est aux aguets pour surprendre le pauvre, pour le prendre en l'attirant. 30. Quand le malheureux est dans son filet, il l'outrage, il se jette sur lui, il le renverse et le foule aux pieds. 31. Car il a dit dans son cœur : " Dieu oublie; il détourne son visage pour ne jamais voir. "

32. Levez-vous *donc*, Seigneur Dieu; étendez votre main; n'oubliez pas les affligés ! 33. Pourquoi l'impie vous a-t-il bravé? C'est qu'il a dit dans son cœur : " Dieu ne punira pas. " 34. Vous avez vu pourtant; car vous faites attention à la peine et à la souffrance *de vos serviteurs*, pour prendre en main leur cause. A vous s'abandonne le malheureux; vous venez en aide à l'orphelin. 35. Brisez le bras de l'homme pécheur et méchant; on cherchera son péché, et on ne le trouvera plus.

36. Le Seigneur règne

---

24. *Ne tient compte* ni de Dieu, ni de la justice; il se met au-dessus de tout. — 27. *La peine* qu'il veut faire aux autres. — 29. *Le pauvre*, ici, l'homme pacifique et doux, incapable aussi bien de commettre que de repousser l'injustice ou la violence. — 30. *Dans son filet :* le méchant est comparé tour à tour à un lion et à un chasseur; les deux images se croisent. — 31. *Dieu oublie*, et même il ne veut pas *voir* les crimes du méchant et les souffrances de ses victimes. — 34. *Vous avez vu* le crime du méchant et la souffrance de vos serviteurs. — 35. *Brisez le bras de l'homme pécheur*, ôtez-lui le pouvoir de persécuter vos fidèles. — *On ne le trouvera plus :* le châtiment n'en aura rien épargné. — 36. *Nations* païennes. — *De sa terre*, du pays d'Iraël, dont

à jamais et pour l'éternité : nations, vous serez exterminées de sa terre. 37. Le Seigneur a exaucé le désir des affligés; son oreille a entendu le vœu de leurs cœurs. 38. Il fera justice à l'orphelin et à l'opprimé, afin que l'homme sur la terre ne s'enfle plus d'orgueil.

PSAUME 10.

Confiance en Dieu.

J'ai mis ma confiance en Dieu : pourquoi donc me dites-vous : " Fuis sur la montagne, comme un *timide* passereau. 2. Car voilà que les pécheurs ont tendu leur arc et ajusté leurs flèches sur la corde, pour tirer dans l'ombre sur les hommes au cœur droit. 3. Ils ont renversé les lois établies : que peut faire le juste ? "

4. Le Seigneur est dans son saint temple, le Seigneur a son trône dans le ciel. Ses yeux regardent le pauvre, ses paupières sondent les enfants des hommes. 5. Le Seigneur sonde le juste et l'impie; mais celui qui aime l'iniquité est l'ennemi de son âme. 6. Il fera pleuvoir sur les pécheurs des lacets; feu, soufre et vent brûlant, voilà la coupe qu'ils auront en partage. 7. Car le Seigneur est juste et il aime la justice; son regard se repose avec complaisance sur les hommes droits.

PSAUME 11.

Plainte et confiance.

Sauvez-moi, Seigneur, car il n'y a plus de saint, car la vérité s'est affaiblie parmi les enfants des hommes. 2. Ils se trompent les uns les autres par des mensonges, ils parlent avec des lèvres perfides, et un cœur double. 3. Que le Seigneur extermine toutes ces lèvres perfides,

---

Dieu était le roi. A ce point de vue, Israël était la figure du royaume céleste, où les justes seuls seront admis.

Ps. 10. — 2. *Ont tendu leur arc :* manière de parler figurée, pour signifier que les ennemis de David ont mis sa vie en danger. — 6. *Des lacets*, comme les chasseurs en jettent sur les animaux sauvages pour les prendre. Selon d'autres interprètes, ces *lacets* désignent, par figure, les zigzags enflammés des éclairs et de la foudre. — *La coupe :* l'image est tirée de l'usage où était le père de famille de verser dans une coupe, à chaque convive, sa part de boisson.

Ps. 11. — 1. La sainteté diminue parmi les hommes, à mesure que les vérités religieuses perdent de leur empire sur les âmes. — 3-4. Le Psalmiste flétrit ces beaux parleurs, qui séduisent la foule ignorante

ces langues qui parlent avec jactance. 4. Tous ces hommes qui disent : " Nous sommes puissants par notre langue; nos lèvres ne dépendent que de nous : qui sera notre maître ? "

5. " A cause de la misère des opprimés et du gémissement des pauvres, je vais maintenant me lever, dit le Seigneur; je leur apporterai le salut et j'accomplirai cette œuvre dans ma pleine puissance. "

6. Les paroles du Seigneur sont pures; c'est un argent éprouvé au feu, sans mélange et passé sept fois au creuset. 7. Vous, Seigneur, vous nous garderez et nous préserverez à jamais de cette génération; 8. *car* les impies promènent partout leur insolence, et, dans la profondeur de vos desseins, vous laissez croître le nombre de ces enfants des hommes.

PSAUME 12.

Plainte et confiance.

Jusques à quand, Seigneur, m'oublierez-vous pour toujours? Jusques à quand détournerez-vous de moi votre visage? 2. Jusques à quand mon âme *inquiète* formera-t-elle des projets, et le chagrin remplira-t-il mon cœur chaque jour? 3. Jusques à quand mon ennemi s'élèvera-t-il contre moi ?

4. Regardez et exaucez-moi, Seigneur mon Dieu ! Donnez la lumière à mes yeux, afin que je

par de grands mots et des sentences spécieuses, et l'entraînent dans l'erreur et la révolte. — 5. Dieu va leur répondre. — 6. Le Psalmiste reprend la parole. *Les paroles du Seigneur* en général, et spécialement la promesse du vers. 5, *sont pures* sans aucun alliage de mensonge. — 7-8. *Vous nous préserverez* des séductions de cette masse d'hommes pervers qui forment la génération présente, et que vous avez laissés croître dans des desseins que nous ignorons.

Ps. 12. *Jusques à quand :* David, sentant son courage s'épuiser, répétera quatre fois ce cri d'angoisse. — *M'oublierez-vous.* Une âme dans la tristesse et la douleur, si son épreuve se prolonge, s'imagine que Dieu l'a oubliée; mais c'est pour son bien qu'il en use ainsi : c'est pour l'obliger de recourir à lui, pour ranimer son ardeur, ou pour éprouver et purifier sa vertu. — 4. *Regardez*, tournez vers moi votre visage, redevenu favorable, et il s'en échappera une *lumière pour mes yeux*, maintenant obscurcis par la tristesse et la douleur; cette lumière m'apportera, à mon âme comme à mon corps, la joie, la force et la vie, et je n'aurai pas à craindre de m'endormir du sommeil de la mort.

ne m'endorme pas dans la mort; 5. afin que mon ennemi ne dise pas : "Je l'ai vaincu!" et que mes adversaires ne triomphent pas en me voyant chanceler.

6. Pour moi, j'espère en votre miséricorde; mon cœur tressaillira de joie à cause de votre salut. Je chanterai le Seigneur pour le bien qu'il m'a fait, et je célèbrerai le nom du Seigneur, du Très Haut.

PSAUME 13.

Corruption des méchants. Délivrance.

L'insensé a dit dans son cœur : "Il n'y a point de Dieu!" Les hommes se sont corrompus, ils sont devenus abominables dans leur conduite; il n'y a personne qui fasse le bien, pas même un seul. 2. Du haut du ciel, le Seigneur regarde les enfants des hommes, pour voir s'il en est un qui ait de l'intelligence et qui cherche Dieu. 3. Tous se sont égarés, tous se livrent à la vanité; il n'y a personne qui fasse le bien, pas même un seul. 4. Leur gosier est un sépulcre ouvert, leur langue un instrument de perfidie; le venin de l'aspic est sous leurs lèvres. 5. Leur bouche est pleine de malédiction et d'amertume; ils ont les pieds agiles pour répandre le sang. 6. L'affliction et le malheur sont dans leurs voies; ils ne connaissent pas le sentier de la paix; la crainte du Seigneur n'est pas devant leurs yeux.

7. Ont-ils à ce point perdu le sens, ces artisans d'iniquité, qui dévorent mon peuple comme on dévore un morceau de pain. 8. Ils n'invoquent jamais le Seigneur; ils trembleront tout à coup de frayeur, au moment même où n'apparaîtra

---

5. La victoire des ennemis sur l'ami de Dieu, si elle était possible et durable, serait en même temps une victoire sur le Seigneur lui-même; c'est ce qui n'arrivera jamais.

Ps. 13. — *Les hommes se sont corrompus :* c'est là, pour le plus grand nombre, la raison secrète de leur incrédulité. — *Personne qui fasse le bien*, parmi les impies dont on vient de parler. — 8. *Ils trembleront*, etc. : leurs crimes ne resteront pas impunis; *tout à coup*, au moment même de leur plus grande sécurité, *ils trembleront de frayeur*, frappés par la main de Dieu, qui n'abandonne pas les justes.

aucun sujet de frayeur; 9. car le Seigneur est avec la race des justes. Vous avez essayé, *ô impies*, de faire honte au pauvre de son dessein; c'est en vain, car le Seigneur est son refuge.

10. Ah! puisse venir de Sion le salut d'Israël! Quand le Seigneur aura fait cesser l'affliction de son peuple, Jacob sera dans la joie, Israël dans l'allégresse.

PSAUME 14.

Le vrai serviteur de Dieu.

Seigneur, quel est celui qui habitera dans votre tabernacle, et qui reposera sur votre montagne sainte?

2. Celui qui marche dans l'innocence et pratique la justice; celui qui dit la vérité dans son cœur, 3. et qui n'use point d'artifice dans ses paroles; celui qui ne fait point de mal à son prochain, et refuse d'entendre l'injure dont on veut le noircir; 4. celui devant qui le méchant est compté pour rien, mais qui honore ceux qui craignent le Seigneur; celui qui fait un serment à son frère et ne le trompe pas; 5. celui qui ne donne point son argent à usure, et n'accepte pas de don contre l'innocent.

L'homme qui se conduit ainsi, rien ne pourra jamais l'ébranler.

PSAUME 15.

En Dieu est la sécurité et le salut.

Gardez-moi, Seigneur, car j'ai mis en vous mon espérance. 2. J'ai

9. *De faire honte au pauvre*, de faire échouer les desseins, les résolutions du *pauvre*, de l'opprimé dénué de tout secours humain, etc. — 10. S. Thomas et plusieurs Pères appliquent ce verset à Jésus Christ : il est le Sauveur ou le salut sorti de Sion, c'est-à-dire de la nation juive; il nous a délivrés de la captivité du péché.

Ps. 14. — 1. *Qui habitera :* il s'agit d'un état durable, de l'état de ceux qui, unis au Seigneur par la grâce sanctifiante, " font partie de sa maison," selon la belle expression de S. Paul. — 2. *Qui dit la vérité dans son cœur*, qui n'a dans le cœur ni ruse ni astuce, mais seulement des pensées et des sentiments conformes à la vérité. — 5. *Son argent à usure.* La loi de Moïse défendait de prêter de l'argent à un Israélite contre un intérêt. Dans ces temps anciens, on ne connaissait pas les grandes entreprises commerciales qui ont besoin de capitaux; les pauvres seuls empruntaient; c'eût été aggraver leur misère et blesser la charité, que de leur demander un intérêt. — *De don* ou *présent contre l'innocent :* il s'agit d'un homme remplissant les fonctions de juge, qui, pour un présent, donnerait gain de cause au coupable et condamnerait l'innocent.

dit au Seigneur : "Vous êtes mon Dieu, et vous n'avez pas besoin de mes biens." 3. C'est envers ces saints qui habitent sa terre, qu'il m'a donné de signaler ma libéralité. 4. Les impies ont multiplié leurs idoles, et ils courent les adorer; mais je ne prendrai point part à leurs assemblées pour y offrir de sanglantes libations, et mes lèvres oublieront jusqu'au nom de leurs dieux. 5. Le Seigneur est la part de mon héritage et de ma coupe; c'est vous, ô mon Dieu, qui me rendrez mon héritage. 6. Le cordeau a mesuré pour moi une magnifique part; oui, un lot splendide m'est échu en partage.

7. Je bénis le Seigneur qui m'a donné l'intelligence; la nuit même, mes reins m'avertissent *de lui rendre grâces*. 8. Je mets le Seigneur constamment sous mes yeux; il se tient à ma droite, pour que je ne sois pas ébranlé. 9. C'est pourquoi mon cœur est dans la joie, et ma langue fait entendre des chants d'allégresse; mon corps lui-même se repose dans l'espérance. 10. Car vous n'abandonnerez pas mon âme au sombre séjour, et vous ne permettrez pas que votre saint voie la corruption du tombeau. 11. Vous me ferez connaître le sentier de la vie; vous me remplirez de joie par votre visage; il y a des délices sans fin à votre droite.

PSAUME 16.

Demande de secours.

Seigneur, entendez ma justice, écoutez ma

Ps. 15. — 3. *Sa terre*, le pays d'Israël. De la terre d'exil, David entretenait des relations amicales avec les principaux d'Israël et leur envoyait des présents. — 4. *Les impies*, les idolâtres, au milieu desquels David se trouvait. — 5. *Ma coupe :* voy. la note de *Ps.* x, 6. — 6. *Le cordeau :* on mesurait les héritages avec un cordeau; ici ce mot est employé par figure. — *Une magnifique part* ou *portion :* c'est Dieu même, infiniment puissant, sage et bon. — 7. *Qui m'a donné l'intelligence*, qui m'a fait comprendre la vanité des idoles et des faux biens de ce monde, et le bonheur de ne s'attacher qu'à lui seul. — 10-11. *Au sombre séjour*, dans l'enfer, c.-à-d. dans les limbes, où les âmes des justes attendaient la venue du Sauveur. — *Votre saint :* c'est David lui-même dont la vie était alors en péril; mais c'est surtout le Messie dont David est la figure.

Ps. 16. — 1. *Entendez ma justice*, faites à ma cause un accueil favorable : elle est juste, le bon droit est de mon côté. Ce qu'affirme le Psalmiste, ce n'est pas qu'il soit exempt de toute faute, c'est qu'il

supplication, prêtez l'oreille à ma prière qui ne part pas de lèvres trompeuses. 2. Que mon jugement sorte de *la lumière de* votre visage; que vos yeux regardent l'équité! 3. Vous avez éprouvé mon cœur et vous l'avez visité la nuit; vous m'avez éprouvé au feu, et il ne s'est pas trouvé en moi d'iniquité. 4. Ma bouche ne célèbrera jamais les œuvres des hommes; les paroles de vos lèvres m'ont aidé à marcher sans faiblir dans des voies rudes. 5. Affermissez mes pas dans vos sentiers, afin que mes pieds ne chancellent point.

6. Je vous invoque, car *toujours* vous m'exaucez, ô Dieu; inclinez vers moi votre oreille et écoutez ma prière. 7. Faites éclater vos miséricordes, ô vous qui sauvez ceux qui espèrent en vous. 8. Contre ceux qui résistent à votre droite, gardez-moi comme la prunelle de l'œil; à l'ombre de votre droite mettez-moi à couvert 9. des impies qui me persécutent, des ennemis mortels qui m'assiègent. 10. Ils ferment leurs entrailles *à la pitié*, et leur bouche profère des paroles hautaines. 11. Après m'avoir repoussé, maintenant ils m'assaillent; ils m'épient pour me renverser par terre. 12. Ils me guettent comme un lion prêt au carnage, comme un lionceau assis dans son fourré.

13. Levez-vous, Seigneur, marchez à sa rencontre et terrassez-le! Délivrez mon âme de l'impie; arrachez votre glaive

---

est innocent des crimes dont l'accusent ses ennemis. — 2. *La lumière du visage de Dieu*, c'est sa grâce et sa faveur. — *Que vos yeux regardent*, accueillent favorablement *l'équité* et la fasse triompher. — 3. *Eprouvé au feu :* l'image est empruntée à la manière dont on éprouve l'or et les métaux. La *nuit* et le *feu* sont souvent, dans la sainte Ecriture, les symboles du malheur ou de la tribulation par lesquels Dieu éprouve et purifie les justes. — 4. *Les œuvres mauvaises des hommes* en général : leur manière d'agir n'aura jamais mon assentiment. Mais je m'attache aux *paroles de vos lèvres*, c.-à-d. à vos promesses et à vos préceptes, et, soutenu par eux, j'ai pu rester fidèle au milieu de mes pénibles épreuves. — 13. *A la rencontre* de mon ennemi : tous les ennemis de David sont ici représentés comme un seul homme. — *Votre glaive :* en se servant des pécheurs pour éprouver les justes, Dieu leur remet en quelque sorte son glaive entre les mains.

aux ennemis de votre droite! 14. Seigneur, séparez-les dès leur vie même du petit troupeau de vos fidèles qui sont sur la terre. Leur ventre est rempli de vos trésors; ils sont rassasiés de fils et ils laissent leurs richesses à leurs petits-fils. 15. Pour moi, dans mon innocence, je serai admis devant votre face, je serai rassasié quand apparaîtra votre gloire.

PSAUME 17.

Chant d'action de grâces.

Je vous aime, Seigneur, vous qui êtes ma force. 2. Le Seigneur est mon rempart, mon refuge et mon libérateur; il est mon Dieu et mon soutien, et j'espère en lui; il est mon bouclier, la corne de mon salut et mon défenseur. 3. Je loue, j'invoque le Seigneur, et je suis délivré de mes ennemis.

4. Les douleurs de la mort m'environnaient, et les torrents de l'iniquité me remplissaient d'épouvante. 5. Les douleurs de l'enfer m'entouraient, et les filets de la mort étaient tombés sur moi. 6. Dans ma détresse, j'ai invoqué le Seigneur, et j'ai crié vers mon Dieu. De son temple saint il a entendu ma voix, et mon cri *poussé* devant lui est monté à son oreille.

7. Et la terre fut ébranlée et elle chancela; les fondements des montagnes furent secoués et ils tremblèrent, parce que Dieu était irrité. 8. Dans

---

14-15. *Séparez-les :* ce n'est que dans la vie future que les méchants seront éternellement séparés des justes. Ici David demande seulement que Dieu les éloigne et mette hors de leurs atteintes le petit troupeau de ses serviteurs. — *Leur ventre est rempli de vos trésors :* souvent, ici-bas, les méchants ont des biens temporels en abondance. Le Psalmiste peut bien s'en étonner; mais pour lui, il a des aspirations plus hautes; tout ce qu'il désire, c'est d'être admis à la contemplation de la vision divine.

Ps. 17. — 2. *La corne de mon salut*, la force qui m'a sauvé de mes ennemis, ou plus simplement *mon puissant Sauveur.* Comme certains animaux sont pourvus de cornes, dont ils se servent pour repousser les attaques, les Hébreux ont fait de la corne le symbole de la force et de la puissance. — 4-5. *Les douleurs de la mort*, ou de *l'enfer* (c.à-d. des *limbes*, séjour des âmes des défunts), les *torrents de l'iniquité*, c.-à-d. les attaques d'hommes pervers qui en voulaient à ma vie, enfin les *filets de la mort*, c.-à-d. les filets dont la mort cherchait à m'envelopper, comme fait le chasseur pour s'emparer d'un animal sauvage. — 8. *Dans sa colère* (en hébreu, *de ses narines*) :

sa colère, une fumée s'élevait, un feu dévorant sortait de son visage, il en jaillissait des charbons embrasés. 9. Il abaissa les cieux et il descendit; une nuée épaisse était sous ses pieds. 10. Porté sur les Chérubins, il a pris son essor; il planait sur les ailes du vent. 11. Les ténèbres l'enveloppaient *comme un manteau*, les sombres vapeurs des nuées de l'air formaient *comme* une tente autour de lui. 12. Devant l'éclat de sa présence, les nuages s'élancèrent, *portant* la grêle et les charbons de feu. 13. Le Seigneur a tonné dans les cieux, le Très Haut a fait retentir sa voix : grêle et charbons de feu *se sont précipités*. 14. Il a envoyé ses flèches et dispersé mes ennemis, il a multiplié les coups de la foudre, et les a remplis d'épouvante. 15. Alors les sources des eaux apparurent et les fondements de la terre furent mis à nu, à votre menace, Seigneur, au souffle impétueux de votre colère.

16. D'en haut Dieu a étendu sa main, il m'a pris et m'a retiré des grandes eaux; 17. il m'a délivré de mes terribles ennemis, de ceux qui me haïssaient, et qui étaient plus forts que moi. 18. Ils m'avaient surpris au jour de mon affliction, mais le Seigneur s'est fait mon défenseur. 19. Il m'a mis au large, il m'a sauvé,

chez les hommes, la colère se manifeste par une respiration forte et précipitée qui fait monter comme un nuage de fumée, par des regards qui semblent jeter des flammes, etc. : le Psalmiste, par une figure hardie, applique à Dieu tous ces traits. — 9. Toute cette description est poétique. Au lieu de dire simplement que Dieu l'a aidé à vaincre ses ennemis, le Psalmiste le représente descendant du ciel au milieu d'une violente tempête, et faisant tomber sur ses adversaires la foudre et la grêle. — *Il a abaissé les cieux :* dans la tempête, les cieux semblent s'abaisser, parce que les nuages occupent des régions plus basses. — 11. Dieu était comme caché au sein des nuées obscures. Dans ses rapports avec les hommes, il voile toujours sa splendeur, parce que nous ne pourrions pas en supporter l'éclat. — 12. *Les charbons de feu*, les éclairs et la foudre. — 13. *Sa voix*, son tonnerre. — 14. *Ses flèches*, les éclairs et la foudre : l'image est empruntée à un guerrier qui lance ses traits contre l'ennemi. — 15. La tempête déchaînée soulève les flots de la mer et des fleuves, en sorte que leurs *sources*, c.-à-d. leur lit, d'où, croyait-on, jaillissent les sources qui les alimentent, apparaissent aux regards; elle ébranle aussi la terre jusque dans ses *fondements*, c.-à-d. ses profondeurs. — 19. *Au large :* un homme en danger ou dans l'adversité est *à l'étroit*, dans la

parce qu'il s'est complu en moi.

20. Le Seigneur m'a traité selon ma justice, il m'a rendu selon la pureté de mes mains. 21. Car j'ai observé les voies du Seigneur, et je n'ai rien fait d'impie qui m'éloignât de mon Dieu. 22. Toutes ses lois étaient devant mes yeux, et je n'ai pas repoussé loin de moi ses préceptes. 23. J'ai été sans reproche vis-à-vis de lui, et je me suis tenu en garde contre mon iniquité. 24. Aussi le Seigneur m'a rendu selon ma justice, et selon la pureté de mes mains devant ses yeux. 25. Avec celui qui est saint, vous vous montrez saint; avec l'homme intègre, vous agissez avec intégrité; 26. avec celui qui est pur, vous vous montrez pur; avec l'homme pervers, vous vous faites pervers. 27. Car vous sauvez le malheureux qu'on opprime, et vous abaissez les yeux des superbes.

28. Oui, Seigneur, vous faites briller mon flambeau; ô mon Dieu, illuminez mes ténèbres. 29. Par vous, je sors victorieux de toutes les épreuves; par mon Dieu, j'escalade les remparts. 30. La voie de mon Dieu est pure; la parole du Seigneur est comme l'or éprouvé au feu, il est le protecteur de tous ceux qui espèrent en lui. 31. Car qui est Dieu, si ce n'est le Seigneur *seul?* Qui est Dieu, si ce n'est notre Dieu : 32. le Dieu qui m'a revêtu de force, et qui a disposé pour moi une voie sans souillure; 33. qui a rendu mes pieds agiles comme ceux du cerf; qui m'a établi sur les hauteurs;

détresse; l'en délivrer, c'est le *mettre au large.* — 20. *Selon ma justice*, la justice de ma cause : voy. *Ps.* xvi, 1. — 23. *Mon iniquité*, mes penchants au mal, nés du péché originel. — 25-26. Ces versets s'entendent de Dieu qui est bon, c.-à-d. miséricordieux, envers ceux qui sont bons, et mauvais, c.-à-d. sévère, envers ceux qui sont mauvais, punissant les uns et faisant miséricorde aux autres : en d'autres termes, Dieu traite chacun selon son mérite, et cela parce qu'il est souverainement juste. — 28. *Mon flambeau*, ou *ma lampe :* symbole de vie et de prospérité; les *ténèbres* au contraire figurent l'adversité et le malheur. — 30. *La voie*, la conduite *de Dieu;* sa *parole*, ici les promesses qu'il fait à ses serviteurs, est un or pur, tel qu'il sort du creuset; elle ne trompe pas *ceux qui espèrent en lui.* — 33. *Mes pieds agiles :* les anciens prisaient beaucoup dans un guerrier l'agilité à la course. — *Les hauteurs :* il existe en Palestine un grand nombre de

34. qui a appris mes mains à combattre et a fait de mes bras comme un arc d'airain? 35. Vous m'avez couvert du bouclier de votre salut, et votre droite a été mon soutien; vos leçons m'ont toujours dirigé, elles seront encore la règle de ma conduite. 36. Vous avez élargi la route sous mes pas, et mes pieds ne chancellent point.

37. Je poursuis mes ennemis et je les atteins; je ne reviens pas sans les avoir anéantis. 38. Je les brise, et ils ne peuvent se relever; ils tombent sous mes pieds. 39. Vous m'avez revêtu de force pour le combat, et vous abattez sous mes pieds ceux qui s'élevaient contre moi. 40. Vous faites tourner le dos à mes ennemis, et vous dispersez ceux qui me haïssent. 41. Ils crient, et personne pour les sauver; *ils crient* au Seigneur, et il ne leur répond pas! 42. Je les broie comme la poussière qu'emporte le vent; je les foule comme la boue des rues.

43. Vous m'avez fait triompher des dissensions du peuple; vous m'avez mis à la tête des nations. 44. Des peuples que je ne connaissais pas m'ont été assujettis; au premier ordre, ils s'empressent de m'obéir. 45. Les fils de l'étranger m'adulent; les fils de l'étranger sont sans force et sans courage; ils sortent d'un pas tremblant de leurs forteresses.

46. Vive le Seigneur, et béni soit mon Dieu! Gloire au Dieu de mon salut, 47. à vous, ô Dieu, qui avez mis dans mes mains la vengeance et les peuples à mes pieds; à vous qui m'avez délivré de la fureur de mes ennemis. 48. Oui, vous m'élevez au-dessus de

---

lieux élevés, d'un difficile accès; celui qui les occupe est maître de tout le pays. — 36. C.-à-d. vous avez donné le succès à toutes mes entreprises; l'image est empruntée aux chemins étroits et rocailleux, fréquents en Palestine. — 37. *Je poursuis :* ce verbe et les suivants se rapportent aussi bien au passé qu'à l'avenir. — 43. *Dissensions* ou *divisions du peuple :* il y avait eu, durant plusieurs années, des Israélites du parti de David, d'autres du parti de Saül et de sa famille. — 45. *Les fils de l'étranger*, des peuples étrangers, vaincus par moi *m'adulent*, m'adressent des protestations de soumission plus ou moins sincères. — *De leurs forteresses* qu'ils ne peuvent plus défendre contre mes armes. — 47. *Qui avez mis dans mes mains la vengeance*, qui m'avez donné de châtier d'injustes adversaires.

mes adversaires; vous me sauvez de l'homme d'iniquité. 49. C'est pourquoi je vous louerai parmi les nations, Seigneur, et je chanterai à la gloire de votre nom, 50. *à la gloire d'un Dieu* qui accorde de merveilleuses délivrances à son roi et qui fait miséricorde à son Oint, à David et à sa postérité jusqu'à la fin des siècles.

PSAUME 18.

Gloire à Dieu, créateur et législateur.

Les cieux racontent la gloire de Dieu, et le firmament annonce l'œuvre de ses mains. 2. Cette louange, le jour la redit au jour, et la nuit l'apprend à la nuit. 3. Ce n'est pas un langage, ce ne sont pas des paroles dont la voix ne soit pas entendue. 4. Leur son se répand par toute la terre; leurs accents vont jusqu'aux extrémités du monde. 5. Dans le soleil Dieu a disposé sa tente. Cet astre, semblable au jeune époux qui sort de la chambre nuptiale, s'élance joyeusement, comme un géant, pour parcourir sa carrière. 6. Il part d'une extrémité du ciel, et sa course s'achève à l'autre extrémité : rien ne se dérobe à sa chaleur.

7. La loi du Seigneur est sans tache : elle restaure les âmes; le commandement du Seigneur est fidèle : il donne la sagesse aux simples; 8. les ordonnances du Seigneur

50. *A sa postérité :* allusion à la promesse que Dieu avait faite à David "d'affermir pour jamais sa maison et son trône," promesse qui ne s'est pleinement réalisée qu'en notre Seigneur Jésus Christ, fils de David selon la chair.

Ps. 18. — 2. *Au jour*, à un autre jour. Sens : chaque jour qui commence répète la même louange, et la transmet au jour qui va suivre; de même pour la nuit. — 3. Ce témoignage que la création rend au Créateur, quoiqu'il ne soit pas exprimé en un langage articulé, est intelligible à tout être raisonnable. — 4. *Leur son :* S. Paul voit dans cette *prédication des cieux* s'étendant à toute la terre, une image de la *prédication évangélique* que les Apôtres ont fait entendre dans toutes les contrées de l'univers. — 5-6. Sous l'emblème du soleil, les SS. Pères saluent le Fils de Dieu, le Verbe incarné, sortant radieux du sein de Marie et illuminant le monde par ses enseignements, sans que personne puisse se dérober à la chaleur de ses rayons. — 7. *Elle restaure les âmes :* répondant à tous leurs besoins, elle entretient en elles la force et la vigueur. — *Le commandement :* il s'agit surtout du *décalogue*. — *Est fidèle*, c.-à-d. vrai, sûr : il est l'expression certaine de la volonté de Dieu. — *Les simples*, les petits et les ignorants, tels que sont la plupart des hommes : qu'ils s'attachent à la

sont droites : elles réjouissent les cœurs; le précepte du Seigneur est lumineux : il éclaire les yeux; 9. la crainte du Seigneur est sainte : elle subsiste à jamais; les décrets du Seigneur sont vrais : ils se justifient par eux-mêmes. 10. Sa loi est plus désirable que l'or et les pierres précieuses, plus douce que le miel qui coule des rayons. 11. Aussi votre serviteur la garde-t-il fidèlement; à ceux qui l'observent est réservée une magnifique récompense.

12. *Mais* qui connaît ses égarements? Pardonnez-moi ceux que j'ignore! 13. Préservez aussi votre serviteur de *la corruption de* ceux qui vous sont étrangers. S'ils ne dominent pas sur moi, je serai sans tache et pur de grands péchés. 14. Alors vous accueillerez favorablement les paroles de ma bouche, et les sentiments de mon cœur seront sans cesse sous votre regard, ô Seigneur, qui êtes mon soutien et mon libérateur.

PSAUME 19.

Prière pour le roi à son départ pour la guerre.

Que le Seigneur t'exauce au jour du péril; que le nom du Dieu de Jacob te protège! 2. Que de son sanctuaire il t'envoie du secours; que du haut de Sion il te défende! 3. Qu'il se souvienne de tous tes sacrifices, et qu'il ait pour agréables tes holocaustes! 4. Qu'il te donne ce que ton cœur désire, et qu'il accomplisse tous tes desseins! 5. Nous nous réjouirons de ta victoire, et nous glorifierons le nom de notre Dieu. 6. Que le Seigneur exauce tous tes vœux!

loi de Dieu, et ils auront la véritable sagesse. — 9. *La crainte du Seigneur*, ici, c'est la partie religieuse de la loi qui nous apprend à honorer Dieu, en un mot la *religion*. — *Les décrets du Seigneur*, tout ce qu'il ordonne, *sont vrais*, fondés sur la justice et le droit; ils portent en eux-mêmes leur justification, leur raison d'être. — 11. Cette *récompense* n'est autre que Dieu même, comme il le dit à Abraham : " Je serai moi-même ta magnifique récompense." — 12. *Ses égarements*, fautes de fragilité et de faiblesse, dans lesquelles on tombe par surprise ou inadvertance, et qui ne laissent que peu de traces dans la conscience. — 13. *Qui vous sont étrangers*, qui sont séparés de vous par une vie criminelle.

Ps. 19. — 1. *Le nom* est mis souvent pour la personne même. — 3. Avant de se mettre en campagne. David offrit des sacrifices pour

Déjà je sais que le Seigneur a sauvé son Christ; il l'exaucera du haut du ciel, sa sainte demeure; sa droite signalera sa puissance pour le sauver. 7. Ceux-ci mettent leur confiance dans leurs chars, ceux-là dans leurs chevaux; nous, nous invoquons le nom du Seigneur. 8. Eux, ils sont pris comme dans un filet, ils tombent; nous, nous tenons ferme et restons debout.

9. Seigneur, sauvez le roi, et exaucez-nous quand nous vous invoquons!

PSAUME 20.

Action de grâces après la victoire.

Seigneur, le roi se réjouit de votre puissante protection; il tressaille d'allégresse, parce que vous l'avez sauvé. 2. Vous lui avez donné ce que son cœur désirait, vous ne lui avez pas refusé ce que demandaient ses lèvres. 3. Car vous l'avez prévenu de vos plus précieuses bénédictions, vous avez mis sur sa tête une couronne de pierres précieuses. 4. Il vous demandait la vie, et vous lui avez donné des jours qui dureront à jamais et éternellement. 5. Sa gloire est grande, grâce à votre secours; vous l'avez revêtu de splendeur et de magnificence. 6. Vous le rendez pour toujours une bénédiction, vous le comblez de joie par la vue de votre face. 7. Car le roi met sa confiance dans le Seigneur, et par la bonté du Très Haut il ne chancelle point.

8. Que ta main, *ô roi*, atteigne tous tes ennemis! Que ta droite atteigne ceux qui te haïssent! 9. Tu les consumeras comme dans une fournaise ardente, au jour où tu leur montreras ton vi-

attirer sur ses armes la protection de Dieu. — 6. *A sauvé*, a résolu de sauver, *son Christ*, c.-à-d. *son oint*, David, qui a reçu l'onction royale.

Ps. 20. — 4. *La vie :* bien des fois au milieu des dangers qui le menaçaient, David avait demandé à Dieu de lui conserver la vie. Allant au-delà de ses vœux, Dieu lui a promis qu'il vivrait et régnerait éternellement dans sa postérité, postérité qui devait aboutir au Messie. C'est cette promesse qui est ici rappelée. — 6. *Une bénédiction*, ce qui signifie deux choses : d'abord, que David a été l'*objet* des plus abondantes bénédictions de Dieu; ensuite qu'il a été, comme ancêtre du Messie et dans son union avec lui, une *cause* de bénédiction pour les hommes. — *Par* la vue de *votre face*, en l'admettant dans votre intimité et en lui montrant un visage favorable.

sage *irrité;* le Seigneur dans sa colère les frappera d'épouvante, et le feu les dévorera. 10. Tu feras disparaître de la terre leur postérité, et leur race d'entre les enfants des hommes. 11. Car ils ont préparé ta ruine, ils ont conçu de mauvais desseins, mais ils ne pourront les exécuter. 12. Tu leur feras tourner le dos, et tu disposeras les traits qui te restent pour frapper au visage.

13. Levez-vous, Seigneur, dans votre force! Nos chants et nos harpes célébreront vos hauts faits.

PSAUME 21.

Prophétie de la Passion de J.-C. et de la conversion du monde.

Mon Dieu, mon Dieu, tournez vers moi votre regard : pourquoi m'avez-vous abandonné? La voix de mes péchés éloigne de moi le salut. 2. Mon Dieu, je crie pendant le jour, et vous ne m'exaucez pas; la nuit, et je n'obtiens pas de soulagement. 3. Pourtant vous habitez dans votre sanctuaire, et vers vous montent les louanges d'Israël. 4. Nos pères ont espéré en vous; ils ont espéré, et vous les avez délivrés. 5. Ils ont crié vers vous, et ils ont été sauvés; ils ont mis en vous leur confiance, et ils n'ont pas été confondus.

6. Et moi, je suis un ver, et non un homme, l'opprobre des hommes et le rebut du peuple. 7. Tous ceux qui me voient se moquent de moi; ils ouvrent les lèvres et branlent la tête *en disant :* 8. " Il a mis sa confiance dans le Seigneur; qu'il le sauve, puisqu'il l'aime!" 9. Oui, c'est vous qui m'avez tiré du sein maternel; vous étiez mon espérance lors-

13. *Levez-vous*, et accomplissez les grandes choses que vous avez promises à David.

Ps. 21. — 1. *Mon Dieu*, etc. Victime volontaire pour les péchés des hommes qu'il a pris sur lui pour les expier, et traité comme un véritable pécheur, J. C., l'innocence même, adressa cette plainte à son Père du haut de la croix. — *La voix de mes péchés :* N. S. s'exprime ainsi comme représentant de l'humanité coupable. — 2. *La nuit*, particulièrement le soir du jeudi saint, dans le jardin de Gethsémani, théâtre de l'agonie du Sauveur. — *Je n'obtiens pas de soulagement :* c'est le sens de l'hébreu. Il y a dans la Vulgate, *et ce n'est pas folie à moi*, accablé de tant de maux, de me plaindre ainsi. — 8. Ces paroles ont été dites textuellement par les Juifs sur le Calvaire.

que j'étais encore à la mamelle. 10. A ma naissance, j'ai été porté sur vos genoux; depuis le sein de ma mère, c'est vous qui êtes mon Dieu. 11. Ne vous éloignez pas de moi, car l'angoisse est proche, et personne ne vient à mon secours.

12. Autour de moi sont des taureaux nombreux; de gras taureaux m'environnent. 13. Ils ouvrent contre moi leur bouche, comme un lion qui déchire et rugit. 14. Je suis comme de l'eau qui s'écoule, et tous mes os sont disjoints; mon cœur est comme de la cire, il se fond dans mes entrailles. 15. Ma force s'est desséchée comme un tesson d'argile, et ma langue s'attache à mon palais; vous me réduisez à la poussière du tombeau. 16. Car des chiens nombreux m'environnent; une troupe de scélérats m'assiège; ils ont percé mes pieds et mes mains. 17. On pourrait compter tous mes os; eux, ils m'observent et me contemplent. 18. Ils se partagent mes vêtements, ils tirent au sort ma tunique. 19. Vous, Seigneur, n'éloignez pas de moi votre secours, prenez soin de ma défense. 20. Délivrez, Seigneur, mon âme de l'épée, ma vie du pouvoir du chien! 21. Sauvez-moi

10. *Porté sur vos genoux :* allusion à l'usage des anciens de présenter au père l'enfant nouveau-né. Sens : vous m'avez servi de père. L'Ancien Testament fait souvent mention de la mère du Messie, mais il n'y est question nulle part d'un homme qui serait son père. — 12. *Taureaux :* ces animaux représentent les Juifs, acharnés à la perte de J. C.; de même les *chiens* au vers. 16. Les écrivains hébreux ne dédaignent pas de se servir de ces images, qui, dans notre langue, manqueraient peut-être de noblesse. — 14. *Je suis* abattu et sans force, *comme de l'eau*, etc. — *Mes os sont disjoints* par la torture et la suspension violente de la croix. — 15. Epuisé de sang, le Sauveur éprouve une soif ardente, le plus cruel tourment des crucifiés; de toutes ses souffrances physiques sur la croix, il ne se plaint que de celle-là, lorsqu'il dit : " J'ai soif." *Jean*, XX. 28. — *A la poussière de la mort*, à l'état de cette poussière qui est au fond des tombeaux. — 17. *Me contemplent*, repaissent leurs regards du spectacle de mes souffrances et de ma mort. — 18. *Ma tunique*, le vêtement de dessous. Ce partage des vêtements de Jésus Christ est raconté par les Evangélistes. — 19-21. Dans ces trois versets, le Messie demande à son Père d'échapper promptement, par la résurrection, aux étreintes de la mort qui va le saisir, ou qui l'a déjà saisi. Cette prière forme la transition entre la deuxième partie du Psaume et la troisième. *L'épée* est le symbole d'une mort violente. — *Ma vie*, litt. *mon unique*, c.-à-d. mon âme : l'homme n'en a pas une seconde; elle est donc son

de la gueule du lion; sauvez ma faiblesse des cornes du buffle !

22. J'annoncerai votre nom à mes frères; au milieu de l'assemblée je vous louerai : 23. " Vous qui craignez le Seigneur, louez-le ! Vous tous, postérité de Jacob, glorifiez-le! Que toute la race d'Israël le révère ! 24. Car il n'a pas méprisé, il n'a pas dédaigné la prière du pauvre, il n'a pas détourné de lui son visage, et quand j'ai crié vers lui, il m'a exaucé." 25. Grâce à vous, mon hymne retentira dans la grande assemblée; j'acquitterai mes vœux en présence de ceux qui vous craignent. 26. Les pauvres mangeront et se rassasieront; ceux qui cherchent le Seigneur chanteront ses louanges; leur âme vivra éternellement. 27. Les extrémités de la terre se souviendront et reviendront au Seigneur; toutes les familles des nations se prosterneront en sa présence. 28. Car au Seigneur appartient l'empire, il domine sur les nations. 29. Les puissants de la terre mangeront et adoreront; devant lui tomberont à genoux tous ceux qui descendent à la poussière. 30. Mon âme vivra pour sa gloire, et ma postérité le servira. 31. La génération future sera appelée le peuple du Seigneur; les cieux an-

bien le plus précieux. — Le *chien*, le *lion* et le *buffle* représentent la mort personnifiée, qui croyait tenir le Messie dans ses liens. — 22. Le Messie, maintenant exaucé, ressuscité des morts par son Père, fait éclater sa reconnaissance. Il fera connaître et aimer son Père, à tous les hommes, par la prédication de l'Evangile. — 24. *Pauvre*, humble, affligé : c'est ainsi que les prophètes désignent le Messie souffrant. — 25. La *grande assemblée*, c'est l'Eglise, répandue par toute la terre. — *J'acquitterai mes vœux*, en offrant un sacrifice d'action de grâces pour ma délivrance. Le sacrifice d'action de grâces offert par le Messie, c'est le sacrifice de nos autels, avec le banquet sacré de l'Eucharistie. — 27. Ce verset et les suivants annoncent la conversion des Gentils, c'est-à-dire des nations idolâtres, à l'Evangile, et par conséquent leur retour à la connaissance du vrai Dieu. — 29. *Mangeront*, prendront part au banquet de la grâce et du salut auquel le Messie les conviera, *et adoreront* le vrai Dieu. — *Tous ceux qui descendent à la poussière*, tous les *mortels*, tous les hommes; ou bien les pauvres et les affligés (par opposition aux *puissants*), dont la vie même est en péril. — 30. La *postérité* du Messie, ce sont tous les fidèles. — 31. *Les cieux*, c'est-à-dire les saints, proclameront, non seulement par la parole, mais encore par le spectacle de leurs vertus, que le Messie est venu apporter au monde la grâce et le salut

nonceront sa justice à ce peuple qui doit naître et que le Seigneur prépare.

PSAUME 22.

Dieu est un bon pasteur.

Le Seigneur est mon pasteur, et je ne manquerai de rien. 2. Il m'établit dans de *gras* pâturages, il me mène près des eaux rafraîchissantes. 3. Il restaure mon âme, il me conduit par d'heureux sentiers pour la gloire de son nom. 4. Alors même que je marche au milieu de l'ombre de la mort, je ne crains aucun mal, car vous êtes avec moi : votre houlette et votre bâton me rassurent. 5. Vous dressez devant moi une table en face de ceux qui me persécutent; vous parfumez d'huile ma tête; ma coupe déborde : qu'elle est belle et enivrante! 6. Oui, votre miséricorde m'accompagnera tous les jours de ma vie, et j'habiterai dans la maison du Seigneur pour de longs jours.

PSAUME 23.

Entrée triomphale du Seigneur dans son sanctuaire.

Au Seigneur est la terre et ce qu'elle renferme, le monde et tous ceux qui l'habitent. 2. Car c'est lui qui l'a fondée sur les mers et affermie sur les fleuves. 3. Qui pourra monter à la montagne du Seigneur? Qui se tiendra dans son sanctuaire? 4. Celui qui a les mains innocentes et le cœur pur; celui qui n'a pas livré son âme au mensonge, et qui ne fait pas de serment à son prochain pour le tromper. 5. Celui-là obtiendra du Seigneur la bénédiction, et de Dieu, son Sauveur, la miséricorde. 6. Telle est la génération de ceux qui le cherchent, de ceux qui cherchent la face du Dieu de Jacob.

Ps. 22 — 1. Notre Seigneur, image visible du Père, s'appellera aussi le *bon Pasteur*. — 4. *L'ombre de la mort*, une ombre aussi épaisse que celle du tombeau. — 5. *Une table :* Dans cette table les saints Pères ont vu le banquet eucharistique. — *En face de ceux qui me persécutent*, afin qu'ils sachent que vous me protégez. — *Vous parfumez d'huile*, etc. : c'était l'usage dans les festins chez les anciens, surtout en Orient,

Ps. 23. — 4. *Les mains* désignent les actions extérieures; le *cœur*, les sentiments et les pensées. — *Qui n'a pas livré son âme au mensonge*, dans le sens biblique de ce dernier mot, c'est-à-dire, aux choses vaines et futiles, à l'iniquité, etc. — 6. *Telle est la génération* ou *la race* de ceux qui cherchent le Seigneur; tel est le caractère, telles sont les dispositions des véritables enfants de Dieu.

7. Princes, élevez vos portes; exhaussez-vous, portes antiques; que le Roi de gloire fasse son entrée! — 8. Quel est ce Roi de gloire? — C'est le Seigneur fort et puissant, le Seigneur puissant dans les combats. — 9. Princes, élevez vos portes; exhaussez-vous, portes antiques; que le Roi de gloire fasse son entrée! — 10. Quel est donc ce Roi de gloire? — C'est le Seigneur des armées; c'est lui qui est le Roi de gloire!

PSAUME 24.

Confiance en Dieu.
Regret des fautes passées.

Vers vous, Seigneur, j'élève mon âme. 2. Mon Dieu, je me confie en vous : que je n'aie pas de confusion! 3. Que je ne sois pas pour mes ennemis un sujet de risée! Non, aucun de ceux qui espèrent en vous ne sera confondu; 4. que ceux-là soient confondus qui commettent l'iniquité de gaieté de cœur!

Seigneur, faites-moi connaître vos voies et enseignez-moi vos sentiers. 5. Conduisez-moi dans votre vérité et instruisez-moi, car vous êtes mon Dieu et mon Sauveur, et tout le jour j'espère en vous.

6. Souvenez-vous, Seigneur, de vos bontés et de vos miséricordes, qui sont éternelles. 7. Mais ne vous souvenez pas des péchés de ma jeunesse et de mes ignorances. Souvenez-vous de moi selon votre miséricorde, à cause de votre bonté, Seigneur.

7. Le cortège est arrivé aux portes de la vieille cité des Jébuséens, qui existait avec sa forteresse dès le temps d'Abraham. Alors le Psalmiste, s'adressant aux *princes*, c'est-à-dire aux chefs de la ville ou aux principaux d'entre les prêtres, puis aux portes elles-mêmes, demande, dans un langage plein de poésie, qu'elles s'élèvent, qu'elles se fassent et plus hautes et plus larges, pour reconnaître la majesté du souverain Seigneur qui va faire son entrée. — 10. *Le Seigneur* Dieu *des armées :* il s'agit des armées céleste, savoir des anges et des astres, rangés en ordre autour de Dieu et obéissant à sa voix, comme des guerriers autour de leur chef. Cette appellation divine est fréquente dans la sainte Ecriture; elle implique une idée de toute-puissance.

Ps. 24. — 1. *J'élève mon âme* pour prier; on a très bien défini la prière " une élévation de l'âme vers Dieu." — 4. *Vos voies*, les voies de la justice et du salut, qui sont aussi celles du bonheur. — 5. *Dans votre vérité*, dans le chemin de vos commandements, qui sont l'expression vraie du bien et du juste. — 7. *De mes ignorances*, des

8. Le Seigneur est bon et droit; c'est pourquoi il indique la voie au pécheur qui s'égare. 9. Il conduit les humbles dans la justice, il enseigne ses voies à ceux qui sont doux.

10. Tous les sentiers du Seigneur sont miséricorde et fidélité pour ceux qui gardent son alliance et ses commandements. 11. A cause de votre nom, Seigneur, vous pardonnerez mon iniquité, car elle est grande. 12. Quel est l'homme qui craint le Seigneur? Le Seigneur lui montre la voie qu'il doit choisir. 13. Son âme reposera dans le bonheur, et sa postérité aura la terre en héritage. 14. Le Seigneur est l'appui de ceux qui le craignent; il leur fait goûter *les bénédictions* de son alliance.

15. J'ai les yeux constamment tournés vers le Seigneur, car c'est lui qui tirera mes pieds du lacet. 16. Regardez-moi et ayez pitié de moi, car je suis pauvre et délaissé. 17. Les angoisses de mon cœur se sont accrues; tirez-moi de ma détresse! 18. Considérez mon humiliation et ma peine, et pardonnez-moi tous mes péchés. 19. Voyez combien sont nombreux mes ennemis, et quelle haine injuste ils ont contre moi! 20. Gardez mon âme et sauvez-moi! Que je n'aie pas de confusion pour avoir mis en vous ma confiance! 21. Les hommes innocents et droits se sont attachés à moi, parce que j'espère en vous.

fautes que j'ai commises par irréflexion. — 10. *Les sentiers du Seigneur*, ses desseins et sa conduite à l'égard des hommes, sont *miséricorde :* ils tendent au salut de tous; et *fidélité* (litt. *vérité*) : ils attestent que les promesses divines sont toujours réalisées; mais ses fidèles serviteurs seuls ont part aux bénédictions de son alliance. — 11. *Car elle est grande :* plus mon iniquité est grande, plus le pardon m'est nécessaire, plus aussi il fera éclater votre infinie miséricorde. — 12. *Qui craint le Seigneur*, qui se montre un pieux et fidèle serviteur de Dieu. — 13. La *terre* dont l'héritage lui est assuré, c'est le ciel, dont le pays de Chanaan promis à la race d'Abraham, n'était que la figure. — 15. *Lacet* ou *filet* tendu pour prendre les bêtes sauvages; figure des embûches que les ennemis de David lui tendaient, et en général des dangers qu'il avait à courir. — 21. *Les hommes innocents*, etc. Sens : si vous ne veniez pas à mon secours, non seulement je serais la risée de mes ennemis, mais je serais confus même devant beaucoup d'hommes innocents et droits, qui se sont attachés à moi et marchent avec moi dans le chemin de la piété et de la vertu.

22. O Dieu, délivrez Israël de toutes ses angoisses !

PSAUME 25.

Protestation d'innocence.

Rendez-moi justice, Seigneur, car je marche dans l'innocence; mon espérance est dans le Seigneur, et je ne serai pas ébranlé. 2. Eprouvez-moi, Seigneur, et sondez-moi; faites passer au creuset mes reins et mon cœur. 3. Car votre miséricorde est toujours devant mes yeux, et votre vérité est l'objet de mes complaisances. 4. Je ne me suis pas assis dans la société des hommes de mensonge, je ne vais pas avec les artisans d'iniquité. 5. Je hais l'assemblée de ceux qui font le mal, et je ne prends point place parmi les impies. 6. Je lave mes mains parmi les justes, et j'entourerai votre autel, Seigneur, 7. afin d'entendre la voix de vos louanges, et de raconter toutes vos merveilles. 8. Seigneur, j'aime la beauté de votre maison, le lieu où réside votre gloire.

9. O Dieu, ne perdez pas mon âme avec les impies, ma vie avec les hommes de sang, 10. qui ont le crime dans leurs mains, et dont la droite est pleine de présents! 11. Pour moi, je marche en mon innocence : délivrez-moi et ayez pitié de moi! 12. Mon pied se tient dans la voie droite : je bénirai le Seigneur dans les assemblées.

PSAUME 26.

Confiance en Dieu.

Le Seigneur est ma lumière et mon salut : qui craindrai-je? Le Sei-

---

Ps. 25. — 2. *Faites passer au creuset :* pour s'assurer de la pureté d'un métal, (or, argent, fer, etc.), on le fond dans un creuset. Que Dieu éprouve de même les *reins* et le *cœur* du Psalmiste, c'est-à-dire ses affections et ses pensées, il n'y trouvera rien de criminel. — 6. *Se laver les mains* était, chez les Hébreux, un acte symbolique par lequel on attestait son innocence. Les prêtres devaient se laver les mains avant de s'approcher de l'autel; de là ce qui suit : *j'entourerai*, etc. Sens du verset : dans la compagnie des justes, juste moi-même, je m'approcherai souvent de votre autel. — 8. *J'aime la beauté de votre maison*, du sanctuaire où réside l'arche d'alliance. — 9. *Ne perdez pas mon âme avec les impies :* celui qui aura évité de se lier avec les impies pendant la vie, n'a pas à craindre que sa mort ressemble à la leur : elle sera, non une *perte* éternelle, mais le passage à une vie meilleure. — 10. *Présents :* il s'agit des juges et des magistrats qui se laissaient corrompre par des présents.

gneur est le défenseur de ma vie : de qui aurai-je peur? 2. Quand des méchants se sont avancés contre moi pour me dévorer, ces persécuteurs, ces ennemis ont chancelé et sont tombés. 3. Qu'une armée vienne camper contre moi, mon cœur ne craindra point; que contre moi s'élève le combat, alors même j'aurai confiance.

4. Je demande au Seigneur une chose : je la désire ardemment : je voudrais habiter dans la maison du Seigneur tous les jours de ma vie, pour jouir des amabilités du Seigneur et visiter son sanctuaire. 5. Car il m'abritera dans sa demeure au jour de l'adversité; il me cachera dans le secret de sa tente, 6. et j'y serai en sûreté, comme sur un rocher inaccessible. Alors il élèvera ma tête au-dessus de mes ennemis; j'entourerai son autel et j'offrirai un sacrifice d'actions de grâces; je chanterai et je dirai des hymnes au Seigneur.

7. Ecoutez, Seigneur, ma voix qui vous invoque; ayez pitié de moi et exaucez-moi! 8. Mon cœur vous a parlé et mes yeux vous ont cherché; *toujours*, Seigneur, je chercherai votre visage. 9. Ne détournez pas de moi votre visage; ne vous retirez pas dans votre colère, de votre serviteur. Soyez mon secours, ne me délaissez pas et ne me dédaignez pas, ô Dieu mon Sauveur! 10. Car mon père et ma mère m'ont abandonné, mais le Seigneur me recueillera.

Ps. 26. — 2. *Pour me dévorer :* l'image est empruntée aux bêtes féroces. — 4. Ce verset suppose que David est éloigné du tabernacle où résidait l'arche, et que, si elle n'était pas encore à Jérusalem, il avait le dessein de l'y transporter, peut-être même de lui bâtir un temple. Tout son désir serait de passer sa vie près du sanctuaire du Seigneur, de l'y visiter souvent, d'avoir avec lui les relations les plus intimes, de jouir de ses *amabilités*, c'est-à-dire de tout ce qu'il y a en lui de doux, d'agréable, de salutaire pour les siens. — 5. *Il me cachera dans le secret de sa tente*, du tabernacle, comme on cache un hôte injustement persécuté. — 8. *Chercher le visage du Seigneur*, c'est chercher le Seigneur lui-même, son amitié, sa faveur, son secours. — 10. *Mon père et ma mère* sont mis ici, par manière de proverbe, pour *mes proches et mes amis*. On pourrait aussi traduire : *Alors même que mon père et ma mère m'abandonneraient, le Seigneur me recueillera*, comme son enfant, dans sa demeure.

11. Seigneur, enseignez-moi votre voie, et dirigez-moi dans le droit sentier, à cause de mes ennemis. 12. Ne me livrez pas à la fureur de ceux qui me persécutent; car des témoins iniques s'élèvent contre moi; mais l'iniquité a menti contre elle-même. 13. Je suis assuré de voir les biens du Seigneur dans la terre des vivants. 14. Espère au Seigneur! Aie courage et que ton cœur soit ferme! Espère au Seigneur!

PSAUME 27.

Prière et action de grâces.

Je crie vers vous, Seigneur; ô mon Dieu, ne restez pas sourd à ma voix, de peur que, si vous gardez le silence, je ne ressemble à ceux qui descendent dans la tombe! 2. Exaucez, Seigneur, la voix de mes supplications, quand j'élève mes mains vers votre saint temple. 3. Ne m'entraînez pas avec les pécheurs, et ne me perdez pas avec ceux qui font le mal, qui parlent de paix à leur prochain, et qui ont la méchanceté dans le cœur. 4. Rendez-leur selon leurs œuvres et selon la malice de leurs actions; rendez-leur selon l'ouvrage de leurs mains; donnez-leur le salaire qu'ils méritent. 5. Car ils ne prennent pas garde aux œuvres du Seigneur, à l'ouvrage de ses mains : vous les détruirez et ne les bâtirez pas!

6. Béni soit le Seigneur, car il a exaucé la voix de

---

11. *Votre voie*, le chemin où vous voulez que je marche, et où je n'aurai rien à craindre de *mes ennemis*. — 12. *L'iniquité a menti à elle-même :* le méchant, en croyant nuire aux autres, se nuit surtout à lui-même. — 13. *Voir les biens* (en hébr. *la bonté*) *de Dieu*, c'est en faire l'expérience, recevoir son secours. — *Dans la terre des vivants*, en cette vie, par opposition au séjour des morts. Mais la véritable *terre des vivants*, des vivants qui ne meurent plus, c'est le ciel, où les saints jouissent d'une vie et d'une félicité qui n'auront pas de fin. — 14. *Espère au Seigneur*, litt. *attends le Seigneur :* son secours est assuré.

Ps. 27. — 1. *De peur que* la douleur de me voir abandonné de Dieu ne me fasse mourir. — 3. *Ne m'entraînez pas :* l'image est empruntée au chasseur qui traîne sa proie avec une corde ou dans un filet. — 4. *Rendez-leur*, etc. : le Psalmiste annonce le châtiment qui doit frapper les pécheurs : châtiment certain, puisqu'il est exigé par la justice divine. — 5. *Vous ne les bâtirez pas*, c'est-à-dire dans le langage de la sainte Écriture, vous ne leur donnerez pas une postérité qui hérite de leurs biens et de leur puissance.

ma prière! 7. Le Seigneur est mon aide et mon proteur; en lui s'est confié mon cœur, et j'ai été secouru : ma chair a refleuri, et c'est de tout mon cœur que je chanterai ses louanges. 8. Le Seigneur est la force de son peuple; il est le protecteur et le salut de son Oint. 9. Sauvez votre peuple, Seigneur, et bénissez votre héritage; soyez son pasteur et portez-le à jamais!

PSAUME 28.

La voix de Dieu dans l'orage.

Offrez au Seigneur, enfants de Dieu, offrez au Seigneur de jeunes agneaux; offrez au Seigneur gloire et honneur; 2. offrez au Seigneur la gloire due à son nom; adorez le Seigneur dans son saint parvis! 3. La voix du Seigneur gronde au-dessus des eaux; le Dieu de majesté a tonné, le Seigneur est sur les grandes eaux.

4. La voix du Seigneur est puissante, la voix du Seigneur est magnifique. 5. La voix du Seigneur brise les cèdres, le Seigneur brise les cèdres du Liban; 6. il les fait bondir comme un jeune taureau; il fait bondir le Liban et le Sirion comme le petit du buffle. 7. La voix du Seigneur fait jaillir des flammes de feu. 8. La voix du Seigneur fait trembler le désert, le Seigneur fait trembler le désert de Cadès. 9. La voix du Seigneur fait

7. *Ma chair a refleuri :* image de la prospérité dont jouira David après toutes ses épreuves. Ces paroles se sont accomplies à la lettre dans la personne de Jésus Christ reprenant dans sa résurrection un corps impassible et glorieux; elles s'accompliront pour tous les justes à la résurrection générale. — 8. *De son Oint* ou *de son Christ*, de David : voy. *Ps*. XIX. 6. — 9. *Soyez son pasteur et portez-le*, comme le berger porte dans ses bras ou sur ses épaules une brebis fatiguée ou malade. Ce verset a été inséré par l'Eglise dans le *Te Deum.*

Ps. 28. — 1.-2. *Enfants* ou *fils de Dieu*, soit les chefs des familles israélites, soit les prêtres et les lévites. — *Offrez au Seigneur gloire*, etc., glorifiez-le par des cantiques de louange. — *Parvis :* on appelle ainsi des cours disposées autour du tabernacle, et où se tenaient les fidèles pendant les cérémonies religieuses. — 3. *La voix du Seigneur*, le tonnerre, *gronde au-dessus des eaux* supérieures, c'est-à-dire des nuages amoncelés qui portent la foudre dans leurs flancs. — 6. Nous donnons ce verset d'après l'hébreu, la Vulgate n'offrant aucun sens saisissable. Glaire traduit : *il les mettra en pièces comme un jeune taureau, et le bien aimé* (Israël) *sera comme un petit de licorne.* — 9. *La voix du Seigneur*, le tonnerre, par la terreur qu'il inspire, *fait* enfanter les biches, elle dépouille les forêts, et dans son temple *céleste* tous disent : " Gloire *à lui !* "

10. Pendant qu'un déluge inonde la terre, le Seigneur est assis sur son trône; il siège en roi pour l'éternité. 11. Le Seigneur donnera la force à son peuple; le Seigneur bénira son peuple en lui donnant la paix.

PSAUME 29.

Action de grâces après la délivrance d'un grand péril.

Je vous exalte, Seigneur, car vous m'avez relevé; vous n'avez pas voulu que mes ennemis se réjouissent à mon sujet. 2. Seigneur, mon Dieu, j'ai crié vers vous, et vous m'avez guéri. 3. Seigneur, vous avez tiré mon âme du séjour des morts; vous m'avez conservé la vie pour que je ne sois pas avec ceux qui descendent dans la tombe. 4. Chantez au Seigneur, vous, ses fidèles, célébrez son saint souvenir. 5. Car l'épouvante est dans sa colère, et la vie dans sa bienveillance; le soir viennent les pleurs, et le matin l'allégresse.

6. Je disais dans ma prospérité : " Je ne serai jamais ébranlé ! " 7. Car, Seigneur, votre faveur m'avait donné gloire et puissance. Vous avez détourné de moi votre visage, et j'ai été troublé. 8. J'ai crié vers vous, Seigneur, et j'ai imploré mon Dieu : 9. " Que gagnez-vous à ce que je perde la vie, et que je descende dans la tombe? La poussière chantera-t-elle vos louanges, annoncera-t-elle votre vérité? " 10. Le Seigneur a entendu, et il a eu pitié de moi; le Seigneur est venu à mon secours.

---

que *les biches* mettent bas avant le temps; il *dépouille* de leurs feuilles et de leurs branches les arbres des forêts; et pendant que l'orage bouleverse ainsi la nature, *tous* les habitants du ciel *disent*, etc. — 10. L'orage se termine par un *déluge* d'eau qui inonde la terre.

Ps. 29. — 2. *Vous m'avez guéri*, dans le sens figuré : vous avez fait cesser mes mortelles angoisses. — 3. *Vous avez tiré mon âme*, etc. Sens : Vous m'avez sauvé d'une mort imminente. — 4. *Son saint souvenir*, son saint nom, qui rappelle toutes les merveilles de miséricorde et de justice opérées par lui. — 5. Sa colère répand l'épouvante, et sa bienveillance donne la vie. — 8. *J'ai imploré mon Dieu*, en lui adressant la prière qui suit. — 9. *La poussière*, etc., sens : les morts vous rendront-ils un culte public, des hommages solennels, comme ils le faisaient sur la terre? Voy. *Ps.* vi, 6, note. — *Votre vérité :* voy.

11. Vous avez changé mes lamentations en joie; vous avez déchiré mon sac, et vous m'avez revêtu d'allégresse, 12. afin que mon âme vous chante et que ma tristesse disparaisse sans retour. Seigneur, mon Dieu, à jamais je vous louerai.

PSAUME 30.

Confiance en Dieu dans un extrême péril.

Seigneur, j'espère en vous : que jamais je ne sois confondu ! Dans votre justice délivrez-moi. 2. Inclinez vers moi votre oreille, hâtez-vous de me secourir. Soyez pour moi un Dieu protecteur, un lieu d'asile où je trouve mon salut. 3. Car vous êtes ma force et mon refuge; à cause de votre nom vous me conduirez et me nourrirez. 4. Vous me tirerez des pièges qu'ils ont cachés sous mes pas; car vous êtes mon protecteur. 5. Je remets mon esprit entre vos mains; vous me délivrerez, Seigneur, Dieu de vérité. 6. Vous haïssez ceux qui adorent de vaines idoles; pour moi, c'est dans le Seigneur que je mets mon espérance. 7. Je tressaillirai de joie et d'allégresse à cause de votre miséricorde, car vous avez regardé ma misère, vous avez sauvé mon âme de la détresse. 8. Vous ne m'avez pas livré aux mains de l'ennemi; vous avez donné à mes pieds un libre espace.

9. Ayez pitié de moi, Seigneur, car je suis dans l'angoisse; le chagrin a obscurci mes yeux; mon âme et mes entrailles sont dans le trouble. 10. Ma vie se consume dans la douleur, et mes années dans les gémissements. La misère a épuisé mes forces, et mes os dépérissent. 11. A cause de

---

Ps. xxv. 3. — 11. *Vous avez déchiré mon sac*, vous m'avez ôté le vêtement de deuil et de pénitence dont je m'étais couvert. — 12. *Mon âme*, litt. *ma gloire :* l'âme est la plus noble partie de nous-mêmes.

Ps. 30. — 1. *Dans votre justice*, eu égard à votre justice, en vertu de laquelle le méchant est puni et le juste qui vous implore avec confiance, exaucé. — 3. *A cause de votre nom*, pour soutenir l'honneur de votre nom : voy. *Ps.* xxii, 3, note. — 7. *Car* déjà, en d'autres circonstances, *vous avez regardé* avec amour et compassion *ma misère ;* et j'ai la confiance que cette fois encore votre secours m'est assuré. — 8. *Un libre espace* pour se mouvoir en liberté. — 11. Comme David

tous mes ennemis, je suis devenu un objet d'opprobre, à charge à mes voisins, un objet d'effroi pour mes amis; ceux qui m'aperçoivent s'enfuient loin de moi. 12. Je suis en oubli, comme un mort, dans tous les cœurs; je suis comme un vase brisé. 13. Car j'ai entendu les mauvais propos de la foule qui m'entoure; pendant qu'ils se concertent ensemble contre moi, ils méditent de m'ôter la vie.

14. Et moi, je me confie en vous, Seigneur; je dis : Vous êtes mon Dieu! 15. Mes destinées sont dans votre main : délivrez-moi de la puissance de mes ennemis et de mes persécuteurs. 16. Faites luire votre visage sur votre serviteur; sauvez-moi par votre miséricorde. 17. Seigneur, que je ne sois pas confondu, car je vous ai invoqué! Que la confusion soit pour les impies, qu'ils descendent au séjour des morts! 18. Qu'elles deviennent muettes les lèvres menteuses, qui profèrent l'outrage contre le juste, avec orgueil et arrogance!

19. Qu'elle est grande, Seigneur, l'abondance de votre douceur, que vous tenez en réserve pour ceux qui vous craignent, et que vous exercez envers ceux qui espèrent en vous, à la vue des enfants des hommes! 20. Vous les mettez à couvert, dans le secret de votre visage, contre les machinations des hommes; vous les abritez dans votre tente contre les langues qui les

paraît bien, dans ces versets, la figure du Sauveur, objet d'opprobre pour tous, abandonné même de ses timides disciples, pendant sa passion! — 12. David fugitif est aussi oublié qu'un mort, qu'un *vase*, ou, dans un sens plus général, une chose, un *objet* quelconque, usé et mis au rebut. — 16. *Faites luire votre visage :* quand Dieu cache son visage, il y a ténèbres et tristesse; quand il le montre, il y a lumière et joie. — 17. *Qu'ils descendent*, etc. : voy. *Ps.* XXVII, 4, note. — 19. *A la vue des enfants des hommes*, de manière que tous les hommes puissent reconnaître et célébrer votre bonté. — 20. Le *secret du visage de Dieu* et la *tente* où il abrite ses serviteurs sont les symboles de sa faveur et de la protection dont il les couvre. A un autre point de vue, le juste qui s'élève à Dieu par les pensées de la foi et qui vit avec lui dans une sainte union, est vraiment caché *dans le secret de son visage* et comme sous *sa tente*, sans que les passions humaines qui s'agitent autour de lui puissent troubler sa paix et sa sécurité.

attaquent. 21. Béni soit le Seigneur! car il a signalé sa miséricorde envers moi, en me mettant dans une ville forte. 22. Dans le trouble de mon âme, je disais : "Je suis chassé loin de votre regard!" Mais vous avez entendu la voix de mes supplications, quand j'ai crié vers vous.

23. Aimez le Seigneur, vous tous, ses saints; le Seigneur garde ceux qui lui sont fidèles, et il punit sévèrement les orgueilleux. 24. Ayez courage, et que votre cœur s'affermisse, vous tous qui espérez au Seigneur!

PSAUME 31.

Heureux le pécheur qui a obtenu le pardon!

Heureux ceux dont les iniquités ont été remises, et dont les péchés sont pardonnés! 2. Heureux l'homme à qui le Seigneur n'impute pas son crime, et dans l'âme duquel il n'y a point de fraude!

3. Parce que je me suis tu, mes os se consumaient dans mon gémissement de chaque jour. 4. Car jour et nuit votre main s'appesantissait sur moi; je me retournais dans ma douleur, et l'épine s'enfonçait davantage.

5. Je vous ai déclaré mon péché, et je n'ai point caché mon iniquité. J'ai dit : "Je veux confesser contre moi-même mes transgressions;" et vous, vous m'avez remis l'iniquité de mon péché. 6. Que tout homme pieux vous adresse donc sa prière au temps favorable!

21. *En me mettant dans une ville forte :* cette *ville forte*, au sens figuré, c'est la protection même de Dieu, qui donne à David une sécurité parfaite contre les attaques de ses ennemis. — 23. Conclusion du Psaume : Aimons Dieu toujours et malgré tout, et quelque désespérée que paraisse notre situation, il nous viendra en aide, comme il l'a fait pour David.

Ps. 31. — 1. *Heureux*, etc. S. Paul cite ce verset dans son épître aux Romains (IV, 6 suiv.) C'est dans la confession que le pécheur repentant trouve cette félicité. Si son repentir est sincère, s'il n'y a de *fraude* ni sur ses lèvres ni dans son cœur, ses péchés, quelques graves qu'ils soient, ne lui seront plus imputés, le sang de Jésus Christ les a effacés pour toujours. — 3. *Je me suis tu :* David avait été plus d'un an sans reconnaître humblement devant Dieu son double crime; de là les tourments et les douleurs cuisantes causées par les alarmes de sa conscience et la crainte des jugements de Dieu. — 5. *J'ai dit*, comme l'enfant prodigue de l'Evangile. — 6. Le *temps favorable* est celui de la miséricorde, avant que Dieu fasse éclater sa colère et ses châti-

Non, quand les grandes eaux déborderont, elles ne l'atteindront point. 7. Vous êtes mon refuge contre la tribulation qui m'environnait; vous qui êtes ma joie, délivrez-moi de ceux qui m'assiègent. 8. "Je t'instruirai, dit le Seigneur, et je te montrerai la voie où tu dois marcher; je tiendrai mon regard arrêté sur toi."

9. Ne soyez pas comme le cheval ou le mulet, qui n'ont pas d'intelligence, et dont il faut serrer la bouche avec le mors et le frein, quand ils refusent le service de l'homme. 10. Bien des douleurs sont la part du méchant; mais la faveur divine entoure celui qui espère dans le Seigneur. 11. Justes, réjouissez-vous dans le Seigneur et soyez dans l'allégresse; glorifiez-vous en lui, vous tous qui avez le cœur droit.

PSAUME 32.

Louange à Dieu qui a créé et gouverne le monde!

Justes, réjouissez-vous dans le Seigneur, aux cœurs droits sied la louange. 2. Célébrez le Seigneur avec la harpe, chantez-le sur la lyre à dix cordes. 3. Chantez à sa gloire un cantique nouveau; unissez avec art vos instruments et vos voix.

4. Car la parole du Seigneur est droite, et toutes ses œuvres s'accomplissent dans la fidélité. 5. Il aime la miséricorde et la justice; la terre est remplie de la bonté du Seigneur.

6. Par la parole du Seigneur, les cieux ont été

---

ments, figurés ici par le débordement des *grandes eaux*. — 8. *Mon regard*, un regard de bienveillance et de protection. C'est la réponse de Dieu à la prière du vers. 7. Puis le Psalmiste reprend son exhortation. — 9. Pensée : ne soyez pas rebelles à l'action divine; n'attendez pas, pour revenir à Dieu, que le châtiment vous y force, comme font les animaux sans raison, qui n'obéissent que par contrainte.

Ps. 32. — 1. *Se réjouir dans le Seigneur*, c'est être heureux de sa gloire et de sa faveur, de l'aimer et de le servir. — 3. *Un cantique nouveau*, pour célébrer les nouveaux bienfaits de son inépuisable bonté. — Les versets suivants développent la matière de la louange que les justes doivent adresser à Dieu. — 4. *La parole du Seigneur est droite*, sans détour et sans arrière-pensée; elle exprime vraiment tout ce qu'il fera, et va en droite ligne à son accomplissement. — *Dans la fidélité* : ce que Dieu fait répond fidèlement à ce qu'il a dit. — 6. Dans un premier sens, la *parole de Dieu* et le *souffle de sa bouche* désignent la puissance créatrice qui a tiré du néant les éléments du monde et leur a communiqué l'ordre et la vie. Mais ces mêmes mots de *parole* ou de

faits, et l'armée des cieux par le souffle de sa bouche. 7. Il a rassemblé comme dans une outre les eaux de la mer; il a mis dans des réservoirs les océans.

8. Que toute la terre craigne le Seigneur! Que tous les habitants de l'univers tremblent devant lui! 9. Car il a dit, et tout a été fait; il a ordonné, et tout a existé.

10. Le Seigneur renverse les desseins des nations, il réduit à néant les pensées des peuples, il rend vains les projets des princes. 11. Mais les desseins du Seigneur subsistent à jamais, et les pensées de son cœur se réalisent d'âge en âge.

12. Heureuse la nation dont le Seigneur est le Dieu! Heureux le peuple qu'il s'est choisi pour héritage! 13. Du haut des cieux, le Seigneur regarde, il voit tous les enfants des hommes. 14. Du lieu de sa demeure, il observe tous les habitants de la terre, 15. lui qui forme le cœur de chacun d'eux, qui est attentif à toutes leurs actions.

16. Ce n'est pas une nombreuse armée qui donne au roi la victoire, ce n'est pas sa grande force qui sauve le guerrier. 17. Le cheval est impuissant à procurer le salut, et toute sa vigueur n'assure pas la délivrance.

18. L'œil du Seigneur est sur ceux qui le craignent, sur ceux qui espèrent en sa bonté, 19. pour délivrer leur âme de la mort, et les faire vivre au temps de la famine.

20. Notre âme attend avec confiance le Seigneur; il est notre secours et notre bouclier. 21. Car en lui notre cœur met sa joie, en son saint nom est notre espérance. 22. Seigneur, que votre miséricorde soit sur nous, comme nous espérons en vous!

verbe, de *souffle* ou *d'esprit*, servent aussi à nommer deux personnes divines, le Fils et le Saint Esprit, qui ont concouru avec le Père à l'œuvre de la création. — L'*armée des cieux*, les astres, nombreux et rangés en ordre comme une armée. — 15. *Qui forme leur cœur*, leur âme avec toutes ses facultés et ses puissances : comment n'en connaîtrait-il pas tous les ressorts et les plus secrets mouvements? — 16-17. Sans l'aide de Dieu, toutes les ressources humaines sont impuissantes. — 22. Ce verset a été inséré dans le *Te Deum*, vers la fin.

PSAUME 33.

Action de grâces au Seigneur qui protège le juste.

Je veux bénir le Seigneur en tout temps; sa louange sera toujours dans ma bouche. 2. Mon âme se glorifiera dans le Seigneur: que les hommes *humbles et* doux m'entendent et se réjouissent! 3. Exaltez avec moi le Seigneur; tous ensemble célébrons son nom!

4. J'ai cherché le Seigneur, et il m'a exaucé; il m'a délivré de toutes mes tribulations. 5. Approchez-vous de lui, sa lumière rayonnera sur vous, et votre visage ne se couvrira pas de honte. 6. Ce pauvre a crié, et le Seigneur l'a entendu, et il l'a sauvé de toutes ses angoisses. 7. L'ange du Seigneur se tient autour de ceux qui le craignent, et il les délivre du danger. 8. Goûtez et voyez combien le Seigneur est bon! Heureux l'homme qui espère en lui! 9. Craignez le Seigneur, vous tous, ses saints; car il n'y a pas d'indigence pour ceux qui le craignent. 10. Des riches ont connu la disette et la faim; mais ceux qui cherchent le Seigneur ne sont privés d'aucun bien.

11. Venez, mes fils, écoutez-moi; je vous enseignerai la crainte du Seigneur. 12. Quel est l'homme qui aime la vie, qui désire voir de longs et heureux jours? 13. Préserve ta langue du mal,

Ps. 33. — 2. *Se glorifier dans le Seigneur*, c'est être heureux de l'avoir pour protecteur et se plaire à proclamer hautement ses bienfaits. *Les hommes humbles et doux*, trop souvent méprisés et persécutés dans le monde, se réjouiront en entendant de la bouche de David les bienfaits de Dieu envers ses fidèles serviteurs. — 5. Le visage se couvre de honte quand, sollicitant une faveur, on éprouve un refus : cela n'est pas à craindre de la part de Dieu. — 6. *Ce pauvre*, c'est d'abord David, mais aussi tout fidèle qui s'adresse à Dieu avec confiance. — 7. *Se tient*, litt. *se porte* au secours; si les anges sont envoyés pour nous secourir, nous pouvons les prier; ils doivent entendre nos prières. — 9. *Craignez*, d'une crainte filiale, qui ne redoute rien tant que d'offenser et de déplaire. — *Il n'y a point d'indigence.* "Cherchez premièrement le royaume de Dieu et sa justice, dira de même Notre Seigneur, et toutes ces choses, c'est-à-dire toutes les choses nécessaires à la vie présente, vous seront données par surcroît." — 11. *La crainte du Seigneur*, le service de Dieu en général. — 12. *Qui aime la vie*, qui désire, non seulement une vie longue et heureuse sur la terre, mais surtout la vie bienheureuse et éternelle du ciel. Les versets suivants disent à quelle condition on obtiendra cette vie et ce bonheur.

et les lèvres des paroles trompeuses. 14. Eloigne-toi du mal et fais le bien; recherche la paix et poursuis-la.

15. Les yeux du Seigneur sont sur le juste, et ses oreilles sont attentives à leurs prières. 16. Mais le Seigneur tourne son visage contre ceux qui font le mal, pour retrancher de la terre jusqu'à leur souvenir. 17. Les justes crient, et le Seigneur les entend, et il les délivre de toutes leurs tribulations. 18. Le Seigneur est près de ceux qui ont le cœur brisé; il sauve ceux dont l'âme est abattue.

19. Souvent le malheur atteint le juste; mais le Seigneur l'en délivre toujours. 20. Il garde tous ses os; aucun d'eux ne sera brisé. 21. La mort des pécheurs est affreuse, et les ennemis du juste sont châtiés. 22. Le Seigneur délivre l'âme de ses serviteurs, et tous ceux qui espèrent en lui échapperont au châtiment.

PSAUME 34.

Appel à la justice divine.

Seigneur, jugez ceux qui me font du mal, combattez ceux qui me combattent. 2. Prenez vos armes et votre bouclier, et levez-vous pour me secourir. 3. Tirez votre glaive, et barrez le passage à ceux qui me poursuivent; dites à mon âme : " Je suis ton salut ! " 4. Qu'ils soient confondus et couverts de honte ceux qui en veulent à ma vie ! Qu'ils reculent et rougissent ceux qui méditent ma ruine ! 5. Qu'ils soient comme la poussière au souffle du vent, et que l'ange du Seigneur les

---

14. *Poursuis-la*, efforce-toi de l'obtenir et d'y amener le prochain, en sacrifiant ton amour-propre et même, dans une certaine mesure, tes intérêts temporels. — 19. Le Psalmiste ne promet pas à son disciple une vie exempte de peines et de traverses. Ces peines sont, au contraire, la voie par laquelle Dieu conduit et sanctifie ses serviteurs. — 20. *Les os*, son corps, sa vie. — *Brisé :* cet oracle s'est accompli littéralement en Jésus Christ : sur la croix aucun de ses os ne fut brisé. — 21. *La mort des pécheurs*, etc. En hébreu : *le mal tue le pécheur*, la malice même des méchants amène inévitablement leur perte.

Ps. 34. — 1. *Combattez :* c'est le zèle pour la cause de Dieu qui fait parler ainsi David. Il représente le roi légitime en face de Saül révolté contre Dieu, et par conséquent la cause même du Seigneur et les destinées d'Israël. — 2. *Prenez vos armes :* Dieu est représenté sous l'image d'un guerrier.

serre de près ! 6. Que leur route soit ténébreuse et glissante, et que l'ange du Seigneur les poursuive ! 7. Car ils ont sans sujet caché un piège pour me perdre, sans raison ils m'ont accablé d'outrages. 8. Qu'un filet tombe sur eux à l'improviste, que les rêts qu'ils ont cachés les enveloppent, et qu'ils soient pris dans leurs propres pièges ! 9. Et mon âme tressaillira dans le Seigneur, elle se réjouira dans son salut. 10. Tous mes os diront : "Seigneur, qui est semblable à vous, qui délivrez le malheureux de la main de plus forts que lui, le malheureux et le pauvre de ceux qui le dépouillent ? "

11. Des témoins iniques se lèvent ; ils m'accusent de choses que j'ignore. 12. Ils me rendent le mal pour le bien ; mon âme est dans l'abandon. 13. Et moi, lorsque je les voyais malades, je me revêtais d'un sac ; j'affligeais mon âme par le jeûne, et ma prière retournait sur mon sein. 14. Comme pour un ami, pour un frère, je compatissais ; comme en deuil *d'une mère*, je courbais la tête avec tristesse. 15. Et *maintenant* ils se réjouissent de mon malheur, ils se rassemblent, ils amassent contre moi des calomnies dont je n'ai pas le soupçon. 16. Leur malice a été déjouée *une première fois*, mais ils ne se sont pas repentis ; ils m'attaquent de nouveau, me chargent d'insultes et grincent des dents contre moi. 17. Seigneur, quand regarderez-vous ? Sauvez mon âme de leur malignité, ma vie *de la fureur* de ces lions. 18. Je vous louerai dans la grande assemblée, je vous célébrerai au milieu d'un peuple nombreux.

19. Qu'ils ne se réjouissent pas à mon sujet, ceux qui m'attaquent sans rai-

7-8. Les images sont empruntées à la manière dont les chasseurs prennent les bêtes féroces, tantôt au moyen de pièges cachés, tantôt au moyen d'un filet qui les enveloppe. — 10. *Mes os*, ce qu'il y a de plus intime en moi. — 12. *Mon âme est dans l'abandon*, c.-à-d. je suis délaissé, comme un orphelin. — 13. *D'un sac*, d'un vêtement de deuil. — *Ma prière* pour eux, que je faisais la tête penchée et comme abattue par la douleur, *retournait sur mon sein*, d'où elle était partie. — 19. *Clignent les yeux* entre eux, se moquant de mon infortune.

son, qui me haïssent sans cause et clignent les yeux! 20. Car, tout en m'adressant les paroles de paix, dans leur basse colère ils méditent de perfides desseins. 21. Ils ouvrent sur moi leur bouche; ils disent : "Ah! ah! nos yeux l'ont vu!" 22. Seigneur, vous le voyez, ne restez pas en silence! Seigneur, ne vous éloignez pas de moi! 23. Levez-vous et faites triompher mon droit; mon Dieu et mon Seigneur, prenez en main ma cause! 24. Jugez-moi selon votre justice, Seigneur, et que mes ennemis ne se réjouissent pas à mon sujet. 25. Qu'ils ne disent pas dans leur cœur : "Ah! notre âme est satisfaite!" Qu'ils ne disent pas : "Nous l'avons dévoré!" 26. Qu'ils rougissent et soient confondus ceux qui se réjouissent de mes maux! Qu'ils soient couverts d'ignominie et d'opprobre ceux qui triomphent de ma faiblesse! 27. Mais qu'ils soient dans la joie et l'allégresse ceux qui désirent le triomphe de mon droit; qu'ils répètent sans cesse : "Gloire au Seigneur!" ceux qui veulent la paix de son serviteur. 28. Et ma langue célébrera votre justice; tous les jours elle chantera votre louange.

PSAUME 35.

Malice de l'impie; bonté de Dieu.

Le méchant a résolu *dans son cœur* de commettre le péché; la crainte de Dieu n'est pas devant ses yeux. 2. Car il se flatte, sous le regard même de Dieu, que son iniquité ne sera pas connue et échappera au châtiment. 3. Les paroles de sa bouche sont injustice et tromperie; il ne veut pas acquérir la sagesse pour faire le bien. 4. Sur sa couche il médite l'iniquité; il se tient dans toute voie qui n'est pas bonne; il n'a de répugnance pour aucun mal.

---

21. *Leur bouche*, comme pour me dévorer; ou bien : pour faire éclater un rire insultant. — *Nos yeux ont vu* sa ruine : elle est irrémédiable. — 25. *Notre âme*, notre désir, ici notre haine. — *Nous l'avons dévoré*, perdu sans retour.

Ps. 35. — 1-2. Ces deux versets, obscurs dans la Vulgate aussi bien que dans l'hébreu, ont reçu diverses interprétations. — 3. *La sagesse* qui lui apprendrait *à faire le bien.*

5. Seigneur, votre bonté atteint jusqu'aux cieux, et votre fidélité jusqu'aux nues. 6. Votre justice est comme les montagnes de Dieu; vos jugements sont comme le vaste abîme des eaux. Seigneur, votre providence garde les hommes et les animaux. 7. Combien est grande votre bonté, ô Dieu! Les enfants des hommes se confient à l'ombre de vos ailes. 8. Ils s'enivrent de l'abondance de votre maison, et vous les abreuvez au torrent de vos délices. 9. Car en vous est la source de la vie, et dans votre lumière nous voyons la lumière. 10. Continuez votre bonté à ceux qui vous connaissent, et votre justice à ceux qui ont le cœur droit. 11. Que le pied du superbe ne m'atteigne pas, et que la main du pécheur ne m'ébranle pas!

12. Les voilà tombés ceux qui commettent l'iniquité; ils sont renversés et ils ne peuvent se relever!

PSAUME 36.

Ne porte pas envie aux méchants, et ne sois pas jaloux de ceux qui font le mal; 2. car ils se dessèchent aussi vite que l'herbe; comme la verdure du gazon, ils sont fanés en un instant.

3. Mets ta confiance dans le Seigneur et fais le bien; ainsi tu habiteras la terre et tu jouiras de ses richesses. 4. Fais du Seigneur tes délices, et il te donnera ce que ton cœur désire.

5-6. Pour donner une idée des principales perfections de Dieu, le Psalmiste les compare à ce qu'il y a de plus grand dans la nature. — 8. La *maison de Dieu* est le lieu saint, au temps de David le tabernacle, aujourd'hui nos églises. C'est de là qu'il distribue ses bienfaits et ses grâces, dont l'abondance est décrite sous les plus riches images. Mais les magnifiques paroles que nous lisons ici ne se réaliseront dans toute leur étendue que dans le ciel, la véritable et éternelle demeure de Dieu. — 9. Au sens littéral la *vie* et la *lumière* sont les symboles du bonheur que Dieu, qui en est la source, communique à ses serviteurs sur la terre. Mais cette récompense de la vertu ne se termine pas avec la vie présente; elle se continue et atteint sa perfection dans l'éternelle félicité du ciel, où les saints, comme plongés dans la lumière même de Dieu, contemplent face à face les splendeurs de sa gloire. — 12. *Les voilà tombés :* le Psalmiste reçoit l'assurance qu'il est exaucé, et déjà il voit en esprit ses ennemis abattus.

Ps. 36. — 3. *La terre* promise, le pays de Chanaan, pour les Hébreux; la Jérusalem céleste, le ciel, pour nous, chrétiens.

5. Confie ta voie au Seigneur et espère en lui : il agira lui-même. 6. Il fera resplendir ta justice comme la lumière, et ton droit comme le soleil à son midi.

7. Sois soumis au Seigneur et prie-le; ne porte pas envie à celui qui réussit dans ses voies, à l'homme qui vient à bout de ses mauvais desseins.

8. Renonce à la colère et abandonne la fureur; ne porte pas envie *au méchant*, pour n'aboutir qu'au mal. 9. Car les méchants seront exterminés; mais ceux qui attendent avec confiance le Seigneur, auront la terre en héritage.

10. Encore un peu de temps, et le pécheur ne sera plus; tu chercheras sa place, et tu ne la trouveras pas. 11. Mais les doux posséderont la terre; ils goûteront les délices d'une profonde paix.

12. Le pécheur épie le juste, il grince des dents contre lui; 13. mais le Seigneur se rit de lui, car il voit que son jour arrive.

14. Les pécheurs tirent le glaive, ils bandent leur arc, pour abattre le malheureux et le pauvre, pour égorger ceux qui ont le cœur droit. 15. Leur glaive entrera dans leur propre cœur, et leur arc sera brisé.

16. Mieux vaut le peu du juste que les grandes richesses du pécheur. 17. Car le bras des méchants sera brisé, mais le Seigneur affermit les justes.

18. Le Seigneur connaît les jours des hommes sans tache, et leur héritage subsiste à jamais. 19. Ils ne sont pas confondus au temps du malheur; ils sont rassasiés aux jours de la famine.

20. Mais les pécheurs périssent; à peine sont-ils arrivés aux honneurs et élevés en dignité, les ennemis du Seigneur s'éva-

5. *Ta voie*, tes affaires, tes desseins, ton sort en un mot. — 6. Justes, qui êtes victimes de la calomnie, ne soyez ni tristes ni inquiets; le jour viendra où Dieu fera resplendir votre innocence à tous les yeux. — 8. *Pour n'aboutir :* cela n'aboutirait *qu'au mal*, qu'à te faire pécher. — 11. Notre Seigneur répète cette promesse dans les mêmes termes, mais avec un sens plus relevé. — 13. *Son jour*, le jour du méchant, où il recevra son châtiment. — 17. *Le bras*, les forces, les ressources. — 18. *Connaît* d'une connaissance accompagnée d'amour et de sollicitude. — *Leur héritage* terrestre, image de l'éternel héritage du ciel.

nouissent, ils disparaissent comme la fumée.

21. Le pécheur emprunte, et il ne peut rendre; le juste est compatissant, et il donne. 22. Car ceux qui bénissent le Seigneur posséderont la terre, et ceux qui le maudissent seront exterminés.

23. Le Seigneur affermit les pas de l'homme *juste*, et il prend plaisir à sa voie. 24. S'il tombe, il ne se brisera pas, car le Seigneur le soutient de sa main.

25. J'ai été jeune, et me voilà vieux : jamais je n'ai vu le juste abandonné, ni ses enfants mendier leur pain. 26. Toujours il est compatissant, et il prête, et sa postérité est en bénédiction.

27. Eloigne-toi du mal et fais le bien, et tu habiteras à jamais *ton héritage*. 28. Car le Seigneur aime la justice, et il n'abandonne pas ses fidèles. Ils sont toujours sous sa garde; mais les méchants seront châtiés, et la postérité des impies périra. 29. Les justes posséderont la terre, et ils y habiteront à jamais.

30. La bouche du juste annonce la sagesse, et sa langue proclame la justice. 31. La loi de son Dieu est dans son cœur, et ses pas ne chancellent point.

32. Le pécheur épie le juste et cherche à le faire mourir. 33. Mais le Seigneur ne l'abandonne pas, et il ne le condamne pas quand vient son jugement.

34. Attends avec confiance le Seigneur et garde sa voie, et il t'élèvera pour que tu possèdes la terre. Quand les pécheurs périront, tu *le* verras.

35. J'ai vu l'impie au comble de la puissance, élevé comme les cèdres

21. Sens : le pécheur, riche naguère, est réduit à emprunter, sans même qu'il puisse rendre; le juste, naguère pauvre, a maintenant de quoi donner aux autres. — 23. *A sa voie*, à sa conduite. — 25. *Jamais*, etc. : il s'agit ici d'un abandon proprement dit, d'un état durable de privation des choses nécessaires à la vie. Notre Seigneur a dit aussi : " A ceux qui cherchent avant tout le royaume de Dieu, le reste sera donné par surcroît." — 27. *Tu habiteras*, toi et ta postérité, *ton héritage* terrestre, en attendant celui du ciel. — 29. *La terre :* même sens que *leur héritage* au vers. 27. — 33. *Son jugement*, le jugement du juste. — 34. *Tu le verras*, tu seras encore là pour le voir, et tu seras consolé en voyant ma justice.

du Liban. 36. J'ai passé, et il n'était plus, et je n'ai pas retrouvé sa place.

37. Garde l'innocence et observe l'équité, car l'homme de paix laisse après lui de brillants rejetons. 38. Mais les méchants périront tous, et la postérité des impies disparaîtra.

39. Le salut des justes vient du Seigneur; il est leur protecteur au temps de la détresse. 40. Le Seigneur leur vient en aide et les délivre; il les délivre *de la main* des méchants et il les sauve, parce qu'ils ont mis en lui leur confiance.

PSAUME 37.

Prière pour demander le pardon des péchés.

Seigneur, ne me reprenez pas dans votre colère, et ne me châtiez pas dans votre fureur. 2. Car vous m'avez percé de vos flèches, et vous avez appesanti sur moi votre main. 3. Il n'y a plus rien de sain dans ma chair, il n'y a plus de paix dans mes os à cause de mes péchés. 4. Car mes iniquités s'élèvent au-dessus de ma tête; comme un lourd fardeau, elles m'accablent de leur poids. 5. Mes meurtrissures sont devenues infectes et purulentes par l'effet de ma folie. 6. Je suis affaissé par la douleur, abattu à l'excès; tout le jour je marche dans la tristesse et le deuil. 7. Car un mal brûlant dévore mes reins, et il n'y a rien de sain dans ma chair. 8. Je suis affligé, brisé outre mesure; le trouble de mon cœur m'arrache des rugissements.

40. C'est avec raison que Tertullien appelait ce Psaume le *miroir de la Providence*, parce que la providence de Dieu s'y reflète à chaque verset; et S. Isidore le *remède contre le murmure*, parce que le juste y trouve une source de consolations au milieu des épreuves de la vie.

Ps. 37. — 1. Dans *votre colère*, comme un juge irrité, mais dans votre amour, comme un père qui reprend son enfant pour le ramener à lui. — 2. *Les flèches* de Dieu, ce sont les calamités dont il frappe les pécheurs. — 3. *Il n'y a plus de paix*, de repos, *dans mes os*, mais une souffrance continuelle. — 4. *Mes iniquités*, semblables à des eaux débordées, etc. — 5. *Mes meurtrissures*, résultat des coups dont Dieu l'a frappé; cette expression doit s'entendre au figuré. — *Ma folie*, c'est-à-dire *mon péché*. — 7. *Un mal brûlant*, une fièvre ardente : c'est le sens de l'hébreu. La Vulgate traduit : *mes reins sont remplis d'illusions*, expression diversement expliquée. La plupart l'entendent de mouvements violents de la concupiscence.

9. Seigneur, tous mes désirs sont devant vous, et mon gémissement ne vous est point caché. 10. Mon cœur est troublé, ma force m'abandonne, et la lumière même de mes yeux n'est plus avec moi. 11. Mes amis et mes compagnons s'avancent en face de moi, et s'arrêtent à distance; mes proches se tiennent à l'écart. 12. Ceux qui en veulent à ma vie redoublent d'efforts; ceux qui cherchent mon malheur sèment contre moi le mensonge, et tout le jour ils méditent de perfides desseins. 13. Et moi, semblable à un sourd, je n'entends pas; je suis comme un muet qui n'ouvre pas la bouche, 14. comme un homme qui n'entend pas, et dans la bouche duquel il n'y a point de réplique.

15. C'est en vous, Seigneur, que j'espère; vous, vous m'exaucerez, Seigneur mon Dieu! 16. Car j'ai dit : " Que mes ennemis ne se réjouissent pas à mon sujet, eux qui, si mon pied chancelle, font éclater contre moi leur insolence." 17. Me voici prêt a recevoir vos coups; la douleur de mon péché est toujours devant moi. 18. Je confesse mon iniquité, et mon âme est inquiète à cause de mon péché. 19. Cependant mes ennemis sont pleins de vie, ils s'enhardissent contre moi; le nombre de ceux qui me haïssent injustement s'accroît chaque jour. 20. Ils me rendent le mal pour le bien; ils me déchirent, parce que je cherche la justice. 21. Ne m'abandonnez pas, Seigneur mon Dieu, ne vous éloignez pas de moi! 22. Hâtez-vous de me secourir, ô Seigneur, Dieu de mon salut!

9. Liaison : mais à quoi bon m'étendre sur ces choses? Vous connaissez mes besoins et mes désirs. — 11. *Et s'arrêtent à distance*, au lieu de s'approcher pour me secourir. — 13-14. Les SS. Pères appliquent ces versets à Jésus Christ qui, dans sa passion, ne voulut pas ouvrir la bouche pour se défendre. — 16. Dieu ne permettra pas que mes ennemis l'emportent sur moi, car ce triomphe ne ferait que les affermir dans leur orgueil et leurs mauvais desseins. — 20. *Parce que je cherche la justice :* là est le secret de la haine des impies contre les serviteurs de Dieu; ces derniers pratiquent la vertu et font le bien : c'est là précisément ce qui irrite les méchants et qu'ils ne peuvent supporter.

PSAUME 38.

Misère et brièveté de la vie présente.

Je disais : "Je veillerai sur mes voies, de peur de pécher par la langue. Je mettrai une garde à ma bouche, tant que le pécheur sera devant moi." 2. Et je suis resté muet, dans un humble silence; je me suis tu, quoique privé de tout bien. Mais ma douleur est devenue plus violente; 3. mon cœur s'est embrasé dans ma poitrine; dans mes réflexions, un feu s'est allumé, 4. et la parole est venue sur mes lèvres :

Faites-moi connaître, Seigneur, quel est le terme de ma vie, quelle est la mesure de mes jours; que je sache combien je suis périssable. 5. La largeur de la main, voilà la mesure des jours que vous m'avez donnés, et mon être est comme un rien devant vous. Oui, tout homme vivant n'est qu'un souffle. 6. Oui, l'homme passe comme une ombre; c'est en vain qu'il se tourmente : il amasse des trésors, et il ne sait pas qui les recueillera.

7. Maintenant que puis-je attendre, si ce n'est le Seigneur? Ma vie est entre vos mains, *ô mon Dieu.* 8. Délivrez-moi de toutes mes iniquités; vous m'avez rendu l'opprobre des insensés. 9. Je me tais, je n'ouvre pas la bouche, car c'est vous qui agissez. 10. Détournez de moi vos coups; sous la correction de votre puissante main, je succombe! 11. Quand vous frappez un homme pour son iniquité, sa vie se consume, comme le tissu rongé

Ps. 38. — 1. *Sur mes voies*, sur ma conduite, ce qui comprend aussi les paroles. — *De peur de pécher*, en laissant échapper quelque parole de murmure contre Dieu, qui permettait aux pécheurs de réussir dans leurs coupables desseins. — *Tant que* je verrai le pécheur impuni. — 2-3. Pensée : mais ce silence que je m'imposais rendait ma douleur plus violente, et je n'ai pu le garder plus longtemps. — 5. *La largeur de la main*, de quatre doigts; c'est ce qu'on appelle une *palme :* figure d'une courte durée. — 7. *Si ce n'est le Seigneur* et son secours. En hébreu il y a seulement : *Que puis-je attendre, Seigneur?* — 9. *Car c'est vous qui agissez :* dans les maux dont je suis accablé, je reconnais la main d'un père qui châtie son enfant. — 11. *Comme le tissu rongé par la teigne :* tel est le sens de l'hébreu. Dans la Vulg., c'est l'*araignée* qui figure dans la comparaison; on peut alors traduire : *sa vie se consume, comme* s'épuise l'*araignée*

par la teigne. Oui, c'est en vain que l'homme s'agite !

12. Ecoutez ma prière, Seigneur; prêtez l'oreille à ma supplication; ne soyez pas insensible à mes larmes. Ne gardez plus le silence; car je suis un étranger devant vous, un voyageur, comme tous mes pères. 13. Donnez-moi quelque relâche, laissez-moi respirer, avant que je m'en aille et que je ne sois plus !

PSAUME 39.

Action de grâces et demande de secours.

J'ai mis dans le Seigneur toute mon espérance : il s'est incliné vers moi 2. et il a écouté ma prière; il m'a tiré de la fosse de perdition et du bourbier fangeux; il a dressé mes pieds sur le rocher et il a affermi mes pas. 3. Il a mis dans ma bouche un cantique nouveau, un hymne à notre Dieu. Beaucoup le voient, et saisis d'une pieuse crainte, ils mettent leur confiance dans le Seigneur.

4. Heureux l'homme qui a placé son espérance dans le nom du Seigneur, et qui ne tourne pas son regard vers les vanités du monde et ses folies mensongères ! 5. Seigneur mon Dieu, vous avez multiplié *pour nous* vos merveilles, et nul n'est semblable à vous dans vos desseins *de miséricorde.* Je voudrais les publier et les proclamer, mais leur multitude dépasse tout nombre.

6. Vous ne désirez ni sacrifice, ni oblation; mais vous m'avez formé un corps; vous ne demandez ni holocauste, ni sacrifice pour le péché. 7. Alors j'ai dit : " Voici que je viens, selon qu'il est écrit pour moi dans votre saint livre, 8. afin d'accomplir votre volon-

---

à construire sa toile; on sait que l'araignée tire sa toile de sa propre substance. — 12. *Ne gardez plus le silence*, répondez à ma prière par un prompt secours. — *Je suis un étranger*, *un voyageur*, je ne fais que passer sur la terre, ma vie est courte.

Ps. 39. — 2. *Fosse de perdition*, fosse profonde dont le fond est un *bourbier fangeux;* celui qui y tombe trouve sa perte : image d'un danger mortel. — 3. *Le voient*, voient ce que Dieu a fait en ma faveur. — 6-8. S. Paul, dans l'épître aux Hébreux (x, 5-8), applique ces trois versets à Jésus Christ, en qui, en effet, ils ont eu leur accomplissement d'une manière plus haute et plus parfaite : " Le Christ, en entrant dans le monde, dit à son Père : Vous n'avez plus voulu de

té." O mon Dieu, je le veux, et votre loi est au milieu de mon cœur. 9. Et j'ai annoncé votre justice dans une grande assemblée; je n'ai pas fermé mes lèvres; Seigneur, vous le savez. 10. Je n'ai pas tenu votre justice renfermée dans mon cœur; j'ai publié votre fidélité et votre salut; je n'ai pas caché votre miséricorde et votre vérité devant l'assemblée nombreuse.

11. Vous, Seigneur, n'éloignez pas de moi vos miséricordes, vous dont la bonté et la vérité ont toujours veillé à ma garde. 12. Car des maux sans nombre m'environnent; mes iniquités m'ont saisi, et je ne puis voir; elles sont plus nombreuses que les cheveux de ma tête, et mon cœur m'abandonne. 13. Qu'il vous plaise, Seigneur, de me délivrer! Seigneur, tournez vers moi votre regard pour me secourir! 14. Qu'ils soient confus et honteux tous ensemble, ceux qui cherchent à m'ôter la vie! Qu'ils reculent et rougissent, ceux qui désirent ma ruine! 15. Qu'ils soient à l'instant couverts de confusion, ceux qui me disent: "Ah! ah!" 16. Qu'ils soient dans l'allégresse et se réjouissent en vous, tous ceux qui vous cherchent! Qu'ils disent sans cesse : "Gloire au Seigneur," ceux qui aiment votre salut! 17. Pour moi, je suis pauvre et indigent; mais le Seigneur prendra soin de moi. Vous êtes mon aide et mon défenseur : ô mon Dieu, ne tardez pas!

PSAUME 40.

Plainte et prière.

Heureux celui qui prend souci du pauvre et de

sacrifice ni d'oblation, mais vous m'avez formé un corps," etc. Ce corps, Jésus Christ l'immola sur la croix avec une obéissance et une soumission parfaite à son Père, et par ce sacrifice unique, d'un prix infini, et qui se renouvelle chaque jour sur nos autels, Notre Seigneur a mis fin aux divers sacrifices de la loi ancienne. — 10. *Votre fidélité* à tenir vos promesses; *votre vérité* a le même sens. — *Votre salut*, les secours par lesquels vous sauvez vos serviteurs du danger ou du malheur. — 12. *Mes iniquités*, considérées dans leurs suites, c'est-à dire dans les châtiments qu'elles ont attirés sur moi. — *Je ne puis voir*, la douleur obscurcit mes yeux. — 15. *Ah! ah!* cri de joie et de triomphe en présence d'un ennemi que l'on croit abattu et réduit à l'impuissance. — 17. *Ceux qui aiment votre salut*, ceux qui sont contents de me voir secouru et sauvé par vous.

l'indigent! Au jour du malheur, le Seigneur le délivrera. 2. Le Seigneur le conservera, le fera vivre et le rendra heureux sur la terre; il ne le livrera point au désir de ses ennemis. 3. Le Seigneur l'assistera sur son lit de douleur; ô mon Dieu, vous retournerez toute sa couche dans sa maladie.

4. J'ai dit : Seigneur, ayez pitié de moi; guérissez mon âme, car j'ai péché contre vous. 5. Mes ennemis profèrent contre moi des malédictions : " Quand mourra-t-il? quand périra son nom? " 6. Si quelqu'un vient me visiter, il ne dit que des mensonges; il recueille dans son cœur des sujets de me nuire, et à peine est-il sorti, qu'il tient contre moi des discours perfides.

7. Tous mes ennemis chuchotent *ensemble* contre moi; ils trament des complots pour ma ruine. 8. Ils répètent contre moi cette parole de haine : " N'est-ce pas que celui qui est là couché ne se relèvera jamais? " 9. Même l'homme qui était mon ami, qui avait ma confiance et qui mangeait mon pain, lève insolemment le talon contre moi.

10. Vous, Seigneur, ayez pitié de moi et relevez-moi, et je leur rendrai ce qu'ils méritent. 11. Je connaîtrai que vous m'aimez, si mon ennemi ne se réjouit pas à mon sujet. 12. A cause de mon innocence, votre main me soutiendra et vous m'éta-

Ps. 40. — 2. *Au désir*, au ressentiment de ses ennemis. — 3. *Vous retournerez sa couche*, pour la rendre plus molle et plus douce, comme fait une mère pour son enfant malade. — 6. *Il ne dit que des mensonges*, de mensongères protestations d'amitié et de dévouement. — *Il recueille* etc. : il observe tout chez moi, pour recueillir prétexte à médire et à calomnier; et quand il est sorti, il publie partout le résultat de ses malicieuses observations. — 8. Les ennemis de David espèrent et publient que les épreuves, la maladie et la vieillesse l'obligeront à céder le trône à un autre. — 9. *Lève le talon*, s'est révolté contre moi. — Cet homme, ami de David, c'est Achitophel, dont la sainte Ecriture raconte la trahison. Dans le sens spirituel, c'est Judas qui, après s'être assis à la dernière Cène avec Notre Seigneur, le livra à ses ennemis. — 10. *Je leur rendrai*, etc., je les châtierai comme ils le méritent. Un simple individu ne doit pas venger ses propres injures : mais un roi, représentant de Dieu et de sa justice, doit punir les coupables. — 12. *Mon innocence :* il s'agit de l'innocence de David vis-à-vis de ses ennemis; car, vis-à-vis de Dieu, il n'est qu'un pécheur, et il le confesse (vers. 4). — *En votre*

blirez pour toujours en votre présence.

13. Béni soit le Seigneur, Dieu d'Israël, dans les siècles des siècles! Amen! Amen!

PSAUME 41.

Soupir d'un exilé après la maison de Dieu.

Comme un cerf soupire après les sources d'eau, ainsi mon âme soupire après vous, ô mon Dieu. 2. Mon âme a soif du Dieu fort, du Dieu vivant : quand irai-je et paraîtrai-je devant lui? 3. Mes larmes sont ma nourriture jour et nuit, pendant qu'on me dit sans cesse : " Où est ton Dieu? " 4. Je me rappelle, — et mon âme se fond *à ce souvenir*, — *je me rappelle* les jours où je m'avançais vers le merveilleux tabernacle, jusqu'à la maison de Dieu, au milieu des cris de joie et des actions de grâces, acclamation d'une multitude en fête! 5. Pourquoi es-tu triste, ô mon âme, et pourquoi me troubles-tu? Espère en Dieu, car je le louerai encore, lui, le salut de ma face et mon Dieu.

6. Mon âme est bouleversée au-dedans de moi; aussi je pense à vous du pays du Jourdain, de l'Hermon et de la petite montagne. 7. Les eaux mugissantes s'appellent et se répondent, quand grondent vos ondées : *ainsi* toutes vos vagues et vos torrents fondent sur moi. 8. *Autrefois*, le jour, le Seigneur commandait à sa miséricorde

---

présence, dans la cité sainte de Jérusalem, où était le sanctuaire du Seigneur, l'arche et le tabernacle.

Ps. 41. — 2. Le vrai Dieu est appelé *fort* et *vivant* par opposition aux faux dieux, aux vaines idoles, qui ne sont que du bois ou de la pierre, de l'argent ou de l'or, sans force et sans vie. — *Devant lui*, devant le tabernacle ou dans le temple, qui était la demeure de Dieu sur la terre. — 5. *Je louerai encore*, dans les cérémonies publiques, à Jérusalem, auprès de son sanctuaire. — *Lui, le salut de ma face*, lui qui fera briller le salut devant moi au moment propice. — 6. *Du pays* au delà *du Jourdain;* c'est là que le Psalmiste s'était réfugié. — *Les eaux mugissantes*, etc. : l'auteur décrit un phénomène fréquent dans cette contrée montagneuse : une nuée sombre obscurcit le ciel; le tonnerre éclate, et la pluie tombe par torrents; au fracas du tonnerre se mêle le mugissement des eaux qui se précipitent le long des pentes et dans le creux des ravins; tous ces bruits sont de grandes voix qui, répercutées par les échos de la montagne, semblent s'appeler et se répondre : image des tribulations et des souffrances que Dieu a fait fondre, comme les vagues d'un torrent, sur le Psalmiste.

de me visiter; la nuit, je chantais ses louanges, et ma prière s'élevait au Dieu de ma vie. 9. *Maintenant* je dis à Dieu : "Vous êtes mon défenseur; pourquoi m'avez-vous oublié, et pourquoi faut-il que je marche dans la tristesse, au milieu des ennemis qui m'oppriment?" 10. Je sens mes os se briser quand mes persécuteurs m'insultent, en me disant chaque jour : "Où est ton Dieu?" 11. Pourquoi es-tu triste, ô mon âme, et pourquoi me troubles-tu? Espère en Dieu, car je le louerai encore, lui, le salut de de ma face et mon Dieu.

PSAUME 42.

Ardents désirs de monter à l'autel de Dieu.

Rendez-moi justice, ô Dieu; séparez ma cause de celle d'une nation infidèle; délivrez-moi de l'homme injuste et trompeur. 2. Car, ô Dieu, vous êtes ma force; pourquoi donc me repoussez-vous? Pourquoi faut-il que je marche dans la tristesse, au milieu des ennemis qui m'oppriment? 3. Envoyez votre lumière et votre vérité; elles me guideront et me conduiront à votre montagne sainte et à vos tabernacles. 4. Et j'irai à l'autel de Dieu, au Dieu qui a fait la joie de ma jeunesse, et je vous célébrerai sur la harpe, ô Dieu, mon Dieu! 5. Pourquoi es-tu triste, ô mon âme, et pourquoi me troubles-tu? Espère en Dieu, car je le louerai encore, lui, le salut de ma face et mon Dieu.

PSAUME 43.

Prière nationale : que Dieu aide son peuple!

O Dieu, nous avons entendu de nos oreilles,

10. *Mes os*, etc. : j'éprouve une douleur pareille à celle que causerait le brisement des os.

Ps. 42. — C'est ce Psaume que le prêtre récite avant de monter à l'autel pour la messe. Les sentiments variés de crainte, de désir et d'espérance qu'il exprime, conviennent bien à celui qui va célébrer de si augustes et si redoutables mystères. — 3. *Votre lumière*, votre faveur, qui dissipe les ténèbres de l'affliction; *et votre vérité*, votre fidélité daus l'accomplissement de vos promesses : mettez-les en œuvre et en quelque sorte à mon service pour me sauver, c'est-à-dire pour mettre fin à mon exil. — 4. Revenu à Jérusalem, mon premier soin sera d'aller vers l'autel du Seigneur et d'y offrir un sacrifice d'action de grâces.

Ps. 43. — 1. *L'œuvre*, l'établissement des Hébreux dans le pays de

nos pères nous ont raconté l'œuvre que vous avez accomplie de leur temps, aux jours anciens. 2. Pour les établir *en Chanaan*, votre main a détruit les nations, vous avez frappé les peuples et les avez chassés *de leurs demeures*. 3. Car ce n'est point par leur épée qu'ils ont conquis le pays, ce n'est pas leur bras qui leur a donné la victoire; mais c'est votre droite, c'est votre bras, c'est la lumière de votre visage, parce que vous les aimiez.

4. Vous êtes mon roi et mon Dieu; c'est vous qui ordonnez le salut de Jacob. 5. Par vous, nous renversons nos ennemis; en votre nom, nous couvrons de honte ceux qui se lèvent contre nous. 6. Car ce n'est pas en mon arc que j'ai confiance, ce n'est pas mon épée qui me sauvera; 7. mais c'est vous qui nous délivrez de nos oppresseurs, et qui confondez ceux qui nous haïssent. 8. En Dieu nous nous glorifions chaque jour, et nous célébrons votre nom à jamais.

9. Cependant vous nous repoussez et nous couvrez de honte; vous ne sortez plus, ô Dieu, avec nos armées. 10. Vous nous faites reculer devant nos ennemis, et ceux qui nous haïssent nous mettent au pillage. 11. Vous nous livrez comme des brebis de boucherie, et vous nous dispersez parmi les nations. 12. Vous vendez votre peuple à vil prix, vous ne l'estimez pas à une grande valeur. 13. Vous faites de nous un objet d'opprobre pour nos voisins, de moquerie et de risée pour ceux qui nous entourent. 14. Vous nous rendez la fable des nations, et les peuples branlent la tête à notre sujet. 15. Ma honte est toujours devant mes yeux, et la confusion de

Chanaan, au moyen d'une multitude de prodiges. — 3. *La lumière de votre visage*, votre faveur, votre protection. — 4. *Qui ordonnez*, qui opérez par un simple commandement, comme il convient à un Dieu et à un roi, la délivrance *de Jacob*, c'est-à-dire du peuple israélite, descendant de Jacob. — 8. *En Dieu nous nous glorifions :* c'est lui qui nous fait triompher, de lui que nous vient toute gloire. — 9. *Vous ne sortez plus...*, pour nous donner la victoire. — 12. *A vil prix*, comme une chose dont vous ne vous souciez pas, dont vous voulez vous débarrasser à tout prix. — *Vous ne les estimez pas*, etc. : vous n'en fixez pas le prix d'achat à un taux élevé.

mon visage me couvre tout entier, 16. à la voix de celui qui nous insulte et nous outrage, à la vue de nos ennemis et de nos persécuteurs.

17. Tous ces maux nous arrivent, sans que nous vous ayons oublié, sans que nous ayons été infidèles à votre alliance. 18. Notre cœur ne s'est pas détourné en arrière; nos pieds ne se sont pas écartés de votre sentier, 19. pour que vous nous ayez humiliés dans le séjour de l'affliction, et que vous nous couvriez de l'ombre de la mort. 20. Si nous avions oublié le nom de notre Dieu, et tendu nos mains vers un dieu étranger, 21. Dieu ne l'aurait-il pas aperçu, lui qui connaît les secrets du cœur? 22. Mais c'est à cause de vous qu'on nous égorge tous les jours, qu'on nous traite comme les brebis destinées à la boucherie.

23. Levez-vous! Pourquoi dormez-vous, Seigneur? Levez-vous, et ne nous repoussez pas à jamais! 24. Pourquoi détournez-vous *de nous* votre visage? Pourquoi oubliez-vous notre misère et notre oppression? 25. Car notre âme est affaissée jusque dans la poussière, notre corps est attaché à la terre. 26. Levez-vous, Seigneur, secourez-nous! Délivrez-nous à cause de votre nom.

PSAUME 44.

Chant royal : Jésus-Christ et son Eglise.

De mon cœur jaillit un beau chant; je dis : "Mon œuvre est pour un roi!" Ma langue est comme le roseau agile entre les doigts de l'écri-

18. *Détourné* de votre service, pour retourner en arrière, à l'idolâtrie. — 19. *Pour*, de manière à mériter *que vous nous ayez humiliés*, etc. : que vous nous ayez fait tomber dans un abîme de misère. — *Couvrir* quelqu'un *de l'ombre de la mort*, c'est l'exposer ou l'abandonner à une situation si désespérée, que les ténèbres de la mort semblent déjà l'envelopper. — 22. S. Paul applique ce verset aux persécutions des premiers chrétiens, *Rom.* viii. 36. — 23. *Dormez-vous :* Dieu semble dormir quand sa providence permet pour quelque temps que ses ennemis triomphent et que les justes soient dans la souffrance. — 25. Si profonde est notre affliction, que notre âme et notre corps sont comme courbés jusqu'à terre, sans pouvoir se relever.

Ps. 44. — 1. *Un beau chant*, un cantique excellent, à cause du sujet qu'il traite : c'est un roi qu'il célèbre.

vain. 2. *O Roi*, vous surpassez en beauté tous les enfants des hommes; la grâce est répandue sur vos lèvres; c'est pourquoi Dieu vous a béni pour toujours. 3. Ceignez-vous de votre épée, héros invincible; 4. revêtu de splendeur et de majesté, avancez, marchez à la victoire et régnez pour la vérité, la douceur et la justice; votre droite se signalera par des prodiges. 5. Vos flèches sont aiguës; les peuples tomberont à vos pieds; elles perceront le cœur des ennemis du Roi. 6. Votre trône, ô Dieu, est établi pour toujours; le sceptre de votre royaume est un sceptre de droiture. 7. Vous aimez la justice et vous haïssez l'iniquité : c'est pourquoi, ô Dieu, votre Dieu a versé sur vous, de préférence à vos compagnons, une huile d'allégresse. 8. La myrrhe, l'aloès et la casse s'exhalent de vos vêtements et des palais d'ivoire que des filles de rois ont ornés en votre honneur. 9. La Reine est à votre droite, en vêtements tissus d'or aux couleurs variées.

10. " Ecoute, ma fille, vois et prête l'oreille : oublie ton peuple et la maison de ton père, 11. et le Roi sera épris de ta beauté; car il est le Seigneur ton Dieu, et tous l'adoreront. 12. Les filles de Tyr, avec des présents, et les plus riches du peuple rechercheront ta faveur." 13. Toute la gloire de la fille du roi est au dedans, *et cependant*

2. En Notre Seigneur la beauté physique était un reflet de la beauté morale. S. Jean (1, 14) le présente comme étant "plein de grâce et de vérité." — 4. *Régnez pour* faire régner avec vous *la vérité*, etc. *Votre droite* accomplira dans le monde des choses prodigieuses, de merveilleux exploits. Sous ces images empruntées à la guerre, le Psalmiste annonce les conquêtes pacifiques du Messie, c.-à-d. la conversion du monde à l'Evangile. — 7. *Une huile d'allégresse :* on répandait de l'huile parfumée sur les personnes qu'on voulait honorer. Pour Jésus Christ, cette onction n'est autre que son union avec l'Esprit Saint habitant en lui dans sa plénitude. — 8. *La myrrhe*, etc., parfums que fournissent des plantes d'Arabie : symbole des perfections divines et des vertus humaines du Roi-Messie. — *Des palais* revêtus d'ornements *d'ivoire.* — 10. *Ma fille :* c'est le Psalmiste qui parle; il exhorte la Reine à s'attacher uniquement à son époux. — 13. Il en est ainsi de l'Eglise : belle au dehors par son unité, par ses œuvres de charité et de zèle, etc., elle l'est plus encore au dedans par les trésors de grâce et de vie surnaturelle cachés dans

elle resplendit de vêtements aux franges d'or, aux couleurs variées. 14. Après elle, des jeunes filles, ses compagnes, sont amenées au Roi et lui sont présentées. 15. On les introduit au milieu de la joie et de l'allégresse; elles entrent dans le palais du Roi.

16. Des fils vous naîtront pour remplacer vos pères; vous les établirez princes sur toute la terre. 17. Ils perpétueront d'âge en âge la gloire de votre nom, et les peuples vous loueront éternellement et à jamais.

PSAUME 45.

Sécurité du peuple de Dieu.

Dieu est notre refuge et notre force, notre secours dans les graves calamités qui sont tombées sur nous. 2. C'est pourquoi nous sommes sans crainte, lors même que la terre serait bouleversée, que les montagnes seraient précipitées au milieu de l'océan, 3. que les flots de la mer se soulèveraient avec fracas, et que leur violence ébranlerait les montagnes.

4. Un fleuve réjouit de ses ondes bénies la cité de Dieu, la demeure sanctifiée par la présence du Très Haut. 5. Dieu est au milieu d'elle; elle est inébranlable; au lever de l'aurore, Dieu vient à son secours. 6. *Contre elle* les nations s'agitent, les royaumes s'ébranlent : il fait entendre sa voix, et la terre tremble d'épouvante. 7. Le Seigneur des armées est avec nous; le Dieu de Jacob est notre défenseur.

8. Venez et contemplez les œuvres du Seigneur, les prodiges qu'il a opérés sur la terre. 9. Il a fait cesser les combats jusqu'au bout de la terre; il a brisé les arcs, il a rompu les lances, il a consu-

---

son sein et connus seulement de ses enfants. — 16. *Des fils vous naîtront :* s'adressant au Roi-Messie, le Psalmiste célèbre les fruits de son union avec l'Eglise : ces *fils*, ce sont les Apôtres et leurs successeurs; d'âge en âge ils prêcheront la foi en Jésus Christ, et le feront connaître et aimer de toutes les générations jusqu'à la fin du monde.

Ps. 45. — 4. Comme aucun fleuve ne traverse Jérusalem, il faut entendre ce mot au figuré, comme le symbole des bénédictions et de la protection divines sur la ville sainte. — 5. *Au lever de l'aurore*, promptement, aussitôt que se montre le danger. — 6. *La terre tremble d'épouvante*, et les ennemis du peuple de Dieu sont anéantis. — 7. *Le Seigneur des armées* célestes, des anges et des astres qui peu-

mé par le feu les boucliers *de l'ennemi.* 10. "Arrêtez, et reconnaissez que je suis Dieu; je domine sur les nations, je domine sur *toute* la terre." 11. Le Seigneur des armées est avec nous, le Dieu de Jacob est notre défenseur.

PSAUME 46.

Chant de triomphe.

Vous tous, peuples, battez des mains, célébrez Dieu par des cris d'allégresse. 2. Car le Seigneur est le Très Haut, le Dieu redoutable, le grand Roi de toute la terre. 3. Il assujettit les peuples à notre empire, il met les nations sous nos pieds. 4. Il nous a choisi notre héritage, gloire de Jacob, son bien aimé.

5. Dieu monte au milieu des acclamations, le Seigneur au son de la trompette. 6. Chantez à notre Dieu, chantez! Chantez à notre Roi, chantez! 7. Car Dieu est roi de toute la terre; chantez d'harmonieux cantiques! 8. Dieu règne sur les nations; il siège sur son trône saint. 9. Les princes des peuples s'unissent au Dieu d'Abraham; et ainsi ces dieux, ces puissants de la terre, sont élevés au plus haut degré de gloire.

PSAUME 47.

Chant de triomphe.

Le Seigneur est grand, il est digne de toute louange dans la cité de notre Dieu, sur sa montagne sainte. 2. Elle s'élève gracieuse, joie de toute la terre, la montagne de Sion; le côté du septentrion, c'est la cité du grand Roi. 3. Dieu, qui habite dans ses palais, s'est montré son défenseur.

4. Car voilà que les rois de la terre s'étaient réu-

---

plent le firmament. Voy. *Ps.* xxiii, 10. — 10. *Arrêtez*, cessez de combattre Israël : C'est Dieu qui parle ainsi aux ennemis de son peuple.

Ps. 46. — 4. Dieu nous a choisi lui-même notre héritage, savoir le pays de Chanaan, et il sait le défendre contre les envahisseurs. — 5. La victoire remportée, Dieu remonte dans son sanctuaire au bruit *des acclamations.* — 9. *Les princes des peuples*, les nations idolâtres, converties à l'Evangile après l'ascension du Sauveur, adorent le Dieu d'Abraham, et ainsi sont élevées à l'incomparable dignité d'enfants de Dieu.

Ps. 47. — 2. Ce qui faisait la gloire de Jérusalem, c'était le mont Sion, où était le palais des rois de Juda, et la colline de Moria, située un peu plus au nord, où s'élevait le temple, demeure de Dieu et cité du grand Roi. — 3. *Dans ses palais*, au milieu des palais de la cité

nis; ensemble ils s'étaient avancés *contre Jérusalem.* 5. Ils ont vu : soudain ils ont été dans la stupeur; éperdus et troublés, 6. un tremblement les saisit; ils souffrent les douleurs de la femme qui enfante; 7. *vous les brisez*, comme le vent d'Orient brise les vaisseaux de Tharsis. 8. Ce que nous avions entendu dire, nous l'avons vu dans la cité du Seigneur des armées, dans la cité de notre Dieu : Dieu l'a affermie pour toujours.

9. O Dieu, nous avons éprouvé votre miséricorde au milieu de votre temple, 10. et de même que votre nom, ô Dieu, ainsi votre louange ira jusqu'aux extrémités de la terre. Votre droite est pleine de justice. 11. Que la montagne de Sion se réjouisse, que les filles de Juda soient dans l'allégresse, à cause de vos jugements, Seigneur!

12. Parcourez Sion et faites-en le circuit, comptez ses tours, 13. observez son rempart et examinez ses palais, pour le raconter à la génération future. Voilà le Dieu qui est notre Dieu à jamais et toujours; il sera notre guide dans tous les siècles.

PSAUME 48.

Sort futur des impies et des justes.

Ecoutez tous ceci, ô peuples; prêtez tous l'oreille, habitants du monde, 2. hommes du commun et hommes de condition, tous, riches et pauvres. 3. Ma bouche va faire entendre des paroles sages, et mon cœur a des pensées pleines de sens. 4. Je prête l'oreille aux sentences *que Dieu m'inspire*, et c'est au son de la harpe que j'expose mon enseignement.

5. Pourquoi craindrais-je au jour du malheur, lorsque l'iniquité de mes persécuteurs m'assiège, 6. eux qui mettent leur confiance dans leur force, leur gloire dans les grandes richesses? 7. L'homme ne peut racheter *de la mort* son frère, ni payer

sainte. — 5. *Ils ont vu*, aperçu de loin Jérusalem. — 12. *Pour raconter à la génération future* dans quel état florissant vous avez trouvé Jérusalem, après les menaces de destruction et de ruine que nos ennemis proféraient contre nous : ils n'ont pu lui causer aucun dommage, grâce à la protection de notre Dieu.

à Dieu sa rançon 8. (le prix de leur vie est trop grand, aucune richesse ne saurait y suffire), 9. pour qu'il vive éternellement, et qu'il ne voie jamais le tombeau. 10. Non, il *le* verra; on verra mourir le sage, l'insensé et le stupide mourront également, laissant à d'autres leurs biens. 11. Ils s'imaginent que leurs maisons seront éternelles, que leurs demeures subsisteront d'âge en âge, et ils donnent leurs noms à leurs domaines. 12. Mais au milieu de sa splendeur l'homme n'a pas de durée; il est semblable aux bêtes qui périssent.

13. Tel est leur sort, à ces hommes si confiants, et à ceux qui les suivent en approuvant leurs discours. 14. Comme un troupeau, ils sont poussés au sombre séjour; la mort est leur pasteur; bientôt les hommes droits foulent aux pieds leur tombe, et leur ombre se consume au sombre séjour, leur seule demeure. 15. Mais Dieu rachètera mon âme de la puissance de la mort, quand il me prendra avec lui.

16. Ne crains donc pas, quand un homme s'enrichit, quand s'accroît l'opulence de sa maison; 17. car il n'emportera rien à sa mort, son opulence ne descendra pas avec lui. 18. Il aura beau s'estimer heureux pendant sa vie; on aura beau te louer des jouissances que tu te donnes : 19. Tu iras rejoindre la génération de tes pères, et tu ne reverras jamais la lumière. 20. Au milieu de sa splendeur, l'homme ne comprend pas; il est semblable aux bêtes qui périssent.

PSAUME 49.

Le vrai culte agréable à Dieu.

Le Dieu des dieux, le Seigneur a parlé; il a convoqué la terre du le-

Ps. 48. — 8. Ce verset forme une parenthèse, après laquelle le vers. 9 se relie au vers. 7. — 12. La Vulgate se traduirait plus littéralement : *l'homme, quoique élevé en honneur, n'a pas compris : il s'est assimilé aux bêtes sans raison, et il leur est devenu semblable.* — 14. *Au sombre séjour*, le séjour des morts : voy. *Ps.* VI, 5, note. — *Leur pasteur*, le berger qui conduira désormais ce troupeau. — 18. *Te louer :* le Psalmiste interpelle brusquement le riche impie. — 20. *Ne comprend pas* la vanité des richesses, et, oubliant Dieu, met en elles toute sa confiance.

Ps. 49. — 1. *Le Dieu des dieux* (soit des anges, soit des rois et des

vant au couchant. 2. Il s'élève de Sion, entouré de l'éclat de sa gloire; 3. il apparaît dans sa splendeur : c'est notre Dieu, il va sortir de son silence. Devant lui est un feu dévorant, autour de lui se déchaîne la tempête. 4. Il appelle les cieux d'en haut et la terre pour assister au jugement de son peuple. 5. "Rassemblez devant lui ses saints, qui ont fait alliance avec lui sur les sacrifices." 6. Les cieux proclament sa justice; car Dieu va juger.

7. Ecoute, mon peuple, et je parlerai; Israël, et je te reprendrai hautement : je suis Dieu, ton Dieu. 8. Ce n'est pas pour tes sacrifices que je te fais des reproches; tes holocaustes sont constamment devant moi. 9. Je n'ira pas prendre un taureau dans tes étables, ni des boucs dans tes bergeries. 10. Car à moi sont les bêtes des forêts, les animaux des montagnes et les bœufs. 11. Je connais tous les oiseaux du ciel, et tout ce qui fait la beauté des champs est sous ma main. 12. Si j'avais faim, je ne te le dirais pas, car le monde est à moi et tout ce qu'il renferme. 13. Est-ce que je mange la chair des taureaux? Est-ce que je bois le sang des boucs? 14. Offre en sacrifice à Dieu la louange d'un cœur reconnaissant, et acquitte tes vœux envers

---

magistrats, soit même des faux dieux), *le Seigneur.* — *Il a convoqué la terre* et les cieux pour assister comme témoins au jugement qu'il va rendre, à la sentence qu'il va prononcer. — 3. *Un feu dévorant*, symbole de la colère de Dieu et de sa justice vengeresse. — *La tempête*, présage des paroles sévères et des menaces qu'il va prononcer. — 5. *Rassemblez :* le Psalmiste s'adresse aux anges, messagers et ministres ordinaires de Dieu. — *Ses saints*, tous les Israélites, appelés saints à raison de leur vocation et de leur alliance avec Dieu. — *Sur les sacrifices :* ces mots signifient qu'une des conditions de l'alliance que Dieu avait faite avec Israël était qu'on lui offrirait des sacrifices; ou bien ils rappellent que cette alliance avait été scellée par des sacrifices solennels (*Exod.* xiii, 9; xxiv, 3-9). — 6. Avant que le jugement commence, les cieux, appelés à y assister, proclament que Dieu est souverainement juste. — 9 suiv. La loi de Moïse ordonnait aux Israélites d'offrir à Dieu des animaux immolés en son honneur. Ces sacrifices avaient une signification symbolique. Mais en tant que cérémonies purement extérieures, ils n'avaient aucune valeur. Telle est la leçon que Dieu donne ici aux Israélites : il n'a pas besoin de la chair ou du sang de leurs animaux, lui à qui appartient le monde entier; ce qu'il veut, c'est l'hommage de leurs cœurs, c'est leur foi et leur amour.

le Très Haut. 15. Puis invoque-moi au jour de la tribulation : je te délivrerai, et tu me glorifieras.

16. Mais au pécheur Dieu dit : Pourquoi énumères-tu mes préceptes et as-tu *constamment* mon alliance sur tes lèvres, 17. toi qui détestes ma loi, et qui rejettes derrière toi ma parole? 18. Si tu vois un voleur, tu cours te joindre à lui, et tu fais cause commune avec les adultères. 19. Ta bouche est pleine de malice, et ta langue ourdit la fraude. 20. Tu t'assieds et tu parles contre ton frère, tu diffames le fils de ta mère. 21. Voilà ce que tu fais, et j'ai gardé le silence. Tu t'es imaginé que j'étais pareil à toi; mais je vais te reprendre et tout mettre sous tes yeux.

22. Prenez-y donc garde, vous qui oubliez Dieu, de peur qu'il ne déchire sans que personne puisse délivrer. 23. L'homme qui offre en sacrifice la louange d'un cœur reconnaissant, voilà celui qui m'honore; il marche dans la voie où je lui ferai voir le salut de Dieu.

PSAUME 50.

Acte de contrition.

Ayez pitié de moi, ô Dieu, selon votre grande miséricorde, et selon l'étendue de vos bontés effacez mes transgressions. 2. Lavez-moi de plus en plus de mon iniquité, et purifiez-moi de mon péché. 3. Car je reconnais mes offenses, et mon péché est constamment devant moi. 4. C'est contre vous seul que j'ai péché, et j'ai fait ce qui est mal à vos yeux; *j'en fais l'aveu*, afin que vous soyez trouvé juste dans votre sentence, sans reproche dans votre jugement. 5. Je suis né dans l'iniquité, et ma mère m'a

16. *Au pécheur* hypocrite, qui a sans cesse à la bouche les préceptes divins, et qui les viole constamment. — 20. *Tu t'assieds* indique une action réfléchie et persistante. — 21. *J'ai gardé le silence*, je ne t'ai pas puni. — *Pareil à toi*, indifférent ou même favorable à l'iniquité. — 22. *De peur qu'il ne déchire*, de peur qu'il ne vous châtie sans pitié : l'image est empruntée au lion, à qui personne ne peut arracher sa proie.

Ps. 50. — 4. *Contre vous seul :* le péché, lors même qu'il est tout d'abord une injure au prochain, est en même temps et principalement une injure faite au Dieu de toute sainteté et de toute justice. — 5. Le péché dont l'homme est souillé dès le premier moment de son existence, n'est autre que le péché originel. David représente à Dieu cette

conçu dans le péché. 6. Mais vous aimez la vérité, et vous m'aviez fait connaître les mystères cachés de votre sagesse.

7. Purifiez-moi avec l'hysope, et je serai pur; lavez-moi, et je serai plus blanc que la neige. 8. Faites-moi entendre une parole de joie et d'allégresse, et mes os brisés se réjouiront. 9. Détournez votre visage de mes péchés, effacez toutes mes iniquités. 10. O Dieu, créez en moi un cœur pur, et renouvelez au-dedans de moi un esprit bien disposé. 11. Ne me rejetez pas loin de votre face, et ne me retirez pas votre Esprit Saint. 12. Rendez-moi la joie de votre salut, et soutenez-moi par une volonté généreuse.

13. J'enseignerai vos voies à ceux qui les transgressent, et les pécheurs reviendront à vous. 14. Délivrez-moi du sang versé, ô Dieu, Dieu de mon salut, et ma langue célébrera votre justice. 15. Seigneur, ouvrez mes lèvres, et ma bouche publiera vos louanges. 16. Si vous désiriez des sacrifices, je vous en offrirais, mais vous ne prenez point plaisir aux holocaustes. 17. Le sacrifice agréable à Dieu, c'est un esprit brisé par le repentir; ô Dieu, vous ne dédaignez pas un cœur contrit et humilié.

18. Dans votre bonté, Seigneur, répandez vos bienfaits sur Sion, afin que les murs de Jérusalem soient rebâtis. 19. Alors vous aurez pour agréables les sacrifices de justice, les oblations et les

---

triste condition, non comme une excuse à ses fautes personnelles, mais comme un titre à la commisération divine. — 7. *Purifiez moi avec l'hysope :* allusion au mode de purification employé pour les lépreux; on faisait sur eux des aspersions avec une branche d'hysope trempée dans le sang d'un passereau. (*Lév.* XIV, 6). — 8. *Une parole de joie :* la joyeuse assurance que vous m'avez rendu votre grâce et votre faveur. — *Mes os*, pour *mon intérieur*, ma conscience, *brisés* par le remords et le chagrin. — 12. *Rendez-moi la joie de votre salut*, en me sauvant, en me faisant grâce de mon péché et du châtiment qu'il mérite. — 14. *Du sang* d'Urie, que j'ai fait verser et qui crie vengeance contre moi. Sens : pardonnez-moi le meurtre d'Urie. — 16. *Dieu ne prend pas plaisir aux holocaustes*, en ce sens qu'il préfère et demande avant tout le sacrifice d'un cœur humble et repentant. — 19. *Les sacrifices de justice* sont des sacrifices conformes aux prescriptions de la loi, soit pour la qualité des victimes, soit pour les dispositions de ceux qui les offraient.

holocaustes; alors on offrira des taureaux sur votre autel.

PSAUME 51.

Châtiment du traître.

Pourquoi te glorifies-tu dans le mal, toi qui es vaillant à commettre l'iniquité! 2. Tout le jour ta langue médite l'injustice; comme une lame affilée, tu pratiques la fourberie. 3. Tu aimes le mal plutôt que le bien, le mensonge plutôt que le langage de la vérité. 4. Tu aimes toutes les paroles de perdition, ô langue trompeuse!

5. Aussi Dieu va te perdre pour toujours; il te saisira et t'arrachera de ta tente; il te déracinera de la terre des vivants. 6. Les justes verront *sa ruine* et ils en seront saisis d'effroi; ils se riront de lui, en disant: 7. "Voilà l'homme qui ne prenait pas Dieu pour son appui, mais qui se confiait dans la grandeur de ses richesses et se croyait fort de sa malice!"

8. Et moi, je suis comme un olivier fertile dans la maison de Dieu; je me confie dans la bonté de Dieu éternellement et à jamais. 9. Je vous louerai sans cesse, parce que vous avez fait cela, et j'espérerai en votre nom, parce qu'il est bon, en présence de vos Saints.

PSAUME 52.

Athéisme et corruption.

L'insensé dit dans son cœur: "Il n'y a pas de Dieu!" 2. Les hommes se sont corrompus, ils sont devenus abominables par leurs crimes; il n'y a personne qui fasse le bien. 3. Du haut du ciel, Dieu regarde les enfants

Ps. 51. — 4. *Toutes les paroles de perdition*, qui ont pour effet le malheur et la ruine des amis de Dieu. — 6. Les justes eux-mêmes seront effrayés de la ruine de l'impie, tant elle sera terrible! — 8. David se compare à un olivier planté dans la maison de Dieu, par conséquent dans une bonne terre.

Ps. 52. — 1-6. Comme ces versets s'appliquent bien à l'*Israël spirituel*, à l'Eglise du Sauveur et aux impies qui l'attaquent! A entendre les incrédules, la science a démontré la fausseté des croyances chrétiennes, le christianisme est frappé à mort, il n'a plus que quelques années à vivre. — Vaine jactance! Les impies, ces flatteurs du peuple, meurent et passent; après quelques jours de vogue, leurs systèmes sont oubliés; comme des ossements desséchés, ils couvrent le champ de bataille de l'histoire: et l'Eglise de Jésus Christ, toujours vivante, toujours active, continue de se dévouer au salut des âmes, de panser toutes les blessures de la pauvre humanité.

des hommes, pour voir s'il en est qui aient de l'intelligence ou qui cherchent Dieu. 4. Tous se sont égarés, tous se livrent à la vanité; il n'y a personne qui fasse le bien, pas même un seul.

5. Ont-ils perdu le sens, ces artisans d'iniquité, qui dévorent mon peuple comme on dévore un morceau de pain, 6. et qui n'invoquent point le Seigneur? Soudain ils ont tremblé d'épouvante, sans qu'il y eût sujet d'épouvante; car Dieu a dispersé les os de ceux qui cherchent la faveur des hommes; ils sont confondus, parce que Dieu les a rejetés avec mépris.

7. Ah! puisse venir de Sion le salut d'Israël! Quand le Seigneur aura fait cesser l'affliction de son peuple, Jacob se réjouira, Israël sera dans l'allégresse.

PSAUME 53.

Prière et confiance.

O Dieu, sauvez-moi par votre nom, et rendez-moi justice par votre puissance. 2. O Dieu, écoutez ma prière, prêtez l'oreille aux paroles de ma bouche. 3. Car des étrangers se sont levés contre moi et des hommes violents en veulent à ma vie; ils ne mettent pas Dieu devant leurs yeux.

4. Voici que Dieu vient à mon aide, le Seigneur est le soutien de ma vie. 5. Faites retomber le mal sur mes adversaires, et dans votre vérité anéantissez-les! 6. De tout cœur je vous offrirai des sacrifices, et je louerai votre nom, Seigneur, car il est bon. 7. Vous me délivrez de toutes *mes* afflictions, et mon œil s'arrête avec confiance sur mes ennemis.

PSAUME 54.

Plainte et confiance.

O Dieu, exaucez ma prière, et ne dédaignez pas mes supplications. 2. Ecoutez-moi et exaucez-moi! Je suis rempli de tristesse au milieu de mes épreuves; je suis

Ps. 53. — 3. *Des étrangers*, au moins par le cœur et la conduite, des ennemis. — 4. *Voici :* David voit déjà comme présent le secours divin. — 5. *Dans votre vérité*, au nom de la *fidélité* avec laquelle vous accomplissez vos promesses. — 7. *Avec confiance*, sans la moindre crainte. — *Sur mes ennemis*, que j'aperçois déjà réduits à l'impuissance.

bouleversé 3. devant les menaces de l'ennemi, devant l'oppression du méchant. Car ils font tomber sur moi le malheur, et ils me poursuivent de leur colère. 4. Mon cœur se trouble au-dedans de moi, et sur moi fondent les terreurs de la mort. 5. La crainte et l'effroi m'assaillent, et les ténèbres m'enveloppent. 6. Et je dis : "Qui me donnera des ailes comme celles de la colombe? Je prendrai mon vol pour trouver un lieu de repos; 7. je fuirai au loin et j'irai demeurer au désert! 8. Là j'attendrai celui qui m'a déjà sauvé de l'abattement de l'esprit et des dangers les plus terribles."

9. Perdez-les, Seigneur, divisez leur langage! Car je vois que la violence et la discorde règnent dans la ville; 10. jour et nuit l'iniquité fait le tour de ses remparts; la vexation et l'injustice s'agitent à l'intérieur; 11. l'oppression et l'astuce ne quittent point ses places. 12. Si mon ennemi m'avait outragé, je l'aurais supporté; si l'homme qui me hait avait proféré contre moi d'insolentes menaces, je me serais gardé de lui. 13. Mais toi, tu ne faisais qu'un avec moi, tu étais mon conseiller et mon ami! 14. Tu partageais avec moi les meilleurs mets de ma table; nous allions ensemble à la maison de Dieu. 15. Que la mort fonde sur eux! Qu'ils descendent tout vivants dans le séjour des morts! Car la méchanceté est dans leur demeure, elle est dans leur cœur.

16. Pour moi, je crie vers Dieu, et le Seigneur me sauvera. 17. Le soir, le matin, au milieu du jour, je lui expose mes maux, je lui adresse ma plainte, et il entendra ma voix.

Ps. 54. — 3. *Les menaces* et les malédictions proférées contre moi. — 4. *Les terreurs* qu'on ressent à l'approche *de la mort.* — 8. *J'attendrais* le secours de *celui* (Dieu) *qui m'a déjà sauvé* du découragement. — 9. *Divisez leur langage*, afin qu'ils ne s'entendent plus, comme vous avez mis la confusion dans le langage des impies qui bâtissaient la tour de Babel. — *Je vois*, je sais par les rapports des Israélites qui me sont restés fidèles, que Jérusalem, ma capitale, est livrée au trouble et à l'anarchie. Suit le tableau d'une grande ville en révolution. — 10-11. Sens : sur tous les points de la ville règne le désordre. — 15. *Vivants*, subitement, sans avoir le temps de se reconnaître.

18. Il délivrera en paix mon âme de ceux qui la menacent, car ils sont nombreux contre moi. 19. Dieu m'entendra et il les humiliera, lui qui est avant tous les siècles; car il n'y a point en eux de changement, et ils n'ont pas la crainte de Dieu. 20. Le traître porte la main sur ceux qui étaient en paix avec lui, il viole la foi jurée. 21. De sa bouche sortent des paroles douces comme l'huile, et la guerre est dans son cœur; ses discours sont plus onctueux que l'huile, mais ce sont des traits *aigus.*

22. Mets ton souci sur le Seigneur, et lui-même prendra soin de toi; il ne laissera pas toujours chanceler le juste. 23. Et vous, ô mon Dieu, vous ferez descendre les méchants dans la fosse de perdition; les hommes de sang et de ruse ne verront pas la moitié de leurs jours. Pour moi, j'espère en vous, Seigneur.

PSAUME 55

Cri de détresse.
Confiance en Dieu.

Ayez pitié de moi, ô Dieu, car l'homme me foule aux pieds; tout le jour on me fait la guerre et on me persécute. 2. Tout le jour mes ennemis me foulent aux pieds, car ils sont nombreux ceux qui me font la guerre. 3. La pleine lumière du jour m'effraie, mais j'espère en vous. 4. Grâce au secours divin, je célébrerai l'accomplissement des promesses qui m'ont été faites; j'espère en Dieu, je ne crains pas ce que peut me faire un faible mortel.

5. Sans cesse ils enveniment mes paroles; toutes leurs pensées sont contre moi pour me perdre.

---

18. *Il délivrera en paix*, en lui donnant la paix. — 19. *De changement* moral, d'amendement. — 22. *Mets ton souci :* le Psalmiste se parle à lui-même. L'apôtre S. Pierre paraît avoir en vue ce passage, quand il dit (I, v. 7) : " Déposez en Dieu toutes vos inquiétudes, parce qu'il a lui-même soin de vous." — 23. *La fosse de perdition*, le séjour des morts.

Ps. 55. — 3. *La pleine lumière*, etc. : en plein jour, les fugitifs sont plus exposés à être aperçus et reconnus de loin. — 4. *Des promesses* et spécialement de celle de faire monter David sur le trône, par conséquent de le sauver des attaques de ses persécuteurs. — 5. *Ils enveniment mes paroles*, ils les interprètent malignement pour faire croire à Saül que je suis son ennemi.

6. Ils s'assemblent pour ourdir des complots, ils me dressent des embûches, ils épient mes démarches, parce qu'ils en veulent à ma vie. 7. Non, ils n'ont point de salut à attendre de vous; dans votre colère, vous brisez les peuples impies!

8. O Dieu, j'ai exposé à vos regards ma vie entière, et selon votre promesse vous avez mis mes larmes devant vous. 9. Mes ennemis retourneront en arrière au jour où je vous invoquerai; je sais que vous êtes mon Dieu. 10. Grâce au secours de Dieu, je célébrerai l'accomplissement de sa parole; grâce au secours du Seigneur, je célébrerai l'accomplissement de sa promesse. J'espère en Dieu, je ne crains pas ce que peut me faire un faible mortel.

11. Les vœux que je vous ai faits, ô Dieu, j'ai à les acquitter; j'ai à vous offrir des sacrifices d'actions de grâces. 12. Car vous avez délivré mon âme de la mort, vous avez préservé mes pieds de la chute, afin que je marche, agréable à vos yeux, à la lumière des vivants.

PSAUME 56.

Prière suivie d'actions de grâces.

Ayez pitié de moi, ô Dieu, ayez pitié de moi, car en vous mon âme cherche un refuge; je m'abriterai à l'ombre de vos ailes, jusqu'à ce que le flot de l'iniquité ait passé. 2. Je crie vers le Dieu très haut, le Dieu qui me comble de ses bienfaits. 3. Il m'a envoyé du ciel la délivrance; il a couvert d'opprobre ceux qui me foulaient aux pieds; Dieu a envoyé sa bonté et sa vérité. 4. Il a arraché mon âme à la fureur des lions qui troublaient mon sommeil, de ces enfants des hommes qui ont pour dents

8. *Vous avez mis mes larmes devant vous*, pour ne pas les oublier et me tenir compte de tout ce que j'ai souffert. — 10. Refrain, à peu près comme au vers. 4. — 11. *J'ai à les acquitter:* ils m'obligent, car déjà je suis exaucé, je suis assuré de ma délivrance. — 12. *A la lumière* du jour, qui brille sur la terre pour les vivants, et dont les morts sont privés.

Ps. 56. — 1. *Le flot de l'iniquité*, c'est-à-dire les attaques des méchants. — 3. *Il m'a envoyé :* ce verbe et les suivants doivent être entendus au futur, *il m'enverra :* dans sa confiance absolue en Dieu, le Psalmiste se représente ce qu'il espère comme déjà réalisé.

des lances et des flèches, et dont la langue est un glaive acéré.

5. Montrez-vous plus élevé que les cieux, ô Dieu, et que votre gloire brille par toute la terre!

6. Ils avaient tendu un piège devant mes pas, et déjà ils me faisaient pencher; ils avaient creusé une fosse devant moi : ils y sont tombés!

7. Mon cœur est prêt, ô Dieu, mon cœur est prêt; je veux vous chanter au son joyeux des instruments. 8. Eveille-toi, ma gloire! éveillez-vous, ma lyre et ma harpe! que je m'éveille dès l'aurore! 9. Je vous louerai parmi les peuples, Seigneur, je vous chanterai parmi les nations; 10. car votre bonté atteint jusqu'aux cieux, et votre vérité jusqu'aux nues.

11. Montrez-vous plus élevé que les cieux, ô Dieu; que votre gloire brille sur toute la terre!

PSAUME 57.

Malheur aux juges iniques!

Si vraiment vous prétendez rendre la justice, jugez donc selon le droit, ô enfants des hommes! 2. Mais non : dans votre cœur, vous formez des desseins iniques; vos mains ourdissent l'injustice dans le pays. 3. Les méchants sont pervertis dès le sein maternel; dès leur naissance ils se sont égarés dans la voie du crime; leur langage n'est que mensonge. 4. Leur venin est semblable au venin du serpent, à celui de l'aspic sourd, qui ferme ses oreilles 5. et n'entend pas la voix de l'enchanteur, la voix du charmeur habile dans son art.

6. Dieu brisera leurs dents dans leur bouche; le Seigneur brisera les mâchoires de ces lions

5. *Montrez*, en me délivrant de si puissants et si cruels ennemis, que *vous êtes plus élevé que les cieux*, etc. — 8. *Ma gloire*, mon âme : voy. *Ps.* vii, 6. *Que je m'éveille dès l'aurore* pour vous louer.

Ps. 57. — 3. *Les méchants*, ici les ennemis de David; conçus dans le péché et s'abandonnant à tous les mauvais instincts de leur nature, ils n'ont jamais cessé de faire le mal. — 4-5. *Leur venin :* c'est le sens de l'hébreu; la Vulgate met *leur fureur*. — *L'aspic sourd :* en Orient, on rencontre des hommes qui, par des chants et des gestes, *enchantent* ou *charment*, c.-à-d. apprivoisent les serpents; il en est pourtant sur lesquels tous les moyens employés par les enchanteurs ne peuvent rien : les Arabes les appellent *sourds*. C'est à eux que sont ici comparés Absalon et ses partisans, dont rien ne peut apaiser la haine contre David. — 6. *Brisera leurs dents :* les ennemis de

furieux. 7. Ils seront réduits à rien, comme l'eau du torrent qui s'écoule; Dieu les frappera de ses flèches, jusqu'à ce qu'ils tombent impuissants. 8. Comme la cire qui se fond, ils disparaîtront; un feu vengeur les dévorera, et ils ne verront plus le soleil. 9. Avant que leurs épines soient devenues buisson, Dieu dans sa colère les aura détruits en pleine vie.

10. Le juste sera dans la joie quand il verra éclater la vengeance divine; il lavera ses mains dans le sang du pécheur. 11. Et l'on dira : " Oui, il y a une récompense pour le juste; oui, il y a un Dieu qui juge sur la terre ! "

PSAUME 58.

Demande de secours contre les ennemis.

Délivrez-moi de mes ennemis, ô mon Dieu, et sauvez-moi de ceux qui se lèvent contre moi. 2. Délivrez-moi de ceux qui commettent l'iniquité, et sauvez-moi des hommes de sang. 3. Car voici qu'ils m'épient pour me perdre; des hommes violents se sont rassemblés pour se jeter sur moi, 4. sans que je fusse coupable, sans que j'eusse péché, Seigneur; car j'ai vécu sans commettre l'injustice, j'ai marché dans les sentiers de la droiture. 5. Levez-vous, *venez* audevant de moi et voyez ! Vous, Seigneur, Dieu des armées, Dieu d'Israël, levez-vous pour châtier toutes les nations, soyez sans pitié pour tous ces hommes d'iniquité !

6. Ils reviennent le soir, cherchant leur proie comme des chiens affamés, et ils font le tour de la ville. 7. De leur bouche sort la

---

David sont maintenant représentés sous l'image de bêtes féroces; les versets suivants nous offriront encore d'autres figures. Cette succession rapide d'images différentes trahit la vive émotion du Psalmiste. — 9. *Avant que leurs épines*, en se développant, soient arrivées à former *un buisson :* locution proverbiale pour dire : Avant qu'ils aient pu réaliser leurs projets, dans peu de temps. — 10. *Il lavera ses mains*, etc. : Ce n'est pas la main du juste qui fait couler le sang des méchants; mais, quand Dieu les a frappés, il y lave en quelque sorte ses mains, pour attester que, tout en étant innocent de leur mort, il la considère comme l'effet d'un juste jugement de Dieu rendu en sa faveur.

Ps. 58. — 4. *Sans que je fusse coupable* (voy. la note de *Ps.* xvi, 1), sans avoir mérité la colère divine par quelque faute publique, comme David en commit plus tard, lorsqu'il fut élevé à la royauté. — 6-7. Ces

menace; il y a un glaive sur leurs lèvres, car, *disent-ils*, qui est-ce qui entend *du haut du ciel?* 8. Et vous, Seigneur, vous vous riez d'eux, vous réduisez à néant toutes les nations *criminelles*. 9. C'est sur vous que je fais reposer ma force, car, ô Dieu, vous êtes mon défenseur.

10. Mon Dieu viendra au-devant de moi par sa bonté; 11. Dieu me fera contempler avec joie mes ennemis. Ne les tuez pas, de peur que mon peuple n'oublie; dispersez-les de par votre puissance et renversez-les, Seigneur, qui êtes mon bouclier! 12. Leur bouche pèche à chaque parole de leurs lèvres : qu'ils soient pris dans leur propre orgueil, à cause des malédictions et des mensonges qu'ils profèrent! 13. Détruisez-les dans votre colère, détruisez-les, et qu'il ne soient plus! Qu'ils sachent que Dieu règne sur Jacob et jusqu'aux extrémités de la terre.

14. Ils reviennent le soir, cherchant leur proie comme des chiens affamés, et ils font le tour de la ville; 15. ils se répandent çà et là pour assouvir leur fureur; leur proie leur échappe, et ils grondent. 16. Et moi je chanterai votre puissance, et le matin je célébrerai votre bonté, car vous êtes mon défenseur et mon refuge au jour de ma détresse. 17. O mon soutien, je vous célébrerai dans mes chants, car, ô Dieu, vous êtes mon défenseur, mon Dieu plein de bonté.

PSAUME 59.

Prière nationale dans un pressant danger.

O Dieu, vous nous avez rejetés et vous nous avez détruits; vous étiez

---

versets décrivent les mouvements des soldats envoyés par Saül pour tuer David. — *Qui est-ce qui entend :* y a-t-il dans le ciel un Dieu pour nous entendre et nous punir? — 11. *Mes ennemis* abattus. — *Ne les tuez pas* de suite, ni tout d'un coup; qu'ils aient une postérité, et que cette postérité, errante et misérable, soit comme un monument continuel de la justice divine. C'est en ce sens que plusieurs Pères ont vu dans ce verset une prophétie de la dispersion des Juifs par toute la terre. — 14-15. Même pensée que dans les vers. 6-7. : le Psalmiste rappelle ces souvenirs pour se moquer des vains complots de ses adversaires.

Ps. 59. — 1. *Détruits* en partie : cette expression indique de grandes calamités infligées aux Israélites par les Iduméens.

irrité, mais vous aurez pitié de nous. 2. Vous avez ébranlé la terre d'Iraël, et vous y avez répandu la confusion; guérissez ses meurtrissures, car elle chancelle. 3. Vous avez fait voir à votre peuple de dures épreuves; vous nous avez fait boire le vin de l'affliction. 4. Pourtant vous avez donné à ceux qui vous craignent un étendard, afin qu'ils échappent aux flèches de l'ennemi, et que vos bien aimés soient sauvés.

5. Sauvez-nous par votre droite, et exaucez-moi. 6. Dieu a parlé dans sa sainteté : Que je tressaille de joie! J'aurai Sichem en partage et je mesurerai la vallée des Tentes. 7. Galaad est à moi, à moi Manassé! Ephraïm est l'armure de ma tête, et Juda mon roi. 8. Moab est le bassin où je me lave *les pieds;* sur Edom je jette ma sandale; les Philistins me reconnaissent pour maître.

9. Qui me mènera à la ville forte? Qui me conduira jusqu'en Idumée? 10. N'est-ce pas vous, ô Dieu, qui nous aviez rejetés? O Dieu, ne sortirez-vous plus avec nos armées? 11. Prêtez-nous secours contre l'oppresseur, car le secours de l'homme n'est que vanité. 12. Avec Dieu nous accomplirons des exploits; il réduira à néant ceux qui nous oppriment.

PSAUME 60.

Prière d'un roi exilé.

O Dieu, entendez mes supplications, soyez

2. *Ebranlé la terre :* figure; le Psalmiste compare les ravages des Iduméens à ceux que cause un tremblement de terre. — 6. *Dans sa sainteté*, comme Dieu infiniment saint, pur de toute imperfection, et par conséquent incapable de tromper. Le Psalmiste vise spécialement la magnifique promesse faite à David lui-même. — *Sichem*, ville au centre de la Palestine. — *Je mesurerai* au cordeau, comme étant ma propriété, je posséderai *la vallée des Tentes*, sur la rive gauche du Jourdain. — 7. Le sens du vers. 7 est le même que celui du vers. 6 : Dieu a donné à Israël tout le pays de Chanaan, tant à l'ouest qu'à l'est du Jourdain. — 8. Sens : Israël dominera aussi sur les nations voisines de Chanaan, sur Moab, sur Edom (les Iduméens) et sur les Philistins. *Le bassin où je me lave* les pieds : cette image peint bien l'humiliation des Moabites devant Israël. — *Je jette ma sandale ;* continuation de la figure qui précède : Edom est un esclave auquel Israël, pendant qu'il se lave les pieds, jette ses sandales à tenir ou à nettoyer. — 9. *A la ville forte*, à la capitale des Iduméens, pour m'en emparer.

attentif à ma prière. 2. D'une terre lointaine, j'ai crié vers vous dans l'angoisse de mon cœur. Conduisez-moi sur un rocher élevé; 3. car vous êtes mon seul espoir, une tour puissante contre l'ennemi. 4. Je voudrais demeurer à jamais dans votre tabernacle, y trouver un abri à l'ombre de vos ailes. 5. Car vous, ô mon Dieu, vous exaucez mes vœux; vous rendrez l'héritage à ceux qui vénèrent votre nom.

6. Ajoutez des jours aux jours du roi! Que ses années se prolongent d'âge en âge! 7. Qu'il demeure à jamais devant Dieu! Que votre bonté et votre vérité le tiennent sous leur garde! 8. Alors je célébrerai sans cesse votre nom dans mes chants, pour acquitter mes vœux dans toute la suite des jours.

PSAUME 61.

Confiance en Dieu seul.

Mon âme est parfaitement soumise à Dieu. car mon salut vient de lui. 2. C'est lui qui est mon Dieu, mon sauveur, mon défenseur : je ne serai plus ébranlé. 3. Jusques à quand vous jetterez-vous sur un homme, pour l'abattre tous ensemble, comme sur une muraille qui penche, sur une clôture qu'on renverse? 4. Oui, ils complotent pour me dépouiller de ma dignité; ils se plaisent au mensonge; ils bénissent de leur bouche et maudissent dans leur cœur.

5. Oui, sois soumise à Dieu, ô mon âme; c'est de lui que vient mon espérance. 6. Il est mon Dieu, mon sauveur, mon défenseur; mon exil ne durera pas toujours. 7. En

Ps. 60. — 2. *D'une terre lointaine :* David était fugitif au-delà du Jourdain. — *Conduisez-moi sur un rocher élevé*, mettez-moi à l'abri des coups de mes ennemis. — 4. *Dans votre tabernacle*, alors dressé sur le mont Sion, à Jérusalem, et la figure du tabernacle du ciel. — 5. *L'héritage*, la royauté promise à David, et alors usurpée par Absalon. — 7. *Qu'il demeure* sur le trône *à jamais devant Dieu*, à Jérusalem, où se trouvait le tabernacle : allusion au *règne éternel* que le prophète Nathan avait promis à David, et qui devait se réaliser dans la personne de Jésus Christ.

Ps. 61. — 3. *Comme* si j'étais *une muraille qui penche*, une ruine qui attend un dernier coup pour s'écrouler. — 4. *Ils se plaisent au mensonge*, ils me trahissent avec d'hypocrites protestations de fidé-

Dieu est mon salut et ma gloire, en Dieu mon secours et mon espérance. 8. Espérez tous en lui, ô mon peuple fidèle; épanchez devant lui vos cœurs; Dieu est notre protecteur à jamais.

9. Les mortels ne sont que vanité, les enfants des hommes ne sont que mensonge; ils monteraient dans la balance, tous ensemble plus légers qu'un souffle. 10. Ne fondez pas votre espoir sur l'iniquité, et ne vous livrez pas à la rapine; si les richesses viennent à vous, n'y attachez pas votre cœur. 11. Dieu a parlé une fois, j'ai entendu ces deux choses : " La puissance est à Dieu, 12. et à vous, Seigneur, la bonté; " car vous rendez à chacun selon ses œuvres.

PSAUME 62.

Prière du matin loin du sanctuaire.

O Dieu, vous êtes mon Dieu, je vous cherche dès l'aurore; mon âme a soif de vous, après vous ma chair languit de désir, 2. dans cette terre aride, sans chemin et sans eau. C'est ainsi que je me présentais devant vous dans votre sanctuaire, pour contempler votre puissance et votre gloire. 3. Car votre grâce est meilleure que la vie; mes lèvres se plaisent à vous louer. 4. Ainsi vous bénirai-je toute ma vie, et je lèverai mes mains en invoquant votre nom. 5. Mon âme sera rassasiée comme de moelle et de graisse, et, la joie sur les lèvres, je chanterai vos louanges.

6. Quand je pense à

---

lité. — 9-10. Sens de ces deux versets : ne mettez votre confiance et ne cherchez le salut, ni dans les hommes qui ne sont que néant, encore moins dans le crime ou dans la richesse, mais en Dieu seul. — 11-12. *Dieu a parlé*, m'a fait comprendre *ces deux choses*, savoir qu'au Seigneur appartient *la puissance*, ainsi que *la bonté*. Cette vérité, Dieu l'a fait connaître à David, par la conduite visible de sa providence, *rendant à chacun selon ses œuvres*.

Ps. 62. — 1. *Mon âme, ma chair* : l'homme tout entier. — 2. *Dans cette terre aride*, dans ce désert : image, dans la pensée du Psalmiste, de la désolation de son âme loin du sanctuaire de son Dieu; image, pour l'âme fidèle, du désert de ce monde où elle gémit loin de la céleste patrie. — 4. *Je lèverai mes mains* : les Hébreux priaient les mains étendues et levées vers le ciel. — 5. La *moelle* et la *graisse* sont le symbole des bénédictions divines; ces mots doivent se prendre ici au figuré.

vous sur ma couche, je médite sur vous jusqu'à ce que vienne le matin. 7. Car vous êtes mon secours, et je suis dans l'allégresse à l'ombre de vos ailes. 8. Mon âme est attachée à vous, votre droite me soutient.

9. C'est en vain que mes ennemis veulent me perdre : ils iront dans les profondeurs de la terre. 10. On les livrera au glaive, ils seront la proie des chacals. 11. Et le roi se réjouira en Dieu; tous ceux qui jurent par ce Dieu seront glorifiés, car la bouche des menteurs sera fermée.

PSAUME 63.

Prière et confiance.

O Dieu, écoutez ma prière, lorsque je vous implore; défendez ma vie contre un ennemi qui m'épouvante. 2. Protégez-moi contre les complots des malfaiteurs, contre la troupe furieuse des hommes d'iniquité. 3. Ils aiguisent leurs langues comme un glaive, ils mettent à leur arc des flèches empoisonnées, 4. pour les décocher dans l'ombre contre l'innocent. 5. Ils les lancent contre lui à l'improviste, sans qu'aucune crainte les retienne. Ils s'affermissent dans leurs desseins pervers : ils se concertent pour cacher leurs pièges; ils disent : "Qui les verra?" 6. Ils ne méditent que forfaits; ils s'épuisent à combiner leurs plans : le cœur de l'homme est un abîme!

7. Mais Dieu va manifester sa gloire : les flèches des insensés n'ont fait que les blesser eux-mêmes, 8. et leurs calomnies, se retournant contre eux, ont amené

9. *Dans les profondeurs de la terre*, dans le lieu où descendent les âmes des méchants frappés par la justice divine. — 11. *Le roi*, David rétabli sur son trône. — *Qui jurent par ce Dieu*, le connaissent comme le Dieu tout puissant et infiniment juste, *seront glorifiés*, ou mieux, selon l'hébreu, *se glorifieront*, s'applaudiront de lui avoir rendu hommage et fidélité, lorsqu'ils verront, *fermée* pour jamais, *la bouche des méchants*.

Ps. 63. — 5. *Aucune crainte*, ni celle de Dieu, ni celle des hommes. — *Qui les verra :* Bossuet leur répond : "Vous ne comptez donc pas parmi les voyants Celui qui habite au ciel?" — 6. *Un abîme* de perversité (comp. *Marc.* vii, 21) : c'est le sens de l'hébreu. La Vulgate se traduirait : *l'homme descendra dans la profondeur de son cœur*, pour y chercher les moyens de perdre le juste. — 7. *N'ont fait... ont amené :* le Psalmiste est si assuré du prompt châtiment des méchants,

leur ruine. Tous ceux qui les ont vus ont été dans la consternation, 9. et tous les hommes saisis d'épouvante. Ils publient l'œuvre de Dieu ; ils comprennent ce qu'il a fait. 10. Le juste se réjouit dans le Seigneur et espère en lui, et tous ceux qui ont le cœur droit seront glorifiés.

PSAUME 64.

Hymne d'action de grâces.

L'hymne de louange vous est due, ô Dieu, dans Sion; on accomplira dans Jérusalem les vœux que l'on vous fait. 2. O vous qui écoutez la prière, tous les hommes viennent à vous. 3. Le poids de nos iniquités nous accablait, mais vous avez pardonné nos offenses. 4. Heureux celui que vous avez choisi pour l'admettre en votre présence, pour lui faire habiter vos parvis! Puissions-nous être comblés des biens de votre maison, de votre temple saint!

5. Par des merveilles où se montre votre justice, vous nous exaucez, ô Dieu, qui êtes notre salut et l'espérance de ceux qui habitent aux extrémités de la terre et sur les rivages lointains; 6. vous qui affermissez les montagnes par votre force et qui êtes ceint de puissance; 7. vous qui soulevez la mer jusque dans ses profondeurs et faites mugir ses flots. Les nations se troublent, 8. et les habitants des pays les plus reculés sont saisis d'une pieuse crainte à la vue de vos prodiges; vous remplissez d'allégresse les contrées du levant et celles du couchant.

9. Vous avez visité la terre pour lui donner l'a-

---

qu'il le décrit comme un fait déjà accompli. — 9. *Ils publient*, ils racontent partout ce terrible châtiment des méchants, dans lequel ils reconnaissent l'œuvre de la puissance et de la justice divine.

Ps. 64. — 1. Sens : il convient d'adresser à Dieu des louanges et des prières dans son sanctuaire de Sion; ces prières étant toujours exaucées, celui qui aura fait des vœux aura à les accomplir. — 2. *Viennent à vous*, comme à leur suprême refuge. — 4. *Des biens de votre maison :* le sanctuaire est la maison de Dieu, où, comme un hôte magnifique, il reçoit ses amis et les comble de ses biens. — 8. Les prodiges dont il est ici question sont surtout ceux que le Seigneur a opérés et opère encore en faveur de son peuple. Toutes les nations seront ainsi amenées à la connaissance et à l'amour du vrai Dieu; c'est l'Eglise de Jésus Christ qui doit accomplir cette œuvre. — 9. *Le grand fleuve céleste*, c'est la rosée et la pluie que Dieu fait tomber

bondance, vous l'avez comblée de richesses; le grand fleuve céleste était rempli d'eau : vous prépariez ainsi la nourriture de votre peuple; car c'est par là que vous fertilisez la terre. 10. Vous avez abreuvé ses sillons et fait croître les germes dans son sein; sous vos ondées, la terre joyeuse a porté ses fruits. 11. Vous couronnez l'année des bénédictions de votre bonté, et vous couvrez vos campagnes de l'abondance de vos dons. 12. Les pâturages du désert sont engraissés, et les collines se revêtent d'allégresse. 13. Les prairies se couvrent de troupeaux, et le froment abonde dans les vallées : tout pousse des cris de joie et chante une hymne *au Seigneur*.

PSAUME 65.

Action de grâces après la délivrance.

Poussez vers Dieu des cris de joie, vous tous habitants de la terre. 2. Chantez sur la harpe une hymne à son nom, célébrez sa gloire par vos louanges. 3. Dites à Dieu : " Que vos œuvres sont redoutables, Seigneur! Effrayés de la grandeur de votre puissance, vos ennemis vous adressent des hommages simulés. 4. Que toute la terre vous adore et chante en votre honneur! Qu'elle célèbre votre nom sur la harpe ! »

5. Venez et contemplez les œuvres de Dieu! Il est redoutable dans ses desseins sur les enfants des hommes. 6. Il a changé la mer en une terre sèche; on a passé le fleuve à pied : alors nous nous sommes réjouis en lui. 7. Il règne à jamais par sa puissance; ses yeux observent les nations : que les rebelles ne s'élèvent point!

8. Peuples, bénissez notre Dieu, faites retentir

sur le sol pour le féconder. Le Psalmiste insiste beaucoup sur cette idée, parce que, dans les pays desséchés de l'Orient, l'eau est une bénédiction. — 12. *Les collines* personnifiées : leur luxuriante verdure est comparée à une parure de fête qui revêt leurs flancs jadis dénudés.

Ps. 65. — 3. *Vos œuvres*, particulièrement les merveilles que Dieu a opérées en faveur de son peuple à partir de la sortie d'Egypte. — 6. *La mer* Rouge. — *Le fleuve* du Jourdain (*Jos.* iii. 14, 16). — *Alors, nous*, Israël, le peuple de Dieu, *nous nous sommes réjouis en lui*, en Dieu, qui avait opéré pour nous ces merveilles. — 7. *Ne s'élèvent point*, ne se croient pas, dans un fol orgueil, à l'abri de ses

sa louange! 9. Il a rendu notre âme à la vie, il a préservé de la chute nos pieds chancelants. 10. Car vous nous avez éprouvés, ô Dieu; vous nous avez fait passer au creuset, comme l'argent. 11. Vous nous avez amenés dans le filet, vous avez mis sur nos reins un pesant fardeau. 12. Vous avez fait chevaucher des hommes sur nos têtes; nous avons passé par le feu et par l'eau : mais vous nous en avez tirés pour nous conduire au lieu du rafraîchissement.

13. Je viens dans votre maison avec des holocaustes, pour m'acquitter envers vous de mes vœux, 14. que mes lèvres ont proférés et que ma bouche a prononcés au jour de ma détresse. 15. Je vous offre en holocauste de grasses victimes, avec la fumée des béliers; je vous offre le taureau et le jeune bouc.

16. Venez, écoutez, et je vous raconterai, à vous tous qui craignez Dieu, tout ce qu'il a fait pour moi. 17. Ma bouche a crié vers lui, et sa louange était sur ma langue. 18. Si j'avais regardé l'iniquité dans mon cœur; le Seigneur ne m'exaucerait pas. 19. C'est pourquoi Dieu m'a exaucé, il a été attentif à la voix de ma prière. 10. Béni soit Dieu qui n'a pas repoussé ma prière et qui n'a pas éloigné de moi sa miséricorde!

PSAUME 66.

Que votre règne arrive!

Que Dieu ait pitié de nous et qu'il nous bénisse! Qu'il fasse briller sur nous son visage, et

vengeances. — 10. *Car :* la grandeur même de nos épreuves fait mieux comprendre combien Dieu s'est montré puissant et bon pour nous, en nous aidant à en triompher. Ces épreuves sont décrites ensuite sous différentes images. — 11. *Dans le filet*, ou *le piège*, et nous y avons été pris. — 12. *Vous avez fait*, etc. : vous nous avez fait écraser sous les pieds des chevaux. — *Par le feu et par l'eau :* locution proverbiale signifiant : par toutes sortes de dangers. — 13. *Je viens*, ou *j'irai :* c'est le prêtre qui parle; il amène au temple des victimes pour les offrir à Dieu. — 15. *En holocauste*, pour être tout entières consumées par le feu. — *La fumée*, la graisse *des béliers* brûlée sur l'autel, et formant un nuage de fumée qui montait vers le ciel. — 17. *Ma bouche*, etc. : il a prié, non de cœur seulement, mais à haute voix, avec force. — 18. *Si*, tandis que je vous priais, *j'avais dans mon cœur* eu en vue *l'iniquité*. — 19. *C'est pourquoi*, parce que, au-dessous de ma prière, il y avait un cœur pur, une volonté fidèle.

Ps. 66. — 1. *Qu'il fasse briller*, etc., c'est-à-dire, qu'il se montre

qu'il ait pitié de nous, 2. afin que vos voies soient connues par toute la terre, et que toutes les nations aient part à votre salut !

3. Que les peuples vous louent, ô Dieu ; que les peuples vous louent tous ! 4. Que les nations soient dans la joie et l'allégresse ! Car vous jugez les peuples avec équité, et vous dirigez tous les habitants de la terre.

5. Que les peuples vous louent, ô Dieu, que les peuples vous louent tous ! 6. La terre a donné son fruit ; que Dieu, notre Dieu, nous bénisse ! 7. Que Dieu nous bénisse, et que toutes les extrémités de la terre le révèrent !

PSAUME 67.

Chant triomphal après une victoire.

Que Dieu se lève, et que ses ennemis soient dispersés ! Que ceux qui le haïssent fuient devant sa face ! 2. Comme s'évanouit la fumée, qu'ils s'évanouissent ! Comme la cire se fond au feu, que les pécheurs disparaissent à l'aspect du Seigneur ! 3. Mais que les justes se réjouissent et tressaillent devant Dieu ; qu'ils se livrent à la joie et à l'allégresse !

4. Chantez à Dieu, célébrez son nom sur la harpe ; frayez le chemin à celui qui monte vers le couchant ; le Seigneur est son nom. Tressaillez de joie devant lui, mais que le méchant tremble en sa présence ! 5. Il est le père des orphelins, et le juge des veuves, notre Dieu dans son sanctuaire. 6. Aux abandonnés Dieu donne une maison ; il délivre les captifs et les rend au bonheur ; mais les rebelles sont laissés au désert brûlant.

favorable. — 2. *Vos voies*, votre conduite dans le monde, la réalisation progressive de vos desseins, lesquels doivent aboutir au *salut*, non seulement d'Israël, mais de toutes les nations. — 6. *Son fruit :* dans le sens littéral, une récolte abondante ; dans le sens spirituel et prophétique, le Messie.

Ps. 67. — 4. *Vers le couchant :* l'arche devait prendre cette direction pour revenir du pays des Ammonites à Jérusalem. — 5. *Le juge des veuves*, celui qui leur rend justice, leur défenseur. — 6. *Aux abandonnés :* l'auteur appelle ainsi les Hébreux, sans patrie et comme prisonniers en Egypte ; Dieu les tira de la servitude et leur donna une habitation dans la terre promise. — *Les rebelles*, les Hébreux qui, ayant désobéi à Dieu et à Moïse, furent condamnés à mourir dans le désert.

7. O Dieu, quand vous marchiez à la tête de votre peuple, quand vous vous avanciez dans le désert, 8. la terre trembla, les cieux eux-mêmes se fondirent devant le Dieu du Sinaï, devant le Dieu d'Israël. 9. O Dieu, vous aviez mis en réserve pour votre héritage une pluie de bienfaits; il était épuisé, et vous l'avez réconforté. 10. Envoyés par vous, des animaux vinrent s'abattre dans leur camp : c'est ainsi, ô Dieu, que votre bonté préparait aux pauvres *leur nourriture.* 11. Dieu, déployant sa puissance, met de joyeux messages sur les lèvres des hérauts. 12. Les rois des armées fuient, fuient, et celle qui est l'ornement de la maison partage les dépouilles. 13. Quand vous vous reposiez au milieu de vos bercails, vous étiez semblables à la colombe étalant ses ailes d'argent, ses plumes où se joue le pâle éclat de l'or. 14. Quand le Très Haut dispersait les rois dans le pays, la neige resplendissait sur le Selmon.

15. C'est une montagne de Dieu que la montagne de Basan; c'est une montagne aux cimes nombreuses que la montagne de Basan. 16. Pourquoi, *ô Israël*, arrêtes-tu tes regards sur les montagnes aux cimes nombreuses? *Sion* est la montagne que Dieu a choisie pour séjour; oui, le Seigneur y habitera à jamais. 17. Le char de Dieu, ce sont

9. *Pour votre héritage*, pour Israël, votre peuple. — 10. *Des animaux :* allusion aux cailles qui vinrent s'abattre dans le camp des Hébreux (*Exod.* xvi). Suit l'histoire de la conquête de Chanaan. — 11. Par là même que Dieu faisait remporter aux Hébreux de nombreuses victoires, les messagers avaient à apporter de bonnes nouvelles, comme celle du vers. 12. — 12. *L'ornement de la maison*, la femme. — *Partage les dépouilles :* les guerriers apportaient à leurs épouses le butin pris à l'ennemi. — 13. Dans les intervalles de paix, les Hébreux étaient heureux et tranquilles au milieu de leurs troupeaux, semblables à une colombe qui étale au soleil ses ailes d'argent aux reflets d'or. — 14. *La neige resplendissait sur le Selmon.* Ce passage est obscur et très diversement interprété. L'explication la plus ordinaire est celle-ci : les champs et particulièrement les côteaux du Selmon furent tout couverts des dépouilles des fugitifs, ou bien de leurs ossements desséchés, en sorte que cette montagne brillait comme si la neige y était tombée. — 16. *Arrêtes-tu tes regards*, comme si tu t'imaginais que Dieu a choisi quelqu'une de ces cimes pour y faire déposer l'arche et y habiter. — 17. *Le char de Dieu*,

des milliers et des milliers d'*anges;* le Seigneur est au milieu d'eux; le Sinaï est dans le sanctuaire. 18. Vous montez sur la hauteur, emmenant la foule des captifs; vous recevez les présents des hommes, même des rebelles; et c'est là que vous habiterez, ô Seigneur Dieu.

19. Béni soit le Seigneur chaque jour! Il nous a ouvert la voie du bonheur, il est le Dieu de notre salut. 20. Dieu est pour nous le Dieu des délivrances; Seigneur souverain, il peut retirer de la mort. 21. Oui, Dieu brisera la tête de ses ennemis, le front chevelu de ceux qui marchent dans l'iniquité. 22. Le Seigneur a dit : "Je les ramènerai de Basan, je les ramènerai du fond de la mer. 23. Afin que tu laves ton pied dans leur sang, et que la langue de tes chiens ait sa part des ennemis."

24. Ils ont vu votre marche, ô Dieu, la marche triomphale de mon Dieu, de mon roi, vers le sanctuaire. 25. En avant sont les chanteurs, à leur suite les joueurs d'instruments, au milieu des jeunes filles qui frappent leurs tambourins. 26. "Bénissez Dieu dans les assemblées; *bénissez* le Seigneur, descendants d'Israël!" 27. Voici Benjamin, le plus jeune, transporté d'enthousiasme; *voici* les princes de Juda, chefs du peuple, les princes de Zabulon et les princes de Nephthali.

28. O Dieu, déployez votre puissance; affermissez, ô Dieu, ce que vous avez fait pour nous. 29. Dans votre sanctuaire de Jérusalem, les rois vous offriront des présents. 30. Menacez la bête des roseaux, la trou-

l'arche, qui est le trône de Dieu, est formé ou entouré de milliers d'esprits célestes. — 18. *Sur la hauteur*, sur le mont Sion. — *Emmenant la foule des captifs*, c'est-à-dire en vainqueur, qui reçoit les *présents* ou les tributs offerts par les hommes en signe de soumission et de dépendance. — 21. *Le front chevelu*, comme celui de Samson, d'Absalon : symbole de jeunesse et de force. — 22. Vainement les ennemis se cacheraient dans les forêts de Basan, ou dans les profondeurs de la mer : Dieu saura les atteindre et les punir. Suit une description du cortège qui accompagne l'arche. — 24. *Ils ont vu* : ils, les ennemis d'Israël vaincus. — 26. *Bénissez*, chantent-ils. — 30. *Menacez la bête des roseaux*, le crocodile du Nil, ou l'hippopotame,

pe des taureaux et les troupeaux des peuples, afin qu'ils se prosternent *devant vous* avec des pièces d'argent! Dispersez les nations qui se plaisent aux combats! 31. Que des ambassadeurs viennent de l'Egypte; que l'Ethiopie s'empresse de tendre les mains vers Dieu!

32. Royaumes de la terre, chantez à Dieu; sur la harpe célébrez le Seigneur, célébrez Dieu, 33. qui s'élève au ciel des cieux du côté de l'Orient. Voici qu'il fait entendre sa voix, sa voix puissante. 34. Rendez gloire à Dieu; sa majesté est sur Israël, et sa puissance est dans les nuées. 35. Dieu est redoutable dans son sanctuaire. Le Dieu d'Israël donne à son peuple force et puissance; béni soit Dieu!

PSAUME 68.

Plainte dans une profonde affliction.

Sauvez-moi, ô Dieu, car les eaux montent jusqu'à mon âme. 2. Je suis enfoncé dans une fange profonde, et il n'y a pas où poser le pied; je suis tombé au fond de la mer, et les vagues soulevées me submergent. 3. Je m'épuise à pousser des cris, mon gosier est desséché, mes yeux se consument à attendre mon Dieu. 4. Ils sont plus nombreux que les cheveux de ma tête, ceux qui me haïssent sans cause; ils sont puissants ceux qui me persécutent, qui sans motif se sont faits

symbole de l'Egypte, la plus ancienne ennemie du peuple de Dieu. — *La troupe des taureaux*, les princes et les grands de la nation. — *Les troupeaux des peuples*, la multitude, les hommes du peuple. — *Avec des pièces d'argent*, offertes en tribut ou comme hommage de leur soumission. — 33. *Au ciel des cieux*, au plus haut du ciel, son éternelle demeure, tout en restant sur le trône de l'arche, sa demeure terrestre. — *Du côté de l'Orient :* Dieu, qui est la lumière incréée, est censé venir de l'Orient : il y retourne. — 34. *Sa majesté* s'exerce et se manifeste sur Israël, par la protection dont il le couvre, les prodiges qu'il opère en sa faveur. — *Sa puissance* a pour théâtre, non seulement la terre, mais encore les régions du ciel.

Ps. 68. — 1. *Les eaux montent jusqu'à mon âme*, elles vont m'engloutir : image des dangers que court le Psalmiste, répétée dans ce qui suit sous des expressions un peu différentes. — 3. *A entendre mon Dieu*, à force de regarder si Dieu vient à mon secours. — 4. *Qui me haïssent sans cause :* Notre Seigneur s'applique ces paroles *Jean*, xv, 25. — *Ce que je n'ai point dérobé :* locution proverbiale qui exprime bien l'injustice de ses ennemis. Ainsi le Sauveur souffrit pour

mes ennemis. Ce que je n'ai pas dérobé, il faut que je le rende.

5. O Dieu, vous connaissez ma folie, et mes fautes ne vous sont pas cachées; 6. mais qu'ils n'aient pas à rougir à cause de moi, ceux qui espèrent en vous, Seigneur, Dieu des armées; qu'ils ne soient pas confus à mon sujet, ceux qui vous cherchent, Dieu d'Israël! 7. Car c'est à cause de vous que je suis en butte aux outrages, et que la honte couvre mon visage. 8. Je suis devenu un étranger pour mes frères, un inconnu pour les fils de ma mère. 9. Car le zèle de votre maison me dévore, et les outrages de ceux qui vous insultent tombent sur moi. 10. Si j'afflige mon âme par le jeûne, on m'en fait un sujet d'opprobre; 11. si je prends un sac pour vêtement, je suis l'objet de leurs sarcasmes. 12. Ceux qui sont assis à la porte parlent contre moi, et les buveurs de vin font sur moi des chansons.

13. Pour moi, je vous adresse ma prière, Seigneur, dans le temps favorable. O Dieu, dans votre grande bonté, exaucez-moi, sauvez-moi selon votre promesse. 14. Retirez-moi de la boue, et que je n'y reste pas enfoncé; délivrez-moi des ennemis et des eaux profondes! 15. Que les vagues en fureur ne me submergent pas, que l'abîme ne m'engloutisse pas, et que le gouffre ne se ferme pas sur moi! 16. Exaucez-moi, Seigneur, car votre bonté est compatissante; dans votre grande miséricorde, tournez vers moi votre

---

expier les péchés qu'il n'avait pas commis. — 5. *Ma folie*, dans le sens moral; c'est la meme chose que *mes fautes*. — 7. Dans le sens le plus élevé, ce verset convient aussi au Verbe incarné, venu dans le monde pour glorifier son Père, en réconciliant avec lui les hommes. — 8. *Un étranger pour mes frères :* S. Jean (i. 11) dit de même du Messie : "Il est venu chez les siens, et les siens ne l'ont pas reçu." — 9. *Le zèle de votre maison :* S. Jean (ii, 17) fait encore l'application de ce passage à Jésus chassant les vendeurs du temple. — *Les outrages de ceux*, etc. : je les ressens comme s'ils s'adressaient à moi. — 10-11. Les Juifs dénigraient ainsi de parti pris Notre Seigneur. — 12. *Ceux qui sont assis à la porte :* la foule oisive qui se réunissait là pour débiter ou apprendre des nouvelles. — 13. *Dans le temps favorable :* ce temps est précisément celui où toute assistance, toute consolation humaine fait défaut. — 14. *De la boue :* voyez vers. 2.

regard. 17. Ne détournez pas votre visage de votre serviteur; je suis dans l'angoisse, hâtez-vous de m'exaucer. 18. Approchez-vous de mon âme et délivrez-la; à cause de mes ennemis, sauvez-moi! 19. Vous connaissez mon opprobre, ma confusion et ma honte; 20. tous mes persécuteurs sont devant vous. L'opprobre et la souffrance ont brisé mon cœur. J'attends un ami qui s'attriste avec moi, mais en vain; des consolateurs, et je n'en trouve aucun. 21. Pour nourriture, ils me donnent du fiel; dans ma soif, ils m'abreuvent de vinaigre.

22. Que leur table soit pour eux un piège, un filet où ils trouvent leur juste châtiment! 23. Que leurs yeux s'obscurcissent pour ne plus voir; courbez leur dos pour toujours! 24. Déversez sur eux votre colère, et que le feu de votre courroux les dévore! 25. Que leur demeure soit dévastée, et qu'il n'y ait plus d'habitants dans leurs tentes! 26. Car ils persécutent celui que vous frappez, et ils ont ajouté à la douleur de mes blessures. 27. Ajoutez l'iniquité à leur iniquité, et qu'ils n'aient point de part à votre justice! 28. Qu'ils soient effacés du livre des vivants, et qu'ils ne soient pas inscrits avec les justes!

29. Moi, je suis malheureux et souffrant; mais votre secours, ô mon Dieu, me relèvera. 30. Je célébrerai le nom du Seigneur par des cantiques, je l'exalterai par des louanges; 31. et Dieu les aura pour agréables,

---

18. *A cause de mes ennemis* : pour qu'ils ne triomphent pas de la chute de votre serviteur. — 20. *Sont devant vous*, vous les connaissez, vous les voyez à l'œuvre. — 21. *Du fiel*, etc. : prophétie littéralement accomplie dans la personne du Sauveur. — 22. Sens : qu'un juste châtiment les frappe au milieu même de leurs plaisirs et de leurs jouissances sensuelles! — 23. *Pour ne plus voir* : prophétie de l'aveuglement spirituel des Juifs. — *Courbez leur dos*, comme à des esclaves; image de l'état de dépendance où sont réduits les Juifs depuis 18 siècles. — 26. Quoique les méchants soient souvent les instruments de la justice divine, ils n'en sont ni moins coupables, ni moins punis. — 27. *Ajoutez l'iniquité*, etc. Le Psalmiste suppose que ces pécheurs sont tellement endurcis dans le mal, qu'ils ne cesseront pas de commettre l'iniquité, et que par conséquent Dieu ne saurait leur pardonner. — 31. *Qui porte cornes et sabots* : la présence des

plus que le jeune taureau qui porte cornes et sabots. 32. Les malheureux, en voyant ma délivrance, se réjouiront; et vous, qui cherchez Dieu, votre cœur revivra. 33. Car le Seigneur écoute les pauvres, et il ne méprise pas ses captifs.

34. Que le ciel et la terre le célèbrent, la mer et tout ce qui se meut dans son sein! 35. Car Dieu sauvera Sion, et les villes de Juda seront rebâties; Israël s'y établira et ses enfants en prendront possession; 36. la race des serviteurs de Dieu l'aura en héritage, et ceux qui aiment son nom y feront leur demeure.

PSAUME 69.

Demande de secours.

O Dieu, venez à mon aide; Seigneur, hâtez-vous de me secourir! 2. Qu'ils soient honteux et confus ceux qui en veulent à ma vie! 3. Qu'ils reculent et rougissent ceux qui désirent ma perte! Qu'ils soient vite repoussés en arrière et couverts de honte, ceux qui disent : "Ah! ah!" 4. Qu'ils soient dans l'allégresse et se réjouissent en vous, tous ceux qui vous cherchent! Qu'ils disent sans cesse : "Gloire au Seigneur," ceux qui aiment votre salut! 5. Moi, je suis pauvre et indigent : ô Dieu, venez à mon secours! Vous êtes mon aide et mon libérateur : Seigneur, ne tardez pas!

PSAUME 70.

Prière pour la délivrance.

En vous, Seigneur, j'ai mis mon espérance; que je ne sois pas confondu à jamais! 2. Dans votre justice, délivrez-moi et secourez-moi; inclinez vers moi votre oreille et sauvez-moi! 3. Soyez pour moi un Dieu protecteur, un asile inaccessible, où je trouve

---

cornes indique un animal dans la vigueur de l'âge; la présence des sabots, un animal pur. — 33. *Car* vous aurez en moi une preuve de plus de ce que vous croyiez déjà, savoir que *le Seigneur écoute les pauvres*. — *Ses captifs*, ceux qui souffrent persécution pour sa cause.

Ps. 69. — 4. *Ah! ah!* cri de triomphe et de joie à la vue d'un ennemi que l'on croit abattu pour toujours. — *Ceux qui aiment votre salut*, ceux qui sont bien aises que vous me sauviez; ou bien : ceux qui, mettant en vous seul leur confiance, ne veulent avoir d'autre sauveur que vous.

le salut; car vous êtes ma forteresse et mon refuge. 4. Mon Dieu, délivrez-moi de la main du pécheur, de la main de l'homme d'iniquité, qui viole votre loi. 5. Seigneur, vous êtes mon attente; Seigneur, vous êtes mon espérance depuis ma jeunesse. 6. En vous j'ai trouvé un soutien depuis ma naissance, un défenseur dès le sein maternel : vous serez toujours l'objet de mes chants. 7. Je suis pour la foule un objet d'étonnement; mais vous, vous êtes un puissant secours. 8. Que ma bouche soit pleine de votre louange, que chaque jour elle exalte votre magnificence !

9. Ne me rejetez pas aux jours de ma vieillesse; au déclin de mes forces ne m'abandonnez pas. 10. Car mes ennemis s'entretiennent de moi, et ceux qui épient mon âme ourdissent entre eux des complots, 11. disant : "Dieu l'a abandonné; poursuivez-le, saisissez-le; il n'y a personne pour le défendre !" 12. O Dieu, ne vous éloignez pas de moi; mon Dieu, voyez à me secourir ! 13. Qu'ils soient confondus et réduits à l'impuissance, ceux qui en veulent à ma vie; qu'ils soient couverts de honte et d'opprobre, ceux qui cherchent ma perte ! 14. Pour moi, j'espérerai toujours; à toutes vos louanges, j'en ajouterai de nouvelles. 15. Ma bouche publiera votre justice, et tout le jour le secours qui m'a sauvé, car je ne connais pas le nombre *de vos bienfaits.* 16. Je raconterai les œuvres puissantes du Seigneur; Seigneur, je rappellerai votre justice, la vôtre seule. 17. O Dieu, vous m'avez instruit dès ma jeunesse, et jusqu'à ce jour j'ai proclamé vos merveilles. 18. Jusqu'à la vieillesse et aux cheveux blancs, ô Dieu, ne m'abandonnez pas, afin que je fasse connaître la puissance de votre bras aux générations futures. 19. Votre justice, ô Dieu,

---

Ps. 70. — 7. *Un objet d'étonnement*, à cause des épreuves auxquelles vous m'avez soumis. — 10. *Epient mon âme*, guettent le moment favorable pour m'ôter la vie. — 19. *Votre justice atteint jusqu'au ciel :* elle s'élève au dessus de toutes les créatures, de toutes

atteint jusqu'au ciel. Vous qui accomplissez de grandes choses, — ô Dieu, qui est semblable à vous? — 20. Vous qui nous avez fait éprouver tant de tribulations et de malheurs, vous nous rendrez la vie, et vous nous ferez remonter des abîmes de la terre. 21. Vous ferez éclater votre grandeur, et de nouveau vous me consolerez. 22. Et je vous louerai au son du luth, *je chanterai* votre fidélité, ô Dieu; je vous célébrerai avec la harpe, ô Saint d'Israël. 23. En vous chantant, l'allégresse sera sur mes lèvres et dans mon âme que vous avez rachetée. 24. Et chaque jour ma langue publiera votre justice, alors que ceux qui cherchent ma perte seront confondus et couverts de honte.

PSAUME 71.

Prière pour le roi.

O Dieu, donnez au Roi votre jugement, et votre justice au fils du roi, 2. pour qu'il régisse votre peuple avec justice et vos pauvres avec équité. 3. Que les montagnes produisent la paix au peuple, et les collines la justice! 4. Qu'il fasse droit aux malheureux de son peuple, qu'il assiste les enfants du pauvre, et qu'il humilie l'oppresseur!

5. Que son empire subsiste tant que brillera le soleil, tant que la lune donnera sa lumière, d'âge en âge! 6. Qu'il descende comme la pluie

---

les œuvres divines accomplies sur la terre. — *O Dieu, qui est semblable à vous :* le Psalmiste interrompt la phrase pour jeter ce cri d'admiration. — 20. *Des abîmes de la terre*, de l'abîme de maux où nous étions plongés. — 21. *Votre grandeur* : la grandeur de Dieu se compose surtout de puissance et de bonté.

Ps. 71. — 1. *Au roi* Salomon, qui était en même temps *fils du roi* David. Donnez-lui *votre jugement*, le droit de juger, et *votre justice*, la grâce de juger selon l'équité. Ces versets conviennent dans un sens supérieur au Messie, également *fils de David.* Nous lisons dans S. Jean (v, 22) : " Le Père a donné au Fils le jugement tout entier." Et S. Pierre dit au livre des Actes (x, 42) : " Jésus de Nazareth a été établi par Dieu juge des vivants et des morts." — 3. *Que les montagnes et les collines*, c'est-à-dire la Palestine, pays montueux désigné ici par l'aspect général qu'il présente, *produisent pour le peuple*, comme un fruit béni, *la paix et la justice;* en d'autres termes : que la paix et la justice fleurissent dans le pays sous le règne du Roi (de Salomon et du Messie). Comp. *Is.* lv. 12; lx, 17; *Luc.* ii, 14. — 6. *Qu'il descende* du ciel : que l'avènement du Roi soit *comme une*

sur le gazon, comme l'ondée qui arrose la terre! 7. Qu'en ses jours apparaisse la justice, avec l'abondance de la paix, jusqu'à ce que la lune ait cessé d'exister!

8. Il dominera d'une mer à l'autre, du fleuve *de l'Euphrate* jusqu'aux extrémités de la terre. 9. Devant lui se prosternera l'Ethiopien, et ses ennemis lècheront la poussière. 10. Les rois de Tharsis et des îles lui offriront leurs dons; les rois d'Arabie et de Saba lui apporteront des présents. 11. Tous les rois de la terre se prosterneront devant lui, toutes les nations lui seront soumises. 12. Car il délivrera le pauvre des mains du puissant, et le malheureux dépourvu de tout secours. 13. Il aura pitié du misérable et de l'indigent, et il sauvera la vie du pauvre. 14. Il les affranchira de l'oppression et de la violence, et leur nom sera honorable à ses yeux. 15. Il vivra, et on lui donnera de l'or d'Arabie, on fera sans cesse des vœux pour lui, et on le bénira chaque jour.

16. Que les blés abondent dans le pays, jusqu'au sommet des montagnes! Que les épis se dressent comme des cèdres du Liban! Que les hommes fleurissent dans la ville comme l'herbe des champs! 17. Que son nom soit béni à jamais; qu'il subsiste, tant que brillera le soleil! Que

pluie, la chose la plus désirée des Orientaux, brûlés par le soleil. — 8-11. L'empire de Salomon s'étendra au loin; tous les peuples ici nommés, qui représentent le monde connu à cette époque, lui rendront hommage et lui paieront tribut. — 12-13. C'est encore à Notre Seigneur, bien mieux qu'à Salomon, que conviennent tous ces traits. Avec une tendresse toute divine, il a eu pitié des petits et des faibles, des pauvres et des malades; et aujourd'hui encore il n'est pas une misère, pas une souffrance, que son Eglise ne se devoue à soulager, à consoler et à guérir. Ces *pauvres* désignent surtout les pécheurs, c'est-à-dire l'humanité tout entière, que le Sauveur a affranchie du joug du démon, et à laquelle il a ouvert le ciel. — 14. *Leur nom*, le nom de *pauvre :* aux yeux du monde païen, la pauvreté était une condition vile et méprisable; Jésus a dit le premier : " Bienheureux les pauvres, car le royaume des cieux est à eux!" — 15. *On fera des vœux pour lui :* quelle prière peut-on faire pour Jésus Christ? Celle que lui-même nous a apprise : "Que votre nom soit sanctifié! Que votre règne arrive! Que votre volonté soit faite!" — 17. *Que son nom :* y a-t-il un nom plus vénéré et plus aimé que celui de Jésus? — *Que* toutes les tribus de la terre soient bénies en lui, que toutes les nations le glorifient !

18. Béni soit le Seigneur, Dieu d'Israël, qui seul fait des prodiges !

19. Béni soit à jamais son nom glorieux ! Que toute la terre soit remplie de sa gloire ! Ainsi soit-il ! ainsi soit-il !

PSAUME 72.

La providence justifiée.

Que Dieu est bon pour Israël, pour tous ceux qui ont le cœur droit ! 2. Mon pied allait fléchir, mes pas étaient sur le point de glisser ; 3. car je portais envie aux hommes d'iniquité, en voyant le bonheur tranquille des pécheurs. 4. La mort semble les oublier, et leurs blessures sont vite guéries. 5. Ils n'ont point de part au labeur des mortels, et ne sont pas frappés comme le reste des hommes. 6. Aussi l'orgueil s'est emparé d'eux ; la violence et l'impiété les couvrent comme un vêtement. 7. L'iniquité sort de leur graisse ; ils se livrent à tous les désirs déréglés de leur cœur. 8. Ils ne pensent, ils ne disent que le mal ; ils proclament à haute voix l'injustice. 9. Leur bouche affronte le ciel même, et leur langue se promène sur la terre.

10. C'est pourquoi mon peuple se tourne de leur côté, en voyant qu'une plénitude de jours leur est accordée. 11. Il dit : " Dieu verrait-il leurs crimes ? Le Très Haut en aurait-il connaissance ? 12. Voyez ces pécheurs : toujours dans l'abondance, ils accroissent leurs richesses. 13. C'est donc en vain, pensé-je, que j'ai gardé mon cœur pur, que j'ai lavé mes mains parmi les innocents.

toutes les tribus, les peuples, *de la terre soient bénies en lui*, reçoivent le salut de lui, selon la promesse faite à Abraham, *Gen.* xxii, 18.

Ps. 72. — 1. " Prêt à confesser quelques doutes qui s'étaient élevés jadis dans son âme, le Psalmiste les condamne d'avance en débutant par un élan d'amour." *de Maistre.* — 2. *Mon pied allait fléchir*, dans le sens moral : j'allais-nier la Providence, ou me révolter contre elle. — 7. *De leur graisse*, de leur cœur grossier et charnel. — 9. Sens : dans leurs discours, ils ne respectent rien, ni du ciel ni de la terre. — 10. *Se tourne de leur côté*, imite leurs exemples. — 13. *Pensé-je :* c'est toujours le peuple qui parle. — *Laver ses mains parmi les innocents*, c'est les conserver pures, ne les faire servir à aucun acte criminel.

14. Tout le jour je suis frappé; chaque matin mon châtiment est là!" 15. Si j'avais dit : "Je veux parler comme eux," j'aurais trahi la race de vos enfants.

16. Quand j'ai réfléchi pour comprendre ce mystère, la difficulté fut grande à mes yeux, 17. jusqu'à ce que j'eusse pénétré dans le sanctuaire de Dieu et pris garde au sort final des méchants. 18. Oui, ce sont des pièges que vous mettez devant eux; vous les renversez au moment où ils se livraient à un fol orgueil. 19. Eh quoi, les voilà détruits! En un instant ils ont disparu; leur iniquité a causé leur ruine. 20. Comme un songe après le réveil, Seigneur, vous avez réduit à néant le fantôme de leur fortune.

21. *Avant que vous m'eussiez instruit*, mon cœur s'échauffait et mes reins étaient en proie à la douleur; 22. ma vie s'épuisait, dans mon ignorance. 23. J'étais devant vous comme l'animal sans raison; cependant je suis toujours resté avec vous. 24. Vous m'avez pris la main droi te; vous me conduisez selon votre volonté et vous me recevrez un jour avec gloire.

25. Quel autre que vous ai-je au ciel, et avec vous que désiré-je sur la terre? 26. Ma chair et mon cœur peuvent se consumer : le Dieu de mon cœur et mon partage, c'est Dieu pour l'éternité. 27. Car ceux qui s'éloignent de vous périssent; vous exterminez tous ceux qui vous sont infidèles. 28. Pour

---

14. Sens : Dieu permet que j'aie chaque jour à supporter quelque épreuve. — 15. *Si j'avais dit :* c'est le Psalmiste qui parle. — *Comme eux*, comme le peuple. — *J'aurais trahi*, etc. : j'aurais renié la foi des pieux Israélites, et peut-être entraîné vos enfants dans mon apostasie. — 18. *Des pièges :* en les laissant prospérer et s'enrichir, *ce sont des pièges*, etc. — 20. Sens : leur grandeur, si magnifique en apparence, n'était en réalité qu'un vain fantôme, et ce fantôme s'est dissipé comme se dissipe, quand l'homme se réveille d'un songe, la vaine image qui avait un moment occupé son esprit. — 24. *La main droite*, pour m'empêcher de tomber, de succomber à la tentation de nier votre providence : voyez le vers. 2. — 25. *Quel autre* bien. Sens du verset : de tous les biens que renferme le ciel, c'est vous seul que je désire : sans vous, le ciel même me serait un enfer; et de tous les biens que peut m'offrir la terre, dès lors que je vous possède, je n'en désire aucun.

moi, le bonheur c'est d'être uni à Dieu, de mettre dans le Seigneur Dieu mon espérance, afin de raconter vos œuvres glorieuses aux portes de la fille de Sion.

PSAUME 73.

Prière dans une calamité nationale.

O Dieu, pourquoi nous avez-vous rejetés pour toujours? *Pourquoi* votre colère est-elle allumée contre les brebis de votre pâturage? 2. Souvenez-vous de votre peuple que vous avez acquis aux temps anciens, que vous avez racheté pour en faire votre héritage; *souvenez-vous* du mont Sion où vous habitiez. 3. Levez *enfin* votre bras contre un ennemi dont l'insolence n'a point de terme, qui a tout ravagé dans le sanctuaire. 4. Ceux qui vous haïssent ont poussé des cris de triomphe au milieu de vos saints parvis; ils ont établi pour emblèmes leurs emblèmes. 5. On les a vus, pareils au bûcheron qui lève la cognée dans une épaisse forêt; 6. ils ont brisé toutes les portes; à coups de haches et de marteaux ils les ont abattues. 7. Ils ont livré aux flammes votre sanctuaire; ils ont renversé et profané la demeure de votre nom. 8. Ils ont dit dans leur cœur, eux et leur bande sacrilège : "Faisons cesser dans le pays les solennités de Dieu." 9. Nous ne voyons plus nos emblèmes religieux; il n'y a plus de prophète; Dieu lui-même semble ne plus nous connaître.

10. Jusques à quand, ô Dieu, l'ennemi nous insultera-t-il, l'adversaire outragera-t-il sans cesse votre nom? 11. Pourquoi retirez-vous votre main et votre droite? Tirez-la

Ps. 73. — 1. *Pourquoi... pour toujours :* deux questions sont réunies dans la même interrogation : pourquoi nous avez-vous rejetés? Est-ce pour toujours? Quand Dieu abandonne au pouvoir de l'ennemi son peuple qu'il avait promis de défendre, il semble le *rejeter;* il ne fait que punir un coupable, pour le ramener à lui. — 4. *Pour emblèmes :* tout dans le temple et dans la Palestine entière rappelait le souvenir du vrai Dieu; l'ennemi a détruit tous ces emblèmes, tous ces signes sacrés, et mis à la place les traces ou les signes de l'idolâtrie. — 9. *Nos emblèmes religieux :* même sens qu'au verset 4. — 11. *De votre sein :* celui qui met ou laisse sa main dans son sein indique par là qu'il ne veut pas agir : c'est ce que Dieu fait en ce moment

de votre sein et frappez! 12. Pourtant Dieu est notre roi dès les temps anciens; *bien* des fois il nous a procuré le salut aux yeux de toute la terre. 13. C'est vous qui avez affermi la mer par votre puissance, qui avez brisé la tête des dragons dans les eaux. 14. C'est vous qui avez écrasé la tête du crocodile et l'avez donné en pâture aux habitants du désert. 15. C'est vous qui avez fait jaillir la source et le torrent, qui avez mis à sec des fleuves qui ne tarissent pas. 16. A vous est le jour, à vous est la nuit; c'est vous qui avez fait l'aurore et le soleil. 17. C'est vous qui avez fixé toutes les limites de la terre; l'été et le printemps, c'est vous qui les avez faits.

18. Rappelez-vous que l'ennemi insulte le Seigneur, qu'un peuple insensé outrage votre nom. 19. Ne livrez point aux bêtes l'âme de ceux qui chantent vos louanges, n'oubliez pas pour toujours l'âme de vos pauvres! 20. Prenez garde à votre alliance, car tous les coins du pays sont remplis de repaires de brigands. 21. Que l'opprimé ne s'en retourne pas confus! Que le malheureux et le pauvre puissent louer votre nom! 22. Levez-vous, ô Dieu, prenez en main votre cause; souvenez-vous des outrages que vous adresse chaque jour l'insensé. 23. N'oubliez pas les clameurs de vos ennemis; l'insolence de ceux qui vous haïssent monte toujours.

PSAUME 74.

Justice de Dieu contre les méchants.

NOUS vous louons, ô Dieu, nous vous louons; nous invoquons votre nom, et bientôt nous raconterons vos merveilles.

2. " Au temps que j'au-

par rapport à son peuple. — 13. *Affermi la mer* Rouge : Dieu divisa les eaux, qui se séparèrent et formèrent deux murailles solides, laissant entre elles un passage aux Hébreux. — 14. *Du crocodile* (hébr. *de Léviathan)*, symbole du Pharaon et de la puissance égyptienne. — 15. *Jaillir* du rocher, dans le désert, à la voix de Moïse, l'eau en abondance. — 19. *L'âme*, la vie, *de ceux qui chantent vos louanges.* — 20. Sens : l'alliance que vous avez contractée avec Israël est menacée. Que deviendrait-elle si votre peuple était entièrement et pour toujours chassé de la terre promise à nos pères? Or, c'est ce qui est près d'arriver, car *tous les coins du pays* sont occupés par l'ennemi.

rai fixé, dit le Seigneur, je ferai bonne justice. 3. La terre est ébranlée, avec tous ceux qui l'habitent : moi, j'affermirai ses colonnes. 4. Je dis aux méchants : Cessez de faire le mal; aux pécheurs : N'élevez pas un front orgueilleux; 5. n'élevez pas si haut votre tête, ne parlez pas contre Dieu avec tant d'arrogance."

6. Car ce n'est ni de l'orient, ni de l'occident, ni du désert des montagnes, que nous viendra le secours. 7. Non, c'est Dieu qui exerce le jugement; il abaisse l'un et élève l'autre. 8. Il y a dans la main du Seigneur une coupe où bouillonne un vin plein d'aromates; il en verse ici et là, et la lie n'en est pas épuisée; tous les pécheurs de la terre en boiront. 9. Et moi je publierai ces choses à jamais, je chanterai en l'honneur du Dieu de Jacob.

10. "J'abattrai, *dit le Seigneur*, toute la puissance des pécheurs, et la puissance du juste sera élevée."

PSAUME 75.

Victoire et action de grâces.

Dieu s'est fait connaître en Juda; son nom est grand dans Israël. 2. Il a établi son tabernacle dans la Ville de la paix, sa demeure dans Sion. 3. C'est là qu'il a brisé la puissance de l'arc, le bouclier, l'épée et la guerre.

4. L'éclat merveilleux de votre lumière a jailli des montagnes éternelles, 5. et tous les insensés ont été frappés de consternation. Ils dorment maintenant leur dernier sommeil, les mains vides des dépouilles dont ils s'étaient enrichis. 6. A votre menace, ô Dieu de

Ps. 74. — 3. *La terre* d'Israël est toute bouleversée par les ravages des Assyriens; mais Dieu ne tardera pas à y rétablir l'ordre et la paix. — 6. *Car* rattache ce qui suit au vers. 2; c'est le Psalmiste qui reprend la parole. Le *désert des montagnes* est le désert de Juda, qui sépare la Palestine de l'Egypte. — 8. *Plein d'aromates*, qui ajoutent à la force enivrante du vin, et en font le symbole de la colère de Dieu et de ses châtiments. — 10. Ce verset résume tout le Psaume.

Ps. 75. — 2. *La ville de la paix*, c'est Jérusalem, dont le nom signifie *demeure de la paix*. — 4. Cet *éclat de la lumière divine*, c'est Dieu manifestant sa puissance contre les ennemis de son peuple; les *montagnes éternelles* sont ou bien les hauteurs célestes, ou bien le mont Sion, sur lequel était bâti le temple. — 5. *Les insensés :* la sainte Ecriture nomme ainsi les pécheurs et en général tous les enne-

Jacob, la mort a arrêté ces intrépides cavaliers.

7. Vous êtes redoutable, et qui peut se tenir devant vous au jour de votre colère? 8. Du haut du ciel, vous avez proclamé la sentence; la terre a tremblé et s'est tue, 9. lorsque Dieu s'est levé pour faire justice, pour sauver tous les humbles de la terre.

10. Ainsi les desseins de l'homme tournent à votre gloire, et de ses derniers efforts il restera un jour de fête en votre honneur. 11. Faites des vœux et acquittez-les au Seigneur votre Dieu; que tous les peuples d'alentour apportent des dons au Dieu terrible! 12. Il abat l'orgueil des puissants; il est redoutable aux rois de la terre.

PSAUME 76.

Plainte et espérance.

Ma voix s'élève vers le Seigneur, et je crie; ma voix s'élève vers Dieu : qu'il m'entende! 2. Au jour de ma détresse, je cherche Dieu; la nuit, mes mains sont tendues vers lui : serai-je trompé dans mon attente? Mon âme refuse toute consolation. 3. Quand je me souviens de Dieu, j'éprouve un moment de bonheur, mais bientôt l'angoisse revient, et mon esprit est près de défaillir. 4. Mes yeux devancent les sentinelles de la nuit; je suis dans le trouble, et la parole n'arrive pas sur mes lèvres. 5. Alors je pense aux jours anciens, je songe aux années d'autrefois. 6. Toute la nuit je médite avec mon cœur, je réfléchis et mon esprit se tourmente *à comprendre ce mystère.*

7. Dieu *nous* rejettera-t-il pour toujours? Ne *nous* sera-t-il plus favorable? 8. A-t-il pour jamais arrêté le cours de sa bonté? *En est-ce fait de ses promesses* pour tous les âges futurs? 9. Dieu a-t-il oublié d'avoir com-

---

mis de Dieu. — 9. *Les humbles de la terre*, le peuple de Dieu. — 10. *Les desseins* des impies contre Dieu et son Église tournent à la gloire de Dieu, en ce sens qu'ils lui donnent occasion de manifester sa puissance et sa justice. — *Un jour de fête* consacré à rendre grâces au Seigneur de la victoire remportée sur les méchants.

Ps. 76. — 4. *Mes yeux* sans sommeil s'ouvrent avant que les sentinelles se relèvent à leur poste aux différentes heures de la nuit. — 6. *Ce mystère* : la différence entre la manière dont Dieu agissait

passion? A-t-il, dans sa colère, enchaîné sa miséricorde?

10. Je me dis : "Maintenant je commence *à comprendre;* ce changement, c'est la droite du Très Haut qui l'a fait." 11. Je veux rappeler les œuvres du Seigneur, car je me souviens de vos merveilles d'autrefois. 12. Je veux rappeler toutes vos œuvres, raconter vos hauts faits.

13. O Dieu, vos voies sont saintes; quel dieu est grand comme notre Dieu? 14. Vous êtes le Dieu qui fait des prodiges; vous avez manifesté votre puissance parmi les nations. 15. Par votre bras, vous avez délivré votre peuple, les fils de Jacob et de Joseph. 16. Les eaux vous ont vu, ô Dieu, les eaux vous ont vu, et elles ont tremblé; les abîmes se sont émus. 17. Des torrents d'eau tombèrent du ciel avec fracas; les nuées firent entendre leur voix, et vos flèches volèrent de toutes parts. 18. Votre tonnerre retentit au milieu de l'ouragan; les éclairs illuminèrent le monde; la terre frémit et trembla. 19. La mer fut votre chemin, les grandes eaux votre sentier, et l'on ne peut reconnaître vos traces. 20. Vous avez conduit votre peuple, comme un troupeau, par la main de Moïse et d'Aaron.

PSAUME 77.

Histoire d'Israël.

Ecoute, mon peuple, mon enseignement; prête l'oreille aux paroles de ma bouche. 2. Je vais ouvrir mes lèvres par de sages discours; je publierai les leçons des temps anciens. 3. Ce que nous avons entendu, ce que nous avons appris, ce que nos pères nous ont raconté, 4. nous ne le cacherons pas à leurs enfants; nous dirons à la

autrefois envers Israël et sa conduite présente. — 10. Du doute et de l'incertitude, le Psalmiste passe à l'espérance. — 13. *Vos voies*, votre conduite dans le gouvernement du monde, *sont saintes*, irréprochables, lors même que l'homme n'en apercevrait pas la justice et la sagesse. — 16. *Les eaux* de la mer Rouge. — 17. *Leur voix*, la voix du tonnerre. — *Vos flèches :* la foudre et les éclairs sont les flèches de Dieu. — 19. Pendant que la nature était ainsi bouleversée, Dieu, guide invisible d'Israël, se fraya un chemin dans la mer, et tout le peuple le suivit, sans laisser la moindre trace de son passage.

Ps. 77. — 2. *Les leçons* que mon peuple doit recueillir de l'histoire

génération future les louanges du Seigneur, sa puissance et les prodiges qu'il a opérés.

5. Il a donné un précepte en Jacob, il a posé une loi en Israël, et il l'a enjointe à nos pères : c'est d'apprendre à leurs enfants *ses grandes œuvres*, 6. afin qu'elles fussent connues des générations suivantes, des enfants qui naîtraient, et que ceux-ci à leur tour les racontassent à leurs enfants. 7. Ainsi ils mettraient en Dieu leur confiance, ils n'oublieraient point les œuvres de Dieu, et ils observeraient ses préceptes. 8. Ils ne seraient point, comme leurs pères, une race mauvaise et rebelle, une race dont le cœur ne fut pas droit, et dont l'esprit fut infidèle à Dieu.

9. Les fils d'Ephraïm, habiles à tendre l'arc et à lancer la flèche, ont tourné le dos au jour du combat. 10. Ils n'ont pas gardé l'alliance de Dieu, ils ont refusé de marcher dans sa loi. 11. Ils ont oublié ses bienfaits et les merveilles qu'il avait opérées sous leurs yeux.

12. Devant leurs pères, il avait fait des prodiges au pays d'Egypte, dans les champs de Tanis. 13. Il divisa la mer pour les faire passer, et retint les eaux immobiles, comme enfermées dans une outre. 14. Il les conduisit le jour par la nuée, et toute la nuit par un feu brillant. 15. Il fendit le rocher dans le désert, et il les abreuva comme à des flots abondants. 16. De la pierre il fit jaillir des sources et fit couler l'eau à torrents.

17. Mais ils continuèrent de pécher contre lui, de provoquer la colère du Très Haut dans le désert. 18. Ils tentèrent Dieu dans leur cœur, en demandant une nourriture selon leur convoitise. 19. Ils parlèrent insolemment contre Dieu, en

des temps passés. — 5. *Ses grandes œuvres*, les prodiges opérés par lui en faveur de son peuple. — 7. *Ainsi*, par ce moyen, les enfants étant instruits par leurs pères de ce que Dieu avait fait dans les temps anciens. — 9. *Ont tourné le dos au jour du combat* : ces mots ont un sens figuré, que le verset suivant explique très bien : Ephraïm s'est montré timide à combattre pour Dieu; il a refusé de marcher selon sa loi, il lui a tourné le dos, pour adorer des idoles. — 13. *La mer* Rouge. — *Enfermées dans une outre;* en hébreu, *dressées comme une muraille.*

disant : “ Dieu pourra-t-il nous dresser une table dans le désert? 20. Il a frappé le rocher, et des eaux ont coulé, et des torrents se sont répandus : pourra-t-il aussi nous donner du pain, et préparer à son peuple une table *chargée de viande?* ”

21. Le Seigneur entendit ces murmures, et il différa *de punir:* mais un feu s'allumait contre Jacob, et la colère montait contre Israël, 22. parce qu'ils n'avaient pas foi en Dieu et ne comptaient pas sur son secours. 23. Il commanda aux nuées d'en haut, et il ouvrit les portes du ciel; 24. il fit pleuvoir sur eux la manne pour les nourrir et leur donna un pain céleste. 25. Tous mangèrent le pain des anges; il leur envoya de la nourriture à satiété.

26. Puis il fit souffler dans le ciel le vent du Midi et amena par sa puissance le vent d'Afrique. 27. Et il fit pleuvoir sur eux la viande comme la poussière, les oiseaux ailés comme le sable de la mer. 28. Il les fit tomber au milieu de leur camp, autour de leurs tentes. 29. Ils mangèrent et se rassasièrent à l'excès; Dieu leur donna ce qu'ils avaient désiré, 30. et ils purent satisfaire leur convoitise. Mais les viandes étaient encore à leur bouche, 31. lorsque la colère de Dieu s'éleva contre eux; il frappa de mort les plus robustes, il fit tomber l'élite d'Israël.

32. Après tout cela, ils péchèrent encore, et n'eurent pas foi dans ses prodiges. 33. Alors leurs jours se dissipèrent comme un souffle, et leurs années précipitèrent leur cours. 34. Quand il les frappait de mort, ils le cherchaient et se hâtaient de revenir à lui. 35. Ils se rappelaient que Dieu était leur secours et

21. *Il différa* de les punir; c'est l'interprétation de S. Augustin; Théodoret sous-entend : *de les conduire en Chanaan*, ce qui s'accorde mieux avec la suite des idées. — 25. *Le pain des anges :* la manne est ainsi appelée, non parce qu'elle est l'aliment des anges (*Tob.* xi, 19), mais parce qu'elle semble venir du séjour qu'ils habitent, ou même être préparée et envoyée par eux. — 33. En punition de leurs révoltes, Dieu condamna tous les Israélites âgés de plus de vingt ans à périr dans le désert, sans avoir vu la terre promise (*Nombr.* xiv, 23).

le Dieu Très Haut leur libérateur. 36. Mais ils ne l'aimaient que des lèvres, et de leur langue ils lui mentaient. 37. Leur cœur n'était pas droit avec lui; ils n'étaient pas fidèles à son alliance. 38. Mais lui est miséricordieux; il pardonna leurs péchés et ne les détruisit pas; souvent il retint sa colère, et ne laissa pas s'allumer tout son courroux. 39. Il se souvenait qu'ils n'étaient que chair, un souffle qui s'en va et ne revient plus.

40. Que de fois ils le provoquèrent dans le désert! Que de fois ils soulevèrent sa colère dans la plaine aride! 41. Ils recommencèrent à tenter Dieu, à provoquer le Saint d'Israël. 42. Ils ne se souvinrent plus de la puissance qu'il avait déployée le jour où il les délivra du joug de l'oppresseur, 43. alors qu'il fit éclater ses prodiges en Egypte, ses actions merveilleuses dans les champs de Tanis.

44. Il changea en sang les fleuves des Egyptiens, ainsi que *toutes* leurs eaux, afin qu'ils ne pussent plus en boire. 45. Il envoya contre eux le moucheron qui les dévora, et la grenouille qui les fit périr. 46. Il livra leurs récoltes à la rouille, et le produit de leur travail à la sauterelle. 47. Il détruisit leurs vignes par la grêle, et leurs sycomores par le givre. 48. Il abandonna leur bétail à la grêle, et leurs troupeaux au feu du ciel. 49. Il déchaîna contre eux les ardeurs de sa colère, l'indignation, la fureur et la détresse, toute une armée d'anges de malheur. 50. Il donna un libre cours à sa colère, il n'épargna pas leur vie, et il enveloppa leurs troupeaux dans la ruine. 51. Il frappa tous les premiers-nés au pays d'Egypte, les prémices de la force virile sous les tentes de Cham.

52. Et il fit partir son peuple comme des brebis, il le mena comme un troupeau dans le désert.

39. *Que chair*, que de fragiles créatures, dont la vie passe comme l'ombre : comme l'aimant attire le fer, ainsi la misère de l'homme attire la miséricorde de Dieu. — 52. Lorsque les fléaux dont on vient de parler eurent décidé le roi d'Egypte à laisser partir les Hébreux, Dieu les conduisit, comme un berger mène son troupeau, jusqu'au

53. Il les dirigea sûrement, sans qu'ils eussent rien à craindre, et la mer engloutit leurs ennemis. 54. Il les fit arriver jusqu'à la montagne sainte, la montagne que conquit sa droite. 55. Il chassa les nations devant eux, leur assigna par le sort leur part d'héritage, et fit habiter dans leurs tentes les tribus d'Israël.

56. Cependant ils tentèrent encore et provoquèrent le Dieu Très Haut, et ils n'observèrent point ses ordonnances. 57. Ils s'éloignèrent et furent infidèles à l'alliance, comme leurs pères; ils se détournèrent comme un arc trompeur. 58. Ils l'irritèrent par leurs hauts lieux et excitèrent sa jalousie par leurs idoles.

59. Dieu entendit *leurs voix sacrilèges* et méprisa *son peuple;* il prit Israël en grande aversion. 60. Il répudia la demeure de Silo, son tabernacle où il habitait parmi les hommes. 61. Il abandonna la force d'Israël à la captivité, sa gloire aux mains de l'ennemi. 62. Il livra son peuple au glaive, et ne se soucia plus de son héritage. 63. Le feu *de la guerre* dévora ses jeunes gens, et ses vierges ne firent point entendre de chant funèbre. 64. Ses prêtres tombèrent par l'épée, et ses veuves ne se lamentèrent point.

65. Le Seigneur se réveilla, comme un homme endormi, pareil au guerrier appesanti par le vin. 66. Il frappa ses ennemis par derrière, il leur infligea une honte éternelle. 67. Mais il répudia le tabernacle de Joseph, et ne choisit plus la tribu d'Ephraïm. 68. Il choisit la tribu de Juda, la montagne de Sion qu'il

pays de Chanaan, promis à leurs pères. — 54-55. *La montagne sainte :* le Psalmiste appelle ainsi le pays montagneux de Chanaan, qui devait être sanctifié par le culte du vrai Dieu. — 57. Un arc faussé trompe celui qui s'en sert et lance la flèche à côté du but qu'elle devait atteindre. De même Israël, au lieu d'aller à Dieu et de s'attacher à lui, se détourna et alla vers d'autres dieux, adora des idoles. — 60-61. Il permit que l'arche qui était *la force* et *la gloire d'Israël* tombât entre les mains des Philistins, et que les Israélites fussent vaincus par ces idolâtres. — 65. *Le Seigneur*, qui paraissait dormir pendant qu'Israël était sous le joug des idolâtres, *se réveilla* enfin pour le délivrer. — 67-68. Les Philistins vaincus rendirent l'arche d'alliance aux Israélites. Mais elle ne retourna pas à Silo; après diverses stations, elle fut transportée définitivement sur le

aimait. 69. Et il bâtit son sanctuaire, pareil à la licorne, dans la terre qu'il a affermie pour toujours.

70. Il choisit David, son serviteur, et il le tira des bergeries; il le prit derrière les brebis mères, 71. pour paître Jacob, son serviteur, et Israël, son héritage. 72. Et David les fit paître dans la droiture de son cœur, et il les conduisit avec des mains intelligentes.

PSAUME 78.

Plainte sur la destruction de Jérusalem.

O Dieu, les nations ont envahi votre héritage, elles ont profané votre saint temple, elles ont fait de Jérusalem une hutte à garder les récoltes. 2. Elles ont livré les cadavres de vos serviteurs en pâture aux oiseaux du ciel, et la chair de vos fidèles aux bêtes de la terre. 3. Elles ont versé leur sang comme de l'eau tout autour de Jérusalem, et il n'y avait personne pour leur donner la sépulture. 4. Nous sommes devenus un objet d'opprobre pour nos voisins, de risée et de moquerie pour ceux qui nous entourent.

5. Jusques à quand, Seigneur, serez-vous irrité pour toujours, et votre indignation s'embrasera-t-elle comme un feu? 6. Versez votre colère sur les nations qui ne vous connaissent pas, sur les royaumes qui n'invoquent pas votre nom; 7. car ils ont dévoré Jacob et ravagé sa demeure.

8. Ne vous souvenez plus des iniquités de nos pères; que votre compassion vienne en hâte au-devant de nous, car notre misère est au comble. 9. Secourez-nous, ô Dieu, notre sauveur; pour la

mont Sion par David. — 69. *La licorne*, animal qui n'a qu'une corne, figure tout à la fois l'unité et la force, deux attributs qui conviennent au sanctuaire de Dieu sur le mont Sion. — *Dans la terre*, sur la colline de Sion. — *Pour toujours :* c'est dans l'Eglise de Jésus Christ, véritable et unique sanctuaire de Dieu sur la terre, que se réalise cette promesse de perpétuité. — 70. David avait commencé par être berger. Ainsi le pasteur de brebis devint le pasteur d'Israël, comme Pierre le pêcheur sera choisi plus tard pour être un pêcheur d'hommes.

Ps. 78. — 3. *Comme de l'eau*, sans scrupule comme sans pitié. — La privation de *sépulture* était pour les Juifs le comble du malheur et de l'ignominie. — 5. *Jusques à quand... pour toujours :* deux questions réunies en une : Dieu sera-t-il toujours irrité contre nous? Quand cessera sa colère?

gloire de votre nom, Seigneur, délivrez-nous; pardonnez-nous nos péchés à cause de votre nom. 10. Qu'on ne puisse pas dire parmi les nations idolâtres : " Où est leur Dieu? " Qu'on sache parmi les nations, et que nos yeux en soient témoins, que vous vengez le sang de vos serviteurs, leur sang répandu!

11. Que les gémissements des captifs montent jusqu'à vous; selon la puissance de votre bras, sauvez les enfants de ceux qui ont été massacrés. 12. Faites retomber sept fois dans le sein de nos voisins les outrages qu'ils vous ont faits, Seigneur! 13. Et nous, votre peuple, brebis de votre pâturage, nous vous rendrons gloire à jamais; d'âge en âge nous publierons vos louanges.

PSAUME 79.

Prière pour Israël captif.

O pasteur d'Israël, prêtez l'oreille, vous qui conduisez Joseph comme un berger ses brebis. Vous qui êtes assis sur les Chérubins, montrez-vous dans l'éclat de votre gloire 2. a la vue d'Ephraïm, de Benjamin, et de Manassé; réveillez votre puissance, et venez nous délivrer. 3. O Dieu, ramenez-nous dans notre patrie; faites briller *sur nous* votre visage, et nous serons sauvés.

4. Seigneur, Dieu des armées, jusques à quand serez-vous irrité quand votre serviteur vous prie? 5. *Jusques à quand* nous nourrirez-vous d'un pain de larmes, nous abreuverez-vous de pleurs à pleines coupes? 6. Vous avez fait de nous un objet de dispute pour nos voisins, et nos ennemis se raillent de nous. 7. Dieu des armées, ramenez-nous dans notre patrie; faites briller *sur nous* votre visage, et nous serons sauvés.

8. Vous avez transporté de l'Egypte une vigne; vous avez chassé les na-

---

Ps. 79. — 1. Dieu est comparé à un pasteur qui conduit son peuple comme un berger ses brebis. — *Montrez-vous :* Dieu apparaît en quelque sorte, lorsqu'il déploie sa puissance pour sauver ceux qui l'implorent. — 3. *Ramenez-nous :* le Psalmiste s'exprime comme s'il était lui-même du nombre des exilés. — 6. *Nos voisins* se disputent entre eux à qui aura votre héritage. — 8. *Une vigne :* c'est le peuple d'Israël. On retrouve souvent cette allégorie dans les prophètes

tions et vous l'avez plantée. 9. Vous avez fait de l'espace devant elle, et elle a enfoncé ses racines et rempli la terre. 10. Son ombre couvrait les montagnes, et ses rameaux les cèdres de Dieu. 11. Elle étendait ses branches jusqu'à la Mer, et ses rejetons jusqu'au Fleuve.

12. Pourquoi avez-vous détruit sa clôture, en sorte que tous les passants la dévastent? 13. Le sanglier de la forêt la dévore, et les bêtes des champs en font leur pâture. 14. Dieu des armées, revenez; regardez du haut du ciel, et voyez; considérez cette vigne! 15. Protégez-la; c'est votre droite qui l'a plantée; protégez le fils de l'homme que vous vous êtes attaché.

16. Elle est brûlée par le feu; elle est déracinée; devant votre visage menaçant, tout périt. 17. Que votre main soit sur l'homme de votre droite, et sur le fils de l'homme que vous vous êtes attaché, 18. et nous ne nous éloignerons plus de vous. Rendez-nous la vie, et nous invoquerons votre nom. 19. Seigneur, Dieu des armées, ramenez-nous dans notre patrie; faites briller *sur nous* votre visage, et nous serons sauvés.

PSAUME 80.

Exhortation à la célébration de la Pâque et à la fidélité.

Faites retentir des chants d'allégresse en l'honneur de Dieu, notre protecteur, des cris de joie en l'honneur du Dieu de Jacob. 2. Entonnez l'hymne, et faites résonner le tambourin, la harpe harmonieuse et la

(*Is.* v, 1 sv. xxvii, 2 sv. etc.); Notre Seigneur lui-même s'en est servi. *Matth.* xxi, 33. — 10-11. *Les cèdres de Dieu*, c.-à-d. les grands cèdres du mont Liban. — *La mer* Méditerranée. — *Le fleuve*, l'Euphrate. Pensée : le peuple d'Israël prospérait et s'étendait au loin, jusqu'à atteindre, au nord, le mont Liban, à l'ouest la Méditerranée, à l'est l'Euphrate. — 12. *Sa clôture :* un mur en pierre entourait chaque champ de vignes. Pour la vigne dont il est ici question, cette *clôture*, c'était la protection du Seigneur. — Ces *bêtes féroces* qui dévastent la vigne figurent les ennemis d'Israël, les Assyriens et les tribus pillardes du voisinage. — 15. *Le fils*, c'est le peuple d'Israël, appelé ailleurs *le premier-né du Seigneur.*— 17-18. *L'homme de votre droite... le fils de l'homme*, c'est encore Israël; plus tard, ce sera le Messie, qui représente dans sa personne la nation israélite toute entière.

lyre. 3. Sonnez de la trompette à la nouvelle lune, pour le jour insigne de votre solennité. 4. Car c'est un précepte pour Israël, une ordonnance du Dieu de Jacob. 5. Il en fit une loi pour Joseph, lorsqu'il le tira du pays d'Egypte, et lui fit entendre un langage inconnu jusque-là. 6. Après avoir déchargé ses épaules des lourds fardeaux, et ses mains de la corbeille d'argile, *il lui dit :*

7. " Tu m'as invoqué dans la tribulation, et je t'ai délivré; je t'ai exaucé du sein de la nuée orageuse; je t'ai éprouvé aux eaux de contradiction. 8. Ecoute, mon peuple, *te disais-je alors*, et je te donnerai un grave avertissement; Israël, puisses-tu m'écouter! 9. Qu'il n'y ait point au milieu de toi de dieu nouveau, n'adore pas de dieu étranger. 10. Car c'est moi qui suis le Seigneur ton Dieu, qui t'ai fait sortir du pays d'Egypte : élargis ta bouche, et je la remplirai. 11. Mais mon peuple n'a pas écouté ma voix, Israël ne m'a pas obéi. 12. Et je les ai abandonnés aux désirs de leur cœur, et ils ont suivi leurs propres conseils. 13. Ah! si mon peuple m'écoutait, si Israël marchait dans mes voies, 14. soudain je confondrais leurs ennemis, je tournerais ma main contre leurs oppresseurs. 15. Les ennemis du Seigneur viendraient lui rendre d'humbles hommages, et la durée d'Israël serait assurée pour toujours. 16. Il le nourrirait de la fleur du froment, et le rassasierait du miel du rocher. "

Ps. 80. — 5. *Joseph* est mis ici pour tout Israël : c'est en sa personne qu'Israël était entré pour la première fois en Egypte. — *Un langage inconnu :* on entend ordinairement par là l'ensemble des révélations par lesquelles Dieu, après la sortie d'Egypte, entra avec les Hébreux dans des rapports nouveaux, contracta avec eux une alliance particulière, leur donna une loi et en fit un peuple à part, dont il était à la fois le Dieu et le roi. — 10. *Elargis*, etc. : si tu es fidèle à n'adorer que moi, tu n'as qu'à ouvrir la bouche, à faire entendre une prière, un désir, et tous les biens temporels et spirituels te seront accordés. — 12. *Aux désirs*, aux penchants mauvais. — 14. *Soudain*, en un instant, avec la plus grande facilité. — 16. *Miel du rocher :* en Palestine, les abeilles font souvent leur miel dans le creux des rochers. Sens du verset : Israël aurait tous les biens en abondance.

PSAUME 81.

Contre les juges iniques.

Dieu se tient dans l'assemblée des dieux; assis au milieu d'eux, il les juge : 2. "Jusques à quand jugerez-vous injustement et prendrez-vous parti pour les méchants? 3. Rendez justice au faible et à l'orphelin, faites droit au petit et au pauvre, 4. sauvez le malheureux et délivrez-le de la main du méchant.

5. Ils n'ont ni savoir ni intelligence, ils marchent dans les ténèbres; aussi tous les fondements de la terre sont ébranlés. 6. J'ai dit : Vous êtes des dieux, vous êtes tous les fils du Très Haut. 7. Cependant vous mourrez comme les autres hommes, vous tomberez comme tous les puissants *d'ici-bas.*"

8. Levez-vous, ô Dieu, jugez la terre, car toutes les nations vous appartiennent.

PSAUME 82.

Demande de secours.

O Dieu, qui est semblable à vous? Ne gardez pas le silence et ne retenez pas votre bras, ô Dieu! 2. Car voici que vos ennemis s'agitent bruyamment, et que ceux qui vous haïssent lèvent la tête. 3. Ils forment contre votre peuple un dessein perfide, ils conspirent contre vos fidèles. 4. "Venez, disent-ils, exterminons-les, qu'ils disparaissent d'entre les nations, et qu'on ne prononce plus le nom d'Israël!" 5. Unis dans une même pensée, ils ont formé une ligue contre vous. 6. Ce sont les Iduméens qui vivent sous la tente, les Ismaélites, Moab et les Agaréniens, 7. Gébal, Ammon et Amalec, les Philistins avec les habitants de Tyr. 8. Assur aussi s'est joint à eux, il prête son appui aux enfants de Lot.

9. Traitez-les comme

Ps. 81. — 1. Le Psalmiste représente Dieu siégeant comme juge dans l'assemblée des dieux, c'est-à-dire des juges de la terre, et prononçant contre eux la condamnation qui suit. — 5. *Tous les fondements de la terre*, etc. : la justice étant pervertie, toutes les bases de l'ordre social sont ébranlées. — 6. *Vous êtes des dieux*, vous représentez Dieu sur la terre, juges, vous êtes les images du souverain Juge.

Ps. 82. — 9. *Comme Madian*, les Madianites, vaincus par Gédéon

Madian, comme Sisara, comme Jabin au torrent de Cisson. 10. Ils ont été anéantis à Endor, leurs cadavres ont engraissé la terre. 11. Traitez leurs chefs comme Oreb et Zeb, tous les princes comme Zébée et Salmana. 12. Car ils disent : " Emparons-nous du sanctuaire de Dieu ! "

13. Mon Dieu, rendez-les semblables au tourbillon, au chaume qu'emporte le vent. 14. Comme le feu dévore la forêt, comme la flamme embrase les montagnes : 15. ainsi poursuivez-les de votre tempête, épouvantez-les de votre colère. 16. Couvrez leurs visages d'ignominie, afin qu'ils cherchent votre nom, Seigneur. 17. Qu'ils soient à jamais dans la confusion et l'épouvante, dans la honte et la ruine ! 18. Qu'ils sachent que votre nom est LE SEIGNEUR, que vous êtes le seul Très Haut sur toute la terre !

PSAUME 83.

Heureux celui qui habite la maison de Dieu !

Que vos tabernacles sont aimables, Dieu des armées ! 2. Mon âme soupire, elle languit après les parvis du Seigneur ; mon cœur et ma chair tressaillent vers le Dieu vivant. 3. Le passereau même trouve une demeure, et l'hirondelle un nid pour y déposer ses petits : *que je retrouve* vos autels, Seigneur des armées, mon Roi et mon Dieu ! 4. Heureux ceux qui habitent votre maison ! Ils peuvent sans cesse chanter vos louanges.

5. Heureux l'homme qui attend de vous son secours, qui a disposé dans son cœur des degrés pour s'élever, 6. en traversant cette vallée de larmes, jusqu'au séjour glorieux qui lui est destiné ! 7. Le souverain Législateur le comble de bénédictions ; il s'avance

(*Jug.* VII, 22.) — *Comme Sisara*, général de *Jabin*, roi chananéen, vaincu par Débora (*Jug.* IV. 15, 24). — 13. Sens : mettez leurs armées en déroute. — 14. *Embrase les montagnes* boisées et met à nu leurs sommets. — 16. *Afin qu'ils cherchent votre nom :* c'est pour les ramener à lui que Dieu châtie les pécheurs; il veut, non qu'ils périssent, mais qu'ils se convertissent et qu'ils vivent.

Ps. 83. — 5. *Qui a disposé dans son cœur des degrés*, qui a formé dans son cœur le ferme dessein de s'avancer dans la perfection et de

avec une vigueur toujours croissante dans le chemin des vertus, et il verra le Dieu des dieux dans la céleste Sion.

8. Seigneur, Dieu des armées, exaucez ma prière; prêtez l'oreille, Dieu de Jacob. 9. Vous qui êtes notre protecteur, voyez, ô Dieu, et jetez les yeux sur la face de votre Oint. 10. Car mieux vaut un jour dans vos parvis que mille loin de vous. J'aime mieux être au dernier rang dans la maison de Dieu, que d'habiter dans les tentes des pécheurs. 11. Oui, Dieu aime la miséricorde et la vérité; il donne la grâce et la gloire; 12. il ne refuse aucun bien à ceux qui marchent dans l'innocence. 13. Seigneur, *Dieu* des armées, heureux l'homme qui espère en vous!

PSAUME 84.

Prière pour la complète restauration d'Israël.

Vous avez, Seigneur, béni votre terre, vous y avez ramené les captifs de Jacob. 2. Vous avez pardonné l'iniquité de votre peuple, vous avez couvert tous ses péchés. 3. Vous avez apaisé toute votre indignation, vous êtes revenu de l'ardeur de votre colère.

4. Rétablissez-nous, ô Dieu, notre Sauveur; détournez de nous votre courroux. 5. Serez-vous éternellement irrité contre nous? Prolongerez-vous d'âge en âge votre ressentiment? 6. O Dieu, vous nous ferez revenir à la vie; afin que votre peuple se réjouisse en vous. 7. Seigneur, faites-nous voir votre bonté, et accordez-nous votre salut.

8. Je veux écouter ce

---

mériter le ciel. — 9-10. *Votre Oint*, c'est-à-dire, celui qui a été consacré par une onction sainte. Ici ce mot désigne directement David, que la révolte d'Absalon avait chassé de Jérusalem. Mais l'Oint par excellence, c'est le Messie, Jésus Christ : l'Eglise conjure le Père éternel de la protéger en considération de ses mérites divins. — 11. *La miséricorde et la vérité* : nous avons besoin des deux : de la pure *miséricorde*, qui nous a appelés à la vie chrétienne et nous a conféré la qualité d'enfants de Dieu; de la *vérité*, c'est-à-dire de la fidélité de Dieu à accomplir les promesses qu'il a faites. — *La grâce* dans la vie présente, *la gloire* dans la vie future.

Ps. 84. — 4. *Rétablissez-nous* dans l'état où nous étions autrefois, quand Israël habitait en paix le pays que vous lui avez donné en héritage. — 8. Le Psalmiste se représente comme attendant la réponse de Dieu à la prière qui précède, et il donne aussitôt cette réponse

que dira au-dedans de moi le Seigneur Dieu : il a des paroles de paix pour son peuple, pour ses fidèles et pour ceux qui rentrent au fond de leur cœur. 9. Oui, son salut est proche de ceux qui le craignent, et la gloire habitera de nouveau sur notre terre. 10. La grâce et la vérité vont se rencontrer ; la justice et la paix s'embrasseront. 11. La vérité germera de la terre, et la justice regardera du haut du ciel. 12. Le Seigneur nous accordera ses faveurs, et notre terre donnera son fruit. 13. La justice marchera devant lui, et tracera le chemin à ses pas.

PSAUME 85.

Prière du juste dans l'adversité.

Prêtez l'oreille, Seigneur, et exaucez-moi, car je suis pauvre et malheureux. 2. Gardez mon âme, car je vous suis fidèle ; sauvez, ô mon Dieu, votre serviteur qui espère en vous. 3. Ayez pitié de moi, Seigneur, car je crie vers vous tout le jour. 4. Réjouissez l'âme de votre serviteur, car c'est vers vous, Seigneur, que j'élève mon âme. 5. Car vous êtes bon, Seigneur, et clément, et riche en compassion pour tous ceux qui vous invoquent. 6. Seigneur, prêtez l'oreille à ma prière, soyez attentif à la voix de mes supplications.

7. Au jour de ma détresse je vous invoque, car vous m'exaucez. 8. Nul n'est semblable à vous parmi les dieux, Seigneur ; rien ne ressemble à vos œuvres. 9. Toutes les nations que vous avez faites vien-

telle que l'Esprit divin la lui suggère : Dieu promet la paix et le salut à son peuple. — 9. *La gloire :* c'est surtout la présence du Seigneur dans son temple relevé de ses ruines. Dans la plénitude des temps, le Verbe fait chair, en y entrant, y révéla sa gloire, " une gloire comme celle du Fils unique du Père." — 10. Ce bonheur s'est pleinement réalisé, lorsque le Fils de Dieu fait homme est venu " habiter parmi nous, plein de grâce et de vérité." — 11. Dans le sens prophétique, la vérité, c'est le Verbe incarné. — 12. *Son fruit*, tous les produits qu'on doit attendre d'une terre ainsi bénie de Dieu. Dans le sens prophétique ce fruit est celui que la vertu du Très Haut a fait germer dans le sein virginal de Marie, le Fils de Dieu fait homme.

Ps. 85. — 2. *Mon âme*, ma vie, menacée par mes ennemis. — 8. *A vos œuvres :* la création du monde, les prodiges que Dieu a opérés en faveur de son peuple, etc. — 9. Le Psalmiste voit en esprit que les

dront se prosterner devant vous, Seigneur, et rendre gloire à votre nom. 10. Car vous êtes grand, et vous opérez des prodiges; vous seul êtes Dieu.

11. Conduisez-moi, Seigneur, dans votre voie : je veux marcher dans votre fidélité; que mon cœur mette sa joie à vénérer votre nom. 12. Je vous louerai de tout mon cœur, Seigneur, mon Dieu, et je glorifierai votre nom à jamais. 13. Car votre bonté est grande envers moi; vous avez tiré mon âme des profondeurs du séjour des morts.

14. O Dieu, des méchants se sont levés contre moi, une troupe d'hommes violents en veulent à ma vie, sans tenir aucun compte de vous. 15. Mais vous, Seigneur, vous êtes un Dieu miséricordieux et compatissant, lent à la colère et riche en bonté et en fidélité. 16. Tournez vers moi vos regards et ayez pitié de moi; donnez votre force à votre serviteur, et sauvez le fils de votre servante. 17. Signalez par un coup d'éclat votre bonté pour moi; que mes ennemis le voient et soient confondus; car c'est vous, Seigneur, qui êtes mon secours et mon consolateur.

PSAUME 86.

Gloire de Sion (l'Eglise).

Elle a ses fondements sur les saintes montagnes! 2. Le Seigneur aime les portes de Sion plus que toutes les demeures de Jacob. 3. Des choses glorieuses ont été dites de toi, ô cité de Dieu.

4. "Je nommerai, *dit le Seigneur*, Rahab et Babylone parmi ceux qui me connaissent; voici les Philistins, et Tyr, et le

nations, c'est-à-dire les peuples idolâtres se convertiront un jour au vrai Dieu, dont elles sont les créatures. — 13. *Vous avez tiré mon âme*, etc. : vous m'avez préservé jusqu'à présent des périls de mort auxquels la méchanceté de mes ennemis m'exposait. — 16. *Le fils de votre servante*, qui est à vous par conséquent dès le sein de sa mère : le fils de l'esclave était la propriété du maître de la maison.

Ps. 86. — 2. *Les portes de Sion*, pour la ville tout entière. — *Les demeures de Jacob*, les autres villes d'Israël où Dieu avait manifesté sa présence et où l'arche avait résidé, comme Silo et Béthel. — 4. Tous les peuples se convertiront au Dieu de Sion, et Dieu pourra dire de chacun d'eux : *Il est né là*, dans Sion; Sion est devenue leur mère, ils sont tous ses enfants, et par conséquent les enfants de

peuple de l'Ethiopie : c'est dans Sion qu'ils sont nés." 5. Et l'on dira de Sion : "Une multitude d'hommes est née dans son sein; c'est le Très Haut qui l'a fondée." 6. Le Seigneur inscrira au rôle des peuples : "Il est né dans Sion."

7. Ils viennent avec des chants et des danses : "En toi, *disent-ils*, est la source de ma vie et de mon salut."

PSAUME 87.

Prière d'un juste affligé et délaissé.

Seigneur, Dieu de mon salut, le jour je vous invoque et la nuit je suis devant vous. 2. Que ma prière arrive en votre présence; prêtez l'oreille à mes supplications. 3. Car mon âme est abreuvée de maux, et ma vie défaillante touche au séjour des morts. 4. On me compte parmi ceux qui descendent dans la fosse, je suis comme un homme à bout de forces, 5. délaissé parmi les morts, pareil aux victimes du glaive qui dorment dans les sépulcres, dont vous ne gardez plus le souvenir et qui sont repoussés de votre main. 6. On m'a mis dans la fosse profonde, dans les lieux ténébreux et dans l'ombre de la mort. 7. Sur moi s'appesantit votre colère, et vous faites passer sur ma tête tous les flots de votre indignation. 8. Vous avez éloigné de moi mes amis; je suis devenu pour eux un objet d'horreur; je suis emprisonné sans pouvoir sortir. 9. Mes yeux se consument dans la souffrance; je crie vers vous, Seigneur, tout le jour; vers vous j'étends les mains.

10. Ferez-vous un mi-

Dieu. — 5. *Qui a fondé* et affermi Sion, et l'Eglise dont Sion est la figure; ses ennemis ne prévaudront jamais contre elle. — 6. Le Psalmiste représente le Seigneur inscrivant les nouveaux convertis *sur le rôle des peuples*, c'est-à-dire sur un grand livre où les peuples sont recensés avec tout ce qui les concerne. *Il*, ce peuple ou cet individu, *est né dans Sion;* c'est un véritable enfant de Sion, et par conséquent de Dieu. — 7. Joie des païens convertis.

Ps. 87. — 1. *Je suis devant vous*, je prie encore. — 5. *Repoussés de votre main*, n'étant plus l'objet, comme ils l'étaient sur la terre, des attentions délicates et des soins paternels de votre providence. — 6. La *fosse profonde*, les *lieux ténébreux* et *l'ombre de la mort* désignent le sépulcre. Sens : je suis à deux pas de la mort ou de la tombe. — 10-12. Sens de ces trois versets : les hommes, une fois

racle pour rendre les morts à la vie? L'art de l'homme les ranimera-t-il pour qu'ils chantent vos louanges? 11. Publie-t-on vos miséricordes dans le sépulcre, votre fidélité dans l'abîme? 12. Vos prodiges sont-ils connus dans la région des ténèbres, et votre justice dans la terre de l'oubli?

13. Et moi, Seigneur, je crie vers vous; dès le matin ma prière va au-devant de vous. 14. Pourquoi, Seigneur, repoussez-vous mes supplications? Pourquoi détournez-vous de moi votre visage? 15. Je suis malheureux et dans la souffrance depuis ma jeunesse; si je veux m'élever au-dessus, je retombe humilié et bouleversé. 16. Les flots de votre colère ont passé sur moi; vos terreurs me jettent dans un trouble affreux. 17. Comme des eaux *débordées*, elles m'environnent tout le jour, elles m'assiègent toutes ensemble. 18. Vous avez éloigné de moi mes amis et mes proches; mes compagnons s'enfuient de ma misère.

PSAUME 88.

Prière pour l'accomplissement des promesses faites à David.

Je veux chanter à jamais les miséricordes du Seigneur; à toutes les générations ma bouche annoncera votre fidélité. 2. Car, vous nous l'avez dit, votre miséricorde est un édifice bâti dans les cieux, et c'est là que vous avez établi votre fidélité. 3. "J'ai contracté alliance avec mes élus; j'ai fait ce serment à David, mon serviteur : 4. Je veux affermir ta race pour toujours, établir ton trône pour toutes les générations."

5. Les cieux célèbrent vos merveilles, Seigneur, et votre fidélité dans l'assemblée des saints. 6. Car qui pourrait, dans le ciel, se comparer au Seigneur? qui est semblable à lui parmi les fils de Dieu? 7. Il est glorifié dans l'as-

morts, ne reviennent pas à la vie, et ne peuvent plus chanter les louanges de Dieu, comme on le fait sur la terre dans les cérémonies du culte : pourquoi donc Dieu me laisserait-il mourir? Voy. *Ps.* vi, 6, note.

Ps. 88. — 1. *Votre fidélité* à tenir vos promesses. — 5-18. Comme la valeur d'une promesse se mesure sur la dignité de celui qui l'a faite, le Psalmiste entonne une hymne pour célébrer la grandeur de

semblée des saints; il est grand et redoutable pour tous ceux qui l'entourent. 8. Seigneur, Dieu des armées, qui est semblable à vous? Vous êtes puissant, Seigneur, et votre fidélité vous environne.

9. C'est vous qui domptez la puissance de la mer, qui apaisez le soulèvement de ses flots. 10. C'est vous qui terrassez l'orgueilleux, comme un guerrier que le glaive a frappé; qui dispersez vos ennemis par la force de votre bras. 11. A vous sont les cieux, à vous aussi la terre; le monde et ce qu'il contient, c'est vous qui l'avez fondé. 12. Vous avez créé le Nord et le Midi; le Thabor et l'Hermon tressaillent à votre nom. 13. Votre bras est armé de puissance; votre main est forte et votre droite élevée. 14. La justice et l'équité sont le fondement de votre trône; la miséricorde et la justice marchent devant vous.

15. Heureux le peuple qui connaît les joyeuses acclamations *annonçant vos solennités!* Il marche, Seigneur, à la clarté de votre visage; 16. il se réjouit sans cesse en votre nom, et il s'élève par votre justice. 17. Car vous êtes sa gloire et sa force, et par votre faveur grandit notre puissance. 18. Car c'est du Seigneur, du Saint d'Israël, notre roi, que vient notre protection.

19. Vous avez parlé jadis en vision à vos saints *prophètes*, en disant : " J'ai prêté assistance à un héros, et j'ai élevé mon élu du milieu de mon peuple. 20. J'ai trouvé David, mon serviteur; je l'ai oint de mon huile sainte. 21. Ma main l'assistera, et mon bras le rendra fort. 22. L'ennemi n'aura jamais sur lui l'avantage, et le fils d'iniquité ne

Dieu, spécialement sa toute-puissance et sa fidélité. — 13. *Votre droite* est *élevée :* c'est le geste du maître qui commande. — 14. *Marchent devant vous*, comme des hérauts qui annoncent votre présence, ou des serviteurs qui attendent vos ordres. — 15. De *joyeuses acclamations* et le son des trompettes annonçaient les fêtes religieuses d'Israël, comme les fêtes chrétiennes sont annoncées par le son des cloches. Sens : Heureux le peuple qui est resté fidèle à votre culte! — 19. *A vos saints* prophètes, Samuel et Nathan. — *Un héros*, David qui gardait les troupeaux de son père quand Dieu l'appela à

pourra lui faire de mal. 23. Devant lui je taillerai en pièces ses adversaires, et je mettrai en fuite ceux qui le haïssent. 24. Ma fidélité et ma miséricorde seront avec lui, et par mon nom s'élèvera sa puissance. 25. J'étendrai sa main sur la mer, et sa droite sur les fleuves. 26. Il me dira : Vous êtes mon père, mon Dieu et le garant de mon salut. 27. Et moi, je ferai de lui le premier-né, le plus élevé des rois de la terre. 28. Je lui conserverai ma miséricorde à jamais, et mon alliance avec lui sera indissoluble. 29. J'assurerai à sa postérité une durée éternelle, et son trône aura les jours des cieux. 30. Si ses fils abandonnent ma loi et ne marchent pas selon mes ordonnances; 31. s'ils violent mes préceptes et n'observent pas mes commandements, 32. je punirai par la verge leurs transgressions et par le fouet leurs iniquités; 33. mais je ne lui retirerai pas ma miséricorde, et je ne faillirai pas à la vérité de mes promesses. 34. Je ne violerai point mon alliance et je ne rendrai pas vaines les paroles sorties de mes lèvres. 35. Je l'ai juré une fois par ma sainteté, je ne mentirai pas à David. 36. Sa postérité subsistera éternellement; 37. son trône sera devant moi comme le soleil; comme la lune, il est établi à jamais; et le témoin qui est au ciel est fidèle."

38. Et vous, vous avez rejeté, vous avez dédaigné, vous avez repoussé votre Oint. 39. Vous avez rompu l'alliance faite avec votre serviteur, vous avez profané dans la poussière son diadème sacré. 40. Vous avez renversé toutes ses murailles,

---

la royauté. — 25. Le royaume de Salomon, fils de David, touchait d'un côté *à la mer* Méditerranée, et de l'autre au grand *fleuve* de l'Euphrate. Le royaume du Messie s'étendra d'un bout du monde à l'autre. — 26. *Mon père :* ce mot a dans la sainte Ecriture un sens très étendu; il exprime toutes les tendres affections. David est fils de Dieu par adoption: de même Salomon; le Messie le sera par nature. — 29. *Les jours des cieux*, une durée sans limite. Cette promesse n'a eu sa complète réalisation que dans le Messie, descendant de David. — 39. *Son diadème sacré :* les rois d'Israël étant les représentants de Dieu, leur diadème était comme l'insigne sacré de la puissance divine elle-même.

et jeté l'épouvante dans ses forteresses. 41. Tous les passants le dépouillent; il est devenu l'opprobre de ses voisins. 42. Vous avez élevé la droite de ses oppresseurs, vous avez réjoui tous ses ennemis. 43. Vous avez fait retourner en arrière le tranchant de son glaive, et vous ne l'avez pas soutenu dans le combat. 44. Vous l'avez dépouillé de sa splendeur, et vous avez jeté par terre son trône brisé. 45. Vous avez abrégé les jours de sa jeunesse, et vous l'avez couvert d'ignominie.

46. Jusques à quand, Seigneur, vous détournerez-vous pour toujours, et votre colère s'embrasera-t-elle comme un feu? 47. Rappelez-vous que je suis un être d'un jour; serait-ce en vain que vous avez créé tous les enfants des hommes? 48. Quel est l'homme vivant qui ne verra pas la mort, qui soustraira son âme à la puissance du trépas? 49. Où sont, Seigneur, vos miséricordes d'autrefois, que vous avez jurées à David dans votre fidélité? 50. Souvenez-vous, Seigneur, de l'opprobre de vos serviteurs, des outrages de toutes ces nations dont je porte l'amertume dans mon sein. 51. Vos ennemis jettent l'insulte, Seigneur, ils jettent l'insulte à votre Oint, si abaissé au-dessous de ses prédécesseurs!

52. Béni soit à jamais le Seigneur! Amen! amen!

PSAUME 89.

Brièveté et misère de la vie.

Seigneur, vous avez été pour nous un refuge d'âge en âge. 2. Avant que les montagnes existassent, que la terre et le monde fussent formés, de toute éternité vous êtes Dieu. 3. Ne permettez pas que l'homme attache son cœur aux choses périssables de la terre, vous qui avez dit : " Tournez-vous *vers moi*, enfants

47. Ce serait *en vain* que Dieu nous a donné la vie, s'il n'accomplissait pas les promesses faites à David, promesses qui doivent aboutir au Messie. Dans cette supposition, l'homme pécheur n'aurait jamais été réconcilié avec Dieu, et il n'aurait jamais atteint la fin glorieuse pour laquelle Dieu l'avait créé.

Ps. 89. — 1. *D'âge en âge*, depuis le temps des patriarches, qui n'avaient pas ici-bas de demeure permanente, jusqu'à celui de Moïse,

des hommes!" 4. Car mille ans sont à vos yeux comme le jour d'hier qui n'est plus, et comme une veille de la nuit. 5. Mais les années de l'homme sont un souffle sans consistance. 6. Comme l'herbe, il passe en un matin : elle fleurit le matin et passe; le soir elle languit, durcit et se dessèche.

7. Ainsi nous sommes consumés par votre colère, et votre courroux nous trouble et nous épouvante. 8. Vous mettez devant vous nos iniquités, les fautes de notre vie à la lumière de votre visage. 9. Tous nos jours s'évanouissent; nous disparaissons devant votre colère; nos années s'épuisent comme l'araignée. 10. La somme de nos jours s'élève à soixante-dix ans, et dans les plus forts à quatre-vingts ans; au delà, il n'y a plus que peine et douleur; c'est la vieillesse débile, qui a besoin de guide et de tuteur. 11. Qui comprend la puissance de votre colère? Qui vous redoute comme il convient à votre redoutable majesté? 12. Apprenez-nous à reconnaître votre droite *dans les châtiments qui nous frappent*, afin que nous formions en nous un cœur sage.

13. Revenez à nous, Seigneur; jusques à quand *serez-vous irrité?* Laissez-vous fléchir en faveur de vos serviteurs. 14. Rassasiez-nous au matin de votre miséricorde, et nous serons tous nos jours dans la joie et l'allégresse. 15. Réjouissez-nous autant de jours que vous nous avez humiliés, autant d'années que nous avons connu le malheur. 16. Jetez un regard favorable sur vos serviteurs et sur vos œuvres, et guidez leurs enfants. 17. Que la lumière du Seigneur notre Dieu bril-

---

où les Israélites errèrent pendant 40 ans dans le désert. — 4. *Comme une veille :* la nuit se partageait alors en trois *veilles*, de 4 heures chacune. — 6. *S'épuisent comme l'araignée*, qui tire de son sein la matière dont elle fait les fils de sa toile. — 11. *Qui comprend*, qui prend assez garde, dans sa conduite, aux terribles effets de votre colère? — 14. *Au matin :* jusqu'ici c'était la nuit, c'est-à-dire le malheur et la tristesse; que le *matin* d'un jour meilleur luise pour Israël! — 16. *Vos œuvres*, les œuvres que vous accomplissez par eux et avec eux. — 17. *La lumière du Seignenr*, la clarté de son visage, est le symbole de sa faveur et de sa grâce.

le sur nous! Dirigez pour notre bien les œuvres de nos mains! Oui, dirigez l'œuvre de nos mains!

PSAUME 90.

Bonheur de celui qui se confie en Dieu.

Celui qui s'abrite sous la protection du Très Haut repose à l'ombre du Dieu du ciel. 2. Il dit au Seigneur : " Vous êtes mon défenseur et mon refuge; vous êtes mon Dieu en qui je me confie." 3. Car c'est lui qui me délivre des filets du chasseur et des menaces du méchant. 4. Il te couvrira de ses ailes, et sous ses plumes tu trouveras un asile. 5. Sa fidélité t'entourera comme d'un bouclier; tu n'auras à craindre ni les épouvantes de la nuit, 6. ni la flèche qui vole pendant le jour, ni les complots qui s'ourdissent dans les ténèbres, ni les attaques du démon du midi. 7. Mille tomberont à ta gauche, et dix mille à ta droite, et tu ne seras pas atteint. 8. De tes yeux seulement tu regarderas, et tu verras quel est le salaire des méchants. 9. Car *tu as dit :* " Vous êtes mon espérance, Seigneur!" Tu as fait du Très Haut ton asile.

10. Le malheur ne viendra pas jusqu'à toi; aucun fléau ne s'approchera de ta tente. 11. Car Dieu a ordonné pour toi à ses anges de te garder dans toutes tes voies. 12. Ils te porteront entre leurs mains, de peur que tu ne heurtes le pied contre la pierre. 13. Tu marcheras sur l'aspic et le basilic, et tu fouleras aux pieds le lion et le dragon.

14. " Parce qu'il a mis en moi sa confiance, *dit le Seigneur*, je le délivrerai; je le protégerai, parce qu'il connaît mon nom. 15. Il m'invoquera, et je l'exaucerai; je serai avec lui dans la tribulation, pour le délivrer et

Ps. 90. — 6. *Les complots;* en hébr. *la peste.* — *Les attaques du démon du midi :* il y a en hébreu, *ni la contagion qui dévaste en plein midi;* sens : le juste que Dieu protège est à l'abri des dangers de toute sorte et de toute heure. — 18. *A ses anges :* Dieu a donc constitué des anges protecteurs des hommes, au moins des justes. Dans la tentation de Jésus Christ au désert, Satan cite ce passage, mais en y supprimant des mots essentiels, pour amener le Sauveur à se précipiter du haut du Temple (*Matth.* iv, 6). — 13. *Tu marcheras*, sans être blessé, *sur l'aspic et le basilic*, deux espèces de serpents.

le glorifier. 16. Je le comblerai de longs jours, et je lui ferai voir mon salut."

PSAUME 91.

Louange à Dieu puissant et juste.

Il est bon de louer le Seigneur, et de célébrer votre nom, ô Très Haut, 2. de publier le matin votre miséricorde, et votre fidélité pendant la nuit, 3. sur l'instrument à dix cordes et sur la lyre, avec les accords de la harpe.

4. Car vous me réjouissez, Seigneur, par vos œuvres, et je tressaille d'allégresse devant les ouvrages de vos mains. 5. Que vos œuvres sont grandes, Seigneur, que vos pensées sont profondes! 6. L'homme stupide n'y connaît rien, et l'insensé n'y peut rien comprendre.

7. Quand les méchants croissent comme l'herbe, et que fleurissent tous ceux qui font le mal, c'est pour être exterminés à jamais. 8. Mais vous, Seigneur, vous êtes le Très Haut pour l'éternité. 9. Car voici que vos ennemis, Seigneur, voici que vos ennemis périssent, tous ceux qui font le mal ont disparu.

10. Et vous élevez ma corne comme celle du buffle, et l'abondance de votre miséricorde réjouira encore ma vieillesse. 11. Mon œil contemple mes ennemis *abattus*, et mon oreille entend les *cris de détresse des* méchants qui s'élevaient contre moi. 12. Le juste fleurira comme le palmier, il croîtra comme le cèdre du Liban. 13. Plantés dans la maison du Seigneur, ils fleu-

Ps. 91. — 4. *Vos œuvres :* la création du monde et les prodiges opérés en faveur d'Israël pour préparer le salut des hommes. — 6. *L'homme stupide... l'insensé :* Le Psalmiste appelle ainsi ceux qui nient Dieu, cause première et intelligente du monde, et ne voient dans l'univers qu'une manière brute, obéissant à des forces aveugles. — 7. *Croissent comme l'herbe :* en Orient, sous l'influence de la pluie d'automne et de la chaleur, l'herbe arrive très vite à maturité; mais les ardeurs du soleil l'ont bien vite aussi flétrie et desséchée : image de la prospérité des méchants. — 10. *Ma corne*, ma puissance. — Le *buffle* (Vulg., *la licorne* ou *le rhinocéros*) ou bœuf sauvage, était le symbole de la force chez les poètes et les prophètes hébreux. — 13. Le juste, à cause de ses rapports fréquents et intimes avec Dieu, est comparé à un arbre qui serait planté dans la maison même du Seigneur et dans les parvis ou cours qui l'entouraient. La véritable

riront dans les parvis de notre Dieu. 14. Ils porteront encore des fruits dans une vieillesse pleine de sève et de vigueur, 15. pour publier que le Seigneur notre Dieu est juste et qu'il n'y a point d'injustice en lui.

PSAUME 92.

Le Seigneur est roi.

Le Seigneur est roi; il est revêtu de majesté; le Seigneur est revêtu, il est ceint de force; aussi le globe de la terre, affermi par lui, ne sera point ébranlé. 2. Votre trône est établi avant tous les siècles; de toute éternité vous êtes. 3. Les fleuves élèvent, Seigneur, les fleuves élèvent leurs flots : 4. plus que la voix des grandes eaux, sont admirables les soulèvements de la mer; plus admirable encore est le Seigneur dans les hauteurs *des cieux*. 5. Vos témoignages sont véridiques; la sainteté convient à votre maison, Seigneur, pour toute la durée des jours.

PSAUME 93.

Prière contre d'injustes oppresseurs.

Le Seigneur est le Dieu des vengeances; le Dieu des vengeances va se montrer dans sa souveraineté. 2. Levez-vous, Juge de la terre, rendez aux superbes selon leurs œuvres. 3. Jusques à quand les méchants, Seigneur, jusques à quand les méchants triompheront-ils? 4. Jusques à quand se répandront-ils en discours injustes et se glorifieront-ils, ces artisans d'iniquité? 5. Seigneur, ils foulent aux pieds votre peuple, ils oppriment votre héritage. 6. Ils égorgent la veuve et l'étranger, ils massacrent les orphelins. 7. Et ils disent : " Le Seigneur ne le voit pas, le Dieu de Jacob n'en a pas connaissance. "

---

maison du Seigneur, dit S. Paul (I *Tim.* iii. 15), c'est l'Eglise de Jésus Christ.

Ps. 92. — 5. *Vos témoignages*, toutes les manifestations par lesquelles Dieu s'est fait connaître aux hommes : sa loi, les prodiges accomplis en faveur de son peuple, et spécialement ses promesses : tout cela est vrai et digne de foi; nul n'a le droit de rejeter ce témoignage que Dieu s'est rendu à lui-même.

Ps. 93. — 1. *Le Dieu des vengeances :* Dieu est ainsi appelé parce que, étant infiniment saint, il lui appartient de maintenir la justice parfaite, non seulement sous la forme de récompense, mais aussi sous

8. Comprenez donc, stupides enfants du peuple; insensés, apprenez enfin la sagesse! 9. Celui qui a planté l'oreille, n'entendrait-il pas? Celui qui a formé l'œil ne verrait-il pas? 10. Celui qui châtie les nations ne punirait-il pas *vos oppresseurs?* Celui qui donne à l'homme l'intelligence *ne les connaîtrait-il pas?* 11. Le Seigneur connaît les pensées des hommes; *il sait* qu'elles sont vaines.

12. Heureux l'homme que vous instruisez, Seigneur, et à qui vous enseignez votre loi, 13. pour lui adoucir les jours mauvais, jusqu'à ce que la fosse soit creusée pour le méchant. 14. Car le Seigneur ne rejettera pas son peuple, il n'abandonnera pas son héritage. 15. Le jour viendra où le jugement sera conforme à la justice, et tous les hommes au cœur droit y applaudiront.

16. Qui se lèvera pour moi contre les méchants? Qui me soutiendra contre ceux qui font le mal? 17. Si le Seigneur ne venait pas à mon secours, mon âme habiterait bientôt le séjour des morts. 18. Quand je dis : "Mon pied chancelle," votre miséricorde, Seigneur, me vient en aide. 19. Quand les angoisses m'assiègent en foule, vos consolations réjouissent mon âme.

20. Les méchants vous feront-ils asseoir sur leur siège, vous qui avez inscrit dans vos lois la plus stricte justice? 21. Ils tendent des pièges à la vie du juste, et ils condamnent le sang innocent. 22. Mais le Seigneur est mon refuge, et mon Dieu le soutien de

celle de châtiment. — 8. Ces *enfants du peuple*, ce sont les Israélites opprimés qui, ne voyant pas la main de Dieu dans leurs épreuves, se laissent aller au découragement et au murmure. Le Psalmiste les console en leur disant que Dieu voit tout ce qui se passe et qu'il viendra bientôt à leur secours. — 13. *Pour lui adoucir*, c.-à-d. pour lui fournir des consolations dans ses épreuves, jusqu'à ce que le châtiment des méchants y mette fin. — 15. Les jugements rendus par les juges iniques seront réformés, et Dieu en rendra d'autres en conformité avec la justice éternelle. — 16. Si ceux dont l'office est de protéger les petits et les faibles les oppriment, où trouver du secours? — 20. Sens : Dieu pourrait-il approuver et confirmer les sentences de pareils juges, comme si lui-même les avait rendues? — 21. Dans l'office du Vendredi saint, l'Eglise applique ce verset à Notre Seigneur, le Juste par excellence.

mon espérance. 23. Il fera retomber sur eux leur iniquité, il les perdra par leur propre malice; il les exterminera, le Seigneur, notre Dieu.

PSAUME 94.

Invitation à louer Dieu et à lui obéir.

Venez, chantons avec allégresse au Seigneur! Poussons des cris de joie vers Dieu, notre salut! 2. Hâtons-nous de nous présenter devant lui avec des chants de louange, faisons retentir des hymnes en son honneur. 3. Car c'est un grand Dieu que le Seigneur, un grand Roi au-dessus de tous les dieux. 4. Il tient dans sa main les extrémités de la terre, et les sommets des montagnes sont à lui. 5. A lui appartient la mer, car c'est lui qui l'a faite; la terre aussi : ses mains l'ont formée. 6. Venez, prosternons-nous et adorons, pleurons devant le Seigneur, qui nous a créés. 7. Car le Seigneur est notre Dieu, et nous sommes le peuple de son pâturage, les brebis que sa main conduit.

8. Oh! si vous pouviez écouter aujourd'hui sa voix! "N'endurcissez pas votre cœur, *vous dit-il*, 9. comme aux jours de la provocation et de la tentation dans le désert, où vos pères m'ont tenté et m'ont éprouvé, quoiqu'ils eussent vu mes œuvres. 10. Pendant quarante ans j'ai été irrité contre cette génération, et j'ai dit : C'est un peuple au cœur égaré. 11. Mais ils n'ont pas connu mes voies. Aussi je jurai dans ma colère : Ils n'entreront pas dans mon repos!"

PSAUME 95.

Que tous les peuples rendent hommage au Seigneur!

Chantez au Seigneur un cantique nouveau;

Ps. 94. — 3. *Tous les dieux* imaginaires des idolâtres, mais auxquels on supposait une existence et une puissance réelles. — 9. Le Psalmiste rappelle deux circonstances où les Hébreux, dans le désert, tentèrent Dieu, c'est-à-dire, mirent sa puissance à l'épreuve, comme si Celui qui chaque jour opérait des merveilles en faveur de son peuple, manquait de puissance ou de bonté à son égard. — 11. *Ils n'entreront pas :* tous les Hébreux âgés de plus de 20 ans, excepté Caleb et Josué, furent condamnés à mourir dans le désert, sans avoir vu le pays de Chanaan où Dieu fit *reposer* son peuple. Ce repos terrestre est la figure de l'éternel repos réservé aux justes dans l'autre vie (*Hébr.* iv. 1-8).

chantez au Seigneur, vous tous habitants de la terre; 2. chantez au Seigneur et bénissez son nom; annoncez de jour en jour son salut. 3. Racontez sa gloire parmi les nations, ses merveilles parmi tous les peuples. 4. Car le Seigneur est grand et digne de toute louange; il est redoutable par dessus tous les dieux. 5. Car tous les dieux des peuples sont des démons; mais le Seigneur a fait les cieux. 6. La louange et la splendeur sont devant lui, la sainteté et la majesté sont dans son sanctuaire.

7. Rendez au Seigneur, familles des peuples, rendez au Seigneur honneur et gloire; 8. rendez au Seigneur la gloire due à son nom. Apportez les offrandes et venez dans ses parvis. 9. Adorez le Seigneur dans ses saints parvis; que devant lui tremble la terre entière! 10. Dites parmi les nations : "Le Seigneur est roi; il a établi la terre sur des bases inébranlables; il jugera les peuples avec droiture."

11. Que les cieux se réjouissent, et que la terre tressaille; que la mer s'agite avec tout ce qu'elle renferme! 12. Que la campagne soit dans l'allégresse avec tout ce qu'elle contient, que tous les arbres des forêts poussent des cris de joie 13. devant le Seigneur, car il vient, car il vient pour juger la terre. Il jugera le monde avec justice et les peuples selon sa fidélité.

PSAUME 96.

Le Seigneur vainqueur des idoles et protecteur des justes.

Le Seigneur règne : que la terre soit dans l'al-

Ps. 95. — 2. *Annoncez son salut* revient à *prêchez l'Evangile* (*Matth.* iv, 23), c'est-à-dire annoncez à tous les peuples que le Seigneur, pour opérer le salut des hommes, a envoyé sur la terre le Messie, le Fils de Dieu fait homme. — 5. *Des démons;* S. Paul s'exprime de même (I *Cor.* x, 20) : ce sont les démons qui se faisaient adorer dans les idoles païennes. — 7. *Familles des peuples*, peuples de toute race. — 10. *Le Seigneur est roi*, litt. *a régné;* dans les prières de l'Eglise, où ce passage est appliqué à Jésus Christ, on ajoute, *par le bois* de la croix. — *Il jugera les peuples*, il les gouvernera par son Messie, *avec droiture :* le christianisme transforma l'état moral de l'humanité; il créa des mœurs plus douces et plus pures, affranchit les esclaves, fit régner la justice, unit les hommes entre eux par le lien d'une véritable fraternité, etc. — 11. *S'agite* avec un joyeux retentissement de ses vagues.

Ps. 96. — 1. *Les îles :* les contrées, alors idolâtres, séparées des

légresse, que les îles nombreuses se réjouissent! 2. La nuée et l'ombre l'environnent; la justice et l'équité sont la base de son trône. 3. Le feu s'avance devant lui et dévore autour de lui ses ennemis. 4. Ses éclairs illuminent le monde : la terre le voit et tremble. 5. Les montagnes se fondent comme la cire devant le Seigneur, devant le Seigneur de toute la terre. 6. Les cieux proclament sa justice, et tous les peuples contemplent sa gloire.

7. Ils seront confondus tous les adorateurs d'images, qui sont fiers de leurs idoles. Adorez-le, vous tous, ses anges. 8. Sion a entendu et s'est réjouie; les filles de Juda sont dans l'allégresse à cause de vos jugements, Seigneur. 9. Car vous êtes, Seigneur, le Très Haut sur toute la terre, infiniment élevé au-dessus de tous les dieux.

10. Vous qui aimez le Seigneur, haïssez le mal; le Seigneur garde les âmes de ses saints, il les délivre de la main des méchants. 11. La lumière s'est levée pour le juste, et la joie pour ceux qui ont le cœur droit. 12. Justes, réjouissez-vous dans le Seigneur et rendez gloire à son saint nom.

PSAUME 97.

Louange au Seigneur qui a sauvé son peuple.

Chantez au Seigneur un cantique nouveau, car il a fait des prodiges; sa droite et son saint bras lui ont donné la victoire. 2. Le Seigneur a fait connaître son salut, il a révélé sa justice aux yeux des nations. 3. Il s'est souvenu de sa miséricorde et de sa fidélité envers la maison d'Israël; toutes les extrémités de la terre ont vu le salut de notre Dieu.

Israélites par la mer Méditerranée. — 2 suiv. : c'est sous ces traits que les poètes hébreux et les prophètes représentent le Seigneur quand il vient accomplir quelque grande œuvre dans le monde : voy. *Ps.* xvii; *Hab.* iii. — 7. *D'images*, de statues représentant de fausses divinités. — *Vous tous, ses anges*, S. Paul. (*Hébr.* i, 6.) entend ces mots de l'ordre donné aux anges, bons et mauvais, d'adorer le Verbe incarné. — 8. *Sion*, Jérusalem, *a entendu* que son Dieu est connu et adoré par tous les peuples. — *Les filles*, les villes *de Juda*, sœurs ou plutôt filles de Jérusalem.

Ps. 97. — 2. *Son salut... sa justice :* le salut du monde par le Messie, qui a fait régner sur la terre la sainteté et la justice. — 3. *Le salut* envoyé ou opéré par *notre Dieu.*

4. Poussez des cris de joie vers le Seigneur, vous tous habitants de la terre; chantez avec allégresse au son des instruments. 5. Célébrez le Seigneur avec la harpe, avec la harpe et le chant des saints cantiques. 6. Avec les trompettes d'argent et le son du cor poussez des cris de joie devant le Roi, le Seigneur.

7. Que la mer s'agite avec tout ce qu'elle renferme; que la terre et ses habitants fassent éclater leurs transports; 8. que les fleuves applaudissent; que toutes les montagnes tressaillent 9. devant le Seigneur; car il vient pour juger la terre; il va juger le monde avec justice, et les peuples avec équité.

PSAUME 98.

Le Seigneur est saint, miséricordieux et juste.

Le Seigneur règne : que les peuples tremblent! Il est assis sur les Chérubins : que la terre chancelle! 2. Le Seigneur est grand dans Sion, il est élevé au-dessus de tous les peuples. 3. Qu'on célèbre votre nom grand et redoutable! — Il est saint!

4. La gloire d'un roi est d'aimer la justice; *aussi* vous affermissez la droiture, vous exercez en Jacob la justice et l'équité. 5. Exaltez le Seigneur notre Dieu, et prosternez-vous devant l'escabeau de ses pieds. — Il est saint!

6. Moïse et Aaron parmi ses prêtres, et Samuel parmi ceux qui invoquent son nom, invoquaient le Seigneur, et il les exauçait. 7. Il leur parlait dans la colonne de nuée; ils observaient ses commandements et la loi qu'il leur avait donnée. 8. Seigneur, notre Dieu, vous les exauciez, vous

8. *Applaudissent*, litt. *battent des mains*, pour acclamer le nouveau Roi; le bruit des flots justifie suffisamment cette métaphore.

Ps. 98. — 1. *Que les peuples tremblent* de crainte et de respect. — *Assis sur les Chérubins*, qui forment son trône. — 5. *L'escabeau de ses pieds*, l'arche d'alliance sur laquelle sont comme posés les pieds de Dieu assis sur les Chérubins; elle est indiquée ici, non comme l'objet, mais comme le lieu de l'adoration. Les Pères entendent ces mots de la sainte humanité de Notre Seigneur, dont l'arche était la figure, et qui a droit à nos adorations, à cause de son union personnelle avec la divinité. — 8. *Et vous punissiez :* Dieu exerce sa justice comme sa miséricorde, et cela parce qu'il est saint.

étiez pour eux un Dieu clément, et vous punissiez leurs fautes.

9. Exaltez le Seigneur notre Dieu, et prosternez-vous sur sa montagne sainte, car il est saint, le Seigneur notre Dieu !

PSAUME 99.

Louange au Seigneur!

Poussez des cris de joie vers Dieu, vous tous habitants de la terre; servez le Seigneur avec joie; venez en sa présence avec allégresse. 2. Reconnaissez que le Seigneur est Dieu; c'est lui qui nous a faits, et non pas nous; nous sommes son peuple et les brebis de son pâturage. 3. Entrez sous ses portiques avec des louanges, dans ses parvis avec des cantiques; célébrez-le, louez son nom. 4. Car le Seigneur est bon, sa miséricorde est éternelle et sa fidélité demeure d'âge en âge.

PSAUME 100.

Devoirs d'un bon roi.

Je veux chanter la bonté et la justice; c'est vous, Seigneur, que je veux célébrer sur la harpe.

2. Je prendrai garde à *suivre* la voie de l'innocence : — quand viendrez-vous habiter près de moi? — Je marcherai dans la pureté de mon cœur au milieu de ma maison. 3. Je ne mettrai devant mes yeux aucune action mauvaise; j'ai en horreur la conduite des hommes pervers; j'éloignerai de mon intimité 4. le cœur corrompu; le méchant se tiendra éloigné de moi, et je ne le connaîtrai pas. 5. Celui qui déchire en secret son prochain, je le poursuivrai; l'homme à l'œil hautain, au cœur cupide, je ne le recevrai point à ma table. 6. Mes yeux chercheront les hommes

Ps. 99. — 3. *Reconnaissez*, à toutes les grandes choses qu'il a faites et qu'il fait tous les jours dans le monde, *que le Seigneur est* le seul *Dieu*, le souverain du ciel et de la terre.

Ps. 100. — 1. *La bonté et la justice* de Dieu, deux attributs divins qui doivent briller aussi dans les rois, représentants de Dieu sur la terre. — 2. *Quand viendrez-vous*, etc. L'arche fut, en effet, placée peu de temps après sur le mont Sion, dans une riche tente que le roi avait fait préparer non loin de son palais. — *Au milieu de ma maison*, loin des regards publics, dans l'intérieur même de la vie de famille. — 6. *Pour les faire asseoir auprès de moi*, pour en faire mes amis intimes et mes conseillers. — *Mon serviteur*, mon ministre; je lui confierai des fonctions publiques.

fidèles du pays, pour les faire asseoir auprès de moi; celui qui marche dans une voie intègre sera mon serviteur. 7. L'orgueilleux n'aura point de place dans ma maison; celui qui profère des paroles iniques ne subsistera pas en ma présence. 8. Je m'appliquerai à frapper tous les pécheurs du pays, afin d'extirper de la cité du Seigneur tous ceux qui commettent l'iniquité.

PSAUME 101.

Prière d'Israël captif.

Seigneur, écoutez ma prière, et que mes cris arrivent jusqu'à vous. 2. Ne détournez pas de moi votre visage; au jour de ma détresse, inclinez vers moi votre oreille; quand je vous invoque, hâtez-vous de m exaucer.

3. Car mes jours s'évanouissent comme la fumée, et mes os se consument comme le bois dans le foyer. 4. J'ai été frappé comme l'herbe, et mon cœur se dessèche; j'oublie même de manger mon pain. 5. A force de pousser des gémissements, mes os sont attachés à ma peau. 6. Je ressemble au pélican du désert, je suis devenu comme le hibou qui habite les ruines. 7. Je passe les nuits sans sommeil, comme l'oiseau solitaire sur son toit. 8. Tout le jour mes ennemis m'outragent, et ceux qui me louaient jurent ma ruine. 9. Je mange la cendre comme du pain, et je mêle des larmes à mon breuvage, 10. à cause de votre colère et de votre indignation; car vous m'avez soulevé et brisé contre terre. 11. Mes jours sont comme l'ombre qui s'allonge, et je me dessèche comme l'herbe.

12. Mais vous, Seigneur, vous subsistez à jamais, et votre nom vit

Ps. 101. — 3. *Comme la fumée*, que le vent emporte : épaisse d'abord, elle va toujours en se raréfiant, jusqu'à ce qu'il n'en reste plus. — *Mes os*, brûlés par la fièvre. — 4. *J'ai été frappé* par le malheur, comme l'herbe est frappée, soit par les feux du soleil, soit par la faux du moissonneur. — *Mon cœur*, centre et organe principal de la vie. — *J'oublie*, etc. : signe d'une excessive douleur. — 9. *La cendre* sur laquelle il est assis et qu'il répand sur sa tête et ses vêtements en signe d'affliction, il la mange mêlée à son pain. — 11. Dans cet exil, *mes jours sont comme l'ombre qui s'allonge* à mesure que

d'âge en âge. 13. Levez-vous et prenez pitié de Sion, car c'est le temps de lui faire grâce, le temps marqué est venu. 14. Car vos serviteurs en chérissent les pierres *dispersées;* sa poussière même attendrit leur cœur. 15. Alors les nations révéreront votre nom, Seigneur, et tous les rois de la terre votre majesté, 16. parce que le Seigneur a rebâti Sion; il s'est montré dans sa gloire; 17. il s'est incliné vers la prière des humbles et n'a pas dédaigné leurs supplications. 18. Que cela soit écrit pour la génération future, et que le peuple qui sera créé célèbre le Seigneur, 19. parce qu'il a regardé du haut de son sanctuaire, parce que le Seigneur a regardé des cieux sur la terre, 20. pour écouter les gémissements des captifs, pour délivrer ceux qui étaient voués à la mort : 21. afin qu'ils publient dans Sion le nom du Seigneur, et sa gloire dans Jérusalem, 22. au jour où s'assembleront tous les peuples et tous les rois pour servir le Seigneur.

23. Il a brisé ma force sur le chemin, il a abrégé mes jours. 24. Je dis : Ne me rappelez pas *de ce monde* au milieu de mes jours, vous dont les années durent d'âge en âge. 25. Au commencement, vous, Seigneur, vous avez fondé la terre, et les cieux sont l'ouvrage de vos mains. 26. Ils périront, mais vous, vous subsistez; ils s'useront tous comme un vêtement; vous les changerez comme un manteau, et ils seront changés : 27. mais vous, vous restez le même, et vos années ne s'épuisent pas. 28. Les fils de vos serviteurs habiteront *leur pays*, et leur postérité sera stable *devant vous* pour des siècles!

---

s'abaisse le soleil, et qui disparaît avec lui. — 16. *Le Seigneur a rebâti :* le Psalmiste voit la chose comme déjà faite. — 18. *Le peuple qui sera créé*, le peuple à venir, à naître. Les saints Pères entendent par là le peuple spirituel des chrétiens. — 22. Prophétie bien remarquable : le retour de la captivité sera le signal de la conversion générale des peuples au vrai Dieu; cette conversion a été réalisée par la prédication de l'Evangile. — 23. Vulgate : *Il lui a répondu dans la voie de sa force : Fais-moi connaître le petit nombre de mes jours.*

PSAUME 102.

Hymne de reconnaissance pour les bienfaits du Seigneur.

O mon âme, bénis le Seigneur, et que tout ce qui est en moi bénisse son saint nom ! 2. O mon âme, bénis le Seigneur, et n'oublie jamais tous ses bienfaits. 3. C'est lui qui pardonne toutes tes iniquités, qui guérit toutes tes maladies ; 4. c'est lui qui rachète ta vie du tombeau, qui te couronne de miséricorde et d'amour ; 5. c'est lui qui comble de biens tes désirs, qui donne à ta jeunesse renouvelée la vigueur de l'aigle.

6. Le Seigneur fait miséricorde ; il rend justice à tous les opprimés. 7. Il a fait connaître ses voies à Moïse, et ses volontés aux enfants d'Israël. 8. Le Seigneur est miséricordieux et compatissant, lent à la colère et riche en bonté. 9. Il ne garde pas éternellement sa colère, il ne menace pas sans retour. 10. Il ne nous traite pas selon nos péchés, et ne nous châtie pas selon nos iniquités.

11. Car autant les cieux sont élevés au-dessus de la terre, autant sa bonté est grande envers ceux qui le craignent. 12. Autant l'orient est loin de l'occident, autant il éloigne de nous nos transgressions. 13. Comme un père a compassion de ses enfants, ainsi le Seigneur a compassion de ceux qui le craignent. 14. Car il sait de quoi nous sommes formés, il se souvient que nous sommes poussière.

15. L'homme ! Ses jours sont comme l'herbe ; il fleurit comme la fleur des champs. 16. Qu'un souffle passe sur lui, il n'est plus, et le lieu qu'il occupait ne le connaît plus. 17. Mais la bonté du Seigneur s'exerce de l'éternité à l'éternité envers

Ps. 102. — 1. *Que tout ce qui est en moi :* que mon intelligence, mon cœur et toutes mes facultés s'unissent pour bénir le Seigneur ! — 5. *La vigueur de l'aigle :* le Psalmiste fait allusion à la *mue* qui dépouille chaque année la plupart des oiseaux, pour les revêtir ensuite d'un nouveau plumage. — 16. *Sur lui*, l'homme; ou bien, *sur elle*, la fleur. — *Le lieu qu'il occupait ne le connaît plus :* c'est le sens de l'hébr. Vulgate : *et on ne connaît plus son lieu*, sa place. — 17. La miséricorde de Dieu envers les justes les précède éternellement avant leur naissance, pour leur préparer des grâces de salut ; elle

ceux qui le craignent; sa justice s'étend aux enfants de leurs enfants, 18. envers ceux qui gardent son alliance, et qui se souviennent de ses commandements pour les observer.

19. Le Seigneur a établi son trône dans les cieux, et tout est soumis à son empire. 20. Bénissez le Seigneur, vous tous, ses anges, qui êtes puissants et forts et qui exécutez ses ordres, dociles à l'appel de sa parole. 21. Bénissez le Seigneur, vous toutes, ses armées, qui êtes ses serviteurs et qui exécutez ses volontés. 22. Bénissez le Seigneur, vous toutes, ses œuvres, dans tous les lieux de sa domination. O mon âme, bénis le Seigneur!

PSAUME 103.

Hymne au Créateur.

O mon âme, bénis le Seigneur! Seigneur mon Dieu, vous êtes infiniment grand!

Vous êtes revêtu de majesté et de splendeur; 2. la lumière vous enveloppe comme un manteau. Vous étendez les cieux comme un pavillon; 3. les eaux en couvrent les hauteurs. Des nuées vous faites votre char, vous vous avancez sur les ailes du vent. 4. Des vents vous faites vos messagers, des flammes de feu vos serviteurs. 5. Vous avez affermi la terre sur sa base; elle est à jamais inébranlable. 6. L'océan la recouvrait comme un vêtement; les eaux s'élevaient au-dessus des montagnes. 7. Devant votre menace, elles s'enfuirent; au bruit de votre tonnerre, elles reculèrent épouvantées. 8. Les montagnes surgirent, les vallées se creusèrent, au lieu que vous leur aviez

---

les suit éternellement après leur mort, pour les récompenser dans le ciel.

Ps. 103. — 2. *La lumière :* il ne s'agit pas ici de la gloire essentielle de Dieu "avant tous les siècles," *Jude*, 25; mais de la lumière dont il s'est revêtu depuis la création du monde et qui forme comme le manteau royal du Souverain de l'univers. — *Un pavillon*, une tente. Cette expression répond au *firmament* du récit de la création, et désigne l'espace céleste occupé par l'atmosphère et les astres. — 3. *Les eaux* flottant dans l'atmosphère sous forme de vapeurs et de nuages. — 4. Sens : les vents et les orages obéissent docilement à Dieu. — 6. Le Psalmiste se transporte à l'époque primitive où le noyau de la terre, récemment consolidé, était environné d'un immense océan, au-dessus duquel les montagnes déjà soulevées n'émergeaient pas encore (*Gen.* i. 2, 6, 7). — 7-9. Formation des mers et des conti-

marqué. 9. Vous avez posé une limite que les eaux ne sauraient franchir : elles ne reviendront plus couvrir la terre.

10. Vous faites couler des sources dans les vallées; elles prennent leur cours entre les montagnes. 11. Tous les animaux des champs s'y désaltèrent; l'onagre soupire après elles pour apaiser sa soif. 12. Les oiseaux du ciel viennent habiter sur leurs bords, et font résonner leur voix du milieu des rochers. 13. De votre haute demeure, vous arrosez les montagnes; la terre se rassasie du fruit de vos œuvres. 14. Vous faites croître l'herbe pour les troupeaux, et les moissons pour l'usage de l'homme. Vous faites sortir le pain du sein de la terre, 15. et le vin qui réjouit le cœur de l'homme; vous lui donnez l'huile qui fait briller sa face, et le pain qui affermit son cœur. 16. Les arbres des champs sont pleins de sève, ainsi que les cèdres du Liban que le Seigneur a plantés. 17. C'est là que les oiseaux bâtissent leurs nids; la demeure du héron domine toutes les autres. 18. Les montagnes élevées sont pour le chamois, et la gerboise s'abrite dans le creux des rochers.

19. Vous avez fait la lune pour marquer les temps, et le soleil qui connaît *l'heure et le lieu de* son coucher. 20. Vous amenez les ténèbres, et il est nuit; aussitôt se mettent en mouvement toutes les bêtes de la forêt. 21. Le lionceau rugit après sa proie, et demande à Dieu sa pâture. 22. Le soleil se lève : tous se retirent et se couchent dans leurs tanières. 23. L'homme sort alors pour se rendre à son travail, et jusqu'au soir il est à son labeur. 24. Que vos œuvres sont magnifiques, Seigneur! Vous les avez toutes fai-

---

nents, par le soulèvement du sol sur certains points du globe, et par son affaissement sur d'autres points. — 13. Par *le fruit de vos œuvres*, on entend ordinairement la pluie, l'eau en général, dont on vient de parler. On pourrait aussi rapporter ces mots à ce qui suit : les habitants de la terre, hommes et animaux, se rassasient des fruits que Dieu lui fait porter. — 19. *La lune* était chez les Hébreux la grande régulatrice des temps, des jours de fête, etc. — 24. *De vos biens*,

tes avec sagesse; la terre est remplie de vos biens. 25. Voici la vaste mer, qui étend au loin ses bras; là fourmillent sans nombre des animaux petits et grands; 26. là se promènent les navires, et le dragon *des mers* que vous avez formé pour se jouer dans les flots. 27. Tous attendent de vous que vous leur donniez la nourriture en son temps. 28. Vous la leur donnez, et ils la recueillent; vous ouvrez votre main, et ils se rassasient de vos dons. 29. Vous détournez votre visage : ils sont dans l'épouvante; vous leur retirez le souffle : ils périssent et retournent dans leur poussière. 30. Vous envoyez votre souffle : ils sont créés, et vous renouvelez la face de la terre.

31. Gloire soit à jamais au Seigneur ! Que le Seigneur soit glorifié pour toutes ses œuvres ! 32. Il regarde la terre, et elle tremble; il touche les montagnes, et elles fument. 33. Je veux chanter le Seigneur tant que je vivrai, célébrer mon Dieu jusqu'à mon dernier souffle. 34. Puisse mon cantique lui être agréable ! Pour moi, je mets ma joie dans le Seigneur. 35. Que les pécheurs disparaissent de la terre, et que les méchants ne soient plus ! O mon âme, bénis le Seigneur !

PSAUME 104.

Bienfaits de Dieu envers son peuple.

Célébrez le Seigneur et invoquez son nom; publiez ses œuvres parmi les nations. 2. Chantez et faites résonner la harpe en son honneur; racontez toutes ses merveilles. 3. Glorifiez-vous en son saint nom; qu'il soit dans la joie le cœur de ceux qui cherchent le Seigneur ! 4. Cherchez le Seigneur, et sa force vous soutiendra; ne cessez pas

---

de choses créées par vous et qui, à ce titre, vous appartiennent. — 30. *Votre souffle :* ce souffle de Dieu, principe de la vie naturelle pour les hommes et les animaux, est l'image de l'Esprit Saint, qui procède du Père et du Fils, qui a créé le peuple nouveau des enfants de Dieu et qui a ainsi renouvelé la terre. C'est dans ce sens que l'Eglise répète si souvent ce verset pour appeler sur ses enfants les lumières et les grâces de l'Esprit Saint. — 32. *Elles fument :* allusion soit au mont Sinaï, soit aux effets de la foudre lorsqu'elle frappe le sommet des montagnes.

Ps. 104. — 4. *Cherchez son visage*, sa faveur : tournez-vous vers

de chercher son visage. 5. Souvenez-vous des merveilles qu'il a opérées, de ses prodiges et des jugements sortis de sa bouche, 6. ô vous, race d'Abraham, son serviteur, vous, enfants de Jacob, ses élus.

7. C'est lui, le Seigneur, qui est notre Dieu; ses jugements atteignent toute la terre. 8. Il se souvient éternellement de son alliance, de la parole qu'il a affirmée pour mille générations, 9. alliance qu'il a contractée avec Abraham, — et du serment qu'il a fait à Isaac. 10. Ce serment, il l'a renouvelé en faveur de Jacob comme une loi *immuable*, en faveur d'Israël comme une alliance éternelle, 11. en disant : "Je te donnerai le pays de Chanaan pour la part de ton héritage. 12. Comme ils étaient alors en petit nombre, fort peu nombreux, et étrangers dans le pays, 13. errant de nation en nation, et passant d'un royaume à un autre, 14. il ne permit à personne de les opprimer, et il châtia des rois à cause d'eux : 15. " Ne touchez pas à mes oints, ne faites pas de mal à mes prophètes!"

16. Il appela la famine sur le pays, et il leur retira le pain, soutien de leur vie. 17. Il envoya devant eux un homme; Joseph fut vendu comme esclave. 18. On serra ses pieds dans des liens, et la chaîne de fer pesa sur lui, 19. jusqu'au jour où s'accomplit sa prédiction, et où la parole de Dieu, *comme le feu qui éprouve l'or*, se réalisa et montra son innocence. 20. Le roi fit ôter ses liens, le souverain des peuples lui rendit sa liberté. 21 Il l'établit seigneur sur sa

Dieu, et la lumière de son visage dissipera vos ténèbres. — 5. *Des jugements sortis de sa bouche*, de ses décrets relatifs à son peuple, décrets favorables à Israël et funestes à ses ennemis. — 8. *Pour mille générations*, pour toujours. — 11. *Je te donnerai*, je donnerai à tes descendants. — 12-14. Les patriarches Abraham, Isaac et Jacob allaient et venaient, comme des étrangers, dans le pays de Chanaan et dans les contrées voisines, et plus d'une fois Dieu les protégea, même contre des rois, par exemple, les rois d'Egypte et de Gérare : voy. *Gen.* xii, 10 sv. xx, xxvi, etc. — 16. *Sur le pays* de Chanaan, où séjournaient Jacob et ses enfants. — 21. L'Eglise, dans son office, applique ces paroles à S. Joseph, chef de la sainte Famille et de la

maison et gouverneur de tous ses domaines, 22. avec le droit de commander aux princes de l'Egypte et d'enseigner la sagesse aux anciens.

23. Alors Israël vint en Egypte, et Jacob séjourna dans le pays de Cham. 24. Dieu multiplia grandement son peuple et le rendit plus puissant que ses oppresseurs. 25. Il changea leur cœur, au point qu'ils haïrent son peuple et usèrent de perfidie envers ses serviteurs.

26. Il envoya Moïse, son serviteur, et Aaron qu'il avait choisi. 27. Il mit en eux des paroles capables d'opérer des prodiges et des miracles dans le pays de Cham. 28. Il envoya des ténèbres, et fit la nuit, et ses menaces ne manquèrent pas leur effet. 29. Il changea leurs eaux en sang, et fit périr leurs poissons. 30. La terre produisit des légions de grenouilles, jusque dans les chambres de leurs rois. 31. A sa voix vint une nuée d'insectes, et des moucherons sur tout leur territoire. 32. Il leur donna pour pluie de la grêle, des flammes de feu dans leur pays. 33. Il frappa leurs vignes et leurs figuiers, et brisa les arbres de leurs contrées. 34. Il dit, et la sauterelle arriva, des sauterelles sans nombre. 35. Elles dévorèrent toute l'herbe de leur pays, elles dévorèrent tous les produits de leurs champs. 36. Il frappa de mort tous les premiers-nés de leur pays, les prémices de toute leur vigueur.

37. Il fit sortir son peuple chargé d'or et d'argent, et nul dans ses tribus ne fut arrêté par la maladie. 38. Les Egyptiens se réjouirent de leur départ, car la crainte d'Israël les avait saisis. 39. Il étendit la nuée pour les abriter, et le feu pour les éclairer la nuit. 40. A leur demande, des

---

maison de Nazareth. — 22. *D'enseigner la sagesse*, etc., c'est-à-dire que Joseph fut mis à la tête du collège des prêtres et des savants de l'Egypte. — 25. *Usèrent de perfidie*, prirent de cruelles mesures pour faire périr les Hébreux (*Exod.* i, 10). — 36. *Prémices de leur vigueur :* périphrase pour désigner les premiers-nés. — 37. *Chargé de l'argent et de l'or* que leur avaient donnés les Egyptiens (*Exod.* xii, 35). — *Ne fut arrêté*, obligé de rester en Egypte ou de s'arrêter en route.

cailles vinrent s'abattre dans leur camp, et il les rassasia d'un pain tombé du ciel. 41. Il ouvrit le rocher, et des eaux jaillirent; elles coulèrent comme un fleuve à travers le désert. 42. Car il se souvint de sa parole sainte, qu'il avait donnée à Abraham, son serviteur.

43. Il fit sortir son peuple dans l'allégresse, ses élus au milieu de cris de joie. 44. Il leur donna les terres des nations, et ils possédèrent le *fruit du* travail des peuples, 45. à la condition de garder ses préceptes et d'observer sa loi.

PSAUME 105.

Miséricorde de Dieu envers son peuple.

Louez le Seigneur, car il est bon, car sa miséricorde est éternelle. 2. Qui dira les hauts faits du Seigneur? Qui publiera toutes ses louanges? 3. Heureux ceux qui observent l'équité et pratiquent la justice en tout temps! 4. Souvenez-vous de nous, Seigneur, dans votre bienveillance pour votre peuple; visitez-nous avec votre salut, 5. afin que je voie le bonheur de vos élus, que je me réjouisse de la joie de votre peuple, et que vous soyez glorifié avec votre héritage.

6. Nous avons péché comme nos pères, nous avons commis l'iniquité, nous avons fait le mal. 7. Nos pères en Egypte n'ont pas tenu compte de vos merveilles, ils ne se sont pas souvenus de la multitude de vos miséricordes, et ils vous ont irrité lorsqu'ils se dirigeaient vers la mer, la mer Rouge. 8. Dieu les sauva *pourtant* à cause de son nom, pour faire éclater sa puissance. 9. Il menaça la mer Rouge, et elle se dessécha; il les fit marcher dans l'abîme comme dans les plaines du désert. 10. Il les sauva de la main de leurs

---

44. *Le fruit du travail :* maisons, vignes, terres cultivées.

Ps. 105. — 4. *Avec votre salut*, en nous apportant le *salut*, la délivrance de la captivité. — 5. *Le bonheur*, c'est-à-dire, dans la pensée du Psalmiste, la fin de l'exil et le retour dans la patrie. Israël est appelé tour à tour les *élus de Dieu*, *son peuple* et *son héritage*. — 7. Lorsque les Hébreux fugitifs se virent acculés entre la mer et l'armée égyptienne qui les poursuivait, ils murmurèrent contre Dieu (*Exod.* x, 19).

persécuteurs, il les délivra de la main de leurs ennemis. 11. Les flots engloutirent leurs oppresseurs : pas un seul n'échappa. 12. Ils crurent alors à ses paroles, et ils chantèrent ses louanges. 13. Mais bientôt ils oublièrent ses œuvres, et ils n'attendirent pas qu'il exécutât ses desseins. 14. Ils furent pris de convoitise dans le désert, et ils tentèrent Dieu dans la solitude. 15. Il leur accorda ce qu'ils demandaient, et leur envoya de quoi se rassasier.

16. Dans le camp, ils s'élevèrent par envie contre Moïse et Aaron, le saint du Seigneur. 17. La terre s'ouvrit et engloutit Dathan, et elle se referma sur la troupe d'Abiron. 18. Le feu dévora leur troupe, la flamme consuma les méchants.

19. Ils firent un veau au mont Horeb, ils adorèrent une image taillée au ciseau. 20. Ils échangèrent leur gloire contre la figure d'un bœuf qui broute l'herbe. 21. Ils oublièrent Dieu, leur sauveur, qui avait fait de grandes choses en Egypte, 22. des miracles dans le pays de Cham, des prodiges à la mer Rouge. 23. Il parlait de les exterminer, si Moïse, son élu, ne se fût tenu sur la brèche devant lui, pour détourner sa colère prête à les détruire.

24. Ils dédaignèrent la terre de délices, ils ne crurent pas à la parole du Seigneur ; 25. ils murmurèrent dans leurs tentes et n'obéirent pas à sa voix. 26. Alors il leva la main contre eux, jurant de les faire périr dans le désert, 27. de rejeter leur race parmi les nations et de les disperser en des contrées étrangères.

28. Ils s'attachèrent à Béelphégor, et mangèrent des victimes offertes à des dieux sans vie. 29. Ils irritérent le Sei-

14. *Ils furent pris de convoitise*, du désir d'avoir de la viande à manger (*Nombr.* xi, 4 sv.) — 15. *Il leur envoya* une nuée de cailles qui vinrent s'abattre dans leur camp. — 20. *Leur gloire*, leur Dieu glorieux, qui était aussi la gloire de son peuple. — 23. *Sur la brèche*, comme un guerrier qui, voyant qu'une brèche a été faite sur la muraille d'une ville assiégée, va s'y poster pour barrer le passage à l'ennemi. — 26. *Il leva la main :* geste de celui qui fait un serment. — 28. *Béelphégor*, dieu des Moabites, qui avait un temple sur le mont Phogor.

gneur par leurs actions impies, et un fléau terrible se déchaîna contre eux. 30. Phinée se leva et apaisa le Seigneur, et le fléau s'arrêta. 31. Cet acte lui fut imputé à justice d'âge en âge à jamais.

32. Ils irritèrent le Seigneur aux eaux de Mériba, et Moïse eut à souffrir à cause d'eux; 33. car ils aigrirent son esprit, et l'hésitation fut sur ses lèvres.

34. *Arrivés en Chanaan*, ils n'exterminèrent pas les peuples que le Seigneur leur avait ordonné de détruire; 35. ils se mêlèrent aux nations et apprirent leurs œuvres abominables. 36. Ils servirent leurs idoles, qui furent pour eux un piège. 37. Ils immolèrent leurs fils et leurs filles aux démons; 38. ils versèrent le sang innocent, le sang de leurs fils et de leurs filles, qu'ils sacrifiaient aux idoles de Chanaan; et le pays fut profané par des meurtres 39. et souillé par leurs œuvres criminelles; Israël se prostitua à l'idolâtrie.

40. La colère du Seigneur s'enflamma contre son peuple, et il prit en horreur son héritage. 41. Il les livra entre les mains des nations; ceux qui les haïssaient devinrent leurs maîtres. 42. Leurs ennemis les opprimèrent, et ils furent humiliés sous leur main. 43. Plusieurs fois il les délivra, mais ils l'irritèrent encore en suivant leurs propres desseins, et leur iniquité léur attira de nouvelles humiliations. 44. Néanmoins il vit leur détresse et entendit leurs supplications. 45. Il se souvint de son alliance, il eut pitié d'eux selon sa grande bonté, 46. et il en fit l'objet de ses miséricordes devant tous ceux qui les tenaient en servitude.

47. Sauvez-nous, Seigneur, notre Dieu, et rassemblez-nous du milieu des nations. afin que nous célébrions votre saint nom, et que nous met-

34. *Ils n'exterminèrent pas* complètement les nations idolâtres et profondément corrompues qui habitaient ce pays (*Jos.* i-iii). — 36. *Un piège*, une occasion de péché et, par suite, de châtiment. — 40. Ce qui suit s'applique à la période des Juges. — 45. *Il eut pitié d'eux;* litt. *il se repentit*, il changea de sentiment à leur égard et cessa de les punir.

tions notre gloire à vous louer. 48. Béni soit le Seigneur, Dieu d'Israël, dans les siècles des siècles! — Et tout le peuple dira : Qu'il en soit ainsi ! qu'il en soit ainsi!

PSAUME 106.

Chant d'action de grâces après le retour de l'exil.

Louez le Seigneur, car il est bon, car sa miséricorde est éternelle. 2. Qu'ils redisent cette louange les rachetés du Seigneur, ceux qu'il a délivrés de la main de l'ennemi, et qu'il a rassemblés de toutes les contrées, 3. de l'orient et de l'occident, du nord et du midi.

4. Ils erraient dans le désert, dans des lieux arides, sans trouver le chemin d'une ville où ils pussent habiter. 5. En proie à la faim, à la soif, ils sentaient leur âme défaillir. 6. Dans leur détresse, ils crièrent vers le Seigneur, et il les délivra de leurs souffrances. 7. Il les conduisit dans le droit chemin, pour les faire arriver à une ville d'habitation. — 8. Qu'ils louent le Seigneur pour sa bonté et pour ses merveilles en faveur des enfants des hommes! 9. Car il a désaltéré l'âme dévorée par la soif, et il a comblé de biens l'âme épuisée par la faim.

10. Ils étaient assis dans les ténèbres et dans l'ombre de la mort, captifs dans l'indigence et dans les fers, 11. parce qu'ils s'étaient révoltés contre la parole de Dieu et qu'ils avaient méprisé le conseil du Très Haut. 12. Il humilia leur cœur par la douleur; leurs forces étaient épuisées, et il n'y avait personne pour les secourir. 13. Dans leur détresse, ils crièrent vers le Seigneur, et il les délivra de leurs souffrances. 14. Il les tira des ténèbres et de l'ombre de

Ps. 106. — 2-3. *Les rachetés du Seigneur :* dans le sens littéral, ce sont les Israélites en exil, dispersés en Assyrie, en Chaldée, en Perse et même en Egypte; dans le sens spirituel, ce sont les chrétiens de toutes les parties du monde, que Notre Seigneur a réunis dans son Eglise en une seule société, et même en un seul corps mystique dont il est le chef. — 9. Dans le sens moral, on peut appliquer ici la parole du Sauveur : " Heureux ceux qui ont faim et soif de la justice, c'est-à-dire de la grâce et des biens spirituels, car ils seront rassasiés! " — 10. *Dans les ténèbres*, dans une prison obscure, aussi ténébreuse que le séjour même de la mort (*Is.* ix, i).

la mort, et il brisa leurs chaînes. — 15. Qu'ils louent le Seigneur pour sa bonté et pour ses merveilles en faveur des enfants des hommes! 16. Car il a brisé les portes d'airain et mis en pièces les verrous de fer. 17. Il les a recueillis de la voie de l'iniquité, car ce sont leurs péchés qui avaient causé leur humiliation.

18. Ils avaient en horreur toute nourriture, et ils touchaient aux portes de la mort. 19. Dans leur détresse, ils crièrent vers le Seigneur, et il les délivra de leurs angoisses. 20. Il envoya sa parole et les guérit, et il les fit échapper de leurs tombeaux. — 21. Qu'ils louent le Seigneur pour sa bonté et pour ses merveilles envers les enfants des hommes! 22. Qu'ils offrent des sacrifices d'actions de grâces, et qu'ils publient ses œuvres par de joyeux cantiques!

23. Ils étaient descendus sur la mer dans des navires, pour faire le négoce sur les vastes eaux : — 24. ceux-là ont vu les œuvres du Seigneur et ses merveilles au milieu de l'abîme! — 25. Il dit, et le souffle de la tempête se déchaîne, et les flots de la mer sont soulevés. 26. Ils montent jusqu'aux cieux, ils descendent jusqu'au fond de l'abîme; leur âme succombe à la peine. 27. Pris de vertige, ils chancellent comme un homme ivre; toute leur sagesse est à bout. 28. Dans leur détresse, ils crièrent vers le Seigneur, et il les délivra de leurs souffrances. 29. Il changea l'ouragan en brise légère, et les vagues se turent. 30. Ils se réjouirent en les voyant apaisées, et le Seigneur les conduisit au port désiré. 31. Qu'ils louent le Seigneur pour sa bonté et pour ses merveilles en faveur des enfants des hommes! 32. Qu'ils l'exaltent dans l'assemblée du peuple, et qu'ils le célèbrent dans le conseil des anciens!

33. Il avait changé les

---

24. *Ceux-là* surtout, ceux qui naviguent sur la mer, ont occasion d'admirer la toute-puissance de Dieu quand il soulève les flots, et sa bonté quand il les apaise et sauve les hommes du naufrage. — 33-41. Sens probable de ces versets : les Israélites ayant été pour la

fleuves en désert, les sources d'eau en sol aride, 34. et le pays fertile en plaine de sel, à cause de la malice de ses habitants. 35. Et voilà qu'il a changé le désert en nappes d'eau, et la terre aride en sources jaillissantes. 36. Il y établit les affamés, et ils bâtirent une ville et des maisons. 37. Ils ensemencèrent des champs et plantèrent des vignes, et ils recueillirent d'abondantes récoltes. 38. Il les bénit, et ils se multiplièrent beaucoup, et il ne laissa pas diminuer leur bétail. 39. Ils avaient été réduits à un petit nombre et humiliés, sous l'accablement du malheur et de la souffrance. 40. Il avait répandu la honte sur leurs princes, et les avait fait errer dans des déserts sans chemin. 41. Mais sa main secourable a relevé le pauvre de sa misère, et il a multiplié les familles comme les troupeaux. 42. A cette vue, les hommes droits se réjouissent et tous les méchants sont réduits à fermer la bouche.

43. Que celui qui est sage prenne garde à ces choses, et qu'il comprenne les miséricordes du Seigneur !

PSAUME 107.

Chant de triomphe.

Mon cœur est prêt, ô Dieu, mon cœur est prêt; je veux vous chanter de toute mon âme au son joyeux des instruments. 2. Eveille-toi, ma gloire! Eveillez-vous, ma lyre et ma harpe ! Que je m'éveille dès l'aurore ! 3. Je vous louerai parmi les peuples, Seigneur; je vous chanterai parmi les nations; 4. car votre bonté s'élève au dessus des cieux, et votre fidélité jusqu'aux nues. 5. Apparaissez plus grand que les cieux, ô Dieu, et que votre gloire brille sur toute la terre, 6. afin que vos bien aimés soient délivrés.

Sauvez-moi par votre droite, et exaucez-moi.

---

plupart emmenés en captivité en punition de leurs péchés, leur pays, autrefois si fertile, avait été comme changé en désert (vers. 33-34). Mais ils se repentirent et Dieu, prenant pitié de son peuple, les ramena dans leur patrie. De retour de l'exil, ils cultivèrent leurs champs abandonnés, rebâtirent leurs villes et redevinrent prospères.

Ps. 107. — 2. *Ma gloire*, mon âme : voy. *Ps.* vii, 6.

7. Dieu a parlé dans sa sainteté : Que je tressaille de joie! J'aurai Sichem en partage, et je mesurerai la vallée des Tentes. 8. Galaad est à moi, à moi Manassé! Ephraïm est la défense de ma tête, et Juda mon roi. 9. Moab est le bassin où je me lave les pieds; sur Edon je jette ma sandale; les Philistins sont devenus mes amis.

10. Qui me conduira à la ville forte? Qui me conduira jusqu'en Idumée? 11. N'est-ce pas vous, ô Dieu, qui nous aviez rejetés? Ne sortirez-vous plus, ô Dieu, à la tête de nos armées? 12. Prêtez-nous votre secours contre l'oppresseur; car le secours de l'homme n'est que vanité. 13. Avec Dieu nous ferons des exploits; il réduira à néant nos ennemis.

PSAUME 108.

Imprécations contre un perfide ennemi.

O Dieu, ne vous taisez pas sur ma louange, car le pécheur et le fourbe ont ouvert la bouche contre moi. 2. Ils parlent contre moi avec une langue perfide, ils m'assiègent de paroles haineuses et me font la guerre sans motif. 3. Au lieu de répondre à mon affection, ils me calomnient, et moi je ne fais que prier. 4. Ils me rendent le mal pour le bien; à mon amour ils répondent par la haine.

5. Livrez-le au pouvoir du méchant, et que Satan, *l'accusateur*, se tienne à sa droite! 6. Quand on le jugera, qu'il soit déclaré coupable, et que sa

9. *Sont devenus mes amis*, n'osent plus me faire la guerre. En hébreu : *je pousse des cris de joie sur le pays des Philistins*, comme un vainqueur tout fier de sa conquête. — 10. *La ville forte*, Pétra, la capitale des Iduméens. — 11. *Ne sortirez-vous plus*, pour nous conduire à la victoire?

Ps. 108. — 1. *Ne vous taisez pas sur ma louange* : les ennemis de David le calomniaient auprès de Saül, et excitaient contre lui la colère de ce roi trop crédule; David demande à Dieu de faire paraître son innocence. — 2. *Ils me font la guerre sans motif.* "Qui de vous, disait le Sauveur aux Pharisiens, pourra me convaincre de péché?" *Jean*, viii, 46. — 5. *Livrez-le*, au singulier : livrez *chacun* de mes ennemis, ou mieux mon *ennemi principal*, celui qui excite tous les autres. — *Satan*, l'adversaire des hommes, leur accusateur auprès de Dieu. — 6. *Sa prière*, la prière qu'il adresse à Dieu pour détourner la sentence de condamnation. — *Soit réputée péché*, ne soit pas mieux accueillie que le serait une offense, sans doute

prière *même* soit réputée péché. 7. Que ses jours soient abrégés, et qu'un autre prenne sa charge! 8. Que ses enfants deviennent orphelins, et son épouse veuve! 9. Que ses enfants errent dans l'exil, mendiant leur pain, et qu'ils soient chassés de leurs demeures! 10. Que le créancier vienne fouiller tout ce qui est à lui, et que l'étranger pille ce qu'il a gagné par son travail! 11. Qu'il n'y ait personne pour lui venir en aide, que nul n'ait pitié de ses enfants orphelins! 12. Que ses descendants soient voués à la ruine, et que leur nom s'éteigne à la seconde génération! 13. Que l'iniquité de ses pères reste en souvenir devant le Seigneur, et que le péché de sa mère ne soit pas effacé! 14. Que leurs péchés soient toujours présents au regard du Seigneur, et que leur mémoire disparaisse de la terre, 15. parce qu'il ne s'est pas souvenu d'exercer la miséricorde, 16. parce qu'il a persécuté le malheureux et l'indigent, et l'homme au cœur brisé, pour le faire mourir. 17. Il a aimé la malédiction : elle tombera sur lui; il a repoussé la bénédiction : elle s'éloignera de lui. Il revêtira la malédiction comme un vêtement; elle entrera comme l'eau dans son intérieur; comme l'huile, elle pénétrera dans ses os. 18. Qu'elle soit pour lui comme le vêtement qui l'enveloppe, comme la ceinture qui toujours presse ses reins!

19. Tel sera devant le Seigneur le salaire de ceux qui me déchirent par la calomnie et qui parlent méchamment contre moi. 20. Et vous, Seigneur, *Dieu* souverain, prenez ma défense à cause de votre nom, car vous êtes miséricordieux et compatissant.

parce qu'elle n'était pas inspirée par un vrai repentir. — 7. C'est ce verset que S. Pierre (*Act.* i, 20) applique à Judas, déchu par sa trahison de la dignité et de la *charge* d'apôtre, à laquelle le Sauveur l'avait appelé. — 9. Comparez ce que Notre Seigneur dit aux Juifs : " Voici que votre demeure va être laissée déserte." *Luc*, xiii, 35.

16. *Le malheureux*, David, figure de Jésus Christ. — 17. *Il a aimé la malédiction*, il s'est plu à maudire les autres; elle tombera sur lui à son tour : elle entrera en lui, comme l'eau qu'on boit; elle pénétrera, comme l'huile, jusqu'au plus intime de son être.

Délivrez-moi, 21. car je suis malheureux et affligé, et mon cœur est tout bouleversé dans mon sein. 22. Je m'en vais, comme l'ombre à son déclin; je suis emporté comme la sauterelle, *jouet de l'ouragan*. 23. A force de jeûner, mes genoux sont sans force, et ma chair, que n'oint plus l'huile odorante, se flétrit. 24. Je suis pour eux un objet d'opprobre; en me voyant, ils branlent la tête. 25. Secourez-moi, Seigneur, mon Dieu; sauvez-moi dans votre miséricorde! 26. Et qu'ils sachent que c'est votre main, que c'est vous, Seigneur, qui avez tout fait. 27. Eux, ils maudissent, mais vous, vous bénirez; ils se lèvent contre moi, mais ils seront confondus, et votre serviteur sera dans la joie. 28. Mes détracteurs seront revêtus d'ignominie, ils seront enveloppés de leur honte comme d'un manteau.

29. Et mes lèvres *reconnaissantes* loueront hautement le Seigneur; je le célébrerai au milieu de la multitude; 30. car il s'est tenu à la droite du pauvre, pour sauver mon âme de ses persécuteurs.

PSAUME 109.

Royauté et sacerdoce du Messie.

Dieu a dit à mon Seigneur : " Assieds-toi à ma droite, jusqu'à ce que je fasse de tes ennemis l'escabeau de tes pieds. " 2. Dieu étendra de Sion le sceptre de votre puissance; régnez en maître au milieu de vos ennemis!

---

22. *Comme la sauterelle :* dans les pays d'Orient, le vent emporte quelquefois à une grande distance des nuées de sauterelles; ainsi David se sent emporté sur le penchant de la vie, sans pouvoir s'arrêter. — 23. *A force de jeûner :* dans la douleur, on oublie de prendre de la nourriture. — *L'huile odorante :* les onctions d'huile parfumée sont d'un usage fréquent en Orient. — 24. *Branlent la tête*, par moquerie, comme les Juifs le feront plus tard devant Notre Seigneur attaché à la croix (*Matth.* xxvii, 39). — 30. *Du pauvre*, de David.

Ps. 109. — 1. *A mon Seigneur*, à Jésus Christ, Dieu comme son Père, et par conséquent *Seigneur* de David. — *Jusqu'à ce que*, etc. Sens : toutes les nations le reconnaîtront pour leur Sauveur, et ses ennemis seront vaincus. Pour exprimer leur profonde humiliation, le Psalmiste dit qu'ils formeront *l'escabeau de ses pieds*, image empruntée à un fait assez fréquent dans l'antiquité : le vainqueur posait le pied sur le cou des vaincus (*Jos.* x, 24 sv.). — 2. *De Sion :* Jérusalem sera le point de départ du règne de Jésus Christ; c'est de là qu'il enverra ses Apôtres à la conquête du monde.

3. Avec vous sera l'empire souverain au jour où vous déploierez votre puissance, au milieu des splendeurs de vos saints. *Dieu vous a dit :* " De mon sein, avant l'aurore, je t'ai engendré."

4. Dieu l'a juré, il ne s'en repentira point : " Tu es prêtre pour toujours à la manière de Melchisédech. "

5. *O Dieu*, le Seigneur est à votre droite ; il brisera les rois au jour de sa colère. 6. Il exercera son jugement parmi les nations : tout sera rempli de ruines ; il brisera les têtes sur la terre entière. 7. Il boira au torrent sur le chemin, c'est pourquoi il relèvera la tête.

PSAUME 110.

Louange au Seigneur pour ses bienfaits.

Je veux, Seigneur, vous louer de tout mon cœur dans la réunion des justes et dans l'assemblée *du peuple*. 2. Grandes sont les œuvres du Seigneur ; elles sont en harmonie parfaite avec ses volontés. 3. Son œuvre n'est que splendeur et magnificence, et sa justice subsiste à jamais.

4. Le Seigneur a laissé un souvenir de ses merveilles ; il s'est montré miséricordieux et com-

3. *Au jour où*, etc., au jugement dernier. — *Avant l'aurore*, de toute éternité. — 4. *Il ne s'en repentira point*, il ne changera jamais de résolution à cet égard. — *Tu es prêtre :* le Messie doit être prêtre à cause de son rôle de rédempteur et de sauveur des hommes; roi seulement, il ne pourrait guérir les blessures du péché, vaincre le mal moral dans le monde. Il le sera *pour toujours :* son sacerdoce ne passera pas en d'autres mains ; les prêtres de la nouvelle alliance seront ses vicaires et ses organes, non ses successeurs. Il le sera *à la manière de Melchisédech*, roi de Salem et en même temps prêtre du Très-Haut (voy. *Gen.* xiv, 18 sv.). — 5-6. *Le Seigneur*, le Messie. David, roi guerrier, dépeint les victoires de Jésus Christ sous des images empruntées aux guerres ordinaires, fort cruelles dans l'antiquité ; mais il s'agit en réalité de conquêtes pacifiques, dont les soldats n'ont pour arme que la croix et la parole évangélique. Ce n'est qu'au dernier jugement, que le Psalmiste a aussi en vue, que le Sauveur exercera tous les droits de sa justice. — 7. *Il boira au torrent :* selon l'explication des saints Pères, ce *torrent* figure les humiliations et les souffrances du Fils de Dieu, fait homme, par lesquelles, comme il le dit lui-même, " il est entré dans sa gloire. " *Luc*, xxiv, 26.

Ps. 110. — 4. *Il a laissé un souvenir :* il a fait des merveilles si éclatantes, que le souvenir en restera à jamais ; ou bien : il a institué un souvenir, c'est-à-dire des fêtes religieuses, la Pâque par exemple, qui rappelle aux générations futures le souvenir de ses merveilles.

patissant. 5. Il a donné une nourriture à ceux qui le craignent; il se souvient pour toujours de son alliance. 6. Il a manifesté à son peuple la puissance de ses œuvres, 7. en leur livrant l'héritage des nations. Les œuvres de ses mains sont vérité et justice; 8. tous ses commandements sont immuables, affermis pour l'éternité, fondés sur la vérité et la droiture.

9. Il a envoyé la délivrance à son peuple, il a établi pour toujours son alliance; son nom est saint et redoutable. 10. La crainte du Seigneur est le commencement de la sagesse; ceux-là sont vraiment intelligents, qui observent sa loi. Sa louange demeure à jamais.

PSAUME III.

Bonheur du Juste.

Heureux l'homme qui craint le Seigneur, qui met ses délices à observer sa loi! 2. Sa postérité sera puissante sur la terre; la race des justes sera bénie. 3. Il a dans sa maison honneur et richesse, et sa justice subsiste à jamais. 4. Une lumière se lève dans les ténèbres pour les hommes droits; *cette lumière*, c'est Dieu lui-même, miséricordieux, compatissant et juste. 5. Heureux celui qui exerce la miséricorde et qui prête *à l'indigent!* Devant les juges, il fera triompher sa cause; 6. il ne sera jamais ébranlé. 7. Le juste laissera une mémoire éternelle; il ne sera pas effrayé par des nouvelles funestes; son cœur est ferme, confiant dans le Seigneur. 8. Son cœur est inébranlable, il ne se trouble point, jusqu'à ce qu'il voie ses ennemis abattus. 9. Il sème l'aumône, il donne

---

5. *Une nourriture*, soit la manne dans le désert, soit l'agneau pascal, figures de la sainte Eucharistie. — 7-8. *L'héritage des nations*, le pays de Chanaan, la Terre promise, figure du ciel, la véritable terre des vivants. — 9. *La délivrance* de l'Egypte, figure de la rédemption des hommes par Jésus Christ. Cette délivrance fut suivie de l'*alliance* contractée au Sinaï.

Ps. III. — 4. Quand le juste est dans les *ténèbres*, c'est-à-dire dans le malheur, une *lumière* brille aux yeux de son âme : c'est Dieu avec ses consolations et ses riches promesses, un Dieu *compatissant* qui lui viendra en aide, un Dieu *juste*, qui lui prépare une éternelle récompense. — 6. Sens : son bonheur est assuré pour toujours. — 8. *Jusqu'à ce que :* à la fin, il verra ses persécuteurs humiliés et réduits à l'impuissance.

aux pauvres; sa justice subsiste à jamais; il prospère et s'élève dans la gloire. 10. Le pécheur le voit et s'irrite; il grince des dents et l'envie le consume : le désir des pécheurs périra.

PSAUME 112.

Louez Dieu, si grand et si bon.

Serviteurs *de Dieu*, louez le Seigneur, louez son *saint* nom. 2. Que le nom du Seigneur soit béni maintenant et à jamais! 3. Du lever du soleil jusqu'à son couchant, loué soit le nom du Seigneur!

4. Le Seigneur est élevé au-dessus de toutes les nations, sa gloire est au-dessus des cieux. 5. Qui est semblable au Seigneur, notre Dieu? Il habite dans les hauteurs, 6. et il voit à ses pieds le ciel et la terre.

7. Il relève le malheureux de la poussière et retire le pauvre de son fumier, 8. pour les faire asseoir avec les princes, avec les princes de son peuple. 9. Il donne une maison à la femme stérile, il en fait une mère joyeuse au milieu de ses enfants.

PSAUME 113.

Puissance de Dieu, vanité des idoles, confiance au Seigneur.

Quand Israël sortit d'Egypte, que la maison de Jacob s'éloigna d'un peuple barbare, 2. Juda devint sa possession sainte, Israël son domaine.

3. La mer le vit et s'enfuit, le Jourdain recula vers sa source. 4. Les montagnes bondirent comme des béliers, et les collines comme des agneaux.

5. Qu'as-tu donc, ô mer, pour t'enfuir, et toi, Jourdain, pour reculer vers ta source? 6. Qu'avez-vous, montagnes pour

10. *Le pécheur voit* la prospérité du juste. — *Le désir des pécheurs :* les vœux impies qu'ils forment pour le malheur du juste restent sans effet.

Ps. 112. — 7-8. Ce *malheureux* dans la *poussière*, ce *pauvre*, sur son *fumier*, c'est l'humanité coupable et condamnée à mort, mais relevée par la rédemption, purifiée du péché et rendue digne, par les mérites de Jésus Christ, de la gloire du ciel. — 9. Plusieurs Pères font une belle application de ce passage à Israël et à l'Eglise chrétienne : Israël, c'est l'épouse longtemps stérile qui, devenue l'Eglise chrétienne, donne au vrai Dieu d'innombrables enfants.

Ps. 113. — 1. *Un peuple barbare*, parlant une langue étrangère, autre que celles des Hébreux.

bondir comme des béliers; et vous, collines, *pour bondir* comme des agneaux?

7. La terre a tremblé devant la face du Seigneur, devant la face du Dieu de Jacob, 8. qui change le rocher en étang, et la pierre en source d'eaux vives.

9. Non pas à nous, Seigneur, non pas à nous, mais à votre nom donnez gloire, à cause de votre bonté et de votre fidélité! 10. Pourquoi les nations diraient-elles : "Où donc est leur Dieu?" 11. Notre Dieu est dans le ciel; tout ce qu'il veut il le fait.

12. Les idoles des nations sont de l'argent et de l'or, façonnés par la main des hommes. 13. Elles ont une bouche et ne parlent pas; des yeux et ne voient pas. 14. Elles ont des oreilles et n'entendent pas; des narines, et ne sentent pas. 15. Elles ont des mains et ne touchent pas; des pieds, et ne marchent pas; et leur gosier ne fait entendre aucun son. 16. Qu'ils leur ressemblent ceux qui les font, et tous ceux qui se confient en elles!

17. La maison d'Israël a mis sa confiance dans le Seigneur : il est leur secours et leur bouclier. 18. La maison d'Aaron a mis sa confiance dans le Seigneur : il est leur secours et leur bouclier. 19. Ceux qui craignent le Seigneur ont mis en lui leur confiance : il est leur secours et leur bouclier.

20. Le Seigneur s'est souvenu de nous : il nous bénira; il bénira la maison d'Israël, il bénira la maison d'Aaron, 21. il bénira ceux qui craignent le Seigneur; les petits et les grands. 22. Que le Seigneur multiplie sur vous ses faveurs, sur vous et sur vos enfants! 23. Soyez bénis du Seigneur, qui a fait le ciel et la terre!

24. Le ciel des cieux est au Seigneur, mais il a donné la terre aux en-

9-10. Sens : que la gloire de ces prodiges, qui attestent votre *bonté* (gratuite) et votre *fidélité* (à remplir vos promesses), vous revienne tout entière. En voyant les merveilles opérées par vous en notre faveur, les nations idolâtres ne pourront plus dire : "Où donc est leur Dieu?". — 17 sv. *La maison d'Israël*, la nation en général; *la maison d'Aaron*, les prêtres et autres ministres du culte.

fants des hommes. 25. Ce ne sont pas les morts qui louent le Seigneur, ni ceux qui descendent dans les limbes. 26. Mais nous qui vivons, nous bénirons le Seigneur dès maintenant et à jamais.

PSAUME 114.

Action de grâces.

Je l'aime, car le Seigneur entend la voix de ma prière, 2. car il a incliné vers moi son oreille, et toute ma vie je l'invoquerai. 3. Les douleurs de la mort m'environnaient, et de mortelles angoisses m'avaient saisi; j'étais en proie à la souffrance et à l'affliction. 4. Et j'ai invoqué le nom du Seigneur : " Seigneur, sauvez mon âme! "

5. Le Seigneur est miséricordieux et juste, notre Dieu est compatissant. 6. Le Seigneur prend soin des petits *et des faibles;* j'étais malheureux et il m'a délivré. 7. O mon âme, retourne à ton repos, car le Seigneur t'a comblée de biens. 8. Oui, il a sauvé mon âme de la mort, mes yeux des larmes, mes pieds de la chute. 9. Je louerai le Seigneur dans la terre des vivants.

PSAUME 115.

Continuation de l'action de grâces.

J'ai cru, c'est pourquoi j'ai parlé : " *O mon Dieu*, je succombe sous le malheur! " 2. J'ai dit dans l'excès de mon abattement : " Tout homme est menteur. "

3. Que rendrai-je au Seigneur pour tous ses bienfaits envers moi? 4. Je prendrai le calice du salut et j'invoquerai le nom du Seigneur. 5. J'ac-

---

25 sv. *Les limbes* (en hébr. *le lieu du silence*), le lieu des âmes après la mort.

Ps. 114. — 1. *Je l'aime;* litt. *j'aime*, savoir le Seigneur : dans l'âme du Psalmiste, il ne pouvait y avoir qu'un seul amour, celui de Dieu. — 4. *Mon âme*, ma vie, menacée d'un grave danger. — 7. *A ton repos*, à la sécurité, par opposition à la détresse et à l'affliction où elle était réduite (vers. 3). — 9. Dans sa liturgie, l'Eglise met ces paroles dans la bouche des âmes du purgatoire, comme l'expression de leur espérance et de leur ardent désir d'être bientôt admises au véritable séjour des vivants, au ciel, où " la mort ne sera plus. " *Apoc.* XXI. 4.

Ps. 115. — 1-2. Cette affirmation est générale et admet des exceptions; elle est posée d'ailleurs par comparaison avec Dieu qui, lui, ne trompe jamais la confiance du juste qui l'implore. — 4. Réuni dans le cénacle avec ses Apôtres le jeudi saint, veille de sa mort, le Sauveur, en instituant la sainte Eucharistie, fit de la *coupe de bénédiction* le véritable *calice du salut en son sang* pour la rédemption des hommes.

complirai mes vœux au Seigneur en présence de tout son peuple.

6. Elle a du prix aux yeux du Seigneur la mort de ses saints! 7. O Seigneur, parce que je suis votre serviteur, votre serviteur et fils de votre servante, vous avez brisé mes liens. 8. Je vous offrirai un sacrifice d'action de grâces, et j'invoquerai le nom du Seigneur. 9. J'accomplirai mes vœux envers le Seigneur en présence de tout son peuple, 10. dans les parvis de la maison du Seigneur, dans ton enceinte, ô Jérusalem.

PSAUME 116.

Invitation à louer Dieu.

Nations, louez toutes le Seigneur; peuples, louez-le tous! 2. Car sa miséricorde s'est signalée sur nous, et la vérité du Seigneur subsiste à jamais.

PSAUME 117.

Actions de grâces solennelles.

Louez le Seigneur, car il est bon, car sa miséricorde est éternelle. 2. Qu'Israël dise aujourd'hui : " Oui, le Seigneur est bon, et sa miséricorde est éternelle. " 3. Que la maison d'Aaron dise aujourd'hui : " Oui, sa miséricorde est éternelle. " 4. Que ceux qui craignent le Seigneur disent aujourd'hui : " Oui, sa miséricorde est éternelle. "

5. Dans ma détresse, j'ai invoqué le Seigneur, et le Seigneur m'a exaucé et m'a mis au large. 6. Le Seigneur est mon secours : je ne crains pas ce que peut me faire un homme; 7. le Seigneur est mon secours : je verrai la ruine de mes ennemis. 8. Mieux vaut mettre sa confiance dans le Seigneur que de se confier aux hommes. 9. Mieux vaut mettre son espérance dans le Seigneur que d'espérer dans les princes. 10. Toutes les nations *voisines* m'environnaient : au nom du Seigneur j'ai

7. *Vous avez brisé mes liens* : le Psalmiste désigne ainsi par figure la délivrance des dangers qu'il a courus : comp. vers. 3.

Ps. 117. Tout indique que nous avons ici un cantique chanté à plusieurs chœurs dans une procession. Le peuple chante au départ les versets 1-4, et pendant le trajet les versets 5-18. A l'arrivée, un dialogue s'engage entre les prêtres, le chef et le peuple. — 5. *M'a mis au large*, dans un endroit spacieux, où je puis respirer à l'aise, mes ennemis étant éloignés et réduits à l'impuissance.

repoussé leurs attaques. 11. Elles m'enveloppaient et me pressaient de toutes parts : au nom du Seigneur j'ai repoussé leurs attaques. 12. Elles m'environnaient, innombrables comme un essaim d'abeilles, ardentes comme un feu d'épines : au nom du Seigneur j'ai repoussé leurs attaques. 13. On me heurtait violemment pour me faire tomber, mais le Seigneur m'a soutenu. 14. Le Seigneur est ma force et l'objet de mes louanges, il a été mon salut. 15. Que le cri du triomphe et de la délivrance retentisse dans les tentes des justes! 16. La droite du Seigneur a signalé sa puissance, la droite du Seigneur m'a exalté, la droite du Seigneur a signalé sa puissance. 17. Je ne mourrai pas, je vivrai et je raconterai les œuvres du Seigneur. 18. Le Seigneur m'a durement châtié, mais il ne m'a pas livré à la mort.

19. Ouvrez-moi les portes de la justice ; j'entrerai et je louerai le Seigneur.

20. C'est la porte du Seigneur ; les justes peuvent y entrer.

21. Je vous rends grâces, parce que vous m'avez exaucé et que vous m'avez sauvé. 22. La pierre rejetée par ceux qui bâtissaient est devenue la pierre angulaire.

23. C'est l'œuvre du Seigneur, c'est une chose merveilleuse à nos yeux.

24. Voici le jour que le Seigneur a fait ; livrons-nous à l'allégresse et à la joie. 25. Seigneur, soyez notre salut ! Seigneur, donnez-nous la prospérité !

26. Béni soit celui qui vient au nom du Seigneur ! Nous vous bénissons de la maison du

15. *Dans les tentes des justes :* les Juifs venus pour la fête campaient sous des tentes dressées dans la ville et les alentours. — 17. *Je ne mourrai pas :* menacé de périr, Israël avait reconquis son immortalité, grâce à la protection du Seigneur. — 19. *Les portes de la justice*, donnant entrée dans le temple, où le Dieu de toute justice se rencontre avec son peuple, qui est un peuple de justes (comp. *Is.* xxvi, 2). — 22. La tradition juive entendait ce verset du Messie, et Jésus Christ se l'applique justement à lui-même : rejeté et mis à mort par les Juifs, il est devenu la pierre angulaire de l'Eglise, le nouveau royaume de Dieu sur la terre. — 26. *Béni soit*, etc. : répété par les Juifs en l'honneur de Jésus Christ. — *De la maison du Seigneur*, du sanctuaire, d'où part toute bénédiction.

Seigneur. 27. Le Seigneur est Dieu, il fait briller sur nous sa lumière. Célébrez ce jour de fête avec des rameaux, jusqu'aux cornes de l'autel.

28. Vous êtes mon Dieu, et je vous louerai; vous êtes mon Dieu, et je vous exalterai. Je vous louerai, car vous m'avez exaucé et vous m'avez sauvé.

29. Louez le Seigneur, car il est bon, car sa miséricorde est éternelle !

PSAUME 118.

Heureux ceux qui sont irréprochables dans leur voie, ceux qui marchent dans la loi du Seigneur ! 2. Heureux ceux qui étudient ses enseignements, et qui le cherchent de tout leur cœur ! 3. Car ceux qui commettent l'iniquité ne marchent pas dans ses voies. 4. O mon Dieu, vous avez prescrit vos ordonnances, pour qu'on les observe avec soin. 5. Puissent mes voies être dirigées pour que j'observe vos lois ! 6. Je ne serai point confondu, tant que j'aurai sous les yeux tous vos commandements. 7. Je vous rends grâces, dans la droiture de mon cœur, de ce que j'ai appris les préceptes de votre justice. 8. Je veux garder vos lois : ne m'abandonnez pas complètement.

9. Comment le jeune homme rendra-t-il droit son sentier? C'est en gardant votre parole. 10. Je vous cherche de tout mon cœur; ne per-

Ps. 118. — L'idée fondamentale de ce Psaume est l'éloge de la loi de Dieu. Dans une suite de sentences, énoncées souvent sous forme de prière, l'auteur célèbre la beauté de cette loi et son prix inestimable : c'est Dieu lui-même qui l'a donnée aux hommes, elle procure la vraie sagesse et préserve du mal ; il l'aime de tout son cœur et la médite tous les jours; tout son désir est de l'observer avec une entière fidélité, malgré les persécutions des méchants ; il demande à Dieu sa grâce pour lui rendre cette fidélité possible et facile ; il soupire après la consolation et le secours dans ses épreuves ; enfin il exprime la douleur qui le consume à la vue des offenses des pécheurs. Toutes ces pensées sont répétées sous des formes et des images différentes, sans qu'il y ait entre elles une liaison bien étroite.

La loi de Dieu y est appelée de noms différents : *enseignements*, *préceptes*, *commandements*, *voie* ou *chemin*, *jugements*, *vérité* ou *fidélité*, *parole* de Dieu, etc.; mais tous ces noms sont pris par l'auteur à peu près dans le même sens.

8. *Ne m'abandonnez pas* tout à fait à moi-même, à mes propres forces, mais aidez-moi par votre grâce.

mettez pas que je m'écarte de vos commandements. 11. Je garde votre parole cachée dans mon cœur, pour ne pas pécher contre vous. 12. Béni soyez-vous, Seigneur ! Enseignez-moi vos lois. 13. Mes lèvres se plaisent à compter tous les préceptes de votre bouche. 14. J'ai de la joie à suivre vos enseignements, comme si je possédais tous les trésors. 15. Je veux méditer vos ordonnances, avoir les yeux sur vos sentiers. 16. Je fais mes délices de méditer vos lois; je n'oublierai jamais votre parole.

17. Accordez à votre serviteur qu'il vive, pour observer votre parole. 18. Ouvrez mes yeux, pour que je contemple les merveilles de votre loi. 19. Je suis étranger sur la terre : ne me cachez pas vos commandements. 20. Mon âme se consume chaque jour du désir de connaître vos lois. 21. Vous châtiez les orgueilleux, vous maudissez ceux qui s'écartent de vos commandements. 22. Eloignez de moi l'opprobre et le mépris, car j'observe fidèlement vos préceptes. 23. Que les princes se réunissent et parlent contre moi : votre serviteur ne s'occupe que de méditer vos lois. 24. Oui, vos enseignements font mes délices; vos préceptes sont mes conseillers.

25. Mon âme est abattue jusqu'à terre : rendez-moi la vie, selon votre parole. 26. Je vous ai exposé mes voies et vous m'avez exaucé : enseignez-moi vos préceptes. 27. Faites-moi comprendre la voie de vos commandements; je veux méditer vos merveilles. 28. Mon âme, en proie au chagrin, est comme engourdie : fortifiez-moi par votre parole. 29. Eloignez de moi la voie du mensonge, et faites-moi la grâce d'être fidèle à votre loi. 30. J'ai choisi le chemin de la vérité; j'ai toujours vos préceptes devant les yeux. 31. Je me suis attaché à vos

---

13. *A compter*, pour n'en oublier aucun. — 19. *Etranger sur la terre*, qui n'est pas ma véritable patrie, et où je ne fais que passer (I *Cor.* v, 6; *Hébr.* xi, 13), j'ai besoin que la lumière de la loi divine me montre la route à suivre pour arriver au ciel.

enseignements; Seigneur, ne permettez pas que je sois confondu! 32. Je veux courir dans la voie de vos commandements, car vous élargissez mon cœur.

33. Enseignez-moi, Seigneur, la voie de vos préceptes, afin que toujours je la suive fidèlement. 34. Donnez-moi l'intelligence, pour que j'approfondisse votre loi et que je l'observe de tout mon cœur. 35. Conduisez-moi dans le sentier de vos commandements, car là sont toutes mes affections. 36. Inclinez mon cœur vers vos préceptes, et non vers l'amour des richesses. 37. Détournez mes yeux pour qu'ils ne voient pas la vanité; faites-moi vivre dans votre voie. 38. Accomplissez envers votre serviteur la promesse que vous avez faite à ceux qui vous craignent. 39. Eloignez de moi l'opprobre que je redoute, car vos préceptes sont remplis de douceur. 40. Je désire ardemment pratiquer vos ordonnances; faites-moi vivre dans votre justice.

41. Que votre miséricorde vienne sur moi, Seigneur! Sauvez-moi selon votre parole! 42. Et je pourrai répondre à ceux qui m'outragent, car je me confie en votre parole. 43. N'ôtez pas entièrement de ma bouche la parole de vérité, car j'espère en vos jugements. 44. Je veux garder constamment votre loi, toujours et à perpétuité. 45. Je marcherai au large, car je veux suivre fidèlement vos ordonnances. 46. Je parlerai de vos préceptes devant les rois, et je ne serai point confondu. 47. Je méditerai avec délices vos commande-

32. *Elargir* ou *dilater le cœur*, c'est le mettre à l'aise, le délivrer des angoisses qui l'oppressaient. D'autres entendent : élargir, agrandir l'intelligence, pour mieux comprendre la loi de Dieu, dans le sens du vers. 34. — 39. *L'opprobre que je redoute*, la honte d'être infidèle à la loi de Dieu. — 43. *N'ôtez pas*, etc. Sens : ne permettez pas que je n'aie rien à répondre aux impies qui m'insultent. — 45. *Au large*, librement et sans crainte, comme dans un endroit spacieux. — 46. *Je ne serai point confondu*, je n'en aurai pas de confusion. L'Eglise, dans sa liturgie, met ces fières paroles dans la bouche de S. Jean Baptiste (29 août) et dans celle des Vierges martyres (introït de la messe).

ments; je les aime. 48. J'élèverai mes mains vers vos commandements que j'aime, et je m'appliquerai à la pratique de vos lois. 49. Souvenez-vous de la parole donnée à votre serviteur; sur elle vous avez fait reposer mon espérance. 50. C'est là ma consolation dans ma misère; c'est cette parole qui me rend la vie. 51. Des orgueilleux ne cessent de me maltraiter injustement; mais je ne m'écarte point de votre loi. 52. Je me souviens de vos jugements des temps passés, Seigneur, et je me console. 53. Je me sens défaillir à la vue des pécheurs qui abandonnent votre loi. 54. Vos lois sont le sujet de mes cantiques, dans le lieu de mon pèlerinage. 55. La nuit, je me rappelle votre nom, Seigneur, et j'observe votre loi. 56. Voici la part qui m'est faite : garder vos ordonnances.

57. Oui, Seigneur, mon partage, je le déclare, c'est de garder vos préceptes. 58. Je vous implore de tout mon cœur; ayez pitié de moi, selon votre parole. 59. Je réfléchis à mes voies, et je dirige mes pas vers vos enseignements. 60. Je m'empresse et ne mets aucun retard à observer vos commandements. 61. Les pièges des méchants m'environnent, et je n'oublie point votre loi. 62. Au milieu de la nuit, je me lève pour vous louer, à cause des jugements de votre justice. 63. Je suis le compagnon de tous ceux qui vous craignent et de ceux qui gardent vos ordonnances. 64. La terre est pleine de votre miséricorde, Seigneur; enseignez-moi vos lois.

65. Vous avez été bon envers votre serviteur, Seigneur, selon votre parole. 66. Enseignez-moi la bonté, la règle de la vie et la sagesse, car j'ai foi en vos commandements. 67. Avant d'être humilié, je péchais; maintenant j'observe votre parole. 68. Vous êtes bon; dans votre bonté, ensei-

48. *J'élèverai mes mains vers vos commandements*, comme on les élève vers le sanctuaire où Dieu réside, en signe d'amour et de désir. — 66. *J'ai foi en vos commandements*, je crois qu'ils sont divins, c'est pourquoi je désire en être parfaitement instruit.

gnez-moi vos préceptes. 69. Des orgueilleux ont redoublé contre moi de méchanceté, et moi, je m'applique de tout mon cœur à comprendre vos ordonnances. 70. Leur cœur s'est épaissi comme le lait; pour moi, je fais mes délices de méditer votre loi. 71. Il est bon pour moi que vous m'ayez humilié, afin que j'apprenne vos préceptes. 72. Mieux vaut pour moi la loi sortie de votre bouche, que des monceaux d'or et d'argent.

73. Ce sont vos mains qui m'ont fait et m'ont façonné : donnez-moi l'intelligence, pour que j'apprenne vos commandements. 74. Ceux qui vous craignent, en me voyant, se réjouiront, car je me confie en votre parole. 75. Je sais que vos jugements sont justes, Seigneur; c'est dans votre fidélité que vous m'avez humilié. 76. Que votre miséricorde vienne maintenant me consoler, selon la parole donnée à votre serviteur! 77. Que votre compassion s'émeuve sur moi, et que je vive, car la méditation de la loi fait mes délices. 78. Qu'ils soient confondus les orgueilleux qui me maltraitent injustement! Pour moi, je ne veux penser qu'à vos ordonnances. 79. Qu'ils se tournent vers moi ceux qui vous craignent et ceux qui connaissent vos enseignements! 80. Que mon cœur soit pur de toute faute à l'égard de vos lois, pour que je ne sois pas confondu!

81. Mon âme languit après votre salut; j'espère en votre parole. 82. Mes yeux languissent après votre promesse, ils semblent dire : "Quand me consolerez-vous?" 83. Car je suis devenu comme

70. *Comme le lait* coagulé; en hébreu, *comme la graisse* : c est par cette image que la sainte Ecriture exprime souvent l'insensibilité d'un cœur endurci, qui ne comprend plus rien aux choses de Dieu.— 74. *Se réjouiront*, en voyant les faveurs dont vous récompensez ma fidélité et ma confiance en vous. — 75. *Dans votre fidélité :* non comme un ennemi qui ne cherche qu'à nuire, mais comme un ami véritable qui voulait me ramener à lui par l'affliction et l'épreuve. — 79. Que les serviteurs de Dieu, que mes épreuves avaient peut-être éloignés, se tournent vers moi avec bienveillance et affection!— 83. Les Hébreux conservaient le vin dans des outres, et pour le faire vieillir plus vite, ils exposaient ces outres à la fumée du foyer, qui naturellement les

l'outre exposée à la fumée, et pourtant je n'oublie pas vos lois. 84. Quel est le nombre des jours de votre serviteur? Quand donc ferez-vous justice de ceux qui me persécutent? 85. Les méchants m'ont tenu de beaux discours; mais combien votre loi l'emporte sur ces fables! 86. Tous vos commandements sont vérité; mes ennemis me persécutent sans cesse : secourez-moi! 87. Ils ont failli m'anéantir dans le pays; et moi, je n'abandonne pas vos ordonnances. 88. Rendez-moi la vie selon votre miséricorde, et j'observerai les enseignements sortis de votre bouche.

89. A jamais, Seigneur, votre parole subsiste dans les cieux; 90. d'âge en âge votre vérité demeure, comme la terre que vous avez fondée et qui subsiste. 91. C'est en vertu de vos lois que le soleil continue de ramener le jour, car tous les êtres vous obéissent. 92. Si la méditation de votre loi ne faisait mes délices, déjà j'aurais succombé à ma douleur. 93. Je n'oublierai jamais vos ordonnances; c'est par elles que vous me rendez la vie. 94. Je suis à vous : sauvez-moi, car j'observe fidèlement vos préceptes. 95. Les méchants m'attendent pour me faire périr, *et moi*, je suis attentif à vos enseignements. 96. Je trouve des bornes à tout ce qui est parfait, mais votre commandement n'a point de limites.

97. Que j'aime votre loi, *Seigneur!* Tout le jour elle est l'objet de ma méditation. 98. Par vos commandements, vous me rendez plus sage que mes ennemis; car ils sont toujours présents à ma pensée. 99. Je suis plus instruit que tous mes maîtres, parce que je médite vos enseignements.

ridait et les noircissait : image de la misère et de l'affliction profonde où le Psalmiste était réduit. — 84. *Quel est le nombre :* ce nombre est-il assez grand pour que vous tardiez à me secourir? — 87. *Dans le pays :* habiter en paix dans le pays de Chanaan était une des récompenses promises aux observateurs de la loi. — 99-100. *Je suis plus instruit*, etc. En effet, la loi de Dieu ne laisse sans réponse aucune des graves questions qui intéressent l'humanité, et ces réponses sont à la portée d'une simple femme et d'un enfant. Origine de l'homme, sa destinée en cette vie et en l'autre, ses rapports avec Dieu, ses

100. J'ai plus d'intelligence que les vieillards, parce que j'observe vos ordonnances. 101. Je retiens mes pieds loin de toute voie mauvaise, afin de garder votre parole. 102. Je ne m'écarte en rien de vos préceptes, car c'est vous qui m'avez donné votre loi. 103. Que votre parole est douce à mon palais! Elle est plus douce que le miel à mes lèvres. 104. Vos préceptes m'apprennent la sagesse; aussi je déteste les sentiers du mensonge.

105. Votre parole est un flambeau devant mes pas, une lumière qui éclaire mon sentier. 106. J'ai juré et j'ai résolu de garder les préceptes de votre justice. 107. Je suis réduit à une extrême affliction; Seigneur, rendez-moi la vie, selon votre parole. 108. Daignez, Seigneur, agréer l'offrande de mes lèvres, et enseignez-moi vos préceptes. 109. Ma vie est continuellement en danger, mais je n'oublie point votre loi. 110. Les méchants me tendent des pièges, mais je ne m'écarte pas de vos ordonnances. 111. Je prends vos enseignements pour être à jamais mon héritage, car ils font la joie de mon cœur. 112. J'incline mon cœur à observer toujours vos lois, à cause de la récompense.

113. Je déteste les hommes d'iniquité, et j'aime votre loi. 114. Vous êtes mon refuge et mon bouclier; je me confie en votre parole. 115. Retirez-vous de moi, impies! je veux étudier avec soin les commandements de mon Dieu. 116. Soutenez-moi selon votre parole, et je vivrai; ne permettez pas que je sois confondu dans mon espérance. 117. Soyez mon appui, et je serai sauvé, et je méditerai sans cesse vos lois. 118. Vous méprisez ceux qui s'écartent de vos préceptes, car leurs pensées sont injustes. 119. Je regarde tous les pécheurs de la terre

---

devoirs envers ses semblables et envers lui-même : un enfant du catéchisme n'ignore rien de tout cela, disait avec admiration un philosophe de ce siècle. — 112. *A cause de la récompense :* ceux-là ne pèchent donc pas, conclut le concile de Trente, qui ont en vue, dans l'observation des commandements, non seulement la gloire de Dieu, mais aussi leur propre récompense (Sess. VI, 11; Comp. *Hébr.* XI, 26).

comme des impies qu'attend le châtiment; c'est pourquoi j'aime vos ordonnances. 120. Ma chair frémit de crainte devant vous, et je redoute vos jugements.

121. J'ai accompli le droit et la justice : ne m'abandonnez pas à mes oppresseurs. 122. Prenez sous votre garde votre serviteur pour le sauver; ne me laissez pas opprimer par des orgueilleux. 123. Mes yeux languissent après votre salut, et après les promesses de votre justice. 124. Agissez envers votre serviteur selon votre miséricorde, et enseignez-moi vos lois. 125. Je suis votre serviteur: donnez-moi l'intelligence, pour que je connaisse vos enseignements. 126. Il est temps d'agir, Seigneur : ils ont déchiré votre loi. 127 C'est pourquoi j'aime vos préceptes plus que l'or et la topaze; 128. je me conforme à toutes vos ordonnances, et je hais tous les sentiers de l'iniquité.

129. Vos enseignements sont admirables; aussi mon âme s'applique à les comprendre. 130. L'explication de votre parole éclaire, elle donne l'intelligence aux simples. 131. J'ouvre la bouche et j'aspire, car je suis avide de vos commandements. 132. Regardez-moi et ayez pitié de moi; c'est justice envers ceux qui aiment votre nom. 133. Dirigez mes pas selon votre parole, et ne laissez pas l'iniquité dominer sur moi. 134. Délivrez-moi de l'oppression des hommes, pour que je garde vos ordonnances. 135. Faites luire votre visage sur votre serviteur, et enseignez-moi vos préceptes. 136. Mes yeux répandent des ruisseaux de larmes, parce qu'on n'observe pas votre loi.

137. Vous êtes juste,

123. Comp. vers. 81. — *Et après* la réalisation des *promesses* qu'un Dieu juste a faites à ses serviteurs. — 127. *C'est pourquoi*, justement parce que le nombre et l'audace des pécheurs augmentent. — 135. *Faites luire votre visage*, regardez d'un œil favorable. — 137. S. Augustin répétait souvent ce verset pendant le siège d'Hippone par les Vandales. L'histoire rapporte que l'empereur Maurice le redisait aussi lorsque, détrôné et condamné à mourir par Phocas, il vit ses cinq fils successivement massacrés sous ses yeux.

Seigneur, et vos jugements sont équitables. 138. Vous avez donné vos enseignements selon la justice et la vérité absolue. 139. Mon zèle me fait sécher de douleur, en voyant mes ennemis oublier votre parole. 140. Votre parole est comme l'or éprouvé par le feu, et votre serviteur l'aime. 141. Je suis petit et méprisé, mais je n'oublie pas vos ordonnances. 142. Votre justice est la justice éternelle; votre loi, l'*immuable* vérité. 143. La souffrance et l'angoisse m'ont atteint; mais la méditation de vos commandements fait mes délices. 144. Vos préceptes sont éternellement justes; donnez-m'en l'intelligence, afin que je vive.

145. Je crie vers vous du fond de mon cœur; exaucez-moi, Seigneur; je m'appliquerai à garder vos lois. 146. Je crie vers vous : sauvez-moi, afin que j'observe vos enseignements. 147. Je devance l'aurore et je crie *vers vous*, car j'espère en votre parole. 148. Mes yeux devancent le jour pour se tourner vers vous et méditer vos paroles. 149. Ecoutez ma voix selon votre miséricorde, Seigneur; rendez-moi la vie selon votre justice. 150. Mes persécuteurs sont près de consommer leur crime; ils se sont éloignés de votre loi. 151. Mais vous, Seigneur, vous n'êtes pas loin, et toutes vos voies sont fidélité. 152. Depuis longtemps je sais, au sujet de vos enseignements, que vous les avez établis pour toujours.

153. Voyez ma misère et délivrez-moi, car je n'oublie pas votre loi. 154. Prenez ma défense et rachetez-moi : rendez-moi la vie selon votre parole. 155. Le salut est loin des méchants, parce qu'ils ne s'attachent pas à votre loi. 156. Vos miséricordes sont infinies, Seigneur; rendez-moi la vie selon vos jugements.

151. *Vous n'êtes pas loin* de votre serviteur, pour le défendre et le sauver; car *toutes vos voies sont fidélité* : dans tous vos rapports avec les hommes, vous vous montrez fidèle à accomplir vos promesses. — 155. *Le salut est loin des méchants*, si loin, qu'ils n'y arrivent pas : tournure hébraïque pour dire : il n'y a pas de salut pour les méchants.

157. Ils sont nombreux ceux qui me persécutent et qui m'oppriment; *mais* je ne m'écarte pas de vos enseignements. 158. A la vue des impies, la douleur me consume, parce qu'ils n'observent pas votre parole. 159. Considérez, Seigneur, que j'aime vos ordonnances; rendez-moi la vie selon votre miséricorde. 160. Le fondement de votre parole, c'est la vérité; les lois de votre justice subsistent pour toujours.

161. Les puissants de la terre me persécutent sans cause; mon cœur *ne* craint *que* votre parole. 162. Je me réjouis de votre parole, comme si j'avais trouvé un riche butin. 163. Je hais le mensonge, je l'ai en horreur : mais j'aime votre loi. 164. Sept fois le jour je redis vos louanges, pour les jugements de votre justice. 165. Il y a une grande paix pour ceux qui aiment votre loi, et rien ne leur est une cause de chute. 166. J'espère, Seigneur, en votre salut, et j'aime vos commandements. 167. Mon âme observe vos préceptes, elle les aime d'un ardent amour. 168. J'accomplis vos lois et vos ordonnances, car toutes mes voies sont devant vous.

169. Que mon cri arrive jusqu'à vous, Seigneur! Selon votre parole, donnez-moi l'intelligence. 170. Que ma supplication parvienne jusqu'à vous! Selon votre parole, délivrez-moi. 171. Que mes lèvres profèrent vos louanges, car vous m'avez enseigné vos préceptes! 172. Que ma langue publie votre parole, car tous vos commandements sont justes! 173. Que votre main s'étende pour me secourir, car j'ai choisi vos ordonnances! 174. Je soupire après votre salut, Seigneur, et je fais mes délices de méditer votre loi. 175. Mon âme vivra pour vous louer, et vos jugements seront mon secours. 176. Je suis errant, comme une brebis égarée : cherchez votre

161. *Ne craint* qu'une chose, c'est d'être infidèle à *votre parole.* — 165. *Une cause* effective *de chute :* Dieu les soutient par sa grâce et les empêche de tomber. — 173. *J'ai choisi*, j'ai embrassé par choix, avec un amour de préférence, votre sainte loi. — 176. *Cherchez* vous-même votre serviteur, qui serait incapable de vous trouver, et

serviteur, car je n'oublie pas vos commandements.

PSAUME 119.

Prière contre des ennemis perfides.

Dans ma détresse, j'ai crié vers le Seigneur, et il m'a exaucé. 2. Seigneur, *lui ai-je dit*, délivrez mon âme des lèvres de mensonge et de la langue trompeuse.

3. Que te sera-t-il donné, et quel sera ton salaire, langue perfide? 4. Les flèches aiguës du Tout Puissant et ses charbons destructeurs.

5. Hélas! mon exil a été bien long; j'ai vécu avec les habitants de Cédar; 6. trop longtemps j'ai séjourné sur la terre étrangère! 7. Et maintenant je vis, homme de paix, au milieu de gens qui haïssent la paix; quand je leur adresse la parole, ils me font la guerre sans sujet.

PSAUME 120.

Chant du pèlerin.

Je lève les yeux vers les montagnes, d'où me viendra le secours. 2. Mon secours viendra du Seigneur, qui a fait le ciel et la terre.

3. Il ne permettra pas que ton pied trébuche; celui qui te garde ne sommeillera pas. 4. Non, il ne sommeille ni ne dort, celui qui garde Israël.

5. Le Seigneur est ton gardien, le Seigneur te couvre de son ombre, il se tient à ta droite. 6. Pendant le jour, le soleil ne te brûlera pas, ni la lune pendant la nuit.

---

ramenez-le au bercail. C'est le Fils de Dieu fait homme, Notre Seigneur Jésus Christ, qui a rempli, et qui remplit encore tous les jours, vis-à-vis de l'humanité, ce rôle de bon Pasteur.

Ps. 119. Les 15 Psaumes qui suivent sont intitulés *Cantiques des degrés*. Ils étaient chantés tour à tour, aux trois grandes fêtes de l'année, sur un des 15 degrés, qui reliaient le parvis des hommes à celui des femmes dans le temple. Ils étaient probablement aussi chantés par les Israélites qui *montaient à Jérusalem* à certaines époques. — 3. *Que te sera-t-il donné :* la réponse est au verset suivant. — 4. *Ces flèches aiguës* et ces *charbons* de feu par lesquels Dieu punira la *langue perfide*, sont en plusieurs endroits les images des éclairs et de la foudre.

Ps. 120. — 1. *Les montagnes* de Juda, au milieu desquelles était située Jérusalem. — 5. *Te couvre de son ombre*, pour te protéger contre les feux dévorants du soleil, et, par figure, contre toute espèce de dangers. — 6. *La lune :* en Orient, les rayons de la lune sont presque aussi insupportables que ceux du soleil et peuvent amener les mêmes accidents. Selon d'autres, le Psalmiste se conformerait ici

7. Le Seigneur te gardera de tout mal, il gardera ton âme. 8. Le Seigneur te gardera au départ et à l'arrivée, maintenant et à jamais.

PSAUME 121.

Chant des pèlerins en l'honneur de Jérusalem.

J'ai été dans la joie quand on m'a dit : " Nous allons dans la maison du Seigneur ! " 2. Voilà que nos pieds sont arrivés dans ton enceinte, ô Jérusalem ! 3. Jérusalem est bâtie comme une ville *puissante*, dont toutes les parties se tiennent ensemble. 4. Là montent les tribus, les tribus du Seigneur, selon la loi d'Israël, pour louer le nom du Seigneur. 5. Là sont établis des sièges pour le jugement, les sièges de la maison de David.

6. Faites des vœux pour la prospérité de Jérusalem. Qu'ils soient heureux ceux qui t'aiment ! 7. Que la paix règne dans tes murailles, la sécurité dans tes forteresses ! 8. A cause de mes frères et de mes amis, je demande pour toi la paix ; 9. à cause de la maison du Seigneur notre Dieu, je désire pour toi le bonheur.

PSAUME 122.

Prière d'Israël opprimé.

J'élève mes yeux vers vous, ô vous qui habitez dans les cieux. 2. Comme l'œil du serviteur est fixé sur la main de son maître, et l'œil de la servante sur la main de sa maîtresse, ainsi nos yeux sont tournés vers le Seigneur notre Dieu, jusqu'à ce qu'il ait pitié de nous.

3. Prenez pitié de nous, Seigneur, prenez pitié de nous, car nous n'avons été que trop rassasiés d'opprobres ; 4. nous n'avons été que trop rassasiés de la moquerie des riches insolents, et du mépris des orgueilleux.

à la croyance populaire d'après laquelle la lune serait cause du rayonnement nocturne et du froid très vif qui en est la conséquence, froid qui *brûle* les jeunes plantes.

Ps. 121. — 1. *Nous allons :* les pèlerins se rendaient par groupes dans la ville sainte (*Luc*, II, 41, 44). — 8. *De mes frères et de mes amis*, les Israélites qui habitent dans Jérusalem. — *La paix :* ce mot désigne souvent l'ensemble de tous les biens.

Ps. 122. — 2. *L'œil du serviteur*, ici de l'esclave oriental, *est fixé sur la main de son maître*, est attentif à ses moindres gestes, qui sont pour lui des ordres.

PSAUME 123.

Action de grâces.

Si le Seigneur n'eût été pour nous,—qu'Israël le proclame! 2. Si le Seigneur n'eût été pour nous, quand les hommes se sont élevés contre nous, 3. ils nous auraient dévorés tout vivants, tant leur colère contre nous était ardente. 4. Les eaux nous auraient engloutis, 5. le torrent aurait passé sur notre âme; sur notre âme auraient passé des vagues impétueuses.

6. Béni soit le Seigneur, qui ne nous a pas livrés en proie à leurs dents! 7. Notre âme, comme le passereau, s'est échappée du filet de l'oiseleur : le filet s'est rompu, et nous avons été sauvés. 8. Notre secours est dans le nom du Seigneur, qui a fait le ciel et la terre.

PSAUME 124.

Dieu protège ses serviteurs.

Ceux qui se confient dans le Seigneur sont comme la montagne de Sion : il ne sera jamais ébranlé celui qui habite Jérusalem. 2. Jérusalem a autour d'elle un rempart de montagnes : ainsi le Seigneur entoure son peuple de sa protection maintenant et à jamais. 3. Le Seigneur ne laissera pas le sceptre des pécheurs peser *toujours* sur l'héritage des justes, de peur que les justes ne portent aussi leurs mains vers l'iniquité.

4. Seigneur, répandez vos bontés sur les bons et sur ceux qui ont le cœur droit. 5. Mais ceux qui se détournent en des voies tortueuses, que le Seigneur les laisse aller avec ceux qui font le mal! Paix sur Israël!

PSAUME 125.

Action de grâces et prière.

Quand le Seigneur ramena les captifs de Sion, nous avons été consolés *de nos longues souffrances.* 2. Alors notre bouche fit entendre des cris joyeux, notre langue des chants d'allégresse; alors on répéta parmi les nations : " Le Seigneur a fait pour eux de gran-

Ps. 123. — 3. *Dévorés tout vivants*, comme font les bêtes féroces. — 4. Le danger auquel Israël a échappé est présenté sous une image familières aux Israélites qui habitaient un pays de montagnes, l'image d'un torrent débordé, qui entraîne tout dans ses vagues furieuses. — 8. Verset souvent répété dans les prières de l'Eglise.

Ps. 124. — 5. *Les laisse aller* à leur perte.

des choses!" 3. *Oui*, le Seigneur a fait pour nous de grandes choses; nous sommes dans la joie.

4. Seigneur, ramenez *aussi* nos frères captifs, comme vous faites couler les torrents dans les plaines arides du Midi. 5. Ceux qui sèment dans les larmes moissonneront dans l'allégresse. 6. Ils vont, ils vont en pleurant, jetant leur semence; ils reviendront avec des cris de joie, portant les gerbes de leur moisson.

PSAUME 126.

Dieu source de tout bien.

Si le Seigneur ne bâtit la maison, en vain travaillent ceux qui la bâtissent; si le Seigneur ne garde pas la cité, en vain la sentinelle veille *à ses portes*. 2. C'est en vain que vous vous levez avant le jour; levez-vous après avoir pris votre repos, vous qui mangez le pain de la douleur, car Dieu donne le sommeil à ses bien aimés.

3. C'est un héritage du Seigneur que les enfants, une récompense *d'en haut* que les fruits d'un sein fécond. 4. Comme les flèches dans la main d'un guerrier, ainsi sont les fils des exilés. 5. Heureux l'homme qui en a selon son désir! Il ne sera pas confondu, quand il devra répondre à ses ennemis à la porte *de la ville*.

PSAUME 127.

Bonheur de la famille qui craint Dieu.

Heureux l'homme qui craint le Seigneur, qui marche dans ses voies! 2. Tu te nourris alors du travail de tes mains; tu

Ps. 125. — 4. *Nos frères captifs* repeupleront le pays désert et lui rendront la fertilité et la vie, comme un torrent qui traverse les régions desséchées du midi de la Palestine.

Ps. 126. — 1. Sentence générale : les efforts de l'homme, à quelque objet qu'ils s'appliquent, ont besoin d'être aidés et fécondés par la bénédiction de Dieu. Cela est vrai surtout dans l'ordre spirituel, dans le travail qui a pour but d'élever l'édifice de la perfection chrétienne. — 4. *Les fils des exilés*, des Israélites captifs à Babylone et récemment revenus dans leur patrie : ces fils d'exilés n'en devaient être que plus ardents à défendre leur pays et leurs familles. — 5. *L'homme qui en a selon son désir;* en hébreu, *qui en a rempli son carquois*, ce qui continue la figure des enfants comparés à des flèches.

Ps. 127. — 2. Après la maxime générale du premier verset, le Psalmiste s'adresse directement à *l'homme qui craint le Seigneur*, et lui met sous les yeux un ravissant tableau des biens qui lui sont promis.

es heureux et comblé de biens. 3. Ton épouse est comme une vigne féconde dans l'intérieur de ta maison; tes enfants sont comme de jeunes plants d'olivier autour de ta table. 4. Voilà comment sera béni celui qui craint le Seigneur.

5. Que le Seigneur te bénisse de Sion! Puisses-tu voir Jérusalem florissante tous les jours de ta vie! Puisses-tu voir les enfants de tes enfants, et la paix régner dans Israël!

PSAUME 128.

Action de grâces au retour de l'exil.

Ils m'ont souvent opprimé depuis ma jeunesse, —Israël peut le dire maintenant, 2. ils m'ont souvent opprimé depuis ma jeunesse, mais ils n'ont pas prévalu contre moi. 3. Les méchants ont labouré mon dos; ils y ont tracé leurs cruels sillons. 4. Mais le Seigneur est juste : il a abattu l'orgueil des pécheurs.

5. Qu'ils soient confondus et qu'ils reculent au loin ceux qui haïssent Sion! 6. Qu'ils soient comme l'herbe des toits, qui sèche avant qu'on l'arrache! 7. Le moissonneur n'en remplit pas sa main, ni celui qui lie les gerbes son giron; 8. et les passants ne disent pas : " Que la bénédiction du Seigneur soit sur vous! " — " Nous vous bénissons au nom du Seigneur! "

PSAUME 129.

Le fidèle demande à Dieu le pardon et la délivrance.

Du fond de l'abîme je crie vers vous, Seigneur. 2. Seigneur, écoutez ma voix; que vos oreilles soient attentives

3. *De jeunes plants*, des rejetons qui s'élèvent autour du tronc principal. — 5. *De Sion*, de son sanctuaire bâti sur le mont Sion.

Ps. 128. — 1. *Depuis ma jeunesse :* le séjour des Hébreux en Egypte est souvent présenté comme l'époque de la jeunesse d'Israël. — 6. *L'herbe* qu'une pluie fait croître dans les jointures des dalles ou des tuiles qui forment la terrasse supérieure des maisons en Orient : elle est brûlée par le soleil avant même qu'on ait eu le temps de l'arracher. — 7. Sens : on ne la moissonne pas; c'est une chose de nulle valeur.— 8. *Nous vous bénissons*, etc. : ces mots paraissent être la réponse des moissonneurs à la bénédiction des passants, à en juger du moins par ce passage du livre de Ruth (ii, 4) : " Booz salua les moissonneurs en disant : Le Seigneur soit avec vous! et ceux-ci lui répondirent : Le Seigneur vous bénisse. "

Ps. 129. — 1. *Du fond de l'abîme* de mon péché et de ma misère.

aux accents de ma prière!

3. Si vous prenez garde à l'iniquité, Seigneur, qui pourra, Seigneur, subsister *devant vous?* 4. Mais auprès de vous est le pardon, et à cause de votre loi je vous attends, Seigneur; mon âme attend, confiante en votre parole; 5. mon âme a mis son espoir dans le Seigneur.

6. Depuis la veille du matin jusqu'à la nuit, qu'Israël espère dans le Seigneur! 7. Car auprès du Seigneur est la miséricorde, auprès de lui une surabondante délivrance. 8. C'est lui qui rachètera Israël de toutes ses iniquités.

PSAUME 130.

Humilité et abandon à Dieu.

Seigneur, mon cœur ne s'est pas enorgueilli, et mes yeux ne se sont pas portés en haut; je ne recherche point les grandes choses, ni ce qui est élevé au-dessus de moi. 2. Si je n'ai pas d'humbles sentiments, et si au contraire je me suis livré à l'orgueil, que mon âme soit traitée comme l'enfant qu'on vient de sevrer sur le sein de sa mère!

3. Qu'Israël mette son espoir dans le Seigneur maintenant et toujours!

PSAUME 131.

Prière pour la maison de David.

Souvenez-vous, Seigneur, de David et de toute sa douceur. 2. Il fit ce serment au Seigneur, ce vœu au Dieu de Jacob : 3. " Je n'entrerai pas dans la tente où j'habite, je ne monterai pas sur le lit où je repose; 4. je n'accorderai pas de sommeil à mes yeux, ni d'assoupisse-

4. *A cause de votre loi* et des promesses de pardon qu'elle renferme. — *Je vous attends*, j'attends, avec un grand désir, mais aussi avec confiance, le moment où il vous plaira de me secourir. — 7. *Une abondante délivrance :* Jésus Christ en mourant pour nous a offert à son Père un prix *surabondant* pour notre rédemption.

Ps. 130. — 2. S. Augustin explique ainsi ce verset : Si je n'ai pas d'humbles sentiments,... que mon âme soit traitée par vous avec une impitoyable rigueur, comme l'enfant que l'on vient de sevrer, quoiqu'il soit encore trop jeune pour quitter le sein de sa mère : cet enfant souffre, il n'a pas de repos, et souvent finit par mourir.

Ps. 131. — 1. *De toutes les peines* qu'il s'est données pour procurer au Seigneur une demeure fixe et digne de lui. — 3 sv. *Je n'entrerai pas*, etc. : hyperbole, pour dire : Je n'aurai point de repos avant d'avoir trouvé un lieu, etc.

ment à mes paupières, 5. ni de repos à mes tempes, jusqu'à ce que j'aie trouvé un lieu pour le Seigneur, un tabernacle pour le Dieu de Jacob."

6. Nous avons entendu dire que l'arche était en Ephrata; mais nous l'avons trouvée dans la ville aux plaines boisées. 7. Allons au tabernacle préparé pour le Seigneur, prosternons-nous devant l'escabeau de ses pieds. 8. Levez-vous, Seigneur, vous, et l'arche où réside votre sainteté! 9. Que vos prêtres soient revêtus d'innocence, et que vos fidèles poussent des cris d'allégresse! 10. A cause de David, votre serviteur, ne repoussez pas la face de votre Oint.

11. Le Seigneur a fait à David un serment véridique, et il ne manquera pas de l'accomplir : "Je mettrai sur ton trône des rois sortis de toi. 12. Et si tes fils gardent mon alliance et les préceptes que je leur enseignerai, leurs fils aussi, à tout jamais, seront assis sur ton trône." 13. Car le Seigneur a fait choix de Sion; il l'a choisie pour y établir sa demeure.

14. "Oui, c'est là le lieu de mon repos pour toujours; j'y habiterai, car je l'ai choisie. 15. Je répandrai mes bénédictions sur ses veuves, je rassasierai de pain ses indigents. 16. Je revêtirai de salut ses prêtres, et ses fidèles pousseront des cris d'allégresse. 17. Là je ferai grandir la puissance de David, je préparerai un flambeau à mon Oint. 18. Je revêtirai de confusion ses ennemis, et sur son front resplendira la couronne de ma sainteté."

PSAUME 132.

Concorde entre les frères.

Qu'il est bon, qu'il est doux pour des frères d'habiter ensemble! 2. C'est comme l'huile parfumée qui, répandue

7. *L'escabeau de ses pieds*, l'arche : voy. *Ps.* xcviii, 5, note. — 8. *Levez-vous :* acclamation par laquelle on saluait l'arche lorsque, dans le désert, on la levait pour la transporter d'une station à l'autre. — 9. *Que vos prêtres*, qui doivent porter l'arche. — 16. *Je revêtirai de salut*, de ma protection salutaire, de mes faveurs.

Ps. 132. — 1. *Pour des frères :* tous les Israélites sont des *frères*, unis par la communauté de foi et d'amour envers le même Dieu. — 2. *L'huile parfumée* qui servait à la consécration des prêtres (*Exod.* xxx, 21 sv.); cette cérémonie se répétait souvent sous les yeux du

sur la tête, descend sur la barbe, sur la barbe d'Aaron, et coule sur le bord de son vêtement. 3. C'est comme la rosée de l'Hermon qui descend sur le mont Sion : car c'est là que le Seigneur a établi pour toujours la bénédiction et la vie.

PSAUME 133.

Invitation aux lévites à louer Dieu.

Bénissez le Seigneur, vous tous ses serviteurs, qui faites le service dans la maison du Seigneur, dans les parvis de la maison de notre Dieu. 2. Levez pendant les nuits vos mains vers le sanctuaire, et bénissez le Seigneur. 3. Que le Seigneur vous bénisse de Sion, lui qui a fait le ciel et la terre !

PSAUME 134.

Louange et action de grâces.

Louez le nom du Seigneur; louez le Seigneur, vous, ses serviteurs, 2. qui vous tenez dans la maison du Seigneur, dans les parvis de la maison de notre Dieu. 3. Louez le Seigneur, car il est bon; chantez avec la harpe des hymnes à son nom, car il est plein de douceur. 4. Car le Seigneur s'est choisi Jacob, *il s'est choisi* Israël pour en faire son héritage.

5. Oui, je le sais, le Seigneur est grand, notre Dieu est au-dessus de tous les dieux. 6. Tout ce qu'il veut, le Seigneur le fait, au ciel, sur la terre, dans la mer et dans tous les abîmes. 7. Il fait monter les nuages des extrémités de la terre, il en fait jaillir les éclairs avec la pluie; il tire le vent de ses trésors.

8. *Jadis* il frappa de mort les premiers-nés de l'Egypte, depuis l'homme jusqu'à l'animal. 9. Il fit

peuple, car *Aaron* représente ici le sacerdoce en général. — *Sur le bord* supérieur de la robe, l'ouverture du cou. — 3. *La vie* naturelle, et surtout la vie de la grâce.

Ps. 133. — 1. *Ses serviteurs*, ses ministres : les prêtres et les lévites.

Ps. 134. — 1-2. Comp. *Ps.* cxii, 1; cxv, 19. — 5. *Je le sais*, le spectacle de la nature met cette vérité sous les yeux. — *Au-dessus de tous les dieux :* le Psalmiste parle ici selon les idées des hommes, infatués du culte des faux dieux ; il proclame que, quelque idée que les idolâtres eussent de leurs divinités, le Dieu d'Iraël était bien plus excellent qu'elles. — 7. *De ses trésors :* les vents sont représentés comme sortant des trésors de Dieu, pour faire entendre que l'homme n'en connaît pas l'origine.

éclater des signes et des prodiges au milieu de toi, Égypte, contre Pharaon et tous ses serviteurs. 10. Il frappa des nations nombreuses, et fit mourir des rois puissants : 11. Séhon, roi des Amorrhéens, Og, roi de Basan, et tous les rois de Chanaan. 12. Et il donna leur pays en héritage, en héritage à Israël, son peuple.

13. Seigneur, votre nom subsiste à jamais; Seigneur, votre souvenir dure d'âge en âge. 14. Car le Seigneur fait droit à son peuple, et il a compassion de ses serviteurs. 15. Les idoles des nations *ne* sont *que* de l'argent et de l'or, façonnés par la main des hommes. 16. Elles ont une bouche et ne parlent pas; elles ont des yeux et ne voient pas; 17. elles ont des oreilles et n'entendent pas; pas même un souffle ne sort de leur bouche. 18. Qu'ils leur ressemblent ceux qui les font, et tous ceux qui mettent en elles leur confiance!

19. Maison d'Israël, bénissez le Seigneur! Maison d'Aaron, bénissez le Seigneur! 20. Maison de Lévi, bénissez le Seigneur! Vous tous qui craignez le Seigneur, bénissez le Seigneur! 21. Que de Sion soit béni le Seigneur, qui habite à Jérusalem!

PSAUME 135.

Louange à Dieu!

Louez le Seigneur, car il est bon, car sa miséricorde est éternelle; 2. louez le Dieu des dieux, car sa miséricorde est éternelle; 3. louez le Seigneur des seigneurs, car sa miséricorde est éternelle :

4. *Le Dieu* qui seul opère de grandes merveilles, car sa miséricorde est éternelle; 5. qui a fait les cieux avec sagesse, car sa miséricorde est

14. *Le Seigneur fait droit à son peuple*, il soutient sa cause et la fait triompher. — 21. *De Sion :* du sanctuaire élevé sur cette colline montaient vers Dieu les louanges de toute la nation.

Ps. 135. — 1. *Car sa miséricorde*, etc. Berthier : Nulle part le Psalmiste n'insiste avec autant de force et de sentiment sur la miséricorde de Dieu. A chaque proposition qu'il fait, il répète que *la miséricorde de Dieu est éternelle ou sans bornes;* il entend par ce mot la bonté, la libéralité, la bienfaisance de Dieu à l'égard de ses créatures.

éternelle; 6. qui a étendu la terre sur les eaux, car sa miséricorde est éternelle; 7. qui a fait les grands luminaires, car sa miséricorde est éternelle: 8. le soleil pour présider au jour, car sa miséricorde est éternelle; 9. la lune et les étoiles pour présider à la nuit, car sa miséricorde est éternelle;

10. *Le Dieu* qui frappa l'Egypte dans ses premiers-nés, car sa miséricorde est éternelle; 11. qui fit sortir Israël du milieu de ce peuple idolâtre, car sa miséricorde est éternelle; 12. d'une main forte et d'un bras étendu, car sa miséricorde est éternelle; 13. qui divisa en deux la mer Rouge, car sa miséricorde est éternelle; 14. qui fit passer Israël au travers, car sa miséricorde est éternelle; 15. et précipita dans les flots Pharaon et son armée, car sa miséricorde est éternelle;

16. *Le Dieu* qui conduisit son peuple dans le désert, car sa miséricorde est éternelle; 17. qui frappa de grands rois, car sa miséricorde est éternelle; 18. et fit périr des chefs puissants, car sa miséricorde est éternelle : 19. Séhon, roi des Amorrhéens, car sa miséricorde est éternelle; 20. et Og, roi de Basan, car sa miséricorde est éternelle; 21. qui donna leur pays en héritage, car sa miséricorde est éternelle; 22. en héritage à Israël, son serviteur, car sa miséricorde est éternelle; 23. qui se souvint de nous quand nous étions humiliés, car sa miséricorde est éternelle; 24. et nous délivra de nos ennemis, car sa miséricorde est éternelle; 25. celui qui donne à tout ce qui vit la nourri-

6. *La terre* ferme paraît sortir des eaux qui l'entourent de toutes parts. — 8-9. Comp. *Gen.* i, 16. Le Psalmiste choisit parmi les ouvrages du Créateur le soleil, la lune et les étoiles, parce que ces corps lumineux étaient l'objet principal du culte idolâtrique des nations. Il fait voir que ces astres sont, comme tous les autres corps répandus dans cet univers, des ouvrages de la main de Dieu, et qu'à lui seul appartient l'hommage de nos esprits et de nos cœurs. — 12. *D'une main forte*, etc. : Dieu a fait sortir les Hébreux d'Egypte en opérant des merveilles qui font voir la puissance de son bras. — 23-24. Allusion aux diverses délivrances du peuple de Dieu opprimé par ses ennemis.

ture, car sa miséricorde est éternelle.

26. Louez le Dieu du ciel, car sa miséricorde est éternelle; louez le Seigneur des Seigneurs, car sa miséricorde est éternelle.

PSAUME 136.

Chant d'exil.

Au bord des fleuves de Babylone nous étions assis et nous pleurions, en nous souvenant de Sion. 2. Aux saules de ses vallées nous avions suspendu nos harpes. 3. Car là nos vainqueurs nous demandaient de leur faire entendre nos cantiques; ceux qui nous avaient enlevés disaient : "Chantez-nous un cantique de Sion!" 4. Comment chanterions-nous le cantique du Seigneur sur une terre étrangère?

5. Si jamais je t'oublie, Jérusalem, que ma droite aussi soit mise en oubli! 6. Que ma langue s'attache à mon palais, si je cesse de penser à toi, si je ne mets pas Jérusalem au premier rang de mes joies!

7. Souvenez-vous, Seigneur, des enfants d'Edom, quand au jour *des malheurs* de Jérusalem, ils disaient : "Détruisez, détruisez-la jusqu'en ses fondements! " 8. Fille de Babylone, vouée à la dévastation, heureux celui qui te rendra le mal que tu nous as fait! 9. Heureux celui qui saisira tes petits enfants et les écrasera contre la pierre!

PSAUME 137.

Action de grâces.

Seigneur, je veux vous louer de tout mon cœur, car vous avez entendu la prière de ma bouche; je veux vous chanter sur la harpe en présence des anges, 2. me prosterner dans votre saint temple et célébrer votre nom, à cause de votre miséricorde et de

Ps. 136. — 5. *Que ma droite soit mise en oubli* : ce qui arrive pour un membre paralysé et hors d'usage, — 7. *Souvenez-vous*, pour les châtier, *des enfants d'Edom* : les Iduméens, malgré leur communauté d'origine avec le peuple de Dieu, se montrèrent toujours ses ennemis. — 8. *Heureux celui* : qu'il soit béni de Dieu. — 9. *Les écrasera* : ce trait de barbarie était fréquent à cette époque à la prise des villes. — Ces souhaits du Psalmiste ont pour nous quelque chose de choquant; ils ne sont en réalité, sous la forme d'imprécations, que l'annonce de ce qui devait arriver quelques années plus tard.

Ps. 137. — 2. *Vous avez glorifié*, vous avez fait paraître aux yeux

votre fidélité, parce que vous avez glorifié au-dessus de tout votre saint nom. 3. Le jour où je vous ai invoqué, vous m'avez exaucé, vous avez rendu à mon âme la force et le courage.

4. Que tous les rois de la terre vous louent, Seigneur, quand ils auront appris les oracles de votre bouche! 5. Qu'ils célèbrent les voies du Seigneur, car la gloire du Seigneur est grande! 6. Car le Seigneur est assis dans les hauteurs des cieux, et il voit les humbles, et de loin il connaît les orgueilleux.

7. Si je suis dans la détresse, vous me rendez la vie; vous étendez votre main pour arrêter la colère de mes ennemis, et votre droite me sauve. 8. Le Seigneur continuera de me défendre. Seigneur, votre miséricorde est éternelle, ne délaissez pas l'ouvrage de vos mains!

PSAUME 138.

Science infinie et immensité de Dieu.

Seigneur, vous sondez le fond de mon être, et vous me connaissez. 2. Vous me connaissez quand je suis assis et quand je suis levé; 3. de loin vous discernez mes pensées. Vous observez mes sentiers et mes démarches, 4. et toutes mes voies vous sont connues d'avance. Ma parole n'est pas encore arrivée sur mes lèvres, 5. que déjà vous la connaissez tout entière. Les choses nouvelles et les choses anciennes vous sont également présentes. C'est vous qui m'avez formé, et votre main puissante est sur moi. 6. Une science aussi merveilleuse est au-dessus de ma portée; elle est trop élevée

de tous la gloire incomparable de votre nom. — 5. *Les voies du Seigneur*, ses desseins providentiels, et particulièrement les moyens dont il a voulu se servir pour procurer le salut du monde par Jésus Christ.

Ps. 138. — 1. *Vous me connaissez* tout entier; le Psalmiste décompose ensuite cette idée en ses divers éléments : Dieu connaît l'homme *assis* ou *levé*, *marchant* et *agissant*; il voit ses *pensées*, il entend sa *parole*, avant même qu'elles soient entièrement formées. — 3. *De loin*, se rapporte non au lieu, mais au temps, comme s'il y avait *d'avance*. — 5. *Votre main est sur moi*, vous me tenez sous votre dépendance absolue.

pour que je puisse y atteindre.

7. Où aller pour me dérober à votre esprit? Où fuir pour échapper à votre regard? 8. Si je monte au ciel, vous y êtes; si je descends au séjour des morts, vous voilà! 9. Si je prends les ailes de l'aurore, et que j'aille habiter aux confins de la mer, 10. là encore c'est votre main qui me conduira, votre droite qui me saisira. 11. Si je dis : " Au moins les ténèbres me couvriront, " voilà que la nuit éclaire à vos yeux les plaisirs que je croyais y cacher; 12. car les ténèbres n'ont pas pour vous d'obscurité; *pour vous* la nuit brille comme le jour, et les ténèbres comme la lumière.

13. C'est vous qui avez formé mes reins et qui m'avez protégé dès le sein de ma mère. 14. Je vous rends grâces de ce que vous avez *en me créant*, manifesté une puissance merveilleuse; vos œuvres sont admirables, et mon âme se plaît à le reconnaître. 15. Mon corps ne vous était pas caché, lorsque j'étais formé dans le secret, que ma substance prenait de l'accroissement dans les profondeurs de la terre. 16. Je n'étais qu'un germe informe, et vos yeux me voyaient, et sur votre livre étaient tous écrits les jours que vous me destiniez, avant qu'aucun d'eux fût encore. 17. O Dieu, que vos pensées me semblent ravissantes! Qu'ils sont nombreux et

7. *Votre esprit*, votre souffle divin par lequel vous êtes présent et donnez l'existence et la vie à toute créature. — *Votre regard*, litt. *votre visage*, bienveillant ou irrité. — 9. Le Psalmiste prête des ailes à l'aurore pour peindre la rapidité de ses rayons qui, partant de l'orient, arrivent en un clin d'œil à l'occident. — 10. La *main* de Dieu, cette main puissante qui met en mouvement le ciel et les astres, c'est le concours divin. Elle opère sans travail, sans effort et sans inquiétude. Heureux celui qui sait la voir et la bénir en toutes choses! — 15. *Dans le secret*, mystérieusement; ou bien : *dans le secret* du sein maternel. — *Les profondeurs de la terre :* l'auteur appelle ainsi le sein maternel par allusion à la création de nos premiers parents, formés de la poussière de la terre, peut-être aussi parce que c'est dans le sein de la terre que les germes des plantes croissent et se développent. — 17. *Vos pensées :* c'est le sens de l'hébreu. La Vulgate introduit une idée étrangère au Psaume; on peut la traduire avec Glaire : *Mais pour moi, ô Dieu, vos amis sont devenus extrêmement honorables, leur empire s'est extrême-*

variés les desseins *de votre sagesse!* 18. Si je veux les compter, ils dépassent en nombre les grains de sable *de la mer;* je m'éveille, et je suis encore avec vous.

19. O Dieu, ne ferez-vous pas périr les méchants? Hommes de sang, éloignez-vous de moi! 20. Ils parlent de vous d'une manière criminelle, ils outragent votre nom, eux, vos ennemis! 21. Ne dois-je pas, Seigneur, haïr ceux qui vous haïssent, avoir en horreur ceux qui vous font la guerre? 22. Oui, je les hais d'une haine complète, je les regarde comme mes propres ennemis. 23. Sondez-moi, ô Dieu, et connaissez mon cœur; éprouvez-moi, et connaissez tous les replis de mes pensées. 24. Regardez si je marche dans la voie du mal, et conduisez-moi dans le sentier de l'éternelle vie.

PSAUME 139.

Prière pour obtenir du secours contre les ennemis.

Délivrez-moi, Seigneur, de l'homme méchant; défendez-moi contre l'homme d'injustice et de violence. 2. Ils méditent de mauvais desseins dans leur cœur; ils ne cessent d'exciter la guerre contre moi. 3. Ils aiguisent leur langue comme celle du serpent, ils ont sous leurs lèvres le venin de l'aspic.

4. Seigneur, gardez-moi des mains du pécheur, et défendez-moi contre les hommes de violence, qui méditent de

ment fortifié. Dans la liturgie, ce verset ainsi entendu est appliqué aux Apôtres, ces *amis* de Dieu, qui a fait d'eux les *princes* et les colonnes de son Eglise. — 19. Tout ravi des perfections divines qu'il vient de contempler, le Psalmiste s'indigne que des créatures raisonnables outragent un Dieu si sage et si puissant. — 20. *Ils parlent*, etc. : c'est le sens de l'hébreu; ici encore la Vulgate introduit une pensée étrangère au Psaume : *parce que vous dites en vous-mêmes : Ils recevront en vain vos cités*, c'est-à-dire, les amis de Dieu seront dépossédés par les méchants des villes dont il les aura mis en possession. — 21-22. Berthier : " Il y a peut-être autant de chrétiens qui se perdent par la complaisance pour les pécheurs, que par le défaut de charité pour les hommes. L'Apôtre dit que la charité *endure tout et souffre tout*, et il entend les humeurs du prochain, les torts qu'il nous fait, les injures qu'il nous dit, mais non les crimes dont il se rend coupable. Nous devons en arrêter le cours quand la chose est possible, et toujours les haïr, parce que cela est toujours possible. "

Ps. 139. — 1. *De l'homme méchant*, dans le sens collectif, pour *des hommes méchants*. — 3. Comp. *Ps.* v, 11; lvii, 5; lxiii, 4.

me faire tomber. 5. Des orgueilleux cachent des pièges sous mes pas, ils tendent des rêts pour me prendre, ils dressent des embûches le long de mon sentier. 6. Je dis au Seigneur : Vous êtes mon Dieu ; écoutez, Seigneur, la voix de mes supplications. 7. Seigneur, mon Dieu, qui êtes mon puissant secours, vous couvrez ma tête au jour du combat. 8. Seigneur, ne soyez pas sourd à ma prière et ne me livrez pas au pécheur. Ils ont tramé ma perte; ne m'abandonnez pas, de peur qu'ils ne triomphent. 9. Que l'iniquité de leurs lèvres retombe sur la tête de ceux qui m'assiègent ! 10. Que des charbons ardents soient secoués sur eux ! Que Dieu les précipite dans le feu, dans un abîme de misère d'où ils ne se relèvent plus ! 11. Non, le calomniateur ne prospérera pas sur la terre, le malheur saisira l'homme de violence et le conduira à sa perte.

12. Je sais que le Seigneur fera justice au malheureux et prendra la défense du pauvre. 13. Oui, les justes célébreront votre nom, et les hommes droits habiteront devant votre visage.

PSAUME 140.

Prière de David persécuté.

Seigneur, je crie vers vous, écoutez-moi ; prêtez l'oreille à ma voix, quand je vous invoque. 2. Que ma prière monte devant vous comme l'encens; que mes mains levées vers vous soient comme le sacrifice du soir. 3. Mettez, Seigneur, une garde à ma bouche, une sentinelle à la porte de mes lèvres. 4. Ne laissez pas mon cœur

5. *Des orgueilleux :* l'Ecriture appelle ainsi ceux qui bravent Dieu et sa loi sainte. — 7. *Vous couvrez ma tête*, comme d'un casque : figure de la protection de Dieu qui préserve de tout danger ses fidèles serviteurs. — 9. *L'iniquité de leurs lèvres*, le *mal* qu'ils veulent me faire par leurs calomnies. *De ceux qui m'assiègent*, qui m'entourent pour me perdre. — 10. *Charbons ardents... feu :* images du châtiment divin et du feu éternel de l'enfer. — 12. Ce *malheureux*, ce *pauvre*, c'est David, et en général tous les justes persécutés. — *Devant votre visage :* voyez l'explication *Ps.* xv, 11, note.

Ps. 140. — 2. Le *sacrifice du soir* est spécialement nommé, parce qu'il était plus solennel que celui du matin; ou bien, selon S. Augustin, à cause du grand sacrifice de la croix dont il était la figure et qui fut consommé le soir.

incliner vers le mal, et chercher au péché de vaines excuses; je ne veux avoir rien de commun avec les hommes d'iniquité, ni prendre part à leurs festins.

5. Que le juste me reprenne avec charité, qu'il m'adresse des reproches, *c'est ma joie;* mais jamais l'huile des pécheurs ne parfumera ma tête. Aux desseins perfides où ils se complaisent, j'opposerai la prière. 6. *Bientôt* leurs chefs seront précipités le long des rochers, et on verra combien mes prières sont puissantes auprès du Seigneur. 7. De même que le laboureur brise les mottes de terre sur le sol *pour y jeter la semence*, ainsi nos ossements sont dispersés au bord du séjour des morts.

8. Car je tourne les yeux vers vous, Seigneur mon Dieu; j'espère en vous, ne m'abandonnez pas! 9. Préservez-moi des pièges qu'ils me tendent, des embûches de ceux qui commettent l'iniquité. 10. Que les pécheurs tombent dans leurs propres filets et que je sois le seul à échapper!

PSAUME 141.

David persécuté implore le secours divin.

J'élève ma voix vers le Seigneur et je crie; j'élève ma voix vers le Seigneur, et je l'implore. 2. Je répands ma prière en sa présence; devant lui j'expose ma détresse. 3. Quand mon esprit défaille en moi, *mon courage se ranime à la pensée* que vous connaissez mes sentiers; vous savez que, dans la route où je marche, mes ennemis ont caché des pièges pour me prendre. 4. Je regarde à ma droite, je cherche autour de moi, et personne ne me reconnaît; tout moyen de fuir me

5. *Jamais l'huile des pécheurs*, etc., ce qui signifie sans figure : mais les offres des pécheurs, si séduisantes qu'elles soient, je les repousse. — 7. *Nos ossements*, ceux de David et de ses compagnons, *sont dispersés au bord du séjour des morts :* image d'un péril de mort imminent. Mais, dans ce péril même, nous avons l'espérance. Il ne s'agit pas d'une dispersion définitive, le laboureur aussi brise les mottes sur le sol, qu'il prépare ainsi à recevoir la semence : de même nos ossements sont une semence jetée en terre, ils revivront, Dieu nous sauvera.

Ps. 141. — 4. *Je regarde à ma droite :* c'est la place où se tient le protecteur, mais cette place est vide; David n'a personne qui prenne sa défense ; *personne ne le reconnaît* comme un ami à qui il doit

manque, personne n'a souci de mon âme.

5. Je crie vers vous, Seigneur; je dis : Vous êtes mon espérance, mon partage sur la terre des vivants. 6. Prêtez l'oreille à ma prière, car je suis malheureux à l'excès; sauvez-moi de ceux qui me poursuivent, car ils sont plus forts que moi. 7. Tirez mon âme de cette prison, afin que je célèbre votre nom. Les justes sont dans l'attente, les yeux fixés sur moi, jusqu'à ce que vous preniez en main ma cause.

PSAUME 142.

Prière dans l'affliction et la persécution.

Seigneur, écoutez ma prière, prêtez l'oreille à ma supplication selon votre fidélité, exaucez-moi selon votre justice. 2. *Toutefois* n'entrez pas en jugement avec votre serviteur, car aucun homme vivant n'est juste devant vous. 3. Vous le voyez, l'ennemi en veut à ma vie, il me tient abattu à terre, il me relègue dans les lieux ténébreux, comme ceux qui sont morts depuis longtemps. 4. Mon esprit est accablé d'angoisses et mon cœur est troublé dans mon sein. 5. Je pense aux jours d'autrefois; je médite sur toutes vos œuvres, sur les merveilles opérées par votre bras. 6. J'étends vers vous mes mains suppliantes; mon âme, comme une terre desséchée, soupire après vous.

7. Hâtez-vous de m'exaucer, Seigneur, mon esprit va défaillir; ne détournez pas de moi votre visage; je deviendrai semblable à ceux qui descendent dans la tombe. 8. Faites-moi promptement sentir votre miséricorde, car c'est en vous

---

prêter assistance. — *N'a souci de mon âme*, de ma vie, ou de moi. — 5. La *terre des vivants*, dans le sens spirituel, c'est le ciel, où les Saints vivront éternellement avec Dieu. — 7. *Cette prison*, la caverne où David est réfugié; ou mieux, par figure, la situation déplorable où il est réduit.

Ps. 142. — 2. *Toutefois :* ce verset corrige ce qu'avaient de trop absolu les mots, *selon votre justice :* David sait bien que l'homme en général, conçu dans le péché (*Ps.* l, 7), ne saurait atteindre la justice parfaite; surtout il n'oublie pas que lui-même a commis de grandes fautes. Pécheur devant Dieu, il n'est juste que vis-à-vis des méchants qui le persécutent. — *Nul homme vivant :* en reproduisant ces mots dans l'office des Morts, l'Eglise ajoute : "A moins que vous ne lui accordiez la rémission de ses péchés."

que j'espère; faites-moi connaître la voie où je dois marcher, car c'est vers vous que j'élève mon âme. 9. Délivrez-moi de mes ennemis, Seigneur, je me réfugie auprès de vous. 10. Enseignez-moi à faire votre volonté, car vous êtes mon Dieu; que votre bon Esprit me conduise dans la voie droite! 11. A cause de votre nom, Seigneur, vous me rendrez la vie; dans votre justice, vous retirerez mon âme de la tribulation. 12. Dans votre bonté pour moi, vous anéantirez mes ennemis, et vous ferez périr tous ceux qui me persécutent, car je suis votre serviteur.

PSAUME 143.

Action de grâces après la victoire et demande de nouveaux secours.

Béni soit le Seigneur mon Dieu, qui a dressé mes mains au combat et mes doigts à la guerre! 2. Il est mon bienfaiteur et mon refuge, mon défenseur, mon libérateur et mon bouclier; c'est en lui que j'espère; c'est lui qui a rangé tout mon peuple sous mes lois. 3. Seigneur, qu'est-ce que l'homme, pour vous être fait connaître à lui? le fils de l'homme, pour que vous en ayez souci? 4. L'homme est semblable à un souffle; ses jours passent comme l'ombre.

5. Seigneur, abaissez les cieux et descendez; touchez les montagnes, et qu'elles s'embrasent. 6. Faites briller les éclairs, et dispersez les ennemis; lancez vos flèches, et mettez-les en déroute. 7. Etendez d'en haut votre main puissante; délivrez-moi et sauvez-moi des grandes eaux, de la main des fils de l'étranger,

10. *Enseignez-moi*, etc. Il est difficile d'imaginer une plus belle et plus sainte prière. En la faisant, nous reconnaissons 1° que c'est pour nous un devoir d'accomplir en toutes choses la sainte volonté de Dieu, 2° que nous avons besoin pour cela de la lumière et de la grâce divine, 3° enfin que le Seigneur étant notre Dieu, nous sommes sous sa dépendance la plus absolue. — *Votre bon esprit*, l'Esprit de Dieu, le Saint Esprit, plein de clémence, de sagesse et de lumière.

Ps. 143. — 3. Voy. *Ps.* viii, 5. David, dit S. Hilaire, en se reconnaissant indigne de si grands bienfaits, fait d'autant mieux ressortir la bonté de Dieu à son égard. — 5-7. Pensée : délivrez-moi de mes ennemis; les images dont cette pensée est revêtue sont empruntées à *Ps.* xvii, 5, 10, 17, où nous les avons expliquées. — 7. *Fils de l'étranger :* les

8. dont la bouche profère le mensonge, et dont la droite est une droite parjure.

9. O Dieu, je vous chanterai un cantique nouveau, je vous célébrerai sur le luth à dix cordes, 10. vous qui donnez aux rois la victoire, qui sauvez du glaive meurtrier David, votre serviteur. 11. Délivrez-moi et sauvez-moi de la main des fils de l'étranger, dont la bouche profère le mensonge et dont la droite est une droite parjure.

12. Leurs fils, comme de jeunes plants, grandissent dans *la sève* de leur jeunesse; leurs filles sont parées, comme un temple, de riches ornements. 13. Leurs greniers toujours pleins regorgent de toutes sortes de provisions; leurs brebis fécondes se multiplient par milliers dans leurs pâturages. 14. Leurs génisses sont vigoureuses; aucune brèche à leurs murailles qui donne passage à l'ennemi; jamais un cri d'alarme sur leurs places publiques. 15. On proclame heureux le peuple qui jouit de ces biens; heureux *surtout* le peuple dont le Seigneur est le Dieu!

PSAUME 144.

Hymne à la bonté de Dieu.

Je veux vous exalter, ô mon Dieu, ô Roi, et bénir votre nom à jamais et toujours. 2. Je veux chaque jour vous bénir et célébrer votre nom toujours et à jamais. 3. Le Seigneur est grand et digne de toute louange; sa grandeur est infinie. 4. D'âge en âge on célébrera vos œuvres, on publiera les merveilles de votre puissance; 5. on dira la splendeur glorieuse de votre sainteté, on chantera vos éclatants prodiges; 6. on parlera de votre puissance redoutable, on racontera votre grandeur; 7. on proclamera le souvenir de votre immense bonté et on exaltera votre justice.

8. Le Seigneur est miséricordieux et compatissant, lent à la colère et

Philistins et autres peuples voisins d'Israël. — 8. *Droite parjure*, qui se lève vers le ciel, ou frappe dans la main d'un homme pour attester par serment un mensonge.

plein de bonté. 9. Le Seigneur est bon envers tous, et sa miséricorde s'étend sur toutes ses créatures. 10. Que toutes vos œuvres vous louent, Seigneur, et que vos pieux serviteurs vous bénissent! 11. Qu'ils disent la gloire de votre règne et proclament votre pouvoir souverain, 12. afin de faire connaître aux enfants des hommes votre puissance et le glorieux éclat de votre règne. 13. Votre règne est un règne de tous les siècles, et votre empire subsiste d'âge en âge.

Le Seigneur est fidèle dans toutes ses paroles, il est saint dans toutes ses œuvres. 14. Le Seigneur relève tous ceux qui tombent, il redresse tous ceux qui sont brisés. 15. Les yeux de tous les êtres attendent tournés vers vous, et vous leur donnez la nourriture en son temps. 16. Vous ouvrez votre main, et vous rassasiez de vos biens tout ce qui respire. 17. Le Seigneur est juste dans toutes ses voies, et saint dans toutes ses œuvres. 18. Le Seigneur est près de tous ceux qui l'invoquent, de tous ceux qui l'invoquent d'un cœur sincère. 19. Il accomplit les désirs de ceux qui le craignent; il entend leur prière et il les sauve. 20. Le Seigneur garde tous ceux qui l'aiment, et il fait périr tous les pécheurs.

21. Que ma bouche publie la louange du Seigneur, et que toute chair bénisse son saint nom, toujours, à jamais!

Ps. 144. — 9. *Sa miséricorde s'étend sur toutes ses créatures.* " Votre Père qui est dans les cieux, dit le Sauveur, fait luire son soleil sur les bons et sur les méchants." *Matth.* v, 45. — 10. *Que vos œuvres vous louent.* Comment, dit S. Augustin, des êtres inanimés et sans voix peuvent-ils louer Dieu? Par l'ordre et la sagesse qui y brillent et qui crient à l'homme raisonnable : Rends hommage au Créateur! — 15. *En son temps*, au temps où elles en ont besoin. — 18. *Invoquer Dieu d'un cœur sincère*, litt. *dans la vérité*, c'est chercher Dieu lui-même bien plus que ses bienfaits et ses dons, c'est surtout conformer sa conduite aux prières qu'on lui offre. — 19. *Il accomplit les désirs*, etc. Bossuet : Vous servez Dieu, Dieu vous sert; vous faites sa volonté et il fait la vôtre, pour vous apprendre que Dieu est un ami sincère, et qu'étudiant les désirs de ceux qui le craignent, il leur permet d'user de ses biens avec une espèce d'empire.

PSAUME 145.

Louange à Dieu, secours de tous les affligés.

Loue le Seigneur, ô mon âme! Toute ma vie je veux louer le Seigneur, jusqu'à mon dernier jour je veux chanter mon Dieu. 2. Ne mettez pas votre confiance dans les princes, ni dans les enfants des hommes, qui ne peuvent sauver. 3. Leur souffle s'en va, et ils retournent à leur poussière, et ce même jour leurs vains projets s'évanouissent.

4. Heureux celui qui a pour appui le Dieu de Jacob, qui met son espoir dans le Seigneur son Dieu! 5. Le Seigneur a fait le ciel et la terre, la mer et tout ce qu'elle renferme. 6. Il est à jamais fidèle dans ses paroles; il rend justice aux opprimés, il donne la nourriture à ceux qui ont faim. Le Seigneur délivre les captifs; 7. le Seigneur ouvre les yeux des aveugles; le Seigneur relève ceux qui sont brisés; le Seigneur aime les justes; 8. le Seigneur protège les étrangers, il est le défenseur de l'orphelin et de la veuve; mais il détruit les voies des pécheurs.

9. Le Seigneur règne éternellement; ton Dieu, ô Sion, subsiste d'âge en âge.

PSAUME 146.

Hymne d'action de grâces pour le rétablissement de Jérusalem.

Louez le Seigneur, car il est bon de le chanter sur la harpe; que la louange soit agréable à notre Dieu, qu'elle soit digne de lui!

2. Le Seigneur rebâtit Jérusalem, il rassemble les dispersés d'Israël. 3. Il guérit ceux qui ont le cœur brisé, et il panse leurs blessures. 4. Il sait le nombre des étoiles, il les appelle toujours par

Ps. 145. — 3. *Leur souffle*, le principe de leur vie, leur âme, *s'en va*, vers Dieu, et leur corps *retourne à leur poussière*, à la poussière d'où il a été tiré à l'origine. — 6-7. *Opprimés*, *affamés*, *captifs*, etc. : telle était, dans le sens spirituel et moral, l'humanité tout entière lorsque Jésus Christ vint sur la terre pour lui apporter le salut. Voy. *Luc*, IV, 18 sv.

Ps. 146. — 1. Comment notre louange sera-t-elle agréable à Dieu? demande S. Augustin; et il répond : Si nous le louons en vivant saintement; que notre conduite ne soit donc pas en désaccord avec nos pieux cantiques. — 4. *Le nombre des étoiles :* nos grands téles-

leur nom. 5. Notre Seigneur est grand, sa puissance est infinie, et son intelligence n'a pas de limites. 6. Le Seigneur vient en aide aux humbles et aux doux, mais il abaisse les pécheurs jusqu'à terre.

7. Chantez au Seigneur un cantique d'action de grâces; célébrez notre Dieu sur la harpe. 8. Il couvre les cieux de nuages, et prépare la pluie pour *féconder* la terre. Il fait croître l'herbe sur les montagnes, et les plantes pour l'usage de l'homme. 9. Il donne la nourriture aux troupeaux, aux petits du corbeau qui crient vers lui. 10. Ce n'est pas dans la vigueur du cheval qu'il se complaît, ni dans les jambes de l'homme qu'il met son plaisir. 11. Le Seigneur met ses complaisances dans ceux qui le craignent et dans ceux qui espèrent en sa bonté.

PSAUME 147.

Suite de l'hymne précédente.

Jérusalem, loue le Seigneur; Sion, célèbre ton Dieu. 2. Il a consolidé les verrous de tes portes, il bénit tes fils dans tes murs. 3. Il assure la paix à tes frontières, il te rassasie de la fleur du froment. 4. Il envoie ses ordres à la terre; sa parole court avec vitesse. 5. Il fait tomber la neige comme une blanche toison, il répand le givre comme de la cendre. 6. Il jette ses glaçons par morceaux; qui peut tenir devant ses frimas?

---

copes en ont rendu visibles plus de 20 millions; mais combien d'autres millions resteront toujours cachées au regard de l'homme! — 8. *L'herbe sur les montagnes* pour les animaux. — 9. *Du corbeau*, animal vorace et impur chez les Juifs; mais Dieu ne dédaigne aucune de ses créatures. — 10. Sens : ce qui plaît à Dieu, ce n'est ni le cavalier fier de son rapide coursier, ni le guerrier confiant dans la vigueur et l'agilité de ses jambes; c'est l'homme pieux qui, connaissant sa faiblesse, met son espérance dans le secours divin.

Ps. 147. — 2. Les saints Pères ont appliqué ces mots à l'Eglise, que Notre Seigneur appelle un " édifice bâti sur la pierre ", et à laquelle il a promis que " les portes (c'est-à-dire la puissance) de l'enfer ne prévaudraient jamais contre elle." — 3. *La fleur*, litt. *la graisse*, ce qu'il y a de meilleur dans le froment. Pour les fidèles de la nouvelle alliance, cette fleur du froment, c'est le Verbe incarné, caché sous les voiles de l'hostie dans le sacrement de l'autel. — 4. *A la terre*, à la nature physique, qui lui obéit comme à son souverain Maître. — *Sa parole*, comme un messager rapide, *court* et porte en tous lieux ses commandements.

7. Il envoie sa parole, et il les fond; son vent souffle, et les eaux recommencent à couler. 8. C'est lui qui a révélé sa parole à Jacob, ses lois et ses préceptes à Israël. 9. Il n'a pas agi de même pour les autres nations, il ne leur a pas fait connaître ses préceptes.

PSAUME 148.

Invitation à toutes les créatures à louer Dieu.

Louez le Seigneur du haut des cieux, louez-le dans les saintes hauteurs. 2. Louez-le, vous tous, ses anges; louez-le, vous toutes, ses armées. 3. Louez-le, soleil et lune; louez-le, brillantes étoiles. 4. Louez-le, ciel des cieux, et vous, eaux suspendues dans les régions célestes, 5. louez le nom du Seigneur; car il a dit, et tout a été fait; il a commandé, et tout a été créé. 6. *Ces grands ouvrages*, il les a établis pour toujours et à perpétuité, il leur a imposé des lois qui ne seront pas violées.

7. Louez le Seigneur, créatures de la terre, monstres marins, et vous tous, océans, 8. feu et grêle, neige et glace, vents impétueux qui exécutez ses ordres, 9. montagnes, et vous toutes, collines, arbres fruitiers, et vous tous, cèdres *majestueux*, 10. animaux sauvages et troupeaux de toutes sortes, reptiles et oiseaux ailés, 11. vous tous, rois et peuples, princes et juges de la terre, 12. jeunes hommes et jeunes filles, vieillards et enfants : que *tous* louent le nom du Seigneur; 13. car son nom seul est grand, 14. sa gloire est au-dessus du ciel et de la terre. Il a relevé la puissance de son peuple; *pour ce bienfait*, qu'une hymne de louange soit dans la bouche de tous ses fidèles, dans la bouche des enfants d'Israël, du peuple qui s'approche de lui!

Ps. 148. — 1-2. Que Dieu soit loué d'abord dans le ciel, où il a son trône et tient sa cour. — *Ses armées :* ce mot désigne ordinairement les anges et les astres; quelquefois, comme ici, les anges seulement, ou seulement les astres. — 3. *Brillantes étoiles :* les astres étaient alors honorés comme des dieux par plusieurs peuples; le Psalmiste proclame que le soleil et les astres sont aussi des créatures de Dieu et qu'ils doivent le glorifier à leur manière. — 4. *Ciel des cieux*, le ciel le plus reculé : hébraïsme. — 8. *Feu*, la flamme de l'éclair.

PSAUME 149.

Action de grâces pour le triomphe d'Israël.

Chantez au Seigneur un cantique nouveau ; que sa louange retentisse dans l'assemblée des saints! 2. Qu'Israël se réjouisse en son Créateur, que les enfants de Sion tressaillent en leur Roi! 3. Qu'ils louent son nom dans leurs danses sacrées, qu'ils le chantent avec le tambourin et la harpe!

4. Car le Seigneur se complaît dans son peuple, il glorifie les humbles en les sauvant. 5. Les saints triomphent dans la gloire; ils tressaillent de joie sur leur couche. 6. Les louanges de Dieu sont dans leur bouche, et un glaive à deux tranchants est dans leurs mains, 7. pour exercer la vengeance sur les nations et châtier les peuples, 8. pour lier leurs rois avec des chaînes, et leurs grands avec des entraves de fer, 9. pour exécuter contre eux l'arrêt qui est écrit. C'est là la gloire réservée à tous ses saints.

PSAUME 150.

Louange à Dieu.

Louez Dieu dans son sanctuaire! Louez-le dans le séjour de sa puissance! 2. Louez-le pour ses hauts faits! Louez-le selon l'immensité de sa grandeur! 3. Louez-le au son de la trompette! Louez-le sur la harpe et la lyre! 4. Louez-le dans vos danses sacrées au son du tambourin! Louez-le avec les instruments à cordes et le chalumeau! 5. Louez-le avec les cymbales sonores! Louez-le avec les cymbales qui font éclater la joie!

6. Que tout ce qui respire loue le Seigneur!

Ps. 149. — 1. *Des saints*, des Israélites, qui forment le peuple de Dieu, *la nation sainte*, (*Exod.*, xix, 6). Les Apôtres appelaient ainsi les premiers fidèles de l'Eglise chrétienne. — 2. *En leur roi :* Dieu avait toujours été le véritable souverain d'Israël; leurs rois n'étaient que ses représentants et comme ses vicaires. — 7-8. Il s'agit des victoires remportées sur les rois et les peuples païens par la prédication de l'Evangile, et ce Psaume, qui semble un hymne guerrier, est en réalité un cantique de paix et d'amour. Ajoutons pourtant qu'il vise aussi le triomphe final de Jésus Christ et le châtiment de toutes les puissances ennemies du règne de Dieu.

Ps. 150. — 6. *Tout ce qui respire*, qui a vie, les anges et les hommes : les instruments vivants après ceux qui sont inanimés. Ce verset résume tout le Psautier, le *livre des louanges*, comme le nommaient les Juifs.

INDEX NUMÉRIQUE DES PSAUMES

NOUVEAU TESTAMENT

LE SAINT EVANGILE DE J. C.
SELON SAINT MATTHIEU.

PREMIÈRE PARTIE
ENFANCE DE JÉSUS (Ch. 1 et 2).

✠ Ch. 1. — *Généalogie de Jésus.*

ÉNÉALOGIE de Jésus Christ, fils de David, fils d'Abraham.

2. Abraham engendra Isaac; Isaac engendra Jacob; Jacob engendra Juda et ses frères;

3. Juda engendra, de Thamar, Pharès et Zara; Pharès engendra Esron; Esron engendra Aram; 4. Aram engendra Aminadab; Aminadab engendra Naasson; Naasson engendra Salmon; 5. Salmon, de Rahab, engendra Booz; Booz, de Ruth, engendra Obed; Obed engendra Jessé; Jessé engendra le roi David.

6. Le roi David engendra Salomon, de celle qui fut la femme d'Urie; 7. Salomon engendra Ro-

Chap. 1. — 1. *Généalogie*, liste des ancêtres de Jésus Christ. Le Messie devait descendre à la fois d'Abraham et de David : l'Evangéliste affirme d'abord que Jésus remplit cette double condition, et le prouve ensuite. — 6. *La femme d'Urie*, Bethsabée.

boam; Roboam engendra Abias; Abias engendra Asa; 8. Asa engendra Josaphat; Josaphat engendra Joram; Joram engendra Ozias; 9. Ozias engendra Joathan; Joathan engendra Achaz; Achaz engendra Ezéchias; 10. Ezéchias engendra Manassé; Manassé engendra Amon; Amon engendra Josias; 11. Josias engendra Jéchonias et ses frères, au temps de la déportation à Babylone.

12. Et après la déportation à Babylone, Jéchonias engendra Salathiel; Salathiel engendra Zorobabel; 13. Zorobabel engendra Abiud; Abiud engendra Eliacim; Eliacim engendra Azor; 14. Azor engendra Sadoc; Sadoc engendra Achim; Achim engendra Eliud; 15. Eliud engendra Eléazar; Eléazar engendra Mathan; Mathan engendra Jacob; 16. et Jacob engendra Joseph, l'époux de Marie, de laquelle est né Jésus, qu'on appelle Christ. ¶

17. Il y a donc en tout quatorze générations depuis Abraham jusqu'à David, quatorze générations depuis David jusqu'à la déportation à Babylone, quatorze générations depuis la déportation à Babylone jusqu'au Christ.

Sa conception
et sa naissance d'une Vierge.

18. Or voici de quelle manière le Christ vint au monde. ✠ Marie, sa mère, étant fiancée à Joseph, il se trouva, avant qu'ils eussent habité ensemble, qu'elle avait conçu par la vertu du Saint Esprit. 19. Joseph, son mari, qui était un homme juste, ne voulant pas la diffamer, résolut de la renvoyer secrètement. 20. Comme il était dans cette pensée, voici qu'un ange du Seigneur lui apparut en songe, et lui dit : " Joseph, fils de

16. *Marie*, en hébreu *Miriam*, c.-à-d. *dame*. — *De laquelle est né :* le mot *engendra* s'est arrêté à Joseph ; avec cet époux virginal cesse l'ordre naturel des naissances, pour faire place à l'ordre surnaturel et divin (vers. 20.) — 18. *Fiancée.* Les fiancés n'habitaient point ensemble, mais le lien qui les unissait était si étroit, qu'on les désignait déjà sous les noms de *mari* et de *femme*, et qu'il fallait, pour le rompre, un écrit de répudiation, comme s'il se fût agi d'époux véritables.

David, ne crains point de prendre avec toi Marie ton épouse, car ce qui est formé en elle est l'ouvrage du Saint Esprit. 21. Et elle enfantera un fils, et tu lui donneras le nom de Jésus; car il sauvera son peuple de ses péchés. " ¶ 22. Or tout cela arriva afin que fût accompli ce qu'avait dit le Seigneur par le Prophète : 23. " La Vierge concevra et enfantera un fils; et on le nommera Emmanuel, " c'est à dire Dieu avec nous. 24. Réveillé de son sommeil, Joseph fit ce que l'ange du Seigneur lui avait commandé, et prit avec lui Marie son épouse. 25. Mais il ne la connut point jusqu'à ce qu'elle enfanta son Fils premier-né, et il lui donna le nom de Jésus.

CH. 2.—*Adoration des Mages.*

Jésus étant né à Bethléem de Judée, aux jours du roi Hérode, voilà que des Mages arrivèrent d'Orient à Jérusalem, 2. disant : " Où est le roi des Juifs qui vient de naître? Car nous avons vu son étoile en Orient, et nous sommes venus l'adorer." 3. Ce qu'ayant appris le roi Hérode, il fut troublé et tout Jérusalem avec lui. 4. Il assembla tous les Princes des prêtres et les Scribes du peuple, et s'enquit d'eux où devait naître le Christ. 5. Ils lui dirent : " A Bethléem de Judée, selon ce qui a été écrit par le Prophète : 6. Et toi, Bethléem, terre de Juda, tu n'es pas la moindre parmi les principales villes de Juda, car de toi sortira un Chef qui doit gouverner Israël, mon peuple. " 7. Alors Hérode, ayant fait venir secrètement les Mages, apprit d'eux la date précise à laquelle l'étoile leur était apparue. 8. Et il les envoya à Bethléem,

21. *Jésus*, c'est-à-dire *Sauveur.* — 24. *Il prit avec lui*, chez lui, *Marie*, son épouse, comme un précieux dépôt confié à sa garde. Cette conduite de la fiancée dans la maison de l'époux était la cérémonie principale du mariage. Elle eut lieu après les trois mois que Marie passa chez sa cousine Elisabeth (*Luc*, i, 56). — *Jusqu'à ce que;* dans la langue biblique, ces mots, précédés d'une négation, nient la chose dans le passé, sans l'affirmer dans l'avenir. Le mot *premier-né* ne suppose pas non plus que d'autres enfants sont nés ou naîtront plus tard : il peut s'appliquer à un seul.

Chap. 2. — 1. *Mages*, sages de l'Orient; on pense qu'ils étaient trois.

en disant : " Allez, informez-vous exactement de l'Enfant, et lorsque vous l'aurez trouvé, faites-le-moi savoir, afin que moi aussi j'aille l'adorer. " 9. Ayant entendu les paroles du roi, ils partirent.

Et voilà que l'étoile qu'ils avaient vue en Orient allait devant eux, jusqu'à ce que, venant au-dessus du lieu où était l'Enfant, elle s'arrêta. 10. A la vue de l'étoile, ils se réjouirent d'une grande joie. 11. Ils entrèrent dans la maison, trouvèrent l'Enfant avec Marie, sa mère, et, se prosternant, ils l'adorèrent; puis, ouvrant leurs trésors, ils lui offrirent en présent de l'or, de l'encens et de la myrrhe. 12. Mais ayant été avertis en songe de ne point retourner vers Hérode, ils regagnèrent leur pays par un autre chemin.

Fuite en Egypte.

13. Après leur départ, ✠ voici qu'un ange du Seigneur apparut à Joseph pendant son sommeil, et lui dit : " Lève-toi, prends l'Enfant et sa mère, fuis en Egypte, et restes-y jusqu'à ce que je t'avertisse ; car Hérode va rechercher l'Enfant pour le faire périr." 14. Joseph se leva, et la nuit même, prenant l'Enfant avec sa mère, il se retira en Egypte. 15. Et il y resta jusqu'à la mort d'Hérode, afin que s'accomplît ce qu'avait dit le Seigneur par le Prophète : " J'ai rappelé mon fils d'Egypte. " ¶

Massacre des Innocents.

16. Alors ✠ Hérode, voyant que les Mages s'étaient joués de lui, entra dans une grande colère, et fit tuer tous les enfants qui étaient dans Bethléem et dans les environs, depuis l'âge de

11. *La maison :* Jésus n'était donc plus dans l'étable où il était né. — *En présent :* jamais les Orientaux ne paraissent devant leur monarque les mains vides. Ces présents ont quelque chose de symbolique. Suivant l'explication commune des Pères, les Mages offrent à Jésus de l'or comme à un roi, de l'encens comme à un Dieu, de la myrrhe comme à un homme mortel. L'adoration des Mages paraît avoir eu lieu quelques semaines après la purification, vers le milieu de février. — 16. Il ne faut pas songer ici à des *milliers* de victimes : puisqu'il n'est question que du bourg de Bethléem avec sa banlieue; 20 à 30 enfants au plus durent périr dans le massacre.

deux ans et au-dessous, d'après la date qu'il connaissait exactement par les Mages. 17. Alors fut accompli ce qu'avait annoncé le prophète Jérémie : 18. "Une voix a été entendue dans Rama, des plaintes et des cris lamentables : Rachel pleure ses enfants; et elle n'a pas voulu être consolée, parce qu'ils ne sont plus." ¶

Retour à Nazareth.

19. ✝ Hérode étant mort, voici qu'un ange du Seigneur apparut en songe à Joseph dans la terre d'Egypte, 20. et lui dit : "Lève-toi, prends l'Enfant et sa mère, et va dans la terre d'Israël, car ceux qui en voulaient à la vie de l'Enfant sont morts." 21. Joseph s'étant levé, prit l'Enfant et sa mère, et vint dans la terre d'Israël. 22. Mais, apprenant qu'Archélaüs régnait en Judée à la place d'Hérode, son père, il n'osa y aller, et, ayant été averti en songe, il se retira dans la Galilée 23. et vint habiter une ville nommée Nazareth, afin que s'accomplît ce qu'avaient dit les Prophètes : "Il sera appelé Nazaréen." ¶

DEUXIÈME PARTIE

VIE PUBLIQUE DE JÉSUS (CH. 3 à 25).

1° — PÉRIODE DE PRÉPARATION (3 — 4, 11).

CH. 3. — *Jean Baptiste prêche la pénitence et annonce le Christ.*

En ces jours-là parut Jean Baptiste, prêchant dans le désert de Judée, 2. et disant : "Faites pénitence, car le royaume des cieux est proche." 3. C'est lui qui a été annoncé par le prophète Isaïe, disant : "Une voix a retenti au désert : Préparez le chemin du Seigneur, aplanissez ses sentiers." 4. Or Jean

---

18. Rachel, la mère de Benjamin, avait été inhumée à Rama, non loin de Bethléem. Jérémie (XXXI, 15) la représente se relevant de son sépulcre, pour mêler ses cris aux cris des mères inconsolables.

Chap. 3. — 4. C'étaient le vêtement et la nourriture des pauvres

avait un vêtement de poil de chameau, et autour de ses reins une ceinture de cuir, et il se nourrissait de sauterelles et de miel sauvage. 5. Alors venaient à lui les habitants de Jérusalem, de toute la Judée, et de tout le pays qui avoisine le Jourdain. 6. Et, confessant leurs péchés, ils se faisaient baptiser par lui dans le Jourdain. 7. Voyant un grand nombre de Pharisiens et de Sadducéens venir à son baptême, il leur dit : " Race de vipères, qui vous a appris à fuir la colère qui vient? 8. Faites donc de dignes fruits de pénitence. 9. Et n'essayez pas de dire en vous-mêmes : Nous avons Abraham pour père; car je vous dis que de ces pierres mêmes Dieu peut faire naître des enfants à Abraham. 10. Déjà la cognée est à la racine des arbres : tout arbre donc qui ne porte pas de bon fruit sera coupé et jeté au feu. 11. Moi, je vous baptise dans l'eau pour la pénitence; mais celui qui doit venir après moi est plus puissant que moi, et je ne suis pas digne de porter sa chaussure; il vous baptisera dans l'Esprit Saint et dans le feu. 12. Sa main tient le van; il nettoiera son aire, il amassera son froment dans le grenier, et il brûlera la paille dans un feu qui ne s'éteint point."

Baptême de Jésus.

13. Alors Jésus, venant de Galilée, alla trouver Jean au Jourdain pour être baptisé par lui. 14. Jean s'en défendait en disant : " C'est moi qui

et des Prophètes (IV *Rois*, I, 8; *Hébr.* XI, 37). Encore aujourd'hui on apporte au marché, dans les villes arabes, de ces sauterelles, plus grosses que les nôtres, que l'on prépare de mille manières, et qui n'inspirent aucune répugnance. — 6. *Baptiser :* c'était le signe d'un changement de vie. — 7. *Race de vipères*, hommes rusés et méchants. — *La colère qui vient*, la damnation éternelle, le dernier jugement. — 9. *Des enfants à Abraham*, non selon la chair, mais selon l'esprit, c'est-à-dire imitateurs de sa foi et de son obéissance. — 11. *La chaussure*, chez les Juifs, consistait en sandales, qui s'attachaient aux pieds avec des courroies : les attacher, les détacher et les porter à la main à l'entrée des appartements, était un service réservé aux esclaves. — 12. Mais pas de délais; hâtez-vous, car *sa main*, etc. L'aire du Messie, c'est la terre entière; le froment figure les hommes qui croient en lui; la paille, les incrédules et les pécheurs; le grenier, l'Eglise et à la fin le ciel; le feu qui ne s'éteint point, l'enfer.

dois être baptisé par vous, et vous venez à moi ! " 15. Jésus lui répondit : " Laisse faire maintenant, car il convient que nous accomplissions ainsi toute justice." Alors Jean le laissa faire. 16. Jésus ayant été baptisé sortit aussitôt de l'eau, et voilà que les cieux lui furent ouverts, et il vit l'Esprit de Dieu descendre comme une colombe et venir sur lui. 17. Et du ciel une voix disait : " Celui-ci est mon fils bien aimé, en qui j'ai mis mes complaisances."

CH. 4. — *Tentation de Jésus.*

Alors ✠ Jésus fut conduit par l'Esprit dans le désert pour y être tenté par le démon. 2. Après avoir jeûné pendant quarante jours et quarante nuits, il eut faim. 3. Et le tentateur, s'approchant, lui dit : " Si vous êtes le Fils de Dieu, commandez que ces pierres deviennent des pains." 4. Jésus lui répondit : " Il est écrit : L'homme ne vit pas seulement de pain, mais de toute parole qui sort de la bouche de Dieu." 5. Alors le démon le transporta dans la ville sainte, et l'ayant placé sur le haut du temple, 6. il lui dit : " Si vous êtes le Fils de Dieu, jetez-vous en bas ; car il est écrit : Il a donné pour vous des ordres à ses Anges, et ils vous porteront dans leurs mains, de peur que votre pied ne heurte contre la pierre." 7. Jésus lui dit : " Il est écrit aussi : Tu ne tenteras point le Seigneur, ton Dieu." 8. Le démon, de nouveau, le transporta sur une montagne très élevée, et lui montrant tous les royaumes du monde avec leur gloire, 9. il lui dit : " Je vous donnerai tout cela, si,

15. *Toute justice*, tout ce qui s'offre à nous comme un devoir. C'était l'ordre d'en-haut que Jésus se mît volontairement au rang des pécheurs.

Chap. 4. — 3. Si le Sauveur avait prêté l'oreille à cette suggestion perfide, il aurait subordonné sa puissance divine aux besoins de son humanité et par conséquent renversé l'ordre naturel établi par Dieu. — 4. *Deut*. VIII, 3. Sens : Toute parole créatrice de Dieu peut fournir, à qui manque de pain, une nourriture miraculeuse qui lui conserve la vie. — 6. *Ps*. XC, 11, 12. S'exposer sans raison suffisante à un péril manifeste, se jeter, par exemple, du haut du temple à terre, avec la confiance de rencontrer entre deux les mains des anges, c'est tenter Dieu.

tombant à mes pieds, vous m'adorez." 10. Alors Jésus lui dit : "Retire-toi, Satan, car il est écrit : Tu adoreras le Seigneur ton Dieu, et tu ne serviras que lui seul." 11. Alors le démon le laissa; aussitôt des anges s'approchèrent, et ils le servaient. ¶

2° — MINISTÈRE DE JÉSUS EN GALILÉE (4, 12 — 18, 35).

A. — *Jésus est le Messie envoyé de Dieu* (4, 12 — 11, 30).

Sans s'astreindre à l'ordre chronologique, S. Matthieu montre en Jésus le Docteur, le Thaumaturge, le Fondateur du royaume de Dieu.

1. Jésus se fixe à Capharnaüm.

12. Quand Jésus eut appris que Jean avait été mis en prison, il se retira en Galilée. 13. Et laissant la ville de Nazareth, il vint demeurer à Capharnaüm; sur les bords de la mer, aux confins de Zabulon et de Nephtali, 14. afin que s'accomplît cette parole du prophète Isaïe : 15. "Terre de Zabulon et terre de Nephtali, qui confines à la mer, pays au-delà du Jourdain, Galilée des Gentils : 16. le peuple qui était assis dans les ténèbres a vu une grande lumière; et sur ceux qui étaient assis dans la région de l'ombre de la mort, la lumière s'est levée." 17. Dès lors Jésus commença à prêcher, en disant : "Faites pénitence, car le royaume des cieux est proche."

Il appelle 4 pêcheurs et parcourt la Galilée.

18. ✠ Comme il marchait le long de la mer de Galilée, Jésus vit deux frères, Simon, appelé Pierre, et André son frère, qui jetaient leurs filets dans la mer; car ils étaient pêcheurs. 19. Et il leur dit : "Suivez-moi, et je vous ferai des pêcheurs

11. C'est une loi de la vie des âmes que, quand la tentation est vaincue, les anges viennent et nous servent. On sent le ciel. La joie, la paix, la sérénité débordent. L'âme est heureuse : Dieu et les anges sont avec elle. — 19. *Jeu de mots*, à la manière des Orientaux, sur leur profession antérieure : désormais vous jetterez le filet pour le

d'hommes." 20. Eux aussitôt, laissant leurs filets, le suivirent. 21. S'avançant plus loin, il vit deux autres frères, Jacques, fils de Zébédée, et Jean son frère, dans une barque, avec leur père Zébédée, réparant leurs filets, et il les appela. 22. Eux aussi, laissant à l'heure même leurs filets et leur père, le suivirent. ¶

23. Jésus parcourait toute la Galilée, enseignant dans les synagogues, prêchant l'Evangile du royaume *de Dieu*, et guérissant toute maladie et toute infirmité parmi le peuple. 24. Sa renommée se répandit dans toute la Syrie, et on lui présentait tous les malades atteints d'infirmités et de souffrances diverses, des possédés, des lunatiques, des paralytiques, et il les guérissait. 25. Et une grande multitude le suivit de la Galilée, de la Décapole, de Jérusalem, de la Judée et d'au-delà du Jourdain.

2. Sermon
sur la montagne.

✠ CH. 5. — *Les huit béatitudes.*

Jésus, voyant cette foule, monta sur la montagne, et lorsqu'il se fut assis, ses disciples s'approchèrent de lui. 2. Alors, ouvrant sa bouche, il se mit à les enseigner, en disant :

3. Heureux les pauvres en esprit, car le royaume des cieux est à eux! 4. Heureux ceux qui sont doux, car ils posséderont la terre! 5. Heureux ceux qui pleurent, car ils seront consolés! 6. Heureux ceux qui ont faim et soif de la justice, car ils seront rassasiés! 7. Heureux les miséricordieux, car ils obtiendront miséricorde! 8. Heureux ceux qui ont le cœur pur, car

royaume des cieux dans la vaste mer de l'humanité. — 24. *Lunatiques ;* on appelait ainsi les épileptiques, dont on regardait l'affection comme soumise aux influences de la lune.

Ch. 5. *Les béatitudes* ou les conditions requises de la part des citoyens et des chefs pour entrer dans le nouveau royaume. — 3. *Les pauvres en esprit ;* ceux qui ont l'esprit de la pauvreté, sont humbles, et par conséquent modestes dans la richesse et patients dans la pauvreté. — 4. La douceur est la compagne, ou plutôt la fille de la pauvreté en esprit, de l'humilité. — 5. *Ceux qui pleurent :* expression tout à fait générale, embrassant tout ce qui peut être, dans cet exil de la vie présente, un juste sujet d'affliction. — 7. *Les miséricordieux*, ceux qui sont tendres à la misère d'autrui. — 8. *Le cœur pur :* toutes les passions troublent la pureté du cœur. Mais comme ce

ils verront Dieu! 9. Heureux les pacifiques, car ils seront appelés enfants de Dieu. 10. Heureux ceux qui souffrent persécution pour la justice, car le royaume des cieux est à eux! 11. Heureux serez-vous, lorsqu'on vous insultera, qu'on vous persécutera, et qu'on dira faussement toute sorte de mal contre vous, à cause de moi. 12. Réjouissez-vous et soyez dans l'allégresse, car votre récompense est grande dans les cieux : ¶ c'est ainsi qu'ils ont persécuté les Prophètes qui ont été avant vous.

13. ✠ Vous êtes le sel de la terre. Si le sel s'affadit, avec quoi lui rendra-t-on sa saveur? Il n'est plus bon à rien, qu'à être jeté dehors et foulé aux pieds par les hommes. 14. Vous êtes la lumière du monde. Une ville située au sommet d'une montagne ne peut être cachée; 15. et on n'allume pas une lampe pour la mettre sous le boisseau, mais sur le chandelier, afin qu'elle éclaire tous ceux qui sont dans la maison. 16. Qu'ainsi votre lumière brille devant les hommes, afin que, voyant vos bonnes œuvres, ils glorifient votre Père qui est dans les cieux.

Supériorité de la loi nouvelle montrée par 6 exemples de l'ancienne loi.

17. Ne pensez pas que je sois venu abolir la Loi ou les Prophètes; je ne suis pas venu *les* abolir, mais *les* accomplir. 18. Car, je vous le dis en vérité, jusqu'à ce que passent le ciel et la terre, un seul iota ou un seul trait de la Loi ne passera pas, que tout ne soit accompli. 19. Celui donc qui aura violé un de ces moindres commande-

désordre est surtout l'effet de la luxure, la sixième béatitude s'entend souvent de la chasteté, quoi qu'elle ait un sens plus général. — 9. *Les pacifiques*, qui aiment la paix pour eux-mêmes et travaillent à la faire régner parmi leurs frères. — 13. Vous devez montrer d'autant plus de courage dans les persécutions, que votre mission est plus importante : vous êtes le sel de la terre et la lumière du monde! — 17. J. C. observa et confirma les préceptes moraux de la loi de Moïse, et réalisa dans sa personne les figures et les prophéties. — 18. *Un seul iota*, etc. Locution proverbiale pour exprimer la plus petite partie d'une chose. La lettre *i*, appelée *iota* en grec, est la plus petite de toutes les lettres. *Un trait*, une partie de lettre.

ments, et aura appris aux hommes *à les violer*, sera le moindre dans le royaume des cieux; mais celui qui les aura gardés et aura appris à les garder, sera grand dans le royaume des cieux. ¶

20. ✠ Car je vous dis que si votre justice ne surpasse celle des Scribes et des Pharisiens, vous n'entrerez point dans le royaume des cieux.

1) *Le 5e Commandement.*

21. Vous avez appris qu'il a été dit aux anciens : " Tu ne tueras point; celui qui aura tué mérite d'être puni par les juges. " 22. Et moi, je vous dis : Quiconque se met en colère contre son frère mérite d'être puni par les juges; et celui qui dira à son frère : Raca, mérite d'être puni par le Conseil; et celui qui lui dira : Fou, sera digne de la géhenne du feu. 23. Si donc, lorsque tu présentes ton offrande à l'autel, tu te souviens que ton frère a quelque chose contre toi, 24. laisse là ton offrande devant l'autel, et va d'abord te réconcilier avec ton frère; puis viens présenter ton offrande. ¶ 25. Accorde-toi au plus tôt avec ton adversaire, pendant que vous allez ensemble *au tribunal*, de peur qu'il ne te livre au juge, que le juge ne te livre à l'appariteur, et que tu ne sois jeté en prison. 26. En vérité, je te le dis, tu n'en sortiras pas que tu n'aies payé jusqu'à la dernière obole.

2) *Le 6e Commandement.*

27. Vous avez appris qu'il a été dit aux anciens : "Tu ne commettras point d'adultère. " 28. Et moi, je vous dis que quiconque regarde une femme avec convoitise, a déjà commis l'adultère dans son cœur. 29. Si ton œil droit est pour toi une occasion de

20. *Les Scribes et les Pharisiens*, s'attachant uniquement à la lettre de la Loi, sans tenir compte de l'esprit, négligeaient la vraie perfection morale. — 22. *Raca*, c.-à-d. homme vain et léger, sans cervelle. — *Par le Conseil* suprême, le sanhédrin. — *Fou*, dans la Bible, a souvent le sens de *impie*, *scélérat*. — *La Géhenne du feu*, l'enfer. Ce n'est donc pas l'homicide seulement qui est défendu, mais aussi le mépris du prochain, les paroles injurieuses, etc., inspirées par la haine ou la jalousie. Tout cela, dans certaines circonstances, peut devenir gravement coupable. — 26. *Appariteur*, ou *sergent*, officier public chargé d'exécuter les sentences. — 29-30. Si quelque chose ou

chute, arrache-le et jette-le loin de toi ; car il vaut mieux pour toi qu'un seul de tes membres périsse, que ton corps tout entier soit jeté dans la géhenne. 30. Et si ta main droite est pour toi une occasion de chute, coupe-la et jette-la loin de toi ; car il vaut mieux pour toi qu'un seul de tes membres périsse, que ton corps tout entier aille dans la géhenne.

3) *Le mariage indissoluble.*

31. Il a été dit aussi : " Quiconque renvoie sa femme, qu'il lui donne un acte de divorce. " 32. Et moi, je vous dis : Quiconque renvoie sa femme, hors le cas d'infidélité, la rend adultère; et quiconque épouse la femme renvoyée, commet un adultère.

4) *Gravité du serment.*

33. Vous avez encore appris qu'il a été dit aux anciens : " Tu ne te parjureras point ; mais tu t'acquitteras envers le Seigneur de tes serments. " 34. Et moi, je vous dis de ne faire aucune sorte de serments : ni par le ciel, parce que c'est le trône de Dieu ; 35. ni par la terre, parce que c'est l'escabeau de ses pieds ; ni par Jérusalem, parce que c'est la ville du grand Roi. 36. Ne jure pas non plus par ta tête, parce que tu ne peux en rendre un seul cheveu blanc ou noir. 37. Mais que ton langage soit : Cela est, cela n'est pas. Ce qui se dit de plus vient du Malin.

5) *Charité fraternelle.*

38. Vous avez appris qu'il a été dit : "Œil pour œil et dent pour dent. " 39. Et moi, je vous dis de ne pas tenir tête au méchant ; mais si quelqu'un te frappe sur la joue droite, présente-lui encore l'autre. 40. Et à celui qui veut t'appeler

quelqu'un que vous aimez à l'égal de votre œil droit ou de votre main droite, etc., séparez-vous-en. - 31. La loi de Moïse autorisait le divorce en certains cas; N. S. leur déclare que désormais le mariage sera indissoluble (comp. *Matth.* xix, 3-9). La seule chose désormais permise, ce sera, dans le cas d'inconduite grave, la séparation quant à l'habitation commune. — *La rend adultère*, en l'autorisant, par l'acte de divorce, à prendre un autre époux. — 37. N. S. recommande à ses disciples de se contenter, dans *les circonstances ordinaires*, d'une simple affirmation ou négation. — 38-39. *Œil pour œil*, etc. C'est ce qu'on appelle la loi du *talion*.

en justice pour avoir ta tunique, abandonne encore ton manteau. 41. Et si quelqu'un veut t'obliger à faire mille pas avec lui, fais-en deux autres mille. 42. Donne à qui te demande, et ne cherche pas à éviter celui qui veut te faire un emprunt.

6) *Amour des ennemis.*

43. ✠ Vous avez appris qu'il a été dit : " Tu aimeras ton prochain, et tu haïras ton ennemi." 44. Et moi, je vous dis : Aimez vos ennemis, faites du bien à ceux qui vous haïssent, et priez pour ceux qui vous persécutent [et vous maltraitent] : 45. afin que vous soyez les enfants de votre Père qui est dans les cieux; car il fait lever son soleil sur les bons et sur les méchants, et descendre sa pluie sur les justes et sur les injustes. 46. Si vous aimez ceux qui vous aiment, quelle récompense méritez-vous? Les publicains même n'en font-ils pas autant? 47. Et si vous ne saluez que vos frères, que faites-vous d'extraordinaire? Les païens même n'en font-ils pas autant? 48. Vous donc, soyez parfaits comme votre Père céleste est parfait. ¶

CH. 6. — *Eviter la vaine gloire :*

✠ Gardez-vous de faire vos bonnes œuvres devant les hommes, pour être vus d'eux : autrement vous n'aurez pas de récompense auprès de votre Père qui est dans les cieux.

En faisant l'aumône.

2. Quand donc tu fais l'aumône, ne sonne pas de la trompette devant toi, comme font les hypocrites dans les synagogues et dans les rues, afin d'être honorés des hommes. En vérité, je vous le dis, ils ont reçu leur récompense. 3. Pour toi, quand tu fais l'aumône, que ta main gauche ne sache pas ce que fait ta main droite, 4. afin que ton aumône soit dans le secret; et ton Père, qui voit dans le secret, te le rendra. ¶

41. *Mille pas*, pour lui montrer le chemin ou porter ses bagages. — 43. La première prescription est un commandement de Dieu (*Lév.* xix, 18); la seconde, une fausse conséquence déduite par les docteurs juifs. — 46. *Publicains*, receveurs des contributions.

Chap. 6. — 2. *Sonner de la trompette :* n'agissez pas avec ostentation.

En priant.

5. Lorsque vous priez, ne faites pas comme les hypocrites, qui aiment à prier debout dans les synagogues et au coin des rues, afin d'être vus des hommes. En vérité, je vous le dis, ils ont reçu leur récompense. 6. Pour toi, quand tu veux prier, entre dans ta chambre, et, ayant fermé ta porte, prie ton Père qui est en ce lieu secret; et ton Père, qui voit dans le secret, te le rendra. 7. Dans vos prières, ne multipliez pas les paroles, comme font les païens, qui s'imaginent être exaucés à force de paroles. 8. Ne leur ressemblez pas, car votre Père sait de quoi vous avez besoin, avant que vous le lui demandiez. 9. Vous prierez donc ainsi : Notre Père qui êtes aux cieux, que votre nom soit sanctifié. 10. Que votre règne arrive; que votre volonté soit faite sur la terre comme au ciel. 11. Donnez-nous aujourd'hui le pain nécessaire à notre subsistance. 12. Remettez-nous nos dettes, comme nous remettons les leurs à ceux qui nous doivent. 13. Et ne nous induisez point en tentation, mais délivrez-nous du mal. 14. Car si vous pardonnez aux hommes leurs offenses, votre Père céleste vous pardonnera aussi. 15. Mais si vous ne pardonnez pas aux hommes, votre Père céleste ne *vous* pardonnera pas non plus vos offenses.

En jeûnant.

16. ✠ Lorsque vous jeûnez, ne prenez pas un air sombre, comme font les hypocrites, qui exténuent leur visage, pour faire paraître aux hommes qu'ils jeûnent. En vérité, je vous le dis, ils ont reçu leur récompense. 17. Pour toi, quand tu jeûnes, parfume ta tête et lave ton visage, 18. afin qu'il ne paraisse pas aux

8. Mais alors à quoi bon prier? Nous le devons, répond S. Augustin, non à cause de Dieu, comme s'il ignorait nos besoins, mais à cause de nous-mêmes, parce que la prière, c.-à-d. le sentiment intime de notre faiblesse et de notre misère, nous dispose à recevoir utilement les dons de Dieu. — 9. *Soit sanctifié*, reconnu saint, et, comme tel, *glorifié*. — 12. *Nos dettes*, nos offenses. — 13. *En tentation*. Il s'agit ici de la tentation extérieure, de ces rencontres dangereuses, de ces situations délicates qui mettent la vertu en péril.

hommes que tu jeûnes, mais à ton Père qui est présent dans le secret; et ton Père, qui voit dans le secret, te le rendra.

Devoirs concernant les richesses et la Providence.

19. Ne vous amassez pas des trésors sur la terre, où la rouille et les vers rongent, et où les voleurs percent les murs et dérobent. 20. Mais amassez-vous des trésors dans le ciel, où ni les vers ni la rouille ne rongent, et où les voleurs ne percent les murs ni ne dérobent. 21. Car là où est ton trésor, là aussi sera ton cœur. ¶

22. La lampe du corps, c'est l'œil. Si ton œil est sain, tout ton corps sera dans la lumière; 23. mais si ton œil est mauvais, tout ton corps sera dans les ténèbres. Si donc la lumière qui est en toi est ténèbres, combien grandes seront ces ténèbres!

24. ✠ Nul ne peut servir deux maîtres : car, ou il haïra l'un et aimera l'autre, ou il s'attachera à l'un et méprisera l'autre. Vous ne pouvez servir Dieu et Mammon. 25. C'est pourquoi je vous dis : Ne vous inquiétez pas pour votre vie, de ce que vous mangerez; ni pour votre corps, de quoi vous le vêtirez. La vie n'est-elle pas plus que la nourriture, et le corps plus que le vêtement? 26. Regardez les oiseaux du ciel : ils ne sèment ni ne moissonnent, ils n'amassent rien dans des greniers, et votre Père céleste les nourrit. Ne valez-vous pas beaucoup plus qu'eux? 27. Qui de vous, à force de soucis, pourrait ajouter une coudée à sa taille? 28. Et pourquoi vous inquiétez-vous pour le vêtement? Considérez les lis des champs, comment ils croissent : ils ne travaillent, ni ne filent. 29. Et

19. Le mot *trésor* désigne chez les Orientaux trois choses qu'ils amassent et conservent avec soin : de l'or et des pierres précieuses, du blé, de riches vêtements. — 21. Or *ton cœur*, tes affections et tes désirs doivent être dans le ciel. — 22-23. Application : l'œil, c'est votre cœur. Si votre cœur est sain, c.-à-d. détaché des biens de ce monde, toute votre vie morale sera pure et sainte, toutes vos œuvres seront bonnes devant Dieu; ce serait le contraire, si votre cœur était souillé par des affections terrestres. — 24. *Mammon*, le dieu des richesses. — 25. N. S. ne condamne qu'un excès de sollicitude qui exclut la confiance en Dieu.

cependant je vous dis que Salomon même, dans toute sa gloire, n'a pas été vêtu comme l'un d'eux. 30. Que si Dieu revêt ainsi l'herbe des champs, qui est aujourd'hui, et demain sera jetée au four, combien plus le fera-t-il pour vous, gens de peu de foi? 31. Ne vous mettez donc point en peine, disant : Que mangerons-nous, ou que boirons-nous, ou de quoi nous vêtirons-nous? 32. Car ce sont les Gentils qui recherchent toutes ces choses, et votre Père céleste sait que vous en avez besoin. 33. Cherchez premièrement le royaume de Dieu et sa justice, et tout cela vous sera donné par dessus. ¶ 34. N'ayez donc point de souci du lendemain; le lendemain aura souci de lui-même. A chaque jour suffit sa peine.

CH. 7. — *Les jugements sur le prochain.*

Ne jugez point, afin que vous ne soyez point jugés. 2. Car selon que vous aurez jugé, on vous jugera, et de la même mesure dont vous aurez mesuré, on vous mesurera. 3. Pourquoi vois-tu la paille qui est dans l'œil de ton frère, et ne vois-tu pas la poutre qui est dans ton œil? 4. Ou comment peux-tu dire à ton frère : Laisse-moi ôter la paille de ton œil, lorsqu'il y a une poutre dans le tien? 5. Hypocrite, ôte d'abord la poutre de ton œil, et alors tu verras à ôter la paille de l'œil de ton frère. 6. Ne donnez pas aux chiens ce qui est saint, et ne jetez pas vos perles devant les pourceaux, de peur qu'ils ne les foulent aux pieds, et que, se tournant contre vous, ils ne vous déchirent.

La prière.

7. Demandez, et l'on vous donnera; cherchez, et vous trouverez; frappez, et l'on vous ouvrira. 8. Car quiconque demande reçoit, qui cherche trouve, et l'on ouvrira à celui qui frappe. 9. Qui

32. *Les Gentils*, les païens.
Chap. 7. — 6. La loi du secret parmi les premiers Chrétiens est une application de cette maxime; ils apportaient un grand soin à dérober aux païens la connaissance de nos saints mystères, de peur de provoquer leurs blasphèmes ou leur fureur.

de vous, si son fils lui demande du pain, lui donnera une pierre? 10. Ou, s'il lui demande un poisson, lui donnera un serpent? 11. Si donc vous, tout méchants que vous êtes, vous savez donner de bonnes choses à vos enfants, combien plus votre Père qui est dans les cieux donnera-t-il ce qui est bon à ceux qui le prient?

La porte étroite.

12. Ainsi tout ce que vous voulez que les hommes vous fassent, faites-le aussi pour eux; car c'est là Loi et les Prophètes. 13. Entrez par la porte étroite; car la porte large et la voie spacieuse conduisent à la perdition, et nombreux sont ceux qui y passent. 14. Qu'elle est étroite la porte, qu'elle est resserrée la voie qui conduit à la vie, et qu'il en est peu qui la trouvent!

La prudence en face des faux prophètes.

15. ✠Gardez-vous des faux prophètes. Ils viennent à vous sous des vêtements de brebis, mais au-dedans ce sont des loups ravissants. 16. Vous les connaîtrez à leurs fruits : cueille-t-on des raisins sur des épines, ou des figues sur des ronces? 17. Ainsi tout bon arbre porte de bons fruits, et tout arbre mauvais de mauvais fruits. 18. Un bon arbre ne peut porter de mauvais fruits, ni un arbre mauvais porter de bons fruits. 19. Tout arbre qui ne porte pas de bons fruits sera coupé et jeté au feu. 20. Vous les connaîtrez donc à leurs fruits.

Conclusion du sermon sur la montagne. Le mettre en pratique, c'est bâtir sur la pierre.

21. Ce ne sont pas ceux qui me disent : Seigneur, Seigneur, qui entreront dans le royaume des cieux; mais celui qui fait la volonté de mon Père qui est dans les cieux, [celui-là entrera dans le royaume des cieux]. ¶ 22. Plusieurs me diront en ce jour-là : Seigneur, Seigneur, n'est-ce pas en

12. *Ainsi*, prenant exemple de la libéralité de Dieu envers nous, *tout ce que vous voulez*, etc. — 14. *A la vie*, à la béatitude éternelle. — 15. *Des faux prophètes*, des faux docteurs. — 21. Pour être sauvé, il ne suffit pas de se dire chrétien, il faut obéir à la loi de J. C.

votre nom que nous avons prophétisé? n'est-ce pas en votre nom que nous avons chassé les démons? et n'avons-nous pas, en votre nom, fait beaucoup de miracles? 23. Alors je leur dirai hautement : Je ne vous ai jamais connus. Retirez-vous de moi, ouvriers d'iniquité.

24. Tout homme donc qui entend ces paroles que je viens de dire, et les met en pratique, sera comparé à un homme sage, qui a bâti sa maison sur la pierre. 25. La pluie est tombée, les torrents sont venus, les vents ont soufflé et se sont déchaînés contre cette maison, et elle n'a pas été renversée, car elle était fondée sur la pierre. 26. Mais quiconque entend ces paroles que je dis, et ne les met pas en pratique, sera semblable à un insensé qui a bâti sa maison sur le sable. 27. La pluie est tombée, les torrents sont venus, les vents ont soufflé et ont battu cette maison, et elle a été renversée, et grande a été sa ruine. "

28. Jésus ayant achevé son discours, le peuple était dans l'admiration de sa doctrine. 29. Car il les enseignait comme ayant autorité, et non comme leurs Scribes [et leurs Pharisiens].

3. Jésus prouve sa mission par des miracles.

✠ CH. 8. — *Le lépreux.*

Jésus étant descendu de la montagne, une grande multitude le suivit. 2. Et un lépreux s'étant approché, se prosterna devant lui, en disant · " Seigneur, si vous voulez, vous pouvez me guérir. " 3. Jésus étendit la main, le toucha et dit : " Je le veux, sois guéri. " Et à l'instant sa lèpre fut guérie. 4. Alors Jésus lui dit : " Garde-toi d'en parler à personne; mais va te montrer au prêtre, et offre le don prescrit par Moïse pour attester au peuple ta guérison.¶

23. *Je ne vous ai jamais connus* pour mes disciples; entre vous et moi il n'y a jamais eu communauté de vie : la grâce sanctifiante n'accompagne pas nécessairement ces sortes de faveurs. — 24-27. Ces versets forment la conclusion du Sermon sur la montagne.

Chap. 8. — 4. Tous les Pères ont vu, dans la lèpre, la figure du péché, et dans ces paroles : " Allez vous montrer au prêtre, " une allusion à la confession.

Le serviteur du centurion.

5. ✠ Comme Jésus entrait dans Capharnaüm, un centurion l'aborda 6. et lui fit cette prière : " Seigneur, mon serviteur est couché dans ma maison, frappé de paralysie, et il souffre cruellement. " 7. Jésus lui dit : "J'irai et je le guérirai. " — "8. Seigneur, répondit le centurion, je ne suis pas digne que vous entriez sous mon toit; mais dites seulement une parole, et mon serviteur sera guéri. 9. Car moi qui suis soumis à des supérieurs, j'ai des soldats sous mes ordres, et je dis à l'un : Va, et il va; et à un autre : Viens, et il vient; et à mon serviteur : Fais cela, et il le fait. " 10. En entendant ces paroles, Jésus fut dans l'admiration, et dit à ceux qui le suivaient : " Je vous le dis en vérité, dans Israël même je n'ai pas trouvé une si grande foi. 11. C'est pourquoi je vous dis que beaucoup viendront de l'Orient et de l'Occident, et auront place au festin avec Abraham, Isaac et Jacob, dans le royaume des cieux; 12. tandis que les fils du royaume seront jetés dans les ténèbres extérieures : c'est là qu'il y aura des pleurs et des grincements de dents. " 13. Alors Jésus dit au centurion : " Va, et qu'il te soit fait selon ta foi; " et à l'heure même son serviteur fut guéri. ¶

Belle-mère de Pierre.

14. Jésus vint ensuite dans la maison de Pierre, et il y trouva sa belle-mère qui était au lit, tourmentée par la fièvre. 15. Il lui toucha la main, et la fièvre la quitta; aussitôt elle se leva, et se mit à le servir.

Démoniaques guéris.

16. Sur le soir, on lui présenta plusieurs démoniaques, et d'un mot il chassa les esprits et gué-

8. L'humilité du Centurion a mérité que l'Eglise mît ces paroles sur les lèvres de ses enfants au moment où ils vont recevoir Jésus Christ dans la sainte communion. — 11. La félicité éternelle est comparée à un festin, parce qu'elle apporte à l'homme le repos, la joie et le rassasiement. — 12. *Ténèbres extérieures :* Jésus continue l'allégorie. Dans les festins, la salle était brillamment éclairée, de sorte que ceux qui avaient été mis dehors se trouvaient dans les ténèbres, pleurant et grinçant des dents de dépit et de rage.

rit tous les malades : 17. afin que s'accomplît cette parole du prophète Isaïe : " Il a pris nos infirmités, et s'est chargé de nos maladies. "

Dispositions pour suivre Jésus.

18. Jésus, voyant une grande multitude autour de lui, donna l'ordre de passer à l'autre bord *du lac.* 19. Alors un Scribe s'approcha et lui dit : " Maître, je vous suivrai partout où vous irez. " 20. Jésus lui répondit : " Les renards ont leurs tanières, et les oiseaux du ciel leurs nids; mais le Fils de l'homme n'a pas où reposer sa tête. " 21. Un autre, *qui était un* des disciples, lui dit : " Seigneur, permettez-moi d'aller auparavant ensevelir mon père. " 22. Mais Jésus lui répondit : " Suis-moi, et laisse les morts ensevelir leurs morts. "

Tempête apaisée.

23. ✠ Il entra alors dans la barque, suivi de ses disciples. 24. Et voilà qu'une grande agitation se fit dans la mer, de sorte que les flots couvraient la barque : lui, cependant, dormait. 25. Ses disciples venant à lui l'éveillèrent et lui dirent : Seigneur, sauvez-nous, nous périssons! " 26. Jésus leur dit : " Pourquoi craignez-vous, hommes de peu de foi? " Alors il se leva, commanda aux vents et à la mer, et il se fit un grand calme. 27. Et saisis d'admiration, tous disaient : " Quel est celui-ci, que les vents et la mer lui obéissent? " ¶

Démons envoyés dans des pourceaux.

28. Jésus ayant abordé de l'autre côté du lac, dans le pays des Gadaréniens, deux démoniaques sortirent des sépulcres et s'avancèrent vers lui; ils étaient si furieux, que personne n'osait passer par ce chemin. 29. Et ils se mirent à crier : " Qu'y a-t-il entre nous

22. Il y a ici un jeu de mots. Tandis que le second *morts* doit s'entendre dans le sens propre, le premier désigne les morts spirituels, les hommes du siècle, par opposition à ceux que Jésus appelle à sa suite, à qui il offre, avec la dignité d'apôtre, les trésors de sa grâce et de sa doctrine. Répondre à cet appel est le premier de tous les devoirs. — 28. *Des sépulcres :* les tombeaux, chez les Juifs, étaient des grottes souterraines, taillées dans le rocher. — 29. Les malins esprits sont en

et vous, [Jésus], Fils de Dieu? Etes-vous venu ici pour nous tourmenter avant le temps?" 30. Or il y avait, à quelque distance, un nombreux troupeau de porcs qui paissaient. 31. Et les démons firent à Jésus cette prière : "Si vous nous chassez d'ici, envoyez-nous dans ce troupeau de porcs." 32. Il leur dit : "Allez." Ils sortirent *du corps des possédés*, et entrèrent dans les pourceaux. Au même instant, tout le troupeau prenant sa course se précipita par les pentes escarpées dans la mer, et ils périrent dans les eaux. 33. Les gardiens s'enfuirent, et ils vinrent dans la ville où ils racontèrent toutes ces choses, et ce qui était arrivé aux démoniaques. 34. Aussitôt toute la ville sortit au-devant de Jésus, et dès qu'ils le virent, ils le supplièrent de quitter leur territoire.

✠ CH. 9. — *Le paralitique.*

Jésus étant monté dans la barque, repassa le lac et vint dans sa ville. 2. Et voilà qu'on lui présenta un paralytique étendu sur un lit. Jésus, voyant leur foi, dit au paralytique : "Mon fils, aie confiance, tes péchés sont remis." 3. Aussitôt quelques Scribes dirent en eux-mêmes : "Cet homme blasphème." 4. Jésus, connaissant leurs pensées, leur dit : "Pourquoi pensez-vous le mal dans vos cœurs? 5. Lequel est le plus aisé de dire : Tes péchés te sont remis; ou de dire : Lève-toi et marche? 6. Or, afin que vous sachiez que le Fils de l'homme a sur la terre le pouvoir de remettre les péchés : Lève-toi, dit-il au paralytique,

proie aux tourments depuis le moment de leur chute; mais, par suite du péché de l'homme, ils jouissent d'un certain pouvoir sur la nature et même sur l'humanité, ce qui est comme un adoucissement à leur sort. A la fin des temps, cette liberté cessera; J. C. les renfermera pour jamais dans les abîmes et règnera seul. Ils semblent craindre, dans ce passage de S. Matthieu, que Jésus ne les précipite en enfer avant que la fin des temps ne soit venue. — 32. Comment Jésus Christ a-t-il pu occasionner à ces gens-là une si grande perte? Dieu est le Maître de toutes choses; pour lui il n'y a pas de bien d'autrui, et il n'a pas de permission à demander quand il veut donner un avertissement ou infliger un châtiment.

Chap. 9. — 1. *Sa ville*, Capharnaüm, où il faisait sa résidence ordinaire.

prends ton lit et va dans ta maison." 7. Et il se leva, et s'en alla dans sa maison. 8. La multitude voyant ce prodige fut saisie de crainte, et rendit gloire à Dieu, qui avait donné une telle puissance aux hommes. ¶

Vocation de S. Matthieu.

9. ✠ Etant parti de là, Jésus vit un homme, nommé Matthieu, assis au bureau de péage, et il lui dit : "Suis-moi." Celui-ci se leva, et le suivit. 10. Or il arriva que Jésus étant à table dans la maison *de Matthieu*, un grand nombre de publicains et de pécheurs vinrent prendre place avec lui et ses disciples. 11. Ce que voyant, les Pharisiens dirent à ses disciples : "Pourquoi votre maître mange-t-il avec les publicains et les pécheurs ?" 12. Jésus, entendant cela, leur dit : "Ce ne sont pas les bien portants qui ont besoin de médecin, mais les malades. 13. Allez apprendre ce que signifie cette parole : Je veux la miséricorde, et non le sacrifice. Car je ne suis pas venu appeler les justes, mais les pécheurs." ¶

Pourquoi les disciples de Jésus ne jeûnent pas.

14. Alors les disciples de Jean vinrent le trouver, et lui dirent : "Pourquoi, tandis que les Pharisiens et nous, nous jeûnons souvent, vos disciples ne jeûnent-ils pas ?" 15. Jésus leur répondit : "Les amis de l'Epoux peuvent-ils s'attrister pendant que l'Epoux est avec eux ? Mais viendront des jours où l'Epoux leur sera enlevé, et alors ils jeûneront. 16. Personne ne met une pièce d'étoffe neuve à un vieux vêtement; car elle emporte quelque chose du vêtement, et la déchirure en est pire. 17. On ne met pas non plus du vin nouveau dans des outres vielles; autrement, les outres

13. *Je veux* (Osée, vi, 6) : ces paroles, d'après l'usage de la langue hébraïque, signifient : *J'aime mieux la miséricorde que le sacrifice.* Par *sacrifice*, N. S. entend ici tous les actes du culte extérieur, que les Pharisiens pratiquaient avec tant de scrupule. — 15. L'Epoux ou le Fiancé, c'est ici N. S.; l'épouse, c'est l'humanité, c'est chaque âme en particulier, qu'il veut s'unir par la foi et l'amour; à son second avènement se célébreront d'une manière définitive "les noces de l'Agneau." — 17. *Outres*, peaux de boucs préparées et cou-

se rompent, le vin se répand et les outres sont perdues. Mais on met le vin nouveau dans des outres neuves, et tous les deux se conservent."

L'hémorroïsse et la fille de Jaïre.

18. ✠Comme il leur parlait ainsi, un chef *de la synagogue* entra, et se prosternant devant lui, il lui dit : "Seigneur, ma fille vient de mourir; mais venez, imposez votre main sur elle, et elle vivra." 19. Jésus se leva et le suivit avec ses disciples.

20. Et voilà qu'une femme, affligée d'un flux de sang depuis douze années, s'approcha par derrière, et toucha la houppe de son manteau. 21. Car elle disait en elle-même : "Si je touche seulement son manteau, je serai guérie." 22. Jésus se retourna, et la voyant, il lui dit : "Ayez confiance, ma fille, votre foi vous a guérie." Et cette femme fut guérie à l'heure même.

23. Lorsque Jésus fut arrivé à la maison du chef *de la synagogue*, voyant les joueurs de flûte et une foule qui faisait grand bruit, il leur dit : 24. "Retirez-vous; car la jeune fille n'est pas morte, mais elle dort;" et ils se riaient de lui. 25. Lorsqu'on eut fait sortir cette foule, il entra, et prit la main de la jeune fille, et elle se leva. 26. Et le bruit s'en répandit dans tout le pays. ¶

Les deux aveugles.

27. Comme Jésus poursuivait sa route, deux aveugles se mirent à le suivre, en disant à haute voix : "Fils de David, ayez pitié de nous." 28. Lorsqu'il fut entré dans la maison, les aveugles s'approchèrent de lui, et Jésus leur dit : "Croyez-vous que je puisse faire cela pour vous?" Ils lui dirent :

sues ensemble en forme de sac; on s'en servait pour conserver et transporter le vin, l'huile, etc. Sens des vers. 16-17 : Les anciennes lois cérémonielles des Juifs ne peuvent être ajoutées à la nouvelle doctrine de J. C., faire partie de la religion chrétienne. — 23. Chez les Juifs, la plus pauvre femme avait, après sa mort, au moins deux joueurs de flûte et une pleureuse qui faisait entendre des chants funèbres; mais ici, le convoi était beaucoup plus considérable. — 24. Un imposteur aurait dit, au contraire : Elle ne dort pas, elle est réellement morte, afin de donner plus de consistance à son mensonge.

"Oui, Seigneur." 29. Alors il toucha leurs yeux en disant : "Qu'il vous soit fait selon votre foi." 30. Aussitôt leurs yeux furent ouverts, et Jésus leur dit d'un ton sévère : "Prenez garde que personne ne le sache." 31. Mais, s'en étant allés, ils publièrent ses louanges dans tout le pays.

Le muet.

32. Après leur départ, on lui présenta un homme muet, possédé du démon. 33. Le démon ayant été chassé, le muet parla, et la multitude, saisie d'admiration, disait : "Jamais rien de semblable ne s'est vu en Israël." 34. Mais les Pharisiens disaient : "C'est par le prince des démons qu'il chasse les démons."

4. Jésus pose les fondements du royaume de Dieu en choisissant ses Apôtres.

Moisson abondante, peu d'ouvriers.

35. ✠ Et Jésus parcourait toutes les villes et les bourgades, enseignant dans les synagogues, prêchant l'Evangile du royaume, et guérissant toute maladie et toute infirmité. 36. Or, en voyant cette multitude d'hommes, il fut ému de compassion pour eux, parce qu'ils étaient harassés et abattus, comme des brebis sans pasteur. 37. Alors il dit à ses disciples : "La moisson est grande, mais les ouvriers sont en petit nombre. 38. Priez donc le maître de la moisson d'envoyer des ouvriers à sa moisson." ¶

CH. 10. — *Choix des 12 Apôtres.*

Ayant appelé ses douze disciples, Jésus leur donna le pouvoir de chasser les esprits impurs, et de guérir toute maladie et toute infirmité. 2. Or voici les noms des douze apôtres : le premier est Simon, appelé Pierre, puis André son frère; Jacques, fils de Zébédée, et Jean

32. Le mutisme de cet homme était causé, non par une cause naturelle, telle qu'un vice de l'organe, mais par l'influence du démon. — 34. Voyez chap. XII, 24 sv.

Chap. 10. — 2. *Apôtres*, c'est-à-dire *envoyés*, *ambassadeurs*. Nous avons plusieurs listes officielles des membres du collège apostolique; dans toutes S. Pierre figure au premier rang : il est le coryphée, dit S. Jean Chrysostome, c'est-à-dire le guide et le chef de tout le corps; Judas, le traître, est toujours nommé le dernier.

son frère; 3. Philippe et Barthélemi; Thomas et Matthieu le publicain; Jacques, fils d'Alphée, et Thaddée; 4. Simon le Zélé, et Judas Iscariote, qui le trahit.

Jésus leur donne ses instructions en vue de leur mission.

5. Tels sont les douze que Jésus envoya, après leur avoir donné ses instructions: "N'allez point, leur dit-il, vers les Gentils, et n'entrez point dans les villes des Samaritains; 6. allez plutôt aux brebis perdues de la maison d'Israël. 7. Partout, sur votre chemin, annoncez que le royaume des cieux est proche. 8. Guérissez les malades, ressuscitez les morts, purifiez les lépreux, chassez les démons: vous avez reçu gratuitement, donnez gratuitement. 9. Ne prenez ni or, ni argent, ni aucune monnaie dans vos ceintures, 10. ni sac pour la route, ni deux tuniques, ni chaussure, ni bâton; car l'ouvrier mérite sa nourriture. 11. En quelque ville ou village que vous entriez, informez-vous qui en est digne, et demeurez chez lui jusqu'à votre départ. 12. En entrant dans la maison, saluez-la en disant : Paix à cette maison! 13. Et si cette maison en est digne, votre paix viendra sur elle; mais si elle ne l'est pas, votre paix reviendra à vous. 14. Si l'on refuse de vous recevoir et d'écouter votre parole, sortez de cette maison ou de cette ville en secouant la poussière de vos pieds. 15. Je vous le dis en vérité, il y aura moins de rigueur, au jour du jugement, pour la terre de Sodome et de Gomorrhe que pour cette ville.

Et les avertit qu'ils auront à souffrir toutes sortes de contradictions,

16. ✠ Je vous envoie comme des brebis au mi-

8. N. S. ne veut pas que ses ministres profitent, pour s'enrichir, des pouvoirs et des dons qu'ils ont reçus de l'Esprit Saint; mais il déclare (vers. 10.) qu'ils " méritent qu'on les nourrisse. " — 10. *Chaussure* de rechange, comme pour la tunique. *Sa nourriture!* Dieu, dont vous êtes les ouvriers, vous la doit, et il saura vous la procurer. — 11. *Digne* de vous et de l'Evangile : celui qui donne l'hospitalité à un ministre de l'Evangile reçoit plus qu'il ne donne; c'est une grâce qu'il faut mériter.

lieu des loups. Soyez donc prudents comme les serpents, et simples comme les colombes. 17. Tenez-vous en garde contre les hommes; car ils vous livreront à leurs tribunaux, et vous flagelleront dans leurs synagogues. 18. Vous serez menés à cause de moi devant les gouverneurs et les rois, pour me rendre témoignage devant eux et devant les Gentils. 19. Lorsqu'on vous livrera, ne pensez ni à la manière dont vous parlerez, ni à ce que vous devez dire : ce que vous aurez à dire vous sera donné à l'heure même. 20. Car ce n'est pas vous qui parlerez, mais c'est l'Esprit de votre Père qui parlera en vous. 21. Le frère livrera son frère à la mort, et le père son enfant, et les enfants s'élèveront contre leurs parents, et les feront mourir. 22. Vous serez en haine à tous à cause de mon nom; mais celui qui persévérera jusqu'à la fin, celui-là sera sauvé. ¶ 23. ✠ Lorsqu'on vous poursuivra dans une ville, fuyez dans une autre. En vérité, je vous le dis, vous n'aurez pas achevé de parcourir les villes d'Israël, que le Fils de l'homme sera venu. 24. Le disciple n'est pas au-dessus du maître, ni le serviteur au-dessus de son seigneur. 25. Il suffit au disciple d'être comme son maître, et au serviteur comme son seigneur. S'ils ont appelé le père de famille Béelzébub, combien plus ses serviteurs ? 26. Ne les craignez donc point. Car ✠ il n'y a rien de caché qui ne se découvre, rien de secret qui ne finisse par être connu. 27. Ce que je vous dis dans les ténèbres, dites-le au grand jour, et ce qui vous est dit à l'oreille, publiez-le sur les toits.

28. Ne craignez pas ceux qui tuent le corps,

20. *L'Esprit du Père*, qui est aussi l'Esprit du Fils (*Gal.* iv. 6), le Saint Esprit. — 22. *A cause de mon nom*, parce que vous êtes chrétiens. — 23. *Le Fils de l'homme sera venu* châtier Jérusalem : la ruine de cette ville, prise par Titus (an 70), est la figure de la catastrophe qui aura lieu à la fin des temps. — 26. Ce proverbe général signifie ici : La vérité de ma doctrine et votre innocence ne laisseront pas de paraître au grand jour, et de remporter sur eux, à la face du monde, une éclatante victoire. — 27. Les toits des maisons, en Orient, sont plats : on peut s'y promener et parler de là au public.

et ne peuvent tuer l'âme; craignez plutôt celui qui peut perdre l'âme et le corps dans la géhenne. ¶ 29. Deux passereaux ne se vendent-ils pas un as? Et il n'en tombe pas un sur la terre, sans que votre Père le permette. 30. Les cheveux même de votre tête sont tous comptés. 31. Ne craignez donc point : vous êtes de plus de prix que beaucoup de passereaux. 32. Celui donc qui m'aura confessé devant les hommes, moi aussi je le confesserai devant mon Père qui est dans les cieux; 33. et quiconque m'aura renié devant les hommes, moi aussi je le renierai devant mon Père qui est dans les cieux. ¶

34. ✠ Ne pensez pas que je sois venu apporter la paix sur la terre; je suis venu apporter, non la paix, mais le glaive. 35. Je suis venu mettre en lutte le fils avec son père, la fille avec sa mère, et la belle-fille avec sa belle-mère. 36. On aura pour ennemis les gens de sa propre maison. 37. Celui qui aime son père ou sa mère plus que moi, n'est pas digne de moi; et celui qui aime son fils ou sa fille plus que moi, n'est pas digne de moi. 38. Celui qui ne prend pas sa croix et ne me suit pas, n'est pas digne de moi. 39. Celui qui sauvera sa vie, la perdra : et celui qui perdra sa vie à cause de moi, la retrouvera. 40. Celui qui vous reçoit, me reçoit, et celui qui me reçoit, reçoit celui qui m'a envoyé. 41. Celui qui reçoit un prophète en qualité de prophète, recevra une récompense de prophète; et celui qui reçoit un juste en qualité de juste, recevra une récompense de juste. 42. Et quiconque donnera seulement un verre d'eau froide à l'un de ces petits parce qu'il est de mes disciples, je vous le dis en vérité, il ne perdra point sa récompense. " ¶

39. Le mot *vie* (*âme* en latin) désigne la vie passagère du corps et la vie éternelle de l'âme. Notre Seigneur joue sur ces deux sens.
42. Tant c'est une grande chose que d'avoir concouru, ne fût-ce que par une prière, par un verre d'eau, au règne de Dieu sur la terre! — *Ces petits*, les Apôtres.

5. Conclusion. — CH. 11. — Jésus, accomplissant les œuvres prédites par les prophètes, est donc le Messie.

✠ Quand Jésus eut achevé de donner ses instructions à ses douze disciples, il quitta ces lieux pour aller enseigner et prêcher dans les villes *de la Galilée.*

2. ✠ Jean, dans sa prison, ayant entendu parler des œuvres du Christ, envoya deux de ses disciples 3. lui dire : "Etes-vous celui qui doit venir, ou devons-nous en attendre un autre?" 4. Jésus leur répondit : " Allez, rapportez à Jean ce que vous entendez et ce que vous voyez : 5. Les aveugles voient, les boiteux marchent, les lépreux sont guéris, les sourds entendent, les morts ressuscitent, les pauvres sont évangélisés. 6. Heureux celui pour qui je ne serai pas une occasion de chute! "

Il loue Jean, son précurseur.

7. Comme ils s'en allaient, Jésus se mit à parler de Jean à la foule : " Qu'êtes-vous allés voir au désert? Un roseau agité par le vent? 8. Qu'êtes-vous donc allés voir? Un homme vêtu d'habits somptueux? Mais ceux qui portent des habits somptueux se trouvent dans les maisons des rois. 9. Mais pourquoi êtes-vous allés au désert? Pour voir un prophète? Oui, vous dis-je, et plus qu'un prophète. 10. Car c'est celui dont il est écrit : Voici que j'envoie mon ange devant vous, pour vous précéder et vous préparer la voie. ¶ 11. En vérité, je vous le dis, parmi les enfants des femmes, il n'en a point paru de plus grand que Jean-Baptiste : toutefois le plus petit dans le

Chap. 11. — 3. *Celui qui doit venir;* c'est par cette appellation que les Juifs désignaient alors le Messie. — 6. *Heureux celui* qui saura me reconnaître pour le Messie! — 7. *Un roseau*, image de la légèreté et de l'inconstance. — 11. Placé sur la limite des deux Testaments, Jean-Baptiste appartient et à l'ancienne loi, comme précurseur du Messie, et à la nouvelle, comme disciple de Jésus Christ. Mais on le considère ici uniquement comme précurseur, comme le dernier représentant du judaïsme ; et sous ce rapport, il est inférieur en dignité au plus petit des disciples de Jésus, tant la religion chrétienne l'emporte sur la religion mosaïque!

royaume des cieux est plus grand que lui. 12. Depuis les jours de Jean-Baptiste jusqu'à présent, le royaume des cieux est emporté de force, et les violents s'en emparent. 13. Car les Prophètes et la Loi ont prophétisé jusqu'à Jean. 14. Et si vous voulez le comprendre, lui-même est Elie qui doit venir. 15. Que celui qui a des oreilles pour entendre, entende!

Malheur à ceux qui n'écoutent ni Jean ni Jésus.

16. A qui comparerai-je cette génération? Elle ressemble à des enfants assis dans la place publique, et qui crient à leurs compagnons : 17. Nous vous avons chanté un air joyeux, et vous n'avez point dansé; nous vous avons chanté une lamentation, et vous n'avez point frappé votre poitrine. 18. Jean est venu ne mangeant ni ne buvant, et ils disent : Il est possédé du démon; 19. le Fils de l'homme est venu mangeant et buvant, et ils disent : C'est un homme de bonne chère et un buveur de vin, un ami des publicains et des gens de mauvaise vie. Mais la Sagesse a été justifiée par ses enfants."

20. Alors Jésus se mit à reprocher aux villes où il avait opéré le plus grand nombre de ses miracles, de n'avoir pas fait pénitence. 21. "Malheur à toi, Corozaïn! Malheur à toi, Bethsaïde! Car si les miracles qui ont été faits au milieu de vous, avaient été faits dans Tyr et dans Sidon, il y a longtemps qu'elles auraient fait pénitence sous le cilice et la cendre. 22. Oui, je vous le dis, il y aura, au jour du jugement, moins de rigueur pour Tyr et pour Sidon, que pour vous. 23. Et toi,

12-14. La Loi et les Prophètes n'avaient de valeur que jusqu'à Jean-Baptiste (vers. 13); car Jean-Baptiste est l'Elie qui doit (*Malach.* iv. 5) disposer les hommes à recevoir le Messie (vers. 14). — 19. Sens des vers. 16-19. : *Les enfants assis* désignent les Juifs : Sadducéens à la vie facile, ou austères Pharisiens; *les compagnons* figurent Jean et Jésus. Les Sadducéens *chantent un air joyeux :* ils invitent Jean à mener plus joyeuse vie; les Pharisiens *chantent une lamentation :* ils invitent Jésus à mener une vie plus austère. Et comme Jean et Jésus refusent également de se conformer à des exigences arbitraires et contradictoires, les Juifs les condamnent. *Mais la Sagesse divine a été justifiée*, reconnue et louée, *par ses fils*, par les sages, c'est-à-dire ici par les disciples de Jésus et de Jean.

Capharnaüm, vas-tu t'élever jusqu'au ciel? Non, tu seras abaissée jusqu'aux enfers; car si les miracles qui ont été faits dans tes murs, avaient été faits dans Sodome, elle serait restée debout jusqu'à ce jour. 24. Oui, je te le dis, il y aura, au jour du jugement, moins de rigueur pour Sodome que pour toi."

Bonheur des humbles qui reçoivent le joug du Christ.

25. ✝ En ce même temps, Jésus dit encore : "Je vous bénis, Père, Seigneur du ciel et de la terre, de ce que vous avez caché ces choses aux sages et aux prudents, et les avez révélées aux petits. 26. Oui, Père, *je vous bénis* de ce qu'il vous a plu ainsi. 27. Toutes choses m'ont été données par mon Père; personne ne connaît le Fils, si ce n'est le Père, et personne ne connaît le Père, si ce n'est le Fils, et celui à qui le Fils a voulu le révéler. 28. Venez à moi, vous tous qui êtes fatigués et ployez sous le fardeau, et je vous soulagerai. 29. Prenez sur vous mon joug, et recevez mes leçons, car je suis doux et humble de cœur; et vous trouverez le repos de vos âmes. 30. Car mon joug est doux, et mon fardeau léger." ¶

B. — *Jésus exerce son ministère au milieu des contradictions* (CH. 12 à 18).

1. Hostilité des Pharisiens contre Jésus.

CH. 12. — *Epis cueillis et guérison opérée le jour du sabbat.*

En ce temps-là, Jésus traversait des champs de blé un jour de sabbat, et ses disciples, ayant faim, se mirent à cueillir des épis et à les manger. 2. Les Pharisiens, voyant cela, lui dirent : "Vos disciples font une chose

28. Sens des vers. 27-28 : Le Fils de Dieu est l'organe par lequel le Père manifeste aux hommes sa vérité et sa grâce. C'est à lui que le Père a donné pouvoir et mission pour établir le royaume de Dieu. Image vivante du Père qu'il connaît parfaitement comme il en est parfaitement connu, seul il peut apporter aux hommes la vraie connaissance de Dieu. Dans la docile acceptation de ses enseignements, l'homme trouve le remède à ses maux, le repos et la paix. *Venez donc à moi*, etc. — *Sous le fardeau*, soit des observances dont les Pharisiens vous accablent, soit de vos péchés, soit des épreuves et des souffrances de la vie.

qu'il n'est pas permis de faire pendant le sabbat." 3. Mais il leur répondit : "N'avez-vous pas lu ce que fit David, lorsqu'il eut faim, lui et ceux qui étaient avec lui : 4. comment il entra dans la maison de Dieu et mangea les pains de proposition, qu'il ne lui était pas permis de manger, non plus qu'à ceux qui étaient avec lui, mais aux prêtres seuls? 5. Ou n'avez-vous pas lu dans la Loi que, le jour du sabbat, les prêtres violent le sabbat dans le temple sans commettre de péché? 6. Or, je vous dis qu'il y a ici quelqu'un plus grand que le temple. 7. Si vous compreniez cette parole : " Je veux la miséricorde, et non le sacrifice, " vous n'auriez jamais condamné des innocents. 8. Car le Fils de l'homme est maître [même] du sabbat."

9. Jésus, ayant quitté ce lieu, entra dans leur synagogue. 10. Or, il se trouvait là un homme qui avait la main desséchée, et ils demandèrent à Jésus : "Est-il permis de guérir, le jour du sabbat?" C'était pour avoir un prétexte de l'accuser. 11. Il leur répondit : " Quel est celui d'entre vous qui, n'ayant qu'une brebis, si elle tombe dans une fosse un jour de sabbat, ne la prend et ne l'en retire? 12. Combien un homme ne vaut-il pas plus qu'une brebis? Il est donc permis de faire du bien les jours de sabbat." 13. Alors il dit à cet homme : "Etends ta main." Il l'étendit, et elle devint saine comme l'autre.

Mansuétude de Jésus.

14. Les Pharisiens, étant sortis, tinrent conseil contre lui sur les moyens de le perdre. 15. Mais Jésus en ayant eu connaissance, s'éloigna de ces lieux. Une grande foule le suivit, et il guérit tous *leurs malades*. 16. Et il leur commanda de ne pas le faire connaître : 17. afin que s'accomplît la pa-

Chap. 12. — 3. La loi permettait à ceux qui avaient faim de cueillir des épis et de s'en nourrir (*Deut.* xxiii, 26); — 4. *Pains de proposition*, pains consacrés à Dieu et *posés* devant lui, dans la partie du tabernacle appelé *le Saint*, sur une table d'or, où ils étaient renouvelés chaque semaine. — 5. *Aux prêtres*, dans les fonctions de leur ministère. — 7. *Osée*, vi. 6. C'est-à-dire j'aime mieux la miséricorde que le sacrifice. — 17. *Afin :* dans cette humilité du Sauveur.

role du prophète Isaïe : 18. " Voici mon serviteur que j'ai choisi, mon bien-aimé, en qui j'ai mis toute mon affection. Je ferai reposer sur lui mon esprit, et il annoncera la justice aux nations. 19. Il ne disputera point, il ne criera point, et on n'entendra pas sa voix dans les places publiques. 20. Il ne brisera point le roseau froissé et n'éteindra point la mèche qui fume encore, jusqu'à ce qu'il ait fait triompher la justice. 21. En son nom les nations mettront leur espérance. "

A l'occasion de la guérison d'un démoniaque, il confond les Pharisiens — et leur reproche de pécher contre le Saint-Esprit.

22. On lui présenta alors un possédé aveugle et muet, et il le guérit, de sorte que cet homme parlait et voyait. 23. Et tout le peuple, saisi d'étonnement, disait : " N'est-ce point là le fils de David? " 24. Mais les Pharisiens, entendant cela, dirent : " Il ne chasse les démons que par Béelzébub, prince des démons. " 25. Jésus, qui connaissait leurs pensées, leur dit : " Tout royaume divisé contre lui-même sera détruit, et toute ville ou maison divisée contre elle-même ne pourra subsister. 26. Si Satan chasse Satan, il est divisé contre lui-même : comment donc son royaume subsistera-t-il? 27. Et si moi je chasse les démons par Béelzébub, par qui vos fils les chassent-ils? C'est pourquoi ils seront eux-mêmes vos juges. 28. Que si c'est par l'Esprit de Dieu que je chasse les démons, le royaume de Dieu est donc venu à vous. 29. Et comment peut-on entrer dans la maison de l'homme fort et enlever ses meubles, sans avoir auparavant lié cet homme fort? Alors seulement on pillera sa

---

l'Evangéliste voit l'accomplissement d'un oracle d'Isaïe (xlii, 1-4). — 20. *La justice*, la loi nouvelle, l'Evangile. — 22. *Muet*, par suite de la possession. — 27. *Vos fils :* ceux qui vous appellent du nom de pères, comme étant les chefs et les docteurs d'Israël. — 29. *De l'homme fort* et vaillant. Sens : le fort ne peut être vaincu que par un plus fort que lui; N. S. est donc plus fort que le démon, puisqu'il trouble son empire, le chasse de sa demeure, et lui enlève les âmes qu'il possédait.

maison. 30. Qui n'est pas avec moi est contre moi, et qui n'amasse pas avec moi disperse.

31. C'est pourquoi je vous dis : Tout péché et tout blasphème sera remis aux hommes; mais le blasphème contre l'Esprit ne leur sera pas remis. 32. Et quiconque aura parlé contre le Fils de l'homme, on le lui remettra; mais à celui qui aura parlé contre l'Esprit Saint, on ne le lui remettra ni dans ce siècle, ni dans le siècle à venir.

33. Ou dites que l'arbre est bon, et son fruit bon; ou dites que l'arbre est mauvais, et son fruit mauvais : car c'est par son fruit qu'on connaît l'arbre. 34. Race de vipères, comment pourriez-vous dire des choses bonnes, méchants comme vous l'êtes? Car la bouche parle de l'abondance du cœur. 35. L'homme bon tire du bon trésor *de son cœur* des choses bonnes, et l'homme mauvais, d'un mauvais trésor, tire des choses mauvaises. 36. Je vous le dis : au jour du jugement, les hommes rendront compte de toute parole vaine qu'ils auront dite. 37. Car tu seras justifié par tes paroles, et tu seras condamné par tes paroles."

C'est pourquoi les Pharisiens n'auront pas d'autre signe que celui de Jonas.

38. ✠ Alors quelques-uns des Scribes et des Pharisiens prirent la parole et dirent : " Maître, nous voudrions voir un miracle de vous." 39. Il leur répondit : " Cette génération méchante et adultère demande un miracle, et il ne lui sera pas donné d'autre miracle que celui du prophète Jonas : 40. de même que Jonas fut trois jours et trois nuits dans le ventre du poisson, ainsi le Fils de l'homme sera dans le sein de la terre trois jours et trois nuits. 41. Les hom-

32. Ce péché des Pharisiens consistait en ce que, contre des preuves manifestes et contre leur propre conviction, ils attribuaient à l'esprit malin ce que le Saint Esprit opérait dans Jésus Christ. Comme il suppose un entier endurcissement et une révolte absolue de la volonté contre Dieu, il est rarement et difficilement remis. — 33. *L'arbre*, c'est N. S.; le fruit, ce sont ses œuvres. — 39. *Adultère*, c'est-à-dire impie et criminelle, qui a violé son alliance avec Dieu. — 40. La résurrection de J. C., le troisième jour après sa mort, sera la preuve incontestable de sa divinité.

mes de Ninive s'élèveront, au jour du jugement, avec cette génération et la condamneront, parce qu'ils ont fait pénitence à la voix de Jonas, et il y a ici plus que Jonas. 42. La reine du Midi s'élèvera, au jour du jugement, avec cette génération et la condamnera, parce qu'elle est venue des extrémités de la terre pour entendre la sagesse de Salomon, et il y a ici plus que Salomon.

Craindre de retomber au pouvoir du démon.

43. Lorsque l'esprit impur est sorti d'un homme, il va par des lieux arides, cherchant du repos, et il n'en trouve point. 44. Alors il dit : je retournerai dans ma maison, d'où je suis sorti. Et revenant, il la trouve vide, nettoyée et ornée. 45. Alors il s'en va prendre sept autres esprits plus méchants que lui, et, entrant *dans cette maison*, ils y fixent leur demeure, et le dernier état de cet homme est pire que le premier. Ainsi en sera-t-il de cette génération méchante."

Parenté spirituelle du Christ.

46. ✠ Comme il parlait encore au peuple, sa mère et ses frères étaient dehors, cherchant à lui parler. 47. Quelqu'un lui dit : "Voici votre mère et vos frères qui sont là dehors, et ils cherchent à vous parler." 48. Jésus répondit à l'homme qui lui disait cela : "Qui est ma mère et qui sont mes frères?" 49. Et étendant la main vers ses disciples, il dit : "Voici ma mère et mes frères. 50. Car quiconque fait la volonté de mon Père qui est dans les cieux, celui-là est mon frère, et ma sœur, et ma mère." ¶

2. Les 7 paraboles dévoilant le caractère du royaume de Dieu. — Ch. 13.

Ce jour-là, Jésus sortit de la maison et s'assit au bord de la mer. 2. Une grande foule s'étant assemblée autour de lui, il

42. *La reine du Midi*, de Saba (III Rois, x, 1 sv.) — 45. *Sept autres esprits*, soit pour entrer plus aisément, soit pour faire plus de mal à *cet homme*. — *Est pire*, etc. : la *rechute* constitue le pécheur dans un état pire que n'avait fait la *chute*. — 46. *Ses frères*, ses cousins : le mot *frère* avait un sens large chez les Juifs. — 50. N. S., dit S. Ambroise, ne fait aucune injure aux liens du sang; mais il enseigne que l'union des âmes est plus sainte que celle des corps.

monta dans une barque, où il s'assit, tandis que la foule se tenait sur le rivage; 3. et il leur dit beaucoup de choses en paraboles.

1) *La semence.*

Le semeur sortit pour semer. 4. Et pendant qu'il semait, des grains tombèrent le long du chemin, et les oiseaux du ciel vinrent et les mangèrent. 5. D'autres grains tombèrent sur un sol pierreux, où ils n'avaient pas beaucoup de terre, et ils levèrent aussitôt, parce que la terre était peu profonde. 6. Mais le soleil s'étant levé, la plante, frappée de ses feux et n'ayant pas de racine, sécha. 7. D'autres tombèrent parmi les épines, et les épines crûrent et les étouffèrent. 8. D'autres tombèrent dans la bonne terre, et ils produisirent des fruits, les uns cent pour un, les autres soixante, les autres trente. 9. Que celui qui a des oreilles pour entendre, entende!"

Pourquoi Jésus parle en paraboles à la foule, et non aux apôtres.

10. Alors ses disciples s'approchant lui dirent : " Pourquoi leur parlez-vous en paraboles? " 11. Il leur répondit : " A vous, il a été donné de connaître les mystères du royaume des cieux, mais à eux, cela n'a pas été donné. 12. Car on donnera à celui qui a, et il sera dans l'abondance; mais à celui qui n'a pas, on ôtera même ce qu'il a. 13. C'est pourquoi je leur parle en paraboles, parce qu'en voyant, ils ne voient pas, et qu'en entendant, ils n'entendent ni ne comprennent. 14. Pour eux s'accomplit la prophétie d'Isaïe : Vous entendrez de vos oreilles, et vous ne comprendrez point; vous verrez de vos yeux, et vous ne verrez point. 15. Car le cœur de ce peuple s'est appesanti; ils ont endurci leurs oreilles et fermé leurs yeux : de peur que leurs yeux ne voient, que

Chap. 13. — 7. *Epines*, plantes épineuses : chardons, ronces, etc., — 12. Pour comprendre les mystères du royaume de Dieu, il faut une grâce d'en haut, et cette grâce n'est donnée qu'aux âmes droites et dociles comme les vôtres. Ces âmes droites font des progrès dans cette connaissance, tandis que les autres s'aveuglent et s'endurcissent de plus en plus. — 15. *Isaie*, VI, 9 sv.

leurs oreilles n'entendent, que leur cœur ne comprenne, qu'ils ne se convertissent et que je ne les guérisse. 16. Pour vous, heureux vos yeux parce qu'ils voient, et vos oreilles parce qu'elles entendent! 17. Je vous le dis en vérité, beaucoup de prophètes et de justes ont désiré voir ce que vous voyez, et ne l'ont pas vu; entendre ce que vous entendez, et ne l'ont pas entendu.

Explication de la parabole du semeur.

18. Vous donc, écoutez *ce que signifie* la parabole du semeur. 19. Quiconque entend la parole du royaume et ne la comprend pas, le Malin vient, et il enlève ce qui a été semé dans son cœur : c'est le chemin qui a reçu la semence. 20. Le terrain pierreux où elle est tombée, c'est celui qui entend la parole et la reçoit aussitôt avec joie : 21. mais il n'y a pas en lui de racines; il est inconstant; dès que survient la tribulation ou la persécution à cause de la parole, aussitôt il succombe. 22. Les épines qui ont reçu la semence, c'est celui qui entend la parole; mais les sollicitudes du siècle et la séduction des richesses étouffent la parole, et elle ne porte point de fruit. 23. La bonne terre qui a reçu la semence, c'est celui qui entend la parole et la comprend; il porte du fruit, et *un grain* en donne cent, un autre soixante, un autre trente."

2) *L'ivraie.*

24. ✠ Il leur proposa une autre parabole, en disant : "Le royaume des cieux est semblable à un homme qui avait semé de bon grain dans son champ. 25. Mais, pendant que les hommes dormaient, son ennemi vint et sema de l'ivraie au milieu du froment, et s'en alla. 26. Quand l'herbe eut poussé et donné son fruit, alors apparut aussi l'ivraie. 27. Et les serviteurs du père de famille vinrent lui dire : Seigneur, n'avez-vous

19. *La parole du royaume*, la doctrine de l'Evangile. — *Et ne la comprend pas*, par suite de ses mauvaises dispositions. — *Le Malin* ou *le Mauvais*, le démon. — 24. *Le royaume des cieux* : d'une manière plus précise, J. C., le fondateur de ce royaume.

pas semé de bon grain dans votre champ? D'où vient donc qu'il s'y trouve de l'ivraie? 28. Il leur répondit : C'est un ennemi qui a fait cela. Les serviteurs lui dirent : Voulez-vous que nous allions l'arracher? 29. Non, leur dit-il, de peur qu'avec l'ivraie vous n'arrachiez aussi le froment. 30. Laissez croître l'un et l'autre jusqu'à la moisson, et au temps de la moisson je dirai aux moissonneurs : Cueillez d'abord l'ivraie, et liez-la en gerbes pour la brûler, et amassez le froment dans mon grenier. " ¶

3) *Le grain de sénevé.*

31. ✠ Il leur proposa une autre parabole, en disant : " Le royaume des cieux est semblable à un grain de sénevé, qu'un homme a pris et semé dans son champ. 32. C'est la plus petite de toutes les semences; mais, lorsqu'il a poussé, il est plus grand que toutes les plantes, et devient un arbre, de sorte que les oiseaux du ciel viennent s'abriter dans ses rameaux. "

4) *Le levain.*

33. Il leur dit encore cette parabole : " Le royaume des cieux est semblable au levain qu'une femme prend et mêle dans trois mesures de farine, pour faire lever toute la pâte. "

34. Jésus dit à la foule toutes ces choses en paraboles, et il ne lui parlait qu'en paraboles, 35. afin que s'accomplît la parole du prophète : " J'ouvrirai ma bouche en paraboles, et je révèlerai des choses cachées depuis la création du monde. "

Explication de la parabole de l'ivraie.

36. Puis, ayant renvoyé le peuple, il revint dans la maison ; ses disciples s'approchèrent et lui dirent : " Expliquez-nous la parabole de l'ivraie semée dans le champ." 37. Il répondit : " Celui qui sème le bon grain, c'est le Fils de

30. L'explication de cette parabole est donnée plus bas, vers. 37. — 32. Le sénevé atteint dans les pays chauds une hauteur inconnue à nos contrées. — 33. La parabole du *grain de sénevé* et celle du *levain* se rapportent toutes deux aux faibles commencements du royaume de Dieu, de l'Eglise de J. C., répandue aujourd'hui dans le monde entier. — *Ps.* lxxvii, 2.

l'homme; 38. le champ, c'est le monde; le bon grain, ce sont les fils du royaume; l'ivraie, les fils du Malin; 39. l'ennemi qui l'a semé, c'est le diable; la moisson, la fin du monde; les moissonneurs, ce sont les anges. 40. Comme on cueille l'ivraie et qu'on la brûle dans le feu, ainsi en sera-t-il à la fin du monde. 41. Le Fils de l'homme enverra ses anges, et ils enlèveront de son royaume tous les scandales, et ceux qui commettent l'iniquité, 42. et ils les jetteront dans la fournaise ardente : c'est là qu'il y aura des pleurs et des grincements de dents. ¶ 43. Alors les justes resplendiront comme le soleil dans le royaume de leur Père. Que celui qui a des oreilles pour entendre, entende!

5) *Le trésor caché,*
6) *la perle,* 7) *le filet.*

44. ✠ Le royaume des cieux est semblable à un trésor enfoui dans un champ; l'homme qui l'a trouvé l'y cache *de nouveau*, et, dans sa joie, il s'en va, vend tout ce qu'il a, et achète ce champ.

45. Le royaume des cieux est encore semblable à un marchand qui cherchait de belles perles. 46. Ayant trouvé une perle de grand prix, il s'en alla vendre tout ce qu'il avait, et l'acheta.

47. Le royaume des cieux est encore semblable à un filet qu'on a jeté dans la mer et qui ramasse des poissons de toutes sortes. 48. Lorsqu'il est plein, les pêcheurs le retirent, et, s'asseyant sur le rivage, ils choisissent les bons pour les mettre dans des vases, et jettent les mauvais. 49. Il en sera de même à la fin du monde : les anges viendront et sépareront les méchants d'avec les justes, 50. et ils les jetteront dans la fournaise ardente : c'est là qu'il y aura des pleurs

38. *Les fils*, les sujets du royaume de Dieu, les membres vivants de l'Eglise, les vrais chrétiens. — 41. *Les scandales :* les auteurs de scandales, les séducteurs de tout genre. — 44. *Vend tout ce qu'il a :* il s'appauvrit un moment pour être riche à tout jamais. Ainsi le trésor, la pierre précieuse (vers. suivant) de la vraie foi, de l'Evangile, doivent être achetés au prix même des plus grands sacrifices. — 46. *Il s'en alla*, revint dans son pays.

et des grincements de dents.

51. Avez-vous compris toutes ces choses? " Ils lui dirent : " Oui, Seigneur. " 52. Et il ajouta : " C'est pourquoi tout Scribe versé dans ce qui regarde le royaume des cieux, ressemble à un père de famille qui tire de son trésor des choses nouvelles et des choses anciennes. " ¶ 53. Après que Jésus eut achevé ces paraboles, il partit de là.

3. Jésus rayonne autour de la Galilée.
Incrédulité de Nazareth.

54. Etant venu dans sa patrie, il enseignait dans la synagogue ; de sorte que, saisis d'étonnement, ils disaient : " D'où lui viennent cette sagesse et ces miracles? 55. N'est-ce pas le fils du charpentier? Sa mère ne s'appelle-t-elle pas Marie, et ses frères Jacques, Joseph, Simon et Jude? 56. Et ses sœurs ne sont-elles pas toutes parmi nous? D'où lui viennent donc toutes ces choses? " Et il était pour eux une pierre d'achoppement. 57. Mais Jésus leur dit : " Un prophète n'est sans honneur que dans sa patrie et dans sa maison. " 58. Et il ne fit pas beaucoup de miracles dans ce lieu, à cause de leur incrédulité.

CH. 14. — *Martyre de S. Jean Baptiste.*

En ce temps-là, Hérode le Tétrarque apprit ce qui se publiait de Jésus. 2. Et il dit à ses serviteurs : " C'est Jean Baptiste! Il est ressuscité des morts : voilà pourquoi des miracles s'opèrent par lui. "

3. Car Hérode ayant fait arrêter Jean, l'avait chargé de chaînes et jeté en prison, à cause d'Hérodiade, femme de son frère, 4. parce que Jean lui disait : " Il ne t'est pas permis de l'avoir pour femme." 5. Volontiers il l'eût fait mourir, mais il craignait le peuple, qui regardait Jean comme un prophète.

52. Comme s'il disait : Vous, mes disciples, vous distribuerez aux âmes le céleste aliment de la parole de Dieu, en l'appropriant à leurs besoins, comme un père de famille choisit dans sa maison la nourriture qui convient le mieux à ses hôtes. — 54. *Sa patrie :* Nazareth, où Jésus avait été élevé. — 55. *Ses frères*, ses proches parents. — 56. *Pierre d'achoppement :* ils s'arrêtaient à l'extérieur, à sa famille, et refusaient de croire en lui.

6. Or, comme on célébrait *l'anniversaire de* la naissance d'Hérode, la fille d'Hérodiade dansa devant les convives et plut à Hérode, 7. de sorte qu'il promit avec serment de lui donner tout ce qu'elle lui demanderait. 8. Elle, instruite d'avance par sa mère : " Donne-moi, dit-elle, ici sur un plateau, la tête de Jean Baptiste. " 9. Le roi fut contristé ; mais à cause de son serment et de ses convives, il commanda qu'on la lui donnât, 10. et il envoya décapiter Jean dans sa prison. 11. Et la tête, apportée sur un plateau, fut donnée à la jeune fille, qui la porta à sa mère. 12. Les disciples de Jean vinrent prendre le corps et lui donnèrent la sépulture ; puis ils allèrent en informer Jésus.

1ère Multiplication des pains.

13. A cette nouvelle, Jésus partit de là dans une barque et se retira à l'écart, dans un lieu solitaire; mais le peuple le sut, et le suivit à pied des villes *voisines*. 14. Quand il sortit *de sa retraite*, il vit une grande foule, et il en eut compassion, et il guérit leurs malades. 15. Sur le soir, ses disciples s'approchèrent de lui en disant : "Ce lieu est désert, et déjà l'heure est avancée ; renvoyez cette foule, afin qu'ils aillent dans les villages s'acheter des vivres. " 16. Mais Jésus leur dit : " Ils n'ont pas besoin de s'en aller; donnez-leur vous-mêmes à manger. " 17. Ils lui répondirent : " Nous n'avons ici que cinq pains et deux poissons. " 18. " Apportez-les-moi ici. " leur dit-il. 19. Après avoir fait asseoir cette multitude sur l'herbe, il prit les cinq pains et les deux poissons, et levant les yeux au ciel, il rendit grâces; puis, rompant les pains, il les donna à ses disciples, et les disciples les donnèrent au peuple. 20. Tous mangèrent et furent rassasiés, et l'on emporta douze corbeilles pleines des morceaux qui restaient. 21. Or, le nombre de ceux qui avaient mangé était environ de

Chap. 14. — 6. *La fille d'Hérodiade :* elle se nommait Salomé. — 8. Un de ces plateaux sur lesquels on servait les mets et les liqueurs

cinq mille hommes, sans les femmes et les enfants.

Jésus marchant sur les eaux.

22. ✠ Aussitôt après, Jésus obligea ses disciples à monter dans la barque et à passer avant lui sur le bord opposé du lac, pendant qu'il renverrait la foule. 23. Quand il l'eut renvoyée, il monta sur la montagne pour prier à l'écart; et, le soir étant venu, il était là seul. 24. Cependant la barque, déjà au milieu de la mer, était battue par les flots, car le vent était contraire. 25. A la quatrième veille de la nuit, *Jésus* alla vers ses disciples, en marchant sur la mer. 26. Eux, le voyant marcher sur la mer, furent troublés, et dirent : "C'est un fantôme," et ils poussèrent des cris de frayeur. 27. Jésus leur dit aussitôt : "Ayez confiance, c'est moi, ne craignez point." 28. Pierre prenant la parole : "Seigneur, dit-il, si c'est vous, ordonnez que j'aille à vous sur les eaux." 29. Il lui dit : "Viens"; et Pierre étant sorti de la barque marchait sur les eaux pour aller à Jésus. 30. Mais voyant la violence du vent, il eut peur, et comme il commençait à enfoncer, il s'écria : "Seigneur, sauvez-moi!" 31. Aussitôt Jésus étendant la main le saisit et lui dit : "Homme de peu de foi, pourquoi as-tu douté ?" 32. Et lorsqu'ils furent montés dans la barque, le vent s'apaisa. 33. Alors ceux qui étaient dans la barque, s'approchant de lui, l'adorèrent en disant : "Vous êtes vraiment le Fils de Dieu."

Nombreuses guérisons.

34. Ayant traversé le lac, ils abordèrent à la terre de Génésareth. 35. Les gens de l'endroit, l'ayant reconnu, envoyèrent *des messagers* dans tous les environs, et on lui amena tous les malades. 36. Et ils le priaient de leur laisser seulement toucher la houppe de son

22. Témoin du miracle de la multiplication des pains, la foule voulait proclamer Jésus roi (*Jean*, VI, 15), et le conduire en triomphe à Jérusalem. Comme les Apôtres, encore imbus d'idées grossières sur le royaume du Messie, auraient pu se montrer favorables à ce projet, il les *obligea*, etc. — 24. *La quatrième veille* : de 3 à 6 heures du matin. — 34. *Génésareth*, belle et fertile plaine située à l'ouest du lac de ce nom.

manteau, et tous ceux qui la touchèrent furent guéris.

La pureté du cœur et la tradition des Pharisiens.

✠ CH. 15.

Alors des Scribes et des Pharisiens venus de Jérusalem s'approchèrent de Jésus, et lui dirent : 2. " Pourquoi vos disciples transgressent-ils la tradition des anciens? Car ils ne se lavent pas les mains lorsqu'ils prennent leur repas. " 3. Il leur répondit : " Et vous, pourquoi transgressez-vous le commandement de Dieu par votre tradition? 4. Car Dieu a dit : Honore ton père et ta mère; et : Quiconque maudira son père ou sa mère, qu'il soit puni de mort. 5. Mais vous, vous dites : Quiconque dit à son père ou à sa mère : Toute offrande que je fais à Dieu vous profitera, — 6. n'a pas besoin d'honorer autrement son père ou sa mère. Et vous mettez ainsi à néant le commandement de Dieu par votre tradition. 7. Hypocrites, Isaïe a bien prophétisé de vous quand il a dit : 8. Ce peuple m'honore des lèvres, mais son cœur est loin de moi. 9. C'est en vain qu'ils m'honorent, en donnant des préceptes qui ne sont que des commandements d'hommes. " 10. Puis, ayant fait approcher la foule, il leur dit : " Ecoutez et comprenez. 11. Ce n'est pas ce qui entre dans la bouche qui souille l'homme; mais ce qui sort de la bouche, voilà ce qui souille l'homme." 12. Alors ses disciples venant à lui, lui dirent : " Savez-vous que les Pharisiens, en entendant cette parole, se sont scandalisés? " 13. Il répondit : " Toute plante que n'a pas plantée mon Père céleste, sera arrachée. 14. Laissez-les, ce sont des aveugles qui conduisent des aveugles.

Chap. 15. — 2. *Tradition des anciens :* on appelait ainsi un ensemble de prescriptions minutieuses, ajoutées par les docteurs à celles de la Loi. — 4. *Exod.* XX, 12; XXI, 17. — 6. *D'honorer* et de secourir *autrement...* que par cette offrande faite à Dieu. — 7. *Isaïe,* XXIX, 13. — 11. Pensée : c'est dans l'homme intérieur qu'il faut chercher la raison de la sainteté ou de la malice. Prise en soi, et indépendamment de tout précepte divin, la nourriture est, au point de vue moral, chose indifférente. — 13. *Toute plante :* les Pharisiens et leur doctrine.

Or, si un aveugle conduit un aveugle, ils tomberont tous deux dans la fosse." 15. Pierre, prenant la parole, lui dit : "Expliquez-nous cette parabole." 16. Jésus répondit : "Etes-vous encore, vous aussi, sans intelligence? 17. Ne comprenez-vous pas que tout ce qui entre dans la bouche va au ventre, et est rejeté au lieu secret? 18. Mais ce qui sort de la bouche vient du cœur, et c'est là ce qui souille l'homme. 19. Car c'est du cœur que viennent les mauvaises pensées, les meurtres, les adultères, les fornications, les vols, les faux témoignages, les blasphèmes. 20. Voilà ce qui souille l'homme; mais manger sans s'être lavé les mains, cela ne souille pas l'homme." ¶

La chananéenne.

21. ✠ Jésus étant parti de là, se retira du côté de Tyr et de Sidon. 22. Et voilà qu'une femme chananéenne, qui venait de ces contrées, se mit à crier à haute voix : "Ayez pitié de moi, Seigneur, fils de David; ma fille est cruellement tourmentée par le démon." 23. Jésus ne lui répondit pas un mot. Alors ses disciples, s'étant approchés, le prièrent en disant : "Renvoyez-la, car elle nous poursuit de ses cris." 24. Il répondit : "Je n'ai été envoyé qu'aux brebis perdues de la maison d'Israël." 15. Mais cette femme vint se prosterner devant lui, en disant : "Seigneur, secourez-moi." 26. Il répondit : "Il n'est pas bien de prendre le pain des enfants pour le jeter aux petits chiens." 27. "C'est vrai, Seigneur, dit-elle; mais les petits chiens mangent au moins les miettes qui tombent de la table de leur maître."

15. *Parabole*, dans le sens de discours obscur, sentence énigmatique. — 22. *Chananéenne*, païenne. — 23. *Renvoyez-la* exaucée. — 24. La mission de Notre Seigneur était d'opérer le salut du monde entier; mais il n'évangélisa pas *lui-même* les nations païennes, réservant cette œuvre à ses Apôtres. — 26. Notre Seigneur s'exprime selon la manière de parler des Juifs, qui s'appelaient eux-mêmes *enfants* de Dieu, et donnaient aux païens, par mépris, le nom de *chiens*. Ce langage est moins dur qu'il ne paraît d'abord; cette femme savait bien qu'elle était païenne; pour le lui dire, Jésus emploie une locution proverbiale souvent en usage alors, et cela d'une voix et d'un visage où il y avait plus de bonté que de reproche, comme la suite le fait voir.

28. Alors Jésus lui dit : " O femme, votre foi est grande : qu'il vous soit fait selon votre désir." Et sa fille fut guérie à l'heure même. ¶

Divers malades guéris.

29. Jésus quitta ces lieux et vint près de la mer de Galilée. Etant monté sur la montagne, il s'y assit. 30. Et de grandes troupes de gens s'approchèrent de lui, ayant avec eux des muets, des aveugles, des boiteux, des estropiés et beaucoup d'autres malades. Ils les mirent à ses pieds, et il les guérit; 31. de sorte que la multitude était dans l'admiration, en voyant les muets parler, les boiteux marcher, les aveugles voir, et elle glorifiait le Dieu d'Israël.

2ème Multiplication des pains.

32. Cependant Jésus, ayant appelé ses disciples, leur dit : " J'ai compassion de cette foule; car voilà déjà trois jours qu'ils sont près de moi, et ils n'ont rien à manger. Je ne veux pas les renvoyer à jeûn, de peur que les forces ne leur manquent en chemin." 33. Les disciples lui dirent : " Où trouver dans un désert assez de pains pour rassasier une si grande foule ? " 34. Jésus leur demanda : " Combien avez-vous de pains ? " " Sept, lui dirent-ils, et quelques petits poissons." 35. Alors il fit asseoir la foule par terre, 36. prit les sept pains et les poissons, et, ayant rendu grâces, il les rompit et les donna à ses disciples, qui les distribuèrent au peuple. 37. Tous mangèrent et furent rassasiés, et des morceaux qui restaient, on emporta sept corbeilles pleines. 38. Or le nombre de ceux qui avaient mangé s'élevait à quatre mille, sans compter les femmes et les enfants.

39. Après avoir renvoyé le peuple, Jésus monta dans la barque et vint dans le pays de Magédan.

CH. 16. — *Un signe du ciel.*

Les Pharisiens et les Sadducéens abordèrent Jésus, et, pour le tenter, ils lui demandèrent de leur faire voir un signe venant du ciel. 2. Il leur répondit : " Le soir vous dites : Il fera beau, car le ciel est rouge; 3. et le matin : Il y aura aujourd'hui de l'orage, car le ciel est d'un rouge sombre. 4. [Hypocrites,] vous savez donc discerner les aspects du ciel, et vous ne savez pas reconnaître les signes des temps! Une race méchante et adultère demande un signe, et il ne lui sera pas donné d'autre signe que celui du prophète Jonas. " Et les laissant, il s'en alla.

Levain des Pharisiens.

5. En passant de l'autre côté du lac, ses disciples avaient oublié de prendre des pains. 6. ✠ Jésus leur dit : " Gardez-vous avec soin du levain des Pharisiens et des Sadducéens. " 7. Et ils pensaient et disaient en eux-mêmes : "C'est parce que nous n'avons pas pris de pains. " 8. Mais Jésus, qui voyait leur pensée, leur dit : " Hommes de peu de foi, pourquoi vous entretenez-vous en vous-mêmes de ce que vous n'avez pas pris de pains? 9. Etes-vous encore sans intelligence, et ne vous rappelez-vous pas les cinq pains distribués à cinq mille hommes, et combien de paniers vous avez emportés? 10. Ni les sept pains distribués à quatre mille hommes, et combien de corbeilles vous avez emportées? 11. Comment ne comprenez-vous pas que je ne parlais pas de pain quand je vous ai dit : Gardez-vous du levain des Pharisiens et des Sadducéens? " 12. Alors ils comprirent qu'il avait dit de se garder, non du levain qu'on met dans le pain, mais de la doctrine des Pharisiens et des Sadducéens. ¶

Confession et primauté de Pierre.

13. ✠ Jésus étant venu dans le territoire de Césarée de Philippe, demanda à ses disciples : " Qui dit-on qu'est le Fils de l'homme? " 14. Ils lui répondirent : " Les uns disent que vous êtes Jean-Baptiste, d'autres Elie, d'autres Jérémie ou quelqu'un des prophètes. 15. Et vous, leur dit-il, qui dites-vous que je suis? " 16. Simon Pierre, prenant la parole, dit : " Vous êtes le Christ, le Fils du Dieu

Chap. 16. — 4. *Jonas :* voy. plus haut, chap. XII, 39.

vivant. " 17. Jésus lui répondit : " Tu es heureux, Simon, fils de Jonas, car ce n'est pas la chair et le sang qui te l'ont révélé, mais c'est mon Père qui est dans les cieux. 18. Et moi je te dis que tu es Pierre, et sur cette pierre je bâtirai mon Eglise, et les portes de l'enfer ne prévaudront point contre elle. 19. Et je te donnerai les clefs du royaume des cieux : et tout ce que tu lieras sur la terre sera lié aussi dans les cieux, et tout ce que tu délieras sur la terre sera délié aussi dans les cieux. " ¶ 20. Alors il défendit à ses disciples de dire à personne qu'il était [Jésus] le Christ.

Jésus prédit sa Passion, sa mort et sa résurrection.

21. Jésus commença dès lors à découvrir à ses disciples qu'il fallait qu'il allât à Jérusalem, qu'il souffrît beaucoup de la part des Anciens, des Scribes et des Princes des prêtres, qu'il fût mis à mort et qu'il ressuscitât le troisième jour. 22. Pierre, le prenant à part, se mit à le reprendre, en disant : " A Dieu ne plaise, Seigneur! cela ne vous arrivera pas. " 23. Mais Jésus, se retournant, dit à Pierre : " Retire-toi de moi, Satan, tu m'es en scandale; car tu n'as pas l'intelligence des choses de Dieu; tu n'as que des pensées humaines. " 24. Alors Jésus dit à ses disciples : " Si quelqu'un veut être mon disciple, qu'il renonce à soi-même, qu'il prenne sa croix et me suive.

25. Car celui qui voudra sauver sa vie, la perdra; et celui qui perdra sa vie à cause de moi, la trouvera. 26. Et que sert à un homme de gagner le monde entier, s'il vient

17. *La chair et le sang*, l'homme selon la nature, réduit à ses lumières naturelles. — 18. *Les Portes :* image de la puissance; chez les anciens Orientaux, c'est aux portes des villes que les autorités du pays rendaient la justice. — 19, *Les clefs* sont, dans la Bible (*Is.* xxii. 22), le symbole de l'autorité souveraine. Dans le pouvoir de *lier* et de *délier*, il y a la même pensée sous une autre image. C'est comme si N. S. disait à Pierre : Je te ferai le chef suprême de mon royaume, c.-à-d. de mon Eglise. — 20. Comp. *Matth.*, viii, 4. — 21. *Il fallait :* Dieu avait décrété d'opérer ainsi la rédemption des hommes; les prophètes l'avaient ensuite annoncé. — 22. Pierre ne pouvait concilier les souffrances de Jésus avec sa divinité, bien moins encore avec l'amour qu'il portait à son Maître. — 26. *En*

à perdre son âme? Ou que donnera un homme en échange de son âme? 27. Car le Fils de l'homme doit venir dans la gloire de son Père avec ses anges, et alors il rendra à chacun selon ses œuvres. 28. Je vous le dis en vérité, plusieurs de ceux qui sont ici présents ne goûteront point la mort, qu'ils n'aient vu le Fils de l'homme venant dans *l'éclat de* son règne."

CH. 17. — *Transfiguration.*

Six jours après, ✠ Jésus prit avec lui Pierre, Jacques et Jean son frère, et les conduisit à l'écart sur une haute montagne. 2. Et il fut transfiguré devant eux : son visage resplendit comme le soleil, et ses vêtements devinrent blancs comme la neige. 3. Et voilà que Moïse et Elie leur apparurent conversant avec lui. 4. Prenant la parole, Pierre dit à Jésus : "Seigneur, il nous est bon d'être ici ; si vous le voulez, faisons-y trois tentes, une pour vous, une pour Moïse et une pour Elie." 5. Il parlait encore, lorsqu'une nuée lumineuse les couvrit, et du sein de la nuée une voix se fit entendre, disant : "Celui-ci est mon Fils bien-aimé, en qui j'ai mis toutes mes complaisances : écoutez-le." 6. En entendant cette voix, les disciples tombèrent la face contre terre, et furent saisis d'une grande frayeur. 7. Mais Jésus, s'approchant, les toucha et leur dit : "Levez-vous, ne craignez point." 8. Alors, levant les yeux, ils ne virent plus que Jésus seul. 9. Comme ils descendaient de la montagne, Jésus leur fit ce commandement : "Ne parlez à personne de cette vision, jusqu'à ce que le Fils de

échange de son âme, pour racheter son âme s'il venait à la perdre : le monde entier ne suffirait pas. — 27-28. Le vers. 27 désigne clairement le second avènement de J. C., en qualité de juge suprême de tous les hommes, à la fin du monde. Au vers. 28, il s'agit de la ruine de Jérusalem et du judaïsme, à laquelle correspond l'établissement du christianisme dans les principales contrées de l'univers.

Chap. 17. — 1. *Pierre*, etc. C'étaient les disciples intimes et privilégiés du Sauveur; ils furent encore témoins de son agonie sur le mont des Oliviers (xxvi, 27). — 5. *Les :* Jésus, Moïse et Elie. La nuée est l'indice de la présence de la divinité; c'est la tente divine, au lieu de tentes fabriquées de main d'hommes que proposait Pierre.

l'homme soit ressuscité des morts. " ¶

Elie déja venu.

10. Ses disciples l'interrogèrent alors, et lui dirent : " Pourquoi donc les Scribes disent-ils qu'il faut qu'Elie vienne auparavant? " 11. Il leur répondit : " Elie doit venir, en effet, et rétablir toutes choses. 12. Mais, je vous le dis, Elie est déjà venu; ils ne l'ont pas connu, et ils l'ont traité comme ils ont voulu : ils feront souffrir de même le Fils de l'homme. " 13. Les disciples comprirent alors qu'il leur avait parlé de Jean Baptiste.

Guérison d'un possédé.

14. Jésus étant retourné vers le peuple, un homme s'approcha, et, tombant à genoux devant lui, il lui dit : " Seigneur, ayez pitié de mon fils qui est lunatique et qui souffre cruellement; il tombe souvent dans le feu et souvent dans l'eau. 15. Je l'ai présenté à vos disciples, et ils n'ont pas su le guérir. " 16. Jésus répondit : " O race incrédule et perverse, jusques à quand serai-je avec vous? Jusques à quand vous supporterai-je? Amenez-le-moi ici." 17. Et Jésus commanda au démon avec menace, et le démon sortit de l'enfant, qui fut guéri à l'heure même. 18. Alors les disciples vinrent trouver Jésus en particulier, et lui dirent : " Pourquoi n'avons-nous pas pu le chasser? " Jésus leur dit : " A cause de votre manque de foi. 19. En vérité je vous le dis, si vous avez de la foi comme un grain de sénevé, vous direz à cette montagne : Passe d'ici là, et elle y passera, et rien ne vous sera impossible. 20. Mais ce genre de démon n'est chassé que par le jeûne et la prière. "

12. *Ils l'ont traité :* allusion à l'emprisonnement et à la mort de Jean-Baptiste. — 14. *Lunatique*, c.-à-d. atteint d'épilepsie, affection qui subit l'influence de la lune. Dans le cas actuel, cette maladie était produite par le démon (vers. 17). — 19. Les Orientaux ont coutume de comparer les petites choses au grain de sénevé, qui est fort petit (comp. xiii, 31). — Une montagne empêchait Grégoire le Thaumaturge de bâtir une église ; le saint pria Dieu de la faire reculer, et la montagne changea de place. — 20. Le péché est entré dans le monde par l'orgueil et par la sensualité : le jeûne triomphe de la sensualité ; la prière, de l'orgueil.

2ème Prédiction de la passion.

21. Comme il parcourait la Galilée, Jésus leur dit : " Le Fils de l'homme doit être livré entre les mains des hommes, 22. et ils le mettront à mort, et il ressuscitera le troisième jour." Et ils en furent vivement attristés.

4. Dernier séjour à Capharnaüm.

Jésus paie le tribut.

23. Lorsqu'ils furent de retour à Capharnaüm, ceux qui recueillaient le didrachme s'approchèrent de Pierre et lui dirent : "Votre Maître ne paie-t-il pas le didrachme? 24. "Il le paie," dit Pierre. Et comme ils entraient dans la maison, Jésus, le prévenant, lui dit : "Que t'en semble, Simon, de qui les rois de la terre perçoivent-ils des tributs ou le cens? De leurs fils, ou des étrangers?" 25. Pierre répondit : " Des étrangers. " — " Les fils, lui dit Jésus, en sont donc exempts. 26. Mais, pour ne pas les scandaliser, va à la mer, jette l'hameçon, et le premier poisson qui montera, tire-le *sur le rivage;* puis, ouvrant sa bouche, tu y trouveras un statère. Prends-le et donne-le-leur pour moi et pour toi."

CH. 18. — *L'humilité des petits enfants.*

✠

En ce moment, les disciples s'approchèrent de Jésus et lui dirent : "Qui donc est le plus grand dans le royaume des cieux?" 2. Jésus, faisant venir un petit enfant, le plaça au milieu d'eux 3. et leur dit : "Je vous le dis, en vérité, si vous ne vous convertissez et ne devenez comme les petits enfants, vous n'entrerez point dans le royaume des cieux. 4. Celui donc qui se fera humble comme ce petit enfant, est le plus grand dans le royaume des cieux.

Eviter le scandale.

5. Et celui qui reçoit en mon nom un petit enfant comme celui-ci, c'est moi

23. *Didrachme*, double drachme, impôt religieux et national, que tout Israélite âgé de vingt ans devait payer pour l'entretien du culte. — 24. *Cens*, impôt personnel. — 25. *Des étrangers*, de ceux qui n'appartiennent pas à la famille du roi. — *Exempts :* moi, le Fils de Dieu, je suis donc exempt de l'impôt que Dieu réclame pour l'entretien de son culte. — 26. *Statère*, pièce d'argent de 4 drachmes, valant 3 fr. 60.

qu'il reçoit. 6. Mais celui qui scandalisera un de ces petits qui croient en moi, il vaudrait mieux pour lui qu'on lui attachât au cou la meule qu'un âne tourne, et qu'on le précipitât au fond de la mer. 7. Malheur au monde à cause des scandales ! Il est nécessaire qu'il arrive des scandales; mais malheur à l'homme par qui le scandale arrive ! 8. Si ta main ou ton pied est pour toi une occasion de chute, coupe-les et les jette loin de toi : il vaut mieux pour toi entrer dans la vie mutilé ou boiteux, que d'être jeté, ayant deux pieds ou deux mains, dans le feu éternel. 9. Et si ton œil est pour toi une occasion de chute, arrache-le et le jette loin de toi : il vaut mieux pour toi entrer dans la vie avec un seul œil, que d'être jeté, ayant deux yeux, dans la géhenne du feu. 10. Prenez garde de mépriser un seul de ces petits, car je vous dis que leurs anges dans le ciel voient sans cesse la face de mon Père qui est dans les cieux.¶ 11. Car le Fils de l'homme est venu sauver ce qui était perdu.

La brebis perdue.

12. Que vous en semble? Si un homme a cent brebis, et qu'une d'elles s'égare, ne laisse-t-il pas dans la montagne les quatre-vingt-dix-neuf autres, pour aller chercher celle qui s'est égarée? 13. Et s'il a le bonheur de la trouver, je vous le dis en vérité, il a plus de joie pour elle que pour les quatre-vingt-dix-neuf qui ne se sont pas égarées. 14. De même c'est la volonté de votre Père qui est dans les cieux, qu'il ne se perde pas un seul de ces petits.

Correction fraternelle.

15. ✠ Si ton frère a péché contre toi, va et reprends-le entre toi et lui seul; s'il t'écoute, tu

Chap. 18. — 6. *Un de ces petits*, soit un enfant réel, soit un de mes disciples, simple et humble comme un enfant. — *Meule :* chez les anciens, les meules qui servaient à moudre le blé étaient mises en mouvement, les plus petites par des esclaves, les plus grandes par des ânes. — 7. *Des scandales* qu'on y rencontre et qui font tant de victimes : c'est un cri de compassion qui s'échappe du cœur de Jésus. — *Il est nécessaire :* vu la corruption actuelle du monde, etc. 8. Pour la pensée, voy. la note du chap. v. 29.

auras gagné ton frère. 16. S'il ne t'écoute pas, prends avec toi une ou deux personnes, afin que toute cause se décide sur la parole de deux ou trois témoins. 17. S'il ne les écoute pas, dis-le à l'Eglise; et s'il n'écoute pas non plus l'Eglise, qu'il soit pour toi comme un païen et un publicain. 18. En vérité, je vous le dis, tout ce que vous lierez sur la terre sera lié aussi dans le ciel, et tout ce que vous délierez sur la terre sera délié aussi dans le ciel." 19. "Je vous le dis encore, si deux d'entre vous s'accordent sur la terre, quelque chose qu'ils demandent, ils l'obtiendront de mon Père qui est dans les cieux. 20. Car là où deux ou trois sont assemblés en mon nom, je suis au milieu d'eux."

Pardon des injures — et parabole du créancier et du débiteur.

21. Alors Pierre s'approchant de lui : "Seigneur, dit-il, si mon frère pèche contre moi, combien de fois lui pardonnerai-je? Sera-ce jusqu'à sept fois?" 22. Jésus lui dit : "Je ne te dis pas jusqu'à sept fois, mais jusqu'à septante fois sept fois.¶ 23. C'est pourquoi ✠ le royaume des cieux est semblable à un roi qui voulut régler ses comptes avec ses serviteurs. 24. Pour commencer, on lui amena un homme qui lui devait dix mille talents. 25. Comme il n'avait pas de quoi payer, son maître ordonna qu'on le vendît, lui, sa femme, ses enfants et tout ce qu'il avait, pour acquitter sa dette. 26. Le serviteur, se jetant à ses pieds, le conjurait en disant : Aie patience envers moi, et je te paierai tout. 27. Touché de compassion, le maître de ce serviteur le laissa aller et lui remit sa dette. 28. Le serviteur, à peine sorti, rencontra un de ses

17. *Comme un païen*, etc., c'est-à-dire exclu de la communion des fidèles, excommunié. — 18. Dieu, du haut du ciel, ratifiera la décision de l'Eglise. — 22. *Septante fois sept fois*, nombre indéfini de fois, toujours. — 23. *Est semblable*, etc. Dieu agit envers mes disciples comme fit un roi, etc. — 24. *Dix mille talents*, environ 55 millions de francs; cette somme énorme est l'image de la dette du pécheur envers Dieu. — 28. *Cent deniers*, un peu moins de 80 francs : somme insignifiante en comparaison de l'autre.

compagnons qui lui devait cent deniers. Le saisissant à la gorge, il l'étouffait en disant : Paie ce que tu dois. 29. Son compagnon, se jetant à ses pieds, le conjurait en disant : Aie patience envers moi, et je te paierai tout. 30. Mais lui, sans vouloir l'entendre, s'en alla et le fit mettre en prison jusqu'à ce qu'il payât sa dette. 31. Ce que voyant, les autres serviteurs en furent tout contristés, et ils vinrent raconter à leur maître ce qui s'était passé. 32. Alors le maître l'appela et lui dit : Serviteur méchant, je t'avais remis toute ta dette, parce que tu m'en avais supplié. 33. Ne devais-tu pas avoir pitié de ton compagnon, comme j'ai eu pitié de toi? 34. Et son maître irrité le livra aux exécuteurs, jusqu'à ce qu'il eût payé toute sa dette. 35. Ainsi vous traitera mon Père céleste, si chacun de vous ne pardonne à son frère du fond de son cœur." ¶

3° — Dernier voyage et séjour a Jérusalem. (19 — 25).

A. — *Le voyage de Galilée à Jérusalem.* (19 — 20).

Ch. 19. — *Condamnation du divorce et éloge de la chasteté parfaite.*

Jésus ayant achevé ces discours, quitta la Galilée, et vint aux frontières de la Judée, au-delà du Jourdain. 2. Une grande multitude le suivit, et là il guérit les malades.

3. ✠ Alors les Pharisiens l'abordèrent pour le tenter; ils lui dirent : " Est-il permis à un homme de répudier sa femme pour quelque motif que ce soit? " 4. Il leur répondit : " N'avez-vous pas lu que le Créateur, au commencement, fit un homme et une femme, et qu'il dit : 5. A cause de cela, l'homme quittera son père et sa mère, et s'attachera à sa

Chap. 19. — 3. Cette grave question partageait alors les docteurs Juifs. — 4. *Un homme et une femme :* Dieu créa l'homme, l'espèce humaine, de manière qu'il y eut deux sexes et une personne de chaque sexe, marquant par là qu'il les destinait à former dans le mariage une indivisible unité. — 5. *Gen.* ii. 24.

femme, et ils seront deux dans une seule chair? 6. Ainsi ils ne sont plus deux, mais une seule chair. Que l'homme ne sépare donc pas ce que Dieu a uni." 7. "Pourquoi donc, lui dirent-il, Moïse a-t-il prescrit de donner à une femme un acte de divorce et de la renvoyer?" 8. Il leur répondit : "C'est à cause de la dureté de vos cœurs que Moïse vous a permis de répudier vos femmes : au commencement il n'en fut pas ainsi. 9. Mais je vous le dis, celui qui renvoie sa femme, hors le cas d'infidélité, et en épouse une autre, commet un adultère; et celui qui épouse une femme renvoyée, se rend adultère."

10. Ses disciples lui dirent : "Si telle est la condition de l'homme à l'égard de la femme, il vaut mieux ne pas se marier." 11. Il leur dit : "Tous ne comprennent pas cette parole, mais *seulement* ceux à qui il a été donné. 12. Car il y a des eunuques qui sont tels dès le sein de leur mère; il y a aussi des eunuques qui le sont devenus par la main des hommes; et il y en a qui se sont faits eunuques eux-mêmes à cause du royaume des cieux. Que celui qui peut comprendre, comprenne!" ¶

Petits enfants bénis.

13. ✠ Alors on lui présenta de petits enfants pour qu'il leur imposât les mains et priât *pour eux*. Et comme les disciples reprenaient ces gens, 14. Jésus leur dit : "Laissez ces petits enfants, et ne les empêchez pas de venir à moi, car le royaume des cieux est pour ceux qui leur ressemblent." 15. Et, leur ayant imposé les mains, il continua sa route.

Le jeune homme appelé à la perfection.

16. Et voici qu'un jeune

6. Notre Seigneur ramène ainsi le mariage à son institution primitive. — 9. Le cas d'adultère ne dissout pas le lien du mariage; il autorise, non le divorce proprement dit, mais le simple renvoi de la femme par son mari, la cessation de l'habitation commune (comp. *Marc*. x, 11; *Luc*, xvi, 19; I *Cor*. vii, 10 sv.). — 11. *Cette parole*, savoir, qu'il n'est pas bon de se marier. — 12. *Se sont rendus tels*, s'abstiennent du mariage et embrassent la continence comme étant un état de vie plus parfait et plus élevé dans l'Eglise.

homme, l'abordant, lui dit : " Bon Maître, quel bien dois-je faire pour avoir la vie éternelle? " 17. Jésus lui répondit : " Pourquoi m'interroges-tu en *m'appelant* bon? Dieu seul est bon. Que si tu veux entrer dans la vie, garde les commandements. " — 18. " Lesquels? " dit-il. Jésus répondit : " Tu ne tueras point; tu ne commettras point d'adultère; tu ne déroberas point; tu ne rendras point de faux témoignage. 19 Honore ton père et ta mère, et aime ton prochain comme toi-même. " 20. Le jeune homme lui dit : " J'ai observé tous ces commandements [depuis mon enfance]; que me manque-t-il encore? " 21. Jésus lui dit : " Si tu veux être parfait, va, vends ce que tu as, donne-le aux pauvres, et tu auras un trésor dans le ciel; puis viens et suis-moi. " ¶ 22. Lorsqu'il eut entendu ces paroles, le jeune homme s'en alla triste; car il avait de grands biens.

Le danger des richesses.

23. Et Jésus dit à ses disciples : " Je vous le dis en vérité, difficilement un riche entrera dans le royaume des cieux. 24. Je vous le dis encore une fois, il est plus aisé qu'un chameau passe par le trou d'une aiguille, qu'il ne l'est à un riche d'entrer dans le royaume des cieux. " 25. En entendant ces paroles, les disciples étaient fort étonnés, et ils dirent : " Qui peut donc être sauvé? " 26. Jésus les regarda et leur dit : " Cela est impossible aux hommes; mais tout est possible à Dieu. "

Récompense
de la pauvreté volontaire.

27. Alors ✠Pierre, prenant la parole : " Voici, dit-il, que nous avons tout quitté pour vous suivre; qu'avons-nous donc à attendre? " 28. Jésus

21. *Parfait :* il s'agit donc ici de simples *conseils*, dont la pratique élève à un degré de perfection qui dépasse la perfection ordinaire de la vie chrétienne. — 24. *Un chameau*, etc. : image d'une chose impossible. — 26. Ce qui est impossible aux seules forces de l'homme, devient possible avec la grâce de Dieu. — 28. *Du renouvellement* mystérieux de la nature qui aura lieu à la fin du monde, alors que " Dieu fera toutes choses nouvelles. " *Apoc.* xxi, 5.

leur répondit : " Je vous le dis en vérité, lorsque, au jour du renouvellement, le Fils de l'homme sera assis sur le trône de sa gloire, vous qui m'avez suivi, vous siégerez aussi sur douze trônes, et vous jugerez les douze tribus d'Israël. 29. Et quiconque aura quitté sa maison, ou ses frères, ou ses sœurs, ou son père, ou sa mère, ou sa femme, ou ses enfants, ou ses champs à cause de mon nom, il recevra le centuple et possédera la vie éternelle. 30. Et plusieurs qui sont les premiers seront les derniers, et plusieurs qui sont les derniers seront les premiers. ¶

CH. 20. — *Parabole des ouvriers de la vigne.*

Car ✠ le royaume des cieux est semblable à un père de famille qui sortit de grand matin, afin de louer des ouvriers pour sa vigne. 2. Etant convenu avec les ouvriers d'un denier par jour, il les envoya à sa vigne. 3. Il sortit vers la troisième heure et en vit d'autres qui se tenaient sur la place sans rien faire. 4. Il leur dit : Allez aussi à ma vigne, et je vous donnerai ce qui sera juste ; 5. et ils y allèrent. Il sortit encore vers la sixième et vers la neuvième heure, et fit la même chose. 6. Enfin, étant sortit vers la onzième heure, il en trouva d'autres qui étaient là oisifs, et il leur dit : Pourquoi vous tenez-vous ici toute la journée sans rien faire? 7. Ils lui répondirent : C'est que personne ne nous a loués. Il leur dit : Allez, vous aussi, à ma vigne. 8. Le soir étant venu, le maître de la vigne dit à son intendant : Appelle les ouvriers et paie leur salaire, en allant des derniers aux premiers. 9. Ceux de la onzième heure vinrent, et reçurent chacun

— *Et vous jugerez*, en union avec Jésus Christ, *les douze tribus d'Israël*, l'humanité toute entière. — 29. Dieu récompensera aussi les renoncements partiels. — 30. Cette sentence indique le sujet de la parabole suivante.

Chap. 20. — 2. *Un denier*, environ o fr. 80. — 3. *La troisième heure* du jour répondait à nos 9 h. du matin. — *Sur la place*, où les ouvriers sans travail attendent qu'on les loue. — 6. *La onzième heure*, 5 h. du soir.

un denier. 10. Les premiers, venant à leur tour, pensaient qu'ils recevraient davantage; mais ils reçurent aussi chacun un denier. 11. En le recevant, ils murmuraient contre le père de famille, 12. en disant : Ces derniers n'ont travaillé qu'une heure, et tu leur donnes autant qu'à nous, qui avons porté le poids du jour et de la chaleur. 13. Mais le maître, s'adressant à l'un d'eux, répondit : Mon ami, je ne te fais point d'injustice : n'es-tu pas convenu avec moi d'un denier? 14. Prends ce qui te revient, et va-t'en. Pour moi, je veux donner à ce dernier autant qu'à toi. 15. Ne m'est-il pas permis de faire de mon bien ce que je veux? Ou vois-tu de mauvais œil que je sois bon? 16. Ainsi les derniers seront les premiers, et les premiers, les derniers; car il y a beaucoup d'appelés, mais peu d'élus. " ¶

3ème Prédiction de la Passion.

17. ✠ Pendant que Jésus montait à Jérusalem, il prit à part les douze disciples et leur dit en chemin : 18. " Voici que nous montons à Jérusalem, et le Fils de l'homme sera livré aux Princes des prêtres et aux Scribes. Ils le condamneront à mort, 19. et le livreront aux Gentils pour être moqué, flagellé et crucifié; et il ressuscitera le troisième jour."

Demande de la mère des fils de Zébédée.

20. ✠ Alors la mère des fils de Zébédée s'approcha de Jésus avec ses fils, et se prosterna devant lui pour lui demander quelque chose. 21. Il lui dit : "Que voulez-vous?" Elle répondit : " Ordonnez que mes deux fils, que voici, soient assis l'un à votre droite, l'autre à votre gauche, dans votre royaume. " 22. Jésus *leur* dit : " Vous ne savez pas ce que vous de-

16. Le Père de famille, c'est Dieu; la vigne, l'Eglise; la place publique, le monde; l'intendant, Jésus Christ; le denier, la vie éternelle; le jour et les heures du jour sont la vie humaine et les différentes époques de la vie où l'appel de Dieu et sa grâce victorieuse attachent les hommes à son service. — 17. *Montait :* c'était l'expression en usage, Jérusalem étant située sur un plateau élevé. Notre Seigneur allait y célébrer la dernière Pâque.

mandez? Pouvez-vous boire le calice que je dois boire?" — "Nous le pouvons," lui dirent-ils. 23. Il leur répondit : "Vous boirez en effet mon calice; quant à être assis à ma droite ou à ma gauche, ce n'est pas à moi de l'accorder; cette gloire est pour ceux à qui mon Père l'a réservée." ¶ 24. Ayant entendu cela, les dix autres furent indignés contre les deux frères. 25. Mais Jésus les appela et leur dit : "Vous savez que les chefs des nations leur commandent en maîtres, et que les grands exercent sur elles l'empire. 26. Il n'en sera pas ainsi parmi vous; mais quiconque veut être grand parmi vous, qu'il se fasse votre serviteur; 27. et quiconque veut être le premier parmi vous, qu'il se fasse votre esclave. 28. C'est ainsi que le Fils de l'homme est venu, non pour être servi, mais pour servir, et donner sa vie pour la rédemption d'un grand nombre." ¶ 29. Comme ils sortaient de Jéricho, une grande foule le suivit.

Les 2 aveugles de Jéricho.

30. Et voilà que deux aveugles, qui étaient assis sur le bord du chemin, entendant dire que Jésus passait, se mirent à crier : "Seigneur, fils de David, ayez pitié de nous." 31. La foule les gourmandait pour les faire taire; mais ils criaient plus fort : "Seigneur, fils de David, ayez pitié de nous." 32. Jésus, s'étant arrêté, les appela et dit : 33. "Que voulez-vous que je vous fasse?" — "Seigneur, lui dirent-ils, que nos yeux s'ouvrent." 34. Emu de compassion, Jésus toucha leurs yeux, et aussitôt ils recouvrèrent la vue et le suivirent.

---

23. Notre Seigneur répond deux choses (vers. 22-23) : 1. Les premiers dans mon royaume doivent le plus me ressembler, *boire mon calice*, c'est-à-dire souffrir comme moi, servir et se dévouer. 2. Mon Père les a choisis dans ses desseins éternels et immuables. — 26. En conformité avec ces paroles de Jésus Christ, son Vicaire sur la terre, le chef de l'Eglise, prend l'humble titre de *serviteur des serviteurs de Dieu*. — 28. *D'un grand nombre :* Notre Seigneur est mort pour *tous* les hommes, mais *un grand nombre* seulement s'appliqueront par la foi et la charité, le fruit de sa rédemption.

B. — *La prédication à Jérusalem.*

Ch. 21. — *Entrée triomphale.*

✠ Lorsqu'ils furent près de Jérusalem, en face de Bethphagé, vers le mont des Oliviers, Jésus envoya deux de ses disciples, 2. en leur disant : " Allez au village qui est devant vous; vous trouverez aussitôt une ânesse attachée et un ânon avec elle; détachez-les, et me les amenez. 3. Et si l'on vous dit quelque chose, répondez que le Seigneur en a besoin, et à l'instant on les laissera aller." 4. Or ceci arriva, afin que s'accomplît la parole du prophète : 5. " Dites à la fille de Sion : Voici que ton roi vient à toi plein de douceur, assis sur une ânesse et sur un ânon, le petit de celle qui porte le joug." 6. Les disciples allèrent donc et firent ce que Jésus leur avait commandé. 7. Ils amenèrent l'ânesse et l'ânon, mirent dessus leurs manteaux, et l'y firent asseoir. 8. Le peuple en grand nombre étendit ses manteaux le long de la route; d'autres coupaient des branches d'arbres et en jonchaient le chemin. 9. Et toute cette multitude, en avant de Jésus et derrière lui, criait : " Hosanna au fils de David! Béni soit celui qui vient au nom du Seigneur! Hosanna au plus haut des cieux!" ¶ 10. ✠ Lorsqu'il entra dans Jérusalem, toute la ville fut en émoi; on disait : " Qui est-ce!" 11. Et le peuple répondait : " C'est Jésus, le Prophète, de Nazareth en Galilée."

Vendeurs chassés du temple.

12. Jésus étant entré dans le temple de Dieu, chassa tous ceux qui vendaient et achetaient dans le temple; il renversa les tables des changeurs et les sièges de ceux qui

Chap. 21. — 1. *Bethphagé*, petit village à trois quarts de lieue de Jérusalem, au pied du mont des Oliviers. — 5. *Isaïe*, lxii, 11. — 8. Pour signifier qu'ils recevaient un roi. — 9. *Hosanna*, litt. *sauve*, cri de joie et de triomphe, que l'on pourrait traduire en français par *Salut! Vive!* — 10. *En émoi :* les sentiments les plus contraires, l'amour, la haine, la crainte, l'espérance, le doute, agitaient cette foule de Juifs venus de tous côtés pour la fête de Pâque, et qui attendaient alors si ardemment le Messie.

vendaient des colombes, 13. et leur dit : "Il est écrit : Ma maison sera appelée une maison de prière, et vous en faites une caverne de voleurs."

Miracles et acclamations.

14. Des aveugles et des boiteux vinrent à lui dans le temple, et il les guérit. 15. Mais les Princes des prêtres et les Scribes, voyant les miracles qu'il faisait, et les enfants qui criaient dans le temple : "Hosanna au fils de David," s'indignèrent, 16. et ils lui dirent : "Entendez-vous ce qu'ils disent!" "Oui, leur répondit Jésus; n'avez-vous jamais lu : De la bouche des enfants et de ceux qui sont à la mamelle, vous vous êtes préparé une louange?" 17. Et les ayant laissés là, il sortit de la ville, et s'en alla à Béthanie, où il passa la nuit.¶

Le figuier maudit et la puissance de la foi.

18. Le lendemain matin, comme il retournait à la ville, il eut faim. 19. Voyant un figuier près du chemin, il s'en approcha; mais il n'y trouva que des feuilles, et il lui dit : "Que jamais aucun fruit ne naisse de toi!" Et à l'instant le figuier sécha. 20. A cette vue, les disciples dirent avec étonnement : "Comment a-t-il séché en un instant?" 21. Jésus leur répondit : "En vérité, je vous le dis, si vous avez de la foi et que vous n'hésitiez point, non seulement vous ferez comme il a été fait à ce figuier; mais quand même vous diriez à cette montagne : Ote-toi de là et te jette dans la mer, cela se ferait. 22. Tout ce que vous demanderez avec foi dans la prière, vous l'obtiendrez."

Le baptême de Jean.

23. Etant entré dans le temple, comme il enseignait, les Princes des prêtres et les Scribes s'approchèrent de lui et lui dirent : "De quel droit faites-vous ces choses, et qui vous a donné ce pouvoir?" 24. Jésus leur répondit : "Je vous ferai, moi aussi, une question,

13. *Ecrit*, *Is.* lvi, 7. — 16. *Ps.* viii, 3. — 17. Pendant plusieurs jours, Notre Seigneur alla ainsi passer la nuit à Béthanie, chez son ami Lazare, et revenait le matin à Jérusalem, à cause de la multitude d'étrangers qui encombrait la ville sainte.

et, si vous y répondez, je vous dirai de quel droit je fais ces choses : 25. Le baptême de Jean, d'où était-il? du ciel, ou des hommes?" Mais ils faisaient en eux-mêmes cette réflexion : 26. "Si nous répondons : Du ciel, il nous dira : Pourquoi donc n'avez-vous pas cru en lui? Et si nous répondons : Des hommes, nous avons à craindre le peuple : car tout le monde tient Jean pour un prophète." 27. Ils répondirent donc à Jésus : "Nous ne savons." "Et moi, dit Jésus, je ne vous dis pas non plus de quel droit je fais ces choses.

Parabole : des 2 fils envoyés à la vigne.

28. Mais que vous en semble? Un homme avait deux fils; s'adressant au premier, il lui dit : Mon fils, va travailler aujourd'hui à ma vigne. 29. Celui-ci répondit : Je ne veux pas; mais ensuite, touché de repentir, il y alla. 30. Puis, s'adressant à l'autre, il lui fit le même commandement. Celui-ci répondit : J'y vais, Seigneur; et il n'y alla point. 31. Lequel des deux a fait la volonté de son père?" "Le premier," lui dirent-ils. Alors Jésus : "Je vous le dis en vérité, les publicains et les courtisanes vous devancent dans le royaume de Dieu. 32. Car Jean est venu à vous dans la voie de la justice, et vous n'avez pas cru en lui; mais les publicains et les courtisanes ont cru en lui, et vous, qui avez vu cela, vous ne vous êtes pas encore repentis pour croire en lui.

Des vignerons homicides et de la pierre angulaire.

33. Ecoutez une autre parabole. ✠ Il y avait un père de famille qui planta une vigne. Il l'entoura d'une haie, y creusa un pressoir et y bâtit une tour; et l'ayant louée à des vignerons, il partit pour un voyage. 34. Quand vint le temps des fruits, il envoya aux vignerons ses serviteurs

25. Voy. *Matth.* iii, et *Jean*, i, 19 sv. — 26. *Cru en lui*, lorsqu'il rendait témoignage de moi. — 31. L'homme, c'est Dieu, les deux fils sont, le premier, les pécheurs publics, qui firent pénitence à la voix de Jean Baptiste, le second, les membres du sanhédrin, qui se disaient justes sans l'être en effet.

pour recevoir le produit de sa vigne. 35. Les vignerons, s'étant saisis de ses serviteurs, battirent l'un, tuèrent l'autre et lapidèrent le troisième. 36. Il envoya de nouveau d'autres serviteurs en plus grand nombre que les premiers, et ils les traitèrent de même. 37. Enfin il leur envoya son fils, en disant : Ils respecteront mon fils. 38. Mais quand les vignerons virent le fils, ils se dirent entre eux : Voici l'héritier; venez, tuons-le et nous aurons son héritage. 39. Et s'étant saisis de lui, ils le jetèrent hors de la vigne et le tuèrent. 40. Maintenant, lorsque le maître de la vigne viendra, que fera-t-il à ces vignerons ? " 41. Ils lui répondirent : " Il frappera sans pitié ces misérables, et louera sa vigne à d'autres vignerons, qui lui en donneront les fruits en leur temps. " 42. Jésus leur dit : " N'avez-vous jamais lu dans les Ecritures : La pierre qu'ont rejetée ceux qui bâtissaient, est devenue le sommet de l'angle ? C'est le Seigneur qui a fait cela, et c'est un prodige à nos yeux. 43. C'est pourquoi je vous dis que le royaume de Dieu vous sera ôté et il sera donné à un peuple qui en produira les fruits. 44. Celui qui tombera sur cette pierre se brisera, et celui sur qui elle tombera sera écrasé." 45. Les Princes des prêtres et les Pharisiens, ayant entendu ces paraboles, comprirent que Jésus parlait d'eux. 46. Et ils cherchaient à se saisir de lui ; mais ils craignaient le peuple, qui le regardait comme un prophète. ¶

CH. 22. — *Parabole du festin des noces.*

✠ Jésus, prenant la parole, leur parla de nouveau en paraboles, et il dit : 2. " Le royaume des

41. Le père de famille, c'est Dieu; la vigne, objet de tant de soins, c'est la nation juive (comp. *Isaïe*, v, 1 sv.); le voyage, l'absence sensible de Dieu ; les fruits, la piété et la vertu ; les serviteurs, les prophètes ; le fils, Jésus Christ, que les Juifs firent sortir de Jérusalem pour le crucifier ; les autres vignerons auxquels le père de famille louera sa vigne, ce sont les Gentils qui, en entrant dans l'Eglise, deviendront le peuple de Dieu. — 42. *Ps.* cxvii, 22. Jésus, que les Pharisiens ne veulent pas admettre dans l'Eglise juive, sera la pierre angulaire de l'Eglise chrétienne.

cieux est semblable à un roi qui faisait les noces de son fils. 3. Il envoya ses serviteurs appeler ceux qui avaient été invités aux noces, et ils ne voulurent pas venir. 4. Il envoya encore d'autres serviteurs, en disant : Dites aux conviés : Voilà que j'ai préparé mon festin ; on a tué mes bœufs et mes animaux engraissés ; tout est prêt, venez aux noces. 5. Mais ils n'en tinrent pas compte, et ils s'en allèrent, l'un à son champ, l'autre à son négoce ; 6. et les autres se saisirent des serviteurs, et après les avoir injuriés, ils les tuèrent. 7. Le roi, [l'ayant appris,] entra en colère ; il envoya ses armées, extermina ces meurtriers et brûla leur ville. 8. Alors il dit à ses serviteurs : Le festin des noces est prêt, mais les conviés n'en étaient pas dignes. 9. Allez donc dans les carrefours, et tous ceux que vous trouverez, invitez-les aux noces. 10. Ces serviteurs, s'étant répandus par les chemins, rassemblèrent tous ceux qu'ils trouvèrent, bons ou mauvais ; et la salle des noces fut remplie de convives. 11. Le roi entra pour voir ceux qui étaient à table, et ayant aperçu là un homme qui n'était point revêtu d'une robe nuptiale, 12. il lui dit : Mon ami, comment es-tu entré ici sans avoir une robe de noces ? Et cet homme resta muet. 13. Alors le roi dit à ses serviteurs : Liez-lui les mains et les pieds, et jetez-le dans les ténèbres extérieures : c'est là qu'il y aura des pleurs et des grincements de dents. 14. Car il y a beaucoup d'appelés, mais peu d'élus. " ¶

Faut-il payer le tribut ?

15. ✠ Alors les Pharisiens, s'étant retirés, se concertèrent pour surprendre Jésus dans ses

Chap. 22. — 11. *Une robe nuptiale*, la robe de cérémonie que les rois d'Orient ont coutume d'envoyer à ceux qu'ils invitent à leur table. — 13. *Il y aura des pleurs :* voyez VIII, 12, note. — Le roi, c'est Dieu ; le fils, le Verbe éternel qui, en unissant dans sa personne la nature humaine à la nature divine, épousa en quelque sorte l'humanité fidèle. Avant d'être admis aux noces définitives de l'Agneau, à la vie éternelle, chacun doit être revêtu de la robe nuptiale, c'est-à-dire de la justice et de la grâce, robe précieuse que Dieu lui avait donnée au baptême.

paroles. 16. Et ils lui envoyèrent quelques-uns de leurs disciples, avec des Hérodiens, lui dire : " Maître, nous savons que vous êtes vrai, et que vous enseignez la voie de Dieu dans la vérité, sans souci de personne; car vous ne regardez pas à l'apparence des hommes. 17. Ditesnous donc ce qui vous semble : Est-il permis, ou non, de payer le tribut à César? " 18. Jésus, connaissant leur malice, leur dit : " Hypocrites, pourquoi me tentez-vous? 19. Montrez-moi la monnaie du tribut. " Ils lui présentèrent un denier. 20. Et Jésus leur dit : " De qui est cette image et cette inscription?" 21. "De César, " lui dirent-ils. Alors Jésus leur répondit : " Rendez donc à César ce qui est à César, et à Dieu ce qui est à Dieu. " ¶

Les Sadducéens et la résurrection.

22. Cette réponse les remplit d'admiration, et, le quittant, ils s'en allèrent. 23. Le même jour, des Sadducéens, qui nient la résurrection, vinrent à lui et lui proposèrent cette question : 24. " Maître, Moïse a dit : Si un homme meurt sans laisser d'enfant, que son frère épouse sa femme et suscite des enfants à son frère. 25. Or il y avait parmi nous sept frères; le premier prit une femme et mourut, et comme il n'avait pas d'enfant, il laissa sa femme à son frère. 26. La même chose arriva au second, puis au troisième, jusqu'au septième. 27. Après eux tous la femme aussi mourut. 28. Au temps de la résurrection, duquel des sept frères sera-t-elle la femme? Car tous l'ont eue. " 29. Jésus leur répondit : " Vous êtes dans l'erreur, ne comprenant ni les Écritures, ni la puissance de Dieu. 30. Car, à la résurrection, les hommes n'auront point de femmes, ni les femmes de maris;

17. *César*, nom des empereurs romains. — 19. *Denier*, monnaie romaine, valant environ 80 centimes. — 24. *Deut.* XXV, 5, 6. — 29. *Les Écritures*, qui enseignent la résurrection (vers. 32). *La puissance de Dieu*, qui peut ressusciter les morts, et après la résurrection générale, les transformer de telle sorte que les relations et les conditions de la vie présente ne soient plus nécessaires.

mais ils seront comme les anges de Dieu dans le ciel. 31. Quant à la résurrection des morts, n'avez-vous pas lu ce qui vous a été dit par Dieu même : 32. Je suis le Dieu d'Abraham, le Dieu d'Isaac, et le Dieu de Jacob? Or Dieu n'est pas le Dieu des morts, mais des vivants. " 33. Et le peuple, en l'écoutant, était rempli d'admiration pour sa doctrine.

Le plus grand commandement.

34. ✠ Les Pharisiens ayant appris que Jésus avait réduit au silence les Sadducéens, s'assemblèrent. 35. Et l'un d'eux, docteur de la loi, lui demanda pour le tenter : 36. " Maître, quel est le plus grand commandement de la Loi? " 37. Jésus lui dit : "Tu aimeras le Seigneur ton Dieu de tout ton cœur, de toute ton âme et de tout ton esprit. 38. C'est là le plus grand et le premier commandement. 39. Le second lui est semblable : Tu aimeras ton prochain comme toi-même. 40. Dans ces deux commandements sont renfermés toute la Loi et les Prophètes. "

Le Messie fils et Seigneur de David.

41. Les Pharisiens étant assemblés, Jésus leur fit cette question : 42. "Que vous semble du Christ? De qui est-il fils? " Ils lui répondirent : " De David. " 43. "Comment donc, leur dit-il, David inspiré d'en haut l'appelle-t-il son Seigneur, en disant : 44. Le Seigneur a dit à mon Seigneur : Assieds-toi à ma droite, jusqu'à ce que je fasse de tes ennemis l'escabeau de tes pieds? 45. Si donc David l'appelle *son* Seigneur, comment est-il son fils? " 46. Nul ne pouvait lui rien répondre, et, depuis ce jour, personne n'osa plus l'interroger. ¶

CH. 23. — *Reproches aux Scribes et aux Pharisiens* ✠ *hypocrites et orgueilleux.*

Alors Jésus, s'adressant au peuple et à ses disciples, parla ainsi :

37. Ces expressions ont le même sens (*Deut.* vi, 5); elles sont ici accumulées, pour indiquer que "la mesure d'aimer Dieu, c'est de l'aimer sans mesure. " *S. Bernard.* — 39. *Lév.* xix, 18. — 44. *Ps.* cix, 1. *A mon Seigneur*, au Messie. — *Assieds-toi à ma droite :* règne avec moi.

2. " Les Scribes et les Pharisiens sont assis dans la chaire de Moïse. 3. Faites donc et observez tout ce qu'ils vous disent; mais n'imitez pas leurs œuvres, car ils disent et ne font pas. 4. Ils lient des fardeaux pesants et difficiles à porter, et les mettent sur les épaules des hommes, mais ils ne veulent pas les remuer du doigt. 5. Ils font toutes leurs actions pour être vus des hommes, portant de plus larges phylactères et des houppes plus longues. 6. Ils aiment la première place dans les festins, les premiers sièges dans les synagogues, 7. et les salutations dans les places publiques; *ils se complaisent* à être appelés par les hommes Rabbi. 8. Pour vous, ne vous faites point appeler Rabbi; car vous n'avez qu'un seul Docteur, et vous êtes tous frères. 9. Et ne donnez à personne sur la terre le nom de Père; car vous n'avez qu'un seul Père, celui qui est dans les cieux. 10. Qu'on ne vous appelle pas non plus Maître; 11. car vous n'avez qu'un Maître, le Christ. 12. Le plus grand parmi vous sera votre serviteur. Mais quiconque s'élèvera sera abaissé, et quiconque s'abaissera sera élevé. ¶

Malheur à eux!

13. Malheur à vous, Scribes et Pharisiens hypocrites, parce que vous fermez aux hommes le royaume des cieux ! Vous n'y entrez pas vous-mêmes, et vous n'y laissez pas entrer ceux qui y viennent. 14. Malheur à vous, Scribes et Pharisiens hypocrites, parce que, sous le semblant de vos longues prières, vous dévorez les maisons des veuves! C'est pourquoi vous recevrez un jugement plus rigoureux. 15. Malheur à vous, Scribes et Pharisiens hypocrites, parce que vous courez les mers et la terre pour faire un prosélyte, et, quand il l'est

Chap. 23. — 2. Ils sont les successeurs de Moïse dans la fonction d'enseigner et d'expliquer la loi. — 4. *Fardeaux pesants :* image de préceptes difficiles à pratiquer. — 7. *Rabbi*, c'est-à-dire maître, docteur. — 9. Notre Seigneur ne défend ici que la vanité et l'ostentation dans l'usage de ces titres. — 14. Par vos semblants de piété, vous les portez à vous faire de riches dons. — 15. *Prosélyte*, païen converti

devenu, vous faites de lui un fils de la géhenne deux fois plus que vous ! 16. Malheur à vous, guides aveugles, qui dites : Si un homme jure par le temple, ce n'est rien; mais s'il jure par l'or du temple, il est lié. 17. Insensés et aveugles ! lequel est le plus grand, l'or, ou le temple qui sanctifie l'or ? 18. Vous dites encore : Si un homme jure par l'autel, ce n'est rien; mais s'il jure par l'offrande déposée sur l'autel, il est lié. 19. Aveugles ! lequel est le plus grand, l'offrande, ou l'autel qui sanctifie l'offrande ? 20. Celui donc qui jure par l'autel, jure par l'autel et par tout ce qui est dessus; 21. et celui qui jure par le temple, jure par le temple et par celui qui y habite; 22. et celui qui jure par le ciel, jure par le trône de Dieu et par celui qui y est assis. 23. Malheur à vous, Scribes et Pharisiens hypocrites, qui payez la dîme de la menthe, de l'aneth et du cumin, et qui négligez les points les plus graves de la Loi, la justice, la miséricorde et la bonne foi ! Ce sont ces choses qu'il fallait pratiquer, sans omettre les autres. 24. Guides aveugles, qui filtrez le moucheron, et avalez le chameau ! 25. Malheur à vous, Scribes et Pharisiens hypocrites, parce que vous nettoyez le dehors de la coupe et du plat, tandis que le dedans est rempli de rapine et d'intempérance. 26. Pharisien aveugle, nettoie d'abord le dedans de la coupe et du plat, afin que le dehors aussi soit pur. 27. Malheur à vous, Scribes et Pharisiens hypocrites, parce que vous ressemblez à des sépulcres blanchis, qui au dehors paraissent beaux aux hommes, mais au

au judaïsme. — *Fils de la géhenne*, digne de l'enfer... par vos mauvais exemples et vos fausses maximes. — 16. *Ce n'est rien*, on n'est pas lié par ce serment. — *L'or du temple*, ce sont ses ornements, ses vases précieux, ses trésors. — 23. *De la menthe*, etc., c'est-à-dire des moindres légumes, auxquels on n'appliquait pas, dans l'usage ordinaire, la loi qui ordonnait d'offrir au Seigneur la dîme des produits de la terre. — 24. Les Pharisiens filtraient le vin et l'eau, de peur qu'il ne s'y trouvât un petit animal impur, un moucheron, par exemple. — 26. Fais que ton breuvage et ta nourriture ne proviennent plus de l'injustice, etc.

dedans sont pleins d'ossements de morts et de toute sorte de pourriture. 28. Ainsi vous, au dehors, vous paraissez justes aux hommes, mais au dedans vous êtes pleins d'hypocrisie et d'iniquité. 29. Malheur à vous, Scribes et Pharisiens hypocrites, qui bâtissez les tombeaux des prophètes et ornez les sépulcres des justes, 30. et qui dites : Si nous avions vécu aux jours de nos pères, nous n'aurions pas été leurs complices pour verser le sang des prophètes. 32. Ainsi vous rendez contre vous-mêmes ce témoignage, que vous êtes les fils de ceux qui ont tué les prophètes. 32. Comblez donc la mesure de vos pères!

Menaces contre le peuple et Jérusalem.

33. Serpents, race de vipères, comment éviterez-vous d'être condamnés à la géhenne? 34. C'est pourquoi ✠ voici que je vous envoie des prophètes, des sages et des docteurs. Vous tuerez et crucifierez les uns, vous battrez de verges les autres dans vos synagogues, et vous les poursuivrez de ville en ville : 35. afin que retombe sur vous tout le sang innocent répandu sur la terre, depuis le sang du juste Abel jusqu'au sang de Zacharie, fils de Barachie, que vous avez tué entre le temple et l'autel. 36. En vérité, je vous le dis, tout cela viendra sur cette génération.

37. Jérusalem, Jérusalem, qui tues les prophètes et lapides ceux qui te sont envoyés, que de fois j'ai voulu rassembler tes enfants, comme une poule rassemble ses poussins sous ses ailes, et tu ne l'as pas voulu! 38. Voici que votre maison vous est laissée solitaire. 39. Car, je vous le dis, vous ne me

35. Il s'agit, très probablement, de Zacharie, tué dans le temple par le roi Joas (II *Paral.* xxiv. 20 sv. — 37. La poule aperçoit l'oiseau de proie dans les airs, et aussitôt elle appelle avec anxiété ses poussins pour les cacher sous ses ailes. Jésus voit avec angoisse les aigles romaines planer sur Jérusalem et menacer ses enfants, et il s'efforce par les plus doux moyens de les sauver. — 38. *Votre maison*, votre cité, Jérusalem (*la vôtre*, non plus celle de Dieu, qui va la quitter), sera comme une habitation abandonnée de son maître, et qui tombe en ruines. — 39. A la fin des temps, la nation juive convertie en masse saluera Jésus comme son Dieu et son roi. *Rom.* xi.

verrez plus désormais jusqu'à ce que vous disiez : Béni soit celui qui vient au nom du Seigneur !" ¶

Annonce de la ruine de Jérusalem et du dernier avènement du Christ.

CH. 24. — *Occasion de la prophétie.*

Comme Jésus s'en allait, au sortir du temple, ses disciples s'approchèrent de lui pour lui en faire remarquer les constructions. 2. Mais, prenant la parole, il leur dit : " Voyez-vous tous ces bâtiments? Je vous le dis en vérité, il n'y sera pas laissé une pierre sur une autre pierre qui ne soit renversée." 3. ✠ Lorsqu'il se fut assis sur la montagne des Oliviers, ses disciples s'approchèrent, et, seuls avec lui, lui dirent : " Dites-nous quand ces choses arriveront, et quel sera le signe de votre avènement et de la consommation du siècle ? "

Les signes avant-coureurs.

4. Jésus leur répondit : " Prenez garde que nul ne vous séduise. 5. Car plusieurs viendront sous mon nom, disant : C'est moi qui suis le Christ, et ils en séduiront un grand nombre. 6. Vous entendrez parler de guerres et de bruits de guerre; n'en soyez pas troublés, car il faut que ces choses arrivent; mais ce ne sera pas encore la fin. 7. On verra s'élever nation contre nation, royaume contre royaume, et il y aura des pestes, des famines et des tremblements de terre en divers lieux. 8. Tout cela ne sera que le commencement des douleurs. ¶ 9. Alors on vous livrera aux tortures et on vous fera mourir, et vous serez en haine à toutes les nations,

Chap. 24. — 2. L'histoire nous apprend que cet oracle a été réalisé à la lettre. — 3. Dans l'opinion des Juifs, la ruine de Jérusalem et la fin du monde, suivie du règne glorieux du Messie, étaient deux événements qui devaient arriver à peu près à la même époque. Notre Seigneur, dans sa réponse, ne les détrompe pas : il faut que la date précise de la catastrophe finale reste cachée aux hommes. Ainsi les vers. 5-14 donnent les pronostics communs de la ruine de Jérusalem et de la fin du monde; les vers. 15-22 se rapportent d'une manière plus spéciale à la destruction de Jérusalem et de la nation juive; les vers. 23-35 regardent principalement la fin du monde. — 5. Après la mort de Jésus Christ, plus de vingt imposteurs, s'attribuant le titre de Messie, excitèrent des insurrections en Palestine.

à cause de mon nom. 10. Alors aussi beaucoup failliront; ils se trahiront et se haïront les uns les autres. 11. Et il s'élèvera plusieurs faux prophètes qui en séduiront un grand nombre. 12. Et à cause des progrès croissants de l'iniquité, la charité d'un grand nombre se refroidira. 13. Mais celui qui persévérera jusqu'à la fin sera sauvé. 14. Cet évangile du royaume sera prêché dans le monde entier, pour être un témoignage à toutes les nations; alors viendra la fin. 15. ✠ Quand donc vous verrez l'abomination de la désolation, annoncée par le prophète Daniel, présente dans le lieu saint, — que celui qui lit, entende ! 16. Alors que ceux qui sont dans la Judée s'enfuient dans les montagnes; 17. et que celui qui est sur le toit ne descende pas pour prendre ce qu'il a dans sa maison; 18. et que celui qui est dans les champs ne revienne pas pour prendre son vêtement. 19. Malheur aux femmes qui seront enceintes et à celles qui allaiteront en ces jours-là ! 20. Priez pour que votre fuite n'arrive pas en hiver, ni un jour de sabbat; 21. car il y aura alors une si grande détresse, qu'il n'y en a point eu de semblable depuis le commencement du monde jusqu'ici, et qu'il n'y en aura jamais. 22. Et si ces jours n'étaient abrégés, nul n'échapperait ; mais, à cause des élus, ces jours seront abrégés.

Après la ruine de la ville.

23. Si quelqu'un vous dit alors : le Christ est

15. *Abomination de la désolation*, c.-à-d., une horrible abomination: la profanation du lieu saint par les Juifs révoltés, et sans doute aussi l'apparition des aigles romaines et des images des faux dieux dans l'enceinte de Jérusalem. — 19. Parce qu'elles ne pourront fuir que difficilement. — 20. Alors qu'une longue marche est difficile ou défendue. Les Juifs regardaient comme une faute de parcourir plus de deux mille coudées (un peu moins d'un kilomètre) le jour du sabbat. — 22. *Ces jours :* l'occupation de la Judée et le siège de Jérusalem par les Romains. — *Abrégés :* parmi les dispositions providentielles qui abrégèrent la durée du siège, il faut mettre en premier rang les divisions intestines des assiégés. " Dieu a combattu pour nous, " dit Titus, maître de la ville, à la vue de ses formidables remparts. — *Nul homme*, aucun Juif. — *Des élus*, des chrétiens déjà sortis ou qui doivent sortir du judaïsme. — 23. Cet *alors* nous transporte du siège de Jérusalem aux derniers jours du monde.

ici, ou : Il est là, ne le croyez point. 24. Car il s'élèvera de faux christs et de faux prophètes, et ils feront de grands prodiges et des choses extraordinaires, jusqu'à séduire, s'il se pouvait, les élus mêmes. 25. Voilà que je vous l'ai prédit. 26. Si donc on vous dit : Le voici dans le désert, ne sortez point ; le voici dans le lieu le plus retiré de la maison, ne le croyez point. 27. Car, comme l'éclair part de l'orient et brille jusqu'à l'occident, ainsi en sera-t-il de l'avènement du Fils de l'homme. — 28. Partout où sera le cadavre, là s'assembleront les aigles.

La fin du monde.

29. Aussitôt après ces jours d'affliction, le soleil s'obscurcira, la lune ne donnera plus sa lumière, les étoiles tomberont du ciel, et les puissances des cieux seront ébranlées. 30. Alors apparaîtra dans le ciel le signe du Fils de l'homme, et toutes les tribus de la terre se frapperont la poitrine, et elles verront le Fils de l'homme venant sur les nuées du ciel avec une grande puissance et une grande majesté. 31. Et il enverra ses anges avec la trompette retentissante, et ils rassembleront ses élus des quatre vents *de la terre*, depuis une extrémité du ciel jusqu'à l'autre.

32. Ecoutez une comparaison prise du figuier. Dès que ses rameaux deviennent tendres, et qu'il pousse ses feuilles, vous savez que l'été est proche. 33. Ainsi, lorsque vous verrez toutes ces choses, sachez que *le Fils de l'homme* est proche, *qu'il est* à la porte. 34. Je vous le dis en vérité, cette génération ne passera point que toutes ces choses n'arrivent. 35. Le

27. Comme l'éclair illumine en un instant tout l'horizon, ainsi le Christ apparaîtra simultanément à tous les hommes, sans qu'on ait à le chercher dans un lieu spécial. — 28. De même que, où il y a un cadavre, on est sûr de trouver le vautour, ainsi partout où il y aura un homme, là sera le Messie pour le juger. — 29. *Ces jours*, les jours de l'Antéchrist, qui précéderont la fin des temps. — *Les étoiles*, etc., expression empruntée aux idées populaires sur les étoiles : ces astres tomberont et s'entrechoqueront. — *Les puissances des cieux :* les forces qui soutiennent l'édifice céleste et le maintiennent en équilibre. — 30. *Le signe*, etc., la croix.

ciel et la terre passeront, mais mes paroles ne passeront point. ¶ 36. Le jour et l'heure, nul ne les connaît, pas même les anges du ciel, mais le Père seul.

Exhortation à la vigilance.

37. Tels furent les jours de Noé, tel sera l'avènement du Fils de l'homme. 38. Car dans les jours qui précédèrent le déluge, les hommes mangeaient et buvaient, se mariaient et mariaient leurs filles, jusqu'au jour où Noé entra dans l'arche; 39. et ils ne surent rien, jusqu'à ce que le déluge survînt, qui les emporta tous : ainsi en sera-t-il à l'avènement du Fils de l'homme. 40. Alors, de deux hommes qui seront dans un champ, l'un sera pris, l'autre laissé; 41. de deux femmes qui seront à moudre à la meule, l'une sera prise, l'autre laissée. 42. ✠ Veillez donc, puisque vous ne savez à quelle heure votre Seigneur doit venir. 43. Sachez-le bien, si le père de famille savait à quelle heure le voleur doit venir, il veillerait et ne laisserait pas percer sa maison. 44. Tenez-vous donc prêts, vous aussi; car le Fils de l'homme viendra à l'heure où vous n'y penserez pas.

Le bon et le mauvais serviteur.

45. Quel est le serviteur fidèle et prudent que son maître a établi sur les gens de sa maison, pour leur distribuer la nourriture en son temps? 46. Heureux ce serviteur que son maître, à son retour, trouvera faisant ainsi! 47. En vérité, je vous le dis, il l'établira sur tous ses biens. ¶

48. Mais, si c'est un méchant serviteur, et que, disant en lui-même : 49. Mon maître tarde à venir, il se mette à battre ses compagnons, à manger et à boire avec des gens adonnés au vin, 50. le maître de ce serviteur viendra le jour où il ne l'attend pas, et à l'heure qu'il ne sait pas,

40. *Pris*, réuni aux élus par les anges. — *Laissé* à la sévérité du Juge suprême. — 43. Les maisons, en Orient, étant construites en briques cuites au soleil, ou en pierres posées sans ciment, faire un trou dans les murs était chose facile. — 45. Ce *serviteur* figure les Apôtres et tous ceux à qui J. C. a confié l'intendance de sa maison, de son Eglise.

51. et il le fera couper en morceaux, et lui assignera son lot avec les hypocrites : c'est là qu'il y aura des pleurs et des grincements de dents.

Ch. 25. — *Parabole des dix Vierges.*

Alors ✠ le royaume des cieux sera semblable à dix vierges qui, ayant pris leurs lampes, s'en allèrent au-devant de l'époux. 2. Il y en avait cinq qui étaient folles, et cinq qui étaient sages. 3. Les cinq folles, ayant pris leurs lampes, ne prirent pas d'huile avec elles; 4. mais les sages prirent de l'huile dans leurs vases avec leurs lampes. 5. Comme l'époux tardait à venir, elles s'assoupirent toutes et s'endormirent. 6. Au milieu de la nuit, un cri s'éleva : Voici l'époux qui vient, allez au-devant de lui. 7. Alors toutes ces vierges se levèrent et préparèrent leurs lampes. 8. Et les folles dirent aux sages : Donnez-nous de votre huile, car nos lampes s'éteignent. 9. Les sages répondirent : *Nous craignons* qu'il n'y en ait pas assez pour nous et pour vous; allez plutôt chez ceux qui en vendent, et achetez-en pour vous. 10. Mais, pendant qu'elles allaient en acheter, l'époux arriva, et celles qui étaient prêtes entrèrent avec lui dans la salle des noces, et la porte fut fermée. 11. Plus tard, les autres vierges vinrent aussi, disant : Seigneur, Seigneur, ouvrez-nous. 12. Il leur répondit : En vérité, je vous le dis, je ne vous connais pas. 13. Veillez donc, car vous ne savez ni le jour, ni l'heure. ¶

Chap. 25. — 1. Le soir des noces, l'époux, avec ses compagnons, allait chercher l'épouse à la maison de son père. Celle-ci l'attendait, entourée de ses amies, les *dix vierges* de notre parabole. Alors le cortège se mettait joyeusement en marche, à la lueur des lampes que les jeunes gens et les jeunes filles portaient à la main ou fixées au bout de bâtons. Arrivés à la maison de l'époux, les invités entraient, on fermait les portes, et le repas des noces commençait. — 3. Les lampes étant fort petites, il fallait emporter dans d'autres vases une provision d'huile pour les remplir de nouveau quand elles avaient brûlé un certain temps. — 12. L'époux, c'est J. C.; l'épouse, c'est l'Eglise; les vierges, ce sont tous les fidèles; les lampes allumées, la foi; l'huile, la charité et les bonnes œuvres; le sommeil des vierges, c'est la mort; leur réveil à l'arrivée de l'époux, c'est le jour de la résurrection et du jugement dernier.

Parabole des talents.

14. Car ✠ il en sera comme d'un homme qui, partant pour un voyage, appela ses serviteurs et leur remit ses biens. 15. A l'un il donna cinq talents, à un autre deux, à un autre un, selon la capacité de chacun, et il partit aussitôt. 16. Celui qui avait reçu cinq talents, s'en étant allé, les fit valoir, et en gagna cinq autres. 17. De la même manière, celui qui en avait reçu deux, en gagna deux autres. 18. Mais celui qui n'en avait reçu qu'un, s'en alla creuser la terre, et y cacha l'argent de son maître. 19. Longtemps après, le maître de ces serviteurs étant revenu, leur fit rendre compte. 20. Celui qui avait reçu cinq talents s'approcha et lui en présenta cinq autres, en disant : Seigneur, vous m'aviez remis cinq talents; en voici de plus cinq autres que j'ai gagnés. 21. Son maître lui dit : C'est bien, serviteur bon et fidèle; parce que tu as été fidèle en peu de choses, je t'établirai sur beaucoup : entre dans la joie de ton maître. 22. Celui qui avait reçu deux talents, vint aussi, et dit : Seigneur, vous m'aviez remis deux talents, en voici deux autres que j'ai gagnés. 23. Son maître lui dit : C'est bien, serviteur bon et fidèle, parce que tu as été fidèle en peu de choses, je t'établirai sur beaucoup : entre dans la joie de ton maître. ¶ 24. S'approchant à son tour, celui qui n'avait reçu qu'un talent, dit : Seigneur, je savais que vous êtes un homme dur, qui moissonnez où vous n'avez pas semé, et recueillez où vous n'avez pas vanné. 25. J'ai eu peur, et j'ai été cacher votre talent dans la terre; le voici, je vous rends ce qui est à vous. 26. Son maître lui répondit : Serviteur méchant et paresseux, tu savais que je moissonne où je n'ai pas semé, et que je recueille où je n'ai pas vanné; 27. il te fallait donc porter mon argent aux banquiers, et, à mon retour, j'aurais retiré ce qui m'appartient avec un intérêt. 28. Otez-lui donc

14. A l'avènement du Fils de Dieu, *il en sera*, etc. — 15. Le talent attique valait un peu plus de cinq mille francs.

ce talent, et donnez-le à celui qui en a dix. 29. Car on donnera à celui qui a, et il sera dans l'abondance; mais à celui qui n'a pas, on ôtera même ce qu'il semble avoir. 30. Et ce serviteur inutile, jetez-le dans les ténèbres extérieures : c'est là qu'il y aura des pleurs et des grincements de dents.

Le dernier jugement des bons et des méchants.

31. ✠ Lorsque le Fils de l'homme viendra dans sa gloire, et tous les anges avec lui, il s'assiéra sur le trône de sa gloire. 32. Et, toutes les nations étant rassemblées devant lui, il séparera les uns d'avec les autres, comme le pasteur sépare les brebis d'avec les boucs. 33. Et il mettra les brebis à sa droite, et les boucs à sa gauche. 34. Alors le Roi dira à ceux qui sont à sa droite : Venez, les bénis de mon Père : prenez possession du royaume qui vous a été préparé dès l'origine du monde. 35. Car j'ai eu faim, et vous m'avez donné à manger; j'ai eu soif, et vous m'avez donné à boire; j'étais étranger, et vous m'avez recueilli; 36. nu, et vous m'avez vêtu; malade, et vous m'avez visité; en prison, et vous êtes venus à moi. 37. Les justes lui répondront : Seigneur, quand vous avons-nous vu avoir faim, et vous avons-nous donné à manger; avoir soif, et vous avons-nous donné à boire? 38. Quand vous avons-nous vu étranger, et vous avons-nous recueilli; nu, et vous avons-nous vêtu? 39. Quand vous avons-nous vu malade ou en prison, et sommes-nous venus à vous? 40. Et le Roi leur répondra : En vérité, je vous le dis, toutes les fois que vous l'avez fait à l'un de ces plus petits de mes frères, c'est à moi que vous

---

30. L'homme qui entreprend un voyage, c'est J. C. remontant au ciel, d'où il reviendra un jour juger les hommes; les serviteurs, ce sont les chrétiens; les talents, ce sont les dons de la nature et de la grâce que l'homme doit faire valoir pendant sa vie par la pratique des bonnes œuvres. — 31. Dramatique développement des vers. 30-31, du chap. XXIV. — 33. Les *brebis* et les *boucs* figurent les bons et les méchants. — 40. Ces *plus petits*, etc. : tous les infortunés. *Ces* semble les montrer.

l'avez fait. 41. S'adressant ensuite à ceux qui seront à sa gauche, il dira : Retirez-vous de moi, maudits, *allez* au feu éternel, qui a été préparé pour le diable et ses anges. 42. Car j'ai eu faim, et vous ne m'avez pas donné à manger; j'ai eu soif, et vous ne m'avez pas donné à boire; 43. j'étais étranger, et vous ne m'avez pas recueilli; nu, et vous ne m'avez pas vêtu; malade et en prison, et vous ne m'avez pas visité. 44. Alors eux aussi lui diront : Seigneur, quand vous avons-nous vu ayant faim ou soif, ou étant étranger, ou nu ou malade, ou en prison, et ne vous avons-nous pas assisté? 45. Et il leur répondra : En vérité, je vous le dis, chaque fois que vous ne l'avez pas fait à l'un de ces plus petits, c'est à moi que vous ne l'avez pas fait. 46. Et ceux-ci s'en iront à l'éternel supplice, et les justes à la vie éternelle." ¶

TROISIÈME PARTIE

VIE SOUFFRANTE ET GLORIEUSE DE JÉSUS

(CH. 26 — 28).

LA PASSION (26 — 27).

CH. 26. — 1. *Le complot — repas de Béthanie.*

✠ Jésus ayant achevé tous ces discours, dit à ses disciples : 2. " Vous savez que la Pâque a lieu dans deux jours, et que le Fils de l'homme sera livré pour être crucifié."

3. Alors les Princes des prêtres et les Anciens du peuple se réunirent dans la cour du grand-prêtre, appelé Caïphe, 4. et ils délibérèrent sur les moyens de s'emparer de Jésus par ruse et de le faire mourir. 5. " Mais, disaient-ils, il ne faut pas que ce soit pendant la

Chap. 26. — 3. *La cour*, espace intérieur entouré des appartements, l'une des parties principales et le mieux décorées des maisons des grands. — 5. Cet avis fut bien vite abandonné, lorsque Judas leur eut offert un moyen facile de s'emparer de Jésus.

fête, de peur qu'il ne s'élève quelque tumulte parmi le peuple."

6. Comme Jésus était à Béthanie, dans la maison de Simon le lépreux, 7. une femme s'approcha de lui, avec un vase d'albâtre contenant un parfum de grand prix; et pendant qu'il était à table, elle répandit le parfum sur sa tête. 8. Ce que voyant, les disciples dirent avec indignation : "A quoi bon cette perte? 9. On aurait pu vendre ce parfum très cher et en donner le prix aux pauvres." 10. Jésus, s'en étant aperçu, leur dit : "Pourquoi faites-vous de la peine à cette femme? C'est une bonne action qu'elle a faite à mon égard. 11. Car vous aurez toujours des pauvres avec vous; mais moi, vous ne m'aurez pas toujours. 12. En répandant ce parfum sur mon corps, elle l'a fait pour ma sépulture. 13. Je vous le dis, en vérité, partout où sera prêché cet évangile, dans le monde entier, ce qu'elle a fait sera raconté en mémoire d'elle."

14. Alors l'un des Douze, appelé Judas Iscariote, alla trouver les Princes des Prêtres, 15. et *leur* dit : "Que voulez-vous me donner, et je vous le livrerai?" Et ils lui comptèrent trente pièces d'argent. 16. Depuis ce moment, Judas cherchait une occasion favorable pour livrer Jésus.

2. *La sainte Cène — derniers avis.*

17. Le premier jour des Azymes, les disciples vinrent trouver Jésus, et lui dirent : "Où voulez-vous que nous préparions le repas pascal?" 18. Jésus leur répondit : "Allez à la ville chez un tel, et dites-lui : Le Maître te fait dire : Mon temps est proche, je ferai chez toi la Pâque avec mes dis-

6. Le samedi précédent. Voy. *Jean*, XII, 1-8. — *Le lépreux :* lui ou quelqu'un de ses ancêtres avait été guéri de la lèpre; c'était un ami de Lazare. — 7. *Une femme*, Marie, sœur de Lazare et de Marthe. — 14. *Alors* rattache ce qui suit au vers. 5. — 15. *Trente pièces d'argent*, trente sicles, un peu plus de 100 frs. C'était le prix d'un esclave; Joseph avait été vendu une somme pareille à des marchands Ismaélites. — 17. Pendant les 7 jours de la fête, les Juifs ne pouvaient manger du pain levé. — 18. *Un tel*, un disciple de Jésus. — *Je ferai la Pâque :* repas sacré, où chaque famille mangeait un agneau.

ciples." 19. Les disciples firent ce que Jésus leur avait commandé, et ils préparèrent la Pâque.

20. Le soir étant venu, il se mit à table avec les Douze. 21. Pendant qu'ils mangeaient, il dit : "Je vous le dis en vérité, l'un de vous me trahira." 22. Ils en furent profondément attristés et chacun se mit à lui dire : "Est-ce moi, Seigneur?" 23. Il répondit : "Celui qui a mis avec moi la main au plat, celui-là me trahira! 24. Le Fils de l'homme s'en va selon ce qui est écrit de lui; mais malheur à l'homme par qui le Fils de l'homme est trahi! Mieux vaudrait pour lui qu'il ne fût pas né." 25. Judas, qui le trahissait, prit la parole et dit : "Est-ce moi, Maître?" "Tu l'as dit," répondit Jésus.

26. Pendant le souper, Jésus prit le pain; et, après avoir rendu grâces, il le rompit et le donna à ses disciples, en disant : "Prenez et mangez, ceci est mon corps." 27. Il prit ensuite une coupe, et, ayant rendu grâces, il la leur donna, en disant : 28. "Buvez-en tous : car ceci est mon sang, *le sang* de la nouvelle alliance, qui sera répandu pour un grand nombre en rémission des péchés. 29. Je vous le dis, je ne boirai plus désormais de ce fruit de la vigne, jusqu'au jour où je le boirai nouveau avec vous dans le royaume de mon Père."

30. Après le chant de l'hymne, ils s'en allèrent au jardin des Oliviers.

31. Alors Jésus leur dit : "Je vous serai à tous, cette nuit, une occasion de chute; car il est écrit : Je frapperai le pasteur, et les brebis du troupeau seront dispersées. 32. Mais après que je serai ressuscité, je vous précéderai

28. Ainsi fut institué, dans la dernière cène, le sacrement de l'Eucharistie, dont on trouve la promesse au chapitre vi. de S. Jean. L'Eglise catholique a toujours entendu les paroles de Notre Seigneur d'une manière absolue, dans leur sens littéral, et non dans un sens figuré. — 29. Sens : C'est le dernier repas que je prends avec vous, jusqu'au jour où nous serons assis dans le royaume de mon Père, au banquet de l'éternelle félicité. *Je le boirai nouveau :* figure des délices du ciel. — 31. *Le pasteur*, Jésus Christ. *Zach.* xiii, 7. — 32. *Je vous précéderai*, c.-à-d., je me mettrai à votre tête, comme le pasteur marche en avant de son troupeau.

en Galilée." 33. Pierre, prenant la parole, lui dit : " Quand vous seriez pour tous une occasion de chute, vous ne le serez jamais pour moi." 34. Jésus lui dit : " Je te le dis en vérité, cette nuit même, avant que le coq chante, tu me renieras trois fois." 35. Pierre lui répondit : " Quand il me faudrait mourir avec vous, je ne vous renierai pas." Et tous les autres disciples tinrent le même langage.

3. *A Gethsémani.*

36. Alors Jésus arriva avec eux dans un lieu appelé Gethsémani, et il dit à ses disciples : " Asseyez-vous ici pendant que je m'éloignerai pour prier." 37. Ayant pris avec lui Pierre et les deux fils de Zébédée, il commença à éprouver de la tristesse et de l'angoisse. 38. Et il leur dit : " Mon âme est triste jusqu'à la mort; demeurez ici et veillez avec moi." 39. Et s'étant un peu avancé, il se prosterna la face contre terre, priant et disant : " Mon Père, s'il est possible, que ce calice passe loin de moi! Cependant, non pas comme je veux, mais comme vous voulez." 40. Il vint ensuite à ses disciples, et, les trouvant endormis, il dit à Pierre : " Ainsi vous n'avez pu veiller une heure avec moi! 41. Veillez et priez, afin que vous n'entriez point en tentation; l'esprit est prompt, mais la chair est faible." 42. Il s'éloigna une seconde fois, et pria ainsi : "Mon Père, si ce calice ne peut passer sans que je le boive, que votre volonté soit faite!" 43. Etant venu de nouveau, il les trouva *encore* endormis, car leurs yeux étaient appesantis. 44. Il les laissa, et s'en alla prier pour la troisième fois, disant les mêmes paroles. 45. Puis il revint à ses disciples et leur dit : " Dormez maintenant et reposez-vous; voici que l'heure est proche, où le Fils de l'homme sera livré aux mains des pécheurs. — 46. Levez-vous,

38. Le Fils de Dieu ayant uni la nature humaine à sa nature divine était accessible aux sentiments humains de tristesse et de douleur. — 45. Entre les vers. 45 et 46, il s' écoula un laps de temps plus ou moins considérable.

allons, celui qui me trahit est près d'ici."

47. Il parlait encore, lorsque Judas, l'un des Douze, arriva, et avec lui une troupe nombreuse de gens armés d'épées et de bâtons, qui avait été envoyée par les Princes des Prêtres et les Anciens du peuple. 48. Le traître leur avait donné ce signe : "Celui que je baiserai, c'est lui, arrêtez-le." 49. Et aussitôt, s'approchant de Jésus, il dit : "Salut, Maître," et il le baisa. 50. Jésus lui dit : "Mon ami, pourquoi es-tu ici?" En même temps ils s'avancèrent, mirent la main sur Jésus et le saisirent. 51. Et voilà qu'un de ceux qui étaient avec Jésus, mettant l'épée à la main, en frappa le serviteur du grand prêtre et lui coupa l'oreille. 52. Alors Jésus lui dit : "Remets ton épée à sa place; car tous ceux qui se serviront de l'épée, périront par l'épée. 53. Penses-tu que je ne puisse pas sur l'heure prier mon Père, qui me donnerait plus de douze légions d'anges? 54. Comment donc s'accompliront les Ecritures, qui attestent qu'il en doit être ainsi?" 55. En même temps, Jésus dit à la foule : "Vous êtes venus, comme à un voleur, avec des épées et des bâtons pour me prendre. J'étais tous les jours assis parmi vous, enseignant dans le temple, et vous ne m'avez pas arrêté; 56. mais tout cela s'est fait, afin que s'accomplissent les oracles des prophètes." Alors tous les disciples l'abandonnèrent et prirent la fuite.

4. *Chez Caïphe.*

57. Ceux qui avaient arrêté Jésus l'emmenèrent chez Caïphe, le grand prêtre, où s'étaient assemblés les Scribes et les anciens du peuple. 58. Pierre le suivit de loin jusqu'à la cour du grand prêtre, y entra, et s'assit avec les serviteurs pour voir la fin. 59. Cependant les Princes des prêtres et tout le conseil cherchaient quelque faux témoignage contre Jésus, afin de le faire mourir;

---

51. *Un de ceux*, S. Pierre (*Jean*, xviii, 10). — *Le serviteur*, etc. : il se nommait Malchus. — 52. *Par l'épée :* Locution proverbiale que Notre Seigneur rappelle pour réprimer l'ardeur inutile de S. Pierre.

60. et ils n'en trouvèrent point, quoique plusieurs faux témoins se fussent présentés. Enfin il en vint deux 61. qui dirent : "Cet homme a dit : Je puis détruire le temple de Dieu et le rebâtir en trois jours." 62. Le grand prêtre, se levant, dit à Jésus : "Ne réponds-tu rien à ce que ces hommes déposent contre toi ?" 63. Jésus garda le silence. Et le grand prêtre lui dit : "Je t'adjure par le Dieu vivant de nous dire si tu es le Christ, le Fils de Dieu ?" 64. Jésus lui répondit : "Tu l'as dit; de plus, je vous le dis, dès ce jour vous verrez le Fils de l'homme siéger à la droite de la puissance de Dieu et venir sur les nuées du ciel." 65. Alors le grand prêtre déchira ses vêtements, en disant : "Il a blasphémé, qu'avons-nous encore besoin de témoins ? Vous venez d'entendre le blasphème : 66. Que vous en semble ?" Ils répondirent : "Il mérite la mort." 67. Alors ils lui crachèrent au visage, et le frappèrent avec le poing; d'autres le souffletèrent, en disant : 68. "Christ, devine qui t'a frappé." 69. Cependant Pierre était dehors, assis dans la cour. Une servante l'aborda et lui dit : "Toi aussi, tu étais avec Jésus le Galiléen." 70. Mais il le nia devant tous, en disant : "Je ne sais ce que tu veux dire." 71. Comme il se dirigeait vers le vestibule, pour s'en aller, une autre servante le vit et dit à ceux qui se trouvaient là : "Celui-ci était aussi avec Jésus de Nazareth." 72. Et Pierre le nia une seconde fois avec serment : "Je ne connais pas cet homme." 73. Peu après, ceux qui étaient là s'approchèrent de Pierre, et lui dirent : "Certainement tu es aussi de ces gens-là : car ton langage même te fait reconnaître." 74. Alors il se mit à faire des imprécations et à jurer qu'il ne connaissait pas cet homme. Aussitôt le coq

61. Voy. *Jean*, ii, 19. — 64. *Tu l'as dit*, c'est-à-dire, je le suis. Jésus atteste par un serment solennel, devant le grand conseil de la nation, sa divinité et sa qualité de Messie et de Juge souverain de l'univers. — 70. Sur le temps et le lieu des trois reniements de saint Pierre voy. *Marc*. xiv, 66. — 73. *Ton langage* montre que tu es Galiléen, et par conséquent un disciple de Jésus.

chanta. 75. Et Pierre se souvint de la parole que Jésus lui avait dite : " Avant que le coq chante, tu me renieras trois fois; " et, étant sorti, il pleura amèrement.

5. *Devant Pilate.* — Ch. 27.

Dès le matin, tous les Princes des prêtres et les Anciens du peuple tinrent conseil contre Jésus pour le faire mourir. 2. Et, l'ayant lié, ils l'emmenèrent et le livrèrent au gouverneur Ponce Pilate. 3. Judas, qui l'avait livré, voyant qu'il était condamné, fut touché de repentir, et rapporta les trente pièces d'argent aux Princes des prêtres et aux Anciens, 4. disant : " J'ai péché en livrant le sang innocent. " Ils répondirent : "Que nous importe? Cela te regarde. " 5. Alors, ayant jeté l'argent dans le temple, il se retira et alla se pendre. 6. Mais les Princes des prêtres ramassèrent l'argent et dirent : " Il n'est pas permis de le mettre dans le trésor sacré, puisque c'est le prix du sang. " 7. Et, après s'être consultés entre eux, ils achetèrent avec cet argent le champ du Potier pour la sépulture des étrangers. 8. C'est pourquoi ce champ est encore aujourd'hui appelé Haceldama, c'est-à-dire champ du sang. 9. Alors fut accomplie la parole du Prophète Jérémie : " Ils ont reçu trente pièces d'argent, prix de celui dont les enfants d'Israël ont estimé la valeur; 10. et ils les ont données pour le champ du Potier, comme le Seigneur me l'a ordonné. " 11. Jésus comparut devant le gouverneur, et le gouverneur l'interrogea, en disant : " Es-tu le roi des Juifs? " Jésus lui répondit : " Tu le dis. " 12. Mais il ne ré-

Chap. 27. — 2. Comme les Romains, tout en conservant aux Juifs le pouvoir de prononcer des arrêts de mort, s'étaient réservé de les réviser et de les exécuter, les membres du sanhédrin durent faire comparaître Jésus devant Pilate, pour obtenir de lui la ratification de leur inique sentence. — 7. *Le champ du Potier*, champ autrefois exploité par un potier, qui en avait épuisé toute l'argile. — 10. Le *champ du sang* se montre aux pèlerins de Jérusalem sur un plateau étroit qui domine la vallée de Hinnom. Il a cessé depuis le siècle dernier d'être un lieu de sépulture. — 11. Le récit de S. Matthieu doit être complété par celui de S. Jean (xviii. 29 sv.).

pondait rien aux accusations des Princes des prêtres et des Anciens. 13. Alors Pilate lui dit : " N'entends-tu pas de combien de choses ils t'accusent? " 14. Mais il ne répondit à aucun grief, de sorte que le gouverneur était dans un grand étonnement. 15. A chaque fête *de Pâque*, le gouverneur avait coutume de relâcher un prisonnier, celui que demandait le peuple. 16. Or il y avait alors dans la prison un criminel fameux, nommé Barabbas. 17. Pilate, ayant fait assembler le peuple, lui dit : "Lequel voulez-vous que je vous délivre, Barabbas, ou Jésus, qu'on appelle Christ? " 18. Car il savait que c'était par envie qu'ils avaient livré Jésus. 19. Pendant qu'il siégeait sur son tribunal, sa femme lui envoya dire : " Qu'il n'y ait rien entre toi et ce juste ; car j'ai été aujourd'hui fort tourmentée en songe à cause de lui. " 20. Mais les Princes des prêtres et les Anciens persuadèrent au peuple de demander Barabbas, et de faire périr Jésus. 21. Le gouverneur, prenant la parole, leur dit : " Lequel des deux voulez-vous que je vous délivre? " Ils répondirent : " Barabbas. " 22. Pilate leur dit : " Que ferai-je donc de Jésus, appelé Christ? " 23. Ils répondirent : " Qu'il soit crucifié! " Le gouverneur leur dit : " Quel mal a-t-il donc fait? " Et ils crièrent encore plus fort : " Qu'il soit crucifié! " 24. Pilate, voyant qu'il ne gagnait rien, mais que le tumulte allait croissant, prit de l'eau et se lava les mains devant le peuple, en disant : " Je suis innocent du sang de ce juste; à vous d'en répondre. " 25. Et tout le peuple dit : " Que son sang soit sur nous et sur nos enfants! " 26. Alors il leur relâcha Barabbas; et, après avoir fait battre de verges Jésus, il le livra pour être crucifié. 27. Les soldats du gouverneur emmenèrent Jésus dans le prétoire, et ils assemblèrent autour de lui toute la co-

27. *Prétoire*, palais du gouverneur. — *Toute la cohorte*, la plus grande partie. Une cohorte se composait de 5 à 6 cents hommes.

horte. 28. L'ayant dépouillé de ses vêtements, ils jetèrent sur lui un manteau d'écarlate. 29. Ils tressèrent une couronne d'épines, qu'ils posèrent sur sa tête, et lui mirent un roseau dans la main droite; puis, fléchissant le genou devant lui, ils lui disaient par dérision : " Salut, roi des Juifs! " 30. Ils lui crachaient aussi au visage, et prenant le roseau, ils en frappaient sa tête.

6. *Au Calvaire.*

31. Après s'être ainsi joués de lui, ils lui ôtèrent le manteau, lui remirent ses vêtements et l'emmenèrent pour le crucifier. 32. Comme ils sortaient, ils rencontrèrent un homme de Cyrène, nommé Simon, qu'ils contraignirent de porter la croix de Jésus. 33. Ils arrivèrent *ainsi* au lieu appelé Golgotha, c'est-à-dire, le lieu du Calvaire. 34. Là, on lui donna à boire du vin mêlé de fiel; mais, l'ayant goûté, il ne voulut pas le boire. 35. Quand ils l'eurent crucifié, ils se partagèrent ses vêtements en les tirant au sort, afin que s'accomplît la parole du Prophète : " Ils se sont partagé mes vêtements, et ils ont tiré ma robe au sort. " 36. Et, s'étant assis, ils le gardaient. 37. Au-dessus de sa tête ils mirent un écriteau indiquant la cause de son supplice : "Celui-ci est Jésus, le roi des Juifs. " 38. En même temps, on crucifia avec lui deux brigands, l'un à sa droite et l'autre à sa gauche. 39. Et les passants l'injuriaient, branlant la tête 40. et disant : " Toi, qui détruis le temple de Dieu et le rebâtis en trois jours, sauve-toi toi-même! Si tu es Fils de Dieu, descends de la croix! " 41. Les Princes des prê-

28. Un manteau de soldat, une *chlamyde.* Fait de laine grossière et teint en rouge, il était fixé par une agrafe sur l'épaule droite, couvrant ainsi le côté gauche du corps jusqu'aux genoux. — 32. *Sortaient* du prétoire, ou plus probablement *de la ville.* — 33. *Golgotha :* c'était une colline au nord-ouest de Jérusalem, ainsi appelée parce qu'elle offrait l'apparence vague d'un crâne chauve, en latin *calvus*, d'où le mot calvaire. — 35. *Au sort*, selon l'usage romain. Comme ils étaient quatre (*Jean*, xix, 23), ils coupèrent en quatre parties le manteau de Jésus et tirèrent au sort sa robe ou tunique de dessous (*Ps.* xxi, 19). — 36. Une garde restait auprès des crucifiés, jusqu'à ce qu'ils fussent morts.

tres, avec les Scribes et les Anciens, le raillaient aussi et disaient : 42. "Il en a sauvé d'autres, et il ne peut se sauver lui-même; s'il est roi d'Israël, qu'il descende de la croix, et nous croirons en lui. 43. Il s'est confié en Dieu; si Dieu l'aime, qu'il le délivre maintenant; car il a dit : Je suis Fils de Dieu. " 44. Les brigands qui étaient en croix avec lui, l'insultaient de la même manière.

45. Depuis la sixième heure jusqu'à la neuvième, il y eut des ténèbres sur toute la terre. 46. Vers la neuvième heure, Jésus cria d'une voix forte : "Eli, Eli, lamma sabacthani, c'est-à-dire, mon Dieu, mon Dieu, pourquoi m'avez-vous abandonné ?" 47. Quelques-uns de ceux qui étaient là, l'ayant entendu, dirent : " Il appelle Elie. " 48. Et aussitôt l'un d'eux courut prendre une éponge qu'il emplit de vinaigre, et, l'ayant mise au bout d'un roseau, il lui présenta à boire. 49. Les autres disaient : "Laisse; voyons si Elie viendra le sauver." 50. Jésus poussa de nouveau un grand cri, et rendit l'esprit.

51. Et voilà que le voile du temple se déchira en deux, depuis le haut jusqu'en bas, la terre trembla, les rochers se fendirent, 52. les sépulcres s'ouvrirent, et plusieurs saints, dont les corps y étaient couchés, ressuscitèrent. 53. Etant sortis de leur tombeau, ils entrèrent, après la résurrection de Jésus, dans la ville sainte et apparurent à plusieurs.

---

44. *Les brigands :* saint Matthieu, pour abréger, s'exprime en termes généraux; car S. Luc nous apprend (xxiii, 41 sv.) que l'un des deux se recommanda pieusement à Jésus. — 45. *Depuis la sixième heure*, etc. : de midi à trois heures. — *Des ténèbres :* à la naissance de Jésus, la nuit s'était joyeusement illuminée (*Luc.* ii, 9); le jour s'obscurcit tristement à sa mort. — 46. *Ps.* xxi, 2. La plainte de Jésus est humble et soumise; il en appelle à Dieu, parce qu'il a confiance en lui. — 48. Ce *vinaigre* était la *posca*, boisson ordinaire des soldats romains, espèce de mauvais vin, ou de vinaigre mêlé d'eau.

53. Les interprètes sont partagés sur la manière d'entendre ce prodige. Plusieurs pensent qu'il s'agit de pieux personnages morts récemment, tels que sainte Anne, S. Joseph, et qu'il n'y eut pas de résurrection proprement dite, mais de simples apparitions temporaires semblables à celle de Moïse et d'Elie sur la montagne de la transfiguration.

54. Le centurion et ceux qui étaient avec lui pour garder Jésus, voyant le tremblement de terre et tout ce qui se passait, furent saisis d'une grande frayeur, et dirent : "Cet homme était vraiment le Fils de Dieu." 55. Il y avait là aussi plusieurs femmes qui regardaient de loin; elles avaient suivi Jésus depuis la Galilée, pour le servir. 56. Parmi elles étaient Marie Madeleine, Marie, mère de Jacques et de Joseph, et la mère des fils de Zébédée.

7. *La sépulture.*

57. Sur le soir, arriva un homme riche d'Arimathie, nommé Joseph, qui était aussi un disciple de Jésus. 58. Il s'était rendu auprès de Pilate, pour lui demander le corps de Jésus, et Pilate avait ordonné qu'on le lui remît. 59. Joseph prit le corps, l'enveloppa d'un linceul blanc, 60. et le déposa dans un sépulcre neuf, qu'il avait fait tailler dans le roc pour lui-même; puis, ayant roulé une grosse pierre à l'entrée du sépulcre, il s'en alla. 61. Or Marie Madeleine et l'autre Marie étaient là, assises vis-à-vis du sépulcre.

62. Le lendemain, qui était le samedi, les Princes des prêtres et les Pharisiens allèrent ensemble trouver Pilate, 63. et lui dirent : "Seigneur, nous nous sommes rappelé que cet imposteur, lorsqu'il vivait encore, a dit : 64. Après trois jours je ressusciterai; commande donc que son sépulcre soit gardé jusqu'au troisième jour, de peur que ses disciples ne viennent dérober le corps et ne disent au peuple : Il est ressuscité des morts. Cette dernière imposture serait pire que la première." 65. Pilate leur répondit : "Vous avez une garde; allez, gardez-le comme vous l'entendez." 66. Ils s'en allèrent donc, et ils s'assurèrent du sépulcre en scellant la pierre et en y mettant des gardes. ¶

---

60. Comp. viii, 28. note. Du dehors on roulait à l'entrée du sépulcre une grosse pierre, pour empêcher les animaux d'y pénétrer.

Jésus ressuscité (28).

Ch. 28. — *Les saintes femmes au tombeau; Jésus leur apparaît.*

✠ Après le sabbat, dès l'aube du premier jour de la semaine, Marie Madeleine et l'autre Marie allèrent visiter le sépulcre. 2. Et voilà qu'il se fit un grand tremblement de terre; car un ange du Seigneur, étant descendu du ciel, vint rouler la pierre, et s'assit dessus. 3. Son visage brillait comme l'éclair, et son vêtement était blanc comme la neige. 4. Les gardes furent frappés d'épouvante, et devinrent comme morts. 5. Et l'ange, s'adressant aux femmes, dit : "Vous, ne craignez pas; car je sais que vous cherchez Jésus qui a été crucifié. 6. Il n'est point ici; il est ressuscité comme il l'avait dit. Venez, et voyez le lieu où le Seigneur avait été mis; 7. et hâtez-vous d'aller dire à ses disciples qu'il est ressuscité des morts. Voici qu'il vous précède en Galilée; là, vous le verrez; je vous l'ai dit." ¶

8. Aussitôt elles sortirent du sépulcre avec crainte et grande joie; et elles coururent porter la nouvelle aux disciples. 9. Et voilà que Jésus se présenta devant elles et leur dit : "Salut!" Elles s'approchèrent, et embrassèrent ses pieds, se prosternant devant lui. 10. Alors Jésus leur dit : "Ne craignez point; allez dire à mes frères de se rendre en Galilée : c'est là qu'ils me verront."

Les gardes soudoyés.

11. Pendant qu'elles étaient en chemin, quelques-uns des gardes vin-

Chap. 28. — 1. *Après le sabbat*, etc. le dimanche matin. Ayant passé dans leurs maisons le sabbat de la Pâque, ces pieuses femmes ne savaient pas qu'une garde avait été mise au tombeau du Sauveur, et elles venaient avec des aromates pour embaumer son corps, ce qu'elles n'avaient pu faire le jour précédent. Les faits racontés versets 2-4 sont antérieurs à leur arrivée. — 2. N. S. était sorti du tombeau sans l'ouvrir. — 4. Puis, ils s'étaient enfuis, de sorte que les saintes femmes ne les trouvèrent plus. — 7. Les Apôtres, qui étaient Galiléens, devaient naturellement s'en retourner dans leur pays après la fête de Pâque. Jésus s'y trouva avant eux.

rent dans la ville et annoncèrent aux Princes des prêtres tout ce qui était arrivé. 12. Ceux-ci rassemblèrent les Anciens, et, ayant tenu conseil, ils donnèrent une grosse somme d'argent aux soldats, 13. en leur disant : " Publiez que ses disciples sont venus de nuit, et l'ont enlevé pendant que vous dormiez. 14. Et si le gouverneur vient à le savoir, nous l'apaiserons, et nous vous mettrons à couvert. " 15. Les soldats prirent l'argent, et firent ce qu'on leur avait dit; et ce bruit qu'ils répandirent se répète encore aujourd'hui parmi les Juifs.

Apparition en Galilée; mission des Apôtres.

16. ✠ Les onze disciples s'en allèrent en Galilée, sur la montagne que Jésus leur avait désignée. 17. En le voyant, ils l'adorèrent; mais quelques-uns hésitaient à croire. 18. Et Jésus s'approchant, leur parla ainsi : " Toute puissance m'a été donnée dans le ciel et sur la terre. 19. Allez, enseignez toutes les nations, les baptisant au nom du Père, et du Fils, et du Saint Esprit, 20. leur apprenant à garder tout ce que je vous ai commandé : et voici que je suis avec vous tous les jours jusqu'à la consommation des siècles.

17. *Quelques-uns*, non des Apôtres, mais de simples disciples. Saint Paul dit que N. S., après sa résurrection, se fit voir à plus de cinq cents. (I *Cor.* xv, 6). — 20. "Digne parole de l'Epoux céleste, qui engage sa foi pour jamais à sa sainte Eglise! Ne craignez point, mes Apôtres, ni vous qui succéderez à un si saint ministère : moi ressuscité, moi immortel, je serai toujours avec vous; vainqueur de l'enfer et de la mort, je vous ferai triompher de l'un et de l'autre; et l'Eglise que je formerai par votre sacré ministère, comme moi, sera immortelle." *Bossuet.*

LE SAINT ÉVANGILE DE J. C.

SELON SAINT MARC.

Préambule (1, 1 — 13).

CH. 1. — *Prédication du précurseur.*

COMMENCEMENT de l'Evangile de Jésus Christ, Fils de Dieu. 2. Selon ce qui est écrit dans le prophète Isaïe : " Voici que j'envoie mon ange devant vous; il vous précédera et vous préparera le chemin. 3. C'est la voix de celui qui crie dans le désert : Préparez le chemin du Seigneur, aplanissez ses sentiers : " 4. Jean parut, baptisant dans le désert, et prêchant le baptême de pénitence pour la rémission des péchés. 5. Tout le pays de Judée et tous les habitants de Jérusalem venaient à lui, et, confessant leurs péchés, ils recevaient de lui le baptême dans le fleuve du Jourdain. 6. Or, Jean était vêtu de poils de chameau; il avait autour de ses reins une ceinture de cuir, et se nourrissait de sauterelles et de miel sauvage. Et il prêchait

Chap. 1. — 1. *L'Evangile*, non pas le livre composé par S. Marc, mais : la bonne nouvelle de la venue du Messie commença ainsi, savoir, par la prédication de Jean Baptiste. — 4. Liaison : *selon ce qui est écrit... Jean parut.* — 5. *Le baptême*, en signe de conversion à une vie meilleure.

ainsi : 7. "Il vient après moi, celui qui est plus puissant que moi, et je ne suis pas digne de délier, en me baissant, les cordons de sa chaussure. 8. Moi, je vous ai baptisés dans l'eau, mais lui vous baptisera dans le Saint Esprit. "

Baptême et tentation de Jésus.

9. Or il arriva en ces jours-là que Jésus vint de Nazareth, ville de Galilée, et il fut baptisé par Jean dans le Jourdain. 10. Et, comme il sortait de l'eau, il vit les cieux s'ouvrir, et l'Esprit *Saint* descendre sur lui comme une colombe, et s'y reposer. 11. Et du ciel une voix se fit entendre : " Tu es mon Fils bien aimé, en toi j'ai mis mes complaisances. "

12. Et aussitôt l'Esprit poussa Jésus au désert, 13. et il y demeura quarante jours et quarante nuits, et fut tenté par Satan; il était parmi les bêtes sauvages, et les anges le servaient.

PREMIÈRE PARTIE

MINISTÈRE DE JÉSUS EN GALILÉE

(CH. I, 14 — 6, 13).

1° — PÉRIODE DE DÉBUT (I, 14 — 45)

Vocation de Simon et André, Jacques et Jean.

14. Après que Jean eut été mis en prison, Jésus vint en Galilée, prêchant l'Evangile du royaume de Dieu. 15. Il disait : " Le temps est accompli, et le royaume de Dieu est proche ; faites pénitence et croyez à l'Evangile. " 16. Passant le long de la mer de Galilée, il vit Simon et André son frère qui jetaient leurs filets dans la mer, car ils étaient pêcheurs. 17. Jésus leur dit : " Venez à ma suite, et je vous ferai pêcheurs d'hommes." 18. Aussitôt, laissant leurs filets, ils le suivirent.

---

12. *L'Esprit* Saint. — 13. C'est à la fin des 40 jours que Jésus fut *tenté* et que les anges vinrent le *servir*.

19. Un peu plus loin, il vit Jacques, *fils* de Zébédée, et Jean son frère, qui étaient dans une barque, réparant leurs filets. 20. Il les appela aussitôt; et, laissant leur père Zébédée dans la barque avec les mercenaires, ils le suivirent.

Une journée à Capharnaüm : *Prédication et miracle à la synagogue.*

21. Ils se rendirent à Capharnaüm, et dès le premier sabbat, Jésus, entrant dans la synagogue, instruisit le peuple. 22. Et ils étaient frappés de sa doctrine, car il les enseignait comme ayant autorité, et non comme les Scribes. 23. Or il se trouva dans leur synagogue un homme possédé d'un esprit impur, qui s'écria : 24. " Qu'y a-t-il entre nous et toi, Jésus de Nazareth? Es-tu venu pour nous perdre? Je sais qui tu es, le Saint de Dieu. " 25. Mais Jésus, lui parlant avec menace : "Tais-toi, dit-il, et sors de cet homme. " 26. Et l'esprit impur, l'agitant violemment, sortit de lui en jetant un grand cri. 27. Tous furent saisis d'étonnement, de sorte qu'ils se demandaient entre eux : " Qu'est-ce que ceci? Quelle est cette doctrine nouvelle? Car il commande en maître, même aux esprits impurs, et ils lui obéissent. "

Dans la maison de Pierre.

28. Et sa renommée se répandit rapidement dans tout le pays qui avoisine la Galilée. 29. En sortant de la synagogue, ils allèrent dans la maison de Simon et d'André, avec Jacques et Jean. 30. Or, la belle-mère de Simon était au lit, avec la fièvre; aussitôt ils parlèrent d'elle à Jésus. 31. Il s'approcha et la fit lever, en la prenant par la main; au même instant la fièvre la quitta, et elle se mit à les servir.

---

21. Les Juifs, dans leurs réunions à la synagogue, écoutaient volontiers, invitaient même à prendre la parole les personnes pieuses et instruites (comp. *Act.* xii, 15). — 24. Serais-tu déjà venu juger le monde, et nous renfermer éternellement dans l'enfer? — *Le Saint de Dieu*, le Messie : comp. *Dan.* ix, 24; *Jean*, x, 36. — 27. *Aux esprits impurs*, sans avoir recours aux rites et aux adjurations en usage dans les exorcismes.

Le soir.

32. Sur le soir, après le coucher du soleil, ils lui amenèrent tous les malades et les démoniaques, 33. et toute la ville se pressait devant la porte. 34. Il guérit beaucoup de malades affligés de diverses infirmités, et il chassa beaucoup de démons; mais il ne leur permettait pas de parler, parce qu'ils le connaissaient.

Le lendemain matin,

35. Le lendemain, s'étant levé avant que le jour eût paru, il sortit, alla dans un lieu solitaire, et il y pria. 36. Simon et ceux qui étaient avec lui se mirent à sa recherche; 37. et l'ayant trouvé, ils lui dirent : "Tout le monde vous cherche." 38. Il leur répondit : " Allons ailleurs, dans les bourgades et les villes voisines, afin que j'y prêche aussi; car c'est pour cela que je suis sorti. "

Tournée en Galilée :
le lépreux.

39. Et il prêchait dans leurs synagogues, parcourant la Galilée entière, et chassait les démons.

40. Un lépreux vint à lui, et se jetant à ses genoux, il lui dit d'un ton suppliant : " Si vous voulez, vous pouvez me guérir. " 41. Emu de compassion, Jésus étendit la main, et le toucha, en disant : " Je le veux, sois guéri. " 42. Et dès qu'il eut parlé, la lèpre quitta cet homme, et il fut guéri. 43. Aussitôt Jésus le renvoya, en lui disant d'un ton sévère : 44. "Garde-toi d'en parler à personne; mais va te montrer au prêtre, et offre pour ta guérison ce que Moïse a ordonné, pour l'attester au peuple. " 45. Mais cet homme étant parti, se mit à raconter et à publier partout ce qui s'était passé : de sorte

32. *Le coucher du soleil :* on avait voulu laisser passer le jour du sabbat. Les Hébreux comptaient les jours d'un lever du soleil à l'autre. — 34. *De parler* de lui; ce qu'ils eussent fait, *parce qu'ils le connaissaient* (vers. 24). — 36. *Ceux qui étaient avec lui :* André, Jean et Jacques (vers. 29). — 38. *Sorti :* de mon Père (*Luc*, IV, 43). D'autres : de la maison (vers. 35). — 40. *Me guérir ;* litt. *me rendre pur :* la lèpre rongeait tout le corps et le couvrait comme d'une horrible plaie. — 44. *Au prêtre* en fonction cette semaine-là. Voyez *Matth.* VIII, 1-4, note.

que Jésus ne pouvait plus entrer publiquement dans une ville; il se tenait dehors, dans des lieux solitaires, et l'on venait à lui de tous côtés.

2° — Période de contradiction (2 — 6, 13)

A Capharnaüm :

Ch. 2. — *Le paralytique.*

Quelques jours après, Jésus revint à Capharnaüm. 2. Lorsqu'on sut qu'il était dans la maison, il s'y assembla un si grand nombre de personnes, que l'espace même qui était devant la porte ne suffisait plus; et il leur prêchait la parole. 3. Alors on lui amena un paralytique porté par quatre hommes. 4. Et, comme ils ne pouvaient le lui présenter à cause de la foule, ils découvrirent le toit à l'endroit où il était, et par l'ouverture ils descendirent le lit où gisait le paralytique. 5. Jésus, voyant leur foi, dit au paralytique: "Mon fils, tes péchés te sont remis. " 6. Or il y avait quelques Scribes assis, qui pensaient dans leur cœur : 7. " Comment cet homme parle-t-il ainsi? Il blasphème. Qui peut remettre les péchés, que Dieu seul? " 8. Jésus, ayant aussitôt connu par son esprit ce qu'ils pensaient en eux-mêmes, leur dit : " Pourquoi avez-vous de telles pensées dans vos cœurs? 9. Lequel est le plus facile de dire au paralytique : Tes péchés te sont remis, ou de lui dire : Lève-toi, prends ton lit et marche? 10. Mais afin que vous sachiez que le Fils de l'homme a sur la terre le pouvoir de remettre les péchés, 11. je te le commande, dit-il au paralytique, lève-toi, prends ton lit, et va dans ta maison. " 12. Et à l'instant celui-ci se leva,

---

Chap. 2. — 2. *La maison*, soit celle de S. Pierre, soit une maison que N. S. avait louée à Capharnaüm pour y demeurer dans l'intervalle de ses voyages. — *La parole* de Dieu, l'Evangile. — 4. *Les toits* étaient plats et communiquaient avec la rue par un escalier ou une simple échelle. Ces gens arrivèrent soit par l'escalier, soit par le toit des maisons voisines; puis, enlevant les tuiles, ils firent une ouverture, etc. — *Le lit*, proprem. *le grabat*, consistant en un réseau de cordes étendu sur un châssis.

prit son lit, et sortit en présence de tous, de sorte que tout le peuple était dans l'admiration et rendait gloire à Dieu, en disant : " Jamais nous n'avons rien vu de semblable. "

Vocation de Lévi : la miséricorde et le jeûne.

13. Jésus sortit de nouveau le long de la mer; et tout le peuple venait à lui, et il les enseignait. 14. En passant, il vit Lévi, fils d'Alphée, assis à un bureau de péage; il lui dit : " Suis-moi. " Lévi se leva et le suivit. 15. Il arriva que Jésus étant à table dans la maison de cet homme, plusieurs publicains et gens de mauvaise vie — car il y en avait beaucoup à Capharnaüm — se trouvaient à table avec lui et ses disciples. 16. Les Scribes et les Pharisiens, le voyant manger avec des publicains et des pécheurs, dirent à ses disciples : " D'où vient que votre Maître mange et boit avec des publicains et des pécheurs?" 17. Entendant cela, Jésus leur dit : " Ce ne sont pas ceux qui se portent bien qui ont besoin de médecin, mais les malades; je ne suis pas venu appeler les justes, mais les pécheurs."

18. Les disciples de Jean et les Pharisiens avaient coutume de jeûner. Ils vinrent le trouver et lui dirent : " Pourquoi, tandis que les disciples de Jean et ceux des Pharisiens font beaucoup de jeûnes, vos disciples ne jeûnent-ils pas?" 19. Jésus leur répondit : " Les compagnons de l'époux peuvent-ils jeûner pendant que l'époux est avec eux? Aussi longtemps qu'ils ont avec eux l'époux, ils ne peuvent pas jeûner. 20. Mais les jours viendront où l'époux leur sera enlevé, et ils jeûneront en ces jours-là. 21. Personne ne coud une pièce d'étoffe neuve à un vieux vêtement : autrement la pièce neuve emporte un morceau de vieux, et la déchirure devient plus grande. 22. Et

14. *Lévi*, appelé aussi *Matthieu*, l'évangéliste. — 18. Il s'agit de jeûnes non commandés par la loi. — 19. *Les compagnons de l'époux :* voy. *Matth.* IX, 15. — 22. Pour l'application, voy. *Matth.* IX, 16-17, note.

personne ne met du vin nouveau dans des outres vieilles : autrement, le vin fait rompre les outres et le vin est perdu, ainsi que les outres. Mais on met le vin nouveau dans des outres neuves."

Le sabbat : *les épis.*

23. Il arriva encore, un jour de sabbat, que le Seigneur traversait des champs de blé, et ses disciples, chemin faisant, cueillaient des épis. 24. Les Pharisiens lui dirent : "Voyez donc! Pourquoi font-ils, le jour du sabbat, ce qui n'est pas permis?" 25. Il leur répondit : "N'avez-vous pas lu ce que fit David lorsqu'il fut dans le besoin, ayant faim, lui et ceux qui l'accompagnaient : 26. comment il entra dans la maison de Dieu, au temps du grand prêtre Abiathar, et mangea les pains de proposition, qu'il n'est permis de manger qu'aux prêtres seuls, et en donna même à ceux qui étaient avec lui?" 27. Il leur dit encore : "Le sabbat a été fait pour l'homme, et non l'homme pour le sabbat; 28. c'est pourquoi le Fils de l'homme est maître même du sabbat."

Ch. 3. — *L'homme à la main desséchée.*

Jésus étant entré une autre fois dans la synagogue, il s'y trouvait un homme qui avait la main desséchée. 2. Et on l'observait pour voir s'il le guérirait le jour du sabbat, afin de pouvoir l'accuser. 3. Jésus dit à l'homme qui avait la main desséchée : "Tiens-toi là debout au milieu." 4. Puis il leur dit : "Est-il permis, le jour du sabbat, de faire du bien ou de faire du mal, de sauver la vie *à un homme*, ou de la lui ôter?" Et ils se taisaient. 5. Alors, les regardant avec indignation, et contristé de l'aveuglement de leur cœur, il dit à cet homme : "Etends ta main." Il l'étendit, et sa main de-

23. Le mot *encore* introduit une nouvelle occasion de conflit entre Jésus et les Pharisiens. — *Des épis*, et les froissaient dans leurs mains pour en manger le grain. (*Luc*, vi, 1). — 28. *C'est pourquoi :* le sabbat ayant été institué pour le bien spirituel et temporel de l'homme, le Fils de l'homme, le Messie, représentant et chef de l'humanité, *est donc maître*, etc.

Chap. 3. — 2. *On :* les Scribes et les Pharisiens (*Luc*, vi, 7).

vint saine. 6. Les Pharisiens, étant sortis, allèrent aussitôt s'entendre avec les Hérodiens sur les moyens de le perdre.

Jésus assiégé par les foules : *prédication dans la barque.*

7. Jésus se retira vers la mer avec ses disciples, et une foule nombreuse le suivit de la Galilée, de la Judée, 8. de Jérusalem, de l'Idumée et d'au-delà du Jourdain. Ceux des environs de Tyr et de Sidon, ayant appris les choses qu'il faisait, vinrent aussi à lui en foule. 9. Et il dit à ses disciples de tenir toujours une barque à sa disposition, afin qu'il ne fût pas pressé par la foule. 10. Car, comme il guérissait beaucoup de gens, tous ceux qui avaient quelque mal se jetaient sur lui pour le toucher. 11. Les esprits impurs, en le voyant, se prosternaient devant lui et s'écriaient : 12. "Vous êtes le Fils de Dieu;" mais il leur défendait avec de grandes menaces de faire connaître qui il était.

Election des Apôtres.

13. Etant monté ensuite sur la montagne, il appela à lui ceux que lui-même voulut; et ils vinrent à lui. 14. Il en établit douze pour les avoir avec lui et pour les envoyer prêcher, 15. avec le pouvoir de guérir les maladies et de chasser les démons. 16. *C'étaient:* Simon, qu'il nomma Pierre; 17. Jacques, fils de Zébédée, et Jean, frère de Jacques, auquel il donna le nom de Boanergès, c'est-à-dire fils du tonnerre; 18. André, Philippe, Barthélemi, Matthieu, Thomas, Jacques, fils d'Alphée, Thaddée, Simon le Zélé, 19. et Judas Iscariote, qui le trahit.

Béelzébub et le péché contre le Saint Esprit.

20. Ils revinrent à la maison, et la foule s'y assembla de nouveau, de sorte qu'ils ne pouvaient pas même prendre leur repas. 21. Ce que ses parents ayant appris, ils vinrent pour se saisir de lui, car ils disaient :

6. *Hérodiens :* voy. *Matth.* xxii, 16. — 17. *Fils du tonnerre*, soit à cause de leur éloquence, soit pour l'ardeur de leur zèle (comp. *Luc*, ix, 54). Sur les autres noms, voy. *Matth.* x, 2 sv. — 20. *La maison :* voy. ii, 2. — 21. *Ce que*, savoir que Jésus attirait à lui une si grande

" Il est hors de sens." 22. Mais les Scribes qui étaient venus de Jérusalem, disaient : "Il est possédé de Béelzébub; c'est par le prince des démons qu'il chasse les démons." 23. Jésus les appela et leur dit en parabole : "Comment Satan peut-il chasser Satan? 24. Si un royaume est divisé contre lui-même, ce royaume ne saurait subsister; 25. et si une maison est divisée contre elle-même, cette maison ne saurait subsister. 26. Si donc Satan s'élève contre lui-même, il est divisé; il ne pourra subsister, et sa puissance touche à sa fin. 27. Nul ne peut entrer dans la maison du fort et enlever ses meubles, si auparavant il ne l'enchaîne; et alors il pillera sa maison.

28. En vérité, je vous le dis, tous les péchés seront remis aux enfants des hommes, même les blasphèmes qu'ils auront proférés. 29. Mais celui qui aura blasphémé contre l'Esprit Saint, n'obtiendra jamais le pardon; il est coupable d'un péché éternel." 30. *Jésus parla ainsi*, parce qu'ils disaient : "Il est possédé d'un esprit impur."

Les parents de Jésus.

31. Sa mère et ses frères étant venus, ils se tinrent dehors et l'envoyèrent appeler. 32. Or le peuple était assis autour de lui, et on lui dit : "Votre mère et vos frères sont là dehors, qui vous cherchent." 33. Il répondit : "Qui est ma mère et qui sont mes frères?" 34. Puis, promenant ses regards sur ceux qui étaient assis tout autour de lui : "Voici, dit-il, ma mère et mes frères. 35. Car quiconque fait la volonté de Dieu, celui-là est mon frère, et ma sœur, et ma mère."

foule. — *Hors de sens :* peut-être, en parlant ainsi de Jésus, dont ils ne comprenaient pas bien la mission, avaient-ils l'intention de le soustraire à la haine de ses ennemis. — 22. *Le prince des démons*, savoir, *Béelzébub :* voy. *Matth.* xii, 24. — 23. *Satan*, c.-à-d. *adversaire*, nom propre du démon. — 27. Voy. l'explication *Matth.* xii, 29. — 29. Le *blasphème contre l'Esprit Saint* consiste moins dans un acte particulier, que dans un état, une disposition du pécheur repoussant avec obstination la grâce et fermant les yeux à la vérité. — 31. *Sa mère*, Marie, avait accompagné les proches de Jésus : inutile de dire qu'elle ne partageait pas leurs idées sur son divin Fils.

CH. 4. — Les paraboles du royaume :

Jésus se mit de nouveau à enseigner au bord de la mer. Une si grande foule s'assembla auprès de lui, qu'il monta et s'assit dans la barque, sur la mer, et toute la foule était à terre le long du rivage. 2. Et il leur enseignait beaucoup de choses en paraboles, et il leur disait dans son enseignement :

La semence.

3. " Ecoutez. — Le semeur sortit pour semer. 4. Et comme il semait, des grains tombèrent le long du chemin, et les oiseaux [du ciel] vinrent et les mangèrent. 5. D'autres tombèrent sur un sol pierreux, où ils n'avaient pas beaucoup de terre ; ils levèrent aussitôt, parce que la terre était peu profonde. 6. Mais le soleil s'étant levé, la plante, frappée de ses feux et n'ayant point de racines, sécha. 7. D'autres grains tombèrent parmi les épines; et les épines montèrent et les étouffèrent, et ils ne donnèrent point de fruit. 8. D'autres tombèrent dans la bonne terre, et, montant et croissant, ils donnèrent leur fruit, les uns trente pour un, les autres soixante, les autres cent." 9. Et il ajouta : " Que celui qui a des oreilles pour entendre, entende. "

Explication de cette parabole.

10. Lorsqu'il se trouva seul, ceux qui l'entouraient, avec les Douze, l'interrogèrent sur les paraboles. 11. Il leur dit : " A vous il a été donné de connaître le mystère du royaume de Dieu; mais pour eux, qui sont dehors, tout est annoncé en paraboles, 12. de sorte qu'en voyant de leurs yeux ils ne voient point, qu'en entendant de leurs oreilles ils n'entendent point : de peur qu'ils ne se convertissent et n'ob-

Chap. 4. — 2. Les trois paraboles qui suivent décrivent le royaume de Dieu sur la terre : la première, celle du Semeur, dans ses pénibles débuts ; la seconde, celle du Champ de blé, dans sa croissance, lente, mais assurée ; la troisième, celle du Sénevé, dans son merveilleux épanouissement. — 11. *Le mystère*, la doctrine relative au *royaume de Dieu*, cachée sous ces paraboles. — *Dehors*, qui se tiennent en dehors du cercle de mes disciples, fermant les yeux à la vérité, ou trop mal disposés pour la comprendre.

tiennent le pardon de leurs péchés. " 13. Il ajouta : " Vous ne comprenez pas cette parabole? Comment donc entendrez-vous toutes les paraboles?

14. Celui qui sème, sème la parole. 15. Le chemin, ce sont les hommes en qui on sème la parole, et ils ne l'ont pas plus tôt entendue, que Satan vient et enlève la parole semée dans leurs cœurs. 16. Pareillement, le sol pierreux où tombe la semence, ce sont ceux qui, dès qu'ils entendent la parole, la reçoivent avec joie; 17. mais elle n'a pas de racines en eux; ils sont inconstants : que survienne la tribulation ou la persécution à cause de la parole, ils succombent aussitôt. 18. Les épines qui reçoivent la semence, ce sont ceux qui entendent la parole; 19. mais les sollicitudes du siècle, et la séduction des richesses, et les autres convoitises entrant dans leurs cœurs, étouffent la parole, et elle ne porte point de fruit. 20. Enfin la bonne terre où tombe la semence, ce sont ceux qui entendent la parole et la reçoivent, et produisent du fruit, trente, soixante, cent pour un. "

La lampe.

21. Il leur dit encore : " Apporte-t-on la lampe pour la mettre sous le boisseau ou sous le lit? N'est-ce pas pour la mettre sur le chandelier? 22. Car il n'y a rien de caché qui ne doive être révélé, rien de secret qui ne doive venir au jour. 23. Si quelqu'un a des oreilles pour entendre, qu'il entende. " 24. Et il ajouta : " Prenez garde à ce que vous entendez. Selon la mesure avec laquelle vous aurez mesuré, on vous mesurera, et on y ajoutera encore pour vous. 25. Car on donnera à celui qui a déjà, et à celui qui n'a pas, même ce qu'il a lui sera ôté. "

La plante qui croît.

26. Il dit encore : " Il en est du royaume de Dieu comme d'un homme

21. Il s'agit ici des lits ou divans sur lesquels les anciens s'étendaient pour prendre leurs repas. Sens des vers. 21-23 : Ma doctrine ne doit pas rester secrète, mais être prêchée partout.

qui jette en terre de la semence. 27. Il dort pendant la nuit, il vaque à ses affaires pendant le jour, et la semence germe et croît sans qu'il sache comment. 28. Car la terre produit d'elle-même du fruit : d'abord de l'herbe, puis un épi, et l'épi ensuite s'emplit de froment. 29. Et quand le fruit est mûr, aussitôt on y met la faucille, parce que c'est le temps de la moisson. "

Le grain de sénevé.

30. Il dit encore : " A quoi comparerons-nous le royaume de Dieu? ou par quelle parabole le représenterons-nous? 31. Il est semblable à un grain de sénevé qui, lorsqu'on le sème en terre, est la plus petite de toutes les semences qu'il y ait sur la terre; 32. et lorsqu'on l'a semé, il monte et devient plus grand que toutes les plantes; il étend si loin ses rameaux, que les oiseaux du ciel peuvent s'abriter sous son ombre. "

Conclusion.

33. Il les enseignait ainsi par diverses paraboles, selon qu'ils étaient capables de l'entendre. 34. Il ne leur parlait point sans paraboles; mais, en particulier, il expliquait tout à ses disciples.

Le voyage à Gérasa :
tempête apaisée.

35. Ce jour-là, sur le soir, il leur dit : " Passons à l'autre bord. " 36. Ayant renvoyé la foule, ils prirent avec eux Jésus, tel qu'il était dans la barque, et d'autres barques l'accompagnaient. 37. Alors il s'éleva un vent impétueux qui poussait les flots contre la barque, de sorte qu'elle s'emplissait d'eau. 38. Lui cependant était à la poupe, dormant sur le coussin; ils le réveillèrent et lui dirent : " Maître, n'avez-vous point de souci que nous périssions? "

29. L'homme, c'est Jésus Christ; la semence, c'est l'Evangile; la terre, les hommes; la moisson, le jugement dernier. L'Eglise une fois fondée croît et grandit, comme un germe divin dont rien ne peut arrêter le développement, jusqu'à la fin du monde. La même parabole peut s'applıquer au règne de Dieu dans chaque âme chrétienne en particulier. — 36. *Tel qu'il était*, sans aucun préparatif pour la traversée. — 38. *Le coussin* qui se trouvait dans la barque. C'est le seul endroit de l'Evangile où il soit question du sommeil de Jésus.

39. Jésus étant réveillé tança le vent, et dit à la mer : " Tais-toi, calme-toi. " Et le vent s'apaisa, et il se fit un grand calme. 40. Et il leur dit : " Pourquoi êtes-vous effrayés? N'avez-vous pas encore de foi?" Et ils furent saisis d'une grande crainte, et ils se disaient l'un à l'autre : " Qui donc est celui-ci, que le vent et la mer lui obéissent? "

CH. 5.

Le démoniaque et les porcs

Ayant passé la mer, ils arrivèrent au pays des Gadaréniens. 2. Et comme Jésus sortait de la barque, tout à coup vint à lui, du milieu des sépulcres, un homme possédé d'un esprit impur. 3. Il avait sa demeure dans les sépulcres; et nul ne pouvait plus le tenir attaché, même avec une chaîne. 4. Car on l'avait souvent chargé de liens aux pieds et de chaînes, et il avait brisé les chaînes et rompu ses liens, de sorte que personne ne pouvait en être maître. 5. Sans cesse, le jour et la nuit, il errait au milieu des sépulcres et sur les montagnes, criant et se meurtrissant avec des pierres. 6. Ayant aperçu Jésus de loin, il accourut, se prosterna devant lui, 7. et, ayant poussé un cri, il dit d'une voix forte: " Qu'y a-t-il entre vous et moi, Jésus, fils du Dieu très haut? Je vous adjure au nom de Dieu, ne me tourmentez point." 8. Car Jésus lui disait : " Esprit impur, sors de cet homme. " 9. Et il lui demanda: "Quel est ton nom?" Et il lui dit : " Mon nom est Légion, car nous sommes nombreux. " 10. Et il le priait instamment de ne pas les envoyer hors de ce pays. 11. Or il y avait là, le long de la montagne, un grand troupeau de porcs qui paissaient. 12. Et les esprits suppliaient Jésus, disant : " Envoyez-nous

Chap. 5. — 2. *Un homme possédé*, etc. S. Matthieu dit *deux* : a-t-il réuni dans son récit deux faits semblables? Ou bien S. Marc et S. Luc ne parlent-ils que du démoniaque qui était le plus furieux, et qui se serait présenté à Jésus un peu avant l'autre? — 9. La présence des armées romaines en Palestine avait rendu le mot *légion* familier aux Juifs. Comme la légion se composait de 5 à 6 mille hommes, ils se servaient de cette expression, comme nous le faisons encore aujourd'hui, pour signifier un nombre considérable.

dans ces pourceaux, afin que nous y entrions." 13. Il le leur permit aussitôt, et les esprits impurs, sortant du possédé, entrèrent dans les pourceaux, et le troupeau, qui était d'environ deux mille têtes, se précipita des pentes escarpées dans la mer et s'y noya. 14. Ceux qui les gardaient s'enfuirent, et répandirent la nouvelle dans la ville et dans les campagnes. Beaucoup de gens allèrent voir ce qui était arrivé; 15. ils vinrent à Jésus et virent le démoniaque, celui qui avait eu la légion, assis, vêtu, et sain d'esprit, et ils furent saisis de frayeur. 16. Et ceux qui avaient été témoins du prodige leur ayant raconté ce qui était arrivé au possédé et aux pourceaux, 17. ils se mirent à prier Jésus de s'éloigner de leur pays.

18. Comme Jésus montait dans la barque, le démoniaque lui demanda la permission de le suivre. 19. Jésus ne le lui permit pas, mais il lui dit : "Va dans ta maison, auprès des tiens, et raconte-leur tout ce que le Seigneur a fait pour toi, et comment il a eu pitié de toi." 20. Il s'en alla, et se mit à publier dans la Décapole tout ce que Jésus avait fait pour lui : et tous étaient dans l'admiration.

Au retour : l'hémorroïsse et la fille de Jaïre.

21. Jésus ayant de nouveau traversé la mer dans la barque, comme il était près du rivage une grande foule s'assembla autour de lui. 22. Alors vint un des chefs de la synagogue, nommé Jaïre, qui, en le voyant, se jeta à ses pieds, 23. et le pria avec instance, disant : "Ma fille est à l'extrémité; venez, imposez votre main sur elle, afin qu'elle soit guérie et qu'elle vive." 24. Jésus partit avec lui, et une grande multitude le suivait et le pressait. 25. Or il y avait une femme affligée d'un flux de sang depuis douze années; 26. elle avait beaucoup souffert de plu-

19. En Galilée, Jésus ne veut pas qu'on publie ses miracles, de peur d'exciter parmi ces populations ardentes un enthousiasme pour sa personne qui eût dégénéré en violence et en révolte; en Pérée, parmi des populations semi-païennes, il n'a rien à craindre de semblable, et il commande de les publier. — 21. *Près du rivage*, à Capharnaüm. — 22. *Synagogue*, lieu des assemblées religieuses.

sieurs médecins, et dépensé tout son bien, et loin d'avoir éprouvé quelque soulagement, elle avait vu son mal empirer. 27. Ayant entendu parler de Jésus, elle vint dans la foule et toucha par derrière son manteau. 28. Car elle disait : " Si je touche seulement son manteau, je serai guérie." 29. Aussitôt le flux du sang s'arrêta, et elle sentit en son corps qu'elle était guérie de son infirmité. 30. Au même moment, Jésus connut en lui-même qu'une vertu était sortie de lui, et, se retournant au milieu de la foule, il dit : " Qui a touché mes vêtements?" 31. Ses disciples lui dirent : " Vous voyez la foule qui vous presse de tous côtés, et vous demandez : Qui m'a touché?" 32. Et il regardait autour de lui pour voir celle qui l'avait touché. 33. Cette femme, tremblante de crainte, sachant ce qui s'était passé en elle, vint se jeter à ses pieds, et lui dit toute la vérité. 34. Jésus lui dit : " Ma fille, votre foi vous a sauvée; allez en paix, et soyez guérie de votre infirmité." 35. Il parlait encore, lorsqu'on vint de la maison du chef de synagogue lui dire : " Ta fille est morte, pourquoi fatiguer davantage le Maître?" 36. Mais Jésus, ayant entendu cette parole, dit au chef de synagogue : " Ne crains point, crois seulement." 37. Et il ne permit à personne de l'accompagner, si ce n'est à Pierre, à Jacques et à Jean, frère de Jacques. 38. Ils arrivent à la maison du chef de synagogue, et Jésus voit une troupe confuse de gens qui pleurent et poussent de grands cris. 39. Il entre et leur dit : " Pourquoi tout ce bruit et ces pleurs? La jeune fille n'est pas morte, mais elle dort." 40. Et ils se moquaient de lui. Mais lui les ayant tous fait sortir, prit avec lui le père et la mère de l'enfant, et les disciples qui l'accompagnaient, et entra dans le lieu où l'enfant était [couchée]. 41. Et lui prenant la main, il lui dit : " Talitha, cumi," c'est-à-

34. *Guérie*, pour toujours. — 39. Sa mort, qui allait cesser dans un instant, n'était-elle pas semblable à un sommeil?

dire : " Jeune fille, lève-toi, je te le dis." 42. Aussitôt la jeune fille se leva et se mit à marcher, car elle avait douze ans; et ils furent frappés de stupeur. 43. Et Jésus leur défendit fortement d'en rien dire à personne; puis il commanda de donner à manger à la jeune fille.

CH. 6. — A Nazareth.

Etant parti de là, Jésus vint dans sa patrie, et ses disciples le suivirent. 2. Quand le sabbat fut venu, il se mit à enseigner dans la synagogue; et beaucoup de ceux qui l'entendaient, admirant sa doctrine, disaient : " D'où lui viennent toutes ces choses? Quelle est cette sagesse qui lui a été donnée, et d'où vient que de telles merveilles se font par ses mains? 3. N'est-ce pas le charpentier, le fils de Marie, le frère de Jacques, de Joseph, de Jude et de Simon? Ses sœurs ne sont-elles pas ici parmi nous?" Et ils se scandalisaient de lui. 4. Jésus leur dit : " Un prophète n'est sans honneur que dans sa patrie, dans sa maison et dans sa famille." 5. Et il ne put faire là aucun miracle, si ce n'est qu'il guérit quelques malades en leur imposant les mains. 6. Et il était surpris de leur incrédulité.

Mission des Apôtres.

Ensuite Jésus parcourut les villages d'alentour en enseignant. 7. Il appela les Douze, et commença à les envoyer deux à deux, en leur donnant pouvoir sur les esprits impurs. 8. Il leur recommanda de ne rien prendre pour la route, qu'un bâton seulement, ni sac, ni pain, ni argent dans la ceinture; 9. mais d'être chaussés de sandales, et de ne pas mettre deux tuniques. 10. Et il leur dit : " En quelque

Chap. 6. — 1. *De là*, de Capharnaüm. — *Sa patrie*, Nazareth. C'est la seconde fois, depuis le commencement de sa vie publique, que le Sauveur vient à Nazareth. Mal reçu à sa première visite (*Luc*, IV, 16 sv.), il essaie de nouveau de toucher le cœur de ses compatriotes. — 3. *Le charpentier :* N. S. avait donc exercé lui-même la profession de S. Joseph. Ce dernier n'étant pas nommé ici, on conjecture qu'il était mort à cette époque. — *Frères de Jésus.* Les Orientaux donnent le nom de frères même aux cousins. — 5. *Aucun miracle :* non que Jésus manquât de puissance, mais parce que les habitants de Nazareth manquaient de foi.

maison que vous entriez, demeurez-y jusqu'à ce que vous partiez de ce lieu. 11. Et si quelque part on refuse de vous recevoir et de vous écouter, sortez de là, et secouez la poussière de vos pieds en témoignage pour eux." 12. Etant donc partis, ils prêchèrent la pénitence; 13. ils chassaient beaucoup de démons, oignaient d'huile beaucoup de malades et les guérissaient.

DEUXIÈME PARTIE

JÉSUS RAYONNE AUTOUR DE LA GALILÉE

(Ch. 6, 14 — 9).

Inquiétudes d'Hérode, meurtrier de Jean Baptiste.

14. Or le roi Hérode entendit parler *de Jésus*, dont le nom était devenu célèbre, et il disait : " Jean Baptiste est ressuscité : c'est pourquoi la puissance miraculeuse opère en lui." 15. Mais d'autres disaient : " C'est Elie;" et d'autres : " C'est un prophète, semblable aux *anciens* prophètes." 16. Ce qu'Hérode ayant entendu, il dit : " C'est Jean, que j'ai fait décapiter, qui est ressuscité [d'entre les morts]."

17. En effet, ✠ c'était Hérode qui avait envoyé prendre Jean, et l'avait fait mettre en prison chargé de fers, à cause d'Hérodiade, femme de Philippe, son frère, qu'il avait épousée; 18. car Jean disait à Hérode : " Il ne t'est pas permis d'avoir la femme de ton frère." 19. Hérodiade lui était donc hostile, et voulait le faire périr; mais elle ne le pouvait pas. 20. Car Hérode, sachant que c'était un homme juste et saint, le vénérait et le protégeait; il faisait beaucoup de choses d'après ses conseils et l'écoutait volontiers.

21. Enfin il se présenta

---

11. *En témoignage pour eux :* que cette action symbolique atteste aux habitants qu'ils ne sont plus, à vos yeux, que des païens avec lesquels on n'a plus de rapports. — 14. *Est ressuscité :* Jésus n'est pas autre que Jean Baptiste ressuscité; c'est la crainte et le remords qui font naître cette idée dans l'esprit d'Hérode.

une occasion favorable. Le jour anniversaire de sa naissance, Hérode donna un festin aux grands de sa cour, à ses officiers et aux principaux de la Galilée. 22. La fille d'Hérodiade étant entrée dans la salle, dansa, et plut tellement à Hérode et à ceux qui étaient à table avec lui, que le roi dit à la jeune fille : "Demande-moi ce que tu voudras, et je te le donnerai." 23. Et il ajouta avec serment : "Quoi que ce soit que tu me demandes, je te le donnerai, jusqu'à la moitié de mon royaume." 24. Elle sortit, et dit à sa mère : "Que demanderai-je ?" Sa mère lui répondit : "La tête de Jean Baptiste." 25. Revenant aussitôt près du roi, la jeune fille lui fit cette demande : "Je veux que tu me donnes sur l'heure, sur un plat, la tête de Jean Baptiste." 26. Le roi fut contristé : néanmoins, à cause de son serment et de ses convives, il ne voulut point l'affliger d'un refus. 27. Il envoya sur-le-champ un de ses gardes avec l'ordre d'apporter la tête de Jean sur un plat. Le garde alla décapiter Jean dans la prison, 28. et apporta sa tête sur un plat ; il la donna à la jeune fille, et la jeune fille la donna à sa mère. ¶ 29. Les disciples de Jean l'ayant appris, vinrent prendre son corps et le mirent dans un sépulcre.

Jésus à Bethsaïde :
1ère multiplication des pains.

30. De retour près de Jésus, les Apôtres lui rendirent compte de tout ce qu'ils avaient fait et de tout ce qu'ils avaient enseigné. 31. Il leur dit : "Venez à l'écart, dans un lieu désert, et prenez un peu de repos." Car il y avait tant de personnes qui allaient et venaient, que les Apôtres n'avaient pas même le temps de manger. 32. Ils s'en allèrent donc dans la barque, et se retirèrent à l'écart dans un lieu solitaire. 33. On les vit partir, et beaucoup de gens devinèrent *où ils allaient*, et de toutes les villes *voisines* on accourut par terre en ce lieu, et on y arriva

23. Formule en usage pour signifier qu'on était disposé à tout accorder.

avant eux. 34. Lorsque Jésus sortit, il vit une grande multitude, et il en eut compassion, parce qu'ils étaient comme des brebis sans pasteur, et il se mit à leur enseigner beaucoup de choses. 35. Comme l'heure était déjà avancée, ses disciples vinrent lui dire : "Ce lieu est désert et la nuit approche; 36. renvoyez-les, afin qu'ils aillent dans les fermes et les villages des environs, pour s'acheter de quoi manger." 37. Il leur répondit : "Donnez-leur vous-mêmes à manger." Et ils lui dirent : "Irons-nous donc acheter pour deux cents deniers de pain, afin de leur donner à manger?" 38. Il leur demanda : "Combien avez-vous de pains? Allez et voyez." S'en étant instruits, ils lui vinrent dire : "Cinq pains et deux poissons." 39. Alors il leur commanda de les faire tous asseoir, en diverses bandes, sur l'herbe verte; 40. et ils s'assirent par groupes de cent et de cinquante. 41. Jésus prit les cinq pains et les deux poissons, et, levant les yeux au ciel, il rendit grâces. Puis il rompit les pains et les donna à ses disciples, pour qu'ils les distribuassent au peuple; il partagea aussi les deux poissons entre tous. 42. Tous mangèrent et furent rassasiés, 43. et l'on emporta douze corbeilles pleines de morceaux *de pain* et de ce qui restait des poissons. 44. Or ceux qui avaient mangé étaient au nombre de cinq mille hommes.

Il marche sur les flots.

45. Aussitôt après, Jésus obligea ses disciples de monter dans la barque, et de passer avant lui de l'autre côté du lac, vers Bethsaïde, pendant que lui-même renverrait le peuple. 46. Et après qu'il l'eut renvoyé, il s'en alla sur la montagne pour prier. 47. ✠ Le soir étant venu, la barque était au milieu de la mer, et Jésus était seul à terre. 48. Voyant qu'ils avaient beaucoup de peine à ra-

34. *Sortit*, de la barque. — 41. *Il rendit grâces*, il récita la prière que tous les Israélites avaient coutume de faire avant de prendre leurs repas, le *bénédicité* hébreu. — 45. *Les obligea :* la raison en est *Jean*, vi, 15. — *Bethsaïde*, près de Capharnaüm. — 48. *Qua-*

mer (car le vent leur était contraire), vers la quatrième veille de la nuit, il alla vers eux, marchant sur la mer; et il voulait les dépasser. 49. Mais eux, le voyant marcher sur la mer, crurent que c'était un fantôme et poussèrent des cris. 50. Car ils le voyaient tous, et ils étaient bouleversés. Alors il leur parla et leur dit : "Ayez confiance, c'est moi, ne craignez point." 51. Il monta ensuite auprès d'eux dans la barque, et le vent cessa, et leur étonnement était au comble; 52. car ils n'avaient pas compris le miracle des pains, parce que leur cœur était aveuglé.

Au retour : miracles

53. Après avoir traversé le lac, ils vinrent au territoire de Génésareth et y abordèrent. 54. Quand ils furent sortis de la barque, les gens *du pays*, ayant aussitôt reconnu Jésus, 55. parcoururent tous les environs, et l'on se mit à lui apporter les malades sur leurs lits, partout où l'on apprenait qu'il était. 56. En quelque lieu qu'il arrivât, dans les villages, dans les villes et dans les campagnes, on mettait les malades sur les places publiques, et on le priait de les laisser seulement toucher la houppe de son manteau; et tous ceux qui pouvaient toucher Jésus étaient guéris. ¶

CH. 7. — *et discussions sur les traditions des Pharisiens.*

Les Pharisiens et plusieurs Scribes venus de Jérusalem s'assemblèrent auprès de Jésus. 2. Ils virent quelques-uns de ses disciples prendre leur repas avec des mains impures, c'est-à-dire non lavées. — 3. Car les Pharisiens et tous les Juifs ne mangent pas sans s'être lavé plusieurs fois les mains, suivant en cela la tradition des anciens. 4. Et lorsqu'ils reviennent du marché, ils ne mangent pas sans s'être plongés dans l'eau. Ils pratiquent encore

trième veille, etc. : un peu avant le lever du soleil. — *Dépasser* : Jésus fit comme s'il voulait passer outre à côté d'eux. — 52. Le miracle de la multiplication des pains n'avait pas suffi pour leur montrer dans Jésus un Dieu; mais ce nouveau prodige dissipa leur aveuglement (*Matth.* xiv, 33).

Chap. 7. — 4. *Lits*, divans sur lesquels on se couchait à demi pour

beaucoup d'autres observances traditionnelles, la purification des coupes, des cruches, des vases d'airain et des lits. — 5. Les Pharisiens et les Scribes lui demandèrent donc : " Pourquoi vos disciples ne gardent-ils pas la tradition des anciens, et prennent-ils leur repas avec des mains impures? " 6. Il leur répondit : " Isaïe a bien prophétisé de vous, hypocrites, lorsqu'il dit : Ce peuple m'honore des lèvres, mais leur cœur est loin de moi. 7. Vain est le culte qu'ils me rendent, enseignant des doctrines qui sont des préceptes d'hommes. 8. Vous laissez de côté la loi de Dieu, pour vous attacher à la tradition des hommes, purifiant les vases et les coupes, et faisant beaucoup d'autres choses semblables. 9. Vous savez fort bien, ajouta-t-il, anéantir ainsi le commandement de Dieu, pour observer votre tradition! 10. Car Moïse a dit : Honore ton père et ta mère; et : Celui qui maudira son père et sa mère, qu'il soit puni de mort. 11. Et vous, vous dites : Si un homme dit à son père ou à sa mère : Le bien dont j'aurais pu t'assister est corban, c'est-à-dire un don *fait à Dieu*, 12. vous ne le laissez plus rien faire pour son père ou sa mère, — 13. anéantissant ainsi la parole de Dieu par la tradition que vous enseignez. Et vous faites beaucoup d'autres choses semblables."

14. Ayant rappelé le peuple, Jésus leur dit : " Ecoutez-moi tous, et comprenez. 15. Rien de ce qui est hors de l'homme et qui entre dans l'homme ne peut le souiller; mais ce qui sort de l'homme, voilà ce qui souille l'homme. 16. Que celui qui a des oreilles pour entendre, entende."

17. Lorsqu'il fut entré dans une maison, loin de la foule, ses disciples l'interrogèrent sur cette parabole. 18. Il leur dit :

prendre les repas. Ces divers objets auraient pu être profanés, à l'insu de tous, par une personne impure. — 6. *Ce peuple*, etc. Isaïe, xxix, 13. — 13. Voy. *Matth.* xv, 5. — 14. *Le peuple*, qui s'était respectueusement écarté à l'arrivée des Pharisiens et des Scribes. — 17. *Cette parabole*, la sentence obscure et énigmatique du vers. 15.

"Vous aussi, avez-vous si peu d'intelligence? Ne comprenez-vous pas que tout ce qui du dehors entre dans l'homme ne peut le souiller, 19. parce que cela n'entre pas dans son cœur, mais va au ventre, et est rejeté au lieu secret, par un travail qui purifie tous les aliments? 20. Mais, ajouta-t-il, ce qui sort de l'homme, voilà ce qui souille l'homme. 21. Car c'est du dedans, du cœur des hommes, que sortent les pensées mauvaises, les adultères, les fornications, les homicides, 22. les vols, l'avarice, les méchancetés, la fraude, les impudicités, l'œil malin, la calomnie, l'orgueil, la folie. 23. Toutes ces choses mauvaises sortent du dedans et souillent l'homme."

En Phénicie :
la Chananéenne.

24. Il partit ensuite de ce lieu, et s'en alla vers les confins de Tyr et de Sidon. Et étant entré dans une maison, il désirait que personne ne le sût, mais il ne put demeurer caché. 25. Car une femme, dont la fille était possédée d'un esprit impur, n'eut pas plus tôt entendu parler de lui, qu'elle vint se jeter à ses pieds. 26. Cette femme était païenne, syro-phénicienne de nation; elle le pria de chasser le démon hors de sa fille. 27. Il lui dit : "Laissez d'abord les enfants se rassasier, car il n'est pas bien de prendre le pain des enfants et de le jeter aux chiens." 28. "Il est vrai, Seigneur, répondit-elle; mais les petits chiens mangent sous la table les miettes des enfants." 29. Alors il lui dit : "A cause de cette parole, allez, le démon est sorti de votre fille." 30. Etant retournée à sa maison, elle trouva sa fille couchée sur son lit; le démon l'avait quittée.

Dans la Décapole :
le sourd-muet.

31. Des confins de Tyr, Jésus revint par Sidon

19. Le travail de la nutrition purifie nos aliments en séparant la partie utile, destinée à entrer dans l'organisme humain, des éléments grossiers qui sont rejetés au dehors. — 22. *L'œil malin*, l'envie. — *La folie*, l'absence de sagesse. — 26. *Syro-phénicienne*, du pays appelé autrefois Phénicie, et réuni alors à la province romaine de Syrie.

vers la mer de Galilée, en traversant le pays de la Décapole. 32. Là, ils lui amenèrent un sourd-muet, et ils le priaient de lui imposer les mains. 33. Jésus, le tirant à part hors de la foule, lui mit les doigts dans les oreilles, et de sa salive sur la langue; 34. puis, levant les yeux au ciel, il poussa un soupir et dit : " Ephphéta, " c'est-à-dire, ouvre-toi. 35. Et aussitôt les oreilles de cet homme s'ouvrirent, sa langue se délia; et il parlait distinctement. 36. Jésus leur défendit d'en rien dire à personne. Mais plus il le leur défendait, plus ils le publiaient; 37. et ravis d'admiration, ils disaient: " Tout ce qu'il a fait est merveilleux! Il fait entendre les sourds et parler les muets. "

CH. 8. — *2ème multiplication des pains.*

✠ En ces jours-là, comme il y avait encore une grande foule qui n'avait pas de quoi manger, Jésus appela ses disciples et leur dit : 2. " J'ai compassion de ce peuple, car voilà trois jours déjà qu'ils ne me quittent pas, et ils n'ont rien à manger. 3. Si je les renvoie dans leur maison sans nourriture, ils tomberont de défaillance en chemin; car plusieurs d'entre eux sont venus de loin. " 4. Ses disciples lui répondirent : " Comment pourrait-on trouver ici, dans un désert, assez de pain pour les rassasier? " 5. Et il leur demanda : " Combien avez-vous de pains? " Ils dirent : " Sept. " 6. Alors il fit asseoir la foule par terre, prit les sept pains, et, après avoir rendu grâces, il les rompit et les donna à ses disciples pour les distribuer; et ils les distribuèrent au peuple. 7. Ils avaient en outre quelques petits poissons; Jésus rendit grâces et les fit distribuer. 8. Ils mangèrent

35. Ce malade, nous disent les Pères, c'est l'image de l'humanité déchue, avec toutes ses misères physiques et morales, ne pouvant ni entendre la doctrine du salut, ni publier les louanges de Dieu. En face d'une si profonde misère, le Sauveur éprouve une vive pitié. Voilà pourquoi aussi l'Eglise, regardant ce que fit Jésus à l'égard du sourd-muet comme une action symbolique, a adopté, dès la plus haute antiquité, un rite semblable dans les cérémonies du baptême.

Chap. 8. — 1. *Encore* : comp. vi, 34.

et furent rassasiés, et l'on emporta sept corbeilles des morceaux qui restaient. 9. Or ceux qui mangèrent étaient environ quatre mille. ¶ Ensuite Jésus les renvoya.

En Galilée : les Pharisiens demandent un prodige.

10. Il monta aussitôt dans la barque avec ses disciples, et vint dans le pays de Dalmanutha. 11. Survinrent les Pharisiens, qui commencèrent à discuter avec lui, lui demandant, pour l'éprouver, un signe du ciel. 12. Jésus ayant poussé un soupir dans son esprit, dit : " Pourquoi cette génération demande-t-elle un signe? Je vous le dis en vérité, il ne sera point donné de signe à cette génération. "

Jésus à Bethsaïde : *le levain.*

13. Et les laissant, il remonta dans la barque et passa à l'autre bord. 14. Or *les disciples* avaient oublié de prendre des pains; ils n'en avaient qu'un seul avec eux dans la barque. 15. Jésus leur donna cet avertissement : " Gardez-vous avec soin du levain des Pharisiens et du levain d'Hérode. " 16. Sur quoi ils faisaient réflexion entre eux, disant : " *C'est que* nous n'avons pas de pain. " 17. Jésus connaissant leur pensée, leur dit : " Pourquoi vous entretenez-vous de ce que vous n'avez pas de pain? N'avez-vous donc encore ni sens ni intelligence? Votre cœur est-il encore aveuglé? 18. Avez-vous des yeux pour ne pas voir, des oreilles pour ne pas entendre? Et n'avez-vous point de mémoire? 19. Quand j'ai rompu les cinq pains entre les cinq mille hommes, combien avez-vous emporté de corbeilles pleines de morceaux? " Ils lui dirent : " Douze. " 20. " Et quand j'ai rompu les sept pains entre les quatre mille hommes, combien de paniers *pleins* de morceaux avez-vous emportés?" Il lui dirent: " Sept."

10. *Dalmanutha*, à l'ouest du lac de Tibériade. — 15. *D'Hérode* : S. Matthieu dit, *des Sadducéens:* le voluptueux tétrarque devait être attaché aux opinions de cette secte. — 16. Le mot de levain éveille dans leur esprit l'idée de pain, et ils se rappellent qu'ils n'ont pas apporté de provisions.

21. Il leur dit : " Ne comprenez-vous pas encore ? "

L'aveugle.

22. Ils arrivèrent à Bethsaïde, et on lui amena un aveugle qu'on le pria de toucher. 23. Prenant la main de l'aveugle, Jésus le conduisit hors du bourg, lui mit de sa salive sur les yeux, et, lui ayant imposé les mains, lui demanda s'il voyait quelque chose. 24. L'aveugle leva les yeux et dit : " Je vois des hommes qui marchent, semblables à des arbres." 25. Jésus lui mit de nouveau les mains sur les yeux, et il commença à voir et il fut si bien guéri, qu'il voyait distinctement toutes choses. 26. Alors Jésus le renvoya dans sa maison, en disant : " Va dans ta maison, et si tu entres dans le bourg, ne parle de ceci à personne. "

A Césarée : confession de S. Pierre.

27. De là, Jésus se rendit avec ses disciples dans les villages qui entourent Césarée de Philippe, et sur le chemin, il leur fit cette question : " Qui dit-on que je suis ? " 28. Ils lui répondirent : " *Les uns disent que vous êtes* Jean Baptiste ; d'autres, *que vous êtes* Elie ; d'autres, un des Prophètes. " 29. " Et vous, leur demanda-t-il, qui dites-vous que je suis ? " Pierre, prenant la parole, lui dit : " Vous êtes le Christ. " 30. Et il leur défendit avec menace de parler de lui à personne.

1ère Prédiction de la passion. Comment on suit Jésus.

31. Alors il commença à leur enseigner qu'il fallait que le Fils de l'homme souffrît beaucoup, qu'il fût rejeté par les Anciens, par les Princes des prêtres et les Scribes, qu'il fût mis à mort et qu'il ressuscitât trois jours après. 32. Et il leur dit ces choses ouvertement. Pierre, le prenant à part, se mit à le reprendre. 33. Mais Jésus,

21. Après les miracles récemment opérés, *ne comprenez-vous pas* que, sous mes yeux, vous ne devez avoir aucun souci de ce qui regarde la nourriture du corps ? — 22. *Bethsaïde* Julias, au nord-est du lac. — 23. *Hors du bourg*, de Bethsaïde. — 25. *Distinctement ;* d'autres, *de loin*.

s'étant retourné et ayant regardé ses disciples, réprimanda Pierre, en disant : " Retire-toi de moi, Satan; car tes sentiments ne sont pas ceux de Dieu, mais ceux des hommes." 34. Puis, ayant appelé le peuple avec ses disciples, il leur dit : " Si quelqu'un veut être mon disciple, qu'il se renonce lui-même, qu'il prenne sa croix et me suive. 35. Car celui qui veut sauver sa vie, la perdra, et celui qui perdra sa vie à cause de moi et de l'Evangile, la sauvera. 36. Que servira-t-il à l'homme de gagner le monde entier, s'il perd son âme? 37. Car que donnera l'homme en échange de son âme? 38. Celui qui aura rougi de moi et de mes paroles au milieu de cette génération adultère et pécheresse, le Fils de l'homme aussi rougira de lui, lorsqu'il viendra dans la gloire de son Père avec les anges saints." 39. Il ajouta : " Je vous le dis en vérité, parmi ceux qui sont ici, quelques-uns ne goûteront point la mort, qu'ils n'aient vu le royaume de Dieu venir avec puissance."

CH. 9. — Transfiguration.

Six jours après, ✠ Jésus prit avec lui Pierre, Jacques et Jean, et les conduisit seuls, à l'écart, sur une haute montagne, et il fut transfiguré devant eux. 2. Ses vêtements devinrent étincelants de blancheur, comme de la neige, et tels qu'aucun foulon sur la terre ne saurait blanchir ainsi. 3. Puis Elie et Moïse leur apparurent, conversant avec Jésus. 4. Pierre, prenant la parole, dit à Jésus : "Maître, il nous est bon d'être ici ; dressons trois tentes, une pour vous, une pour Moïse et une pour Elie." 5. Il ne savait ce qu'il disait, l'effroi les ayant saisis, 6. et une nuée les

34. *Qu'il se renonce lui-même*, c'est-à-dire, qu'il ne se connaisse plus lui-même, qu'il accepte pour Jésus Christ ce qu'il y a de plus contraire à la nature, comme s'il ne s'agissait pas de lui-même, mais de quelqu'un dont il ne connaîtrait pas même le nom. — 36-37. Il ne sert de rien à un homme de gagner l'univers, si en même temps il perd son âme, — à moins qu'il n'ait à donner de quoi racheter ensuite son âme perdue; mais il n'existe pas de rançon de ce genre : le monde n'y suffirait pas. — 38. *Adultère*, infidèle à Dieu, dont la nation juive était comme l'épouse.

couvrit de son ombre, et de la nuée sortit une voix : " Celui-ci est mon Fils bien aimé; écoutez-le." 7. Aussitôt, regardant tout autour, ils ne virent plus personne, si ce n'est Jésus, seul avec eux. 8. Comme ils descendaient de la montagne, il leur défendit de raconter à personne ce qu'ils avaient vu, jusqu'à ce que le Fils de l'homme fût ressuscité des morts.¶ 9. Et ils retinrent cette parole, tout en se demandant entre eux ce que signifiait ce mot : " être ressuscité des morts."

Elie déjà venu.

10. Ils l'interrogèrent et lui dirent : " Pourquoi donc les Pharisiens et les Scribes disent-ils qu'il faut qu'Elie vienne auparavant?" 11. Il leur répondit : " Elie doit venir auparavant, et rétablir toutes choses; et comment est-il écrit du Fils de l'homme qu'il doit souffrir beaucoup et être méprisé? 12. Mais, je vous le dis, Elie est déjà venu, et ils l'ont traité comme ils ont voulu, selon qu'il est écrit de lui."

L'enfant possédé.

13. Etant retourné vers ses disciples, il vit une grande foule autour d'eux, et des Scribes qui discutaient avec eux. 14. Toute la foule fut surprise de voir Jésus, et elle accourut pour le saluer. 15. Il leur demanda : " Sur quoi discutez-vous entre vous?" 16. ✠ Un homme de la foule lui dit : " Maître, je vous ai amené mon fils, qui est possédé d'un esprit muet. 17. Partout où l'esprit s'empare de lui, il le jette contre terre, et l'*enfant* écume et grince des dents, et il se dessèche; j'ai prié vos disciples de le chas-

Chap. 9. — 9. Ils furent vivement frappés de ces derniers mots du Sauveur, mais ils ne comprenaient pas ce que pouvait signifier, *ressusciter des morts*, pour le Messie qui, dans leur pensée, ne devait pas mourir. — 10-12. N. S. répond : Oui, Elie viendra ; mais il faut distinguer deux Elie et deux avènements du Messie. Le véritable Elie reviendra à la fin du monde préparer mon avènement glorieux; et un Elie en figure, Jean Baptiste, est déjà venu, pour préparer mon premier avènement, qui a lieu dans l'humilité et la souffrance. — 14. Le visage de Jésus conservait sans doute encore un reflet de la gloire de sa transfiguration. D'autres : la foule fut agréablement surprise de voir Jésus, qui arrivait si à propos pour décider le point en discussion. — 16. *D'un esprit muet*, d'un démon qui le rend sourd (vers. 24.) et muet.

ser, et ils ne l'ont pu. " 18. " O race incrédule, leur dit Jésus, jusques à quand serai-je avec vous? Jusques à quand vous supporterai-je? Amenez-le-moi." 19. On le lui amena. Et sitôt que l'enfant vit Jésus, l'esprit l'agita avec violence; il tomba par terre et se roulait en écumant. 20. Jésus demanda au père de l'enfant : "Combien y a-t-il de temps que cela lui arrive? " " Depuis son enfance, répondit-il. 21. Souvent l'esprit l'a jeté dans le feu et dans l'eau pour le faire périr; si vous pouvez quelque chose, ayez pitié de nous et nous secourez." 22. Jésus lui dit : "Si tu peux croire, tout est possible à celui qui croit." 23. Aussitôt le père de l'enfant s'écria, disant avec larmes : "Je crois, Seigneur; venez au secours de mon incrédulité." 24. Jésus, voyant le peuple accourir en foule, menaça l'esprit impur, en disant : "Esprit sourd et muet, je te le commande, sors de cet enfant, et ne rentre plus en lui." 25. Alors, ayant poussé un grand cri, et l'ayant agité avec violence, il sortit, et l'enfant devint comme un cadavre, au point que plusieurs disaient : "Il est mort." 26. Mais Jésus, l'ayant pris par la main, le fit lever, et il se tint debout. 27. Lorsqu'il fut entré dans la maison, ses disciples lui demandèrent : "Pourquoi n'avons-nous pu chasser cet esprit?" 28. Il leur dit : "Cette sorte de démon ne peut être chassée que par la prière et le jeûne." ¶

2ème prédiction de la passion.

29. Etant partis de là, ils cheminèrent à travers la Galilée, et Jésus ne voulait pas qu'on le sût. 30. Car il enseignait ses disciples et leur disait : " Le Fils de l'homme sera livré entre les mains des hommes, et ils le feront mourir, et le troisième jour après sa mort il res-

---

18. Jésus reproche au peuple son manque de foi, qui avait mis obstacle au miracle. — 23. Aidez-moi à croire plus fortement. Ou bien : *Venez au secours de moi incrédule*, malgré la faiblesse de ma foi. — 28. Le jeûne soumet la chair à l'esprit, la prière unit l'âme à Dieu : ainsi l'homme devient un ange qui commande à la chair et au démon.

suscitera." 31. Mais ils ne comprenaient point cette parole, et ils craignaient de l'interroger.

Instructions : *sur l'humilité.*

32. Ils arrivèrent à Capharnaüm. Lorsqu'il fut dans la maison, Jésus leur demanda : " De quoi parliez-vous en chemin?" 33. Mais ils gardèrent le silence, car en chemin ils avaient discuté entre eux pour savoir qui était le plus grand. 34. Alors il s'assit, appela les Douze et leur dit : " Si quelqu'un veut être le premier, il se fera le dernier de tous, et le serviteur de tous." 35. Puis, prenant un petit enfant, il le mit au milieu d'eux; et après l'avoir embrassé, il leur dit : 36. " Quiconque reçoit en mon nom un de ces petits enfants, me reçoit; et quiconque me reçoit, ce n'est pas moi qu'il reçoit, mais celui qui m'a envoyé."

Sur le zèle sans jalousie.

37. Jean, prenant la parole, lui dit : " Maître, nous avons vu un homme qui ne va pas avec nous, chasser les démons en votre nom, et nous l'en avons empêché." 38. "Ne l'en empêchez pas, dit Jésus, car personne ne peut faire de miracle en mon nom, et aussitôt après parler mal de moi. 39. Qui n'est pas contre vous, est pour vous. 40. Car quiconque vous donnera un verre d'eau en mon nom, parce que vous êtes au Christ, je vous le dis en vérité, il ne perdra pas sa récompense.

Sur le scandale et l'enfer.

41. Et quiconque sera une occasion de chute pour un de ces petits qui croient en moi, il vaudrait mieux pour lui qu'on lui attachât au cou la meule qu'un âne tourne, et qu'on le jetât dans la mer. 42. Si ta main est pour toi une occasion de chute, coupe-la : mieux vaut pour toi entrer mutilé dans la vie, que d'aller, ayant deux mains,

31. Ce qu'ils ne comprenaient pas, c'était moins les paroles que la chose elle-même, savoir, comment celui qu'ils regardaient comme le Fils de Dieu, viendrait à souffrir et à mourir. — 32. *La maison* qui leur servait d'habitation quand ils étaient dans cette ville. — 35. *Il leur dit :* suppléez ici les vers. 3 et 4 de *Matth.* xviii. — 37. *Qui ne va pas avec nous*, qui n'est pas, comme nous, un de vos apôtres.

dans la géhenne, dans le feu inextinguible, 43. là où leur ver ne meurt point, et où le feu ne s'éteint point. 44. Et si ton pied est pour toi une occasion de chute, coupe-le : mieux vaut pour toi entrer boiteux dans la vie éternelle, que d'être jeté, ayant deux pieds, dans la géhenne du feu inextinguible, 45. là où leur ver ne meurt point, et où le feu ne s'éteint point. 46. Et si ton œil est pour toi une occasion de chute, arrache-le : mieux vaut pour toi entrer avec un seul œil dans le royaume de Dieu, que d'être jeté, ayant deux yeux, dans la géhenne du feu, 47. là où leur ver ne meurt point, et où le feu ne s'éteint point. 48. Car tout homme sera salé par le feu, et toute victime sera salée avec du sel. 49. Le sel est bon; mais si le sel s'affadit, avec quoi lui donnerez-vous de la saveur? Gardez bien le sel en vous, et soyez en paix les uns avec les autres."

TROISIÈME PARTIE

VOYAGE ET SÉJOUR A JÉRUSALEM POUR LA DERNIÈRE PAQUE (CH. 10 — 12).

1° — DURANT LE VOYAGE (10).

CH. 10.

Mariage indissoluble.

Etant parti de ce lieu, Jésus vint aux confins de la Judée, au delà du Jourdain; et le peuple s'assembla de nouveau près de lui, et, suivant sa coutume, il recommença à les enseigner.

48. Sens : *Tout homme* condamné à la géhenne, *sera salé par le feu;* le feu de l'enfer sera pour lui comme un sel qui, le préservant de la corruption, le dévorera sans le consumer. Ainsi s'accomplira, dans ces victimes de l'éternelle justice, ce qui était prescrit par la loi pour les sacrifices. D'autres donnent une interprétation un peu différente : *Tout homme*, tout chrétien, *doit être salé de feu*, soit du feu purificateur de la mortification et de la pénitence volontaire, soit du feu vengeur de la géhenne.

Chap. 10. — 1. *Au-delà du Jourdain :* commencement du dernier voyage de Jésus à Jérusalem par la Pérée (*Luc*, xvii, 10). Pour l'explication des versets qui suivent, voy. *Matth.* xix, 1 sv.)

2. Des Pharisiens, l'ayant abordé, lui demandèrent s'il était permis à un mari de répudier sa femme : c'était pour le mettre à l'épreuve. 3. Il leur répondit : " Que vous a ordonné Moïse ? " 4. Ils dirent : " Moïse *nous* a permis de dresser un acte de divorce et de répudier." 5. Jésus leur répondit : " C'est à cause de la dureté de votre cœur qu'il vous a donné cette loi. 6. Mais au commencement de la création Dieu fit un homme et une femme. 7. A cause de cela, l'homme quittera son père et sa mère, et s'attachera à sa femme; et les deux ne feront qu'une seule chair. 8. Ainsi ils ne sont plus deux, mais ils sont une seule chair. 9. Que l'homme donc ne sépare pas ce que Dieu a uni." 10. Lorsqu'ils furent dans la maison, ses disciples l'interrogèrent encore sur ce sujet, 11. et il leur dit : " Quiconque renvoie sa femme et en épouse une autre, commet un adultère à l'égard de la première. 12. Et si une femme quitte son mari et en épouse un autre, elle se rend adultère."

Bénédiction des petits enfants.

13. On lui amena de petits enfants pour qu'il les touchât. Mais les disciples repoussaient avec de rudes paroles ceux qui les présentaient. 14. Jésus, le voyant, fut indigné et leur dit : " Laissez ces petits enfants venir à moi, et ne les en empêchez pas; car le royaume des cieux est à ceux qui leur ressemblent. 15. ✠ Je vous le dis en vérité, quiconque ne recevra pas comme un petit enfant le royaume de Dieu, n'y entrera point." 16. Puis il les embrassa, et les bénit en leur imposant les mains.

Appel du jeune homme riche.

17. Comme il sortait pour se mettre en chemin, un homme accourut et se jetant à genoux devant lui, lui dit : " Bon

7. Notre Seigneur fait une citation de la Genèse (ii, 24), qui prouve que la femme tirée de l'homme lui doit être unie en une même chair, conformément au dessein du Créateur, dessein attesté par les paroles que Dieu a inspirées à Adam. — 15. *Comme un petit enfant*, avec la foi, la simplicité et l'innocence d'un enfant. — *Le royaume de Dieu*, l'Evangile, l'Eglise, où l'on entre par la foi et le baptême.

Maître, que dois-je faire pour avoir en héritage la vie éternelle ?" 18. Jésus lui dit : " Pourquoi m'appelles-tu bon ? Il n'y a de bon, que Dieu seul. 19. Tu connais les commandements : Ne commets point d'adultère, ne tue point, ne dérobe point, ne porte point de faux témoignage, abstiens-toi de toute fraude, honore ton père et ta mère." 20. Il lui répondit : " Maître, j'ai observé toutes ces choses dès ma jeunesse." 21. Jésus l'ayant regardé, l'aima et lui dit : " Il te manque une chose; va, vends tout ce que tu as, donne-le aux pauvres, et tu auras un trésor dans le ciel; puis viens, et suis-moi." ¶ 22. Mais lui, affligé de cette parole, s'en alla tout triste; car il avait de grands biens.

Dangers des richesses et récompense de la pauvreté.

23. Et Jésus, jetant ses regards autour de lui, dit à ses disciples : " Qu'il est difficile à ceux qui ont des richesses d'entrer dans le royaume des cieux !" 24. Comme les disciples étaient étonnés de ces paroles, Jésus reprit : "Mes petits enfants, qu'il est difficile à ceux qui se confient dans les richesses, d'entrer dans le royaume de Dieu ! 25. Il est plus aisé qu'un chameau passe par le trou d'une aiguille, qu'il ne l'est à un riche d'entrer dans le royaume de Dieu." 26. Et ils étaient encore plus étonnés, et ils se disaient les uns aux autres : " Qui peut donc être sauvé ?" 27. Jésus les regarda, et dit : " Aux hommes, cela est impossible, mais non à Dieu : car tout est possible à Dieu."

28. Alors Pierre, prenant la parole : " Voici, dit-il, que nous avons tout quitté pour vous suivre." 29. Jésus répondit : " Je vous le dis en vérité, nul ne quittera sa maison, ou ses frères, ou ses sœurs, ou son père, ou sa mère, ou ses enfants, ou ses champs, à

18. Le but de cette réponse est d'élever plus haut les pensées du jeune homme, et de l'amener à se demander si Jésus ne serait pas le Fils de Dieu. — 21. *Une chose*, pour être parfait. — *Tu auras*, etc. : à cet homme ami des richesses, Jésus promet un *trésor dans le ciel*, c'est-à-dire, non seulement le ciel, mais une place éminente dans le ciel même.

cause de moi et à cause de l'Evangile, 30. qu'il ne reçoive maintenant, en ce siècle même, cent fois autant, maisons, frères, sœurs, mères, enfants et champs, au milieu même des persécutions, et dans le siècle à venir la vie éternelle. 31. Et plusieurs *qui sont* les derniers, seront les premiers, et *plusieurs qui sont* les premiers, *seront* les derniers."

3ème prédiction de la passion.

32. Ils étaient en chemin pour monter à Jérusalem, et Jésus marchait devant eux, et ils le suivaient pleins d'inquiétude et de crainte. Jésus, de nouveau, prenant à part les Douze, se mit à leur dire ce qui devait lui arriver : 33. " Voici que nous montons à Jérusalem, et le Fils de l'homme sera livré aux Princes des prêtres, aux Scribes et aux Anciens; ils le condamneront à mort et le livreront aux Gentils; 34. on l'insultera, on crachera sur lui, on le flagellera et on le fera mourir, et, trois jours après il ressuscitera."

Les fils de Zébédée; l'humilité.

35. Jacques et Jean, fils de Zébédée, s'approchèrent de lui, disant : " Maître, nous désirons bien que vous fassiez pour nous ce que nous vous demanderons." 36. "Que voulez-vous, leur dit-il, que je fasse pour vous ? " 37. Ils dirent : " Accordez-nous d'être assis, l'un à votre droite, l'autre à votre gauche, *quand vous serez* dans votre gloire." 38. Jésus leur dit : " Vous ne savez ce que vous demandez. Pouvez-vous boire le calice que je vais boire, ou être baptisés du baptême dont je vais être baptisé ? "

30. Telle est la récompense des religieux et des religieuses, qui trouvent dans les maisons de leur ordre des pères et des frères, des mères et des sœurs. *Cassien.* Mais il faut surtout entendre cette promesse, dans le sens spirituel, des grâces et des consolations dont Dieu récompense les sacrifices faits pour l'amour de lui, et cela même parmi les épreuves et les *persécutions.* — 31. Les Apôtres seront avant les Pharisiens, les Gentils avant les Juifs. — 35. Ce fut leur mère Salomé qui fit cette demande à Jésus, *Matth*, xx, 29; mais ses enfants l'accompagnaient, et elle ne faisait qu'exprimer leurs désirs. — 37. *Dans votre gloire*, quand vous règnerez comme Messie. — 38. *Calice* et *baptême* sont des expressions figurées, qui désignent les souffrances et la mort de Jésus.

39. Ils répondirent : “ Nous le pouvons. ” Et Jésus leur dit : “ Le calice que je vais boire, vous le boirez en effet, et vous serez baptisés du baptême dont je vais être baptisé ; 40. Mais d'être assis à ma droite ou à ma gauche, ce n'est pas à moi de vous l'accorder; *cette gloire est pour ceux* à qui *mon Père* l'a préparée. ”

41. Ayant entendu cela, les dix autres s'indignèrent contre Jacques et Jean. 42. Jésus les appela et leur dit : “ Vous savez que ceux qui sont reconnus comme les chefs des nations leur commandent en maîtres, et que les grands exercent sur elles l'empire. 43. Il n'en est pas ainsi parmi vous; mais quiconque veut être grand parmi vous sera votre serviteur; 44. et quiconque veut être le premier parmi vous, se fera l'esclave de tous. 45. Car le Fils de l'homme est venu, non pour être servi, mais pour servir et donner sa vie pour la rançon d'un grand nombre. ”

Guérison d'un aveugle à Jéricho.

46. Ils arrivèrent à Jéricho. Comme Jésus sortait de cette ville avec ses disciples et une assez grande foule, le fils de Timée, Bartimée l'aveugle, était assis sur le bord du chemin, demandant l'aumône. 47. Ayant entendu dire que c'était Jésus de Nazareth, il se mit à crier : “ Jésus, fils de David, ayez pitié de moi. ” 48. Et plusieurs le gourmandaient pour le faire taire; mais lui criait beaucoup plus fort : “ Fils de David, ayez pitié de moi.” 49. Alors Jésus s'arrêta, et dit : “ Appelez-le.” Et ils l'appelèrent en lui disant : “ Aie confiance, lève-toi, il t'appelle. ” 50. Celui-ci, jetant son manteau, se leva d'un bond et vint vers Jésus. 51. Jésus lui dit : “ Que veux-tu que je te fasse? ” “ Maître, répondit l'aveugle, que je voie. ” 52. Jésus lui dit : “ Va, ta foi t'a sauvé. ” Et aussitôt il vit, et il le suivait dans le chemin.

40. *L'a préparée* de toute éternité, — 46. S. Matthieu signale *deux* aveugles, S. Marc un seul, le plus connu des chrétiens. Voyez *Luc.* xviii, 43, note.

2° — A JÉRUSALEM.

CH. 11. — Entrée triomphale.

Comme ils approchaient de Jérusalem, ayant atteint Béthanie, vers la montagne des Oliviers, Jésus envoya deux de ses disciples, 2. en leur disant : " Allez au village qui est devant vous; dès que vous y serez entrés, vous trouverez un ânon attaché, sur lequel nul homme ne s'est encore assis : détachez-le et me l'amenez. 3. Et si quelqu'un vous dit : Que faites-vous? répondez : Le Seigneur en a besoin; et aussitôt on l'enverra ici." 4. S'en étant allés, les disciples trouvèrent un ânon attaché à une porte, en dehors, au tournant du chemin, et ils le détachèrent. 5. Quelques-uns de ceux qui étaient là leur dirent : " Que faites-vous, de détacher cet ânon? " 6. Ils répondirent comme Jésus le leur avait commandé, et on les laissa faire. 7. Et ils amenèrent l'ânon à Jésus, et ils mirent dessus leurs manteaux, et Jésus s'y assit. 8. Un grand nombre étendirent leurs manteaux le long de la route; d'autres, ayant coupé des branches d'arbres, en jonchèrent le chemin. 9. Et ceux qui marchaient devant, et ceux qui suivaient, criaient : " Hosanna! 10. Béni soit celui qui vient au nom du Seigneur! Béni soit le règne de David notre père, qui va commencer! Hosanna au plus haut des cieux! " 11. Et il entra à Jérusalem, dans le temple; et ayant observé toutes choses, comme déjà l'heure était avancée, il s'en alla à Béthanie avec les Douze.

Figuier maudit.

12. Le lendemain, après qu'ils furent sortis de Béthanie, il eut faim. 13. Apercevant de loin un figuier couvert de

Chap. 11. — 2. *Village*, Bethphagé. — 10. Les Juifs se figuraient que Jésus, le Messie, allait restaurer la royauté israélite et continuer, avec plus de puissance et d'éclat, le règne glorieux de David. — 11. Comme Jésus avait des ennemis puissants dans la capitale, il ira chaque soir passer la nuit chez ses amis de Béthanie, jusqu'à ce que son heure soit venue, c'est-à-dire jusqu'au soir du jeudi saint. — 13. Notre Seigneur fit de cet arbre à l'aspect trompeur une figure

feuilles, il s'avança pour voir s'il n'y trouverait pas quelque fruit; et s'en étant approché, il n'y trouva que des feuilles; car ce n'était pas la saison des figues. 14. Alors il dit au figuier : "Que jamais personne ne mange de ton fruit!" Ce que ses disciples entendirent.

Temple purifié.

15. Ils arrivèrent à Jérusalem, et Jésus entra dans le temple. Il commença à chasser ceux qui vendaient et achetaient dans le temple; et il renversa les tables des changeurs, et les sièges de ceux qui vendaient des colombes, 16. et il ne souffrait pas que personne transportât aucun objet à travers le temple. 17. Et il enseignait, en disant : " N'est-il pas écrit : Ma maison sera appelée une maison de prière pour toutes les nations? Mais vous, vous en avez fait une caverne de voleurs." 18. Ce qu'ayant entendu, les Princes des prêtres et les Scribes cherchaient les moyens de le faire périr; car ils le craignaient, parce que tout le peuple admirait sa doctrine.

La foi et la prière.

19. Le soir étant venu, Jésus sortit de la ville. 20. Le *lendemain* matin, en passant, les disciples virent le figuier desséché jusqu'à la racine. 21. Et Pierre, se ressouvenant, dit à Jésus : " Maître, voilà que le figuier que vous avez maudit a séché. " 22. ✠ Jésus leur répondit : " Ayez foi en Dieu. 23. Je vous le dis en vérité, si quelqu'un dit à cette montagne : Ote-toi de là, et te jette dans la mer, et s'il ne doute pas dans son cœur, mais qu'il croie que tout ce qu'il dit arrivera, il le verra s'accomplir. 24. C'est pourquoi, je vous le dis, tout ce que vous demanderez dans la prière, croyez que vous l'obtiendrez, et vous le verrez s'accomplir. 25. Lorsque vous êtes debout pour faire votre prière, si vous avez quelque chose contre quel-

de Jérusalem et du peuple juif, dont la justice légale n'était qu'une justice apparente, stérile en fruits de vertu et de sainteté. — 19. *Sortit*, pour aller passer la nuit à Béthanie. — 20. *En passant*, en revenant à Jérusalem le mardi matin. — 25. Il faut en outre, pour

qu'un, remettez-le, afin que votre Père qui est dans les cieux vous remette aussi vos offenses. 26. Si vous ne remettez pas *aux autres*, votre Père qui est dans les cieux ne vous remettra pas non plus vos offenses. " ¶

Controverses dans le temple : *le baptême de Jean.*

27. Ils arrivèrent de nouveau à Jérusalem. Pendant que Jésus se promenait dans le temple, les Princes des prêtres, les Scribes et les Anciens s'approchèrent de lui, 28. et lui dirent : " Par quelle autorité faites-vous ces choses? Qui vous a donné le droit de les faire? " 29. Jésus leur dit : " Je vous ferai, moi aussi, une question; répondez-moi et je vous dirai par quelle autorité je fais ces choses : 30. le baptême de Jean, était-il du ciel, ou des hommes? Répondez-moi." 31. Mais ils faisaient en eux-mêmes cette réflexion : " Si nous répondons : Du ciel, il *nous* dira : Pourquoi donc n'avez-vous pas cru en lui. 32. Si nous répondons : Des hommes, nous avons à craindre le peuple "; car tous tenaient Jean pour un véritable prophète. 33. Ils répondirent donc à Jésus : " Nous ne savons. " " Et moi, dit Jésus, je ne vous dirai pas non plus par quelle autorité je fais ces choses. "

CH. 12.

Parabole des vignerons.

Jésus se mit à leur parler en paraboles. " Un homme planta une vigne; il l'entoura d'une haie, y creusa un pressoir et y bâtit une tour; puis il la loua à des vignerons, et partit pour un pays lointain. 2. Au temps *de la vendange*, il envoya un serviteur aux vignerons pour recevoir d'eux une part de la récolte. 3. Mais s'étant saisis de lui, ils le battirent, et le renvoyèrent les mains vides. 4. Il leur envoya encore un autre serviteur, et ils le blessèrent à la tête, et

---

être exaucé, pardonner au prochain ses offenses. " On obtient tout ce qu'on demande, dit Bossuet, si on le demande avec un cœur plein de foi et en paix avec les hommes. — 31. Comp. *Jean*, i, 7.

Chap. 12. — 1. Pour l'explication de la parabole, voy. *Matth.* xxi, 33 sv.

le chargèrent d'outrages. 5. Il en envoya un troisième, qu'ils tuèrent; et ils en maltraitèrent beaucoup d'autres, battant les uns, tuant les autres. 6. Le maître avait encore un fils unique qui lui était très cher; il l'envoya vers eux le dernier, en disant : Ils respecteront mon fils. 7. Mais les vignerons se dirent entre eux : Celui-ci est l'héritier; venez, tuons-le, et l'héritage sera à nous. 8. Et ils se saisirent de lui, le tuèrent et le jetèrent hors de la vigne. 9. Maintenant, que fera le maître de la vigne? Il viendra, il exterminera les vignerons et donnera sa vigne à d'autres. 10. N'avez-vous pas lu cette parole de l'Ecriture : La pierre qu'ont rejetée ceux qui bâtissaient, est devenue le sommet de l'angle : 11. C'est le Seigneur qui a fait cela, et c'est une merveille à nos yeux?" 12. Et ils cherchaient à se saisir de lui, sachant qu'il les avait en vue dans cette parabole; mais ils craignaient le peuple, et le laissant, ils s'en allèrent.

Le tribut à César.

13. Alors ils lui envoyèrent quelques-uns des Pharisiens et des Hérodiens, pour le surprendre dans ses paroles. 14. Ceux-ci, étant venus, lui dirent : "Maître, nous savons que vous êtes vrai, et n'avez souci de personne; car vous ne considérez point l'extérieur des hommes, mais vous enseignez la voie de Dieu dans la vérité. Est-il permis de payer le tribut à César, ou devons-nous ne le point payer?" 15. Connaissant leur malice, il leur dit : "Pourquoi me tentez-vous? Apportez-moi un denier, que je le voie." 16. Ils le lui apportèrent; et il leur dit : "De qui sont cette image et cette inscription?" "De César," lui dirent-ils. 17. Alors Jésus leur répondit : "Rendez donc à César ce qui est à César, et à Dieu ce qui est à Dieu." Et il les étonna *par sa* réponse.

Les Sadducéens et la résurrection.

18. Des Sadducéens, qui nient la résurrection,

11. Voy. *Matth.* XXI, 42, note. — 15. *Un denier* d'argent, ce que tout Juif devait chaque année payer aux Romains.

l'abordèrent et lui firent cette question : 19. "Maître, Moïse nous a prescrit que, si un homme meurt, laissant une femme sans enfants, son frère doit prendre sa femme, et susciter des enfants à son frère. 20. Or, il y avait sept frères; le premier prit une femme, et mourut sans laisser d'enfants. 21. Le second la prit ensuite, et mourut aussi sans laisser d'enfants. Il en arriva de même au troisième, 22. et chacun des sept la prit à son tour, et ne laissa point d'enfants. Enfin, après eux tous, mourut aussi la femme. 23. Dans la résurrection, lorsqu'ils seront ressuscités, duquel d'entre eux sera-t-elle la femme? car tous les sept l'ont eue pour femme." 24. Jésus leur répondit : " N'êtes-vous pas dans l'erreur, parce que vous ne comprenez ni les Ecritures, ni la puissance de Dieu? 25. Car, à la résurrection des morts, les hommes ne prendront point de femmes, ni les femmes de maris; mais ils seront comme les anges dans le ciel. 26. Et touchant la résurrection des morts, n'avez-vous pas lu dans le livre de Moïse au passage du Buisson, ce que Dieu lui dit : Je suis le Dieu d'Abraham, le Dieu d'Isaac et le Dieu de Jacob? 27. Il n'est pas Dieu des morts, mais *Dieu* des vivants. Vous êtes donc grandement dans l'erreur."

Le 1er des commandements.

28. Un des Scribes, qui avait entendu cette discussion, voyant que Jésus leur avait bien répondu, s'approcha et lui demanda : " Quel est le premier de tous les commandements?" 29. Jésus lui répondit : " Le premier de tous est celui-ci : Ecoute, Israël : le Seigneur ton Dieu est le seul Seigneur. 30. Tu aimeras le Seigneur ton Dieu de tout ton cœur, de toute ton âme, de tout ton esprit, et de toute ta force.

26. *Au passage du Buisson :* à l'endroit des Livres saints où se trouve le récit du buisson ardent (*Exod.* iii, 4). — 27. *Dieu n'est pas Dieu des morts*, de ceux qui n'existent pas, dont il ne reste plus rien; *mais des vivants*, au moins quant à leur âme. Or il se dit *le Dieu d'Abraham*, etc.: donc Abraham n'est pas mort tout entier.

C'est là le premier commandement. 31. Le second lui est semblable : Tu aimeras ton prochain comme toi-même Il n'y a pas d'autre commandement plus grand que ceux-là." 32. Le Scribe lui dit : "Bien, Maître, vous avez dit selon la vérité que Dieu est unique, et qu'il n'y en a point d'autre que lui : 33. et que l'aimer de tout son cœur, de tout son esprit, de toute son âme et de toute sa force, et aimer son prochain comme soi-même, c'est plus que tous les holocaustes et tous les sacrifices." 34. Jésus, voyant qu'il avait répondu avec sagesse, lui dit : "Tu n'es pas loin du royaume de Dieu." Et personne n'osait plus lui poser de questions.

Le Christ, fils et Seigneur de David.

35. Jésus, continuant à enseigner dans le temple, dit : "Comment les Scribes disent-ils que le Christ est fils de David? 36. David lui-même parle ainsi par l'Esprit Saint : Le Seigneur a dit à mon Seigneur : Asseyez-vous à ma droite, jusqu'à ce que je fasse de vos ennemis l'escabeau de vos pieds. — 37. David lui-même l'appelle *son* Seigneur, comment donc est-il son fils?" Et la foule nombreuse *qui était là* prenait plaisir à l'entendre.

Se défier des Scribes.

38. Il leur disait encore dans son enseignement : "Gardez-vous des Scribes, qui aiment à se promener en longues robes, qui recherchent les salutations dans les places publiques, 39. les premiers sièges dans les synagogues et les premières place dans les festins : 40. ces gens qui dévorent les maisons des veuves et font pour l'apparence de longues prières, recevront un jugement plus rigoureux."

L'obole de la veuve.

41. S'étant assis vis-à-vis du tronc, Jésus considérait comment le peuple

37. Le Messie, fils de David selon la nature humaine, est, comme Fils de Dieu, le Seigneur de David. — 38. *Des Scribes*, surtout de ceux de l'école des Pharisiens. Comp. *Matth.* xxiii. — 41. *Tronc* destiné à recevoir les offrandes des fidèles pour l'entretien du temple et du culte.

y jetait de l'argent; plusieurs riches y mettaient beaucoup. 42. Une pauvre veuve étant venue, elle y mit deux petites pièces, valant ensemble le quart d'un as. 43. Alors Jésus, appelant ses disciples, leur dit : " Je vous le dis en vérité, cette pauvre veuve a donné plus que tous ceux qui ont mis dans le tronc. 44. Car tous ont mis de leur superflu, mais cette femme a donné de son nécessaire, tout ce qu'elle possédait, tout ce qu'elle avait pour vivre."

Ruine de Jérusalem et fin du monde.

Ch. 13. — *Occasion de la prophétie.*

Comme Jésus sortait du temple, un de ses disciples lui dit : " Maître, voyez quelles pierres, et quels bâtiments ! " 2. Jésus lui répondit : " Tu vois toutes ces grandes constructions? Il n'y sera pas laissé une pierre sur une autre pierre qui ne soit renversée." 3. Lorsqu'il se fut assis sur la montagne des Oliviers, en face du temple, Pierre, Jacques, Jean et André l'interrogèrent en particulier : 4. " Dites-nous quand cela arrivera, et à quel signe on connaîtra que toutes ces choses seront près de s'accomplir?"

Signes précurseurs.

5. Jésus leur répondit : " Prenez garde que nul ne vous séduise. 6. Car plusieurs viendront sous mon nom, disant : C'est moi *qui suis le Christ;* et ils en séduiront un grand nombre. 7. Quand vous entendrez parler de guerres et de bruits de guerre, ne craignez point; car il faut que ces choses arrivent : mais ce ne sera pas encore la fin. 8. On verra se soulever peuple contre peuple, royaume contre royaume; il y aura des tremblements de terre en divers lieux, il y aura des famines. Ce sera le commencement des douleurs. 9. Prenez garde à vous-mêmes. On vous

---

42. Ces petites pièces valaient à peine un de nos centimes.

Chap. 13. — 1. *Du temple*, pour n'y plus rentrer; c'était le mardi soir. — 5. Ce chap. peut se partager en quatre alinéas : vers. 5-13, 14-20, 21-31, 32-37. Le premier et le troisième se rapportent *principalement* à la fin du monde, le deuxième à la ruine de Jérusalem; le dernier est une exhortation à la vigilance. Comp. *Matth.* xxiv, 3, note.

traduira devant les tribunaux, et vous serez battus dans les synagogues; vous comparaîtrez devant les gouverneurs et les rois, à cause de moi, pour *me* rendre témoignage devant eux. 10. ✠ Il faut qu'auparavant l'Evangile soit prêché à toutes les nations. 11. Lors donc qu'on vous emmènera pour vous faire comparaître, ne pensez point d'avance à ce que vous direz; mais dites ce qui vous sera donné à l'heure même, car ce n'est pas vous qui parlerez, mais l'Esprit Saint. 12. Le frère livrera son frère à la mort, et le père son fils; les enfants s'élèveront contre leurs parents, et les mettront à mort. 13. Et vous serez en haine à tous à cause de mon nom. Mais celui qui persévérera jusqu'à la fin sera sauvé. ¶ 14. Lorsque vous verrez l'abomination de la désolation établie où elle ne doit pas être, — que celui qui lit, entende! — alors que ceux qui seront en Judée s'enfuient dans les montagnes. 15. Que celui qui sera sur le toit ne descende pas dans sa maison, et n'y entre pas pour prendre quelque chose. 16. Et que celui qui sera allé dans son champ ne revienne pas pour prendre son manteau. 17. Mais malheur aux femmes qui seront enceintes ou qui allaiteront en ces jours-là! 18. Priez pour que ces choses n'arrivent pas en hiver. 19. Car il y aura, en ces jours, des tribulations telles qu'il n'y en a point eu depuis le commencement du monde, que Dieu a créé, jusqu'à présent, et qu'il n'y en aura jamais. 20. Et si le Seigneur n'avait abrégé ces jours nul homme ne serait sauvé; mais il les a abrégés à cause des élus qu'il a choisis.

Après la ruine de la ville.

21. Si quelqu'un vous dit alors : Le Christ est ici, il est là, ne le croyez point. 22. Car il s'élèvera de faux christs et de faux prophètes, et ils feront des signes et des prodiges, jusqu'à séduire, s'il se pouvait, les élus mêmes. 23. Pour vous, prenez garde : je vous

14. *Où elle ne doit pas être :* dans le temple. Comp. *Matth.* XXIV, 15.

ai tout annoncé d'avance.

Fin du monde.

24. Mais dans ces jours, après cette tribulation, le soleil s'obscurcira, la lune ne donnera plus sa lumière, 25. les étoiles tomberont du ciel, et les puissances qui sont dans les cieux seront ébranlées. 26. Alors on verra le Fils de l'homme venir dans les nuées avec une grande puissance et une grande gloire. 27. Et il enverra ses anges rassembler ses élus des quatre vents, de l'extrémité de la terre jusqu'à l'extrémité du ciel. 28. Ecoutez cette comparaison prise du figuier: Dès que ses rameaux sont tendres et qu'il pousse ses feuilles, vous savez que l'été est proche. 29. Ainsi, quand vous verrez ces choses arriver, sachez que *le Fils de l'homme* est proche, qu'il est à la porte. 30. Je vous le dis en vérité, cette génération ne passera point, que tout cela n'arrive. 31. Le ciel et la terre passeront, mais mes paroles ne passeront point. 32. Pour ce qui est du jour et de l'heure, nul ne les connaît, ni les anges dans le ciel, ni le Fils, mais le Père seul.

Vigilance!

33. ✠ Prenez garde, veillez et priez; car vous ne savez quand ce sera le moment. 34. *Il en est du Fils de l'homme* comme d'un homme qui, ayant laissé sa maison pour aller en voyage, après avoir remis l'autorité à ses serviteurs et assigné à chacun sa tâche, commande au portier de veiller. 35. Veillez donc, car vous ne savez quand viendra le maître de la maison, si ce sera le soir, ou au milieu de la nuit, ou au chant du coq, ou le matin; 36. *craignez* que, arrivant tout à coup, il ne vous trouve endormis. 37. Ce que je vous dis, je le dis à tous: Veillez." ¶

---

32. Par les choses que le Fils ne sait pas, il faut entendre celles qu'il ne sait pas pour son Eglise, et qu'il ne doit point révéler. *Bossuet.*

QUATRIÈME PARTIE

VIE SOUFFRANTE ET GLORIEUSE DE JÉSUS (Ch. 14 — 16).

1° — La Passion (14 — 15).

1. *Le complot — repas de Béthanie.* — Ch. 14.

La Pâque et les Azymes devaient avoir lieu deux jours après; et les Princes des prêtres et les Scribes cherchaient les moyens de se saisir de Jésus par ruse, et de le faire mourir. 2. Car ils disaient : " Que ce ne soit pas pendant la fête, de peur qu'il n'y ait du tumulte parmi le peuple. "

3. Comme Jésus était à Béthanie, dans la maison de Simon le lépreux, une femme entra pendant qu'il se trouvait à table. Elle tenait un vase d'albâtre plein d'un parfum de nard pur de grand prix; et ayant rompu le vase, elle répandit le parfum sur sa tête. 4. Plusieurs de ceux qui étaient là en témoignaient entre eux leur mécontentement : " Pourquoi perdre ainsi ce parfum? 5. On aurait pu le vendre plus de trois cents deniers, et les donner aux pauvres. " Et ils se fâchaient contre elle. 6. Mais Jésus dit : " Laissez-la; pourquoi lui faites-vous de la peine? C'est une bonne action qu'elle a faite à mon égard. 7. Car vous aurez toujours les pauvres avec vous, et toutes les fois que vous voudrez, vous pourrez leur faire du bien; mais moi, vous ne m'aurez pas toujours. 8. Cette femme a fait ce qu'elle a pu; elle a d'avance embaumé mon corps pour la sépulture. 9. Je vous le dis en vérité, partout où sera prêché l'Evangile, dans le monde entier, on racontera aussi ce qu'elle a fait, pour glorifier sa mémoire. "

Chap. 14. — 2. *Car :* la fête leur paraissait un obstacle. — 3. *Rompu*, brisé le col étroit du vase : tout le parfum était destiné à Jésus.

10. Or, Judas Iscariote, l'un des Douze, alla vers les Princes des prêtres pour leur livrer Jésus. 11. Après l'avoir entendu, ils furent dans la joie, et promirent de lui donner de l'argent. Et Judas cherchait une occasion favorable pour le livrer.

2. *La sainte Cène — derniers avis.*

12. Le premier jour des Azymes, où l'on immolait la Pâque, ses disciples lui dirent : " Où voulez-vous que nous vous préparions ce qu'il faut pour manger la Pâque? " 13. Et il envoya deux de ses disciples, et leur dit : " Allez à la ville; vous rencontrerez un homme portant une cruche d'eau, suivez-le. 14. Quelque part qu'il entre, dites au maître de la maison : Le Maître te fait dire : Où est le lieu où je pourrai manger la Pâque avec mes disciples? 15. Et il vous montrera une grande salle meublée et toute prête : préparez-nous-y *la Pâque.* " 16. Ses disciples partirent et allèrent à la ville; et ils trouvèrent les choses comme il le leur avait dit, et ils préparèrent la Pâque. 17. Sur le soir, Jésus vint avec les Douze. 18. Pendant qu'ils étaient à table et mangeaient, Jésus dit : " Je vous le dis en vérité, l'un de vous me livrera; oui, *celui* qui mange avec moi! " 19. Et ils se mirent à s'attrister et à lui dire l'un après l'autre : " Est-ce moi? " 20. Il leur répondit : " C'est l'un des Douze, qui met avec moi la main dans le plat. 21. Pour le Fils de l'homme, il s'en va, ainsi qu'il est écrit de lui; mais malheur à l'homme par qui le Fils de l'homme sera trahi! Mieux vaudrait pour cet homme qu'il ne fût pas né. "

22. Pendant le repas, Jésus prit du pain, et, après avoir rendu grâces, il le rompit et le leur donna en disant : " Prenez, ceci est mon corps. " 23. Il prit ensuite

10. Le soir du mardi saint, ou le mercredi matin. — 12. Le premier jour des Azymes, le jeudi, 14 nisan. — *La Pâque*, l'agneau pascal. 14. Notre Seigneur ne désigne pas plus clairement la maison, de peur que Judas, la connaissant d'avance, ne prenne des mesures pour faire arrêter son Maître avant ou pendant le repas pascal.

une coupe, et, après avoir rendu grâces, il la leur donna, et ils en burent tous. 24. Et il leur dit : "Ceci est mon sang, le sang de la nouvelle alliance, qui sera répandu pour un grand nombre. 25. Je vous le dis, en vérité, je ne boirai plus jamais du fruit de la vigne, jusqu'au jour où je le boirai nouveau dans le royaume de Dieu." 26. Après le chant de l'hymne, ils s'en allèrent sur la montagne des Oliviers. 27. Alors Jésus leur dit : "Je serai pour vous tous, cette nuit, une occasion de chute; car il est écrit : Je frapperai le pasteur, et les brebis seront dispersées. 28. Mais, après que je serai ressuscité, je vous précéderai en Galilée." 29. Pierre lui dit : "Quand vous seriez pour tous une occasion de chute, vous ne le serez jamais pour moi." 30. Jésus lui dit : "Je te le dis en vérité, aujourd'hui, cette nuit même, avant que le coq ait chanté deux fois, trois fois tu m'auras renié." 31. Mais Pierre insistait encore plus : "Quand il me faudrait mourir avec vous, je ne vous renierai point." Et tous dirent la même chose.

3. *A Gethsémani.*

32. Ils arrivèrent en un lieu appelé Gethsémani, et il dit à ses disciples : "Asseyez-vous ici pendant que je prierai." 33. Et ayant pris avec lui Pierre, Jacques et Jean, il commença à sentir de la frayeur et de l'abattement. 34. Et il leur dit : "Mon âme est triste jusqu'à la mort; restez ici et veillez." 35. S'étant un peu avancé, il se jeta contre terre; et il priait que cette heure, s'il se pouvait, s'éloignât de lui. 36. Et il disait : "Abba, Père, tout vous est possible, éloignez de moi ce calice; cependant, que votre volonté soit faite, et non pas la mienne." 37. Il vint *ensuite à ses*

25. — Il s'agit ici des délices du ciel (*Matth.* xxvi. 19. note). — 27. *De chute*, de défection. — *Ecrit*, Zach. xiii. 7. — 30. Le coq chante deux fois pendant la nuit, la première fois après le milieu de la nuit, la deuxième au point du jour. Dans l'usage ordinaire. c'est ce dernier chant qu'on appelle proprement *chant du coq*, et c'est ainsi que parlent les autres Evangélistes. — 36. *Abba*, c'est-à-dire *père;* de là est venu notre mot *abbé*.

disciples, et, les trouvant endormis, il dit à Pierre : " Simon, tu dors! Tu n'as pu veiller une heure! 38. Veillez et priez, de peur que vous ne tombiez en tentation. L'esprit est prompt, mais la chair est faible." 39. Il s'éloigna de nouveau, et fit la même prière. 40. Etant revenu, il les trouva encore endormis; car leurs yeux étaient appesantis, et ils ne savaient que lui répondre. 41. Il revint une troisième fois, et leur dit : " Dormez maintenant et reposez-vous. — C'est assez! l'heure est venue; voici que le Fils de l'homme est livré aux mains des pécheurs. 42. Levez-vous, allons; celui qui doit me trahir est près d'ici." 43. Au même moment, comme il parlait encore, arriva Judas Iscariote, l'un des Douze, et avec lui une grande troupe armée d'épées et de bâtons, *envoyée* par les Princes des prêtres, par les Scribes et par les Anciens. 44. Le traître leur avait donné ce signe : " Celui que je baiserai, c'est lui, saisissez-le, et emmenez-le sûrement." 45. Dès qu'il fut arrivé, il s'approcha de Jésus, disant : " Salut, Maître"; et il le baisa. 46. Alors ils jetèrent les mains sur lui, et l'arrêtèrent. 47. Un de ceux qui étaient là, tirant l'épée, en frappa le serviteur du grand prêtre, et il lui coupa l'oreille. 48. Jésus, prenant la parole, leur dit : " Vous êtes venus, comme à un brigand, avec des épées et des bâtons pour me prendre. 49. Tous les jours j'étais assis parmi vous, enseignant dans le temple, et vous ne m'avez pas arrêté; mais *c'est* afin que les Ecritures s'accomplissent." 50. Alors tous ses disciples l'abandonnèrent et prirent la fuite. 51. Un jeune homme le suivait, couvert seule-

41. Entre *reposez-vous* et *c'est assez*, il faut admettre une pause plus ou moins longue. — 47. *Un de ceux*, S. Pierre. — 49. *Tous les jours* qui viennent de s'écouler. — 51. *Un jeune homme*, sans doute quelque gardien ou valet de la ferme de Gethsémani, réveillé au bruit de tout ce monde. Il accourt, couvert d'une grande pièce d'étoffe ou de lin ou de coton dans laquelle il s'était enveloppé pour dormir. S. Marc mentionne cet incident pour montrer la fureur des ennemis de Jésus et quel danger il y avait de se trouver cette nuit-là dans sa compagnie.

ment d'un linceul; on se saisit de lui; 52. mais il lâcha le linceul, et s'enfuit nu de leurs mains.

4. *Chez Caïphe.*

53. Ils emmenèrent Jésus chez le grand prêtre, où s'assemblèrent tous les prêtres, les Scribes et les Anciens. 54. Pierre le suivit de loin, jusque dans la cour du grand prêtre, et, s'étant assis près du feu avec les serviteurs, il se chauffait. 55. Cependant les Princes des prêtres et tout le conseil cherchaient un témoignage contre Jésus pour le faire mourir, et ils n'en trouvaient point. 56. Car plusieurs déposèrent faussement contre lui, mais les dépositions ne s'accordaient pas. 57. *Enfin* quelques-uns, se levant, portèrent contre lui ce faux témoignage : 58. " Nous l'avons entendu dire : Je détruirai ce temple fait de main d'homme, et en trois jours j'en rebâtirai un autre qui ne sera pas fait de main d'homme." 59. Mais sur cela même leurs témoignages ne s'accordaient pas. 60. Alors le grand prêtre se leva, et s'avançant au milieu de l'assemblée, il interrogea Jésus, disant : " Ne réponds-tu rien à ce que ces hommes déposent contre toi?" 61. Jésus garda le silence et ne répondit rien. Le grand prêtre l'interrogea de nouveau, et lui dit : " Es-tu le Christ, le Fils du Dieu béni?" 62. Jésus lui dit : " Je le suis, et vous verrez le Fils de l'homme siéger à la droite du Tout Puissant, et venir sur les nuées du ciel." 63. Alors le grand prêtre déchira ses vêtements, et dit : " Qu'avons-nous encore besoin de témoins? 64. Vous avez entendu le blasphème; que vous en semble?" Tous prononcèrent qu'il méritait la mort.

65. Et quelques-uns se mirent à cracher sur lui, et, lui voilant le visage, ils le frappaient du poing, en lui disant : " Devine "; et les valets le souffletaient.

66. Pendant que Pierre était en bas, dans la cour,

53. *Le grand prêtre*, Caïphe. — 58. Comp. *Jean*, II, 19. — 63. *Ses vêtements :* signe, chez les Juifs, d'une grande douleur ou d'une vive indignation.

il vint une des servantes du grand prêtre; 67. et voyant Pierre qui se chauffait, elle le regarda et lui dit : " Toi aussi, tu étais avec Jésus de Nazareth. " 68. Mais il le nia, en disant : " Je ne sais ni ne comprends ce que tu veux dire. " Puis il s'en alla, gagnant le vestibule; et le coq chanta. 69. La servante, le voyant *s'en aller*, dit à ceux qui étaient présents : " Voilà un de ces gens-là." 70. Et il le nia de nouveau. Un peu après, ceux qui étaient là dirent à Pierre : " Tu es certainement des leurs, car tu es Galiléen." 71. Alors il se mit à faire des imprécations et à dire avec serment : " Je ne connais pas l'homme dont vous parlez. " 72. Aussitôt, pour la seconde fois, le coq chanta. Et Pierre se souvint de la parole que Jésus lui avait dite : " Avant que le coq ait chanté deux fois, trois fois tu m'auras renié "; et il se mit à pleurer.

5. *Devant Pilate.* — CH. 15.

Dès le matin, les Princes des prêtres tinrent conseil avec les Anciens et les Scribes, et tout le Sanhédrin. Et après avoir lié Jésus, ils l'emmenèrent et le livrèrent à Pilate.

2. Pilate l'interrogea : " Es-tu le roi des Juifs? " Jésus lui répondit : " Tu le dis. " 3. Comme les Princes des prêtres portaient contre lui diverses accusations, 4. Pilate l'interrogea de nouveau, disant : " Tu ne réponds rien? Vois de combien de choses ils t'accusent. " 5. Et Jésus ne fit plus aucune réponse, de sorte que Pilate en était dans l'étonnement.

6. Chaque année, à la fête *de Pâque*, il avait coutume de relâcher un prisonnier, celui que la foule demandait. 7. Or, il y avait dans la prison le nommé Barabbas, avec ses complices, pour un meurtre qu'ils avaient commis dans une sédi-

68. *Vestibule :* l'entrée du palais; on le traversait pour entrer dans la cour. — 70. *Galiléen*, comme le prouve ton accent.

Chap. 15. — 1. *Dès le matin :* S. Marc abrège ici d'une manière notable. Comp. *Luc*, xxii, 66-71. — 7. *Barabbas :* c'était un de ces nombreux sicaires qui s'insurgeaient fréquemment, à cette époque, contre l'autorité romaine.

tion. 8. La foule, étant montée *au prétoire*, se mit à demander la grâce d'un prisonnier, comme on leur accordait toujours. 9. Pilate leur répondit : " Voulez-vous que je vous relâche le roi des Juifs?" 10. Car il savait que c'était par envie que les Princes des prêtres l'avaient livré. 11. Mais les Pontifes excitèrent le peuple *à demander* qu'il leur relâchât plutôt Barabbas. 12. Pilate, reprenant la parole, dit : " Que voulez-vous donc que je fasse de celui que vous appelez le roi des Juifs? " 13. Ils crièrent de nouveau : " Crucifiez-le! " 14. Pilate leur dit : " Mais quel mal a-t-il fait? " Et ils crièrent encore plus fort : " Crucifiez-le! " 15. Pilate, voulant satisfaire le peuple, leur accorda la délivrance de Barabbas; et après avoir fait battre Jésus de verges, il le livra pour être crucifié.

16. Les soldats conduisirent Jésus dans l'intérieur de la cour, c'est-à-dire dans le prétoire, et ils assemblèrent toute la cohorte. 17. Et l'ayant revêtu *d'un manteau* d'écarlate, ils ceignirent sa tête d'une couronne d'épines qu'ils avaient tressée. 18. Puis ils se mirent à le saluer, disant : " Salut, roi des Juifs! " 19. Et ils lui frappaient la tête avec un roseau, et ils crachaient sur lui, et fléchissant le genou, ils lui rendaient hommage. 20. Après s'être ainsi joués de lui, ils lui ôtèrent le manteau d'écarlate, lui remirent ses vêtements, et l'emmenèrent pour le crucifier.

6. *Au Calvaire.*

21. Un certain Simon, de Cyrène, père d'Alexandre et de Rufus, passant par là en revenant des champs, ils le mettent en réquisition pour porter sa croix. 22. Et ils entraînent Jésus au lieu appelé Golgotha, c'est-à-dire, le lieu du Calvaire. 23. Et ils lui

8. *Etant montée :* le palais de Pilate était situé sur la colline de Sion, dans la partie supérieure de la ville. — 21. Ce Rufus et son frère étaient vraisemblablement des chrétiens résidant à Rome au temps où S. Marc y rédigeait son évangile (*Rom.* xvi. 13). — 22. *Du Calvaire*, ou du crâne ; voy. *Matth*, xxvii, 33.

donnent à boire du vin mêlé de myrrhe; mais il n'en prit pas.

24. Ils le crucifient et se partagent ses vêtements, les tirant au sort, *pour savoir* ce que chacun aurait. 25. Il était la troisième heure lorsqu'on le crucifia. 26. L'inscription indiquant la cause de sa condamnation portait ces mots : " Roi des Juifs. " 27. Ils crucifièrent avec lui deux brigands, l'un à sa droite, et l'autre à sa gauche. 28. Ainsi fut accomplie cette parole de l'Ecriture : " Il a été mis au rang des malfaiteurs. " 29. Les passants l'insultaient, en branlant la tête et disant : " Toi qui détruis le temple de Dieu et le rebâtis en trois jours, 30. sauve-toi toi-même, et descends de la croix. " 31. Les Princes des prêtres aussi, avec les Scribes, le raillaient entre eux, et disaient : " Il en a sauvé d'autres, et il ne peut se sauver lui-même. 32. Que le Christ, le roi d'Israël, descende maintenant de la croix, afin que nous voyions et que nous croyions. " Ceux qui étaient crucifiés avec lui l'insultaient également.

33. A la sixième heure, les ténèbres se répandirent sur toute la terre jusqu'à la neuvième heure. 34. Et à la neuvième heure, Jésus s'écria d'une voix forte : " Eloï, Eloï, lamma sabacthani, " c'est-à-dire, " Mon Dieu, mon Dieu, pourquoi m'avez-vous abandonné? " 35. Quelques-uns de ceux qui étaient là, l'ayant entendu, disaient : " Il appelle Elie." 36. Et l'un d'eux courut emplir une éponge de vinaigre, et l'ayant mise au bout d'un roseau, il lui donna à boire, en disant : " Laissez; voyons si Elie viendra le détacher de la croix. " 37. Jésus, ayant jeté un grand cri, expira.

38. Le voile du temple se déchira en deux, depuis le haut jusqu'en bas. 39. Le centurion qui se

---

25. Plus exactement : entre la troisième et la sixième heure, entre neuf heures et midi (*Jean*, xix, 14). — 26. L'inscription complète portait : *Jésus de Nazareth, roi des Juifs*. — 28. *Isaïe*, liii. 12. — 34. *Ps*. xxi, 2. — 37. *Un grand cri* : c'était, dit S. Augustin, non le gémissement d'un mourant, mais le cri du vainqueur de la mort.

tenait en face de Jésus, voyant qu'il avait expiré en jetant ce grand cri, dit : " Vraiment cet homme était Fils de Dieu. " 40. Il y avait aussi des femmes qui regardaient de loin, entre autres Marie Madeleine, Marie, mère de Jacques le Mineur et de Joseph, et Salomé, 41. qui le suivaient et le servaient lorsqu'il était en Galilée, et plusieurs autres qui étaient montées à Jérusalem avec lui.

7. *La sépulture.*

42. Sur le soir, comme c'était la Préparation, c'est-à-dire la veille du sabbat, 43. arriva Joseph d'Arimathie : c'était un membre du grand conseil fort considéré ; il attendait, lui aussi, le royaume de Dieu. Il avait osé se rendre auprès de Pilate, pour demander le corps de Jésus. 44. Pilate, surpris qu'il fût mort si tôt, fit venir le centurion, et lui demanda s'il y avait longtemps que Jésus était mort ; 45. et, sur le rapport du centurion, il donna le corps à Joseph. 46. Alors Joseph, ayant acheté un linceul, détacha Jésus de la croix, l'enveloppa du linceul, et le déposa dans un sépulcre taillé dans le roc ; puis il roula une pierre à l'entrée du sépulcre. ¶ 47. Or, Marie Madeleine et Marie, mère de Joseph, observaient où on mettait le corps.

2° — JÉSUS RESSUSCITÉ (16).

CH. 16. — *Les saintes femmes au tombeau.*

✠ Lorsque le sabbat fut passé, Marie Madeleine, Marie, mère de Jacques, et Salomé achetèrent des aromates, afin d'aller embaumer Jésus. 2. Et, le premier jour de la semaine, de grand matin, elles arrivèrent au sépulcre, au moment où le soleil venait de se lever. 3. Elles se disaient entre elles : " Qui nous ôtera la pierre qui ferme

40. *Salomé*, la mère des fils de Zébédée. — 43. *Joseph d'Arimathie :* il était jusqu'alors, dit S. Jean (XIX, 38), disciple de Jésus, mais en secret, par crainte des Juifs. — 45. *Donna* gratuitement *le corps*, etc. Il fallait quelquefois payer une semblable faveur.

Chap. 16. — 1. *Sabbat... passé* : le samedi soir, après le coucher du soleil. — 2. *Le premier jour de la semaine*, notre dimanche.

l'entrée du sépulcre? " 4. Et, levant les yeux, elles aperçurent que la pierre avait été ôtée; car elle était fort grande. 5. Elles entrèrent dans le sépulcre, et virent un jeune homme assis à droite, vêtu d'une robe blanche, et elles furent saisies de frayeur. 6. Il leur dit : " Ne vous effrayez pas; vous cherchez Jésus de Nazareth, qui a été crucifié : il est ressuscité, il n'est point ici; voici le lieu où on l'avait mis. 7. Mais allez dire à ses disciples et à Pierre qu'il vous précède en Galilée; c'est là que vous le verrez, comme il vous l'a dit. ¶ " 8. Sortant aussitôt du sépulcre, elles s'enfuirent car le tremblement et la stupeur les avaient saisies; et elles ne dirent rien à personne, à cause de leur effroi.

Apparitions diverses.

9. Jésus étant ressuscité le matin du premier jour de la semaine, il apparut d'abord à Marie Madeleine, de laquelle il avait chassé sept démons; 10. et elle alla l'annoncer à ceux qui avaient été avec lui, et qui s'affligeaient et pleuraient. 11. Quand ils entendirent qu'il vivait et qu'elle l'avait vu, ils ne la crurent point. 12. Ensuite Jésus se montra en chemin sous une autre forme à deux d'entre eux qui allaient à la campagne. 13. Ceux-ci revinrent l'annoncer aux autres *disciples*, qui ne les crurent pas non plus.

14. ✠ Enfin il se montra aux Onze eux-mêmes, pendant qu'ils étaient à table; et il leur reprocha leur incrédulité et la dureté de leur cœur, de n'avoir pas cru ceux qui l'avaient vu ressuscité.

4. *Car :* le but de cette réflexion est d'expliquer, ou bien les préoccupations des femmes qui se sentaient incapables de rouler une telle pierre, hors de l'entrée du sépulcre, ou bien la possibilité pour elles d'apercevoir de loin qu'elle était ôtée. — 5. *Un jeune homme*, un ange, qui avait pris la figure d'un jeune homme. — 7. *En Galilée :* il ne faut pas trop presser ces paroles de l'ange. Avant de prendre le chemin de la Galilée, Jésus resta encore huit jours à Jérusalem, où il se montra aux Apôtres et à quelques disciples (*Jean*, xx, 26). — 8. *A personne*, aux personnes qu'elles rencontrèrent en chemin. — 12. *A la campagne*, au bourg d'Emmaüs, appelé *campagne* par opposition à la ville de Jérusalem. Voyez le beau récit de S. Luc, xxiv, 13-22.

Mission des Apôtres.

15. Puis il leur dit : "✠Allez par tout le monde, et prêchez l'Evangile à toute créature. 16. Celui qui croira et sera baptisé, sera sauvé; celui qui ne croira pas, sera condamné. 17. Et voici les miracles qui accompagneront ceux qui auront cru : en mon nom, ils chasseront les démons; ils parleront de nouvelles langues; 18. ils prendront les serpents, et s'ils boivent quelque breuvage mortel, il ne leur fera point de mal; ils imposeront les mains aux malades, et les malades seront guéris. " ¶

Ascension.

19. Après leur avoir *ainsi* parlé, le Seigneur [Jésus] fut enlevé au ciel, où il est assis à la droite de Dieu. 20. Pour eux, étant partis, ils prêchèrent en tous lieux, le Seigneur travaillant avec eux, et confirmant leur parole par les miracles qui l'accompagnaient. ¶

19. *Après leur avoir parlé*, Jésus les conduisit à Béthanie, non loin de Gethsémani, où sa passion avait commencé, et là *il fut enlevé*, etc. — 20. *Etant partis*, après la Pentecôte.

LE SAINT ÉVANGILE DE J. C.

SELON SAINT LUC.

Préface. — CH. 1.

✠ PLUSIEURS ayant entrepris d'écrire l'histoire des événements qui se sont accomplis parmi nous, 2. d'après ce que nous ont transmis ceux qui *les* ont vus eux-mêmes dès le commencement, et qui ont été des ministres de la Parole : 3. moi aussi j'ai voulu, après m'être exactement instruit de tout depuis l'origine, t'en donner par ordre le récit, excellent Théophile, 4. afin que tu reconnaisses la vérité des enseignements que tu as reçus. ¶

PREMIÈRE PARTIE

NAISSANCE ET VIE CACHÉE DE JÉSUS (CH. 1 et 2).

L'ange Gabriel annonce *la naissance du précurseur.*

5. ✠ Aux jours d'Hérode, roi de Judée, il y avait un prêtre nommé Zacharie, de la classe d'Abia ; et sa femme, qui

Chap. 1. — 1. *Des événements*, des faits qui composent la vie de Notre Seigneur. — 2. *Des ministres de la Parole*, des prédicateurs de l'Evangile, des apôtres. — 3. *Théophile :* voy. pag. 2. — 5. *Classe d'Abia :* David avait distribué tous les prêtres en 24 classes, désignées

était une des filles d'Aaron, s'appelait Elisabeth. 6. Tous deux étaient justes devant Dieu, marchant dans tous les commandements et ordonnances du Seigneur, d'une manière irréprochable. 7. Ils n'avaient pas d'enfants, parce qu'Elisabeth était stérile, et ils étaient l'un et l'autre avancés en âge.

8. Or, pendant que Zacharie s'acquittait devant Dieu des fonctions sacerdotales dans l'ordre de sa classe, 9. il fut désigné par le sort, selon la coutume observée entre les prêtres, pour entrer dans le sanctuaire du Seigneur et y offrir de l'encens. 10. Et toute la multitude du peuple était dehors en prière à l'heure de l'encens. 11. Et un ange du Seigneur lui apparut, debout à droite de l'autel de l'encens. 12. Zacharie, en le voyant, fut troublé, et la crainte le saisit. 13. Mais l'ange lui dit : Ne crains point, Zacharie, car ta prière a été exaucée ; ta femme Elisabeth te donnera un fils, que tu appelleras Jean. 14. Il sera pour toi un sujet de joie et d'allégresse, et beaucoup se réjouiront de sa naissance ; 15. car il sera grand devant le Seigneur. Il ne boira ni vin, ni rien qui enivre, et il sera rempli de l'Esprit Saint dès le sein de sa mère. 16. Il convertira beaucoup d'enfants d'Israël au Seigneur leur Dieu ; 17. et lui-même marchera devant lui dans l'esprit et la puissance d'Elie, pour ramener les cœurs des pères vers les enfants, et les incrédules à la sagesse des justes, afin de préparer au Seigneur un peuple parfait."

18. Zacharie dit à l'ange : " A quoi reconnaî-

---

chacune par le nom de leur chef, et chargées à tour de rôle de remplir pendant une semaine les fonctions saintes dans le temple. — 17. *Elie :* Jean sera, comme Elie, un prophète puissant en œuvres et en paroles. En outre, de même que Elie (*Malach*, iv, 6) doit venir à la fin du monde préparer le second avènement du Messie, ainsi la mission de Jean Baptiste est de disposer les Juifs à son premier avènement. — *Ramener les cœurs*, etc., c'est-à-dire, réconcilier les pères avec les enfants, faire cesser l'éloignement que l'on suppose exister entre les patriarches pieux et fidèles et les Juifs dégénérés de l'époque de Jésus Christ, et cela en faisant revivre les sentiments des premiers dans les cœurs des seconds.

trai-je *la vérité* de ces paroles? Car je suis vieux, et ma femme est avancée en âge." 19. L'ange lui répondit : "Je suis Gabriel, qui me tiens devant Dieu; j'ai été envoyé pour te parler et t'annoncer cette heureuse nouvelle. 20. Et voici que tu seras muet et ne pourras parler jusqu'au jour où ces choses arriveront, parce que tu n'as pas cru à mes paroles, qui s'accompliront en leur temps." 21. Cependant le peuple attendait Zacharie, et s'étonnait qu'il demeurât si longtemps dans le sanctuaire. 22. Lorsqu'il sortit, il ne pouvait leur parler, et ils comprirent qu'il avait eu une vision dans le sanctuaire, ce qu'il leur faisait entendre par signes; et il resta muet. 23. Quand les jours de son ministère furent accomplis, il s'en alla en sa maison. 24. Quelque temps après, Elisabeth, sa femme, conçut, et elle se tint cachée pendant cinq mois, disant : 25. "C'est une grâce que le Seigneur m'a faite, au jour où il m'a regardée pour ôter mon opprobre parmi les hommes." ¶

La naissance du Messie.

26. ✠ Au sixième mois, l'ange Gabriel fut envoyé de Dieu dans une ville de Galilée appelée Nazareth, 27. auprès d'une vierge qui était fiancée à un homme de la maison de David, nommé Joseph, et le nom de la vierge était Marie. 28. L'ange étant entré où elle était, lui dit : "Je vous salue, pleine de grâce; le Seigneur est avec vous, vous êtes bénie entre toutes les femmes." 29. Marie fut troublée de ces paroles, et elle se demandait ce que pouvait signifier cette salutation. 30. L'ange lui dit : "Ne craignez point, Marie, car vous avez trouvé grâce devant Dieu. 31. Voici que vous concevrez en votre sein, et vous enfanterez un fils, et vous lui donnerez le

22. *Muet*, peut-être aussi *sourd* : comp. vers. 62. — 24. Ayant reçu une grâce inespérée, Elisabeth voulut laisser à Dieu le soin de la révéler aux hommes. — 27. *Marie*, en hébr. *Miriam*, c'est-à-dire *élevée*, *altesse*, et par extension *reine* ou *dame*.

nom de Jésus. 32. Il sera grand ; on l'appellera Fils du Très Haut ; le Seigneur Dieu lui donnera le trône de David son père ; il régnera éternellement sur la maison de Jacob, 33. et son règne n'aura point de fin." 34. Marie dit à l'ange : " Comment cela se fera-t-il, puisque je ne connais point d'homme ?" 35. L'ange lui répondit : " L'Esprit Saint viendra sur vous, et la vertu du Très Haut vous couvrira de son ombre. C'est pourquoi le *fruit* saint qui naîtra de vous sera appelé Fils de Dieu. 36. Déjà Elisabeth, votre parente, a conçu, elle aussi, un fils dans sa vieillesse, et c'est ici le sixième mois de celle qui était appelée stérile : 37. car rien n'est impossible à Dieu." 38. Marie dit alors : " Voici la servante du Seigneur, qu'il me soit fait selon votre parole." ¶ Et l'ange la quitta.

Marie visite Elisabeth.

39. ✠ En ces jours-là, Marie se levant, s'en alla en hâte au pays des montagnes, en une ville de Juda. 40. Et elle entra dans la maison de Zacharie, et salua Elisabeth. 41. Dès qu'Elisabeth eut entendu la salutation de Marie, son enfant tressaillit dans son sein, et elle fut remplie du Saint Esprit. 42. Et élevant la voix, elle s'écria : " Vous êtes bénie entre les femmes, et le fruit de vos entrailles est béni. 43. Et d'où me vient cet *honneur*, que la mère de mon Seigneur vienne à moi ? 44. Car votre voix, lorsque vous m'avez saluée, n'a pas plus tôt frappé mon oreille, que mon enfant a tressailli de joie dans mon sein. 45. Heureuse êtes-vous d'avoir cru à l'accomplissement des choses qui vous ont été dites de la part du Seigneur !" 46. Et Marie dit :

34. Marie ne doute pas, mais elle représente à l'ange qu'elle a fait vœu de perpétuelle chasteté. — 35. L'Esprit Saint et la vertu du Très Haut se correspondent et expriment la même idée. — *Ombre :* cette figure est empruntée aux manifestations de Jéhovah, dans l'ancien Testament, sous la forme d'une nuée qui couvrait l'arche d'alliance. La Mère de Dieu sera la vraie arche d'alliance, le trône, le tabernacle du Très Haut, le véritable Saint des saints. — *Etre appelé*, dans le style biblique, signifie souvent *être :* comp. vers. 32, 36. — 46. Ce cantique, dont la plupart des pensées et même des expressions sont

Cantique de la Sainte Vierge.

" Mon âme glorifie le Seigneur,
47. Et mon esprit tressaille de joie en Dieu, mon Sauveur, ¶
48. Parce qu'il a regardé la bassesse de sa servante.
Car désormais toutes les générations m'appelleront bienheureuse,
49. Parce que le Tout Puissant a fait en moi de grandes choses;
Son nom est saint,
50. Et sa miséricorde se répand d'âge en âge
Sur ceux qui le craignent.
51. Il a déployé la force de son bras;
Il a dissipé ceux qui s'enorgueillissaient dans les pensées de leur cœur;
52. Il a renversé de leur trône les puissants,
Et il a élevé les petits;
53. Il a comblé de biens les affamés,
Et renvoyé les riches les mains vides.
54. Il a pris soin d'Israël, son serviteur,
Se ressouvenant de sa miséricorde, —
55. Selon la promesse qu'il en avait faite à nos pères, —
De sa miséricorde envers Abraham et sa race, pour toujours."

56. Marie demeura avec Elisabeth environ trois mois, et elle s'en retourna dans sa maison.

Naissance de Jean Baptiste.

57. ✠ Cependant, le temps d'Elisabeth étant venu, elle enfanta un fils. 58. Ses voisins et ses parents ayant appris que le Seigneur avait signalé en elle sa miséricorde, se réjouissaient avec elle. 59. Le huitième jour, ils vinrent pour circoncire l'enfant, et ils le nommaient Zacharie, qui

empruntées à divers passages de l'ancien Testament, peut se diviser en quatre strophes : 1 et 2. louange à Dieu de ce qu'il a choisi Marie pour être la mère du Messie (vers. 46-50); 3. louange à Dieu pour ses bienfaits, envers les humbles et les petits en général (vers. 51-53), 4. envers Israël en particulier (vers. 54-55).

était le nom de son père. 60. "Non, dit sa mère, mais il s'appellera Jean." 61. Ils lui dirent : "Il n'y a personne dans votre famille qui soit appelé de ce nom." 62. Et ils demandèrent par signe à son père comment il voulait qu'on le nommât. 63. S'étant fait apporter des tablettes, il écrivit : "Jean est son nom"; et tous furent dans l'étonnement. 64. Au même instant, sa bouche s'ouvrit, sa langue se délia; et il parlait, bénissant Dieu. 65. La crainte s'empara de tous les habitants d'alentour, et, dans toutes les montagnes de la Judée, on racontait ces merveilles. 66. Tous ceux qui en entendirent parler les gardèrent dans leur cœur, et ils disaient : "Que sera donc cet enfant?" Car la main du Seigneur était avec lui. 67. Et Zacharie, son père, fut rempli de l'Esprit Saint, et il prophétisa, en disant :

Cantique de Zacharie.

68. " Béni soit le Seigneur, le Dieu d'Israël,
De ce qu'il a visité et racheté son peuple. ¶
69. Il nous a suscité un puissant Sauveur
Dans la maison de David, son serviteur,
70. Selon ce qu'il a dit par la bouche de ses saints,
De ses prophètes aux siècles passés,
71. *Un Sauveur* qui nous délivrera de nos ennemis
Et des mains de tous ceux qui nous haïssent.
72. Il a accompli la miséricorde *promise* à nos pères,
Et s'est souvenu de son alliance sainte, selon le serment
73. Par lequel il a juré à Abraham notre père de nous faire cette grâce,
74. Qu'étant délivrés des mains de nos ennemis,
Nous le servions sans crainte,

---

67. *Prophétisa*, parla sous l'inspiration, sous l'influence de l'Esprit de Dieu. 1. Il remercie Dieu de l'avènement du Messie, en qui vont se réaliser toutes les promesses et toutes les espérances de l'ancienne alliance (vers. 68-75); 2. il expose le rôle de son fils à l'égard de ce divin Rédempteur. — 71. *Délivrera* de nos ennemis spirituels, les esprits mauvais.

75. Dans la sainteté et la justice en sa présence,
Tous les jours de notre vie.

76. Et toi, petit enfant, tu seras appelé prophète du Très Haut;
Car tu marcheras devant la face du Seigneur pour lui préparer les voies,
77. Pour donner à son peuple la connaissance du salut
Dans le pardon de ses péchés,
78. Par les entrailles de la miséricorde de notre Dieu,
Par lesquelles le Soleil levant nous a visités d'en haut,
79. Pour éclairer ceux qui sont assis dans les ténèbres et dans l'ombre de la mort,
Et pour diriger nos pas dans la voie de la paix."

80. Or l'Enfant croissait et se fortifiait en esprit, et il demeura dans le désert jusqu'au jour de sa manifestation devant Israël.

Naissance de Jésus.

CH. 2.

✠ En ces jours-là fut publié un édit de César Auguste, *ordonnant* qu'on fît le recensement *des habitants* de toute la terre. 2. Ce premier recensement eut lieu pendant que Quirinius était gouverneur de Syrie. 3. Et tous allaient se faire inscrire, chacun dans sa ville. 4. Joseph aussi monta de la Galilée, de la ville de Nazareth, *pour se rendre* en Judée, dans la ville de David, appelée Bethléem, parce qu'il était de la maison et de la famille de David, 5. pour se faire inscrire avec Marie, son épouse, qui était enceinte.

6. Or, pendant qu'ils étaient en ce lieu, le temps où elle devait en-

78. *Soleil levant :* les prophètes comparent souvent le Messie à une lumière. — 80. *Croissait* indique le développement physique : *se fortifiait en esprit*, le développement moral (sagesse et sainteté). — *Désert* de Judée, voisin de la mer Morte.

Chap. 2. — 3. *Dans sa ville*, dans la ville qui avait été le berceau de sa famille. — 4. *David* était né à Bethléem.

fanter s'accomplit. 7. Et elle mit au monde son fils premier-né, l'enveloppa de langes, et le coucha dans une crèche, parce qu'il n'y avait pas de place pour eux dans l'hôtellerie.

Les bergers à la crèche.

8. Il y avait aux environs des bergers qui passaient la nuit aux champs, gardant leur troupeau. 9. Tout à coup un ange du Seigneur leur apparut, et la gloire du Seigneur resplendit autour d'eux, et ils furent saisis d'une grande crainte. 10. Mais l'ange leur dit : " Ne craignez point, car je vous annonce une nouvelle qui sera pour tout le peuple une grande joie. 11. Il vous est né aujourd'hui, dans la ville de David, un Sauveur, qui est le Christ, *le* Seigneur. 12. Voici à quel signe *vous le reconnaîtrez :* vous trouverez un enfant enveloppé de langes et couché dans une crèche. " 13. Au même instant se joignit à l'ange une troupe de la milice céleste, louant Dieu et disant : 14. " Gloire à Dieu au plus haut des cieux, et paix sur la terre aux hommes de bonne volonté! " ¶

15. Lorsque les anges, remontant au ciel, les eurent quittés, ✠ les bergers se dirent les uns aux autres : " Passons jusqu'à Bethléem, et voyons ce qui est arrivé, ce que le Seigneur nous a fait savoir. " 16. Ils s'y rendirent en toute hâte, et trouvèrent Marie, Joseph, et l'Enfant couché dans la crèche. 17. Après l'avoir vu, ils reconnurent la vérité de ce qui leur avait été dit au sujet de cet Enfant. 18. Et tous ceux qui les entendirent furent dans l'ad-

7. *Premier-né :* voy. *Matth.* 1, 25, note. — *Crèche.* Dès la plus haute antiquité, la crèche qui reçut le Sauveur du monde à sa naissance, fut, à Bethléem, l'objet de la vénération des chrétiens ; saint Jérôme et sainte Paule la visitèrent avec respect. Elle fut apportée à Rome au VIIe siècle, et on la vénère encore aujourd'hui dans l'église de Ste-Marie-Majeure. — 14. Cette *bonne volonté* désigne, non la bonne volonté des hommes pour le bien, mais la bienveillance, l'amour de Dieu envers les hommes. Sens : *Paix*, c'est-à-dire salut, *sur la terre aux hommes*, jusqu'ici *enfants de colère*, c'est-à-dire objets de la colère divine par suite du péché originel, mais devenus aujourd'hui objets de la bienveillance et de la miséricorde de Dieu.

miration de ce que leur disaient les bergers. 19. Or Marie conservait toutes ces choses en elle-même, les repassant dans son cœur. 20. Et les bergers s'en retournèrent, glorifiant et louant Dieu de tout ce qu'ils avaient vu et entendu, selon ce qui leur avait été annoncé. ¶

La circoncision de Jésus.

21. ✠ Le huitième jour étant arrivé, auquel l'Enfant devait être circoncis, il fut appelé Jésus, nom que l'ange lui avait donné avant qu'il eût été conçu dans le sein *de sa mère.* ¶

Sa présentation au temple.

22. ✠ Quand les jours de sa purification furent arrivés, selon la loi de Moïse, Marie et Joseph portèrent l'Enfant à Jérusalem pour le présenter au Seigneur, 23. suivant ce qui est écrit dans la loi du Seigneur : "Tout mâle premier-né sera consacré au Seigneur !" 24. et pour offrir en sacrifice, ainsi que le prescrit la loi du Seigneur, deux tourterelles, ou deux petits de colombes.

25. Or, il y avait à Jérusalem un homme nommé Siméon ; c'était un homme juste et craignant Dieu, qui attendait la consolation d'Israël, et l'Esprit Saint était en lui. 26. L'Esprit Saint lui avait révélé qu'il ne mourrait point avant d'avoir vu le Christ du Seigneur. 27. Il vint dans le temple, poussé par l'Esprit. Et comme les parents apportaient le petit enfant Jésus, pour accomplir à son égard ce qu'ordonnait la loi, 28. il le prit entre ses bras, et bénit Dieu en disant :

---

23. La loi de Moïse ordonnait deux choses aux parents des enfants nouvellement nés, La 1re, si l'enfant était le premier-né de la famille, de le présenter à Dieu, en signe de son domaine souverain, et de le racheter par l'offrande prescrite : car "tout est à moi, dit le Seigneur" (*Exod.* xiii, 2). La 2me regardait la purification des mères, qui étaient regardées comme impures dès qu'elles avaient mis au monde un enfant, et cela par suite du péché d'Eve ; l'impureté durait 40 jours, si c'était un enfant mâle : après quoi la mère se rendait au temple, offrait un sacrifice, et était déclarée pure. Le Fils de Dieu et la Vierge mère se soumettent volontairement, pour l'exemple du monde, à une loi qui n'était pas faite pour eux.

29. " C'est maintenant, Seigneur, que, selon votre parole,
Vous laissez votre serviteur s'en aller en paix;
30. Car mes yeux ont vu votre salut,
31. Que vous avez préparé devant tous les peuples,
32. Pour être la lumière qui éclairera les nations
Et la gloire de votre peuple d'Israël. " ¶

33. ✠ Le père et la mère de l'Enfant étaient dans l'admiration des choses que l'on disait de lui. 34. Et Siméon les bénit, et dit à Marie, sa mère : " Cet Enfant est au monde pour la ruine et le salut d'un grand nombre en Israël, et pour être un signe auquel on contredira ; 35. vous-même, un glaive transpercera votre âme : — et ainsi seront révélées les pensées cachées dans le cœur d'un grand nombre. "

36. Il y avait aussi une prophétesse, Anne, fille de Phanuel, de la tribu d'Aser; elle était fort avancée en âge, et n'avait vécu, depuis sa virginité, que sept ans avec son mari. 37. Restée veuve, et âgée *alors* de quatre-vingt-quatre ans, elle ne quittait point le temple, servant Dieu nuit et jour dans le jeûne et dans la prière. 38. Elle aussi, survenant à cette heure, se mit à louer le Seigneur et à parler de l'Enfant à tous ceux qui attendaient la rédemption d'Israël.

39. Lorsqu'ils eurent tout accompli selon la loi du Seigneur, ils retournèrent en Galilée, à Nazareth, leur ville.

Jésus-Enfant à Nazareth et parmi les docteurs.

40. Cependant l'Enfant croissait et se fortifiait, étant rempli de sagesse, et la grâce de Dieu était en lui. ¶

41. Or ses parents al-

34. *Un signe*, une divine apparition (*Is.* viii, 18), à laquelle *on contredira :* il aura donc beaucoup à souffrir, et vous, sa mère, à *compatir.* — 35. *Les pensées cachées*, les sentiments des Juifs et des hommes en général à l'égard de Jésus Christ. — 39. Le retour de la Sainte Famille en Galilée eut lieu, non pas immédiatement après la Purification, mais après l'exil en Egypte (*Matth.* ii, 23).

laient tous les ans à Jérusalem, à la fête de Pâque. 42. ✠ Quand il eut atteint sa douzième année, ils y montèrent, selon la coutume de cette fête; 43. et lorsqu'ils s'en retournèrent, les jours de la fête étant passés, l'enfant Jésus resta dans la ville, sans que ses parents s'en fussent aperçus. 44. Pensant qu'il était avec leurs compagnons de voyage, ils marchèrent tout un jour, et *alors* ils le cherchèrent parmi leurs parents et leurs connaissances. 45. Ne l'ayant point trouvé, ils retournèrent à Jérusalem pour le chercher. 46. Au bout de trois jours, ils le trouvèrent dans le temple, assis au milieu des docteurs, les écoutant et les interrogeant. 47. Et tous ceux qui l'entendaient étaient ravis de son intelligence et de ses réponses. 48. En le voyant, ils furent étonnés; et sa mère lui dit : " Mon enfant, pourquoi avez-vous agi ainsi avec nous? Votre père et moi nous vous cherchions tout affligés." 49. Il leur répondit : "Pourquoi me cherchiez-vous? Ne saviez-vous pas qu'il faut que je sois aux choses de mon Père? " 50. Mais ils ne comprirent pas ce qu'il leur disait. 51. Alors il descendit avec eux, et vint à Nazareth, et il leur était soumis. Et sa mère conservait toutes ces choses dans son cœur.

52. Et Jésus croissait en sagesse, en âge et en grâce devant Dieu et devant les hommes. ¶

---

42. A 12 ans, l'enfant juif était soumis aux prescriptions de la loi. — 44. Les pèlerins voyageaient par caravanes; sur la route, des groupes se formaient : les hommes se réunissaient aux hommes, les femmes aux femmes, les jeunes gens aux jeunes gens; bientôt les membres d'une même famille se trouvaient séparés, mais sans souci pour personne : on comptait bien se retrouver le soir, à la prochaine halte. — 50. Marie et Joseph savaient bien que Jésus était le Fils de Dieu; mais ils ne connaissaient pas, à cette époque, de quelle manière et par quel moyen il instruirait et sauverait les hommes. — 52. *En sagesse :* la sagesse de l'Homme-Dieu, pleine dès l'origine, émettait, en quelque sorte, chaque jour des rayons plus brillants. — *En âge :* le grec se traduirait mieux, *en stature.* — *En grâce,* en œuvres de grâce, en actes de vertu.

DEUXIÈME PARTIE

VIE PUBLIQUE DE JÉSUS (CH. 3 — 21).

1° — PÉRIODE DE PRÉPARATION (3 — 4, 13)

Le Précurseur :

✠ CH. 3. — *Sa prédication.*

La quinzième année du règne de Tibère César, Ponce Pilate étant gouverneur de la Judée; Hérode, tétrarque de la Galilée; Philippe, son frère, tétrarque de l'Iturée et du pays de la Trachonite, et Lysanias, tétrarque de l'Abilène; 2. au temps des grands prêtres Anne et Caïphe, la parole du Seigneur se fit entendre à Jean, fils de Zacharie, dans le désert. 3. Et il vint dans la contrée du Jourdain, prêchant le baptême de pénitence pour la rémission des péchés, 4. ainsi qu'il est écrit au livre des oracles du prophète Isaïe : " Une voix a retenti au désert : Préparez le chemin du Seigneur, aplanissez ses sentiers. 5. Toute vallée sera comblée, toute montagne et toute colline seront abaissées; les chemins tortueux deviendront droits, et les raboteux, unis. 6. Et toute chair verra le salut de Dieu. " ¶ 7. Il disait à ceux qui accouraient en foule pour être baptisés par lui : " Race de vipères, qui vous a appris à fuir la colère qui vient? 8. Faites donc de dignes fruits de pénitence, et n'essayez pas de dire : Abraham est notre père; car je vous dis que de ces pierres mêmes Dieu peut susciter des enfants à Abraham. 9. Déjà la cognée est à la racine des arbres. Tout arbre donc qui ne porte pas de bon fruit sera coupé et jeté au feu. " 10. Et le peuple lui demanda : " Que faut-il donc faire? " 11. Il leur répondit : " Que celui qui a deux tuniques en donne une à celui qui n'en a point, et que celui

Chap. 3. — 5. *Isaïe*, xliii, 3 sv. — *Toute chair*, tous les hommes. — *Le salut* par le Messie. — 7. Qui a pu vous faire croire que vous pourriez, sans changer de sentiments et de conduite, éviter la colère du souverain Juge?

qui a de quoi manger fasse de même. " 12. Il vint aussi des publicains pour être baptisés, et ils lui dirent : " Maître, que devons-nous faire?" 13. Il leur dit : " N'exigez rien au delà de ce qui vous est commandé. " 14. Des soldats de passage l'interrogèrent aussi, disant : " Et nous, que devons-nous faire? " Il leur répondit : " Abstenez-vous de toute violence et de toute fraude, et contentez-vous de votre paye. "

Son témoignage.

15. Comme le peuple était dans l'attente, et que tous se demandaient dans leurs cœurs, à l'égard de Jean, s'il ne serait pas le Christ, 16. Jean leur dit à tous : " Moi, je vous baptise dans l'eau; mais il vient, celui qui est plus puissant que moi, et dont je ne suis pas digne de délier la courroie de sa chaussure; lui, il vous baptisera dans l'Esprit Saint et le feu. 17. Sa main tient le van, et il nettoiera son aire, et il amassera le froment dans son grenier, et il brûlera la paille dans un feu qui ne s'éteint point. "

Son incarcération.

18. C'est par ces discours, et beaucoup d'autres semblables, qu'il annonçait au peuple la bonne nouvelle. 19. Mais Hérode le tétrarque ayant été repris par lui au sujet d'Hérodiade, femme de son frère, et de tout le mal qu'il avait fait, 20. il ajouta ce crime à tous les autres, et fit mettre Jean en prison.

Jésus Christ : *son baptême.*

21. Or, ✠ dans le temps que tout le peuple venait recevoir le baptême, Jésus aussi se fit baptiser, et pendant qu'il priait, le ciel s'ouvrit, 22. et l'Esprit Saint descendit sur lui sous une forme corporelle, comme une colombe, et du ciel une voix se fit entendre : " Tu es mon fils bien aimé; en toi j'ai mis mes complaisances. " 23. Jésus avait environ trente ans lors-

15. *Dans l'attente*, suspendu dans ses pensées, en attendant que la vérité se montrât clairement. — 20. *Matth.* XIV, 4. — 22. La distinction des trois personnes divines est clairement marquée dans ce récit. De là cette réponse des anciens Pères aux hérétiques antitrinitaires : " Va au Jourdain, et apprends la Trinité. "

qu'il commença *son ministère;* il était, comme on le croyait, fils de Joseph, ¶ fils d'Héli, 24. fils de Matthat, fils de Lévi, fils de Melchi, fils de Janné, fils de Joseph, 25. fils de Mattathias, fils d'Amos, fils de Nahum, fils d'Esli, fils de Naggé, 26. fils de Maath, fils de Mattathias, fils de Séméi, fils de Joseph, fils de Juda, 27. fils de Joanan, fils de Rhésa, fils de Zorobabel, fils de Salathiel, fils de Néri, 28. fils de Melchi, fils d'Addi, fils de Cosam, fils d'Elmadan, fils de Her, 29. fils de Jésus, fils d'Eliézer, fils de Jorim, fils de Matthat, fils de Lévi, 30. fils de Siméon, fils de Juda, fils de Joseph, fils de Jonam, fils d'Eliakim, 31. fils de Méléa, fils de Menna, fils de Mattatha, fils de Nathan, fils de David, 32. fils de Jessé, fils d'Obed, fils de Booz, fils de Salmon, fils de Naasson, 33. fils d'Aminadab, fils d'Aram, fils d'Esron, fils de Pharès, fils de Judas, 34. fils de Jacob, fils d'Isaac, fils d'Abraham, fils de Tharé, fils de Nachor, 35. fils de Sarug, fils de Ragau, fils de Phaleg, fils d'Héber, fils de Salé, 36. fils de Caïnan, fils d'Arphaxad, fils de Sem, fils de Noé, fils de Lamech, 37. fils de Mathusalé, fils d'Hénoch, fils de Jared, fils de Malaléel, fils de Caïnan, 38. fils d'Hénoch, fils de Seth, fils d'Adam, fils de Dieu.

CH. 4.

Jeûne et tentations.

Jésus, rempli de l'Esprit Saint, revint du Jourdain, et il fut poussé par l'Esprit dans le desert, 2. où il fut tenté par le démon pendant quarante jours. Il ne mangea rien durant ces jours-là, et quand ils furent passés, il eut faim. 3. Alors le démon lui dit : " Si vous êtes le Fils de Dieu, commandez à cette pierre de se changer en pain. "

38. S. Matthieu arrête la généalogie de Jésus à Abraham : les Juifs, pour lesquels il écrivait surtout, n'avaient pas besoin de savoir autre chose. S. Luc la conduit jusqu'à Adam, ancêtre du genre humain : s'adressant à des païens convertis, il devait leur présenter Jésus comme le Rédempteur de l'humanité tout entière.

Chap. 4. — 2. L'Homme-Dieu ne pouvait être tenté qu'extérieurement, par des images et des paroles frappant les sens, sans que jamais la séduction atteignît son âme, où elle ne trouvait pas, comme en nous, l'écho de la convoitise originelle.

4. Jésus lui répondit : " Il est écrit : L'homme ne vit pas seulement de pain, mais de toute parole de Dieu. " 5. Et le démon l'emmena sur une haute montagne; et lui ayant montré en un instant tous les royaumes de la terre, 6. il lui dit : " Je vous donnerai toute cette puissance et toute la gloire de ces royaumes; car elle m'a été livrée, et je la donne à qui je veux. 7. Si donc vous m'adorez, elle sera toute à vous. " 8. Jésus lui répondit : " Il est écrit : Tu adoreras le Seigneur ton Dieu, et tu le serviras lui seul. " 9. Le démon le conduisit encore à Jérusalem, et l'ayant placé sur le faîte du temple, il lui dit : " Si vous êtes Fils de Dieu, jetez-vous d'ici en bas. 10. Car il est écrit : Il a donné pour vous l'ordre à ses anges de vous garder, 11. et ils vous prendront entre leurs mains, de peur que votre pied ne heurte contre la pierre. " 12. Jésus lui répondit : " Il est écrit : Tu ne tenteras point le Seigneur ton Dieu. " 13. Après l'avoir ainsi tenté de toutes manières, le diable se retira de lui pour un temps.

2° — MINISTÈRE DE JÉSUS EN GALILÉE (4, 14 — 9, 12).

A. — *Les débuts jusqu'à l'élection des Apôtres* (4, 14 — 6, 12).

A Nazareth :

14. Alors Jésus, par le mouvement de l'Esprit, retourna en Galilée et sa renommée se répandit dans tout le pays d'alentour. 15. Il enseignait dans les synagogues, et tous publiaient ses louanges. 16. Etant venu à Nazareth, où il avait été élevé, il entra, selon sa coutume, le jour du sabbat dans la synagogue, et se leva pour faire la lecture.

4. De tout aliment que Dieu peut, d'un seul mot, lui fournir (*Deut.* viii, 3). Pour l'explication détaillée, voy. *Matth.* iv, 1 sv. — 13. C'est au jardin de Gethsémani et au Calvaire que recommença la lutte entre Jésus et le Prince de ce monde, cette fois pour aboutir à une victoire définitive de l'Homme-Dieu.

Le Messie d'après Isaïe; Jésus mal reçu de ses compatriotes.

17. On lui remit le livre du prophète Isaïe; et l'ayant déroulé, il trouva l'endroit où il est écrit : 18. "L'esprit du Seigneur est sur moi, parce qu'il m'a consacré par son onction; il m'a envoyé pour évangéliser les pauvres, guérir ceux qui ont le cœur brisé, 19. annoncer aux captifs la délivrance, aux aveugles *le bienfait de* la vue, pour rendre libres les opprimés, publier une année favorable du Seigneur et le jour de la rétribution. " 20. Ayant roulé le livre, il le rendit au ministre et s'assit; et tous, dans la synagogue, avaient les yeux attachés sur lui.

21. Alors il commença à leur dire : " Aujourd'hui s'est accompli cet oracle à vos oreilles. " 22. Et tous lui rendaient témoignage, et admirant les paroles de grâce qui sortaient de sa bouche, ils disaient : " N'est-ce pas là le fils de Joseph?" 23. ✠ Alors il leur dit : " Sans doute, vous m'alléguerez cet adage : Médecin, guéris-toi toi-même; et vous me direz : Les grandes choses que nous avons ouï dire que vous avez faites à Capharnaüm, faites-les ici dans votre patrie." 24. Et il ajouta : " En vérité, je vous le dis, aucun prophète n'est bien reçu dans sa patrie. 25. Je vous le dis en vérité, il y avait beaucoup de veuves en Israël aux jours d'Elie, lorsque le ciel fut fermé pendant trois ans et six mois, et qu'il y eut une grande famine dans toute la terre; 26. et *cependant* Elie ne fut envoyé à aucune d'elles, mais à une veuve de Sarepta, dans le pays des Sidoniens. 27. Il y avait

17. Les livres des anciens consistaient en longues bandes de parchemin roulées autour d'un petit cylindre; pour lire, on développait successivement le rouleau. — 19. *Isaïe*, lxi, 1; lviii, 6. *Une année favorable*, ou de *grâce* : allusion à l'année jubilaire des Juifs, où chacun rentrait en possession de ses biens ou de sa liberté, qui n'avaient pu être aliénés que pour un temps. — *De la rétribution*, de la vengeance du Seigneur contre les impies. — 21. *A vos oreilles* : par ma prédication, la voix de celui qu'annonce Isaïe s'est fait entendre à vous. — 27. Sens : Elie et Elisée, méprisés dans leur pays, portèrent leurs bienfaits à des étrangers (III *Rois*, xvii, 9; IV *Rois*, v. 14) : ainsi je ferai.

de même en Israël beaucoup de lépreux aux jours du prophète Elisée; et *cependant* aucun d'eux ne fut guéri, si ce n'est Naaman le Syrien. " 28. En entendant cela, ils furent tous remplis de colère dans la synagogue. 29. Et s'étant levés, ils le poussèrent hors de la ville, et le menèrent jusqu'à un escarpement de la montagne sur laquelle elle était bâtie, pour le précipiter en bas. 30. Mais lui, passant au milieu d'eux, s'en alla. ¶

A Capharnaüm :

31. Il descendit à Capharnaüm, ville de Galilée, et là il enseignait les jours de sabbat. 32. Et sa doctrine les frappait d'étonnement, parce qu'il parlait avec autorité.

Possédé délivré.

33. Il y avait dans la synagogue un homme possédé d'un démon impur, lequel jeta un grand cri, 34. disant : " Laisse-nous; qu'y a-t-il entre nous et toi, Jésus de Nazareth? Es-tu venu pour nous perdre? Je sais qui tu es : le Saint de Dieu. " 35. Mais Jésus lui dit d'un ton sévère : " Tais-toi, et sors de cet homme. " Et le démon l'ayant jeté par terre au milieu *de la synagogue*, sortit de lui sans lui avoir fait aucun mal. 36. Et tous, saisis d'épouvante, se disaient entre eux : " Quelle est cette parole? Il commande avec autorité et puissance aux esprits impurs, et ils sortent. " 37. Et sa renommée se répandait de tous côtés dans le pays.

Guérison de la belle-mère de Pierre et de nombreux malades. — Jésus veut aller prêcher.

38. Etant sorti de la synagogue, Jésus entra dans la maison de Simon, dont la belle-mère avait une grosse fièvre, et ils le prièrent pour elle. 39. Se penchant sur son lit, il commanda à la fièvre, et la fièvre la quitta; et s'étant levée aussitôt, elle se mit à les servir. 40. Lorsque le soleil fut couché, tous ceux qui avaient chez eux des

30. Le calme majestueux de l'Homme-Dieu n'aurait sans doute pas suffi, sans une action miraculeuse sur les cœurs, pour désarmer cette foule ameutée.

malades, quel que fût leur mal, les lui amenaient; et Jésus, imposant les mains à chacun d'eux, les guérissait. 41. Des démons aussi sortaient de plusieurs, criant et disant : " Tu es le Fils de Dieu; " et il les menaçait pour leur imposer silence, parce qu'ils savaient qu'il était le Christ.

42. Dès que le jour parut, il sortit *de la ville* et s'en alla en un lieu désert. Une foule de gens se mirent à sa recherche, et étant arrivés jusqu'à lui, ils voulaient le retenir, pour qu'il ne les quittât point. 43. Mais il leur dit : " Il faut que j'annonce aussi aux autres villes le royaume de Dieu, car je suis envoyé pour cela. "

1re tournée en Galilée :
Pêche miraculeuse.

44. Et il prêchait dans les synagogues de la Galilée.

✠ CH. 5.

Un jour que Jésus, pressé par la foule qui voulait entendre la parole de Dieu, se tenait sur le bord du lac de Génésareth, 2. il vit deux barques qui stationnaient près du rivage; les pêcheurs étaient descendus pour laver leurs filets. 3. Il monta dans une de ces barques, qui était à Simon, et le pria de s'éloigner un peu de terre; puis, s'étant assis, il enseigna le peuple de dessus la barque. 4. Lorsqu'il eut cessé de parler, il dit à Simon : " Avance en pleine mer, et vous jetterez vos filets pour pêcher. " 5. Simon lui répondit : " Maître, nous avons travaillé toute la nuit sans rien prendre; mais, sur votre parole, je jetterai le filet. " 6. L'ayant jeté, ils prirent une si grande quantité de poissons, que leur filet se rompait. 7. Et ils firent signe à leurs compagnons, qui étaient dans l'autre barque, de venir à leur aide. Ils y vinrent, et ils remplirent les deux barques, au point qu'elles enfonçaient. 8. Ce que voyant, Simon Pierre tomba aux pieds de Jésus, en disant : " Eloignez-vous de moi, Seigneur, parce que je suis un pécheur. " 9. Car l'épouvante l'avait saisi, lui et tous ceux qui l'accompagnaient, à cause des poissons qu'ils avaient pris.

10. Il en était de même de Jacques et de Jean, fils de Zébédée, les associés de Simon. Et Jésus dit à Simon : " Ne crains point, car désormais ce sont des hommes que tu prendras. " 11. Aussitôt, ramenant leurs barques à terre, ils quittèrent tout et le suivirent. ¶

Le lépreux.

12. Comme il était dans une des villes *de la Galilée*, un homme tout couvert de lèpre, apercevant Jésus, se prosterna la face contre terre, et le pria en disant : " Seigneur, si vous le voulez, vous pouvez me guérir." 13. Jésus, étendant la main, le toucha et lui dit : " Je le veux, sois guéri; " et à l'instant sa lèpre disparut. 14. Et il lui défendit d'en parler à personne; mais, *lui dit-il*, " va te montrer au prêtre, et offre pour ta guérison le don prescrit par Moïse pour l'attester au peuple. " 15. Sa renommée se répandait de plus en plus, et on venait par troupes nombreuses pour l'entendre et pour être guéri de ses maladies. 16. Pour lui, il se retirait dans les déserts et priait.

Paralytique absous et guéri.

17. ✠ Un jour qu'il enseignait, il y avait là, assis *autour de lui*, des Pharisiens et des docteurs de la Loi, venus de tous les villages de la Galilée, ainsi que de la Judée et de Jérusalem; et la vertu du Seigneur se manifestait par des guérisons. 18. Et voilà que des gens, portant sur un lit un homme paralysé, cherchaient à le faire entrer et à le mettre devant lui. 19. Et n'en trouvant pas le moyen à cause de la foule, ils montèrent sur le toit, ôtèrent les tuiles, et descendirent le malade avec son lit au milieu de tous, devant Jésus. 20. Voyant leur foi, il dit : " Homme, tes péchés te sont remis. " 21. Alors les Scribes et les Pharisiens se mirent à raisonner et à dire : " Qui est celui-ci qui profère des blasphèmes? Qui

Chap. 5. — 18. *Lit*, espèce de brancard, recouvert d'un tapis. — 19. Aujourd'hui encore les paysans de Galilée, pour rentrer leurs moissons, se contentent d'entr'ouvrir la plate-forme en terre sèche qui couvre leur demeure.

peut remettre les péchés, si ce n'est Dieu seul? " 22. Jésus, connaissant leurs pensées, leur dit : " Quelles pensées avez-vous en vos cœurs? 23. Lequel est le plus facile de dire : Tes péchés te sont remis, ou de dire : Lève-toi et marche? 24. Or, afin que vous sachiez que le Fils de l'homme a sur la terre le pouvoir de remettre les péchés : Je te le commande, dit-il au paralytique, prends ton lit et va dans ta maison." 25. A l'instant, celui-ci se leva devant eux, prit le lit où il était couché, et s'en alla dans sa maison en glorifiant Dieu. 26. Et tous étaient frappés de stupeur; ils glorifiaient Dieu, et, remplis de crainte, ils disaient : " Nous avons vu aujourd'hui des choses merveilleuses. " ¶

Controverses :
Vocation de Lévi; le jeûne.

27. ✠ Après cela, Jésus sortit, et ayant vu un publicain, nommé Lévi, assis au bureau du péage, il lui dit : " Suis-moi. " 28. Et lui, quittant tout, se leva et le suivit.

29. Lévi lui donna un grand festin dans sa maison; et un grand nombre de publicains et d'autres personnes étaient à table avec eux. 30. Les Pharisiens et les Scribes murmuraient et disaient à ses disciples : " Pourquoi mangez-vous et buvez-vous avec les publicains et les pécheurs? " 31. Jésus leur répondit : " Ce ne sont pas les bien portants qui ont besoin de médecin, mais les malades. 32. Je ne suis pas venu appeler les justes à la pénitence, mais les pécheurs." ¶

33. Alors ils lui dirent : " Pourquoi les disciples de Jean et ceux des Pharisiens jeûnent-ils et prient-ils souvent, tandis que les vôtres mangent et boivent? " 34. Il leur répondit : " Pouvez-vous faire jeûner les fils de l'époux, pendant que l'époux est avec eux? 35. Viendront des jours où l'époux leur sera enlevé; ils jeûneront en ces jours-là. " 36. Il ajouta cette comparaison : " Per-

27. *Lévi*, l'Evangéliste S. Matthieu. — 33-38. Voy. *Matth.* IX, 14 sv.

sonne ne met à un vieux vêtement un morceau pris à un vêtement neuf; autrement, et on déchire le neuf, et le morceau convient mal au vêtement vieux. 37. Personne non plus ne met du vin nouveau dans de vieilles outres : autrement, le vin nouveau rompant les outres, il se répandra, et les outres seront perdues. 38. Mais il faut mettre le vin nouveau dans des outres neuves, et tous les deux se conservent. 39. Et personne, après avoir bu du vin vieux, ne veut aussitôt du nouveau, car on dit : Le vieux est meilleur."

CH. 6. — Le Sabbat : *les épis; la main sèche.*

Un jour de sabbat, dit le second-premier, comme Jésus traversait des champs de blés, ses disciples cueillaient des épis, et, les froissant dans leurs mains, les mangeaient. 2. Quelques Pharisiens leur dirent : " Pourquoi faites-vous ce qui n'est pas permis le jour du sabbat? " 3. Jésus leur répondit : " N'avez-vous pas lu ce que fit David, lorsqu'il eut faim, lui et ceux qui l'accompagnaient : 4. comment il entra dans la maison de Dieu, et prit les pains de proposition, en mangea et en donna à ceux qui étaient avec lui, bien qu'il ne soit permis d'en manger qu'aux prêtres seuls? " 5. Et il ajouta : " Le Fils de l'homme est maître même du sabbat."

6. ✠ Un autre jour de sabbat, Jésus entra dans la synagogue et il enseignait. Et il y avait là un homme dont la main droite était desséchée. 7. Or les Scribes et les Pharisiens l'observaient, *pour voir* s'il faisait des guérisons le jour du sabbat, afin d'avoir un prétexte pour l'accuser. 8. Jésus, pénétrant leurs pensées, dit à l'homme qui avait la main desséchée : " Lève-toi, et

---

39. Ce dernier verset a pour but d'expliquer, et même d'excuser jusqu'à un certain point, l'attachement des disciples de J. B. et des Juifs en général (vers. 33) aux antiques observances mosaïques, et leur hésitation à embrasser les nouvelles maximes de l'Evangile.

Chap. 6. — 1. *Second-premier :* on appelait ainsi le premier sabbat qui suivait le second jour des azymes ou de la fête de Pâque. — 4. *I Rois*, xxi, 6. Voy. *Matth.* xii, 4.

tiens-toi là au milieu "; et lui, s'étant levé, se tint debout. 9. Alors Jésus leur dit : "Je vous le demande, est-il permis, le jour du sabbat, de faire du bien ou de faire du mal, de sauver la vie ou de l'ôter?" 10. Puis, promenant son regard sur eux tous, il dit à cet homme : "Etends ta main." Il l'étendit, et sa main redevint saine. 11. Mais eux, remplis de fureur, se consultaient sur ce qu'ils feraient à Jésus. ¶

B. — *De l'élection des Apôtres à la multiplication des pains* (4, 12 — 9, 9).

Election des Apôtres.

12. ✠ En ces jours-là, il se retira sur la montagne pour prier, et il passa toute la nuit à prier Dieu. 13. Quand il fut jour, il appela ses disciples, et en choisit douze d'entre eux, qu'il nomma apôtres : 14. Simon, auquel il donna le nom de Pierre, et André, son frère, Jacques et Jean, Philippe et Barthélemi, 15. Matthieu et Thomas, Jacques, fils d'Alphée, et Simon, appelé le Zélé, 16. Jude, frère de Jacques, et Judas Iscariote, qui fut un traître. ¶

Sermon sur la montagne :

17. ✠ Etant descendu avec eux, il s'arrêta sur un plateau, où se trouvaient une foule de ses disciples et une grande multitude de peuple de toute la Judée, de Jérusalem et de la région maritime de Tyr et de Sidon. 18. Ils étaient venus pour l'entendre et pour être guéris de leurs maladies. Ceux qui étaient tourmentés par des esprits impurs étaient guéris. 19. Et toute cette foule cherchait à le toucher, parce qu'il sortait de lui une vertu qui les guérissait tous. ¶ 20. Alors, levant les yeux sur ses disciples, il leur dit :

Les béatitudes.

"✠ Heureux, vous qui êtes pauvres, car le

10. *Son regard*, un regard scrutateur qui interroge et confond en même temps. — 13. *Apôtres*, c'est-à-dire *envoyés*. Une nuit de prière précède l'élection des Apôtres : de ce choix dépendait l'avenir de l'Eglise. Sur les noms qui suivent, voy. *Matth.* x, 3. — 20. Ce discours n'est autre que le sermon sur la montagne (*Matth.* v, 2 sv.), abrégé par S. Luc.

royaume des cieux est à vous! 21. Heureux, vous qui avez faim maintenant, car vous serez rassasiés! Heureux, vous qui pleurez maintenant, car vous serez dans la joie! 22. Heureux serez-vous, lorsque les hommes vous haïront, vous repousseront de leur société, vous chargeront d'opprobres, et rejetteront votre nom comme infâme, à cause du Fils de l'homme. 23. Réjouissez-vous en ce jour-là, et tressaillez de joie, car voici que votre récompense est grande dans le ciel : ¶ c'est ainsi que leurs pères traitaient les prophètes.

Les malédictions.

24. Mais malheur à vous, riches, car vous avez votre consolation! 25. Malheur à vous, qui êtes rassasiés, car vous aurez faim! Malheur à vous, qui riez maintenant, car vous serez dans le deuil et dans les larmes! 26. Malheur à vous, quand tous les hommes diront du bien de vous, car c'est ce que leurs péres faisaient à l'égard des faux prophètes!

Amour des ennemis.

27. Mais je vous dis, à vous qui m'écoutez : Aimez vos ennemis; faites du bien à ceux qui vous haïssent. 28. Bénissez ceux qui vous maudissent, et priez pour ceux qui vous maltraitent.

29. Si quelqu'un te frappe sur une joue, présente-lui encore l'autre; et si quelqu'un t'enlève ton manteau, ne l'empêche pas de prendre aussi ta tunique. 30. Donne à quiconque te demande, et si l'on te ravit ton bien, ne le réclame point.

31. Ce que vous voulez que les hommes fassent pour vous, faites-le pareillement pour eux. 32. Si vous aimez ceux qui vous aiment, quel gré vous en saura-t-on? Les pécheurs aussi aiment ceux qui les aiment. 33. Et si vous faites du bien à ceux qui vous font du bien, quel gré vous

25. Quand tout nous rit dans le monde, nous nous y attachons trop facilement. Nous devons donc regarder comme une grâce, que Dieu nous envoie des afflictions pour nous rappeler le souvenir de la patrie céleste, que Jésus Christ nous donne une part à ses souffrances pour nous en donner une à sa gloire.

en saura-t-on? Les pécheurs aussi en font autant. 34. Et si vous prêtez à ceux de qui vous espérez recevoir, quel gré vous en saura-t-on? Des pécheurs aussi prêtent à des pécheurs, afin qu'on leur rende la pareille. 35. Pour vous, aimez vos ennemis, faites du bien et prêtez sans rien espérer; et votre récompense sera grande, et vous serez les Fils du Très Haut, qui est bon aux ingrats et aux méchants. 36. ✠ Soyez donc miséricordieux, comme votre Père est miséricordieux.

Ne pas juger.

37. Ne jugez point, et vous ne serez point jugés; ne condamnez point, et vous ne serez point condamnés; remettez, et il vous sera remis. 38. Donnez, et il vous sera donné; on versera dans votre sein une bonne mesure, pressée, secouée et débordante, car on se servira pour vous de la même mesure avec laquelle vous aurez mesuré les autres. " 39. Il leur fit encore cette comparaison : " Un aveugle peut-il conduire un aveugle? Ne tomberont-ils pas tous deux dans la fosse? 40. Le disciple n'est pas au-dessus du maître; mais tout disciple, son instruction achevée, sera comme son maître. 41. Pourquoi vois-tu la paille qui est dans l'œil de ton frère, et ne vois-tu pas la poutre qui est dans ton œil? 42. Ou comment peux-tu dire à ton frère : Mon frère, laisse-moi ôter cette paille de ton œil, toi qui ne vois pas la poutre qui est dans le tien? Hypocrite, ôte d'abord la poutre de ton œil, et tu verras ensuite à ôter la paille de l'œil de ton frère. ¶

Des bonnes œuvres.

43. Car il n'y a pas de bon arbre qui porte de mauvais fruits, ni de mauvais arbre qui porte de bons fruits; 44. chaque

34. *La pareille;* litt. *l'équivalent*, soit la somme prêtée, soit le même service à l'occasion. — 38. *Dans votre sein :* dans les plis formés au-dessus de la ceinture dans l'ample robe des Orientaux. — 39. Notre Seigneur avait en vue les Scribes et les Pharisiens (*Matth.* XV, 14). — *Tous deux*, le maître et le disciple. — 43. *Car* l'homme se comporte à l'égard des autres d'après sa nature bonne ou mauvaise.

arbre se reconnaît à son fruit. On ne cueille pas de figues sur les épines; on ne coupe pas de raisins sur les ronces. 45. L'homme bon tire de bonnes choses du bon trésor de son cœur; et, de son mauvais trésor, l'homme méchant tire des choses mauvaises; car la bouche parle de l'abondance du cœur. 46. Pourquoi m'appelez-vous Seigneur, et ne faites-vous pas ce que je dis?

Conclusion pratique.

47. Tout homme qui vient à moi, qui écoute mes paroles, et les met en pratique, je vous montrerai à qui il est semblable. 48. Il est semblable à un homme, qui bâtissant une maison, a creusé bien avant, et en a posé les fondements sur le roc. Une inondation étant survenue, le torrent s'est jeté contre cette maison, et il n'a pu l'ébranler, parce qu'elle était fondée sur le roc. 49. Mais celui qui écoute et ne met pas en pratique, est semblable à un homme qui a bâti sa maison sur la terre, sans fondements; le torrent est venu fondre sur elle, et elle est tombée aussitôt, et grande a été la ruine de cette maison. "

2ème tournée en Galilée :

CH. 7. — *Le centurion.*

Après qu'il eut achevé de faire entendre au peuple tous ses discours, Jésus entra dans Capharnaüm. 2. Or un centurion avait un serviteur malade, qui allait mourir, et il l'aimait beaucoup. 3. Ayant entendu parler de Jésus, il lui députa quelques anciens d'entre les Juifs, pour le prier de venir guérir son serviteur. 4. Ceux-ci étant arrivés vers Jésus, le prièrent avec une grande instance, en disant : " Il mérite que vous fassiez cela pour lui; 5. car il aime notre nation, et il nous a même bâti une synagogue. " 6. Jésus s'en alla donc avec eux. Il n'était plus loin de la maison, lorsque le

45. *L'homme bon*, le bon maître (docteur).
Chap. 7. — 3. *Quelques anciens*, quelques-uns des plus notables habitants de Capharnaüm. — *De venir :* au vers. 6, sa foi et sa confiance s'étant accrues, il jugera inutile que Jésus vienne dans sa maison.

centurion envoya quelques-uns de ses amis lui dire : " Seigneur, ne prenez pas tant de peine, car je ne suis pas digne que vous entriez sous mon toit. 7. C'est pour cela que je ne me suis pas même jugé digne de venir moi-même auprès de vous; mais dites un mot, et mon serviteur sera guéri. 8. Car moi, qui suis soumis à des supérieurs, j'ai des soldats sous mes ordres, et je dis à l'un : Va, et il va; à un autre : Viens, et il vient; et à mon serviteur : Fais cela, et il le fait. " 9. Ce qu'ayant entendu, Jésus fut dans l'admiration, et, se tournant vers la foule qui le suivait, il dit : " Je vous le dis en vérité, en Israël même je n'ai pas trouvé une si grande foi. " 10. A leur retour dans la maison du centurion, les envoyés trouvèrent guéri le serviteur qui était malade.

Le fils de la veuve de Naïm.

11. ✠ Jésus se rendit ensuite dans une ville appelée Naïm; plusieurs de ses disciples et une foule nombreuse faisaient route avec lui. 12. Comme il arrivait près de la porte de la ville, il se trouva qu'on portait en terre un mort, fils unique de sa mère, et celle-ci était veuve, et beaucoup de gens de la ville l'accompagnaient. 13. Le Seigneur l'ayant vue, fut touché de compassion pour elle, et lui dit : " Ne pleurez pas. " 14. Et il s'approcha et toucha le cercueil; ceux qui le portaient s'arrêtèrent, et il dit : " Jeune homme, je te le commande, lève-toi. " 15. Aussitôt le mort se leva sur son séant, et commença à parler, et Jésus le rendit à sa mère. 16. Tous furent saisis de crainte, et ils glorifiaient Dieu en disant : " Un grand pro-

10. Le centurion de Capharnaüm est le modèle accompli de toute âme qui cherche Dieu. Le Sauveur, en louant son humilité et sa foi, a montré que c'est ainsi qu'il faut venir à lui. L'Eglise s'en souvient, et depuis lors nul ne s'approche de la table où Jésus se donne en nourriture, sans renouveler en son cœur les sentiments et sur ses lèvres les paroles du centurion : " Seigneur, je ne suis pas digne que vous entriez dans ma maison, mais dites seulement une parole, et mon *âme* sera guérie. " — 14. Les cercueils, chez les Juifs, n'étaient pas fermés.

phète a paru parmi nous, et Dieu a visité son peuple. " 17. Et le bruit de ce prodige se répandit dans toute la Judée et dans tout le pays d'alentour. ¶

Ambassade du précurseur; son éloge; reproches aux Pharisiens.

18. Les disciples de Jean lui ayant rapporté toutes ces choses, 19. il en appela deux, et les envoya vers Jésus pour lui dire : " Etes-vous celui qui doit venir, ou devons-nous en attendre un autre? " 20. Etant donc venus à lui : " Jean Baptiste, lui dirent-ils, nous a envoyés vers vous pour vous demander : Etes-vous celui qui doit venir, ou devons-nous en attendre un autre? " — 21. A ce moment même, Jésus guérit un grand nombre de personnes affligées de maladies ou d'infirmités, chassa des esprits malins, et rendit la vue à plusieurs aveugles. — 22. Et il répondit aux envoyés : " Allez rapporter à Jean ce que vous avez vu et entendu : les aveugles voient, les boiteux marchent, les lépreux sont purifiés, les sourds entendent, les morts ressuscitent, la bonne nouvelle est annoncée aux pauvres. 23. Heureux celui pour qui je n'aurai pas été une occasion de chute! "

24. Lorsque les envoyés de Jean furent partis, Jésus se mit à dire au peuple, au sujet de Jean : " Qu'êtes-vous allés voir au désert? Un roseau agité par le vent? 25. Qu'êtes-vous donc allés voir? Un homme vêtu avec mollesse? Mais ceux qui portent des vêtements précieux et vivent dans les délices sont dans les maisons des rois. 26. Enfin qu'êtes-vous allés voir? Un prophète? Oui, je vous le dis, et plus qu'un prophète. 27. C'est de lui qu'il est écrit : J'envoie mon ange devant votre face, pour préparer les voies devant vous.

18. *Les disciples de Jean* Baptiste, en allant raconter à leur maître les miracles de Jésus et sa réputation croissante dans toute la Judée, avaient sans doute quelque arrière-pensée contre ce dernier. Jean ne trouve pas de plus sûr moyen, pour les ramener à de meilleurs sentiments, que d'envoyer deux d'entre eux en ambassade auprès du Sauveur lui-même. — 22. *La bonne nouvelle*, l'Evangile.

28. Je vous le dis, parmi les enfants des femmes, il n'y a point de prophète plus grand que Jean Baptiste; mais le plus petit dans le royaume de Dieu est plus grand que lui. 29. Tout le peuple qui l'a entendu, et les publicains eux-mêmes, ont justifié Dieu, en se faisant baptiser du baptême de Jean, 30. tandis que les Pharisiens et les Docteurs de la loi ont rendu nul pour eux-mêmes le dessein de Dieu en ne se faisant pas baptiser par lui.

31. A qui donc, continua le Seigneur, comparerai-je les hommes de cette génération? A qui sont-ils semblables? 32. Ils sont semblables à des enfants assis dans la place publique, et qui se disent les uns aux autres : Nous vous avons joué de la flûte, et vous n'avez pas dansé; nous vous avons chanté des complaintes, et vous n'avez point pleuré. 33. Car Jean Baptiste est venu, ne mangeant point de pain, et ne buvant point de vin, et vous dites : Il est possédé du démon. 34. Le Fils de l'homme est venu mangeant et buvant, et vous dites : C'est un homme de bonne chère et un buveur, un ami des publicains et des gens de mauvaise vie. 35. Mais la Sagesse a été justifiée par tous ses enfants."

La pécheresse
aux pieds de Jésus.

36. ✠ Un Pharisien ayant prié Jésus de manger avec lui, il entra dans sa maison et se mit à table. 37. Et voici qu'une femme qui menait une vie déréglée dans la ville, ayant su qu'il était à table dans la maison du Pharisien, apporta un vase d'albâtre plein de

28. Notre Seigneur considère ici, non la sainteté personnelle, mais la situation en quelque sorte officielle de ceux dont il parle. Jean Baptiste appartient à l'ancienne alliance, le chrétien à la nouvelle; or les bénédictions et les grâces de celle-ci l'emportent de beaucoup sur les bénédictions de l'ancienne, et par conséquent le moindre fidèle qui les a reçues est supérieur, sous ce rapport, aux plus grands personnages du judaïsme. — 35. *Par tous ses enfants*, par tous ceux qui, à la voix de Jean Baptiste, ont reconnu Jésus pour le Messie. — 37. *Qui menait une vie déréglée*, mais qui s'était décidée à changer de conduite. C'était, selon l'opinion la plus générale, Marie Madeleine, sœur de Marthe et de Lazare.

parfum. 38. Et se tenant derrière lui, à ses pieds, tout en pleurs, elle se mit à les arroser de ses larmes et à les essuyer avec les cheveux de sa tête, et elle les baisait et les oignait de parfum. 39. A cette vue, le Pharisien qui l'avait invité, dit en lui-même : " Si cet homme était prophète, il saurait quelle est la femme qui le touche, et que c'est une pécheresse. " 40. Alors Jésus lui dit : " Simon, j'ai quelque chose à te dire." — " Maître, parlez, " dit-il. — " 41. Un créancier avait deux débiteurs ; l'un *lui* devait cinq cents deniers, et l'autre cinquante. 42. Comme ils n'avaient pas de quoi payer leur dette, il la leur remit à tous deux. Lequel l'aimera davantage ? " 43. Simon répondit : " Celui, je pense, auquel il a le plus remis. " Jésus lui dit : " Tu as bien jugé. " 44. Et, se tournant vers la femme, il dit à Simon : " Vois-tu cette femme ? Je suis entré dans ta maison, et tu ne m'as pas donné d'eau pour *laver* mes pieds ; mais elle, elle les a mouillés de ses larmes, et les a essuyés avec ses cheveux. 45. Tu ne m'as pas donné de baiser ; mais elle, depuis qu'elle est entrée, elle n'a point cessé de me baiser les pieds. 46. Tu n'as pas oint ma tête d'huile, mais elle a oint mes pieds de parfums. 47. C'est pourquoi, je te le dis, ses nombreux péchés lui sont pardonnés, parce qu'elle a beaucoup aimé ; mais celui à qui on pardonne peu, aime peu. " 48. Puis il dit à la femme : " Vos péchés vous sont pardonnés. " 49. Et ceux qui étaient à table avec lui dirent en eux-mêmes : " Qui est celui-ci qui remet même les péchés ? " 50. Mais Jésus dit *encore* à cette femme : " Votre foi vous a sauvée, allez en paix."

---

38. Jésus se tenait à table à la manière des anciens, étendu sur un lit ou un divan. Ses pieds étaient nus, suivant la coutume des Orientaux, qui déposent leurs sandales en entrant dans la salle à manger. La pécheresse se plaça derrière Jésus, parmi les serviteurs. —47. L'intention du Sauveur est de faire entendre au pharisien Simon qu'il vaut moins que la pécheresse repentante, le mérite se mesurant sur l'amour, et l'amour ordinairement sur les bienfaits reçus.

CH. 8. — *De pieuses femmes le suivent.*

Ensuite Jésus alla par les villes et par les villages *de la Galilée*, prêchant et annonçant la bonne nouvelle du royaume de Dieu. Les Douze étaient avec lui, 2. et quelques femmes qui avaient été guéries d'esprits malins et de maladies : Marie, appelée Madeleine, de laquelle étaient sortis sept démons; 3. Jeanne, femme de Chusa, intendant *de la maison* d'Hérode; Suzanne et plusieurs autres, qui l'assistaient de leurs biens, lui et ses disciples.

Parabole de la semence.

4. ✠ Une grande foule s'étant amassée, et des gens étant venus à lui de diverses villes, Jésus leur dit en parabole : 5. " Le semeur sortit pour semer; et pendant qu'il semait, une partie de la semence tomba le long du chemin, et elle fut foulée aux pieds, et les oiseaux du ciel la mangèrent. 6. Une autre partie tomba sur la pierre, et, aussitôt levée, elle sécha, parce qu'elle n'avait pas d'humidité. 7. Une autre partie tomba parmi les épines, et les épines, croissant avec elle, l'étouffèrent. 8. Une autre partie tomba dans la bonne terre, et ayant levé, elle donna du fruit au centuple." Après avoir ainsi parlé, il dit à haute voix : " Que celui qui a des oreilles pour entendre, entende !" 9. Ses disciples lui demandèrent ce que signifiait cette parabole; 10. il leur dit : " A vous il a été donné de connaître le mystère du royaume de Dieu, tandis qu'aux autres *il est annoncé* en parabole, afin qu'en voyant ils ne voient point, et qu'en entendant ils ne comprennent point. 11. Voici ce que signifie cette parabole : La semence, c'est la parole de Dieu. 12. Le chemin qui a reçu la semence, ce sont ceux qui entendent la parole; mais ensuite le

Chap. 8. — 3. Par la femme, le péché était entré dans le monde : Jésus Christ a voulu donner aux femmes une part glorieuse dans l'œuvre du salut du monde; il les appelle à y contribuer par deux grands moyens : le soin des pauvres et l'éducation chrétienne des enfants.

démon vient, et l'enlève de leur cœur, de peur qu'ils ne croient et ne soient sauvés. 13. La pierre où est tombée la semence, ce sont ceux qui, entendant la parole, la reçoivent avec joie; mais ils n'ont point de racine : ils croient pour un temps, et ils succombent à l'heure de la tentation. 14. Les épines où la semence est tombée, ce sont ceux qui, ayant entendu la parole, s'en vont, et la laissent étouffer par les soucis, les richesses et les plaisirs de la vie, et ils ne portent point de fruit. 15. Enfin la bonne terre qui a reçu la semence, ce sont ceux qui, ayant entendu la parole avec un cœur bon et excellent, la gardent, et portent du fruit avec persévérance. ¶

16. Il n'est personne qui, après avoir allumé une lampe, la couvre d'un vase, ou la mette sous un lit; mais on la met sur un chandelier, afin que ceux qui entrent voient la lumière. 17. Car il n'y a rien de caché qui ne se découvre, rien de secret qui ne finisse par être connu et ne vienne au grand jour. 18. Prenez donc garde à la manière dont vous écoutez; car on donnera à celui qui a; et à celui qui n'a pas, on ôtera même ce qu'il croit avoir."

La mère et les frères de Jésus.

19. La mère et les frères de Jésus vinrent le trouver, mais ils ne purent pénétrer jusqu'à lui à cause de la foule. 22. On vint lui dire : "Votre mère et vos frères sont là dehors, et ils désirent vous voir." 21. Il leur répondit : "Ma mère et mes frères sont ceux qui écoutent la parole de Dieu et qui la mettent en pratique."

Voyage à Gérasa :
Tempête apaisée.

22. Un jour, il monta dans une barque avec ses disciples, et leur dit : "Passons de l'autre côté du lac." Et ils se mirent

14. *De fruit* qui vienne à maturité. — 15. Ils persévèrent dans le bien commencé et triomphent des obstacles, par opposition à ceux qui *croient pour un temps* (vers. 13). — 18. En écoutant, vous grossirez le trésor de vos connaissances spirituelles, et plus vous serez riches, plus Dieu vous donnera, etc.

en mer. 23. Pendant qu'ils naviguaient, il s'endormit; et un vent impétueux s'étant élevé sur le lac, la barque s'emplissait d'eau et ils étaient en péril. 24. S'approchant donc, ils le réveillèrent en disant : " Maître, nous périssons ! " S'étant levé, il commanda au vent et aux flots agités, et ils s'apaisèrent, et il se fit un grand calme. 25. Puis il leur dit : " Où est votre foi ? " Saisis de crainte et d'étonnement, ils se disaient les uns aux autres : " Quel est donc celui-ci, qui commande au vent et à la mer, et ils lui obéissent ? "

Le démoniaque et les pourceaux.

26. Ils abordèrent ensuite au pays des Gadaréniens, qui est vis-à-vis de la Galilée. 27. Lorsque Jésus fut descendu à terre, il vint au devant de lui un homme de la ville qui était depuis longtemps possédé du démon; il ne portait aucun vêtement et n'avait point d'autre habitation que les sépulcres. 28. Aussitôt qu'il eut aperçu Jésus, il vint se prosterner à ses pieds, et s'écria à haute voix : " Qu'y a-t-il entre vous et moi, Jésus, Fils du Dieu Très Haut ? De grâce, ne me tourmentez point." 29. Car Jésus commandait à l'esprit impur de sortir de cet homme. Depuis longtemps l'*esprit* l'emportait avec lui, et quoiqu'on le gardât lié de chaînes et les fers aux pieds, il rompait ses liens, et le démon l'entraînait dans les lieux déserts. 30. Jésus lui demanda : " Quel est ton nom ? " Il lui dit : " Je m'appelle Légion ; " car beaucoup de démons étaient entrés en lui. 31. Et ces démons priaient Jésus de ne pas leur commander d'aller dans l'abîme. 32. Or, il y avait là un nombreux troupeau de porcs qui paissaient sur la montagne; ils le prièrent de leur permettre d'y entrer, et il le leur permit. 33. Sortant donc de cet homme, les démons entrèrent dans les pourceaux; et le troupeau, prenant sa course, se précipita par les pentes

30. *Légion* : voy. *Marc*, v. 9.

escarpées dans le lac, et s'y noya. 34. A cette vue, les gardiens s'enfuirent, et en portèrent la nouvelle dans la ville et dans les villages. 35. *Plusieurs* sortirent pour voir ce qui était arrivé ; ils vinrent à Jésus, et trouvèrent l'homme de qui les démons étaient sortis, assis à ses pieds, vêtu et sain d'esprit ; et ils furent remplis de frayeur. 36. Les témoins de ce fait leur racontèrent aussi comment le démoniaque avait été délivré de la légion. 37. Alors tous les habitants du pays de Gadara le prièrent de s'éloigner d'eux, parce qu'ils étaient saisis d'une grande crainte. Jésus monta donc dans la barque pour s'en retourner. 38. Et l'homme de qui les démons étaient sortis le priait de l'admettre à sa suite; mais Jésus le renvoya en disant : 39. " Retourne dans ta maison, et raconte tout ce que Dieu a fait pour toi. " Et il s'en alla et publia par toute la ville ce que Jésus lui avait fait.

Au retour : l'hémorroïsse et la fille de Jaïre.

40. Lorsque Jésus fut de retour, le peuple l'accueillit avec joie, car tous l'attendaient. 41. Et voilà qu'un homme nommé Jaïre, qui était chef de la synagogue, vint se jeter à ses pieds, le priant d'entrer dans sa maison, 42. parce qu'il avait une fille unique, d'environ douze ans, qui se mourait.

Comme Jésus y allait, et qu'il était pressé par la foule, 43. une femme affligée d'un flux de sang depuis douze ans, et qui avait dépensé tout son bien en médecins, sans qu'aucun *d'eux* eût pu la guérir, 44. s'approcha de lui par derrière et toucha la houppe de son manteau. A l'instant son flux de sang s'arrêta. 45. Et Jésus dit : " Qui m'a touché ? " Tous s'en défendant, Pierre et ceux qui étaient avec lui, dirent : " Maître, la foule vous entoure et vous presse, et vous demandez : Qui m'a touché ? " 46. Jésus dit : " Quelqu'un m'a touché, car j'ai senti qu'une ver-

37. Cette population à demi païenne craignait que la même chose n'arrivât à tous les troupeaux du pays.

tu était sortie de moi." 47. Se voyant découverte, la femme vint toute tremblante se jeter à ses pieds, et raconta devant tout le peuple pourquoi elle l'avait touché, et comment elle avait été guérie à l'instant. 48. Et Jésus lui dit : " Ma fille, votre foi vous a sauvée; allez en paix. "

49. Comme il parlait encore, quelqu'un vint trouver le chef de la synagogue, disant : " Ta fille est morte, ne donne pas au Maître plus de peine." 50. Jésus ayant entendu cette parole, dit au père de la jeune fille : " Ne crains pas, crois seulement, et elle sera sauvée." 51. Arrivé à la maison, il ne laissa personne entrer avec lui, si ce n'est Pierre, Jacques et Jean, avec le père et la mère de la jeune fille. 52. Or tous pleuraient et se lamentaient sur elle. Jésus dit : " Ne pleurez point; la jeune fille n'est pas morte, mais elle dort." 53. Et ils se moquaient de lui, sachant bien qu'elle était morte. 54. Alors, la prenant par la main, il dit à haute voix : " Enfant, lève-toi. " 55. Et son esprit revint en elle, et elle se leva à l'instant; et Jésus ordonna de lui donner à manger. 56. Son père et sa mère furent dans le ravissement, et il leur recommanda de ne dire à personne ce qui était arrivé.

CH. 9.

✠ *Mission des Apôtres.*

Ayant assemblé les douze *Apôtres*, Jésus leur donna puissance et autorité sur tous les démons, et le pouvoir de guérir les maladies. 2. Et il les envoya prêcher le royaume de Dieu et guérir les malades, 3. et il leur dit : " Ne prenez rien pour le voyage, ni bâton, ni sac, ni pain, ni argent, et n'ayez point deux tuniques. 4. Dans quelque maison que vous entriez, demeurez-y jusqu'à ce que vous partiez de ce lieu. 5. Si l'on refuse de vous recevoir, sortez de cette ville et secouez même la poussière de vos pieds en témoignage contre eux."

6. Les disciples étant partis, allèrent de village

50. *Ne crains pas :* la foi de Jaïre avait dû être ébranlée par le message qu'il venait de recevoir. — 55. *Son esprit*, son âme.

en village, prêchant l'Evangile et opérant partout des guérisons. ¶

Soupçons d'Hérode.

7. Cependant Hérode le tétrarque entendit parler de tout ce que faisait Jésus, et il ne savait que penser; 8. car les uns disaient : "Jean est ressuscité des morts"; d'autres: "Elie a paru"; d'autres : "Un des anciens prophètes est ressuscité." 9. Hérode dit : "Quant à Jean, je l'ai fait décapiter. Quel est donc cet homme, de qui j'entends dire de telles choses?" Et il cherchait à le voir.

C. — *De la multiplication des pains au dernier voyage à Jérusalem* (9, 10 — 50)

Multiplication des pains.

10. Les Apôtres, à leur retour, racontèrent à Jésus tout ce qu'ils avaient fait. Il les prit avec lui et se retira à l'écart dans un lieu désert, près de Bethsaïde. 11. Lorsque le peuple l'eut appris, il le suivit; Jésus les accueillit, et il leur parla du royaume de Dieu, et rendit la santé à ceux qui en avaient besoin.

12. Comme le jour commençait à baisser, les Douze vinrent lui dire : "Renvoyez le peuple, afin que, se répandant dans les villages et les hameaux d'alentour, ils y trouvent un abri et de la nourriture; car nous sommes ici dans un lieu désert." 13. Il leur répondit : "Donnez-leur vous-mêmes à manger." Ils lui dirent : "Nous n'avons que cinq pains et deux poissons... à moins peut-être que nous n'allions acheter de quoi nourrir tout ce peuple!" 14. Car il y avait environ cinq mille hommes. Jésus dit à ses disciples : "Faites-les asseoir par groupes de cinquante." 15. Ils lui obéirent, et les firent tous asseoir. 16. Alors Jésus prit les cinq pains et les deux poissons, et levant les yeux au ciel, il les bénit, les rompit et les donna à ses disciples pour qu'ils les distribuassent au peuple. 17. Tous mangèrent et furent rassasiés, et des morceaux qui restaient, on emporta douze corbeilles pleines.

Confession de Pierre et 1ère prédiction de la passion.

18. Un jour qu'il priait dans un lieu solitaire, ayant ses disciples avec lui, il leur fit cette question : " Qui dit-on que je suis? " 19. Ils répondirent : " Les uns disent Jean Baptiste; d'autres, Elie; d'autres, qu'un des anciens prophètes est ressuscité. " 20. " Et vous, leur demanda-t-il, qui dites-vous que je suis? " Simon Pierre répondit : " Le Christ de Dieu. " 21. Mais il leur enjoignit d'un ton sévère de ne le dire à personne. 22. " Il faut, ajouta-t-il, que le Fils de l'homme souffre beaucoup, qu'il soit rejeté par les Anciens, par les Princes des prêtres et par les Scribes, qu'il soit mis à mort et qu'il ressuscite le troisième jour. "

Le renoncement.

23. Puis, s'adressant à la foule, il dit : " Si quelqu'un veut venir après moi, qu'il se renonce lui-même, qu'il porte sa croix chaque jour, et me suive. 24. Car celui qui voudra sauver sa vie la perdra, et celui qui perdra sa vie à cause de moi la sauvera. 25. A quoi sert-il à un homme de gagner le monde entier, s'il se ruine ou se perd lui-même? 26. Et si quelqu'un rougit de moi et de mes paroles, le Fils de l'homme rougira de lui, lorsqu'il viendra dans sa gloire, et dans celle du Père et des saints anges. 27. Je vous le dis en vérité, quelques-uns de ceux qui sont ici présents ne goûteront point la mort, qu'ils n'aient vu le royaume de Dieu. "

Transfiguration.

28. Environ huit jours après qu'il eut dit ces paroles, Jésus prit avec lui Pierre, Jacques et Jean, et monta sur la montagne pour prier. 29. Pendant qu'il priait, l'aspect de son visage changea, et ses vêtements devin-

Chap. 9. — 20. *Le Christ de Dieu*, le Messie envoyé de Dieu. — 24. *Car :* trois obstacles pouvaient empêcher les disciples de Jésus Christ de suivre leur Maître : l'attachement à la vie et à ses jouissances, la passion des richesses, l'amour de la gloire et des honneurs (I *Jean*, ii, 16). Notre Seigneur renverse tour à tour ces trois obstacles par un raisonnement péremptoire qu'il oppose à chacun : le premier, vers. 24; le second, vers. 25; le troisième, vers. 26. — 27. Voy. *Matth.* xvi. 28.

rent éblouissants de blancheur. 30. Et voilà que deux hommes conversaient avec lui : c'étaient Moïse et Elie, 31. apparaissant dans la gloire ; ils s'entretenaient de sa mort, qui devait s'accomplir à Jérusalem. 32. Pierre et ses *deux* compagnons étaient appesantis par le sommeil ; mais s'étant réveillés, ils virent la gloire de Jésus, et les deux hommes qui étaient avec lui. 33. Au moment où ceux-ci se retiraient, Pierre dit à Jésus : " Maître, il nous est bon d'être ici ; dressons trois tentes, une pour vous, une pour Moïse et une pour Elie ;" il ne savait ce qu'il disait. 34. Comme il parlait ainsi, une nuée vint les couvrir de son ombre, et les disciples furent saisis de frayeur en les voyant entrer dans la nuée. 35. Et de la nuée sortit une voix qui disait : " Celui-ci est mon Fils bien aimé, écoutez-le." 36. Pendant que la voix parlait, Jésus se trouva seul. Les disciples gardèrent le silence, et ils ne racontèrent à personne, en ce temps-là, rien de ce qu'ils avaient vu.

L'enfant possédé.

37. Le jour suivant, lorsqu'ils furent descendus de la montagne, une foule nombreuse vint au devant de Jésus. 38. Et un homme s'écria du milieu de la foule : " Maître, je vous en supplie, jetez un regard sur mon fils, car c'est mon seul enfant. 39. Un esprit s'empare de lui, et aussitôt il pousse des cris ; l'esprit le jette par terre, l'agite avec violence en le faisant écumer, et à peine le quitte-t-il après l'avoir tout meurtri. 40. J'ai prié vos disciples de le chasser, et ils ne l'ont pu. " 41. " O race incrédule et perverse, répondit Jésus, jusques à quand serai-je avec vous et vous supporterai-je ? Amène ici ton fils." 42. Et comme l'enfant s'approchait, le démon le jeta par terre et l'agita violemment. 43. Mais Jésus menaça l'esprit impur, guérit l'enfant et le rendit à son père. 44. Et tous furent frappés de la grandeur de Dieu.

32. Les Apôtres dormaient de fatigue ; l'éclat de la lumière céleste les réveilla.

2ème Prédiction de la passion.

Tandis que chacun était dans l'admiration de ce que faisait Jésus, il dit à ses disciples : "Vous, mettez ceci dans votre cœur. Le Fils de l'homme doit être livré entre les mains des hommes." 45. Mais ils n'entendaient pas cette parole ; elle était voilée pour eux, de sorte qu'ils n'en avaient pas l'intelligence, et ils craignaient de l'interroger à ce sujet.

Avis sur l'humilité et la tolérance.

46. Or une pensée leur vint, *savoir*, lequel d'entre eux était le plus grand. 47. Jésus, voyant la pensée de leur cœur, prit un petit enfant, le mit près de lui, 48. et leur dit : "Quiconque reçoit en mon nom ce petit enfant, me reçoit ; et quiconque me reçoit, reçoit celui qui m'a envoyé. Car celui d'entre vous tous qui est le plus petit, c'est celui-là qui est grand." 49. Jean, prenant la parole, dit : "Maître, nous avons vu un homme qui chasse les démons en votre nom, et nous l'en avons empêché, parce qu'il ne va pas avec nous." 50. "Ne l'en empêchez pas, lui répondit Jésus, car celui qui n'est pas contre vous est pour vous."

TROISIÈME PARTIE

LES VOYAGES A JÉRUSALEM (CH. 9, 51 — 19, 28).

1° — PREMIER VOYAGE (9, 51 — 10, 42).

Début : *Jésus n'est pas reçu par les Samaritains; son esprit; conditions pour le suivre.*

51. Quand les jours où il devait être enlevé de ce monde furent venus, il prit la résolution d'aller à Jérusalem, 52. et en-

46. *Le plus grand* dans le royaume de Dieu : comp. *Matth*, xviii, 1 sv. — 48. Pensée : Tout disciple simple et humble comme cet enfant est si grand devant Dieu, que Dieu regardera comme fait à lui-même ou à moi ce qui lui sera fait. — 50. Ailleurs (*Matth.* xii, 30: *Luc*, xi, 23), Notre Seigneur dit le contraire : *Celui qui n'est pas avec moi est contre moi.* Mais les deux sentences sont également vraies, si on les applique à des circonstances et à des personnes différentes.

voya devant lui quelques-uns de ses disciples. Ils se mirent en route, et entrèrent dans une ville des Samaritains pour lui préparer un logement; 53. mais les habitants refusèrent de le recevoir, parce qu'il se dirigeait vers Jérusalem. 54. Ce que voyant, ses disciples Jacques et Jean *lui* dirent : "Seigneur, voulez-vous que nous commandions que le feu descende du ciel et les consume?" 55. Jésus, s'étant retourné, les reprit en disant : "Vous ne savez pas de quel esprit vous êtes! 56. Le Fils de l'homme est venu, non pour perdre les âmes, mais pour les sauver." Et ils allèrent dans une autre bourgade.

57. Pendant qu'ils étaient en chemin, un homme lui dit : "Je vous suivrai partout où vous irez." 58. Jésus lui répondit : "Les renards ont des tanières, et les oiseaux du ciel des nids; mais le Fils de l'homme n'a pas où reposer sa tête." 59. Il dit à un autre : "Suis-moi." Celui-ci répondit : "Maître, permettez-moi d'aller auparavant ensevelir mon père." 60. Mais Jésus lui dit : "Laisse les morts ensevelir les morts; et toi, va annoncer le royaume de Dieu." 61. Un autre lui dit : "Je vous suivrai, Seigneur, mais permettez-moi de renoncer auparavant aux biens qui sont dans ma maison." 62. Jésus lui répondit : "Quiconque met la main à la charrue et regarde en arrière, n'est pas propre au royaume de Dieu."

CH. 10. — Mission des 72 disciples.

✠ Après cela, le Seigneur désigna encore soixante-douze autres disciples, et les envoya devant lui, deux à deux, dans toutes les villes et tous les lieux où lui-même devait aller. 2. Il leur dit : "La moisson est grande, mais les ouvriers

53. Non seulement les Samaritains n'allaient pas sacrifier à Jérusalem à l'époque des fêtes, mais leur animosité contre les Juifs redoublait alors. — 55. *Jésus s'étant retourné:* il marchait en tête de la petite troupe. — *Vous ne savez de quel esprit*, etc. : ignorez-vous que vous devez être doux et humbles comme votre Maître, et ne pas imiter le zèle enflammé d'Elie, qui convenait à l'ancienne alliance, non à la nouvelle? — 60. Voyez l'explication *Matth.* viii, 22.

sont en petit nombre. Priez donc le maître de la moisson d'envoyer des ouvriers à sa moisson. 3. Partez : voici que je vous envoie comme des agneaux au milieu des loups. 4. Ne portez ni bourse, ni sac, ni sandales, et ne saluez personne en chemin. 5. Dans quelque maison que vous entriez, dites d'abord : Paix à cette maison. 6. Et s'il s'y trouve un fils de paix, votre paix reposera sur lui; sinon, elle reviendra à vous. 7. Demeurez dans cette maison, mangeant et buvant de ce qu'il y aura chez eux; car l'ouvrier mérite son salaire. Ne passez pas d'une maison dans une autre. 8. Dans quelque ville que vous entriez, si l'on vous reçoit, mangez ce qu'on vous présentera; 9. guérissez les malades qui s'y trouveront, et dites-leur : Le royaume de Dieu est proche de vous.¶ 10. Mais dans quelque ville que vous entriez, si l'on ne vous reçoit pas, allez sur la place publique, et dites : 11. La poussière même de votre ville, qui s'est attachée à nos pieds, nous la secouons contre vous; sachez cependant que le royaume de Dieu est proche. 12. Je vous le dis, il y aura, au dernier jour, moins de rigueur pour Sodome que pour cette ville. 13. Malheur à toi, Corozaïn! malheur à toi, Bethsaïde! Car si les miracles qui ont été faits au milieu de vous, l'avaient été dans Tyr et dans Sidon, elles auraient depuis longtemps fait pénitence dans le cilice et dans la cendre. 14. C'est pourquoi il y aura, au jour du jugement, moins de rigueur pour Tyr et pour Sidon que pour vous. 15. Et toi, Capharnaüm, qui t'élèves

Chap. 10. — 4. Les salutations, chez les Orientaux, ne consistent pas, comme chez nous, en un geste rapide ou dans l'échange de quelques brèves paroles; elles sont accompagnées de grandes démonstrations et de longs discours. Ce sont ces vaines cérémonies, non les devoirs de la bienséance, que Notre Seigneur interdit à ses disciples. — 6. *Un fils de paix* ou *de salut*, c'est-à-dire un homme digne de recevoir les biens spirituels que vous apportez. — 11. *Contre vous*, en témoignage *contre* vous; ou, *pour vous* la rendre. — 15. Le pays où cette malédiction est tombée, quoique d'une rare beauté naturelle, est désolé; les vignobles et les vergers ont disparu; les barques des pêcheurs ne traversent plus le lac; toutes les sources du commerce sont taries.

jusqu'au ciel, tu seras abaissée jusqu'aux enfers. 16. ✠ Celui qui vous écoute, m'écoute, et celui qui vous méprise, me méprise; or celui qui me méprise, méprise celui qui m'a envoyé."

Leur retour.

17. Les soixante-douze *disciples* revinrent avec joie, disant : "Seigneur, les démons mêmes nous sont soumis en votre nom." 18. Il leur répondit : "Je voyais Satan tomber du ciel comme la foudre. 19. Voilà que je vous ai donné le pouvoir de fouler aux pieds les serpents et les scorpions, et toute la puissance de l'ennemi, et elle ne pourra vous nuire en rien. 20. Seulement ne vous réjouissez pas de ce que les esprits vous sont soumis; mais réjouissez-vous de ce que vos noms sont écrits dans les cieux." ¶

Joie de Jésus.

21. En ce moment, il tressaillit de joie par *un mouvement de* l'Esprit *Saint*, et il dit : "Je vous loue, ô Père, Seigneur du ciel et de la terre, de ce que vous avez caché ces choses aux sages et aux prudents, et les avez révélées aux petits. Oui, *je vous loue*, ô Père, de ce qu'il vous a plu ainsi. 22. Toutes choses m'ont été données par mon Père; et personne ne sait qui est le Fils, si ce n'est le Père, et qui est le Père, si ce n'est le Fils, et celui à qui le Fils veut le révéler." 23. ✠ Et se tournant vers ses disciples, il leur dit en particulier : "Heureux les yeux qui voient ce que vous voyez! 24. Car, je vous le dis, beaucoup de prophètes et de rois ont désiré voir ce que vous voyez, et ne l'ont pas vu, entendre ce que vous entendez, et ne l'ont pas entendu."

Jésus en Judée :

Le bon Samaritain.

25. Alors se leva un docteur de la Loi, qui lui dit pour l'éprouver : "Maître, que ferai-je pour posséder la vie éternelle?" 26. Jésus lui dit : "Qu'y a-t-il d'écrit dans la Loi?

18. *La foudre* est le symbole de la rapidité, et *tomber du ciel* figure la perte de la domination. Sens : Oui, pendant votre mission, je voyais Satan précipité du haut de sa puissance (comp. *Jean*, xii, 31).

Qu'y lis-tu?" 27. Il répondit : "Tu aimeras le Seigneur ton Dieu de tout ton cœur, de toute ton âme, de toutes tes forces et de tout ton esprit, et ton prochain comme toi-même." 28. Jésus lui dit : "Tu as bien répondu, fais cela, et tu vivras." 29. Mais cet homme, voulant se justifier, dit à Jésus : "Et qui est mon prochain?" 30. Jésus reprit : "Un homme descendait de Jérusalem à Jéricho; il tomba entre les mains des brigands, qui le dépouillèrent, et l'ayant chargé de coups, le laissèrent à demi mort. 31. Or il arriva qu'un prêtre descendait par le même chemin; il vit cet homme et passa outre. 32. De même un lévite, étant venu dans ce lieu, s'approcha, le vit et passa outre. 33. Mais un Samaritain, qui était en voyage, arriva près de lui, et, le voyant, fut touché de compassion. 34. Il s'approcha, banda ses plaies, après y avoir versé de l'huile et du vin; puis il le mit sur sa propre monture, le mena dans une hôtellerie, et prit soin de lui. 35. Le lendemain, tirant deux deniers, il les donna à l'hôte et lui dit : Aie soin de cet homme, et tout ce que tu dépenseras de plus, je te le rendrai à mon retour. 36. Lequel de ces trois te semble avoir été le prochain de l'homme qui tomba entre les mains des brigands?" 37. Le docteur répondit : "C'est celui qui a pratiqué la miséricorde envers lui." Et Jésus lui dit : "Va, et fais de même." ¶

Marthe et Marie.

38. ✠ Pendant qu'ils étaient en chemin, Jésus entra dans un village, et une femme, nommée

29. *Mon prochain :* les docteurs de cette époque enseignaient généralement que, par le prochain, il ne fallait entendre que les Juifs, non les païens, encore moins les Samaritains, ennemis des Juifs. — 30. La route de Jérusalem à Jéricho traversait un désert affreux, aujourd'hui encore infesté de brigands.— 32. *Lévite :* on appelait ainsi tous les hommes de la tribu de Lévi qui étaient voués au culte, et servaient les prêtres dans les fonctions sacrées. — 36. *Te semble avoir été*, s'être montré le prochain de l'homme, etc. Tous les Pères ont vu, dans le bon Samaritain, Jésus Christ, et dans l'homme laissé à demi mort sur la route, l'humanité tout entière, dépouillée de la grâce et blessée à mort par le péché.

Marthe, le reçut dans sa maison. 39. Elle avait une sœur, nommée Marie, qui, s'étant assise aux pieds du Seigneur, écoutait sa parole, 40. tandis qu'elle-même s'empressait aux divers soins du service. Marthe, s'arrêtant *devant Jésus :* " Seigneur, lui dit-elle, ne vous mettez-vous pas en peine que ma sœur me laisse servir seule? Dites-lui donc de m'aider. " 41. Le Seigneur lui répondit : " Marthe, Marthe, vous vous inquiétez et vous agitez pour beaucoup de choses. 42. Une seule est nécessaire. Marie a choisi la bonne part, qui ne lui sera point ôtée. "¶

2° — A JÉRUSALEM ET AUX ENVIRONS (11 — 13, 12).

La prière :
Oraison dominicale.—CH. 11.

Un jour que Jésus était en prière en un certain lieu, lorsqu'il eut achevé, un de ses disciples lui dit : " Seigneur, apprenez-nous à prier, comme Jean l'a appris à ses disciples. " 2. Il leur dit : " Lorsque vous priez, dites : Père, que votre nom soit sanctifié, que votre règne arrive. 3. Donnez-nous aujourd'hui notre pain de chaque jour, 4. et remettez-nous nos offenses, car nous remettons nous-mêmes à tous ceux qui nous doivent; et ne nous induisez pas en tentation. "

Son efficacité ou Parabole de l'ami importun

5. ✠ Il leur dit encore : " Si quelqu'un de vous, ayant un ami, va le trouver au milieu de la nuit, disant : Mon ami, prête-moi trois pains, 6. car un de mes amis qui voyage est arrivé chez moi, et je n'ai rien à lui offrir; 7. et que, de l'intérieur de la maison, l'autre réponde : Ne m'importune point; la porte est déjà

42. Cette chose, ce n'est pas celle qui occupe Marthe en ce moment, mais celle qu'a choisie Marie, en s'appliquant tout entière à écouter la divine parole, et par là même à procurer le salut de son âme. Elle a choisi, dit S. Augustin, ce qui demeure éternellement.

Chap. 11. — 2. *Dites.* S. Luc abrège cette prière, que Notre Seigneur avait déjà prononcée dans son discours sur la montagne (*Matth.* VI, 9-13).

fermée, mes enfants et moi nous sommes au lit; je ne puis me lever et te rien donner : — 8. si *néanmoins* le premier continue de frapper, je vous le dis, quand même il ne se lèverait pas pour lui donner les pains, parce que le voyageur est son ami, il se lèvera à cause de son importunité, et lui en donnera autant qu'il en a besoin. 9. Et moi je vous dis : Demandez, et l'on vous donnera; cherchez, et vous trouverez; frappez, et l'on vous ouvrira. 10. Car quiconque demande, reçoit; et qui cherche, trouve; et l'on ouvre à celui qui frappe. 11. Quel est parmi vous le père qui, si son fils lui demande du pain, lui donne une pierre? ou qui, s'il lui demande un poisson, lui donne, au lieu de poisson, un serpent? 12. Ou qui, s'il lui demande un œuf, lui donne un scorpion? 13. Si donc vous, tout méchants que vous êtes, vous savez donner à vos enfants de bonnes choses, combien plus votre Père céleste donnera-t-il l'Esprit bon à ceux qui le lui demandent?" ¶

Jésus et les Pharisiens :
par qui il chasse les démons.

14. ✠ Jésus chassait un démon, et ce démon était muet. Lorsque le démon fut sorti, le muet parla, et le peuple était dans l'admiration. 15. Mais quelques-uns d'entre eux dirent: "C'est par Béelzébub, prince des démons, qu'il chasse les démons." 16. D'autres, pour l'éprouver, lui demandèrent un signe dans le ciel. 17. Connaissant leurs pensées, Jésus leur dit : " Tout royaume divisé contre lui-même se détruit, et il tombe, maison après maison. 18. Si donc Satan est divisé contre lui-même, comment son royaume subsistera-t-il? Car vous dites que c'est par Béelzébub que je chasse les démons. 19. Et si, moi,

12. Le gros scorpion blanc, dont la queue porte un dard chargé de venin, lorsqu'il s'enroule sur lui-même, ressemble assez à un œuf. — 13. *L'Esprit bon*, l'Esprit Saint, avec les dons célestes, les biens spirituels, que nous devons demander de préférence aux autres. — 14. Voy. *Matth.* xii, 22-24. — 17. *Après maison :* image empruntée au sac d'une ville : les maisons tombent les unes après les autres.

je chasse les démons par Béelzébub, vos fils, par qui les chassent-ils? C'est pourquoi ils seront eux-mêmes vos juges. 20. Mais si c'est par le doigt de Dieu que je chasse les démons, le royaume de Dieu est donc venu à vous. 21. Lorsqu'un homme fort et bien armé garde sa maison, ce qu'il possède est en sûreté. 22. Mais qu'il en survienne un plus fort qui le vainque, il lui enlève toutes les armes dans lesquelles il se confiait, et il partage ses dépouilles. 23. Qui n'est pas avec moi est contre moi, et qui n'amasse pas avec moi, dissipe. 24. Lorsque l'esprit impur est sorti d'un homme, il va par des lieux arides, cherchant du repos. N'en trouvant point, il dit : Je retournerai dans ma maison d'où je suis sorti. 25. Et, quand il arrive, il la trouve nettoyée et ornée. 26. Alors, il s'en va, prend avec lui sept autres esprits plus méchants que lui, et entrant dans cette maison, ils s'y établissent : et le dernier état de cet homme devient pire que le premier."

Louanges de Marie.

27. ✠ Comme il parlait ainsi, une femme élevant la voix du milieu de la foule, lui dit : "Heureux le sein qui vous a porté, et les mamelles que vous avez sucées!" 28. Jésus répondit: "Heureux plutôt ceux qui écoutent la parole de Dieu et qui la gardent!" ¶

Le signe de Jonas; la lampe.

29. Le peuple s'amassant en foule, il se mit à dire : "Cette génération est une génération méchante ; elle demande un signe, et il ne lui en sera point donné d'autre que celui du prophète Jonas. 30. Car, de même que Jonas fut un signe pour les Ninivites, ainsi le Fils de l'homme sera un signe

21 sv. L'homme fort est la figure de Satan, qui considère le monde comme son domaine, et s'efforce d'en conserver la possession; le *plus fort* que lui, c'est Notre Seigneur, qui renverse sa puissance, et le chasse de son empire usurpé. — 26. Voy. *Matth.* xii, 43 sv. L'homme dont le démon est sorti est la nation juive, purifiée de ses tendances idolâtriques par les souffrances de l'exil, mais retombée dans un état pire que le premier, par suite de son hostilité envers le Messie. — 30. Voy. *Matth.* xii, 39-42.

pour cette génération. 31. La reine du Midi se lèvera, au jour du jugement, avec les hommes de cette génération, et les condamnera, parce qu'elle est venue des extrémités de la terre entendre la sagesse de Salomon : et il y a ici plus que Salomon. 32. Les hommes de Ninive se lèveront, au jour du jugement, avec les hommes de cette génération et les condamneront, parce qu'ils ont fait pénitence à la voix de Jonas : et il y a plus ici que Jonas.

33. ✠ Personne n'allume une lampe pour la mettre dans un lieu caché ou sous le boisseau : on la met sur le chandelier, afin que ceux qui entrent voient la lumière. 34. La lampe de ton corps, c'est ton œil. Si ton œil est bon, tout ton corps sera dans la lumière; s'il est mauvais, ton corps aussi sera dans les ténèbres. 35. Prends donc garde que la lumière qui est en toi ne soit ténèbres. 36. Si donc tout ton corps est lumière, sans aucun mélange de ténèbres, il sera éclairé tout entier, comme lorsque brille sur toi la clarté d'une lampe. " ¶

Malheur aux Pharisiens!

37. Pendant qu'il parlait, un Pharisien le pria de manger chez lui; Jésus entra dans sa maison, et se mit à table. 38. Or le Pharisien vit avec étonnement qu'il ne s'était pas lavé *les mains* avant le repas. 39. Le Seigneur lui dit : " Vous, Pharisiens, vous nettoyez le dehors de la coupe et du plat; mais au dedans de vous tout est plein de rapine et d'iniquité. 40. Insensés! celui qui a fait le dehors n'a-t-il pas fait aussi le dedans? 41. Toutefois faites l'aumône de votre superflu, et tout sera pur pour

33. Les vers. 33-36 renferment des sentences proverbiales, applicables, selon les occurrences, à des sujets fort divers; aussi N. S. les a-t-il répétées en différentes circonstances. — 36. *Si donc*, ton œil étant sain, *tout ton corps*, par là même, *est lumière*, etc. — 38. Outre que c'était la coutume, Jésus venait de guérir un possédé et de se trouver au milieu d'une grande foule; il aurait donc pu contracter une souillure légale. — 41. Le véritable sens est : *Donnez en aumône ce qui est dedans*, le contenu de vos coupes et de vos plats, les vins fins et les mets délicats qu'on vous y sert.

vous. 42. Mais malheur à vous, Pharisiens, qui payez la dîme de la menthe, de la rue et de toutes les herbes, et qui n'avez nul souci de la justice et de l'amour de Dieu! C'est là ce qu'il fallait pratiquer, sans omettre le reste. 43. Malheur à vous, Pharisiens, qui aimez qu'on vous donne les premiers sièges dans les synagogues, et qu'on vous salue dans les places publiques! 44. Malheur à vous, parce que vous ressemblez à des sépulcres qu'on ne voit pas, et sur lesquels on marche sans le savoir!"

45. Alors un docteur de la Loi prenant la parole lui dit : "Maître, en parlant de la sorte, vous nous outragez aussi." 46. Jésus répondit : "Et à vous aussi, docteurs de la Loi, malheur! parce que vous chargez les hommes de fardeaux qu'ils ne peuvent porter, et vous-mêmes vous n'y touchez pas d'un seul doigt! 47. ✠ Malheur à vous, qui bâtissez des tombeaux aux prophètes, et ce sont vos pères qui les ont tués! 48. Certes vous montrez bien que vous consentez aux œuvres de vos pères; car eux les ont tués, et vous, vous leur bâtissez des tombeaux. 49. C'est pourquoi la Sagesse de Dieu a dit : Je leur enverrai des prophètes et des apôtres; ils tueront les uns et chasseront les autres : 50. afin qu'il soit redemandé compte à cette génération du sang de tous les prophètes qui a été répandu depuis la création du monde, 51. depuis le sang d'Abel jusqu'au sang de Zacharie, tué entre l'autel et le temple. Oui, je vous le dis, ce sang sera redemandé à cette génération. 52. Malheur à vous, docteurs de la Loi, parce que vous avez enlevé la clef de la science; vous-mêmes n'êtes point entrés, et vous avez em-

42. Voy. *Matth.* xxiii, 23. — 44. *Qu'on ne voit pas*, parce qu'ils sont recouverts par le gazon ou la poussière. Comp. *Matth.* xxiii, 27. — 48. Ironie : c'est comme si Notre Seigneur disait : Vous achevez ce qu'ils ont commencé. — 52. *De la science* religieuse, de la vraie religion, présentée sous l'image d'un édifice ou d'un palais; les docteurs, qui en ont pris la clef, le tiennent fermé pour eux-mêmes et pour les autres.

pêché ceux qui entraient!" ¶ 53. Comme Jésus leur disait ces choses, les Pharisiens et les Scribes se mirent à le presser vivement et à l'accabler de questions, 54. lui tendant des pièges, et cherchant à surprendre quelque parole de sa bouche, afin de l'accuser.

CH. 12. — *Avis divers.*

Sur ces entrefaites, les gens s'étant rassemblés par milliers autour de Jésus, au point de se fouler les uns les autres, il se mit à dire à ses disciples : "✠ Gardez-vous avant tout du levain des Pharisiens, qui est l'hypocrisie. 2. Il n'y a rien de caché qui ne doive être révélé, rien de secret qui ne doive être connu. 3. C'est pourquoi, tout ce que vous aurez dit dans les ténèbres, on l'entendra au grand jour; et ce que vous aurez dit à l'oreille dans l'intérieur de la maison, sera publié sur les toits. 4. Je vous dis, à vous qui êtes mes amis : Ne craignez pas ceux qui tuent le corps, et qui après cela ne peuvent rien faire de plus. 5. Je vais vous apprendre qui vous devez craindre : craignez celui qui, après avoir tué, a le pouvoir de jeter dans la géhenne; oui, je vous le dis, craignez celui-là. 6. Cinq passereaux ne se vendent-ils pas deux as? Et pas un d'eux n'est en oubli devant Dieu. 7. Les cheveux mêmes de votre tête sont tous comptés. Ne craignez donc point : vous êtes de plus de prix que beaucoup de passereaux.

8. Je vous le dis, quiconque m'aura confessé devant les hommes, le Fils de l'homme aussi le confessera devant les anges de Dieu. ¶ 9. Mais celui qui m'aura renié devant les hommes, sera renié devant les anges de Dieu.

10. Et quiconque parlera contre le Fils de l'homme, obtiendra le

Chap. 12. — 1. Le *levain des Pharisiens*, ce sont leurs fausses doctrines, leurs maximes perverses, qui, étouffant sous des apparences trompeuses la vraie piété et la vertu, n'aboutissent qu'à *l'hypocrisie*. — 2. Vous devez d'autant plus vous garder du levain des Pharisiens, que ma doctrine doit bientôt être prêchée partout, et sa sainteté éclater au grand jour, en regard de leur perversité. — 6. *Deux as*, environ 12 centimes. — 10. Voy. *Matth.* xii, 31.

pardon; mais pour celui qui aura blasphémé contre l'Esprit Saint, il n'y aura point de pardon.

11. Quand on vous conduira dans les synagogues, et devant les magistrats et les autorités, ne vous mettez point en peine de la manière dont vous vous défendrez, ni de ce que vous direz; 12. car le Saint Esprit vous enseignera à l'heure même ce qu'il faudra dire."

Il faut éviter l'avarice.

13. Alors, du milieu de la foule, quelqu'un dit à Jésus : "Maître, dites à mon frère de partager avec moi notre héritage." 14. Jésus lui répondit : "Homme, qui m'a établi pour être votre juge, ou pour faire vos partages?" 15. Et s'adressant au peuple : "Gardez-vous avec soin, leur dit-il, de toute avarice; car, dans l'abondance même, la vie d'un homme ne dépend pas des biens qu'il possède."

Parabole de l'homme riche.

16. Puis il leur dit cette parabole : "Il y avait un homme riche dont le domaine avait beaucoup rapporté. 17. Et il s'entretenait en lui-même de ces pensées : Que faire? car je n'ai pas de place pour serrer ma récolte. 18. Voici, dit-il, ce que je ferai. J'abattrai mes greniers, et j'en ferai de plus grands, et j'y amasserai tous les produits de mes terres et *tous* mes biens. 19. Et je dirai à mon âme : Mon âme, tu as de grands biens en réserve pour beaucoup d'années; repose-toi, mange, bois, fais bonne chère. 20. Mais Dieu lui dit : Insensé! cette nuit même on te redemandera ton âme; et ce que tu as mis en réserve, pour qui sera-t-il? 21. Il en est ainsi de l'homme qui amasse des trésors pour lui-même, et qui n'est pas riche devant Dieu."

De la vaine sollicitude.

22. Jésus dit ensuite à ses disciples : "C'est pourquoi je vous dis : Ne vous inquiétez pas pour votre vie, de ce que vous mangerez; ni pour votre corps, de quoi vous le

18. *Biens* en général : argent, habits, meubles. — 21. *Qui n'est pas riche devant Dieu*, qui n'a pas de *trésors dans le ciel* : vertus, œuvres de miséricorde.

vêtirez. 23. La vie est plus que la nourriture, et le corps plus que le vêtement. 24. Considérez les corbeaux : ils ne sèment ni ne moissonnent; ils n'ont ni cellier ni grenier, et Dieu les nourrit. Combien n'êtes-vous pas de plus de prix que ces oiseaux? 25. Qui de vous pourrait, avec tous ses soins, ajouter une coudée à sa taille? 26. Si donc les moindres choses sont au dessus de votre pouvoir, pourquoi vous inquiétez-vous des autres? 27. Considérez les lis, comment ils croissent : ils ne travaillent ni ne filent, et, je vous le dis, Salomon dans toute sa gloire n'était pas vêtu comme l'un d'eux. 28. Si Dieu revêt de la sorte, dans les champs, l'herbe qui est aujourd'hui et qui demain sera jetée au four, combien plus le fera-t-il pour vous, hommes de peu de foi! 29. Vous non plus, ne cherchez pas ce que vous mangerez ou ce que vous boirez, et ne vous laissez pas aller à de vains désirs. 30. Car ce sont les nations du monde qui s'inquiètent de toutes ces choses; mais votre Père sait que vous en avez besoin. 31. Cherchez premièrement le royaume de Dieu et sa justice, et tout cela vous sera donné par surcroît. 32. ✠ Ne craignez point, petit troupeau, car il a plu à votre Père de vous donner son royaume. 33. Vendez ce que vous avez, et le donnez en aumône. Faites-vous des bourses que le temps n'use point, un trésor inépuisable dans les cieux, où les voleurs n'ont point d'accès, et où les vers ne rongent point. 34. Car là où est votre trésor, là aussi sera votre cœur. ¶

De la vigilance.

35. ✠ Ayez aux reins la ceinture, et dans vos mains la lampe allumée. 36. Soyez semblables à des hommes qui attendent que leur maître revienne des noces, afin que, dès qu'il arrivera

32. *Son royaume*, le royaume de Dieu tel que le Messie l'a montré aux hommes : l'Eglise avec tous ses biens spirituels, et plus tard la gloire du ciel. — 35. Les Orientaux doivent relever, au moyen d'une ceinture, leur longue robe flottante, avant de se mettre au travail ou en route. *Avoir aux reins la ceinture* est donc un signe d'activité, comme la *lampe allumée* figure la vigilance.

et frappera à la porte, ils lui ouvrent aussitôt. 37. Heureux ces serviteurs, que le maître, à son retour, trouvera veillant! Je vous le dis en vérité, il se ceindra, il les fera mettre à table, et s'approchera pour les servir. 38. Qu'il arrive à la deuxième veille, qu'il arrive à la troisième, s'il les trouve ainsi, heureux ces serviteurs! 39. Mais sachez que si le père de famille savait à quelle heure le voleur doit venir, il veillerait et ne laisserait point percer sa maison. 40. Vous aussi, tenez-vous prêts, car le Fils de l'homme viendra à l'heure que vous ne pensez pas." ¶

Du serviteur fidèle.

41. Alors Pierre lui dit : "Est-ce à nous que vous adressez cette parabole, ou bien est-ce aussi à tous?" 42. Le Seigneur lui répondit : "Quel est l'économe fidèle et sage que le maître établira sur ses serviteurs, pour donner à chacun, dans le temps convenable, sa mesure de froment? 43. Heureux ce serviteur, que le maître, à son arrivée, trouvera faisant ainsi! 44. Je vous le dis en vérité, il l'établira sur tous ses biens. 45. Mais si ce serviteur dit en lui-même : Mon maître tarde à venir; et qu'il se mette à battre les serviteurs et les servantes, à manger, à boire et à s'enivrer, 46. le maître de ce serviteur viendra au jour où il ne l'attend pas, et à l'heure qu'il ne sait pas, et il le fera couper en morceaux, et lui assignera sa part avec les infidèles. 47. Le serviteur qui aura connu la volonté de son maître, et qui n'aura rien tenu prêt, ni agi selon sa volonté, recevra un grand nombre de coups. 48. Mais celui qui ne l'aura pas connue, et qui aura fait des choses dignes de châtiment, recevra moins de coups. On exigera beaucoup de celui à qui l'on a beaucoup donné; et plus on aura

37. Dieu, changeant de rôle avec ces fidèles serviteurs, les servira en quelque sorte de ses mains au banquet céleste. — 42. *Lui répondit :* réponse indirecte qui fait comprendre à S. Pierre qu'en recommandant à tous la vigilance, Notre Seigneur avait spécialement en vue les pasteurs. — 46. *Avec les infidèles*, dans l'enfer.

confié à quelqu'un, plus on lui redemandera.

Le feu et la guerre apportés par Jésus.

49. Je suis venu jeter le feu sur la terre, et que désiré-je, sinon qu'il s'allume! 50. Je dois être baptisé d'un baptême, et quelle angoisse en moi jusqu'à ce qu'il soit accompli! 51. Pensez-vous que je sois venu apporter la paix sur la terre? Non, vous dis-je, mais la division. 52. Car désormais, s'il y a cinq personnes dans une maison, elles seront divisées, trois contre deux, et deux contre trois; 53. le père sera divisé contre son fils, et le fils contre son père; la mère contre sa fille, et la fille contre sa mère; la belle-mère contre sa belle-fille, et la belle-fille contre sa belle-mère."

Les signes des temps.

54. Il disait encore au peuple : "Lorsque vous voyez la nuée se lever au couchant, vous dites aussitôt : La pluie vient; et cela arrive ainsi. 55. Et quand vous voyez souffler le vent du midi, vous dites : Il fera chaud, et cela arrive. 56. Hypocrite, vous savez reconnaître les aspects du ciel et de la terre : comment donc ne reconnaissez-vous pas les temps où nous sommes? 57. Et comment ne discernez-vous pas de vous-mêmes ce qui juste? 58. Lorsque tu te rends avec ton adversaire devant le magistrat, tâche en chemin de te dégager de sa poursuite, de peur qu'il ne te traîne devant le juge, et que le juge ne te livre à l'officier de justice, et que celui-ci ne te mette en prison. 59. Je te le dis, tu ne sortiras point de là que tu n'aies payé jusqu'à la dernière obole."

49-50. Notre Seigneur désire que ce feu s'allume bientôt à cause des conséquences heureuses qui doivent en résulter. Du reste, lui-même le premier passera par ce feu de la souffrance (vers. 50), et il lui tarde de s'y plonger comme dans les eaux d'un baptême.— 56. *Hypocrites :* ils se mentaient à eux-mêmes pour ne pas reconnaître que les jours du Messie étaient venus. — 57. *De vous-mêmes*, par votre propre jugement, avant la sentence du juge. — *Ce qui est juste*, le devoir de vous repentir et de faire votre paix avec Dieu, représenté, dans la petite parabole qui suit, par *l'adversaire*, des mains duquel il faut vous dégager avant que le juge ait rendu sa sentence.

CH. 13.

Nécessité de la pénitence.

En ce même temps, quelques-uns vinrent raconter à Jésus ce qui était arrivé aux Galiléens, dont Pilate avait mêlé le sang avec *celui de* leurs sacrifices. 2. Il leur répondit : " Pensez-vous que ces Galiléens fussent de plus grands pécheurs que tous les autres Galiléens, pour avoir souffert de la sorte? 3. Non, je vous le dis, et si vous ne faites pénitence, vous périrez tous de la même manière. 4. Ou bien ces dix-huit sur qui tomba la tour de Siloé, et qu'elle tua, pensez-vous que leur dette fût plus grande que celle de tous les autres habitants de Jérusalem? 5. Non, je vous le dis, et si vous ne faites pénitence, vous périrez tous de la même manière."

Le figuier stérile.

6. ✠ Il dit aussi cette parabole : "Un homme avait un figuier planté dans sa vigne; il vint pour y chercher des fruits, et n'en trouvant point, 7. il dit au vigneron : Voilà trois ans que je viens chercher du fruit à ce figuier, et je n'en trouve point; coupe-le donc : pourquoi occupe-t-il inutilement la terre? 8. Le vigneron lui répondit : Seigneur, laissez-le encore cette année; je creuserai tout autour et j'y mettrai du fumier. 9. Peut-être portera-t-il du fruit; sinon, vous le couperez l'an prochain."

La femme courbée.

10. Jésus enseignait dans une synagogue un jour de sabbat. 11. Il y avait là une femme possédée depuis dix-huit ans d'un esprit qui la rendait infirme : elle était courbée, et ne pouvait absolument pas se redresser. 12. L'ayant vue, Jésus l'appela et lui dit: "Femme, vous êtes délivrée de votre infirmité." 13. Et il lui imposa les mains; aussitôt elle se redressa, et elle glorifiait Dieu. 14. Mais le chef de synagogue, indigné de ce

Chap. 13. — 1. S. Luc fait ici allusion à l'un des nombreux soulèvements des Galiléens. Surpris par les soldats de Pilate au moment où ils offraient un sacrifice, les rebelles avaient été massacrés dans le parvis du temple. — 9. Le maître de la vigne, c'est Dieu; le figuier, c'est le peuple d'Israël, qui n'a porté d'autre fruit que des pratiques extérieures, semblables à un vain feuillage.

que Jésus avait fait cette guérison un jour de sabbat, dit au peuple : " Il y a six jours pour travailler, venez donc vous faire guérir ces jours-là, et non pas le jour du sabbat. " 15. " Hypocrites, lui répondit le Seigneur, est-ce que chacun de vous, le jour du sabbat, ne détache pas de la crèche son bœuf ou son âne, pour le mener boire? 16. Et cette fille d'Abraham, que Satan tenait liée depuis dix-huit ans, il ne fallait pas la délivrer de cette chaîne le jour du sabbat! " 17. Pendant qu'il parlait ainsi, tous ses adversaires étaient couverts de confusion, et tout le peuple était ravi des choses merveilleuses que Jésus faisait.¶

Le grain de sénevé et le levain.

18. Il disait encore : " A quoi le royaume de Dieu est-il semblable, et à quoi le comparerai-je? 19. Il est sembable à un grain de sénevé, qu'un homme a pris et jeté dans son jardin : *le grain* a poussé, il est devenu un grand arbre, et les oiseaux du ciel se reposent dans ses rameaux. "

20. Il dit encore : " A quoi comparerai-je le royaume de Dieu? 21. Il est semblable au levain qu'une femme prend et mêle dans trois mesures de farine, jusqu'à ce que toute la pâte soit levée."

3° — Second voyage a Jérusalem (13, 22 — 17, 10).

Conditions du salut
Porte étroite.

22. Il allait *ainsi*, enseignant par les villes et les villages, et s'avançant vers Jérusalem. 23. Quelqu'un lui demanda : " Seigneur, n'y aura-t-il qu'un petit nombre qui soient sauvés?" Il leur dit : 24. " Efforcez-vous d'entrer par la porte étroite; car, beaucoup, je vous le dis, chercheront à entrer, et ne le pourront pas. 25. Une fois que le père de famille sera entré et aura fermé la porte, si vous êtes dehors et que vous vous mettiez à frapper, en disant : Seigneur, ouvrez-

21. Sur la signification de ces deux paraboles, voy. *Matth.* xiii, 30-33.

nous! il vous répondra : Je ne sais d'où vous êtes. 26. Alors vous vous mettrez à dire : Nous avons mangé et bu devant vous, et vous avez enseigné dans nos places publiques. 27. Et il vous répondra : Je vous le dis, je ne sais d'où vous êtes; retirez-vous de moi, vous tous, ouvriers d'iniquité. 28. C'est alors qu'il y aura des pleurs et des grincements de dents, lorsque vous verrez Abraham, Isaac et Jacob, et tous les Prophètes dans le royaume de Dieu, tandis que vous serez jetés dehors. 29. Il en viendra de l'Orient et de l'Occident, de l'Aquilon et du Midi; et ils prendront place au banquet dans le royaume de Dieu. 30. Et tels sont *aujourd'hui* les derniers, qui seront les premiers; tels sont les premiers, qui seront les derniers."

Embûches d'Hérode; reproches à Jérusalem.

31. Le même jour, quelques Pharisiens vinrent lui dire : "Retirez-vous et partez d'ici; car Hérode veut vous faire mourir." 32. Il leur répondit : "Allez et dites à ce renard : Je chasse les démons et guéris les malades aujourd'hui et demain, et le troisième jour j'aurai fini. 33. Seulement il faut que je poursuive ma route aujourd'hui, et demain, et le jour suivant; car il ne convient pas qu'un prophète meure hors de Jérusalem.

34. Jérusalem, Jérusalem, qui tues les prophètes, et lapides ceux qui te sont envoyés, combien de fois j'ai voulu rassembler tes enfants, comme la poule rassemble sa couvée sous ses ailes, et tu ne l'as pas voulu! 35. Voici que votre maison va

---

26. *Devant vous*, sous vos yeux, à votre table. Sens : nous appartenions extérieurement à votre société, à votre Eglise. — 30. Les païens et les publicains ont conquis la première place; beaucoup de Juifs sont relégués au dernier rang. — 32. *Renard :* cette hardiesse de langage à l'égard des rois et des grands était familière aux prophètes hébreux. — *Aujourd'hui, demain*, c'est-à-dire quelques jours encore, jusqu'à ce que j'arrive à Jérusalem, où je dois être crucifié. — 33. *Car il ne convient pas :* ironie par laquelle Jésus fait entendre la facilité avec laquelle l'ingrate Jérusalem livrait ses prophètes au supplice. — 35. *Votre maison*, Jérusalem, va être abandonnée de Dieu, et *laissée déserte*, laissée à elle-même, proie facile pour ses

vous être laissée déserte. Je vous le dis, vous ne me verrez plus, jusqu'à ce que vienne le jour où vous direz : Béni soit celui qui vient au nom du Seigneur !"

CH. 14. — *Parabole des invités au festin ; l'hydropique.*

Un jour de sabbat, Jésus étant entré dans la maison d'un chef des Pharisiens pour y prendre son repas, ceux-ci l'observaient. 2. Et voici qu'un homme hydropique se trouvait devant lui. 3. Jésus, prenant la parole, dit aux Docteurs de la loi et aux Pharisiens : "Est-il permis, ou non, de faire une guérison le jour du sabbat ?" 4. Et ils gardèrent le silence. Lui, prenant cet homme par la main, le guérit et le renvoya. 5. Puis il leur dit : "Qui de vous, si son âne ou son bœuf tombe dans un puits, ne l'en retire aussitôt le jour du sabbat ?" 6. Et ils ne surent que lui répondre.

7. Ensuite, ayant remarqué l'empressement des conviés à choisir les premières places, Jésus leur dit cette comparaison : 8. "Quand tu seras invité par quelqu'un à des noces, ne prends pas la première place, de peur qu'il n'y ait parmi les invités un homme plus considéré que toi, 9. et que celui qui vous aura invités l'un et l'autre ne vienne te dire : Cède-lui la place ; et qu'alors tu n'ailles avec confusion occuper la dernière place. 10. Mais lorsque tu seras invité, va te mettre à la dernière place, et quand viendra celui qui t'a invité, il te dira : Mon ami, monte plus haut. Alors ce sera pour toi un honneur devant tous les autres convives. 11. Car quiconque s'élève sera abaissé, et quiconque s'abaisse sera élevé." 12. Il dit aussi à celui qui

ennemis. — *Le jour*, soit de mon entrée à Jérusalem à la Pâque prochaine (*Luc*, xix, 25), soit plutôt à la fin des temps, lorsque les Juifs, convertis et croyants, me salueront en poussant ce cri d'allégresse et d'amour : *Béni soit*, etc.

Chap. 14. — 10. Sous cette règle de conduite à suivre dans un festin, se cache un sens plus général et plus élevé, savoir, la nécessité pour les disciples de Jésus Christ, d'être petits et humbles en toute circonstance (vers. 11).

l'avait invité : "Lorsque tu donnes à dîner ou à souper, n'invite ni tes amis, ni tes frères, ni tes parents, ni des voisins riches, de peur qu'ils ne t'invitent à leur tour, et ne te rendent ce qu'ils auront reçu de toi. 13. Mais, quand tu donnes un festin, invite des pauvres, des estropiés, des boiteux et des aveugles; 14. et tu seras heureux de ce qu'ils ne peuvent pas te rendre la pareille; car cela te sera rendu à la résurrection des justes."

15. Un de ceux qui étaient à table avec lui, ayant entendu ces paroles, dit à Jésus : "Heureux celui qui aura part au banquet dans le royaume de Dieu !" 16. ✠ Jésus lui dit : "Un homme donna un grand festin et y convia beaucoup de gens. 17. A l'heure du repas, il envoya son serviteur dire aux invités : Venez, car tout est déjà prêt. 18. Et tous, *comme* de concert, se mirent à s'excuser. Le premier lui dit : J'ai acheté une terre, et il faut que j'aille la voir; je te prie de m'excuser. 19. Le second dit : J'ai acheté cinq paires de bœufs, et je vais les essayer; je te prie de m'excuser. 20. Un autre dit : Je viens de me marier, et c'est pourquoi je n'y puis aller. 21. Le serviteur étant revenu, rapporta ces choses à son maître. Alors le père de famille irrité dit à son serviteur : Va vite dans les places et les rues de la ville, et amène ici les pauvres, les estropiés, les aveugles et les boiteux. 22. *A son retour*, le serviteur dit : Seigneur, il a été fait comme vous l'avez commandé, et il y a encore de la place. 23. Le maître dit au serviteur : Va dans les chemins et le long des haies, et ceux que tu trouveras, presse-les d'entrer, afin que ma maison soit remplie. 24. Car, je vous le dis, aucun de ces hommes qui

15. *Dit à Jésus :* et cet homme, sans doute, ainsi que tous les Juifs, se croyait du nombre de ces *heureux*. — 16. *Un homme :* cette parabole a quelques traits de ressemblance, mais n'est pas identique avec celle de saint Matthieu, ch. XXII, 2 sv. — 24. Le maître du festin, c'est Dieu; le festin, c'est l'Eglise chrétienne, soit ici-bas, soit dans son éternelle consommation; le serviteur qui est envoyé, c'est Jésus et après lui les prédicateurs de l'Evangile; les premiers invités

avaient été invités ne goûtera de mon souper." ¶

Le renoncement; le sel.

25. Comme une grande foule cheminait avec lui, il se retourna et leur dit : 26. "✝ Si quelqu'un vient à moi et ne hait pas son père et sa mère, sa femme et ses enfants, ses frères et ses sœurs, et même sa propre vie, il ne peut être mon disciple. 27. Et quiconque ne porte pas sa croix et ne me suit pas, ne peut être mon disciple. 28. Car qui de vous, s'il veut bâtir une tour, ne s'assied pas auparavant pour calculer la dépense *nécessaire*, et *voir* s'il a de quoi l'achever? 29. De peur qu'après avoir posé les fondements de l'édifice, il ne puisse le conduire à sa fin, et que tous ceux qui le verront ne se mettent à le railler, 30. disant : Cet homme a commencé à bâtir, et il n'a pu achever. 31. Ou quel roi, s'il va faire la guerre à un autre roi, ne s'assied d'abord pour examiner s'il peut, avec dix mille hommes, faire face à un ennemi qui vient l'attaquer avec vingt mille? 32. S'il ne le peut, tandis que celui-ci est encore loin, il lui envoie une ambassade pour négocier la paix. 33. De même, quiconque d'entre vous ne renonce pas à tout ce qu'il possède, ne peut être mon disciple. ¶

34. Le sel est bon; mais si le sel s'affadit, avec quoi lui donnera-t-on de la saveur? 35. Inutile et pour la terre, et pour le fumier, on le jette dehors. Que celui qui a des oreilles pour entendre, entende!"

Paraboles de la divine miséricorde : *la brebis égarée — et la drachme perdue.* — CH. 15.

Tous les publicains et les pécheurs s'approchaient de Jésus pour l'entendre. 2. Et les Pharisiens et les Scribes murmuraient, disant : "Cet homme accueille des pécheurs et mange avec eux." 3. Sur quoi il leur dit cette parabole :

sont les Juifs, les derniers sont les nations païennes. — 26. *Haïr* est mis ici pour *aimer moins* (*Matth.* x, 37). — 35. *Inutile*, etc. Il ne peut servir d'engrais, ni semé directement sur la *terre*, ni mêlé au *fumier*.

4. "Qui d'entre vous, ayant cent brebis, s'il en perd une, ne laisse les quatre-vingt-dix-neuf autres dans le désert, pour aller après celle qui est perdue, jusqu'à ce qu'il l'ait retrouvée? 5. Et quand il l'a retrouvée, il la met avec joie sur ses épaules; 6. et, de retour à la maison, il assemble ses amis et ses voisins, et leur dit : Réjouissez-vous avec moi, parce que j'ai retrouvé ma brebis qui était perdue. 7. Ainsi, je vous le dis, il y aura plus de joie dans le ciel pour un seul pécheur qui fait pénitence, que pour quatre-vingt-dix-neuf justes qui n'ont pas besoin de pénitence.

8. Ou bien quelle est la femme qui, ayant dix drachmes, si elle en perd une, n'allume une lampe, ne balaye sa maison, et ne cherche avec soin jusqu'à ce qu'elle l'ait retrouvée? 9. Et quand elle l'a retrouvée, elle assemble ses amies et ses voisines, et leur dit : Réjouissez-vous avec moi, parce que j'ai retrouvé la drachme que j'avais perdue. 10. Ainsi, je vous le dis, il y a de la joie devant les anges de Dieu pour un seul pécheur qui fait pénitence." ¶

L'enfant prodigue.

11. ✠ Il dit encore : "Un homme avait deux fils. 12. Le plus jeune dit à son père : Mon père, donne-moi la part de bien qui doit me revenir; et le père leur partagea son bien. 13. Peu de jours après, le plus jeune fils ayant rassemblé tout ce qu'il avait, partit pour un pays lointain, et il y dissipa son bien en vivant dans la débauche. 14. Lorsqu'il eut tout dépensé, une grande famine survint dans ce pays, et il commença à sentir le besoin. 15. S'en allant donc, il se mit au service d'un habitant du pays, qui l'envoya à sa maison des champs pour garder les pourceaux.

Chap. 15. — 7. *Plus de joie*, une joie plus vive, parce qu'elle est plus inattendue. — 8. La *drachme* valait environ 90 centimes. — 11. *Il dit encore.* S'il est permis de comparer entre elles les choses divines, cette parabole mérite d'être appelée la perle et la couronne de toutes les paraboles de l'Ecriture. Tout est simple, *tout est vivant*, et tout est profond. Jamais le langage humain n'a resserré en si peu de paroles, un tel monde d'amour et de sagesse.

16. Il eût bien voulu se rassasier des siliques que mangeaient les pourceaux, mais personne ne lui en donnait. 17. Alors, rentrant en lui-même, il dit : Combien de mercenaires dans la maison de mon père ont du pain en abondance, et moi je meurs ici de faim ! 18. Je me lèverai, et j'irai à mon père, et je lui dirai : Mon père, j'ai péché contre le ciel et contre toi ; 19. je ne mérite plus d'être appelé ton fils : traite-moi comme l'un de tes mercenaires. 20. Et il se leva, et alla vers son père. Comme il était encore loin, son père le vit, et, tout ému, il accourut, se jeta à son cou, et le baisa. 21. Son fils lui dit : Mon père, j'ai péché contre le ciel et contre toi; je ne mérite plus d'être appelé ton fils. 22. Et le père dit à ses serviteurs : Apportez la plus belle robe et l'en revêtez; mettez-lui un anneau au doigt et une chaussure aux pieds. 23. Amenez le veau gras et tuez-le; faisons un festin de réjouissance : 24. car mon fils que voici était mort, et il est revenu à la vie; il était perdu, et il est retrouvé. Et ils se mirent à se réjouir.

25. Or le fils aîné était dans les champs; comme il revenait et approchait de la maison, il entendit de la musique et des danses. 26. Appelant un des serviteurs, il lui demanda ce que c'était. 27. Le serviteur lui dit : Votre frère est arrivé, et votre père a tué le veau gras, parce qu'il l'a recouvré sain et sauf. 28. Mais il se mit en colère et ne voulut pas entrer. Le père sortit donc, et se mit à le prier. 29. Il répondit à son père : Voilà tant d'années que je te sers, sans jamais avoir transgressé tes ordres, et jamais tu ne m'as donné, à moi, un chevreau pour me réjouir avec mes amis.

16. *Des siliques* ou gousses, appelées *caroubes*, fruit du caroubier. — 25. *Le fils aîné:* de même que l'enfant prodigue représente les publicains et les pécheurs convertis qui se pressaient en foule autour de Jésus (vers. 1), ainsi son frère aîné figure les Pharisiens et les Scribes, ces orgueilleux adversaires du Sauveur, que scandalisait (vers. 2) sa miséricordieuse bienveillance pour ces pécheurs qu'ils méprisaient.

30. Et quand ton autre fils, qui a dévoré son bien avec des courtisanes, arrive, tu tues pour lui le veau gras! 31. Le père lui dit : Toi, mon fils, tu es toujours avec moi, et tout ce que j'ai est à toi. 32. Mais il fallait bien faire un festin et se réjouir, parce que ton frère était mort, et qu'il est revenu à la vie; il était perdu, et il est retrouvé." ¶

Contre l'avarice : *l'économe infidèle; Dieu et l'argent.* ✠ — CH. 16.

Jésus dit aussi à ses disciples : "Un homme riche avait un économe qu'on accusa devant lui de dissiper ses biens. 2. Il l'appela et lui dit : Qu'est-ce que j'entends dire de toi? Rends compte de ton administration; car désormais tu ne pourras plus gérer *mes biens.* 3. Alors l'économe dit en lui-même : Que ferai-je, puisque mon maître me retire la gestion de ses biens? Travailler la terre, je n'en ai pas la force, et j'ai honte de mendier. 4. Je sais ce que je ferai, afin que, lorsqu'on m'aura ôté mon emploi, il y ait des gens qui me reçoivent dans leurs maisons. 5. Faisant donc venir l'un après l'autre les débiteurs de son maître, il dit au premier : Combien dois-tu à mon maître? 6. Il répondit : Cent barils d'huile. L'économe lui dit : Prends ton billet : assieds-toi vite, et écris cinquante. 7. Ensuite il dit à un autre : Et toi, combien dois-tu? Il répondit : Cent mesures de froment. L'économe lui dit : Prends ton billet, et écris quatre-vingts. 8. Et le maître loua l'économe infidèle d'avoir agi habilement; car les enfants de ce siècle sont plus habiles entre eux que les enfants de la lumière. 9. Moi aussi je vous dis : Faites-vous des amis avec les richesses d'iniquité, afin que, lorsque vous quitte-

Chap. 16. — 9. *Richesses d'iniquité*, ainsi appelées parce que trop souvent l'iniquité se rencontre à leur origine ou dans leur usage. — L'économe donne du bien d'autrui, ce qui en soi est mal; mais ce trait n'est que pour amener le point de comparaison, et ne trouve d'application qu'en ce que les richesses temporelles que nous devons donner sont aussi pour nous un bien étranger, savoir le bien de Dieu, dont nous ne sommes, vis-à-vis de lui, que les administrateurs (comp.

rez la vie, ils vous reçoivent dans les tabernacles éternels.¶ 10. Celui qui est fidèle dans les petites choses, est fidèle aussi dans les grandes, et celui qui est infidèle dans les petites choses, est infidèle aussi dans les grandes. 11. Si donc vous n'avez pas été fidèles dans les richesses d'iniquité, qui vous confiera les biens véritables? 12. Et si vous n'avez pas été fidèles dans un bien étranger, qui vous donnera votre bien propre? 13. Nul serviteur ne peut servir deux maîtres; car, ou il haïra l'un et aimera l'autre, ou il s'attachera à l'un et méprisera l'autre. Vous ne pouvez servir Dieu et Mammon. "

Reproches aux Pharisiens.

14. Les Pharisiens, qui aimaient l'argent, écoutaient aussi tout cela, et se moquaient de lui : 15. Jésus leur dit : "Vous cherchez à paraître justes devant les hommes, mais Dieu connaît vos cœurs; et ce qui est grand aux yeux des hommes est une abomination devant Dieu. 16. La loi et les Prophètes vont jusqu'à Jean; depuis Jean, le royaume de Dieu est annoncé, et chacun fait effort pour y entrer. 17. Plus facilement le ciel et la terre passeront, qu'une seule lettre de la Loi périsse. 18. Quiconque renvoie sa femme et en épouse une autre, commet un adultère; et celui qui épouse la femme renvoyée par son mari, commet un adultère.

Le mauvais riche et Lazare.

19. ✠ Il y avait un homme riche, qui était vêtu de pourpre et de fin lin, et qui faisait chaque jour une chère splendide. 20. Un pauvre, nommé Lazare, était couché à sa porte, tout couvert d'ulcères. 21. Il eût bien voulu se nourrir des miettes qui tombaient de la table du riche, mais personne ne lui donnait rien; les chiens mêmes ve-

vers. 11 et 12). — 10-13. Pensée : Si vous ne faites un bon usage de la richesse matérielle, appelée tour à tour *petites choses*, *richesses d'iniquité*, *bien étranger*, vous n'aurez point de part aux trésors spirituels et célestes, désignés sous les noms de *grandes choses*, *biens véritables*, *votre bien propre*. — 13. *Mammon*, c.-à-d. *richesse*. Ce nom est ici personnifié et désigne le dieu des richesses.

naient lécher ses ulcères. 22. Or il arriva que le pauvre mourut, et il fut porté par les anges dans le sein d'Abraham. 23. Le riche mourut aussi, et il fut enseveli dans l'enfer. Elevant les yeux, du milieu des tourments, il vit de loin Abraham, et Lazare dans son sein, 24. et il s'écria : Abraham, *notre* père, aie pitié de moi, et envoie Lazare, pour qu'il trempe dans l'eau le bout de son doigt et me rafraîchisse la langue; car je souffre cruellement dans ces flammes. 25. Abraham répondit : Mon fils, souviens-toi que tu as reçu des biens pendant ta vie, et que Lazare a eu de même ses maux : maintenant il est ici consolé, et toi, tu souffres. 26. De plus, entre nous et vous il y a pour toujours un grand abîme, afin que ceux qui voudraient passer d'ici vers vous ne le puissent, et qu'il soit impossible de passer ici du lieu où vous êtes. 27. Et *le riche* dit : Je te prie donc, père, d'envoyer Lazare dans la maison de mon père, — 28. car j'ai cinq frères, — pour leur attester ces choses, de peur qu'ils ne viennent, eux aussi, dans ce lieu de tourments. 29. Abraham répondit : Ils ont Moïse et les Prophètes; qu'ils les écoutent. 30. Non, Abraham, *notre* père, reprit-il; mais si quelqu'un des morts va vers eux, ils feront pénitence. 31. Mais Abraham lui dit : S'ils n'écoutent pas Moïse et les Prophètes, quelqu'un des morts ressusciterait, qu'ils ne le croiraient point." ¶

CH. 17. — *Avis sur le scandale et la correction, la foi et l'humilité.*

Jésus dit à ses disciples : " Il est impossible qu'il n'arrive pas de scandales; mais malheur à celui par qui ils arrivent! 2. Il vaudrait mieux pour lui qu'on lui mît au cou une meule de moulin, et qu'on le jetât dans la mer, que

22. *Sein d'Abraham :* douce et gracieuse image employée par les rabbins pour désigner, non le bonheur du ciel en général, mais une félicité particulière dans le ciel même. — 24. *Envoie Lazare :* pourquoi de préférence ce pauvre qu'il avait autrefois tant méprisé? Le sens de la parabole le demandait : rien ne pouvait mieux montrer à quel point les rôles sont changés. — 25. *Tes biens*, la part des biens auxquels tu as droit (comp. vi, 24).

de scandaliser un de ces petits.

3. Prenez garde à vous-mêmes. Si ton frère a péché [contre toi], reprends-le, et s'il se repent, pardonne-lui. 4. Et quand il pécherait contre toi sept fois le jour, s'il revient sept fois te dire : Je me repens, tu lui pardonneras."

5. Les Apôtres dirent au Seigneur : "Augmentez notre foi." 6. Le Seigneur *leur* dit : "Si vous aviez de la foi comme un grain de sénevé, vous diriez à ce mûrier : Déracine-toi, et te transplante dans la mer; et il vous obéirait.

7. Qui de vous, ayant un serviteur au labourage ou à la garde des troupeaux, lui dira, à son retour des champs : Viens vite et mets-toi à table? 8. Ne lui dira-t-il pas, au contraire : Prépare-moi à souper, ceins-toi, et me sers, jusqu'à ce que j'aie mangé et bu; après cela, toi, tu mangeras et boiras? 9. Est-ce qu'il doit de la reconnaissance à ce serviteur, parce qu'il a fait ce qui lui était ordonné? 10. Je ne le pense pas. De même vous, quand vous aurez fait ce qui vous était commandé, dites : Nous sommes des serviteurs inutiles; nous avons fait ce que nous devions faire."

4° — Troisième voyage a Jérusalem (17, 11 — 19, 18).

En Samarie et Galilée : *les dix lépreux.*

11. ✢ En se rendant à Jérusalem, Jésus passa sur les confins de la Samarie et de la Galilée. 12. Comme il entrait dans un village, dix lépreux vinrent à sa rencontre : se tenant à distance, 13. ils élevèrent la voix et dirent : "Jésus, Maître, ayez pitié de nous." 14. Dès qu'il les eut aperçus : "Allez, leur dit-il, montrez-vous aux prêtres." Et en y allant, ils furent guéris. 15. L'un d'eux, lorsqu'il

Chap. 17. — 3. *Prenez garde :* craignez de donner ou de recevoir du scandale. Loin d'offenser le prochain par le scandale, soyez plutôt disposés à lui remettre ses offenses contre vous. — 14. *Aux prêtres :* voyez *Matth.* VIII, 4, note.

se vit guéri, revint sur ses pas, glorifiant Dieu à haute voix. 16. Et il se jeta le visage contre terre aux pieds de Jésus, et lui rendit grâces : c'était un Samaritain. 17. Alors Jésus dit : " Est-ce que les dix n'ont pas été guéris? Les neuf autres, où sont-ils? 18. Il ne s'est trouvé que cet étranger pour revenir et rendre gloire à Dieu?" 19. Et il lui dit : " Lève-toi, va; ta foi t'a sauvé. " ¶

Le second avènement.

20. Les Pharisiens lui demandèrent quand viendrait le royaume de Dieu; il leur répondit : " Le royaume de Dieu ne vient pas de manière à frapper les regards. 21. On ne dira point : Il est ici, ou : Il est là; car le royaume de Dieu est au dedans de vous." 22. Alors il dit à ses disciples : " Viendra un temps où vous désirerez voir un seul des jours du Fils de l'homme, et vous ne le verrez point. 23. On vous dira : Il est ici, et : Il est là; gardez-vous d'y aller et de courir après eux. 24. Car, comme l'éclair qui luit, brille d'un bout du ciel à l'autre, ainsi en sera-t-il du Fils de l'homme en son jour. 25. Mais il faut auparavant qu'il souffre beaucoup, et qu'il soit rejeté par cette génération. 26. Et comme il arriva aux jours de Noé, ainsi arrivera-t-il aux jours du Fils de l'homme. 27. Les hommes mangeaient et buvaient, ils se mariaient et mariaient leurs filles, jusqu'au jour où Noé entra dans l'arche, et le déluge vint, qui les fit périr tous. 28. Et comme il arriva aux jours de Lot : les hommes mangeaient et buvaient, ils achetaient

20. *Le royaume de Dieu*, le royaume du Messie, mais tel que les Pharisiens se le figuraient, c.-à-d. un royaume terrestre où ils devaient trouver gloire, puissance et richesses. N. S. leur répond : 1° que le royaume de Dieu est intérieur, en ce sens qu'il commence dans la conscience de chacun par une foi docile, et s'y développe par la pratique des bonnes œuvres : c'est le grain de sénevé caché en terre, le levain dans la pâte; 2° qu'il n'est ni *ici*, ni *là*, soit à cause de ce qui vient d'être dit, soit parce que ce royaume, l'Eglise, est universel et s'étend à toute la terre. — 22-37. Ces versets traitent du second avènement de J. C. à la fin du monde. Comp. *Matth.* xxiv. — 23. *Après eux :* après les imposteurs qui vous seront signalés comme étant le Messie, ou qui se prétendront tels. — 24. *Le Fils de l'homme* sera visible à tous et partout. Comp. *Matth.* xxiv. 27.

et vendaient, ils plantaient et bâtissaient; 29. mais le jour où Lot sortit de Sodome, une pluie de feu et de soufre tomba du ciel, qui les fit périr tous : 30. ainsi en sera-t-il au jour où le Fils de l'homme paraîtra. 31. En ce jour, que celui qui sera sur le toit, et dont les effets seront dans la maison, ne descende point pour les prendre; et que celui qui sera aux champs ne revienne pas non plus en arrière. 32. Souvenez-vous de la femme de Lot. 33. Quiconque cherchera à sauver sa vie, la perdra, et quiconque l'aura perdue, la sauvera. 34. Je vous le dis, en cette nuit-là, de deux personnes qui seront dans le même lit, l'une sera prise et l'autre laissée; 35. de deux femmes qui moudront ensemble, l'une sera prise et l'autre laissée; de deux hommes qui seront dans un champ, l'un sera pris et l'autre laissé." 36. Ils lui dirent : "Où sera-ce, Seigneur?" 37. Il répondit : "Où sera le corps, là s'assembleront les aigles."

CH. 18. — *Parabole du juge inique.*

✠ Il leur adressa encore une parabole, pour montrer qu'il faut toujours prier, sans se lasser *jamais.* 2. Il dit : "Il y avait dans une ville un juge qui ne craignait pas Dieu, et ne se souciait pas des hommes. 3. Il y avait aussi dans cette ville une veuve qui venait à lui en disant : Fais-moi justice de mon adversaire. 4. Et pendant longtemps il ne le voulut point; mais ensuite il dit en lui-même : Encore que je ne craigne pas Dieu et ne me soucie pas des hommes, 5. cependant, parce que cette veuve m'importune, je lui ferai justice, afin qu'elle ne vienne pas sans cesse m'accabler de ses instances. — 6. Entendez, ajouta le Seigneur, ce que dit ce juge inique. 7. Et Dieu ne ferait pas justice à ses élus qui crient à lui nuit et jour, et il tarderait à leur égard?

37. N. S. répond par un proverbe connu : *Où est le corps*, le cadavre, la proie, *là se rassemblent les aigles :* de même, où seront les coupables (ou les hommes en général), là viendra le souverain Juge.

8. Je vous le dis, il leur fera bientôt justice. Seulement, quand le Fils de l'homme viendra, trouvera-t-il la foi sur la terre?" ¶

Parabole du publicain et du pharisien.

9. ✠ Il dit encore cette parabole en vue de quelques-uns qui se persuadent qu'ils sont justes, et qui méprisent les autres : 10. "Deux hommes montèrent au temple pour prier; l'un était pharisien, l'autre publicain. 11. Le pharisien, debout, priait ainsi en lui-même : O Dieu, je vous rends grâces de ce que je ne suis pas comme le reste des hommes, qui sont voleurs, injustes et adultères, ni encore comme ce publicain. 12. Je jeûne deux fois la semaine; je paie la dîme de tout ce que je possède. 13. Le publicain se tenant à distance, n'osait pas même lever les yeux au ciel; mais il frappait sa poitrine en disant : O Dieu, ayez pitié de moi qui suis un pécheur. 14. Je vous le dis, celui-ci descendit justifié dans sa maison, et non pas l'autre; car quiconque s'élève sera abaissé, et quiconque s'abaisse sera élevé." ¶

En Pérée :
Jésus et les enfants.

15. Des personnes lui amenèrent aussi leurs petits enfants pour qu'il les touchât; ce que voyant, ses disciples les repoussaient avec de rudes paroles. 16. Mais Jésus appela ces enfants et dit : "Laissez les petits enfants venir à moi et ne les empêchez pas; car le royaume de Dieu est à ceux qui leur ressemblent. 17. En vérité, je vous le dis, quiconque ne recevra pas le royaume de Dieu comme un petit enfant, n'y entrera point."

Le jeune homme riche et l'éloge de la pauvreté.

18. Alors un chef lui demanda : "Bon Maître,

Chap. 18. — 8. *La foi* vive nécessaire aux fidèles des derniers temps, — car c'est à eux que se rapporte en premier lieu la parabole précédente, — pour prier avec instance et obtenir le secours de Dieu. — 12. La loi n'avait institué qu'un jeûne annuel; mais un certain nombre d'Israélites pieux observaient chaque semaine deux jours de jeûne, le lundi et le jeudi. Sur la dîme, voy. *Matth.* xxiii, 23. — 17. Voy. *Marc*, x. 15. — 18. *Un chef*, un des principaux de la contrée, peut-être un chef de synagogue.

que dois-je faire pour avoir la vie éternelle? " 19. Jésus lui dit : " Pourquoi m'appelles-tu bon? Il n'y a de bon que Dieu seul. 20. Tu connais les commandements : Tu ne tueras point; tu ne déroberas point; tu ne porteras point de faux témoignage; honore ton père et ta mère. " 21. Il répondit : " J'ai gardé tous ces commandements depuis ma jeunesse. " 22. Ayant entendu cela, Jésus lui dit : " Une chose te manque encore : vends tout ce que tu as, distribue-le aux pauvres, et tu auras un trésor dans le ciel; puis viens, et suis-moi." 23. Mais lui, ayant entendu ces paroles, devint triste, parce qu'il était fort riche. 24. Voyant qu'il était devenu triste, Jésus dit : " Qu'il est difficile à ceux qui possèdent la richesse d'entrer dans le royaume de Dieu ! 25. Il est plus aisé qu'un chameau passe par le trou d'une aiguille, qu'il ne l'est à un riche d'entrer dans le royaume de Dieu. " 26. Ceux qui l'écoutaient dirent : "Qui peut donc être sauvé? " 27. Il répondit : " Ce qui est impossible aux hommes est possible à Dieu." 28. Pierre lui dit alors : " Nous, nous avons tout quitté pour vous suivre." 29. Il leur dit : " Je vous le dis en vérité, nul n'aura laissé sa maison, ou ses parents, ou ses frères, ou son épouse, ou ses enfants, à cause du royaume de Dieu, 30. qu'il ne reçoive beaucoup plus en ce siècle même, et dans le siècle à venir la vie éternelle. "

3ème prédiction de la passion.

31. ✠ Ensuite Jésus prit à part les Douze, et leur dit : " Voici que nous montons à Jérusalem, et que va s'accomplir tout ce que les Prophètes ont écrit du Fils de l'homme. 32. Il sera livré aux Gentils, et moqué, et flagellé, et couvert de crachats; 33. et après l'avoir flagellé, on le mettra à mort, et il ressuscitera le troisième jour. " 34. Mais ils ne comprirent rien à

27. Dieu peut donner au riche l'esprit d'humilité et de détachement. — 30. *Beaucoup plus*, non pas en même espèce, mais en mérite et en valeur. — 34. Tant ils étaient encore aveuglés par les fausses idées qu'ils s'étaient faites du Messie et de son règne temporel !

cela; c'était pour eux un langage caché, dont ils ne saisissaient pas le sens.

A Jéricho : *aveugle guéri.*

35. Comme il approchait de Jéricho, il arriva qu'un aveugle était assis sur le bord du chemin, demandant l'aumône. 36. Entendant passer beaucoup de gens, il demanda ce que c'était. 37. On lui dit : " C'est Jésus de Nazareth qui passe. " 38. Aussitôt il s'écria : " Jésus, fils de David, ayez pitié de moi. " 39. Ceux qui marchaient devant le reprenaient pour le faire taire; mais il criait encore plus fort : " Fils de David, ayez pitié de moi." 40. Alors Jésus s'arrêtant, commanda qu'on le lui amenât, et quand l'aveugle se fut approché, il lui demanda : 41. " Que veux-tu que je te fasse?" Il lui dit : " Seigneur, que je voie. " 42. Et Jésus lui dit : " Vois, ta foi t'a sauvé. " 43. A l'instant il recouvra la vue, et il le suivait en glorifiant Dieu. Tout le peuple, voyant cela, rendit gloire à Dieu.¶

✠ CH. 19. — *Zachée.*

Jésus étant entré dans Jéricho, traversait la ville. 2. Et voilà qu'un homme nommé Zachée, chef des publicains et fort riche, 3. cherchait à voir qui était Jésus; et il ne pouvait y parvenir à cause de la foule, car il était de petite taille. 4. Il courut *donc* en avant et monta sur un sycomore pour le voir, parce qu'il devait passer par là. 5. Arrivé à cet endroit, Jésus leva les yeux, et l'ayant vu, il lui dit : " Zachée, descends vite, car il faut que je loge aujourd'hui dans ta maison. " 6. Zachée se hâta

43. D'après S. Matthieu (xx, 34 sv.), Jésus guérit, en *sortant* de Jéricho, *deux* aveugles, *un* d'après S. Marc (x, 46 sv.), *un* aussi d'après S. Luc, mais en *entrant* dans cette ville. Parmi les diverses manières de concilier les trois récits nous proposons la suivante : Jésus arrive devant Jéricho; un aveugle se présente à lui et implore sa pitié; Jésus ne le guérit pas sur l'heure; mais le lendemain, en quittant la ville, il le rencontre avec un autre sur son passage, et les guérit tous deux. S. Luc n'aura pas tenu compte de cet intervalle, et fait le récit qu'on vient de lire.

Chap. 19. — 3. *Qui était Jésus* parmi cette foule de pèlerins qui traversaient la ville.

de descendre et le reçut avec joie. 7. Voyant cela, ils murmuraient tous en disant : " Il est allé loger chez un pécheur. " 8. Mais Zachée, se présentant devant le Seigneur, lui dit : " Voici, Seigneur, que je donne aux pauvres la moitié de mes biens, et si j'ai fait tort de quelque chose à quelqu'un, je lui rends le quadruple. " 9. Jésus lui dit : " Le salut est entré aujourd'hui dans cette maison, parce que celui-ci est aussi un fils d'Abraham. 10. Car le Fils de l'homme est venu chercher et sauver ce qui était perdu." ¶

Parabole des mines.

11. Comme ils écoutaient ce discours, il ajouta une parabole, parce qu'il était près de Jérusalem, et que le peuple pensait que le royaume de Dieu allait bientôt paraître. 12. Il dit donc : " ✠ Un homme de grande naissance s'en alla dans un pays lointain pour être investi de la royauté et revenir ensuite. 13. Ayant appelé dix de ses serviteurs, il leur donna dix mines, et leur dit : Faites-les valoir, jusqu'à ce que je revienne. 14. Mais ses concitoyens le haïssaient, et ils envoyèrent après lui des députés chargés de dire : Nous ne voulons pas qu'il règne sur nous. 15. Quand il fut de retour, après avoir été investi de l'autorité royale, il fit appeler les serviteurs auxquels il avait donné de l'argent, pour savoir quel profit chacun en avait tiré. 16. Le premier vint et dit : Seigneur, votre mine a produit dix autres mines. 17. Il lui dit : C'est bien, bon serviteur, parce que tu as été fidèle en peu de chose, reçois le gouvernement de dix villes. 18. Un autre vint et dit : Seigneur, votre mine a produit cinq autres mines. 19. Toi aussi, lui dit-il, gouverne cinq villes. 20. Le troisième vint et dit : Seigneur, voici votre

7. *Chez un pécheur :* en se faisant publicain, le juif Zachée avait, aux yeux de ses compatriotes, perdu les prérogatives de la race choisie; Notre Seigneur va le proclamer un véritable enfant d'Abraham. — 10. Une antique tradition fait venir Zachée dans les Gaules, où il se serait fixé dans le lieu sauvage et pittoresque appelé aujourd'hui *Roc-Amadour.* — 13. *Dix mines*, de 90 francs chacune.

mine que j'ai gardée dans un linge. 21. Car j'avais peur de vous, parce que vous êtes un homme rigide; vous retirez ce que vous n'avez pas déposé, et vous moissonnez ce que vous n'avez pas semé. 22. Le roi lui répondit : Je te juge sur tes paroles, méchant serviteur. Tu savais que je suis un homme rigide, retirant ce que je n'ai pas déposé, et moissonnant ce que je n'ai pas semé; 23. pourquoi donc n'as-tu pas mis mon argent dans une banque? et à mon retour, je l'aurais retiré avec les intérêts. 24. Et il dit à ceux qui étaient là : Otez-lui la mine, et la donnez à celui qui en a dix. — 25. Seigneur, lui dirent-ils, il en a *déjà* dix. — 26. Je vous le dis, on donnera à celui qui a, [et il sera dans l'abondance;] et à celui qui n'a pas, on ôtera même ce qu'il a. ¶ 27. Quant à mes ennemis qui n'ont pas voulu m'avoir pour roi, amenez-les ici, et tuez-les en ma présence." 28. Après ce discours, Jésus se mit à marcher en avant, pour monter à Jérusalem.

5° — SÉJOUR ET PRÉDICATION A JÉRUSALEM (19, 29 — 21, 38).

Entrée triomphale.

29. Lorsqu'il approcha de Bethphagé et de Béthanie, vers la montagne appelée des Oliviers, il envoya deux de ses disciples, 30. en disant : "Allez au village qui est en face; en y entrant, vous trouverez un ânon attaché, sur lequel aucun homme ne s'est jamais assis; déliez-le, et *me* l'amenez. 31. Et si quelqu'un vous demande pourquoi vous le détachez, vous lui répondrez : Parce que le Seigneur en a besoin. " 32. Ceux qui

27. L'homme de haute naissance est Jésus Christ; le royaume est le ciel, que Jésus recevra de son Père le jour de son ascension (XXIV, 26); les serviteurs sont les disciples, tous les chrétiens qui doivent se préparer au second avènement du Sauveur; la mine que chacun reçoit, c'est le don de la foi et la régénération dans le baptême; ceux qui ne veulent pas de Jésus pour roi, ce sont les Juifs, et en général tous les méchants ; le retour du roi arrivera pour les premiers à la ruine de Jérusalem, pour les pécheurs en général au jugement dernier.

étaient envoyés partirent et trouvèrent l'ânon comme Jésus le leur avait dit. 33. Comme ils détachaient l'ânon, ses maîtres leur dirent : "Pourquoi déliez-vous cet ânon?" 34. Ils répondirent : "Parce que le Seigneur en a besoin." 35. Et ils l'amenèrent à Jésus; puis, ayant jeté leurs manteaux sur l'ânon, ils le firent monter dessus. 36. Sur son passage, les gens étendaient leurs manteaux sur la route. 37. Lorsqu'il fut près de la descente du mont des Oliviers, toute la foule, transportée de joie, se mit à louer Dieu à haute voix pour toutes les merveilles qu'ils avaient vues. 38. "Béni soit, disaient-ils, le roi qui vient au nom du Seigneur! Paix dans le ciel, et gloire *à Dieu* dans les hauteurs des cieux!" 39. Alors quelques Pharisiens, du milieu de la foule, dirent à Jésus : "Maître, faites taire vos disciples." 40. Il leur répondit : "Je vous le dis, s'ils se taisent, les pierres crieront."

Larmes sur la ville.

41. ✠ Quand il fut proche de Jérusalem, à la vue de cette ville, il pleura sur elle, en disant : 42. "Si tu connaissais, toi aussi, du moins en ce jour qui t'est donné, ce qui ferait ta paix! Mais maintenant ces choses sont cachées à tes yeux. 43. Viendront sur toi des jours où tes ennemis t'environneront de tranchées, t'investiront et te serreront de toutes parts; 44. ils te renverseront par terre, toi et tes enfants qui sont dans ton sein, et ils ne laisseront pas dans ton enceinte pierre sur pierre, parce que tu n'as pas connu le temps où tu as été visitée."

Vendeurs chassés.

45. Etant entré dans le temple, il se mit à chasser ceux qui y vendaient et y achetaient, 46. leur disant : "Il est écrit : Ma maison est une maison de

41. Deux fois seulement nous lisons dans l'Evangile que Jésus pleura, ici, et au moment de ressusciter Lazare, sur son ingrate patrie et sur l'ami de son cœur. Cette scène touchante est regardée à bon droit comme un des joyaux de notre Evangile. — 44. *Visitée* par le Messie. Cette célèbre prophétie est comme un résumé fidèle de l'histoire du siège et de la ruine de Jérusalem par les Romains.

prière, et vous en avez fait une caverne de voleurs." 47. Il passait ses journées à enseigner dans le temple. ¶ Et les Princes des prêtres, les Scribes et les principaux du peuple cherchaient à le perdre; 48. mais ils ne savaient comment s'y prendre, car tout le peuple l'écoutait avec ravissement.

Controverses : *le baptême de Jean.* — CH. 20.

Un de ces jours-là, comme Jésus enseignait le peuple dans le temple, et qu'il annonçait la bonne nouvelle, les Princes des prêtres et les Scribes survinrent avec les Anciens, 2. et lui dirent : "Dites-nous par quelle autorité vous faites ces choses, ou qui vous en a donné le droit?" 3. Jésus leur répondit : "Moi aussi je vous ferai une question. Répondez-moi : 4. Le baptême de Jean était-il du ciel, ou des hommes?" 5. Mais ils faisaient entre eux cette réflexion : "Si nous répondons : Du ciel, il nous dira : Pourquoi n'avez-vous pas cru en lui? 6. Et si nous répondons : Des hommes, tout le peuple nous lapidera, car il est persuadé que Jean était un prophète." 7. Ils lui répondirent donc qu'ils ne savaient d'où il était. 8. "Et moi, leur dit Jésus, je ne vous dis pas non plus par quelle autorité je fais ces choses."

Les vignerons homicides et la pierre angulaire.

9. Alors il se mit à dire au peuple cette parabole : "Un homme planta une vigne, et la loua à des vignerons; puis il s'en alla pour un temps assez long en un pays étranger. 10. Le temps *des vendanges* étant venu, il envoya un de ses serviteurs aux vignerons, afin qu'ils lui donnassent *une part* du produit de la vigne. Mais eux, l'ayant battu, le renvoyèrent les mains vides. 11. Il envoya encore un autre serviteur; et, l'ayant aussi battu et traité indignement, ils le renvoyèrent les mains vides. 12. Il en envoya un troisième, qu'ils blessèrent de même et jetèrent dehors. 13. Alors le maître de la vigne se dit : Que faire? J'enverrai mon fils bien aimé; peut-être qu'en le

Chap. 20. — 1. *Un de ces jours-là*, le mardi saint.

voyant ils auront pour lui du respect. 14. Mais quand les vignerons le virent, ils se dirent entre eux : Celui-ci est l'héritier, tuons-le, afin que l'héritage soit à nous. 15. Et l'ayant chassé hors de la vigne, ils le tuèrent. Que leur fera donc le maître de la vigne? 16. Il viendra et exterminera ces vignerons, et donnera sa vigne à d'autres." Ce qu'ayant entendu, ils lui dirent : " A Dieu ne plaise!" 17. Mais, jetant les regards sur eux, Jésus dit : " Qu'est-ce donc que cette parole de l'Ecriture : La pierre qu'ont rejetée ceux qui bâtissaient est devenue le sommet de l'angle? 18. Quiconque tombera sur cette pierre sera brisé; et celui sur qui elle tombera, sera écrasé." 19. Les Princes des prêtres et les Scribes cherchèrent à se saisir de lui à l'heure même, car ils avaient compris que c'était pour eux que Jésus avait dit cette parabole; mais la crainte du peuple les retint.

Le tribut à César.

20. Ils ne le perdirent donc pas de vue, et lui envoyèrent des gens subornés qui feignaient d'être justes, pour le surprendre dans ses paroles, afin de le livrer aux magistrats et au pouvoir du gouverneur. 21. Ces gens vinrent ainsi l'interroger : " Maître, nous savons que vous parlez et enseignez sans erreur, et que vous ne faites acception de personne, mais que vous enseignez la voie de Dieu dans la vérité. 22. Nous est-il permis, ou non, de payer le tribut à César?" 23. Jésus, connaissant leur ruse, leur dit : " Pourquoi me tentez-vous? 24. Montrez-moi un denier. De qui porte-t-il l'image et le nom?" Ils lui répondirent : " De César." 25. Et il leur dit : "Rendez donc à César ce qui est à César, et à Dieu ce qui est à Dieu." 26. Et ils ne purent le reprendre sur aucune parole devant le peuple; et admirant sa réponse, ils gardèrent le silence.

16. Voy. l'explication de cette parabole, *Matth.* xxi, 41, note. — 18. Comp. *Matth.* xxi, 42. — 25. *Rendez à César*, etc. Telle est la célèbre maxime que l'Eglise catholique a toujours prise pour base dans ses rapports avec les gouvernements temporels.

La résurrection et les Sadducéens.

27. Quelques-uns des Sadducéens, qui nient la résurrection, s'approchèrent alors et l'interrogèrent : 28. " Maître, lui dirent-ils, Moïse nous a donné cette loi : Si un homme, ayant une femme, meurt sans laisser d'enfants, que son frère prenne sa femme, et suscite des enfants à son frère. 29. Or, il y avait sept frères; le premier prit une femme, et mourut sans enfants. 30. Le second prit sa femme, et mourut aussi sans enfants. 31. Le troisième la prit ensuite, et de même tous les sept, et ils moururent sans laisser d'enfants. 32. Après eux tous, la femme mourut aussi. 33. Duquel donc, au temps de la résurrection, sera-t-elle la femme, car elle l'a été de tous les sept?" 34. Jésus leur dit : " Les enfants de ce siècle se marient et sont donnés en mariage; 35. mais ceux qui seront trouvés dignes d'avoir part au siècle à venir et à la résurrection des morts, ne prendront point de femme et n'auront point de mari; 36. car ils ne peuvent même pas mourir, puisqu'ils sont comme les anges, et qu'ils sont fils de Dieu, étant fils de la résurrection.

37. Que les morts ressuscitent, c'est ce que Moïse lui-même a fait connaître dans le passage du Buisson, lorsqu'il nomme le Seigneur : Le Dieu d'Abraham, le Dieu d'Isaac et le Dieu de Jacob. 38. Or Dieu n'est pas Dieu des morts, mais Dieu des vivants; car tous sont vivants devant lui." 39. Quelques-uns des Scribes, prenant la parole, lui dirent : " Maître, vous avez bien par-

34. *Les enfants de ce siècle :* ici, tous les hommes tels qu'ils sont dans la période actuelle du monde, avant le second avènement du Messie et la résurrection des morts. — *Et* les femmes *sont données*, etc. — 35. Il s'agit de la résurrection glorieuse des élus. — 36. *Fils de la résurrection*, ressuscités. — 38. " Jésus Christ nous fait voir que si Dieu prend pour son titre éternel le nom de Dieu d'Abraham, d'Isaac et de Jacob, c'est à cause que ces saints hommes sont toujours vivants devant lui. Ce lui serait une honte de se dire avec tant de force le Dieu d'Abraham, s'il n'avait fondé dans le ciel une cité éternelle, où Abraham et ses enfants pussent vivre heureux." *Bossuet.*

lé. " 40. Et ils n'osaient plus lui poser aucune question.

Le Christ fils et Seigneur de David.

41. Jésus leur dit : " Comment dit-on que le Christ est fils de David ? 42. David lui-même dit dans le livre des Psaumes : Le Seigneur a dit à mon Seigneur : Asseyez-vous à ma droite, 43. jusqu'à ce que je fasse de vos ennemis l'escabeau de vos pieds. — 44. David l'appelle Seigneur ; comment peut-il être son fils ? "

Se défier des Scribes.

45. Tandis que tout le peuple l'écoutait, il dit à ses disciples : 46. " Gardez-vous des Scribes, qui se plaisent à se promener *vêtus* de longues robes ; qui aiment à être salués dans les places publiques, à occuper les premiers sièges dans les synagogues et les premières places dans les festins : 47. Ces gens qui dévorent les maisons des veuves, et font pour l'apparence de longues prières, recevront un châtiment plus sévère. "

CH. 21. — *L'offrande de la veuve.*

Jésus, levant les yeux, vit les riches qui mettaient leurs offrandes dans le tronc. 2. Il vit aussi une pauvre veuve qui y mettait deux petites pièces de monnaie, 3. et il dit : " Je vous le dis en vérité, cette pauvre veuve a mis plus que tous les autres. 4. Car tous les autres ont offert à Dieu de leur superflu ; mais cette femme a donné de son indigence, tout ce qu'elle avait pour vivre. "

Ruine de Jérusalem et second avènement : *Préambule.*

5. Quelques-uns disant que le temple était bâti de belles pierres et orné de *riches* dons, Jésus dit : 6. " Des jours viendront où, de tout ce que vous regardez là, il ne restera

43. *Ps.* cix, 1.

Chap. 22. — 4. " Que l'homme est riche ! Son argent vaut tout ce qu'il veut : sa volonté y donne le prix. Un liard vaut mieux que les plus riches présents. Manquez-vous d'argent ? un verre d'eau froide vous sera compté. N'avez-vous pas un verre d'eau à donner ? un désir, un soupir, un mot de douceur, un témoignage de compassion : si tout cela est sincère, il vaut la vie éternelle. " *Bossuet.*

pas une pierre sur une autre pierre qui ne soit renversée." 7. Alors ils lui demandèrent : "Maître, quand ces choses arriveront-elles, et à quel signe connaîtra-t-on qu'elles sont près de s'accomplir ?"

Signes avant-coureurs de la ruine de la ville.

8. Jésus répondit : "Prenez garde qu'on ne vous séduise; car plusieurs viendront sous mon nom, disant : Je suis *le Christ*, et le temps est proche. Ne les suivez point. 9. ✠ Et quand vous entendrez parler de guerres et de séditions, ne soyez pas effrayés; il faut que ces choses arrivent d'abord; mais la fin ne viendra pas sitôt." 10. Il continua ainsi : "Une nation s'élèvera contre une nation, et un royaume contre un royaume 11. Il y aura de grands tremblements de terre, des pestes et des famines en divers lieux, et dans le ciel d'effrayantes apparitions et des signes extraordinaires. 12. Mais, avant tout cela, on mettra les mains sur vous, et l'on vous persécutera; on vous traînera dans les synagogues et dans les prisons, on vous traduira devant les rois et les gouverneurs, à cause de mon nom. 13. Il vous arrivera ainsi, afin que vous puissiez *me* rendre témoignage. 14. Mettez donc ceci dans vos cœurs, de ne point songer d'avance à votre défense; 15. car je vous donnerai moi-même une bouche et une sagesse à laquelle tous vos ennemis ne pourront ni répondre ni résister. 16. Vous serez livrés même par vos parents, par vos frères, par vos proches et par vos amis, et ils feront mourir plusieurs d'entre vous. 17. Vous serez en haine à tous à cause de mon nom. 18. Cependant pas un cheveu de votre tête ne se perdra : 19. Par votre constance, vous sauverez vos âmes. ¶ 20. Lorsque vous verrez des soldats investir Jérusalem, sachez que sa désolation est proche. 21. Alors que

12. *Dans les synagogues* pour y être battus de verges. — 18. *Pas un cheveu*, etc. : image et promesse d'une protection spéciale.

ceux qui seront en Judée s'enfuient dans les montagnes, que ceux qui demeurent dans la ville en sortent, et que ceux qui demeurent dans la campagne n'entrent pas dans la ville. 22. Car ce seront des jours de justice, pour l'accomplissement de tout ce qui est écrit. 23. Malheur aux femmes qui seront enceintes ou qui allaiteront en ces jours-là! Car la détresse sera grande sur la terre, grande la colère *divine* contre ce peuple. 24. Ils tomberont sous le tranchant du glaive; ils seront emmenés captifs parmi toutes les nations, et Jérusalem sera foulée aux pieds par les Gentils, jusqu'à ce que les temps des Gentils soient accomplis.

Signes de la fin du monde.

25. Il y aura des signes dans le soleil, dans la lune et dans les étoiles, et, sur la terre, les nations seront dans l'angoisse et la consternation, au bruit de la mer et des flots *soulevés*, 26. les hommes séchant de frayeur dans l'attente de ce qui doit arriver à l'univers; car les puissances des cieux seront ébranlées. 27. Alors on verra le Fils de l'homme venant dans une nuée avec une grande puissance et une grande gloire.

Fin du monde.

28. Quand ces choses commenceront à arriver, relevez vos regards et vos têtes, parce que votre délivrance approche. " 29. Et il leur dit cette comparaison : "Voyez le figuier et tous les arbres : 30. dès qu'ils ont poussé leurs fruits, vous savez de vous-mêmes, en les voyant, que l'été est proche. 31. De même, quand vous verrez ces choses arriver, sachez que le royaume de Dieu est proche. 32. Je vous le dis en vérité, cette génération ne passera point, que tout cela ne soit accompli. 33. Le ciel et la terre passeront, mais mes paroles ne passeront point.

23. *Malheur :* ici, cri de compassion. — 24. *Jusqu'à ce que*, toutes les nations païennes étant entrées dans l'Eglise, le monde soit mûr pour le jugement. Israël alors viendra à Jésus Christ; puis arrivera le jugement final.

Vigilance.

34. Prenez garde à vous-mêmes, de peur que vos cœurs ne s'appesantissent par l'excès du manger et du boire, et par les soucis de la vie, et que ce jour ne fonde sur vous à l'improviste; 35. car il viendra comme un filet sur tous ceux qui habitent la face de la terre. 36. Veillez donc et priez sans cesse, afin que vous soyez trouvés dignes d'échapper à tous ces maux qui doivent arriver, et de paraître debout devant le Fils de l'homme. " ¶

37. Pendant le jour, Jésus enseignait dans le temple, et il en sortait pour aller passer la nuit sur la montagne qu'on appelle des Oliviers. 38. Et tout le peuple, dès le matin, venait à lui pour l'écouter dans le temple.

TROISIÈME PARTIE

VIE SOUFFRANTE ET GLORIEUSE DE JÉSUS (CH. 22 — 24).

LA PASSION (22 — 23).

✠ 1. *Le complot* — CH. 22.

La fête des Azymes, qu'on appelle la Pâque, approchait; 2. et les Princes des prêtres et les Scribes cherchaient comment ils feraient mourir Jésus; mais ils craignaient le peuple. 3. Or, Satan entra dans Judas, surnommé Iscariote, l'un des Douze; 4. et Judas alla s'entendre avec les Princes des prêtres et les officiers du temple, sur la manière de le leur livrer. 5. Eux, pleins de joie, promirent de lui donner de l'argent. 6. Il s'engagea de son côté, et il cherchait une occasion favorable de leur livrer Jésus sans ameuter la foule.

---

35. *Comme un filet*, qui s'abat brusquement sur une proie. — 36. *Debout*, avec la sécurité d'une conscience pure.

Chap. 22. — 4. *Avec les Princes des prêtres*, etc. : les chefs des prêtres et des lévites chargés de la police du temple. Il est naturel qu'ils interviennent au sujet d'une arrestation qui présentait des difficultés.

2. *La sainte Cène; derniers avis.*

7. Arriva le jour des Azymes, où l'on devait immoler la Pâque. 8. Jésus envoya Pierre et Jean : " Allez, leur dit-il, nous préparer le repas pascal." 9. Ils lui dirent : " Où voulez-vous que nous le préparions?" 10. Il leur répondit : " En entrant dans la ville, vous rencontrerez un homme portant une cruche d'eau; suivez-le dans la maison où il entrera, 11. et vous direz au maître de cette maison : Le Maître te fait dire : Où est le lieu où je mangerai la Pâque avec mes disciples? 12. Et il vous montrera une grande salle meublée : préparez-y ce qu'il faut." 13. Ils partirent, et trouvèrent les choses comme il le leur avait dit; et ils préparèrent la Pâque.

14. L'heure étant venue, Jésus se mit à table, et les douze Apôtres avec lui; 15. et il leur dit : ✠ " J'ai désiré d'un grand désir de manger cette Pâque avec vous, avant de souffrir. 16. Car, je vous le dis, je ne la mangerai plus jusqu'à la Pâque parfaite, célébrée dans le royaume de Dieu." 17. Et prenant une coupe, il rendit grâces et dit : " Prenez et partagez entre vous. 18. Car, je vous le dis, je ne boirai plus du fruit de la vigne, jusqu'à ce que le royaume de Dieu soit venu." 19. Puis il prit du pain, et ayant rendu grâces, il le rompit et le leur donna, en disant : " Ceci est mon corps, qui est donné pour vous : faites ceci en mémoire de moi." 20. Après avoir soupé, *il prit* de même la coupe en disant : " Cette coupe est la nouvelle alliance en mon sang, qui va être versé pour vous. ¶

21. Cependant voici que la main de celui qui

16. *La Pâque parfaite.* Sens : Je ne mangerai plus l'agneau pascal avec vous, jusqu'à ce que, à cette Pâque terrestre et imparfaite, succède une Pâque meilleure, l'éternel banquet du ciel. — 18. *Je ne boirai plus*, ce repas une fois achevé, etc. : même sens qu'au vers. 16. — 19. Par ces paroles : *Faites ceci en mémoire de moi*, J. C. institua ses Apôtres et leurs successeurs, prêtres de la nouvelle alliance, et leur donna le pouvoir de changer le pain et le vin en son corps et en son sang, et de les offrir à Dieu le Père pour tous les péchés du monde. Ainsi fut institué le sacrifice de la messe.

me trahit est avec moi à cette table. 22. Car le Fils de l'homme s'en va selon ce qui a été décrété; mais malheur à l'homme par qui il est trahi!" 23. Et *les disciples* se mirent à se demander les uns aux autres quel était celui d'entre eux qui devait faire cela.

24. ✠ Il s'éleva aussi parmi eux une dispute, *pour savoir* lequel d'entre eux devait être estimé le plus grand. 25. Jésus leur dit : "Les rois des nations dominent sur elles, et ceux qui leur commandent sont appelés Bienfaiteurs. 26. Pour vous, ne faites pas ainsi, mais que le plus grand parmi vous soit comme le plus petit, et celui qui gouverne comme celui qui sert. 27. Car quel est le plus grand, de celui qui est à table, ou de celui qui sert? N'est-ce pas celui qui est à table? Et moi, cependant, je suis au milieu de vous comme celui qui sert. 28. Vous, vous êtes demeurés avec moi dans mes épreuves; 29. et moi, je vous prépare un royaume, comme mon Père me l'a préparé, 30. afin que vous mangiez et buviez à ma table dans mon royaume, et que vous soyez assis sur des trônes, pour juger les douze tribus d'Israël." ¶

31. Le Seigneur dit : "Simon, Simon, Satan vous a réclamé pour vous cribler comme le froment; 32. mais j'ai prié pour toi, afin que ta foi ne défaille point; et toi, quand tu seras converti, confirme tes frères." 33. "Seigneur, lui dit Pierre, je suis prêt à aller avec vous et en prison et à la mort." 34. Jésus lui répondit : "Je te le dis, Pierre, le coq ne chante-

22. *Décrété* dans les desseins éternels de Dieu. — 24. *Le plus grand*, et par suite devant occuper le premier rang dans le royaume glorieux du Messie. — 27. *Celui qui sert :* allusion au lavement des pieds, qui allait suivre ou qui avait précédé ces paroles. — 32. *J'ai prié pour toi*, le chef des Apôtres, afin que, ta foi ne connaissant pas de défaillance, la foi de tous soit a jamais assurée. — *Converti*, après la chute passagère que N. S. va bientôt prédire en termes formels. — *Tes frères :* "Cette parole, *affermis tes frères*, n'est pas un commandement que Jésus fasse en particulier à saint Pierre. C'est un office qu'il érige et qu'il institue dans son Eglise à perpétuité... Une éternelle succession fut destinée à S. Pierre. Il devait toujours y avoir un Pierre dans l'Eglise pour confirmer ses frères dans la foi." *Bossuet.*

ra pas aujourd'hui, que tu n'aies nié trois fois de me connaître."

Il dit encore à ses disciples : 35. " Quand je vous ai envoyés sans bourse, ni sac, ni sandales, avez-vous manqué de quelque chose? " 36. "De rien, " lui dirent-ils. Il ajouta : "Mais maintenant, que celui qui a une bourse la prenne, et de même celui qui a un sac; et que celui qui n'a point d'épée vende sa tunique, et en achète une. 37. Car, je vous le dis, il faut encore que cette parole de l'Ecriture s'accomplisse en moi : Il a été mis au rang des malfaiteurs. En effet, ce qui me concerne touche aussi à sa fin. " 38. Ils lui dirent : " Seigneur, il y a ici deux épées." Il leur répondit : " C'est assez."

3. *A Gethsémani.*

39. Etant sorti, il s'en alla, selon sa coutume, vers le mont des Oliviers, et ses disciples le suivirent. 40. Lorsqu'il fut arrivé dans ce lieu, il leur dit : " Priez, afin de ne point tomber en tentation. " 41. Puis il s'éloigna d'eux à la distance d'un jet de pierre; et s'étant mis à genoux, il priait, 42. disant : " Père, si vous le voulez, éloignez de moi ce calice! Cependant que votre volonté soit faite, et non la mienne!" 43. Alors un ange lui apparut du ciel, pour le fortifier. 44. Et étant en agonie, il priait plus instamment, et sa sueur devint comme des gouttes de sang découlant jusqu'à terre. 45. Après avoir prié, il se leva et vint vers les disciples, qu'il trouva endormis de tristesse. 46. Et il leur dit : " Pourquoi dormez-vous? Levez-vous et priez, afin de ne point tomber en tentation."

47. Comme il parlait encore, voici qu'une troupe de gens parut; celui qu'on appelait Judas, l'un des Douze, marchait en tête. Il s'approcha de Jésus pour le baiser. 48. Et Jésus lui dit : " Judas, tu

---

36. Images sous lesquelles N. S. décrit le dénuement, les dangers, la haine et les persécutions qu'ils vont bientôt rencontrer dans la prédication de l'Evangile. — 37. *Isaïe*, liii, 12. — *Ce qui me concerne*, ma vie, etc. — 38. *Assez* là-dessus, il suffit, n'en parlons plus.

livres le Fils de l'homme par un baiser!" 49. Ceux qui étaient avec Jésus, voyant ce qui allait arriver, dirent : "Seigneur, si nous frappions de l'épée?" 50. Et l'un d'eux frappa le serviteur du grand prêtre, et lui coupa l'oreille droite. 51. Mais Jésus dit: "Laissez-les faire." Et, ayant touché l'oreille de cet homme, il le guérit. 52. Puis, s'adressant aux Princes des prêtres, aux officiers du temple et aux Anciens qui étaient venus pour le prendre, il leur dit : "Vous êtes venus, comme après un brigand, avec des épées et des bâtons. 53. J'étais tous les jours avec vous dans le temple, et vous n'avez pas mis la main sur moi. Mais voici votre heure et l'empire des ténèbres."

4. *Chez Caïphe.*

54. S'étant saisis de lui, ils l'emmenèrent à la maison du grand prêtre; Pierre suivait de loin. 55. *Les soldats* allumèrent du feu au milieu de la cour et s'assirent, et Pierre s'assit parmi eux. 56. Une servante, qui le vit assis devant le feu, l'ayant regardé fixement, dit : "Cet homme était aussi avec lui." 57. Mais Pierre renia Jésus, en disant : "Femme, je ne le connais point." 58. Un peu après, un autre l'ayant vu, dit : "Tu es aussi de ces gens-là." Pierre répondit : "Mon ami, je n'en suis point." 59. Une heure environ s'était écoulée, lorsqu'un autre vint dire avec assurance : "Certainement cet homme était aussi avec lui, car il est de la Galilée." 60. Pierre répondit : "Mon ami, je ne sais ce que tu veux dire." Et aussitôt, comme il parlait encore, le coq chanta. 61. Le Seigneur, s'étant retourné, regarda Pierre, et Pierre se souvint de la parole que le Seigneur lui avait dite : "Avant que le coq chante aujourd'hui tu me renieras trois fois." 62. Et

50. *Pierre* frappa *Malchus.* — 53. Le moment fixé par mon Père est venu, et les puissances de l'enfer ont reçu le pouvoir de me crucifier par vos mains. — 54. *A la maison du grand prêtre,* chez Anne d'abord (*Jean.* xviii, 12 sv.), puis chez Caïphe, le grand prêtre en fonction (*Matth.* xxvi, 57). C'est dans la cour et dans le palais de ce dernier que se passent les faits qui suivent.

étant sorti, il pleura amèrement.

63. Ceux qui tenaient Jésus se moquaient de lui et le frappaient. 64. Ils lui bandèrent les yeux, et, le frappant au visage, ils l'interrogeaient, disant : "Devine qui t'a frappé." 65. Et ils proféraient contre lui beaucoup d'autres injures. 66. Dès qu'il fit jour, les Anciens du peuple, les Princes des prêtres et les Scribes s'assemblèrent, et firent amener Jésus devant eux. Ils dirent : "Si tu es le Christ, dis-le-nous." 67. Il leur répondit : "Si je vous le dis, vous ne le croirez pas; 68. et si je vous interroge, vous ne me répondrez pas et vous ne me relâcherez pas. 69. Désormais le Fils de l'homme sera assis à la droite de la puissance de Dieu." 70. Alors ils dirent tous : "Tu es donc le Fils de Dieu?" Il leur répondit : "Vous le dites, je le suis." 71. Et ils dirent : "Qu'avons-nous encore besoin de témoignage? Nous l'avons nous-mêmes entendu de sa bouche."

5. *Devant Pilate et Hérode.*

CH. 23.

Toute l'assemblée s'étant levée, ils menèrent Jésus devant Pilate. 2. Et ils se mirent à l'accuser, en disant : "Nous avons trouvé cet homme qui poussait notre nation à la révolte, et défendait de payer le tribut à César, se disant lui-même Christ *et* roi." 3. Pilate l'interrogea, disant : "Es-tu le roi des Juifs?" Jésus lui répondit : "Tu le dis."

4. Pilate dit aux Princes des prêtres et au peuple : "Je ne trouve rien de criminel en cet homme." 5. Mais redoublant leurs instances, ils dirent : "Il soulève le peuple, répandant sa doctrine dans toute la Judée, depuis la Galilée, où il a commen-

66. Un premier interrogatoire de Jésus, suivi de sa condamnation à mort, avait eu lieu pendant la nuit dans la maison de Caïphe (*Matth.* xxvi, 57-66; *Marc*, xiv. 53-64). Mais la loi juive ne permettant pas de juger les affaires capitales pendant la nuit, pour guérir ce vice de forme, le sanhédrin se rassemble au point du jour. — 71. *De témoignage*, de témoin attestant qu'il se donne pour le Messie : il l'avoue lui-même.

Chap. 23. — 2. C'était précisément le contraire qui était vrai (*Luc*, xx, 25); mais, devant Pilate, il fallait bien donner à l'accusation une couleur politique.

cé, jusqu'ici." 6. Quand Pilate entendit nommer la Galilée, il demanda si cet homme était Galiléen; 7. et ayant appris qu'il était de la juridiction d'Hérode, il le renvoya à Hérode, qui se trouvait aussi à Jérusalem en ces jours-là.

8. Hérode eut une grande joie de voir Jésus; car depuis longtemps il en avait le désir, parce qu'il avait entendu parler de lui, et il espérait lui voir opérer quelque prodige. 9. Il lui adressa beaucoup de questions, mais Jésus ne lui répondit rien. 10. Or les Princes des prêtres et les Scribes se trouvaient là, l'accusant avec opiniâtreté. 11. Mais Hérode, avec sa garde, le traita avec mépris, et après s'être moqué de lui et l'avoir revêtu d'une robe blanche, il le renvoya à Pilate. 12. Le jour même Hérode et Pilate devinrent amis, d'ennemis qu'ils étaient auparavant.

13. Pilate, ayant assemblé les Princes des prêtres, les Anciens et le peuple, 14. leur dit : "Vous m'avez amené cet homme comme excitant le peuple à la révolte; je l'ai interrogé devant vous, et je n'ai trouvé en lui aucun des crimes dont vous l'accusez; 15. ni Hérode non plus, car je vous ai renvoyés à lui. Ainsi cet homme n'a rien fait qui mérite la mort. 16. Je le relâcherai donc après l'avoir fait châtier."

17. Pilate était obligé, à chaque fête *de Pâque*, de leur accorder la délivrance d'un prisonnier. 18. Mais la foule tout entière s'écria : "Fais mourir celui-ci, et relâche-nous Barabbas : " — 19. lequel avait été mis en prison à cause d'une sédition qui avait eu lieu dans la ville, et d'un meurtre. 20. Pilate, qui désirait relâcher Jésus, les harangua de nouveau; 21. mais ils répondirent par ce cri : "Crucifie-le!

7. Hérode Antipas résidait habituellement à Tibériade, sa capitale; mais il était venu aussi à Jérusalem pour la fête de Pâque. — 11. *Blanche*, litt. *éclatante*, telle qu'en portaient les rois et les princes dans les circonstances solennelles, et cela par un jeu dérisoire, à peu près semblable, quoique moins cruel, à celui des soldats qui couronnèrent Jésus d'épines et couvrirent ses épaules d'une casaque rouge. — 16. *Châtier*, battre de verges.

crucifie-le!" 22. Pour la troisième fois, Pilate leur dit : "Qu'a-t-il donc fait de mal? Je n'ai rien trouvé en lui qui mérite la mort. Ainsi je le ferai châtier et le renverrai." 23. Mais ils insistèrent, demandant à grands cris qu'il fût crucifié, et leurs clameurs et celles des grands prêtres l'emportèrent : 24. Pilate prononça que ce qu'ils demandaient serait exécuté. 25. Il relâcha, comme ils le réclamaient, celui qui avait été mis en prison pour sédition et pour meurtre, et il livra Jésus à leur volonté.

6. *Au Calvaire.*

26. Comme ils l'emmenaient, ils prirent un nommé Simon de Cyrène, qui revenait des champs, et ils le chargèrent de la croix, pour qu'il la portât derrière Jésus. 27. Jésus était suivi d'une grande foule de peuple, et de femmes qui se frappaient la poitrine et se lamentaient sur lui. 28. Il se tourna vers elles, et dit : "Filles de Jérusalem, ne pleurez pas sur moi, mais pleurez sur vous-mêmes et sur vos enfants; 29. car voici que des jours viennent où l'on dira : Heureuses les stériles, *heureux* le sein qui n'a point enfanté et les mamelles qui n'ont point allaité! 30. Alors ils diront aux montagnes : Tombez sur nous, et aux collines : Couvrez-nous. 31. Car, si l'on traite ainsi le bois vert, que fera-t-on du bois sec?"

32. Les soldats conduisaient en même temps deux malfaiteurs, qui devaient être mis à mort avec Jésus. 33. Lorsqu'ils furent arrivés au lieu appelé Calvaire, ils le crucifièrent, ainsi que les deux malfaiteurs, l'un à sa droite, l'autre à sa gauche. 34. Jésus dit : "Père, pardonnez-leur, car ils ne savent ce qu'ils font." Ils se partagèrent ensuite

27. Une tradition très ancienne rapporte qu'une de ces femmes s'avança jusqu'à Jésus, et lui essuya avec un mouchoir son visage ruisselant de sueur, de sorte que l'empreinte de la face adorable y resta imprimée en traits sanglants : d'où le nom de *Véronique*, qui signifie vraie image. — 29. *Des jours :* le siège de Jérusalem par Titus. — *Stériles :* la stérilité, regardée autrefois comme une malédiction (*Osée*, IX, 14), deviendra une bénédiction. — 31. *Le bois vert*, couronné de feuilles et de fruits, symbole du juste (*Ps.* I). — 34. *Ils ne savent*, etc. "Non content de pardonner à ses ennemis, sa divine

ses vêtements, en les tirant au sort.

35. Le peuple se tenait là, et regardait. Les membres du grand conseil, aussi bien que le peuple, le raillaient en disant : "Il en a sauvé d'autres; qu'il se sauve lui-même, s'il est le Christ, l'élu de Dieu." 36. Les soldats aussi se moquaient de lui; s'approchant et lui présentant du vinaigre, 37. ils disaient : "Si tu es le roi des Juifs, sauve-toi toi-même." 38. Il y avait aussi au-dessus de sa tête une inscription en grec, en latin et en hébreu, portant : "Celui-ci est le roi des Juifs." 39. L'un des malfaiteurs pendus à la croix l'injuriait, disant : "N'es-tu pas le Christ? Sauve-toi toi-même et sauve-nous." 40. Mais l'autre le reprenait, en disant : "Ne crains-tu pas Dieu, toi qui es condamné au même supplice? 41. Pour nous, c'est justice, car nous recevons ce qu'ont mérité nos crimes; mais lui, il n'a rien fait de mal." 42. Et il dit à Jésus : "Seigneur, souvenez-vous de moi, quand vous serez entré dans votre royaume." 43. Jésus lui répondit : "Je te le dis en vérité, aujourd'hui tu seras avec moi dans le Paradis."

44. Il était environ la sixième heure, quand des ténèbres couvrirent toute la terre jusqu'à la neuvième heure. 45. Le soleil s'obscurcit, et le voile du temple se déchira par le milieu. 46. Et Jésus s'écria d'une voix forte : "Père, je remets mon esprit entre vos mains." En disant ces mots, il expira. 47. Le centurion, voyant ce qui était arrivé, glorifia Dieu, et dit : "Certainement cet homme était juste." 48. Et toute la multitude de ceux qui assistaient à ce spectacle, après avoir vu toutes ces choses, s'en retournèrent en se frappant la poitrine. 49. Mais tous ceux de la connaissance de Jésus, et les femmes qui l'avaient suivi de Galilée, se te-

bonté les excuse; il plaint leur ignorance plus qu'il ne blâme leur malice, et, ne pouvant excuser la malice même, il offre pour l'expier la mort qu'ils lui font souffrir, et *les rachète du sang qu'ils répandent*, dit saint Augustin." *Bossuet.* — 42. Après votre résurrection et votre glorieux avènement. — 45. *Le voile du temple :* ce second miracle n'eut lieu qu'après la mort de Jésus. Voy. *Matth.* xxvi, 51.

naient là, à distance, regardant ce qui se passait.

7. *La sépulture.*

50. Il y avait un membre du grand conseil, nommé Joseph, homme bon et juste, 51. qui n'avait donné son assentiment ni au dessein des autres, ni à leurs actes ; — il était d'Arimathie, ville de Judée, et attendait, lui aussi, le royaume de Dieu. — 52. Cet homme alla trouver Pilate, et lui demanda le corps de Jésus. 53. Il le descendit *de la croix*, l'enveloppa d'un linceul, et le déposa dans un sépulcre taillé *dans le roc*, où personne n'avait encore été mis. ¶ 54. C'était le jour de la Préparation, et le sabbat allait commencer. 55. Les femmes qui étaient venues de la Galilée avec Jésus, ayant accompagné *Joseph*, virent le sépulcre, et la manière dont le corps de Jésus y avait été déposé. 56. Et s'en étant retournées, elles préparèrent des aromates et des parfums; le jour du sabbat, elles demeurèrent en repos, selon la Loi.

JÉSUS RESSUSCITÉ (24).

CH. 24. — *Les saintes femmes et Pierre au tombeau.*

Le premier jour de la semaine, de grand matin, elles se rendirent au sépulcre, avec les aromates qu'elles avaient préparés. 2. Elles virent que la pierre avait été roulée loin du sépulcre ; 3. et, étant entrées, elles ne trouvèrent pas le corps du Seigneur Jésus. 4. Comme elles étaient remplies d'anxiété à ce sujet, voici que leur apparurent deux hommes vêtus de robes resplendissantes. 5. Saisies de frayeur, elles baissèrent le visage vers la terre;

54. *Jour de la préparation*, notre vendredi, ainsi appelé parce que les Juifs préparaient, ce jour-là, tout ce qui était nécessaire pour le sabbat, dont le repos était inviolable. — *Commencer :* c'était le soir du vendredi, et les jours se comptaient d'un coucher du soleil à l'autre. — 56. *Parfums*, pour embaumer le corps de Jésus. D'après S. Marc (xvi, 1), elles en achetèrent encore le samedi soir.

Chap. 24. — 4. *Deux hommes*, deux anges. S. Matthieu et S. Marc mentionnent seulement celui des deux qui adressa la parole aux saintes femmes.

mais ils leur dirent : "Pourquoi cherchez-vous parmi les morts celui qui est vivant? 6. Il n'est point ici, mais il est ressuscité. Souvenez-vous de ce qu'il vous a dit lorsqu'il était encore en Galilée : 7. il faut que le Fils de l'homme soit livré entre les mains des pécheurs, qu'il soit crucifié, et qu'il ressuscite le troisième jour." 8. Et elles se souvinrent des paroles de Jésus. 9. A leur retour du sépulcre, elles rapportèrent toutes ces choses aux Onze et à tous les autres. 10. Celles qui firent ce rapport aux Apôtres étaient Marie Madeleine, Jeanne, Marie, mère de Jacques, et les autres femmes qui étaient avec elles. 11. Mais ils regardèrent leurs discours comme des rêveries, et ils ne crurent pas ces femmes.

12. Toutefois Pierre se leva et courut au sépulcre; et, s'étant penché, il ne vit que les linges par terre, et il s'en alla chez lui, dans l'admiration de ce qui était arrivé.

Les disciples d'Emmaüs.

13. ✠ Ce même jour, deux disciples allaient à un village nommé Emmaüs, distant de Jérusalem de soixante stades; 14. et ils s'entretenaient de tous ces événements. 15. Pendant qu'ils discouraient, échangeant leurs pensées, Jésus lui-même les joignit et fit la route avec eux; 16. mais leurs yeux étant retenus *par une vertu divine*, ils ne le reconnaissaient pas. 17. Il leur dit : "De quoi vous entretenez-vous ainsi en marchant, que vous soyez tout tristes?" 18. L'un d'eux, nommé Cléophas, lui répondit : "Tu es bien le seul étranger venu à Jérusalem, qui ne sache pas les choses qui y sont arrivées ces jours-ci!" 19. "Quelles choses?" leur dit-il. Ils répondirent : "*Ce qui est arrivé* à Jésus de Nazareth, qui était un prophète puissant en œuvres et en paroles devant Dieu et

13. *Deux disciples;* ce n'étaient pas des Apôtres (vers. 22, 33). Ils s'en retournaient chez eux après la fête de Pâque. — 16. Notre Seigneur voulait les laisser s'exprimer librement en sa présence, afin d'arriver ainsi à les guérir tout à fait de leur incrédulité. — 18. Ils le prennent aussi pour un pèlerin qui a passé quelques jours dans la ville sainte.

devant tout le peuple : 20. comment les Princes des prêtres et nos Anciens l'ont livré pour être condamné à mort, et l'ont crucifié. 21. Nous espérions que ce serait lui qui délivrerait Israël; mais, avec tout cela, c'est aujourd'hui le troisième jour que ces choses sont arrivées. 22. A la vérité, quelques-unes des femmes qui sont avec nous, nous ont fort étonnés : étant allées avant le jour au sépulcre, 23. et n'ayant pas trouvé son corps, elles sont venues dire que des anges leur ont apparu et ont annoncé qu'il est vivant. 24. Quelques-uns des nôtres sont allés au sépulcre, et ont trouvé toutes choses comme les femmes l'avaient dit; mais lui, ils ne l'ont point vu." 25. Alors Jésus leur dit : "O hommes sans intelligence, et dont le cœur est lent à croire tout ce qu'ont dit les Prophètes! 26. Ne fallait-il pas que le Christ souffrît ces choses, et qu'il entrât ainsi dans sa gloire?" 27. Puis, commençant par Moïse, et parcourant tous les prophètes, il leur expliqua, dans toutes les Ecritures, ce qui le concernait. 28. Lorsqu'ils se trouvèrent près du village où ils allaient, il parut vouloir aller plus loin. 29. Mais ils le pressèrent, en disant : "Reste avec nous, car il se fait tard, et déjà le jour baisse." Et il entra *dans le village* pour rester avec eux. 30. S'étant mis à table avec eux, il prit le pain et, après avoir rendu grâces, il le rompit, et le leur donna. 31. Alors leurs yeux s'ouvrirent, et ils le reconnurent; mais il disparut de devant leurs yeux. 32. Et ils se dirent l'un à l'autre : "N'est-il pas vrai que notre cœur était tout brûlant au dedans de nous, lorsqu'il nous parlait en chemin, et nous expliquait les Ecritures?" 33. Se levant à l'heure même, ils retournèrent à Jérusalem,

21. *Délivrer Israël* de la domination romaine, et rétablir le royaume de Juda. — 26. *Ne fallait-il pas*, selon les décrets divins. — 30. La plupart des Pères et beaucoup d'interprètes pensent que Jésus, en ce moment, donna son corps adorable à ses deux disciples. L'expression *fraction du pain* (vers. 35) désignait chez les premiers fidèles le pain eucharistique (*Act.* ii, 42). — 33. *Les onze :* telle était

où ils trouvèrent réunis les Onze et leurs compagnons, 34. qui leur dirent : "Le Seigneur est vraiment ressuscité, et il est apparu à Simon." 35. Eux-mêmes, à leur tour, racontèrent ce qui leur était arrivé en chemin, et comment ils l'avaient reconnu à la fraction du pain. ¶

Apparition à Jérusalem et instructions aux Apôtres.

36. ✠ Pendant qu'ils s'entretenaient ainsi, Jésus se présenta au milieu d'eux, et leur dit : "La paix soit avec vous! c'est moi, ne craignez point." 37. Saisis de stupeur et d'effroi, ils crurent voir un esprit. 38. Mais il leur dit : "Pourquoi vous troublez-vous, et pourquoi ces pensées s'élèvent-elles dans vos cœurs? 39. Voyez mes mains et mes pieds; c'est bien moi. Touchez-moi, et considérez qu'un esprit n'a ni chair ni os, comme vous voyez que j'en ai." 40. Ayant ainsi parlé, il leur montra ses mains et ses pieds. 41. Comme, dans leur joie, ils hésitaient encore à croire et ne revenaient pas de leur étonnement, il leur dit : "Avez-vous ici quelque chose à manger?" 42. Ils lui présentèrent du poisson rôti et un rayon de miel. 43. Lorsqu'il eut mangé devant eux, prenant ce qui restait, il le leur donna.

44. Puis il leur dit : "C'est là ce que je vous disais, étant encore avec vous, qu'il fallait que tout ce qui est écrit de moi dans la loi de Moïse, dans les Prophètes et dans les Psaumes, s'accomplît." 45. Alors il leur ouvrit l'esprit, pour qu'ils comprissent les Ecritures; 46. et il leur dit : "Il est ainsi écrit, et ainsi il fallait que le Christ souffrît, et qu'il ressuscitât des morts le troisième jour, 47. et qu'on prêchât en son nom la pénitence et la rémission des péchés à toutes les nations, à commencer par Jérusa-

depuis la mort de Judas, la désignation officielle du collège apostolique. — 44. *Puis il leur dit :* après cette vague indication chronologique, S. Luc semble résumer l'ensemble des instructions que le Sauveur donna à ses Apôtres, pendant les 40 jours qui séparèrent la Résurrection de l'Ascension.

lem. ¶ 48. Vous êtes témoins de ces choses. 49. Pour moi, je vais vous envoyer le don promis par mon Père; vous, restez dans la ville, jusqu'à ce que vous soyez revêtus d'une force d'en haut.

Ascension.

50. Puis il les conduisit hors de la ville, jusqu'à Béthanie, et, ayant levé les mains, il les bénit. 51. Pendant qu'il les bénissait, il se sépara d'eux, et il fut enlevé au ciel. 52. Pour eux, après l'avoir adoré, ils retournèrent à Jérusalem avec une grande joie. 53. Et ils étaient continuellement dans le temple, louant et bénissant Dieu. Amen!

48. *Vous êtes témoins*, etc. : votre rôle est d'en rendre témoignage : et comme les Apôtres l'ont bien rempli! — 49. *Le don promis*, l'Esprit Saint (*Jean*, XIV, 16-26). — *D'une force d'en haut*, donnée par l'Esprit Saint. — 50. *Jusqu'à Béthanie*, sur le mont des Oliviers, mais sans entrer dans ce village.

LE SAINT ÉVANGILE DE J. C.

SELON SAINT JEAN.

Prologue.

Le Verbe fait chair.

✠ CH. 1.

AU commencement était le Verbe, et le Verbe était en Dieu, et le Verbe était Dieu. 2. Il était au commencement en Dieu. 3. Toutes choses ont été faites par lui, et rien de ce qui a été fait, n'a été fait sans lui. 4. En lui était la vie, et la vie était la lumière des hommes. 5. Et la lumière brille dans les ténèbres, et les ténèbres ne l'ont point reçue.

6. Un homme parut; il était envoyé de Dieu, son nom était Jean. 7. Il vint en témoignage, pour

Chap. I. — 1. *Au commencement*, dès l'origine des choses, *il était;* il ne commençait pas, *il était;* on ne le créait pas, on ne le faisait pas, *il était.* — *En Dieu :* le Verbe est donc au sein de la Trinité une personne distincte. — *Etait Dieu :* le Verbe est donc consubstantiel au Père par l'unité de nature. Ainsi trois choses sont exprimées dans ce premier verset : l'éternité, la personnalité et la divinité du Fils de Dieu. — 2. Résumé du premier vers. — 3. *Par lui :* le monde a sa raison dernière dans la volonté éternelle du Père; mais il est venu à l'existence par le moyen du Verbe, que S. Irénée appelle *la main de Dieu.* — 4. Le Verbe, qui possède la vie parfaite, la vie divine, est, aussi bien dans l'ordre naturel que dans l'ordre surnaturel, source de *vie* pour toute créature, et source de *lumière* pour les créatures raisonnables. — 5. Les ténèbres désignent ici, par figure, les hommes ignorants et pécheurs.

rendre témoignage à la lumière, afin que tous crussent par lui. 8. Il n'était pas la lumière, mais il devait rendre témoignage à la lumière. 9. *Le Verbe* était la vraie lumière qui éclaire tout homme venant en ce monde. 10. Il était dans le monde, et le monde a été fait par lui, et le monde ne l'a point connu. 11. Il est venu dans son héritage, et les siens ne l'ont pas reçu. 12. Mais à tous ceux qui l'ont reçu, à ceux qui croient en son nom, il a donné le pouvoir de devenir enfants de Dieu, 13. *enfants* qui ne sont pas nés du sang, ni de la volonté de la chair, ni de la volonté de l'homme, mais de Dieu.

14. Et le Verbe a été fait chair, et il a habité parmi nous, plein de grâce et de vérité; et nous avons contemplé sa gloire, gloire comme celle qu'un Fils unique *tient* de *son* Père. ¶ 15. Jean rend témoignage de lui, en disant à haute voix : "Voici celui dont je disais : Celui qui vient après moi a été fait plus grand que moi, parce qu'il était avant moi." 16. Et nous avons tous reçu de sa plénitude, et grâce sur grâce. 17. Car la Loi a été donnée par Moïse, *mais* la grâce et la vérité nous sont venues par Jésus Christ. 18. Personne n'a jamais vu Dieu; le Fils unique, qui est dans le sein du Père, est celui qui l'a fait connaître.

---

11. *Son héritage :* le peuple juif. — 12. *Le pouvoir*, l'aptitude, la faculté; ou bien : la prérogative, l'honneur. — *Enfants de Dieu.* S. Paul appelle le Fils *premier-né de beaucoup de frères.* Ce divin premier-né est Fils de Dieu par nature; les chrétiens le sont par adoption, et en vertu de cette adoption, Dieu répand dans leurs âmes l'Esprit Saint lui-même, qui est l'Esprit de Jésus Christ. — 16. *Plénitude*, de grâce et de vérité. — *Et*, savoir. — *Grâce sur grâce*, forme hébraïque du superlatif, c'est-à-dire une grande abondance de grâces. — 18. Sens : Cette vérité complète, le Fils unique seul pouvait nous la faire connaître (*Hébr.* iii, 5. 6).

PREMIÈRE PARTIE

JÉSUS MANIFESTE SA GLOIRE PAR SA VIE PUBLIQUE. (Ch. 1, 19 — 12, 50).

1° — Devant les hommes de bonne volonté. (1, 19 — 4).

Les 3 premières manifestations de Jésus : *Deux témoignages de S. Jean Baptiste.*

19. ✠ Or voici le témoignage que rendit Jean, lorsque les Juifs envoyèrent de Jérusalem des prêtres et des lévites pour lui demander : " Qui êtes-vous? " 20. Il déclara, et ne le nia point, il déclara : " Je ne suis point le Christ. " 21. Et ils lui demandèrent : " Quoi donc! Etes-vous Elie? " Il dit : " Je ne le suis point. " " Etes-vous le Prophète? " Il répondit : " Non." 22. " Qui êtes-vous donc? lui dirent-ils, afin que nous donnions une réponse à ceux qui nous ont envoyés. Que dites-vous de vous-même?" 23. Il répondit : " Je suis la voix de celui qui crie au désert : Aplanissez le chemin du Seigneur, comme l'a dit le prophète Isaïe. " 24. Or, ceux qu'on lui avait envoyés étaient des Pharisiens. 25. Ils l'interrogèrent *encore*, et lui dirent : " Pourquoi donc baptisez-vous, si vous n'êtes ni le Christ, ni Elie, ni le Prophète? " 26. Jean leur répondit : " Moi, je baptise dans l'eau; mais au milieu de vous il y a quelqu'un que vous ne connaissez pas : 27. c'est celui qui doit venir après moi, qui a été fait plus grand que moi, et je ne suis pas digne de délier la courroie de sa chaussure. " 28. Ceci se passait à Béthanie, au delà du Jourdain, où Jean baptisait. ¶ 29. Le lendemain, Jean vit Jésus qui venait vers lui, et il dit : " Voici l'Agneau de Dieu, voici celui qui

19. *Les Juifs*, des membres du Sanhédrin (comp. v, 15; ix, 22, al.). — *Qui êtes-vous?* La réponse de Jésus indique que ces envoyés lui demandèrent s'il était le Christ. — 26-27. *Moi, je baptise*, non dans l'Esprit Saint, ce qui n'appartient qu'au Christ (vers. 33), mais *dans l'eau*, pour vous préparer à le recevoir, car déjà il est au milieu de vous. — 29. L'*Agneau de Dieu*, l'Agneau destiné à être offert à

ôte le péché du monde. 30. C'est de lui que j'ai dit : Un homme vient après moi, qui a été fait plus grand que moi, parce qu'il était avant moi. 31. Et moi, je ne le connaissais pas, mais c'est afin qu'il fût manifesté en Israël, que je suis venu baptiser dans l'eau."

32. Et Jean rendit ce témoignage : "J'ai vu l'Esprit descendre du ciel comme une colombe, et il s'est reposé sur lui. 33. Et moi, je ne le connaissais pas; mais celui qui m'a envoyé pour baptiser dans l'eau m'a dit : Celui sur qui tu verras l'Esprit descendre et se reposer, c'est lui qui baptise dans l'Esprit Saint. 34. Je l'ai vu, et j'ai rendu témoignage que c'est lui qui est le Fils de Dieu."

Nouveau témoignage du Précurseur.

35. Le lendemain, Jean se trouvait encore là, avec deux de ses disciples. 36. Et ayant regardé Jésus qui passait, il dit : "Voici l'Agneau de Dieu." 37. Ces deux disciples l'entendirent parler ainsi, et ils suivirent Jésus. 38. Alors Jésus se retourna, et voyant qu'ils le suivaient, il leur dit : "Que cherchez-vous?" Ils lui répondirent : "Rabbi (ce qui signifie Maître), où demeurez-vous?" 39. Il leur dit : "Venez et voyez." Ils allèrent, et virent où il demeurait, et ils restèrent ce jour-là. Or c'était environ la dixième heure. 40. André, frère de Simon Pierre, était l'un des deux *disciples* qui avaient entendu la parole de Jean, et qui avaient suivi Jésus. 41. Il rencontra le premier son frère Simon, et lui dit : "Nous avons trouvé le

Dieu comme victime pour expier les péchés du monde. Allusion à la prophétie d'Isaïe (iii, 7), qui représente sous ces traits le serviteur de Dieu, le Messie. — 31. *Je ne le connaissais pas :* ni la personne de Jésus ni sa dignité de Messie n'étaient ignorés de Jean Baptiste. Toutefois, avant de pouvoir dire au peuple avec une certitude absolue et une irrécusable autorité : Voici le Christ, il convenait qu'il fût instruit de cette vérité par Dieu même au moyen de quelque signe extraordinaire. Ce signe, destiné moins sans doute à persuader Jean Baptiste qu'à convaincre ses contemporains, l'Esprit Saint le lui révèle d'avance : *Celui sur qui tu verras*, etc. (vers. 33). Jusqu'à l'apparition du signe annoncé de Dieu, le Précurseur pouvait dire qu'il ne connaissait pas Jésus comme le Messie d'une manière *authentique*. — 39. *La dixième heure*, 4 heures après-midi.

Messie (ce qui signifie le Christ)." 42. Et il l'amena à Jésus. Jésus, l'ayant regardé, *lui* dit : " Tu es Simon, fils de Jonas; tu seras appelé Céphas (ce qui signifie Pierre)."

Les cinq premiers disciples.

43. Le jour suivant, Jésus résolut d'aller en Galilée. Il rencontra Philippe, et lui dit : " Suis-moi." 44. Philippe était de Bethsaïde, de la même ville qu'André et Pierre. 45. Philippe rencontra Nathanaël et lui dit : " Nous avons trouvé celui dont Moïse a parlé dans la Loi, et *que* les Prophètes *ont annoncé*; c'est Jésus, fils de Joseph, de Nazareth." 46. Nathanaël lui répondit : " Peut-il sortir de Nazareth quelque chose de bon?" Philippe lui dit : "Viens et vois." 47. ✠ Jésus, voyant venir vers lui Nathanaël, dit en parlant de lui : " Voilà un vrai Israélite, en qui il n'y a nul artifice. 48. Nathanaël lui dit : " D'où me connaissez-vous? " "Avant que Philippe t'appelât, lui dit Jésus, lorsque tu étais sous le figuier, je t'ai vu." 49. Nathanaël lui répondit : "Maître, vous êtes le Fils de Dieu, vous êtes le roi d'Israël." 50. Jésus lui répondit : " Parce que je t'ai dit : Je t'ai vu sous le figuier, tu crois! Tu verras de plus grandes choses que celles-là." 51. Et il ajouta : " En vérité, en vérité, je vous le dis, vous verrez désormais le ciel ouvert, et les anges de Dieu monter et descendre sur le Fils de l'homme.¶"

✠ CH. 2. — *Les noces de Cana.*

Trois jours après, il se fit des noces à Cana en Galilée; et la mère de Jésus y était. 2. Jésus fut aussi convié aux no-

42. *Jonas*, même nom que Jean. — *Céphas*, mot qui signifie *pierre* ou *rocher* : comp. *Matth.* XVI, 18. — 45. *Nathanaël*, c'est-à-dire *don de Dieu* (Théodore), nom propre de l'apôtre Barthélemi, c'est-à-dire *fils de Tholmai*, (Ptolémée). Ce dernier nom était plus en usage chez les Juifs. — *De Nazareth :* Philippe ignorait encore que Jésus était né à Bethléem. — 51. *Le ciel ouvert :* allusion à la vision de Jacob (*Gen.* XXVIII, 12). Ce patriarche vit le ciel ouvert et une échelle mystérieuse allant de la terre au ciel, et dont les anges montaient et descendaient les degrés. De même, à partir de ce moment, le ciel sera comme ouvert pour le Messie, il commandera en maître à la nature et fondera ainsi le nouveau royaume de Dieu, où toutes les nations de la terre doivent trouver le salut.

Chap. 2. — 1. *Trois jours après* l'arrivée de Jésus en Galilée.

ces avec ses disciples. 3. Le vin étant venu à manquer, la mère de Jésus lui dit : "Ils n'ont point de vin." 4. Jésus lui répondit : "Femme, qu'y a-t-il entre vous et moi? Mon heure n'est pas encore venue." 5. Sa mère dit aux serviteurs : "Faites tout ce qu'il vous dira." 6. Or il y avait là six urnes de pierre destinées aux ablutions des Juifs, et contenant chacune deux ou trois mesures. 7. Jésus leur dit : "Remplissez d'eau ces urnes." Et ils les remplirent jusqu'au haut. 8. Alors Jésus leur dit : "Puisez maintenant, et portez-en au maître du festin"; et ils en portèrent. 9. Sitôt que le maître du festin eut goûté l'eau changée en vin (il ne savait pas d'où venait ce vin, mais les serviteurs qui avaient puisé de l'eau le savaient bien), il interpella l'époux, 10. et lui dit : "Tout homme sert d'abord le bon vin, et, après qu'on a beaucoup bu, le moins bon; mais toi, tu as gardé le bon vin jusqu'à cette heure." 11. Tel fut le premier des miracles de Jésus, et il le fit à Cana en Galilée. Il manifesta sa gloire, et ses disciples crurent en lui. ¶ 12. Après cela, il descendit à Capharnaüm avec sa mère, ses frères et ses disciples, et ils n'y demeurèrent que peu de jours.

Manifestation de la gloire de Jésus à Jérusalem et en Judée au temps de la 1ère Pâque. — *Vendeurs chassés du temple; beaucoup croient.*

13. ✠ La Pâque des Juifs étant proche, Jésus monta à Jérusalem. 14. Il trouva dans le temple les marchands de bœufs, de

4. *Qu'y a-t-il entre*, etc. : cette locution est souvent employée dans la Bible pour refuser ou reprendre; mais sa valeur dépend des circonstances et des personnes : le ton de la voix, un sourire pouvait en faire disparaître toute la sévérité. Quant au mot *femme*, dont Jésus se sert en parlant à Marie, on sait que les Grecs et les Orientaux l'employaient envers les personnes les plus honorables, et qu'il était chez eux l'expression du respect joint à la tendresse. — 6. *Des Juifs :* ils s'y lavaient les mains avant les repas, y purifiaient les vases, etc. Comp. *Marc*, vii, 3. — *Mesures*, de 39 litres chacune. — 11. *Sa gloire*, sa divinité : ce fut comme le premier rayon de "la gloire du Fils unique du Père (i, 14)." — *Crurent en lui* d'une foi plus ferme. — 12. *Ses frères :* les Juifs donnaient ce nom aux cousins et proches parents. — 14. *Dans le temple*, le parvis des gentils. — *Les*

brebis et de colombes, et les changeurs assis *à leurs tables*. 15. Et ayant fait comme un fouet avec des cordes, il les chassa tous du temple, avec les brebis et les bœufs; il jeta par terre l'argent des changeurs, et renversa leurs tables. 16. Et il dit à ceux qui vendaient des colombes : "Otez cela d'ici; ne faites pas de la maison de mon Père une maison de trafic." 17. Ses disciples se ressouvinrent alors qu'il est écrit : "Le zèle de votre maison me dévore." 18. Les Juifs prenant la parole, lui dirent : "Quel signe nous montrez-vous, pour agir de la sorte?" 19. Jésus leur répondit : "Détruisez ce temple, et je le relèverai en trois jours." 20. Les Juifs répartirent : "On a mis quarante-six ans à bâtir ce temple, et vous, en trois jours, vous le relèverez!" 21. Mais il parlait du temple de son corps. 22. Lors donc qu'il fut ressuscité des morts, ses disciples se souvinrent qu'il avait dit cela, et ils crurent à l'Ecriture et à la parole que Jésus avait dite.

23. Pendant que Jésus était à Jérusalem, à la fête de Pâque, beaucoup crurent en son nom, en voyant les miracles qu'il faisait. 24. Mais Jésus ne se fiait point à eux, parce qu'il les connaissait tous, 25. et qu'il n'avait pas besoin qu'on lui rendît témoignage d'aucun homme; car il savait lui-même ce qu'il y a dans l'homme. ¶

CH. 3 — *Entretien avec Nicodème.*

✠ Il y avait parmi les Pharisiens un homme nommé Nicodème, membre du grand conseil des Juifs. 2. Il vint de nuit

changeurs, banquiers de bas étage qui fournissaient à chacun le demi sicle; car les Juifs venus des provinces romaines n'avaient entre les mains qu'une monnaie frappée d'images idolâtriques, indigne d'être offerte au Seigneur. — 21. Le corps est le domicile ou la maison de l'âme. Mais c'est dans le sens le plus élevé que le nom de temple convient au corps de J. C., où, dit l'Apôtre (*Col.* ii. 9), "habite la plénitude de la divinité." — 25. Jésus connaissait ces esprits mobiles et inconstants, qui s'étaient fait les idées les plus fausses sur le royaume terrestre du Messie. S. Cyrille remarque que c'est un des attributs de la divinité de lire au fond des cœurs.

Chap. 3. — 2. *De nuit*, probablement par la crainte d'encourir la haine de ses collègues.

trouver Jésus, et lui dit : " Maître, nous savons que vous êtes un docteur venu de Dieu, car personne ne saurait faire les miracles que vous faites, si Dieu n'est avec lui. " 3. Jésus lui répondit : " En vérité, en vérité, je te le dis, nul, s'il ne naît de nouveau, ne peut voir le royaume de Dieu. " 4. Nicodème lui dit : " Comment un homme qui est déjà vieux peut-il naître? Peut-il rentrer dans le sein de sa mère, et naître de nouveau?" 5. ✠ Jésus répondit : " En vérité, en vérité, je te le dis, nul, s'il ne renaît de l'eau et du Saint Esprit, ne peut entrer dans le royaume de Dieu. 6. Car ce qui est né de la chair est chair, et ce qui est né de l'esprit est esprit. 7. Ne t'étonne pas de ce que je t'ai dit : Il faut que vous naissiez de nouveau. 8. Le vent souffle où il veut et tu entends sa voix ; mais tu ne sais d'où il vient, ni où il va : ainsi en est-il de tout homme qui est né de l'Esprit. " 9. Nicodème lui répondit : " Comment cela se peut-il faire? " 10. Jésus lui dit : " Tu es le docteur d'Israël, et tu ignores ces choses!

11. En vérité, en vérité, je te le dis, nous disons ce que nous savons, et nous attestons ce que nous avons vu, mais vous ne recevez point notre témoignage. 12. Si vous ne croyez pas quand je vous parle des choses qui sont sur la terre, comment croirez-vous quand je vous parlerai des choses qui sont dans le ciel?

3. *De nouveau :* la régénération au sens chrétien a pour principe la grâce, germe divin qui opère un renouvellement complet de l'âme (*Rom.* xii, 12), d'où sort, dans le sens le plus véritable, un *homme nouveau* (*Col.* iii, 9), une *créature nouvelle* (*Gal.* vi, 5). — *Voir le royaume de Dieu* (hébraïsme), c'est y participer, en jouir. — 5. Ce passage doit être entendu de la régénération dans le baptême, dont le signe visible est exprimé par les mots *de l'eau*, et la grâce invisible par les mots *et du Saint Esprit.* — 8. Le même mot signifie à la fois *vent* et *esprit*, et explique très bien les principaux caractères de la régénération : c'est une œuvre pleinement libre de la part de Dieu et toute gratuite : en outre, l'action de l'Esprit Saint, quoique intérieure et invisible, puisqu'elle se passe dans l'âme, se révèle au dehors et se constate par ses effets, c'est-à-dire, par la sainteté de la vie. — 12. La régénération de l'homme, quoique ayant sa cause dans le ciel, est une des choses qui se passent *sur la terre.* — *Qui sont dans le ciel*, par exemple, la Trinité, la généra-

13. Et nul n'est monté au ciel que celui qui est descendu du ciel, le Fils de l'homme qui est dans le ciel. 14. Comme Moïse a élevé le serpent dans le désert, il faut de même que le Fils de l'homme soit élevé, 15. afin que tout homme qui croit en lui ne périsse point, mais qu'il ait la vie éternelle." ¶ 16. En effet, Dieu a tellement aimé le monde, qu'il a donné son Fils unique, afin que tout homme qui croit en lui ne périsse point, mais qu'il ait la vie éternelle. 17. Car Dieu n'a pas envoyé son Fils dans le monde pour juger le monde, mais pour que le monde soit sauvé par lui. 18. Celui qui croit en lui n'est pas condamné; mais celui qui ne croit pas est déjà condamné, parce qu'il n'a pas cru au nom du Fils unique de Dieu. 19. Et voici la cause de cette condamnation : la lumière est venue dans le monde, et les hommes ont mieux aimé les ténèbres que la lumière, parce que leurs œuvres étaient mauvaises. 20. Car quiconque fait le mal hait la lumière, et il ne vient point à la lumière, de peur que ses œuvres ne soient découvertes. 21. Mais celui qui fait la vérité, vient à la lumière, afin que ses œuvres soient manifestées, parce qu'elles sont faites en Dieu." ¶

Jésus et Jean baptisent. — Dernier témoignage du Précurseur.

22. Après cela, Jésus se rendit avec ses disciples dans les campagnes de la Judée, et il y séjourna avec eux, et il baptisait. 23. Jean aussi baptisait

tion éternelle du Verbe, etc. — 13. *Et*, cependant, je suis le seul qui puisse vous révéler ces mystères, car *nul n'est monté au ciel*, n'a habité dans le ciel. N. S. est *descendu du ciel* par son incarnation, sans cesser d'y être présent par sa divinité. — 14. *Il faut*, en vertu d'un décret divin. — *Elevé* en croix. — 15. *La vie éternelle*, ici, c'est la justification et l'union avec Jésus Christ, la qualité de fils et d'héritier de Dieu, la *grâce* en cette vie et la *gloire* dans l'autre. — 17. *Juger*, dans le sens de condamner. Cette assertion n'est pas contredite par celle du chap. IX, 39; l'une exprime le but final de l'incarnation, l'autre un de ses résultats, qui a été de faire la séparation entre la lumière et les ténèbres, entre les bons et les méchants. — 21. *Qui fait la vérité*, qui la reçoit et en fait la règle de sa vie. — *En Dieu*, selon sa volonté et son inspiration. — 22. *Il baptisait*, par le ministère de ses disciples (*Jean.* IV, 2).

à Ennon, près de Salim, parce qu'il y avait là beaucoup d'eau, et plusieurs y venaient se faire baptiser; 24. car Jean n'avait pas encore été mis en prison.

25. Il s'éleva donc une discussion entre les disciples de Jean et les Juifs touchant le baptême. 26. Les premiers étant venus trouver Jean, lui dirent: "Maître, celui qui était avec vous au delà du Jourdain, et à qui vous avez rendu témoignage, le voilà qui baptise, et tous vont à lui." 27. Jean répondit : "Un homme ne peut recevoir que ce qui lui a été donné du ciel. 28. Vous m'êtes vous-mêmes témoins que j'ai dit : Je ne suis point le Christ, mais j'ai été envoyé devant lui. 29. Celui qui a l'épouse est l'époux; mais l'ami de l'époux, qui se tient là et qui l'écoute, est ravi de joie d'entendre la voix de l'époux. Cette joie donc est la mienne, et elle est pleinement réalisée. 30. Il faut qu'il croisse et que je diminue.

31. Celui qui vient d'en haut est au-dessus de tous; celui qui vient de la terre est terrestre, et son langage aussi. Celui qui vient du ciel, est au-dessus de tous; 32. et ce qu'il a vu et entendu, il en rend témoignage; mais personne ne reçoit son témoignage. 33. Celui qui reçoit son témoignage, certifie que Dieu est véridique. 34. Car celui que Dieu a envoyé, dit les paroles de Dieu, parce que Dieu ne *lui* donne pas son esprit avec mesure. 35. Le Père aime le Fils, et il a remis toutes choses entre ses mains. 36. Celui qui croit au Fils a la vie éternelle; celui qui ne croit pas au Fils ne verra pas la vie; mais la colère de Dieu demeure sur lui. "

27. Sens : Je ne puis m'arroger une dignité plus grande (la dignité de Messie) que celle que Dieu m'a donnée. — 29. Les prophètes comparaient le Seigneur à un époux dont Israël était la fiancée. Ce que Jéhovah a été pour son peuple, le Verbe incarné l'est devenu pour les âmes fidèles, pour l'Eglise (*Eph.* v, 32). Jean Baptiste n'est que l'ami de ce divin Epoux ; il l'accompagne et lui amène l'épouse; et cela lui suffit. — 31. *Son langage aussi* est de la terre : ce n'est pas naturellement, mais par révélation, qu'il peut parler des choses du ciel.

Manifestation de la gloire de Jésus en Samarie. — CH. 4. — *La Samaritaine et ses compatriotes.*

Le Seigneur ayant su que les Pharisiens avaient appris qu'il faisait et baptisait plus de disciples que Jean, 2. quoique ce ne fût pas Jésus lui-même qui baptisait, mais ses disciples, 3. il quitta la Judée, et s'en alla de nouveau en Galilée. 4. Or il lui fallait passer par la Samarie. 5. ✠ Il vint donc en une ville de Samarie, nommée Sichar, près du champ que Jacob avait donné à son fils Joseph.

6. Là était la fontaine de Jacob. Jésus, fatigué de la route, s'assit tout simplement au bord de la fontaine : il était environ la sixième heure. 7. Une femme de Samarie étant venue puiser de l'eau, Jésus lui dit : " Donnez-moi à boire. " 8. Car ses disciples étaient allés à la ville pour acheter des vivres. 9. La femme samaritaine lui dit : " Comment vous, qui êtes Juif, me demandez-vous à boire, à moi qui suis Samaritaine ? " — Les Juifs, en effet, n'ont pas de commerce avec les Samaritains. 10. Jésus lui répondit : " Si vous connaissiez le don de Dieu, et qui est celui qui vous dit : Donnez-moi à boire, vous-même lui en auriez demandé, et il vous aurait donné de l'eau vive. " 11. " Seigneur, lui dit cette femme, vous n'avez rien pour puiser, et le puits est profond : d'où auriez-vous donc cette eau vive ? 12. Etes-vous plus grand que notre père Jacob, qui nous a donné ce puits, et en a bu lui-même, ainsi que ses enfants et ses troupeaux ? " 13. Jésus lui répondit : " Quiconque boit de cette eau aura encore soif ; mais celui qui boira de l'eau que je lui donnerai,

Chap. 4. — 6. *La sixième heure*, midi. — 10. *Le don de Dieu*, l'occasion favorable que Dieu vous donne de vous entretenir avec le Messie. — On devine ce qui se cache, dans la pensée du Sauveur, sous l'image d'une *eau vive :* c'est Jésus Christ lui-même avec la plénitude des biens spirituels qu'il est venu apporter aux hommes, sa doctrine, ses sacrements, etc., par lesquels il donne aux âmes la vie de la grâce et les prépare ainsi à la vie plus excellente de la gloire, la vie éternelle. — 13. *N'aura plus jamais soif :* il ne lui manquera rien ; en possession du bien suprême, il n'aura point la soif insatiable

n'aura plus jamais soif; 14. et l'eau que je lui donnerai deviendra en lui une source d'eau jaillissant en vie éternelle." 15. La femme lui dit : "Seigneur, donnez-moi de cette eau, afin que je n'aie plus soif, et que je ne vienne plus ici puiser." 16. "Allez, lui dit Jésus, appelez votre mari, et venez ici." 17. La femme répondit : "Je n'ai point de mari." Jésus lui dit : "Vous avez raison de dire : Je n'ai point de mari; 18. car vous avez eu cinq maris, et celui que vous avez maintenant n'est pas votre mari; en cela vous avez dit vrai." 19. La femme lui dit : "Seigneur, je vois que vous êtes un prophète. 20. Nos pères ont adoré sur cette montagne, et vous, vous dites que c'est à Jérusalem qu'il faut adorer." 21. Jésus dit : "Femme, croyez-moi, l'heure vient où ce ne sera ni sur cette montagne, ni dans Jérusalem, que vous adorerez le Père. 22. Vous adorez ce que vous ne connaissez pas; nous, nous adorons ce que nous connaissons, car le salut vient des Juifs. 23. Mais l'heure vient, et elle est déjà venue, où les vrais adorateurs adoreront le Père en esprit et en vérité; ce sont là les adorateurs que le Père demande. 24. Dieu est esprit, et ceux qui l'adorent, doivent l'adorer en esprit et en vérité." 25. La femme lui répondit : "Je sais que le Messie (celui qu'on appelle Christ) va venir; lorsqu'il

de ceux qui cherchent les richesses, les plaisirs des sens, les honneurs. — 14. *Jaillissant*, etc., qui aura la vertu de procurer la vie éternelle. — 20. *Nos pères*, les Samaritains du temps de Néhémie qui ont bâti un temple sur le mont Garizim. — *Ont adoré*, célébré leur culte ; et nous-mêmes continuons à le faire, quoique ce temple ait été détruit par Jean Hyrcan (130 av. J. C.) — 22. *Ce que* semble signifier l'objet du culte, c.-à-d. le vrai Dieu, dont les Samaritains n'avaient plus qu'une notion altérée. — *Nous*, Juifs. — *Le salut*, le Sauveur, le Messie, doit sortir d'entre les Juifs. — 23-24. *En esprit*, par des actes intérieurs de foi, d'espérance et d'amour, d'humilité, de reconnaissance, etc., actes qui ne sauraient être liés à un lieu déterminé. — En écartant ainsi l'adoration purement extérieure et attachée à un lieu unique, N. S. ne condamne ni les sanctuaires locaux ni les cérémonies du culte. Tant que l'homme sera homme, c.-à-d. un être composé d'un corps et d'une âme, sa religion aura besoin de lieux et de temps déterminés, ainsi que de cérémonies et d'actions symboliques : un culte purement intérieur ne peut convenir qu'à de purs esprits.

sera venu, il nous instruira de toutes choses." 26. Jésus lui dit : "Je le suis, moi qui vous parle." 27. Là-dessus arrivèrent ses disciples, et ils s'étonnèrent de ce qu'il parlait avec une femme; néanmoins aucun ne *lui* dit : "Que désirez-vous?" ou : "Pourquoi parlez-vous avec elle?"

28. La femme alors, laissant là sa cruche, s'en alla dans la ville, et dit aux habitants : 29. "Venez voir un homme qui m'a dit tout ce que j'ai fait; ne serait-ce point le Christ?" 30. Ils sortirent donc de la ville, et vinrent à lui. 31. Cependant ses disciples le pressaient, en disant : "Maître, mangez." 32. Mais il leur dit : "J'ai *à prendre* une nourriture que vous ne connaissez pas." 33. Et les disciples se disaient les uns aux autres : "Quelqu'un lui aurait-il apporté à manger?" 34. Jésus leur dit : "Ma nourriture est de faire la volonté de celui qui m'a envoyé et d'accomplir son œuvre. 35. Ne dites-vous pas : Encore quatre mois, et la moisson sera venue. Moi, je vous dis : Levez les yeux, et voyez les champs qui déjà blanchissent pour la moisson. 36. Celui qui moissonne reçoit son salaire, et recueille des fruits pour la vie éternelle, et ainsi celui qui sème et celui qui moissonne se réjouissent ensemble. 37. Car ici s'applique l'adage : L'un sème et un autre moissonne. 38. Je vous ai envoyés moissonner où vous n'avez pas travaillé; d'autres ont travaillé, et vous, vous êtes entrés dans leur travail."

39. Plusieurs Samaritains de cette ville crurent en Jésus sur la parole de la femme qui avait rendu

34. *Son œuvre*, l'œuvre de la rédemption des hommes. — 35. *Les champs*, etc. : les Samaritains qui accouraient en foule à Jésus. — 36. N. S. excite les Apôtres à travailler à cette moisson spirituelle par l'espoir de la récompense. *Celui qui moissonne*, les Apôtres; *celui qui sème*, Jésus Christ. — *Un salaire*, savoir *des fruits pour la vie éternelle :* ici le discours passe de la figure à la réalité. — 38. *Je vous ai envoyés :* le parfait pour le présent ou le futur : je vous ai choisis pour vous envoyer, etc. — *D'autres* désigne J. C. : il a préparé la conversion de l'humanité, c'est aux Apôtres à l'achever; il a travaillé et ensemencé le champ, c'est aux Apôtres à continuer le travail et à moissonner.

ce témoignage : “ Il m’a dit tout ce que j’ai fait.” 40. Les Samaritains étant donc venus vers lui, le prièrent de demeurer dans le pays, et il y demeura deux jours. 41. Et un plus grand nombre crurent en lui pour l’avoir entendu lui-même. 42. Et ils disaient à la femme : “ Maintenant ce n’est plus sur ce que vous avez dit que nous croyons; car nous l’avons entendu nous-mêmes, et nous savons qu’il est vraiment le Sauveur du monde. ” ¶

Manifestation de la gloire de Jésus en Galilée : ***Guérison du fils d'un officier.***

43. Après ces deux jours, Jésus partit de là pour se rendre en Galilée. 44. Car il avait déclaré lui-même qu’un prophète n’est point honoré dans sa patrie. 45. Lorsqu’il fut arrivé en Galilée, les Galiléens l’accueillirent, ayant vu tout ce qu’il avait fait à Jérusalem pendant la fête *de Pâque;* car eux aussi étaient allés à cette fête. 46. Il vint donc de nouveau à Cana en Galilée, où il avait changé l’eau en vin.

✠ Or, il y avait à Capharnaüm un officier du roi dont le fils était malade. 47. Ayant appris que Jésus arrivait de Judée en Galilée, il alla vers lui, et le pria de descendre *en sa maison*, pour guérir son fils qui allait mourir. 48. Jésus lui dit : “ Si vous ne voyez des signes et des prodiges, vous ne croyez point.” 49. L’officier lui dit : “ Seigneur, venez avant que mon enfant meure. ” 50. “ Va, lui répondit Jésus, ton fils est plein de vie.” Cet homme crut à la parole que Jésus lui avait dite, et partit. 51. Comme il était en chemin, ses serviteurs vinrent à sa rencontre, et lui apprirent que son enfant vivait. 52. Il leur demanda à quelle heure son fils s’était trouvé mieux, et ils lui dirent : “ Hier, à la septième heure, la fièvre l’a quitté.” 53. Le père reconnut que c’était l’heure à laquelle Jésus lui avait dit : “ Ton

46. *Un officier*, civil ou militaire, *du roi* Hérode Antipas. — 47. *Vers lui*, à Cana. — 52. *La septième heure*, une heure après midi.

fils est plein de vie," et il crut, lui et toute sa maison.¶ 54. Ce fut le second miracle que Jésus fit, après être revenu de Judée en Galilée.

2° — Gloire divine de Jésus manifestée de nouveau a Jérusalem et en Galilée, mais combattue par l'opposition croissante des Juifs (5 — 11).

Débuts de l'opposition, à Jérusalem, pendant la seconde Pâque : *Occasion : guérison d'un paralytique le jour du sabbat.* — Ch. 5.

✠ Après cela, il y eut une fête des Juifs, et Jésus monta à Jérusalem. 2. Or, à Jérusalem, est la piscine des Brebis, appelée en hébreu Bethsaïde, et qui a cinq portiques. 3. Sous ces portiques étaient couchés un grand nombre de malades, d'aveugles, de boiteux et de gens ayant quelque membre desséché; ils attendaient le bouillonnement de l'eau. 4. Car un ange du Seigneur descendait à certains temps dans la piscine, et agitait l'eau; et celui qui y descendait le premier après l'agitation de l'eau, était guéri de son infirmité, quelle qu'elle fût. 5. Là se trouvait un homme malade depuis trente-huit ans. 6. Jésus l'ayant vu couché, et sachant qu'il était malade depuis longtemps, lui dit : "Veux-tu être guéri?" 7. Le malade lui répondit : "Seigneur, je n'ai personne pour me jeter dans la piscine dès que l'eau est agitée, et pendant que j'y vais, un autre descend avant moi." 8. Jésus lui dit : "Lève-toi, prends ton lit, et marche." 9. Et

54. S. Jean n'ignorait pas les prodiges opérés à Capharnaüm; mais il songeait au premier miracle de Jésus aux noces de Cana (ii, 1 sv.), et il rapproche simplement deux faits accomplis dans le même lieu.

Chap. 5. — 1. S. Jean passe ici sous silence plusieurs événements et transporte le lecteur à Jérusalem à l'époque d'*une* fête, ou, d'après plusieurs manuscrits, de *la fête* des Juifs, probablement celle de Pâque. — 2. *Cinq portiques* ou galeries couvertes. — 4. Toutes ces circonstances montrent qu'il ne s'agit pas ici de guérisons opérées par la vertu naturelle des eaux. — 5. *Malade*, probablement paralytique (vers. 7). — 8. *Ton lit*, la natte sur laquelle le malade était couché.

à l'instant cet homme fut guéri; il prit son lit et se mit à marcher. C'était un jour de sabbat.

10. Les Juifs dirent donc à celui qui avait été guéri : " C'est *aujourd'hui* le sabbat, il ne t'est pas permis d'emporter ton lit. " 11. Il leur répondit : "Celui qui m'a guéri m'a dit : Prends ton lit et marche. " 12. Ils lui demandèrent : " Qui est l'homme qui t'a dit : Prends ton lit et marche? " 13. Mais le malade ne savait pas qui c'était; car Jésus s'était esquivé, grâce à la foule qui était en cet endroit. 14. Plus tard, le trouvant dans le temple, Jésus lui dit : " Te voilà guéri; ne pèche plus de peur qu'il ne t'arrive quelque chose de pis." ¶ 15. Cet homme s'en alla, et dit aux Juifs que c'était Jésus qui l'avait guéri. 16. C'est pourquoi les Juifs persécutaient Jésus, parce qu'il faisait ces choses le jour du sabbat. 17. Mais Jésus leur dit : "Mon Père continue d'agir jusqu'à présent, et moi aussi j'agis *sans cesse.* " 18. Sur quoi les Juifs cherchaient encore avec plus d'ardeur à le faire mourir, parce que, non content de violer le sabbat, il disait encore que Dieu était son père, se faisant égal à Dieu.

Discours apologétique de Jésus.

Jésus reprit donc la parole et leur dit : 19. " En vérité, en vérité, je vous le dis, le Fils ne peut rien faire de lui-même, mais seulement ce qu'il voit faire au Père; et tout ce que fait le Père, le Fils aussi le fait comme lui. 20. Car le Père aime le Fils, et lui montre tout

17. Vous m'objectez la loi du sabbat, fondée sur le repos de Dieu même après l'œuvre des six jours. Mais si l'action créatrice de mon Père a cessé le septième jour, son action conservatrice et providentielle ne fut jamais interrompue ; c'est lui qui soutient et conserve l'univers, et cela par un travail qui ne trouble pas son repos. Ainsi, moi qui suis égal et consubstantiel au Père, j'agis sans cesse, même le jour du sabbat. — *Ce qu'il voit faire au Père :* expression populaire empruntée à la coutume des enfants de considérer ce que fait leur père. Le Fils de Dieu, vivant avec son Père dans l'unité d'une même nature et d'une même volonté, voit ce que fait le Père et le fait avec lui par un seul et même acte. — 20. *Montre* répond au mot *voit* du verset précédent, et doit s'entendre de la commu-

ce qu'il fait; et il lui montrera des œuvres plus grandes que celles-ci, qui vous jetteront dans l'étonnement. 21. Car, comme le Père ressuscite les morts et donne la vie, ainsi le Fils donne la vie à qui il veut. 22. Le Père même ne juge personne, mais il a donné au Fils le jugement tout entier, 23. afin que tous honorent le Fils comme ils honorent le Père. Celui qui n'honore pas le Fils n'honore pas le Père qui l'a envoyé. 24. En vérité, en vérité, je vous le dis, celui qui écoute ma parole et croit à celui qui m'a envoyé, a la vie éternelle, et n'encourt point la condamnation, mais il est passé de la mort à la vie. 25. ✠ En vérité, en vérité, je vous le dis, l'heure vient, et elle est déjà venue, où les morts entendront la voix du Fils de Dieu, et ceux qui l'auront entendue vivront. 26. Car, comme le Père a en soi la vie, ainsi il a donné au Fils d'avoir la vie en soi; 27. et il lui a aussi donné le pouvoir de juger, parce qu'il est Fils de l'homme. 28. Ne vous en étonnez pas; car l'heure vient où tous ceux qui sont dans les sépulcres entendront la voix du Fils de Dieu, 29. et en sortiront, ceux qui auront fait le bien, pour une résurrection de vie, ceux qui auront fait le mal, pour une résurrection de condamnation. ¶ 30. Je ne puis rien faire de moi-même. Selon ce que j'entends, je juge; et mon jugement est juste, parce que je ne cherche pas ma volonté, mais la volonté de celui qui m'a envoyé.

cation faite au Fils, soit des desseins et des décrets du Père, soit de la puissance de produire ces œuvres au dehors, communication qui est le résultat de la communication même de l'essence divine dans l'éternelle génération. — 22. Le Père juge intérieurement avec le Fils; mais le Fils seul apparaîtra extérieurement comme juge à la fin des temps, parce que seul il s'est incarné (vers. 27). — 25. Quelques-uns entendent ce verset de la résurrection générale à la fin du monde. Nous croyons, avec S. Augustin, qu'il s'agit ici de la résurrection spirituelle des âmes. — 27. Le jugement est comme le dernier mot de l'incarnation. Il convient donc que ce soit le Verbe incarné, l'Homme-Dieu, le Libérateur, qui soit chargé de porter la sentence finale. — 29. *Pour* la vie éternelle ou pour l'éternel châtiment. — 30. *Selon ce que j'entends*, selon la règle que je reçois de mon Père. Comp. vers. 19-20.

31. Si c'est moi qui rends témoignage de moi-même, mon témoignage n'est pas vrai. 32. Il y en a un autre qui rend témoignage de moi, et je sais que le témoignage qu'il rend de moi est vrai. 33. Vous avez envoyé vers Jean, et il a rendu témoignage à la vérité. 34. Pour moi, ce n'est pas d'un homme que je reçois le témoignage; mais je vous dis ces choses, afin que vous soyez sauvés. 35. Jean était la lampe qui brûle et luit, mais vous *n*'avez voulu *que* vous réjouir un moment à sa lumière. 36. Pour moi, j'ai un témoignage plus grand que celui de Jean; car les œuvres que le Père m'a données à accomplir, ces œuvres mêmes que je fais, rendent ce témoignage de moi, que c'est le Père qui m'a envoyé. 37. Et le Père qui m'a envoyé a rendu lui-même témoignage de moi; vous n'avez jamais entendu sa voix, ni vu sa face. 38. Et vous n'avez point sa parole demeurant en vous, parce que vous ne croyez pas à celui qu'il a envoyé. 39. Vous scrutez les Ecritures, parce que vous pensez trouver en elles la vie éternelle; or, ce sont elles qui rendent témoignage de moi; 40. et *cependant* vous ne voulez pas venir à moi pour avoir la vie. 41. Ce n'est point que je demande ma gloire aux hommes; 42. mais je vous connais, *je sais* que vous n'avez pas en vous l'amour de Dieu. 43. Je suis venu au nom de mon Père, et vous ne me recevez pas; qu'un autre vienne en son propre nom, vous le recevrez.

31. *N'est pas vrai*, d'après les règles du droit; il est donc sans force et sans valeur à vos yeux. — *Un autre :* mon Père; comp. vers. 27. — 33. Comp. I, 19. — 34. *Je vous dis ces choses*, je vous rappelle le témoignage de Jean Baptiste, — 35. *Une lampe*, non la *lumière* elle-même (I, 8). — *Mais*, au lieu de suivre la voix de Jean Baptiste, vous n'avez fait, semblables à des enfants qui jouent avec un flambeau allumé, que prêter un moment l'oreille à sa prédication. — 37. *Ni vu sa face :* il s'agit ici de la vision immédiate de Dieu, telle que le Fils seul l'a par droit naturel. Sens : Vous ne pouvez voir et entendre Dieu que par ses œuvres et par ses envoyés; mais vous ne croyez ni à ses œuvres, ni à ses envoyés, pas même à son Fils qui le voit et l'entend toujours. — 41. Si je rappelle ces témoignages, *ce n'est point que*, etc.

44. Comment pouvez-vous croire, vous qui recevez votre gloire les uns des autres, et qui ne recherchez pas la gloire qui vient de Dieu seul? 45. Ne pensez pas que ce soit moi qui vous accuserai devant le Père : votre accusateur, c'est Moïse, en qui vous avez mis votre espérance. 46. Car si vous croyiez Moïse, vous me croiriez aussi, parce qu'il a parlé de moi. 47. Mais si vous ne croyez pas à ses écrits, comment croirez-vous à mes paroles? "

Débuts de l'opposition, en Galilée, vers le temps de la 3e Pâque. — Ch. 6. *La ✠ multiplication des pains.*

Jésus s'en alla ensuite de l'autre côté de la mer de Galilée, *ou lac* de Tibériade. 2. Et une foule nombreuse le suivait, parce qu'elle voyait les miracles qu'il faisait sur ceux qui étaient malades. 3. Jésus monta sur la montagne, et là il s'assit avec ses disciples. 4. Or la Pâque, qui est la *grande* fête des Juifs, était proche. 5. Jésus donc ayant levé les yeux, et voyant qu'une grande foule venait à lui, dit à Philippe : " Où achèterons-nous du pain pour que ces gens aient à manger? " 6. Il disait cela pour l'éprouver, car il savait ce qu'il devait faire. 7. Philippe lui répondit : " Quand on aurait pour deux cents deniers de pains, cela ne suffirait pas pour en donner à chacun un morceau. " 8. Un de ses disciples, André, frère de Simon Pierre, lui dit : 9. " Il y a ici un jeune homme qui a cinq pains d'orge et deux poissons; mais qu'est-ce que cela pour tant de monde? " 10. Jésus dit : " Faites-les asseoir. " Il y avait beaucoup d'herbe en ce lieu. Ils s'assirent donc, au nombre d'environ cinq mille. 11. Jésus prit les pains, et, ayant rendu grâces, il les distribua à ceux qui étaient assis ; il leur donna de même des *deux* poissons, autant qu'ils en voulurent.

Chap. 6. — 1. Dans ce chapitre, Notre Seigneur nourrissant miraculeusement cinq mille hommes, et se présentant lui-même comme un pain céleste, apparaît encore comme l'auteur et le principe de la vie (1, 4). — 3. *La montagne* qui entoure le lac.

12. Lorsqu'ils furent rassasiés, il dit à ses disciples : "Recueillez les morceaux qui sont restés, afin que rien ne se perde." 13. Ils les recueillirent, et remplirent douze corbeilles des morceaux qui étaient restés des cinq pains d'orge, après que *tous* eurent mangé. 14. Ces hommes, ayant vu le miracle que Jésus avait fait, disaient : "Celui-ci est vraiment le Prophète qui doit venir dans le monde." 15. Sachant donc qu'ils allaient venir l'enlever pour le faire roi, Jésus se retira de nouveau, seul, sur la montagne.¶

Jésus marche sur les flots.

16. Le soir venu, ses disciples descendirent au bord de la mer; 17. et étant montés dans la barque, ils traversaient la mer dans la direction de Capharnaüm. Il faisait déjà nuit, et Jésus ne les avait pas encore rejoints. 18. Cependant la mer, soulevée par un grand vent, était agitée. 19. Quand ils eurent ramé environ vingt-cinq à trente stades, ils virent Jésus marchant sur la mer et s'approchant de la barque; et ils eurent peur. 20. Mais il leur dit : "C'est moi, ne craignez point." 21. Ils se disposèrent donc à le prendre dans la barque, et aussitôt la barque se trouva au lieu où ils allaient.

Promesse de l'Eucharistie.

22. Le jour suivant, la foule qui était restée de l'autre côté de la mer, avait vu qu'il n'y avait là qu'une seule barque, et que Jésus n'y était point entré avec ses disciples, mais que les disciples étaient partis seuls. — 23. D'autres barques, cependant, étaient arrivées de Tibériade près du lieu où le Seigneur, après avoir rendu grâces, leur avait donné à manger. — 24. La foule donc, ayant vu que Jésus n'était pas là, ni ses disciples non plus, entra dans ces barques, et se rendit à Capharnaüm pour chercher Jésus. 25. Et l'ayant trouvé de l'autre côté de la mer, ils lui dirent : "Maître, quand êtes-

14. *Le Prophète*, le Messie. — 19. *Environ vingt-cinq*, etc. : 5 à 6 kilomètres.

vous venu ici?" 26. Jésus leur répondit :

"En vérité, en vérité, je vous le dis, vous me cherchez, non parce que vous avez vu des miracles, mais parce que vous avez mangé des pains et que vous avez été rassasiés. 27. Travaillez, non pour la nourriture qui périt, mais pour celle qui demeure pour la vie éternelle, et que le Fils de l'homme vous donnera. Car c'est lui que le Père, Dieu, a marqué d'un sceau." 28. Ils lui dirent : "Que devons-nous faire, pour faire les œuvres de Dieu?" 29. Jésus leur répondit : "L'œuvre que Dieu demande, c'est que vous croyiez en celui qu'il a envoyé." 30. Ils lui dirent : "Quel miracle faites-vous donc pour que, le voyant, nous croyions en vous? Quelles sont vos œuvres? 31. Nos pères ont mangé la manne dans le désert, ainsi qu'il est écrit : Il leur a donné à manger le pain du ciel." 32. Jésus leur répondit : "En vérité, en vérité, je vous le dis, Moïse ne vous a pas donné le pain du ciel; c'est mon Père qui vous donne le vrai pain du ciel. 33. Car le pain de Dieu, c'est le pain qui descend du ciel et qui donne la vie au monde."

34. Ils lui dirent donc : "Seigneur, donnez-nous toujours de ce pain." 35. Jésus leur répondit : "Je suis le pain de vie : celui qui vient à moi n'aura jamais faim, et celui qui croit en moi n'aura

---

26. *Répondit.* Ce discours (26-60), où Notre Seigneur enseigne qu'il donnera au monde un pain descendu du ciel, un pain de vie, renferme la *promesse* de l'Eucharistie. Dès le commencement, Notre Seigneur *a en vue l'Eucharistie,* annoncée d'abord en termes généraux, et ensuite sans aucun voile. Voici quelle est la gradation des pensées : 1. Promesse d'un pain céleste faite en général (vers. 26-34). 2. Jésus Christ est un pain de vie (vers. 35-52). 3. Sa chair est une nourriture et son sang un breuvage (vers. 53-60). — 27. *D'un sceau :* Dieu le Père a imprimé sur Jésus son sceau et son caractère, en confirmant sa doctrine et sa mission par des miracles. — 20. *Que vous croyiez,* d'une foi vivante et féconde en bonnes œuvres. — 31. *Ps.* lxxvii, 24. On sait que la manne est un aliment miraculeux dont Dieu nourrit son peuple dans le désert. — 32. C'est improprement et par figure que la manne est appelée un pain *du ciel.* — Si donc vous avez cru à Moïse parce qu'il vous a donné la manne, vous avez, pour croire en moi, un *miracle* semblable (vers. 30), et bien plus merveilleux encore. — 35. *Pain de vie,* qui donne la vie, la vie de la grâce ici-bas et la vie de la gloire dans le ciel.

jamais soif. 36. Mais, je vous l'ai dit, vous m'avez vu, et vous ne croyez point. 37. ✠ Tout ce que le Père me donne viendra à moi, et celui qui vient à moi, je ne le jetterai point dehors; 38. car je suis descendu du ciel pour faire, non ma volonté, mais la volonté de celui qui m'a envoyé. 39. Or la volonté de mon Père qui m'a envoyé, est que je ne perde aucun de ceux qu'il m'a donnés, mais que je les ressuscite au dernier jour. 40. Car c'est la volonté de mon Père qui m'a envoyé, que quiconque voit le Fils et croit en lui, ait la vie éternelle; et moi je le ressusciterai au dernier jour." ¶ 41. Les Juifs murmuraient contre lui, parce qu'il avait dit : "Je suis le pain vivant qui est descendu du ciel." 42. Et ils disaient : "N'est-ce pas là Jésus, le fils de Joseph, dont nous connaissons le père et la mère? Comment donc dit-il : Je suis descendu du ciel?" 43. Jésus leur répondit : "Ne murmurez point entre vous. 44. ✠ Nul ne peut venir à moi, si le Père qui m'a envoyé ne l'attire; et moi, je le ressusciterai au dernier jour. 45. Il est écrit dans les Prophètes : Ils seront tous enseignés de Dieu. Ainsi quiconque a entendu le Père et appris de lui, vient à moi. 46. Ce n'est pas que personne ait vu le Père, sinon celui qui est de Dieu; celui-là a vu le Père. 47. En vérité, en vérité, je vous le dis, celui qui croit en moi a la vie éternelle. 48. Je suis le pain de vie. 49. Vos pères ont mangé la manne dans le désert, et ils

36. *Vous m'avez vu* faisant des miracles. — 37. *Dehors*, hors du royaume de Dieu. — 40. *Voit le Fils*, le considère et le contemple attentivement, voit les miracles qu'il opère. Comp. vers. 36. Deux conditions sont nécessaires pour arriver à la vie éternelle : il faut que le Père attire et dispose par sa grâce (vers. 39); il faut que l'homme se rende et croie en Jésus Christ (vers. 40). — 44-45. Sens de ces deux versets : Personne n'a l'intelligence de ces choses et la foi en moi, si Dieu ne l'attire. — Heureux celui-là! car au dernier jour je le ressusciterai pour la vie éternelle. — Or il est venu, le temps annoncé par les prophètes (*Is.* liv. 12, 12), où tous seront enseignés de Dieu, éclairés et attirés par lui à la foi au Messie. Mais l'attrait de Dieu, pour être efficace, demande deux choses, qu'on *entende* le Père et qu'on *apprenne* de lui, c.-à-d. qu'on obéisse, qu'on se rende à ses enseignements.

sont morts. 50. Voici le pain descendu du ciel, afin que celui qui en mange ne meure point. 51. ✠ Je suis le pain vivant qui est descendu du ciel. 52. Si quelqu'un mange de ce pain, il vivra éternellement; et le pain que je donnerai, c'est ma chair, *livrée* pour le salut du monde."¶

53. Là-dessus, les Juifs disputaient entre eux, disant : "Comment cet homme peut-il nous donner sa chair à manger?" 54. Jésus leur dit : "En vérité, en vérité, je vous le dis, si vous ne mangez la chair du Fils de l'homme, et ne buvez son sang, vous n'avez point la vie en vous-mêmes. 55. Celui qui mange ma chair et boit mon sang a la vie éternelle, et moi, je le ressusciterai au dernier jour.¶ 56. ✠ Car ma chair est vraiment une nourriture, et mon sang est vraiment un breuvage. 57. Celui qui mange ma chair et boit mon sang, demeure en moi, et moi en lui. 58. Comme le Père qui est vivant m'a envoyé, et que je vis par le Père, de même celui qui me mange vivra aussi par moi. 59. C'est là le pain qui est descendu du ciel : il n'en est point comme de *vos* pères qui ont mangé *la manne* et sont morts; celui qui mange de ce pain vivra éternellement."¶ 60. Jésus dit ces choses, enseignant en *pleine* synagogue à Capharnaüm.

Incrédulité de certains et foi de Pierre.

61. Plusieurs de ses disciples, l'ayant entendu, dirent : "Cette pa-

50. *Ne meure point*, ce qui doit s'entendre, non seulement de la mort spirituelle, de la mort de l'âme, mais aussi de la mort du corps; car le pain eucharistique dépose dans le corps lui-même un germe d'immortalité et de résurrection glorieuse. — 54. Après avoir rapproché de ce verset les paroles par lesquelles Notre Seigneur, la veille de sa mort, institua l'Eucharistie, Bossuet ajoute : " De dire qu'il n'y ait pas un rapport manifeste dans ces paroles, que l'une n'est pas la préparation et la promesse de l'autre, et que la dernière n'est pas l'accomplissement de celle qui a précédé, c'est vouloir dire que Jésus Christ, qui est la sagesse éternelle, parle et agit au hasard." Comp. I. *Cor.* xi, 23 sv. — 55. "Celui, dit S. Basile, qui est régénéré, qui a la vie par le baptême, doit l'entretenir en lui par la participation aux mystères sacrés." — 56. *Vraiment*, non en figure. — 61. Les Juifs ignoraient alors de quelle manière Notre Seigneur donnerait sa chair à manger et son sang à boire, — savoir, sous les espèces du pain et du vin. Ils ne songeaient, dit S. Augustin, qu'à une chair coupée

role est dure, et qui peut l'écouter?" 62. Jésus, sachant en lui-même que ses disciples murmuraient à ce sujet, leur dit : "Cela vous scandalise? 63. Et quand vous verrez le Fils de l'homme monter où il était auparavant?... 64. C'est l'esprit qui vivifie; la chair ne sert de rien. Les paroles que je vous ai dites sont esprit et vie. 65. Mais il y en a parmi vous quelques-uns qui ne croient point." Car Jésus savait, dès le commencement, qui étaient ceux qui ne croyaient point, et qui était celui qui le trahirait. 66. Et il ajouta : "C'est pourquoi je vous ai dit que nul ne peut venir à moi, si cela ne lui a été donné par mon Père." 67. De ce moment, plusieurs de ses disciples se retirèrent, et ils n'allaient plus avec lui. 68. Jésus donc dit aux Douze : "Et vous, voulez-vous aussi vous en aller?" 69. Simon Pierre lui répondit : "Seigneur, à qui irions-nous? Vous avez les paroles de la vie éternelle. 70. Nous avons cru et nous avons connu que vous êtes le Christ, le Fils de Dieu."¶ 71. Jésus leur répondit : " N'est-ce pas moi qui vous ai choisis, vous douze? Et l'un de vous est un démon." 72. Il parlait de Judas Iscariote, fils de Simon; car c'était lui qui devait le trahir, lui, l'un des Douze.

Progrès de l'opposition à Jérusalem lors de la fête des Tabernacles (Octobre) : CH. 7. — *Incrédulité des frères de Jésus.*

✠ Après cela, Jésus se mit à parcourir la Galilée, ne voulant point aller en Judée, parce que les Juifs cherchaient à le faire mourir. 2. Or la fête des

en morceaux. — 63. La phrase est suspendue; ajoutez : Douterez-vous encore? — 64. N. S. continue de repousser le sens tout matériel que les Juifs avaient dans l'esprit. La chair morte et coupée par morceaux, ne sert de rien; il faut que l'esprit l'anime et la vivifie. Or la chair que J. C. veut donner c'est son corps glorifié, vivant et donnant la vie. — *Les paroles*, etc. : mes paroles visent quelque chose de spirituel et de vivant, non quelque chose de matériel et sans vie.

Chap. 7. — 2. S. Jean, passant sous silence le séjour de 6 mois que Jésus fit en Galilée (*Matth.* xv-xviii), nous transporte à la fête des Tabernacles, ainsi appelée des tabernacles ou tentes de feuillage sous lesquelles on vivait pendant une semaine, en souvenir du séjour au désert. Elle se célébrait chaque année du 15 au 22 du mois appelé

Juifs, appelée fête des Tabernacles, était proche. 3. Ses frères lui dirent donc : " Quittez ce pays, et allez en Judée, afin que vos disciples aussi voient les œuvres que vous faites; 4. car personne n'agit en secret, lorsqu'il désire être connu du public. Si *réellement* vous faites ces choses, montrez-vous au monde." 5. Car ses frères mêmes ne croyaient pas en lui. 6. Jésus leur dit : " Mon temps n'est point encore venu; mais pour vous tous les temps sont bons. 7. Le monde ne saurait vous haïr; moi, il me hait, parce que je rends de lui ce témoignage, que ses œuvres sont mauvaises. 8. Allez, vous, à cette fête; pour moi, je n'y vais point, parce que mon temps n'est point encore venu." 9. Ayant dit ces choses, il resta en Galilée. 10. Mais lorsque ses frères furent partis, il alla aussi lui-même à la fête, non publiquement, mais comme en secret.

Indécision de la foule.

11. Les Juifs donc le cherchaient durant la fête, et disaient : " Où est-il?" 12. Et il y avait dans la foule une grande rumeur à son sujet. Les uns disaient : " C'est un homme de bien." " Non, disaient les autres, il trompe le peuple." 13. Cependant personne ne s'exprimait librement sur son compte, par crainte des Juifs. ¶

Jésus proclame sa divine mission.

14. ✠ On était déjà au milieu de la fête, lorsque Jésus monta au temple, et il se mit à enseigner. 15. Les Juifs étonnés disaient : " Comment connaît-il les Ecritures, lui qui n'a point fréquenté les écoles?" 16. Jésus leur répondit : " Ma doctrine n'est pas de moi, mais

Tirsi (septembre-octobre); le premier et le dernier jour étaient très solennels.—3. *Vos disciples* de la Judée et de Jérusalem.—*Les œuvres*, les miracles. — 5. *Ne croyaient pas en lui*, d'une foi ferme et assurée. — 6. *Mon temps*, le temps de me montrer au monde, à Jérusalem. — *Tous les temps vous sont bons :* la raison en est au verset suivant. — 8. *Je n'y vais point* maintenant. — 10. *Non publiquement*, avec les nombreuses caravanes qui se rendaient alors à Jérusalem; *mais comme en secret*, accompagné d'un petit nombre de disciples. — 11. *Les Juifs*, surtout les membres du sanhédrin. Ce mot a le même sens au verset 13.

de celui qui m'a envoyé. 17. Si quelqu'un veut faire la volonté de Dieu, il connaîtra si ma doctrine est de Dieu, ou si je parle de moi-même. 18. Celui qui parle de soi-même, cherche sa propre gloire; mais celui qui cherche la gloire de celui qui l'a envoyé, est vrai, et il n'y a point en lui d'imposture. 19. Est-ce que Moïse ne vous a pas donné la Loi? Et *néanmoins* nul de vous n'accomplit la Loi. 20. Pourquoi cherchez-vous à me faire mourir?" La foule répondit : "Vous êtes possédé du démon; qui est-ce qui cherche à vous faire mourir?" 21. Jésus leur dit : "J'ai fait une seule œuvre, et pour cela, vous êtes tous hors de vous-mêmes? 22. Moïse vous a donné la circoncision (bien qu'elle vienne, non de Moïse, mais des Patriarches), et vous la pratiquez le jour du sabbat. 23. Que si, pour ne pas violer la loi de Moïse, on circoncit le jour du sabbat, comment vous indignez-vous contre moi, parce que, le jour du sabbat, j'ai rendu un homme sain dans tout son corps? 24. Ne jugez point sur l'apparence, mais jugez selon la justice."

25. Alors quelques personnes de Jérusalem dirent : "N'est-ce pas là celui qu'ils cherchent pour le faire mourir? 26. Et le voilà qui parle publiquement sans qu'on lui dise rien. Est-ce que vraiment les princes du peuple auraient reconnu qu'il est le Christ? 27. Celui-ci, néanmoins, nous savons d'où il est;" mais quand le Christ viendra, personne ne sau-

17. Première preuve : il en appelle à l'expérience morale. — 18. Deuxième preuve. Ajoutez : Or je ne recherche point ma gloire, mais celle de mon Père : donc, etc. — 19. Ce verset se rapporte au vers. 17 : il n'est pas étonnant que vous ne reconnaissiez pas la vérité de ma doctrine, car *nul de vous*, etc. : bien au contraire, en voulant me mettre à mort (v, 18), vous en violez un des articles les plus essentiels : *Tu ne tueras point* (*Exod.* xx. 13). — 21. *Une seule œuvre :* allusion à la guérison d'un paralytique le jour du sabbat (v. 8). — 24. Considérez l'esprit de la loi et l'intention de celui qui agit. — 27. *Nous savons d'où* il est : nous connaissons ses parents et le lieu de son origine. — *Personne ne saura*, etc. Quelques passages des Prophètes sur la génération éternelle du Messie, Fils de Dieu, avaient donné lieu à cette croyance populaire. Ce sont d'*autres* Juifs qui parleront au vers. 42.

ra d'où il est." 28. Jésus, qui enseignait dans le temple, dit donc à haute voix : "Vous me connaissez et vous savez d'où je suis!... et pourtant ce n'est pas de moi-même que je suis venu : mais il est vrai, celui qui m'a envoyé : vous ne le connaissez point; 29. moi, je le connais, parce que je suis de lui, et c'est lui qui m'a envoyé." 30. Ils cherchèrent donc à le saisir; et personne ne mit la main sur lui, parce que son heure n'était pas encore venue.¶ 31. Mais plusieurs, parmi le peuple, crurent en lui, et ils disaient : "Quand le Christ viendra, fera-t-il plus de miracles que n'en a fait celui-ci?" 32. Les Pharisiens entendirent ce que la foule disait tout bas de Jésus; alors les Princes des prêtres et les Pharisiens envoyèrent des gardes pour l'arrêter. 33. Jésus dit : "Je suis encore avec vous un peu de temps, puis je m'en vais à celui qui m'a envoyé. 34. Vous me chercherez, et vous ne me trouverez point, et où je suis, vous ne pouvez venir." 35. Sur quoi les Juifs se dirent entre eux : "Où donc ira-t-il, que nous ne le trouverons point? Ira-t-il aux Juifs dispersés parmi les Gentils, et se fera-t-il le docteur des Gentils? 36. Que signifie cette parole qu'il a dite : Vous me chercherez, et vous ne me trouverez point, et où je suis, vous ne pouvez venir?"

Il se dit la source de vie.

37. Le dernier jour de la fête, qui en est le plus solennel, Jésus debout dit à haute voix : "Si quelqu'un a soif, qu'il vienne à moi, et qu'il boive. 38. Celui qui croit en

---

28. *Vous savez*, etc. : est-ce bien vrai? Vous connaissez mon visage, mon nom, mes parents, soit; mais ce que je suis véritablement, vous l'ignorez. — 29. *Je suis* né *de lui :* Notre Seigneur ajoute cela, dit S. Augustin, pour montrer aux Juifs par qui ils pourraient apprendre à connaître le Père. — 34. Les Juifs chercheront partout le Messie, ce qui est implicitement chercher Jésus, et ne le trouveront point, parce qu'il n'y en a pas d'autre que lui. Comp. 43. — *Où je suis :* au ciel, où je suis toujours comme Dieu, et où je serai bientôt comme Homme-Dieu. — 37. *Qu'il boive* ma doctrine, qu'il s'abreuve de ma grâce et des dons de l'Esprit Saint. — 38. Plusieurs prophètes ont annoncé l'effusion des dons de l'Esprit Saint dans les âmes à l'époque du Messie.

moi, de son sein, comme dit l'Ecriture, couleront des fleuves d'eau vive. " 39. Il disait cela de l'Esprit que devaient recevoir ceux qui croient en lui; car l'Esprit n'était pas encore *donné*, parce que Jésus n'avait pas encore été glorifié.

On veut l'arrêter et Nicodème prend sa défense.

40. Parmi la foule qui avait entendu ces paroles, quelques-uns disaient: " C'est vraiment le Prophète. " 41. D'autres : " C'est le Christ." " Mais, disaient les autres, est-ce bien de la Galilée que doit venir le Christ? 42. L'Ecriture ne dit-elle pas que c'est de la race de David, et de la petite ville de Béthléem, où était David, que le Christ doit venir? " 43. C'est ainsi que le peuple était partagé à son sujet. 44. Quelques-uns voulaient l'arrêter; mais personne ne mit la main sur lui. 45. Les gardes étant donc revenus vers les Pontifes et les Pharisiens, ceux-ci leur dirent : "Pourquoi ne l'avez-vous pas amené? " 46. Les gardes répondirent : " Jamais homme n'a parlé comme cet homme. " 47. Les Pharisiens leur dirent : " Vous aussi, vous êtes-vous laissé séduire? 48. Y a-t-il quelqu'un parmi les Princes du peuple qui ait cru en lui ? Y en a-t-il parmi les Pharisiens? 49. Mais cette population qui ne connaît pas la Loi, ce sont des maudits! " 50. Nicodème, l'un d'eux, celui qui était venu de nuit à Jésus, leur dit : 51. "Notre loi condamne-t-elle un homme sans qu'on l'ait entendu, et sans qu'on sache ce qu'il a fait? " 52. Ils lui répondirent : " Toi aussi, es-tu Galiléen? Examine avec soin *les Ecritures*, et tu verras qu'il ne sort point de prophète de la Gali-

39. Sans doute, dans l'ancien Testament, le Saint Esprit fut communiqué à plusieurs saints personnages, mais non comme au jour de la Pentecôte, ni comme il se donne tous les jours au peuple chrétien. — 40. *Le Prophète :* comp. i, 21. — 45. Voy. vers. 32. — 48. *Les Pharisiens*, membres du sanhédrin. — 50. *Nicodème :* voy. iii, 2 sv.; xix, 39. — 52. *Galiléen*, compatriote de Jésus, pour t'intéresser ainsi à lui? — *De prophète;* ils se trompent : Jonas, Elie, Nahum et Osée étaient originaires de la Galilée.

lée!" 53. Et ils s'en retournèrent chacun dans sa maison.

Le lendemain et le surlendemain de la fête des Tabernacles. — CH. 8. — *La* ✠ *femme adultère.*

Jésus s'en alla sur la montagne des Oliviers; 2. mais, dès le point du jour, il retourna dans le temple, et tout le peuple vint à lui. S'étant assis, il les enseignait. 3. Alors les Scribes et les Pharisiens lui amenèrent une femme surprise en adultère, et l'ayant placée au milieu de la foule, 4. ils dirent à Jésus : " Maître, cette femme vient d'être surprise en adultère. 5. Or Moïse, dans la Loi, nous a ordonné de lapider de telles femmes. Vous donc, que dites-vous?" 6. C'était pour l'éprouver qu'ils l'interrogeaient ainsi, afin de pouvoir l'accuser. Mais Jésus, s'étant baissé, écrivait sur la terre avec le doigt. 7. Comme ils continuaient à l'interroger, il se releva et leur dit : " Que celui de vous qui est sans péché jette le premier la pierre contre elle. " 8. Et s'étant baissé de nouveau, il écrivait sur la terre. 9. Ayant entendu cette parole, et se sentant repris par leur conscience, ils se retirèrent les uns après les autres, les plus âgés d'abord, puis tous les autres, de sorte que Jésus resta seul avec la femme qui était là au milieu. 10. Alors Jésus s'étant relevé, et ne voyant plus que la femme, lui dit : " Femme, où sont ceux qui vous accusaient? Est-ce que personne ne vous a condamnée? " 11. Elle répondit : " Personne, Seigneur. " Jésus lui dit : " Je ne vous condamne pas non plus. Allez, et ne péchez plus. " ¶

Jésus est la lumière du monde.

12. ✠ Jésus leur parla de nouveau, disant : " Je suis la lumière du monde.

---

53. *Ils*, les membres du sanhédrin, *s'en retournèrent* sans avoir rien fait.

Chap. 8. — 1. *S'en alla*, le soir du dernier jour de la fête des Tabernacles. — 6. *Ecrivait sur la terre*, en signe d'indifférence et d'inattention. — 12. *De nouveau*, probablement le lendemain. — *La lumière*, la vérité, dont la lumière est le symbole et comme le rayonnement; elle donne la véritable *vie*, la vie de la grâce ici-bas, et dans le ciel la vie de la gloire.

Celui qui me suit ne marchera pas dans les ténèbres, mais il aura la lumière de la vie. " 13. Sur quoi les Pharisiens lui dirent : " Vous rendez témoignage de vous-même; votre témoignage n'est pas digne de foi. " 14. Jésus leur répondit : "Quoique je rende témoignage de moi-même, mon témoignage est digne de foi, parce que je sais d'où je suis venu et où je vais; mais vous, vous ne savez ni d'où je viens, ni où je vais. 15. Vous jugez selon la chair; moi, je ne juge personne. 16. Et si je juge, mon jugement est digne de foi, car je ne suis pas seul, mais moi, et le Père qui m'a envoyé. 17. Il est écrit dans votre Loi que le témoignage de deux hommes est digne de foi. 18. Or, je rends témoignage de moi-même, et le Père qui m'a envoyé rend aussi témoignage de moi. " 19. Ils lui dirent donc : "Où est votre Père? " Jésus répondit : " Vous ne connaissez ni moi, ni mon Père; si vous me connaissiez, vous connaîtriez aussi mon Père. " 20. Jésus parla de la sorte dans le parvis du Trésor, lorsqu'il enseignait dans le temple; et personne ne mit la main sur lui, parce que son heure n'était pas encore venue. ¶

Les Juifs incrédules seront punis.

21. ✠ Jésus leur dit encore : "Je m'en vais, et vous me chercherez, et vous mourrez dans votre péché. Où je vais, vous ne pouvez venir. " 22. Les Juifs disaient donc : " Est-ce qu'il a dessein de se tuer lui-même, qu'il dit : Où je vais, vous ne pouvez venir? " 23. Et il leur dit : "Vous, vous êtes d'en bas; moi, je suis d'en haut; vous êtes de ce monde, moi, je ne suis pas de ce monde. 24. C'est pourquoi je vous ai dit

15. *Vous* me *jugez* selon les apparences extérieures et vous me condamnez comme un imposteur. — *Je ne juge*, je ne condamne : comp. iii, 17. — 16. *Si je juge :* si pourtant il m'arrive de porter quelque jugement. — 17. L'idée de *jugement* amène celle de *témoignage*. — *Il est écrit :* citation de *Deut.* xix. 15. — 18. Ce double témoignage du Père et du Fils consistait dans les œuvres de Jésus, que tout esprit sans préjugé devait reconnaître comme des œuvres divines.

que vous mourrez dans votre péché; car si vous ne croyez pas que c'est moi *le Messie*, vous mourrez dans votre péché. " 25. " Qui êtes-vous? " lui dirent-ils. Jésus leur répondit : "*Je suis* le Principe, moi qui vous parle. 26. J'ai beaucoup de choses à dire de vous et à condamner en vous, mais celui qui m'a envoyé est véridique, et ce que j'ai entendu de lui, je le dis au monde. " 27. Ils ne comprirent point qu'il disait que Dieu était son Père. 28. Jésus donc leur dit : " Lorsque vous aurez élevé le Fils de l'homme, alors vous connaîtrez qui je suis, et que je ne fais rien de moi-même, mais que je dis ce que mon Père m'a enseigné. 29. Et celui qui m'a envoyé est avec moi, et il ne m'a pas laissé seul, parce que je fais toujours ce qui lui plaît."¶ — 30. Comme il disait ces choses, plusieurs crurent en lui.

Les Juifs fils, non d'Abraham, mais du démon.

31. ✠ Jésus dit donc aux Juifs qui avaient cru en lui : " Si vous demeurez *fermes* dans ma parole, vous êtes vraiment mes disciples; 32. vous connaîtrez la vérité, et la vérité vous rendra libres." 33. Ils lui répondirent : " Nous sommes la race d'Abraham, et nous n'avons jamais été esclaves de personne; comment dites-vous : Vous deviendrez libres? " 34. Jésus leur répondit : " En vérité, en vérité, je vous le dis, quiconque se livre au péché est esclave du péché. 35. Or l'esclave ne demeure pas toujours dans la maison; mais le fils y demeure toujours. 36. Si donc le Fils vous affranchit, vous serez vraiment libres. 37. Je

25. Le vrai sens paraît être : *Je suis ce que je vous dis depuis le commencement* de ma prédication, savoir le Christ ou le Messie. — 26. *Mais :* ce que j'ai dit (vers. 21, 24) suffit pour le moment; songez seulement à ceci, savoir que celui *qui m'a envoyé est véridique*, et que ce que j'ai dit s'accomplira. — 28. *Elevé* en croix : comp. iii, 14. — 32. *La vérité*, toute ma doctrine. — *Libres* de la tyrannie du péché et des passions mauvaises. — 35. La seconde partie de la comparaison est sous entendue : ainsi celui qui est esclave du péché n'a pas le droit de demeurer toujours dans la maison de Dieu; il doit en être chassé. Application aux Juifs : Les Juifs ne feront plus partie du royaume de Dieu; ils en seront chassés comme l'esclave Ismaël l'a été de la maison d'Abraham (*Gen.* xxi, 9).

sais que vous êtes enfants d'Abraham; mais vous cherchez à me faire mourir, parce que ma parole n'entre point en vous. 38. Moi, je dis ce que j'ai vu chez mon Père; et vous, vous faites ce que vous avez vu chez votre père." 39. Ils lui répondirent : "Notre père, c'est Abraham." Jésus leur dit : "Si vous étiez enfants d'Abraham, vous feriez les œuvres d'Abraham. 40. Mais maintenant vous cherchez à me faire mourir, moi qui vous ai dit la vérité que j'ai entendue de Dieu : ce n'est point ce qu'a fait Abraham. 41. Vous faites les œuvres de votre père." Ils lui dirent : "Nous ne sommes pas des enfants de fornication; nous avons un seul Père, qui est Dieu." 42. Jésus leur dit : "Si Dieu était votre Père, vous m'aimeriez, car c'est de Dieu que je suis sorti et que je viens; et je ne suis pas venu de moi-même, mais c'est lui qui m'a envoyé. 43. Pourquoi ne reconnaissez-vous pas mon langage? Parce que vous ne pouvez entendre ma parole. 44. Le père dont vous êtes issus, c'est le diable, et vous voulez accomplir les désirs de votre père. Il a été homicide dès le commencement, et n'est point demeuré dans la vérité, parce qu'il n'y a point de vérité en lui. Lorsqu'il profère le mensonge, il parle de son propre fonds; car il est menteur, et le père du mensonge. 45. Et moi, parce que je vous dis la vérité, vous ne me croyez pas.¶ 46. ✠ Qui de vous me convaincra de péché? Si je dis la vérité, pourquoi ne me croyez-vous pas? 47. Celui qui est de Dieu entend la parole de Dieu; c'est parce que vous n'êtes pas de Dieu que vous ne l'entendez pas." 48. Les Juifs lui répondirent : "N'avons-nous

41. *Enfants de fornication*, illégitimes. — 43. *Vous ne pouvez*, etc.: vous n'avez pas l'Esprit de Dieu, nécessaire pour cela. — 44. *C'est le diable*, dont vous imitez les sentiments et les œuvres. — *Homicide* : il s'agit, non du meurtre d'Abel, mais de la perte de nos premiers parents qui, séduits par le démon, furent condamnés à la mort. — *Dans la vérité*, dans son intégrité première : il s'est fait le propagateur de l'erreur et du *mensonge* parmi les anges et les hommes. — 46. *De péché*, et, par suite, d'erreur et de mensonge.

pas raison de dire que vous êtes un Samaritain et que vous êtes possédé d'un démon?" 49. Jésus répondit : "Il n'y a point en moi de démon; mais j'honore mon Père, et vous, vous m'outragez. 50. Pour moi je n'ai pas souci de ma gloire : il est quelqu'un qui en prend soin et qui fera justice. 51. En vérité, en vérité, je vous le dis, si quelqu'un garde ma parole, il ne verra jamais la mort."

Jésus avant Abraham.

52. Les Juifs lui dirent : "Nous voyons maintenant qu'un démon est en vous. Abraham est mort, les prophètes aussi, et vous dites : Si quelqu'un garde ma parole, il ne goûtera jamais la mort. 53. Etes-vous plus grand que notre père Abraham, qui est mort? Les Prophètes aussi sont morts; qui prétendez-vous être?" 54. Jésus répondit : "Si je me glorifie moi-même, ma gloire n'est rien; c'est mon Père qui me glorifie, lui dont vous dites qu'il est votre Dieu; 55. et pourtant vous ne le connaissez pas; mais moi, je le connais; et si je disais que je ne le connais pas, je serais menteur comme vous. Mais je le connais, et je garde sa parole. 56. Abraham, votre père, a tressailli de joie de ce qu'il devait voir mon jour; il l'a vu, et il s'est réjoui." 57. Les Juifs lui dirent : "Vous n'avez pas encore cinquante ans, et vous avez vu Abraham!" 58. Jésus leur répondit : "En vérité, en vérité, je vous le dis, avant qu'Abraham fût, je suis." 59. Alors ils prirent des pierres pour les lui jeter; mais Jésus se cacha, et sortit du temple. ¶

---

51. *La mort* spirituelle, ni même la mort du corps, du moins la mort totale : la dépouille du juste *dort* dans nos *cimetières*, en attendant la résurrection glorieuse. — 54. *N'est rien :* comp. v. 31. — *Me glorifie*, par les oracles des prophètes qui m'ont annoncé, par le témoignage de Jean Baptiste, par les miracles qu'il m'a donné de faire. — 56. *A tressailli de joie...* le jour où il a reçu la promesse que de sa race sortirait le Messie. — *Mon jour*, le jour de ma venue sur la terre. — *Il l'a vu*, non dans sa vie terrestre, mais dans le séjour des âmes où, avec tous les pieux personnages de l'ancien Testament, il attendait mon avènement; là, par quelque grâce particulière, *il a vu* le jour de mon incarnation et de ma naissance, *et il s'est réjoui.*

Le Samedi après la Fête des Tabernacles. — Ch. 9. — ✠ *L'aveugle né.*

Jésus vit, en passant, un aveugle de naissance. 2. "Maître, lui demandèrent ses disciples, est-ce cet homme qui a péché, ou ses parents, pour qu'il soit né aveugle?" 3. Jésus répondit : "Ce n'est pas qu'il ait péché, ni lui, ni ses parents, mais c'est afin que les œuvres de Dieu soient manifestées en lui. 4. Il faut, tandis qu'il est jour, que je fasse les œuvres de celui qui m'a envoyé; la nuit vient, où personne ne peut travailler. 5. Pendant que je suis dans le monde, je suis la lumière du monde." — 6. Ayant ainsi parlé, il cracha à terre, fit de la boue avec sa salive; puis il l'étendit sur les yeux de l'aveugle, 7. et lui dit : "Va, et lave-toi dans la piscine de Siloé (mot qui veut dire envoyé)." Il y alla, se lava, et s'en retourna voyant clair. 8. Les gens du voisinage, et ceux qui l'avaient vu auparavant demander l'aumône, disaient : "N'est-ce pas là celui qui était assis et mendiait?" 9. Les uns répondaient : "C'est lui"; d'autres : "Non, mais il lui ressemble." Mais lui disait : "C'est moi." 10. Ils lui dirent donc : "Comment tes yeux ont-ils été ouverts?" 11. Il répondit : "Un homme, qu'on appelle Jésus, a fait de la boue, il l'a étendue sur mes yeux, et m'a dit : Va à la piscine de Siloé, et lave-toi. J'y ai été, je me suis lavé, et j'ai recouvré la vue." 12. "Où est cet homme?" lui dirent-ils? Il répondit : "Je ne sais pas."

13. Ils menèrent aux Pharisiens celui qui avait été aveugle. 14. Or c'était un jour de sabbat que Jésus avait ainsi fait de la boue et ouvert les yeux de l'aveugle.

Chap. 9. — 2. Beaucoup de Juifs étaient imbus de la fausse opinion que tout mal physique était la peine d'un péché personnel ou des parents (comp. *Exod.* xx, 5). — 4. Le *jour*, c'est le temps de la vie mortelle du Christ; la *nuit*, c'est la mort, dont la nuit est l'image. — 13. *Aux Pharisiens*, membres du sanhédrin, pour leur demander un jugement sur ce qui venait de se passer. Car les rabbins enseignaient qu'il n'était pas permis, le jour du sabbat, d'oindre avec de la salive l'œil d'un malade.

15. A leur tour les Pharisiens lui demandèrent comment il avait recouvré la vue, et il leur dit : "Il m'a mis sur les yeux de la boue, je me suis lavé, et je vois." 16. Sur cela, quelques-uns des Pharisiens disaient : "Cet homme n'est pas *envoyé* de Dieu, puisqu'il n'observe pas le sabbat." D'autres disaient : "Comment un pécheur peut-il faire de tels prodiges?" Et ils étaient divisés entre eux. 17. Ils dirent donc de nouveau à l'aveugle : "Et toi, que dis-tu de lui, sur ce qu'il t'a ouvert les yeux?" Il répondit : "C'est un Prophète."

18. Les Juifs ne voulurent pas croire que cet homme eût été aveugle et qu'il eût recouvré la vue, jusqu'à ce qu'ils eussent fait venir son père et sa mère. 19. Ils leur demandèrent : "Est-ce là votre fils, que vous dites être né aveugle? Comment donc voit-il maintenant?" 20. Ses parents répondirent : "Nous savons que c'est bien là notre fils, et qu'il est né aveugle ; 21. mais comment il voit maintenant, nous l'ignorons; qui lui a ouvert les yeux, nous ne le savons pas. Interrogez-le lui-même ; il a de l'âge, qu'il parle de ce qui le concerne." 22. Ses parents parlèrent ainsi, parce qu'ils craignaient les Juifs. Car déjà les Juifs étaient convenus que quiconque reconnaîtrait Jésus pour Christ, serait exclu de la synagogue. 23. C'est pourquoi ses parents dirent : "Il a de l'âge, interrogez-le."

24. Les Pharisiens firent venir une seconde fois l'homme qui avait été aveugle, et lui dirent : "Rends gloire à Dieu! Nous savons que cet homme est un pécheur." 25. Il *leur* répondit : "S'il est un pécheur, je l'ignore; je sais seulement que j'étais aveugle, et qu'à présent je vois." 26. Ils lui dirent : "Que t'a-t-il fait? Comment t'a-t-il

---

17. *Un prophète*, un envoyé de Dieu. — 24. *Rends*, ou *donne gloire à Dieu*, formule en usage pour adjurer quelqu'un de se repentir, de dire la vérité, etc. — 26. Ils interrogent encore cet homme, espérant surprendre dans un nouveau récit quelque contradiction qui justifie leur incrédulité.

ouvert les yeux? " 27. Il leur répondit : " Je vous l'ai déjà dit et vous ne l'avez pas écouté : pourquoi voulez-vous l'entendre encore? Est-ce que, vous aussi, vous voulez devenir ses disciples? " 28. Ils le chargèrent alors d'injures, et dirent : " Sois son disciple, toi ; pour nous, nous sommes disciples de Moïse. 29. Nous savons que Dieu a parlé à Moïse ; mais celui-ci, nous ne savons d'où il est. " 30. Cet homme leur répondit : " Il est surprenant que vous ne sachiez pas d'où il est, et cependant il m'a ouvert les yeux. 31. Nous savons que Dieu n'exauce point les pécheurs ; mais si quelqu'un l'honore et fait sa volonté, c'est celui-là qu'il exauce. 32. Jamais on n'a ouï dire que quelqu'un ait ouvert les yeux d'un aveugle-né. 33. Si cet homme n'était pas de Dieu, il ne pourrait rien faire. " 34. Ils lui répondirent : " Tu es né tout entier dans le péché, et tu nous fais la leçon? " Et ils le chassèrent.

35. Jésus apprit qu'ils l'avaient ainsi chassé, et l'ayant rencontré, il lui dit : " Crois-tu au Fils de Dieu? " 36. Il répondit : " Qui est-il, Seigneur, afin que je croie en lui? " 37. Jésus lui dit : " Tu l'as vu ; et c'est lui-même qui te parle. " 38. " Je crois, Seigneur, " dit-il ; et se jetant à ses pieds, il l'adora. ¶ 39. Alors Jésus dit : " Je suis venu dans ce monde pour un jugement, afin que ceux qui ne voient pas, voient, et que ceux qui voient, deviennent aveugles. " 40. Quelques Pharisiens qui étaient là, ayant entendu ces paroles, lui dirent : " Sommes-nous donc aussi des aveugles?" 41. Jésus leur répondit : " Si vous étiez aveugles, vous n'auriez point de péché ; mais maintenant

39. *Pour un jugement*, pour faire la séparation de ceux qui croient d'avec les incrédules. — *Ceux qui ne voient pas*, les humbles, les pauvres en esprit, qui reconnaissent leur ignorance, seront éclairés de la lumière de ma doctrine ; *ceux qui voient*, qui sont sages à leurs propres yeux, les sages de ce monde pour qui la croix est une folie, seront frappés de cécité spirituelle. *Afin que* indique souvent dans la Bible, non pas *l'intention* mais l'*événement* ou le résultat. — 41. *Si vous étiez*, si vous vous regardiez humblement comme des *aveugles*, ayant besoin d'une lumière supérieure, vous recevriez ma

vous dites : Nous voyons; votre péché demeure.

CH. 10.

✠ *Le bon Pasteur.*

En vérité, en vérité, je vous le dis, celui qui n'entre point par la porte dans la bergerie, mais qui y monte par un autre endroit, est un voleur et un brigand. 2. Mais celui qui entre par la porte est le pasteur des brebis. 3. C'est à lui que le portier ouvre, et les brebis entendent sa voix ; il appelle par leur nom ses brebis, et il les mène aux pâturages. 4. Quand il a fait sortir ses brebis, il marche devant elles, et les brebis le suivent, parce qu'elles connaissent sa voix. 5. Elles ne suivent point un étranger, mais elles le fuient, parce qu'elles ne connaissent pas la voix des étrangers. " 6. Jésus leur dit cette parabole ; mais ils ne comprirent pas de quoi il leur parlait.

7. Jésus donc leur dit encore : " En vérité, en vérité, je vous le dis, je suis la porte des brebis. 8. Tous ceux qui sont venus avant moi sont des voleurs et des brigands, mais les brebis ne les ont point écoutés. 9. Je suis la porte : si quelqu'un entre par moi, il sera sauvé ; il entrera, il sortira, il trouvera des pâturages. 10. Le voleur ne vient que pour dérober, égorger et détruire ; moi, je suis venu pour que les brebis aient la vie, et qu'elles soient dans l'abondance. 11. ✠ Je suis le bon pasteur. Le bon pasteur donne sa vie pour ses brebis. 12. Mais le mercenaire, celui qui n'est pas le pasteur, à qui les brebis n'appartiennent pas, voit venir le loup, laisse là les brebis

doctrine, *et vous n'auriez point de péché.* — *Nous voyons,* nous possédons la sagesse et n'avons nul besoin de vos enseignements.

Chap. 10. — 1. On peut distinguer deux parties dans cette parabole : 1. N. S. enseigne quel est le véritable docteur dans le royaume de Dieu (vers. 1-9); 2. il compare ensemble le bon et le mauvais pasteur (vers. 10-18). La parabole elle-même porte l'empreinte des usages et des mœurs de l'Orient. — La bergerie. c'est Israël ou l'Eglise, le royaume de Dieu ; le vrai pasteur, c'est J. C. et tous les pasteurs légitimes qui tiennent sa place. — 6. *Leur dit,* aux docteurs pharisiens qui étaient là (IX, 40). — *Cette parabole,* plus exactement cette allégorie. — 8. *Avant moi* et en dehors de moi : la plupart des Scribes et des Pharisiens. — *Les brebis,* les pieux Israélites.

et prend la fuite; et le loup les ravit et disperse le troupeau. 13. Le mercenaire s'enfuit, parce qu'il est mercenaire et qu'il n'a nul souci des brebis. 14. Je suis le bon pasteur; je connais mes brebis, et mes brebis me connaissent, 15. comme mon Père me connaît, et que je connais mon Père, et je donne ma vie pour mes brebis. 16. J'ai encore d'autres brebis, qui ne sont pas de cette bergerie; il faut aussi que je les conduise : elles entendront ma voix, et il y aura une seule bergerie, un seul pasteur.¶ 17. Mon père m'aime, parce que je donne ma vie pour la reprendre. 18. Personne ne me la ravit, mais je la donne de moi-même; j'ai le pouvoir de la donner, et le pouvoir de la reprendre : tel est l'ordre que j'ai reçu de mon Père. "

19. Il s'éleva de nouveau une division parmi les Juifs à l'occasion de ce discours. 20. Plusieurs d'entre eux disaient : " Il est possédé d'un démon, il a perdu le sens : pourquoi l'écoutez-vous? " 21 D'autres disaient : " Ce ne sont pas là les paroles d'un possédé; est-ce qu'un démon peut ouvrir les yeux des aveugles? "

L'opposition des Pharisiens s'accentue davantage à la fête de la Dédicace (Déc.) — *Jésus se proclame égal à son Père.*

22. ✠ On célébrait à Jérusalem la fête de la Dédicace : c'était l'hiver; 23. et Jésus se promenait dans le temple, sous le portique de Salomon. 24. Les Juifs l'entourèrent donc et lui dirent : " Jusques à quand tiendrez-vous notre esprit en suspens? Si vous êtes le Christ, dites-le-nous franchement. " 25. Jésus leur répondit : " Je vous l'ai dit, et vous ne *me* croyez pas : les œuvres que je fais au nom de mon Père rendent témoignage de moi; 26. mais vous ne croyez point, parce que vous n'êtes pas de mes brebis. 27. Mes brebis

13. *Parce qu'il est mercenaire*, n'ayant à cœur que le salaire. — 16. *D'autres brebis*, les Gentils ou païens. — 17. *Pour la reprendre*, en ressuscitant le troisième jour. — 18. *Ce commandement :* je me soumets avec amour à ce décret de mon Père.

entendent ma voix; je les connais et elles me suivent. 28. Je leur donne la vie éternelle, et elles ne périront jamais, et nul ne les ravira d'entre mes mains : 29. ce que mon Père m'a donné est plus grand que toutes choses, et nul ne peut ravir ce qui est entre les mains de mon Père. 30. Mon Père et moi nous sommes un." 31. Alors les Juifs ramassèrent de nouveau des pierres pour le lapider. 32. Jésus leur dit : " J'ai fait devant vous beaucoup d'œuvres bonnes par la puissance de mon Père : pour laquelle de ces œuvres me lapidez-vous?" 33. Les Juifs lui répondirent : " Ce n'est pas pour une bonne œuvre que nous vous lapidons, mais pour un blasphème, et parce que, étant homme, vous vous faites Dieu." 34. Jésus leur répondit : " N'est-il pas écrit dans votre loi : J'ai dit : Vous êtes des dieux? 35. Si la loi appelle dieux ceux à qui la parole de Dieu a été adressée, et si l'Ecriture ne peut être anéantie, 36. comment dites-vous à celui que le Père a sanctifié et envoyé dans le monde : Vous blasphémez, parce que j'ai dit : Je suis le Fils de Dieu? 37. Si je ne fais pas les œuvres de mon Père, ne me croyez pas. 38. Mais si je les fais, lors même que vous ne voudriez pas me croire, croyez en mes œuvres : afin que vous sachiez et croyiez que le Père est en moi, et que je suis dans le Père." 39. Là-dessus, ils cherchèrent encore à se saisir de lui, mais il s'échappa de leurs mains. ¶ 40. Il s'en retourna au-delà du Jourdain, dans le lieu où Jean avait commencé à baptiser; et il y de-

29. *Ce que mon Père :* ce que le Père a donné au Fils en l'engendrant, c'est la nature divine. — 30. *Nous sommes* indique la distinction des personnes; *un* l'unité de nature et de substance. — 31. *Le lapider* comme blasphémateur. Les Juifs comprenaient donc que Jésus, par ses paroles, s'attribuait la nature divine. — 34. *Des dieux.* Dans ce passage du Psaume 81, le Seigneur s'adresse à des juges iniques qu'il exhorte à juger selon l'équité, en leur rappelant qu'ils sont les représentants de Dieu sur la terre. — 36. *Sanctifié* doit s'entendre ici de la consécration à la dignité du Messie. Notre Seigneur argumente du moins au plus, et se hâte d'ajouter qu'il est d'ailleurs le Fils de Dieu dans le sens propre du mot (vers. 38). — 38. *En moi,* avec son essence, et par conséquent avec sa puissance et sa volonté.

meura. 41. Bien des gens venaient à lui, disant : " Jean n'a fait aucun miracle; 42. mais tout ce qu'il a dit de celui-ci est vrai." Et il y en eut là beaucoup qui crurent en lui.

La résurrection de Lazare pousse les Juifs à décréter la mort de Jésus. — CH. 11.

✠

Il y avait un homme malade, *nommé* Lazare, de Béthanie, village de Marie et de Marthe, sa sœur. — 2. Marie est celle qui oignit de parfum le Seigneur, et lui essuya les pieds avec ses cheveux; et c'était son frère qui était malade. — 3. Les sœurs envoyèrent dire à Jésus : " Seigneur, celui que vous aimez est malade." 4. Ce qu'ayant entendu, Jésus dit : "Cette maladie ne va pas à la mort, mais elle est pour la gloire de Dieu, afin que le Fils de Dieu soit glorifié par elle." 5. Or Jésus aimait Marthe, et sa sœur Marie, et Lazare. 6. Ayant donc appris qu'il était malade, il resta deux jours encore au lieu où il était. 7. Après cela, il dit à ses disciples : " Retournons en Judée." 8. Les disciples lui dirent : " Maître, tout à l'heure les Juifs voulaient vous lapider, et vous retournez en Judée ?" 9. Jésus répondit : " N'y a-t-il pas douze heures dans le jour? Si l'on marche pendant le jour, on ne se heurte point, parce qu'on voit la lumière de ce monde. 10. Mais si l'on marche pendant la nuit, on se heurte, parce qu'on manque de lumière. " 11. Il parla ainsi, et ajouta : " Notre ami Lazare dort, mais je vais l'éveiller." 12. Ses disciples lui dirent : " S'il dort, il guérira." 13. Mais Jésus avait parlé de sa mort, et ils pensaient que c'était du repos du sommeil. 14. Alors Jésus leur dit clairement : " Lazare est mort; 15. et je me réjouis à cause de vous de

Chap. 11. — 9-10. Dans cette réponse allégorique, le *jour* est l'image du temps que Dieu a fixé à chacun pour l'accomplissement de sa mission; de même la *nuit* figure l'activité personnelle et égoïste qui s'exerce en dehors de la vocation divine; enfin la *lumière* est l'image de la clarté intérieure d'une conscience pure qui, avec la grâce et sous la garde de Dieu, remplit son devoir sans faiblesse comme sans témérité. — 11. *Dort*, est mort.

n'avoir pas été là, afin que vous croyiez; mais allons vers lui." 16. Sur quoi Thomas, appelé Didyme, dit aux autres disciples : "Allons-y aussi, afin de mourir avec lui."

17. Jésus, étant arrivé, trouva que Lazare était depuis quatre jours dans le sépulcre. 18. Et comme Béthanie était près de Jérusalem, à quinze stades environ, 19. beaucoup de Juifs étaient venus auprès de Marthe et de Marie pour les consoler *de la mort* de leur frère. 20. Dès que Marthe eut appris que Jésus arrivait, elle alla au devant de lui; pour Marie, elle se tenait assise à la maison. 21. ✠ Marthe dit donc à Jésus : "Seigneur, si vous aviez été ici, mon frère ne serait pas mort. 22. Mais, maintenant encore, je sais que tout ce que vous demanderez à Dieu, Dieu vous l'accordera." 23. Jésus lui dit : "Votre frère ressuscitera." 24. "Je sais, lui répondit Marthe, qu'il ressuscitera lors de la résurrection, au dernier jour." 25. Jésus lui dit : "Je suis la résurrection et la vie; celui qui croit en moi, fût-il mort, vivra; 26. et quiconque vit et croit en moi, ne mourra point pour toujours. Le croyez-vous?" 27. "Oui, Seigneur, lui dit-elle, je crois que vous êtes le Christ, le Fils du Dieu vivant, qui êtes venu en ce monde." ¶ 28. Lorsqu'elle eut ainsi parlé, elle s'en alla, et appela en secret Marie, sa sœur, disant : "Le Maître est là, et il t'appelle." 29. Dès que celle-ci l'eut entendu, elle se leva promptement et alla vers lui; 30. car Jésus n'était pas encore entré dans le village; il n'avait pas quitté le lieu où Marthe l'avait rencontré. 31. Les Juifs qui étaient dans la maison avec Marie, et la consolaient, l'ayant vue se lever en hâte et sortir, la suivirent en disant : "Elle va au sépulcre pour y pleurer." 32. Lorsque Marie fut arrivée au lieu où était Jésus, le voyant, elle tomba à ses pieds, et lui dit : "Seigneur, si vous aviez été ici, mon frère ne serait pas mort."

18. *Quinze stades*, 3 kilomètres. — 25. *Je suis* l'auteur, le principe de *la résurrection*, etc.

33. Jésus la voyant pleurer, elle et les Juifs qui l'accompagnaient, frémit en son esprit, et se laissa aller à son émotion. 34. Et il dit : " Où l'avez-vous mis? " " Seigneur, lui répondirent-ils, venez et voyez." 35. Jésus pleura. 36. Les Juifs dirent : " Voyez comme il l'aimait!" 37. Mais quelques-uns d'entre eux dirent : " Ne pouvait-il pas, lui qui a ouvert les yeux d'un aveugle-né, faire aussi que cet homme ne mourût point?"

38. Jésus donc, frémissant de nouveau en lui-même, se rendit au sépulcre : c'était un caveau, et une pierre était posée dessus. 39. " Otez la pierre," dit Jésus. Marthe, la sœur de celui qui était mort, lui dit : " Seigneur, il sent déjà, car il y a quatre jours qu'il est là." 40. Jésus lui dit : " Ne vous ai-je pas dit que si vous croyez, vous verrez la gloire de Dieu?" 41. Ils ôtèrent donc la pierre; et Jésus, levant les yeux en haut, dit : " Père, je vous rends grâces de ce que vous m'avez exaucé. 42. Pour moi, je savais que vous m'exaucez toujours; mais j'ai dit cela à cause de la foule qui m'entoure, afin qu'ils croient que vous m'avez envoyé." 43. Ayant parlé ainsi, il cria d'une voix forte : " Lazare, sors!" 44. Et le mort sortit, les pieds et les mains liés de bandelettes, et le visage enveloppé d'un suaire. Jésus leur dit : " Déliez-le, et le laissez aller." 45. Plusieurs des Juifs qui étaient venus près de Marie et de Marthe, et qui avaient vu ce miracle de Jésus, crurent en lui. ¶

Le Sanhédrin décrète la mort de Jésus.

46. Mais quelques-uns d'entre eux allèrent trouver les Pharisiens, et leur racontèrent ce que Jésus avait fait. 47. ✠ Les Pontifes et les Pharisiens assemblèrent donc le conseil, et dirent : " Que ferons-nous? Car cet homme opère beaucoup de miracles. 48. Si nous le laissons faire, tous croiront en lui, et les Ro-

33. *En son esprit*, en lui-même (vers. 38). — 40. *La gloire de Dieu*, la toute puissance de Dieu manifestée par la résurrection de Lazare. — 44. *Leur dit :* aux Juifs qui étaient là, pour les mieux convaincre.

mains viendront détruire notre ville et notre nation." 49. L'un d'eux, *nommé* Caïphe, qui était grand prêtre cette année-là, leur dit : "Vous n'y entendez rien; 50. vous ne réfléchissez pas qu'il est de votre intérêt qu'un seul homme meure pour le peuple, et que toute la nation ne périsse pas." 51. Il ne dit pas cela de lui-même; mais, étant grand prêtre cette année-là, il prophétisa que Jésus devait mourir pour la nation; — 52. et non seulement pour la nation, mais afin de réunir en un seul corps les enfants de Dieu qui sont dispersés. 53. Depuis ce jour, ils délibérèrent sur les moyens de le faire mourir. 54. C'est pourquoi Jésus ne se montrait plus en public parmi les Juifs; mais il se retira dans la campagne *de la Judée* voisine du désert, dans une ville nommée Ephrem, et il y séjourna avec ses disciples. ¶

55. Cependant la Pâque des Juifs était proche, et un grand nombre montèrent de cette contrée à Jérusalem, avant la Pâque, pour se purifier. 56. Ils cherchaient Jésus, et ils se disaient les uns aux autres, étant dans le temple : "Que vous en semble? Apparemment qu'il ne viendra pas à la fête?" Or les Pontifes et les Pharisiens avaient donné l'ordre que, si quelqu'un savait où il était, il le découvrît, afin qu'ils le fissent prendre.

Gloire divine de Jésus manifestée dans l'entrée triomphale à Jérusalem. — CH. 12. — *Le souper de Béthanie.* ✠

Six jours avant la Pâque, Jésus vint à Béthanie, où était Lazare, le mort qu'il avait ressuscité. 2. Là, on lui donna à souper; Marthe servait, et Lazare était un de

51. *Il prophétisa :* Dieu qui avait plus d'une fois manifesté ses volontés par l'organe des grands prêtres, ne dédaigna pas de se servir de la bouche de Caïphe pour exprimer cette grande vérité, que Caïphe d'ailleurs ne comprenait pas. — 52. *Les enfants de Dieu :* l'Evangéliste appelle ainsi les Gentils par anticipation. — 55. *Se purifier :* ceux qui avaient commis quelque faute, encouru quelque impureté légale, désiraient se purifier d'avance à Jérusalem, afin de pouvoir, immédiatement après, célébrer convenablement la Pâque.

Chap. 12. — 2. *On lui* donna à *souper*, dans la maison de Simon le Lépreux, dit S. Matthieu. Ce Simon était sans doute un parent de

ceux qui se trouvaient à table avec lui. 3. Marie ayant pris une livre d'un parfum de nard pur très précieux, en oignit les pieds de Jésus, et les essuya avec ses cheveux; et la maison fut remplie de l'odeur du parfum. 4. Alors un de ses disciples, Judas Iscariote, celui qui devait le trahir, dit : 5. " Pourquoi n'a-t-on pas vendu ce parfum trois cents deniers, pour les donner aux pauvres?" 6. Il dit cela, non qu'il se souciât des pauvres, mais parce qu'il était voleur, et qu'ayant la bourse, il dérobait ce qu'on y mettait. 7. Jésus lui dit donc : "Laisse-la en paix; qu'elle garde *le reste de* ce parfum pour le jour de ma sépulture. 8. Car vous aurez toujours des pauvres avec vous; mais moi, vous ne m'aurez pas toujours." 9. Une foule nombreuse de Juifs surent que Jésus était à Béthanie, et ils vinrent, non seulement à cause de Jésus, mais aussi pour voir Lazare qu'il avait ressuscité des morts. ¶ 10. Mais les Princes des prêtres délibérèrent de faire mourir aussi Lazare, 11. parce que beaucoup de Juifs se retiraient à cause de lui, et croyaient en Jésus.

Entrée triomphale.

12. Le lendemain, une multitude de gens qui étaient venus pour la fête, ayant appris que Jésus venait à Jérusalem, 13. prirent des rameaux de palmiers, et allèrent au devant de lui, en criant : " Hosanna! Béni soit celui qui vient au nom du Seigneur, le Roi d'Israël!" 14. Jésus, ayant trouvé un ânon, monta dessus, selon ce qui est écrit : 15. " Ne crains point, fille de Sion; voici ton Roi qui vient, assis sur le petit d'une ânesse." — 16. Ses disciples ne comprirent pas d'abord ces choses; mais quand

Lazare, peut-être son père, ce qui explique la présence de Marthe, servant à table, et de Marie. — 3. *Sur les pieds de Jésus*, et sur sa tête, comme nous l'apprend S. Matthieu. — 15. Citation libre de *Zach.* ix, 9. *Fille de Sion*, habitants de Jérusalem, dont la partie la plus ancienne était bâtie sur le mont Sion : hébraïsme. — *Ton Roi*, le Messie promis : comp. *Matth.* ii, 2, 4. — *Sur le petit d'une ânesse :* les Orientaux, surtout en temps de paix, ne dédaignent pas de monter sur des ânes; de là vient que cet animal est le symbole de la paix, comme le cheval est celui de la guerre : comp. *Matth.* xxi, 5. — 16. *Glo-*

Jésus fut glorifié, ils se souvinrent qu'elles étaient écrites de lui, et qu'ils les avaient accomplies à son égard. — 17. La foule donc qui était avec Jésus lorsqu'il appela Lazare du tombeau et le ressuscita des morts, lui rendait témoignage; 18. et c'est aussi parce qu'elle avait appris qu'il avait fait ce miracle, que la multitude s'était portée à sa rencontre. 19. Les Pharisiens se dirent donc entre eux : "Vous voyez bien que vous ne gagnez rien, voilà que tout le monde court après lui."

Des gentils croient en lui.

20. Or, parmi ceux qui ont coutume de monter *à Jérusalem* pour adorer, lors de la fête, il y avait quelques Gentils. 21. Ils s'approchèrent de Philippe, qui était de Bethsaïde en Galilée, et lui firent cette demande : "Seigneur, nous voudrions bien voir Jésus." 22. Philippe alla le dire à André, puis André et Philippe le dirent à Jésus. 23. Jésus leur répondit : "L'heure est venue où le Fils de l'homme doit être glorifié. 24. En vérité, en vérité, je vous le dis, si le grain de blé qui est tombé en terre ne meurt, 25. il demeure seul; mais s'il meurt, il porte beaucoup de fruit. Celui qui aime sa vie, la perdra; et celui qui hait sa vie en ce monde, la conservera pour la vie éternelle. 26. Si quelqu'un veut être mon serviteur, qu'il me suive, et là où je suis, là sera mon serviteur. Si quelqu'un me sert, mon Père l'honorera. ¶ 27. Maintenant mon âme est troublée; et que dirai-je?... Père, délivrez-moi de cette heure... Mais c'est pour cela que je

rifié, ressuscité, monté au ciel et reconnu pour le Messie. — *Accomplies*, sans y penser. — 20. *Gentils*, païens (vii, 35), probablement des *prosélytes de la porte*, ou païens qui avaient quelque connaissance du vrai Dieu, et venaient, quoique incirconcis, l'adorer à Jérusalem dans le parvis des Gentils. — 23. *Glorifié*, par sa résurrection et son ascension, et par la propagation de l'Eglise dans le monde entier. — 24. Ainsi je vais descendre dans le sépulcre pour y germer comme le grain de blé dans le sillon. Mes disciples devront me ressembler. — 26. *Qu'il me suive*, dans les persécutions et la mort même, s'il le faut. — *Où je suis*, dans l'éternelle béatitude. — *L'honorera*, d'une gloire semblable à celle du Fils. — 27. *Mon âme est troublée :* cette angoisse le porte à prier; mais quelle prière adressera-t-il à son Père? — *Délivrez-moi de cette heure*, du temps de sa passion et de sa mort. *Mais* non,

suis arrivé à cette heure. 28. Père, glorifiez votre nom." Et une voix vint du ciel : "Je l'ai glorifié, et je le glorifierai encore." 29. La foule qui était là et qui avait entendu, disait : "C'est le tonnerre"; d'autres disaient : "Un ange lui a parlé." 30. Jésus dit : "Ce n'est pas pour moi que cette voix s'est fait entendre, mais pour vous. 31. ✠ C'est maintenant que le jugement du monde a lieu; c'est maintenant que le Prince de ce monde sera jeté dehors. 32. Et moi, quand je serai élevé de la terre, j'attirerai tout à moi." — 33. Ce qu'il disait, pour marquer de quelle mort il devait mourir. 34. La foule lui répondit : "Nous avons appris par la Loi que le Christ demeure éternellement : comment donc dites-vous : Il faut que le Fils de l'homme soit élevé? Qui est ce Fils de l'homme?" 35. Jésus leur dit : "La lumière n'est plus que pour un peu de temps au milieu de vous. Marchez, puisque vous avez la lumière, de peur que les ténèbres ne vous surprennent : celui qui marche dans les ténèbres ne sait où il va. 36. Puisque vous avez la lumière, croyez en la lumière, afin que vous soyez des enfants de lumière."¶ Jésus dit ces choses, puis il s'en alla, et se cacha d'eux.¶

Fin du ministère public ; ses conséquences.

37. Quoiqu'il eût fait tant de miracles en leur présence, ils ne croyaient point en lui : 38. afin que fût accompli l'oracle du prophète Isaïe, disant : "Seigneur, qui a cru à

répond-il en se parlant à lui-même, *c'est pour cela*, etc. — 28. *Glorifiez votre nom,* — c'est-à-dire votre Fils. Le Verbe, manifestation et image du Père, est vraiment son *nom.* — *Je l'ai glorifié :* trois fois Dieu le Père a déjà glorifié J. C. par une voix du ciel : au baptême, à la transfiguration, avant la passion, c'est-à-dire au commencement, au milieu, à la fin de sa vie publique. — *Je le glorifierai encore,* par les miracles qui accompagneront et suivront sa mort. — 31. *Maintenant :* Jésus voit comme présent son triomphe prochain. — *Le Prince de ce monde,* Satan. — 32. *Elevé* sur l'arbre de la croix. — *Tous,* Juifs et Gentils, qui ne résisteront pas à l'attrait de ma grâce. — 34. *Soit élevé,* meure sur la croix. — *Qui est ce Fils de l'homme* qui doit mourir? La foule, ne pouvant s'expliquer le langage de Jésus, présume que par *Fils de l'homme* il entend peut-être un autre que lui-même. — 38. *Is.* liii, 1. *Notre parole,* notre prédication touchant les souffrances du Messie.

notre parole? et à qui le bras du Seigneur a-t-il été révélé?" 39. Ils ne pouvaient donc croire, parce qu'Isaïe a dit encore : 40. "Il a aveuglé leurs yeux et endurci leur cœur, de peur qu'ils ne voient des yeux, qu'ils ne comprennent du cœur, qu'ils ne se convertissent, et que je ne les guérisse." 41. Isaïe dit ces choses, lorsqu'il vit la gloire du Seigneur et qu'il parla de lui. 42. Plusieurs, toutefois, même parmi les membres du Sanhédrin, crurent en lui; mais, à cause des Pharisiens, ils ne le confessaient pas, de peur d'être chassés de la synagogue. 43. Car ils aimèrent la gloire des hommes plus que la gloire de Dieu. 44. Or Jésus éleva la voix et dit : "Celui qui croit en moi, croit, non pas en moi, mais en celui qui m'a envoyé; 45. et celui qui me voit, voit celui qui m'a envoyé. 46. Je suis venu dans le monde comme une lumière, afin qu'aucun de ceux qui croient en moi, ne demeure dans les ténèbres. 47. Si quelqu'un entend ma parole, et ne la garde pas, moi, je ne le juge point; car je suis venu, non pour juger le monde, mais pour sauver le monde. 48. Celui qui me méprise et ne reçoit pas ma parole, il a son juge : c'est la parole même que j'ai annoncée; elle le jugera au dernier jour. 49. Car je n'ai point parlé de moi-même; mais le Père, qui m'a envoyé, m'a prescrit lui-même ce que je dois dire et ce que je dois enseigner. 50. Et je sais que son commandement est la vie éternelle. Les choses donc que je dis, je les dis comme mon Père me les a enseignées."

— *Révélé :* qui est-ce qui reconnaît par la foi la puissance divine se manifestant dans le Messie, auteur de si grands miracles? — 39. *Ils ne pouvaient*, non en vertu de la prophétie, mais parce que leur volonté était profondément corrompue, sans pourtant cesser d'être libres. — *Is.* vi, 9, 10. Dans le style biblique, ce que Dieu permet seulement, ou ce dont il fournit l'occasion, est souvent présenté comme s'il l'avait fait lui-même. Le passage cité revient donc à dire que les Juifs ne seront amenés ni par la doctrine, ni par les miracles de Jésus, à le regarder comme le Messie. — 45. A cause de l'unité de nature du Fils et du Père. — 50. *Son commandement*, la doctrine qu'il m'a *commandé* d'enseigner, étant la vérité absolue, conduit à *la vie éternelle.*

DEUXIÈME PARTIE

JÉSUS MANIFESTE SA GLOIRE DIVINE PAR SA PASSION ET SA RÉSURRECTION. — (CH. 13 — 20).

1° — PENDANT LA CÈNE ET LA PASSION.

Durant la dernière Cène. — CH. 13. — *Lavement des pieds.*

✠ Avant la fête de Pâque, Jésus, sachant que son heure était venue de passer de ce monde à son Père, après avoir aimé les siens qui étaient dans le monde, les aima jusqu'à la fin. 2. Pendant le souper, lorsque déjà le diable avait mis dans le cœur de Judas, fils de Simon Iscariote, le dessein de livrer *son Maître*, 3. Jésus, qui savait que son Père avait remis toutes choses entre ses mains, et qu'il était sorti de Dieu et s'en allait à Dieu, 4. se leva de table, posa son manteau, et, ayant pris un linge, il s'en ceignit. 5. Puis il versa de l'eau dans le bassin et se mit à laver les pieds des disciples, et à les essuyer avec le linge dont il était ceint. 6. Il vint donc à Simon Pierre; et Pierre lui dit : "Quoi, vous, Seigneur, vous me lavez les pieds!" 7. Jésus lui répondit : "Ce que je fais, tu ne le sais pas maintenant, mais tu le comprendras bientôt." 8. Pierre lui dit : "Non, jamais vous ne me laverez les pieds." Jésus lui répondit : "Si je ne te lave, tu n'auras point de part avec moi." 9. Simon Pierre lui dit : "Seigneur, non seulement les pieds, mais encore les mains et la tête!" 10. Jésus lui dit : "Celui que le bain a déjà puri-

Chap. 13. — 1. *Jusqu'à la fin*, jusqu'au plus haut degré d'amour, dit S. Jean Chrysostome, qui entend ces mots de l'institution de l'Eucharistie ; *jusqu'à la fin* de sa vie, dit S. Cyrille : il leur donna un dernier témoignage de son amour en leur lavant les pieds. — 3. *Toutes choses :* le pouvoir de donner la vie aux hommes, de juger le monde : comp. *Matth*, xi, 27; xxviii, 18. — *Sorti de Dieu*, "comme la pensée sort de l'esprit, en y restant toujours." *Bossuet*. — *S'en allait à Dieu*, par son ascension glorieuse. — 10. Application morale : Vous, mes disciples, vos rapports avec moi, la réception de ma doctrine, la foi en moi comme Fils de Dieu, etc., vous ont rendus purs, et vous n'avez plus besoin, avant de recevoir la sainte Eucha-

fié, n'a besoin que de laver ses pieds; il est pur dans tout son corps. Vous aussi, vous êtes purs, mais non pas tous." 11. Car il savait quel était celui qui allait le livrer; c'est pourquoi il dit : " Vous n'êtes pas tous purs. "

12. Après qu'il leur eut lavé les pieds, il reprit son manteau, et s'étant remis à table, il leur dit : "Comprenez-vous ce que je vous ai fait? 13. Vous m'appelez Maître et Seigneur; et vous dites bien, car je le suis. 14. Si donc moi, le Seigneur et le Maître, je vous ai lavé les pieds, vous devez aussi vous laver les pieds les uns aux autres. 15. Car je vous ai donné l'exemple, afin que, comme je vous ai fait, vous fassiez aussi vous-mêmes. ¶ 16. En vérité, en vérité, je vous le dis, le serviteur n'est pas plus grand que son maître, ni l'apôtre plus grand que celui qui l'a envoyé. 17. Si vous savez ces choses, vous êtes heureux, pourvu que vous les pratiquiez. 18. Je ne dis pas cela de vous tous; je connais ceux que j'ai choisis; mais il faut que *cette parole de* l'Écriture s'accomplisse : Celui qui mange le pain avec moi, a levé le pied contre moi. 19. Je vous le dis dès maintenant, avant que la chose arrive, afin que. lorsqu'elle sera arrivée, vous reconnaissiez qui je suis. 20. En vérité, en vérité, je vous le dis, quiconque reçoit celui que j'aurai envoyé, me reçoit, et quiconque me reçoit, reçoit celui qui m'a envoyé. "

21. Ayant ainsi parlé, Jésus fut troublé en son esprit; et il parla ouvertement : " En vérité, en vérité, je vous le dis, un de vous me livrera. " 22. Les disciples se regardaient les uns les autres, ne sachant de qui il parlait. 23. Or l'un d'eux était couché sur le sein de Jésus : c'était celui que

ristie, que d'ôter les moindres taches. — 14. *Vous laver les pieds*, vous rendre les services les plus humbles. — 18. *Cela*, savoir, que vous serez heureux. — *Mais*, néanmoins, je vous ai choisis, y compris Judas, car *il faut*, etc. — *Contre moi :* citation libre du *Ps.* xl, 10, où David figure le Messie, et Achitophel le traître Judas. — 19. *Qui je suis*, savoir le Messie. — 23. Chaque divan recevait trois convives, étendus les jambes en arrière et appuyés sur le coude

Jésus aimait. 24. Simon Pierre lui fit donc signe pour lui dire : " De qui parle-t-il ? " 25. Le disciple, s'étant penché sur le sein de Jésus, lui dit : " Seigneur, qui est-ce ? " 26. Jésus répondit : " C'est celui à qui je présenterai le morceau de pain que je vais tremper. " Et ayant trempé du pain, il le donna à Judas Iscariote, fils de Simon. 27. Aussitôt que Judas l'eut pris, Satan entra en lui; et Jésus lui dit : " Ce que tu as dessein de faire, fais-le vite. " 28. Aucun de ceux qui étaient à table ne comprit pourquoi il lui disait cela. 29. Quelques-uns pensaient que, Judas ayant la bourse, Jésus voulait lui dire : " Achète ce qu'il nous faut pour la fête, " ou : " Donne quelque chose aux pauvres. " 30. Judas ayant donc pris le morceau de pain, se hâta de sortir. Il était nuit.

Discours après la Cène :
Séparation imminente.

31. Lorsque Judas fut sorti, Jésus dit : " Maintenant le Fils de l'homme a été glorifié, et Dieu a été glorifié en lui. 32. Si Dieu a été glorifié en lui, Dieu aussi le glorifiera en lui-même, et il le glorifiera bientôt. 33. Mes petits enfants, je ne suis plus avec vous que pour un peu de temps. Vous me chercherez, et, comme j'ai dit aux Juifs qu'ils ne pouvaient venir où je vais, je vous le dis aussi maintenant. 34. Je vous donne un commandement nouveau, c'est de vous aimer les uns les autres, comme je vous ai aimés

gauche. La place du milieu, la plus honorable, était occupée par Notre Seigneur : Pierre venait ensuite à sa gauche, et Jean, le troisième, à sa droite, n'ayant par conséquent qu'un mouvement à faire pour appuyer la tête sur la poitrine de Jésus. — 25. *Lui dit*, à voix basse. — 31. Le traître sorti, Notre Seigneur, resté seul avec ses Apôtres, épanche son cœur dans un discours d'adieu d'une tendresse et d'une sublimité incomparables. *A été*, parfait prophétique pour *sera bientôt glorifié*. — 32. *Le glorifiera en lui-même*, en associant dans le ciel son Fils, Dieu-Homme, à sa propre gloire et au gouvernement du monde. — 34. L'ancien Testament disait : " Tu aimeras ton prochain comme toi-même, " *Lév.* xix, 18 ; l'amour de soi était donc la mesure de l'amour du prochain. Mais le type et la règle de la charité chrétienne, c'est l'amour même que Jésus a eu pour les hommes, un amour généreux, désintéressé, qui affronte le mépris et la souffrance, et va jusqu'à donner même sa vie.

afin que vous vous aimiez aussi les uns les autres. 35. A ceci tous connaîtront que vous êtes mes disciples, si vous avez de l'amour les uns pour les autres. "

Reniement de Pierre prédit.

36. Simon Pierre lui dit : " Seigneur, où allez-vous? " Jésus répondit : " Où je vais, tu ne peux me suivre à présent; mais tu me suivras plus tard." 37. " Seigneur, lui dit Pierre, pourquoi ne puis-je pas vous suivre à présent? Je donnerai ma vie pour vous." 38. Jésus lui répondit : " Tu donneras ta vie pour moi! En vérité. en vérité, je te le dis, le coq ne chantera pas, que tu ne m'aies renié trois fois."

Jésus console ses disciples et leur promet le Saint Esprit.

✠ — CH. 14.

Que votre cœur ne se trouble point. Vous croyez en Dieu, croyez aussi en moi. 2. Il y a beaucoup de demeures dans la maison de mon Père; s'il en était autrement, je vous l'aurais dit. Je vais vous y préparer une place. 3. Et lorsque je m'en serai allé et que je vous aurai préparé une place, je reviendrai, et je vous prendrai avec moi, afin que là où je suis, vous y soyez aussi; 4. et là où je vais, vous le savez et vous en savez le chemin. " 5. Thomas lui dit : " Seigneur, nous ne savons où vous allez ; comment donc en saurions-nous le chemin? " 6. Jésus lui dit : " Je suis le chemin, la vérité et la vie; nul ne vient au Père que par moi. 7. Si vous m'aviez connu, vous auriez aussi connu mon Père... et dès à présent vous le connaissez, et vous l'avez vu. " 8. Philippe lui dit : " Seigneur, montrez-nous le Père, et cela nous suffit. " 9. Jé-

36. *Où je vais :* à la mort, et ensuite au ciel.
Chap. 14. — 1. *Croyez :* ayez une foi assez ferme pour qu'elle puisse servir de fondement à une confiance sans bornes. — *En moi*, qui suis Fils de Dieu et qui ne vous laisserai pas sans secours. — 4. *Le chemin* qui conduit au Père, pour moi, c'est ma mort ; pour vous, c'est l'union avec moi par la foi et l'amour (vers. 6). — 7. *M'aviez connu* parfaitement. — *Mon Père*, car mon Père et moi avons la même substance divine. — *Vous le connaissez*, puisque je viens de vous dire clairement ce que je suis (vers. 6). — *Vous l'avez vu* en moi : comp. vers. 9.

sus lui répondit : "Il y a longtemps que je suis avec vous, et vous ne m'avez pas connu? Philippe, celui qui me voit, a vu aussi le Père. Comment peux-tu dire : Montrez-nous le Père? 10. Ne croyez-vous pas que je suis dans le Père, et que le Père est en moi? Les paroles que je vous dis, je ne les dis pas de moi-même : le Père qui demeure en moi fait lui-même les œuvres *que je fais*. 11. Ne croyez-vous pas que je suis dans le Père, et que le Père est en moi? 12. Croyez-le du moins à cause de *mes* œuvres. En vérité, en vérité, je vous le dis, celui qui croit en moi fera aussi les œuvres que je fais, et il en fera de plus grandes, parce que je m'en vais au Père, 13. et que tout ce que vous demanderez au Père en mon nom, je le ferai, ¶ afin que le Père soit glorifié dans le Fils. 14. Si vous me demandez quelque chose en mon nom, je le ferai.

15. ✠ Si vous m'aimez, gardez mes commandements. 16. Et moi, je prierai le Père, et il vous donnera un autre Consolateur, pour qu'il demeure toujours avec vous; 17. c'est l'Esprit de vérité, que le monde ne peut recevoir, parce qu'il ne le voit point et ne le connaît point; mais vous, vous le connaissez, parce qu'il demeure au milieu de vous; et il sera en vous. 18. Je ne vous laisserai point orphelins; je viendrai à vous. 19. Encore un peu de temps, et le monde ne me verra plus; mais vous, vous me verrez, parce que je vis, et que vous vivrez. 20. En ce jour-là, vous connaîtrez que je suis en mon Père, et vous en

13. *Afin que*, par les œuvres du Fils, éclatent la puissance, l'amour, la sagesse de Dieu. — 16. *Consolateur*, litt. *Paraclet*, savoir le Saint Esprit. D'autres, avec S. Augustin, traduisent, *avocat*, *défenseur*, *secours*. Remarquez le mot *autre* : Notre Seigneur est aussi Paraclet. — 17. *Que le monde*, etc. C'est la même pensée que S. Paul exprime plus clairement : " L'homme animal ne comprend pas les choses qui sont de l'Esprit de Dieu." I *Cor*. ii, 14. — 18. *Je viendrai à vous*, dans et avec l'Esprit Saint qui a la même nature et la même substance divine que moi. — 19. C'est une vérité d'expérience : les mondains n'aperçoivent Jésus Christ nulle part; les saints, qui ont la vraie vie, découvrent partout sa présence et son action. — 20. Vous connaîtrez que je suis dans le Père par l'unité d'une seule essence

moi, et moi en vous. 21. Celui qui a mes commandements et qui les garde, c'est celui-là qui m'aime ; et celui qui m'aime sera aimé de mon Père; et moi je l'aimerai, et je me ferai connaître à lui. " ¶ 22. Judas, non pas l'Iscariote, lui dit : " Seigneur, comment se fait-il que vous vouliez vous faire connaître à nous, et non au monde?" 23. Jésus lui répondit ✠ : " Si quelqu'un m'aime, il gardera ma parole, et mon Père l'aimera, et nous viendrons à lui, et nous ferons chez lui notre demeure. 24. Celui qui ne m'aime pas, ne garde pas mes paroles. Et la parole que vous entendez n'est pas de moi, mais du Père qui m'a envoyé. 25. Je vous ai dit ces choses pendant que je demeure avec vous. 26. Mais le consolateur, l'Esprit Saint, que mon Père enverra en mon nom, vous enseignera toutes ces choses, et vous rappellera tout ce que je vous ai dit.

27. Je vous laisse la paix, je vous donne ma paix; je ne *la* donne pas comme *la* donne le monde. Que votre cœur ne se trouble point et ne s'effraye point. 28. Vous avez entendu que je vous ai dit : Je m'en vais, et je reviens à vous. Si vous m'aimiez, vous vous réjouiriez de ce que je vais au Père, car mon Père est plus grand que moi. 29. Je vous dis maintenant ces choses avant qu'elles arrivent, afin que, quand elles seront arrivées, vous croyiez. 30. Je ne m'entretiendrai plus guère avec vous, car le Prince

divine. *Vous en moi :* par la régénération, vous m'êtes incorporés comme les membres au chef. — *Moi en vous*, par l'Esprit Saint qui habite substantiellement dans les âmes justes. Ainsi il y a ressemblance, mais non égalité, entre l'union du Père avec le Fils et celle du Fils avec les fidèles. — 26. *En mon nom*, en union avec moi ; ou bien : à cause de moi.— *Ai dit :* tous les mystères qui se rapportent au salut des hommes, et que vous n'avez pas encore bien compris jusqu'à présent. — 17. *La paix* que N. S. donne, c'est la paix en Dieu et avec Dieu, le contentement intérieur de l'âme unie par la grâce à J. C., contentement que ni les dangers, ni les tribulations ne sauraient troubler. — 28. *Plus grand que moi :* N. S. a ici en vue sa nature humaine. — 30. *Le prince de ce monde* (comp. xii, 31), Satan, dans la personne de ses suppôts, tels que Judas, etc. — *Rien en moi* qui lui appartienne.

de ce monde vient; il n'a rien en moi. 31. Mais afin que le monde sache que j'aime mon Père, et que j'agis selon le commandement que mon Père m'a donné, ¶ levez-vous, partons d'ici."

Il les exhorte à demeurer en lui, comme les sarments ✠ sont unis au cep. — CH. 15.

Je suis la vraie vigne, et mon Père est le vigneron. 2. Tout sarment qui est en moi et ne porte pas de fruit, il le retranche; et tout sarment qui porte du fruit, il l'émonde, afin qu'il en porte davantage. 3. Déjà vous êtes purs, à cause de la parole que je vous ai annoncée. 4. Demeurez en moi, et moi en vous. Comme le sarment ne peut de lui-même porter du fruit, s'il ne demeure uni à la vigne, ainsi vous ne le pouvez non plus, si vous ne demeurez en moi. 5. ✠ Je suis la vigne, vous êtes les sarments. Celui qui demeure en moi, et en qui je demeure, porte beaucoup de fruit : car, séparés de moi, vous ne pouvez rien faire. 6. Si quelqu'un ne demeure pas en moi, il est jeté dehors, comme le sarment, et il sèche ; puis on ramasse ces sarments, on les jette au feu, et ils brûlent. 7. Si vous demeurez en moi, et que mes paroles demeurent en vous, vous demanderez tout ce que vous voudrez, et cela vous sera accordé. 8. C'est la gloire de mon Père que vous portiez beaucoup de fruit, et que vous soyez mes disciples. 9. ✠ Comme *mon* Père m'a aimé, moi aussi je vous ai aimés : demeurez dans mon amour. 10. Si vous gardez mes commandements, vous demeurerez dans mon amour, comme moi-même j'ai gardé les commandements de mon Père, et je demeure dans son amour. 11. Je vous ai dit ces choses, afin que

Chap. 15. — 1. *Vraie vigne*, la vigne par excellence, parce que les sarments unis à elle en reçoivent une sève (la grâce, principe de la vie surnaturelle) et des fruits meilleurs que ceux qu'une vigne donne à ses rameaux. S. Jean dit dans le même sens, *la vraie lumière*, *le vrai pain*. — *Le vigneron* qui l'a plantée. qui m'a envoyé dans le monde. — *A cause de la parole*, de ma doctrine, que vous avez entendue et reçue docilement dans vos cœurs. — 10. *Les commandements de mon Père*, en venant sur la terre et en mourant pour les hommes. — 11. *Ces choses :* vers. 1-10. — *Ma joie*, la joie qui vient

ma joie soit en vous, et que votre joie soit parfaite. ¶

A s'aimer les uns les autres.

12. ✠ Ceci est mon commandement, que vous vous aimiez les uns les autres, comme je vous ai aimés. 13. Il n'y a pas de plus grand amour que de donner sa vie pour ses amis. 14. Vous êtes mes amis, si vous faites ce que je vous commande. 15. Je ne vous appelle plus serviteurs, parce que le serviteur ne sait pas ce que fait son maître; mais je vous ai appelés amis, parce que tout ce que j'ai entendu de mon Père, je vous l'ai fait connaître. 16. Ce n'est pas vous qui m'avez choisi; mais c'est moi qui vous ai choisis et qui vous ai établis, pour que vous alliez *dans le monde*, que vous portiez du fruit, que votre fruit demeure, et que le Père vous accorde ce que vous lui demanderez en mon nom. ¶ 17. ✠ Je vous donne ces instructions afin que vous vous aimiez les uns les autres.

A supporter la haine du monde.

18. Si le monde vous hait, sachez qu'il m'a haï le premier. 19. Si vous étiez du monde, le monde aimerait ce qui serait à lui; mais parce que vous n'êtes pas du monde, et que je vous ai choisis *du milieu* du monde, à cause de cela le monde vous hait. 20. Souvenez-vous de la parole que je vous ai dite : Le serviteur n'est pas plus grand que le maître. S'ils m'ont persécuté, ils vous persécuteront aussi; s'ils ont gardé ma parole, ils garderont aussi la vôtre. 21. Mais ils vous feront toutes ces choses à cause de mon nom, parce qu'ils ne connaissent pas celui qui m'a envoyé. 22. Si je n'étais pas venu, et que je ne leur eusse point parlé, ils seraient sans

de moi, qui est donnée par moi. — 12. *Mon commandement* (comp. vers. 10), le commandement propre à la religion de J. C., appelé ailleurs *nouveau* (XIII, 34). — 13. *Pour* ceux qu'on aime, *amis* ou *ennemis*. Ajoutez, pour compléter la pensée : *comme je vais le faire pour vous*. — 15. *Tout*, avec les restrictions indiquées par le bon sens, et par XIV, 25, 26; XVI, 12. D'ailleurs il s'agit ici surtout des desseins de Dieu pour le salut des hommes, desseins que N. S. avait révélés à ses Apôtres. — 22. *Sans péché* : le péché d'incrédulité et de haine contre le Fils de Dieu.

péché; mais maintenant leur péché est sans excuse. 23. Celui qui me hait, hait aussi mon Père. 24. Si je n'avais pas fait au milieu d'eux des œuvres que nul autre n'a faites, ils seraient sans péché; mais maintenant ils ont vu, et ils me haïssent, moi et mon Père. 25. Mais *cela est arrivé* afin que s'accomplît la parole qui est écrite dans leur Loi : Ils m'ont haï sans sujet. ¶ 26. ✠ Lorsque le Consolateur que je vous enverrai du *sein du* Père, l'Esprit de vérité qui procède du Père, sera venu, il rendra témoignage de moi. 27. Et vous aussi, vous *me* rendrez témoignage, parce que vous êtes avec moi dès le commencement.

✠ CH. 16.

Je vous ai dit ces choses, afin que *la haine du monde* ne soit pas pour vous une occasion de chute. 2. Ils vous chasseront des synagogues; et même l'heure vient où quiconque vous fera mourir, croira faire à Dieu un sacrifice agréable. 3. Et ils vous traiteront ainsi, parce qu'ils n'ont connu ni mon Père, ni moi. 4. Mais je vous le dis, afin que, lorsque l'heure sera venue, vous vous souveniez que je vous l'ai annoncé. ¶

L'œuvre du Saint Esprit.

5. Je ne vous en ai pas parlé dès le commencement, parce que j'étais avec vous. Et maintenant que je m'en vais à celui qui m'a envoyé, aucun de vous ne me demande : Où allez-vous? 6. Mais, parce que je vous ai dit ces choses, la tristesse a rempli votre cœur. 7. Cependant je vous dis la vérité : il vous est bon que je m'en aille; car, si je ne m'en vais pas, le Consolateur ne viendra point à vous; mais si je m'en vais, je vous l'enverrai. 8. Et quand il sera venu, il convaincra le monde au sujet du pé-

26. *Témoignage de moi*, attestant que je suis le Fils de Dieu, non seulement par l'illumination intérieure, mais encore par les divers dons qu'il mettra dans les fidèles et qui frapperont les regards : dons de prophétie, de langues, de miracles, etc. — 27. " Ce sera un témoignage irréprochable, rendu par des personnes qui ont tout vu; un témoignage sincère, confirmé par l'effusion de votre sang. " *Bossuet.*

Chap. 16. — 1. *Ces choses*, ch. xv, 18-27. — 7. Comp. vii, 39 et *Matth.* iii 11.

ché, de la justice, et du jugement : 9. au sujet du péché, parce qu'ils n'ont pas cru en moi; 10. au sujet de la justice, parce que je vais au Père, et que vous ne me verrez plus; 11. au sujet du jugement, parce que le Prince de ce monde est déjà jugé. 12. J'ai encore beaucoup de choses à vous dire; mais vous ne pouvez les porter à présent. 13. Quand le Consolateur, l'Esprit de vérité, sera venu, il vous enseignera toute la vérité. Car il ne parlera pas de lui-même, mais il dira tout ce qu'il aura entendu, et il vous annoncera les choses à venir. 14. Il me glorifiera, parce qu'il prendra de ce qui est à moi, et il vous l'annoncera. 15. Tout ce que le Père a, est à moi. C'est pourquoi j'ai dit qu'il prendra de ce qui est à moi, et qu'il vous l'annoncera.

Motifs de joie.

16. Encore un peu de temps, et vous ne me verrez plus; et encore un peu de temps, et vous me verrez, parce que je vais à mon Père." 17. Sur quoi, quelques-uns de ses disciples se dirent entre eux : "Que signifie ce qu'il nous dit : Encore un peu de temps, et vous ne me verrez plus; et encore un peu de temps, et vous me verrez, parce que je vais à mon Père?" 18. Ils disaient donc : " Que signifie cet *encore un peu de temps?* Nous ne savons ce qu'il veut dire. " 19. Jésus, connaissant qu'ils voulaient l'interroger, leur

9. L'Esprit Saint convainc le monde de péché par son action dans les Apôtres et dans l'Eglise. — 10. *De la justice* de Jésus Christ; le Saint Esprit convaincra le monde que je suis juste et saint, et non un imposteur. — 11. *Du jugement*, de la condamnation de Satan, le prince de ce monde, dont l'empire renversé par Jésus Christ (xii,31), doit peu à peu disparaître. — 13. *Entendu*, du Père. — *Les choses à venir :* cette promesse s'est particulièrement réalisée dans S. Jean, l'auteur de l'*Apocalypse*, livre qui raconte à l'avance les luttes, les victoires et la destinée finale de l'Eglise. — 14. *Prendra*, dans le sens de *prend.* — *De ce qui est à moi :* ce n'est pas seulement du Père, c'est aussi du Fils que l'Esprit Saint tire l'être divin et la science divine. Sens : à mesure que l'Esprit Saint répand la science divine parmi les hommes, il glorifie le Christ, en le faisant régner sur les âmes comme le Messie et le Fils de Dieu. — 16. *Vous ne me verrez plus* des yeux corporels. — *Vous me verrez* des yeux spirituels, dans l'Esprit Saint que je vous enverrai dès que je serai retourné *à mon Père*, et dans ses merveilleuses opérations.

dit : "Vous discutez entre vous sur ce que j'ai dit : Encore un peu de temps, et vous ne me verrez plus; et encore un peu de temps, et vous me verrez. 20. ✠ En vérité, en vérité, je vous le dis, vous pleurerez et vous vous lamenterez, tandis que le monde se réjouira; vous serez affligés, mais votre affliction se changera en joie. 21. La femme, lorsqu'elle enfante, est dans la souffrance, parce que son heure est venue; mais, lorsqu'elle a donné le jour à l'enfant, elle ne se souvient plus de ses douleurs, dans la joie qu'elle a de ce qu'un homme est né dans le monde. 22. Vous donc aussi, vous êtes maintenant dans l'affliction; mais je vous reverrai, et votre cœur se réjouira, et nul ne vous ravira votre joie. 23. En ce jour-là, vous ne m'interrogerez plus sur rien. En vérité, en vérité, je vous le dis, tout ce que vous demanderez à mon Père en mon nom, il vous le donnera. 24. Jusqu'à présent vous n'avez rien demandé en mon nom : demandez et vous recevrez, afin que votre joie soit parfaite.

Conclusion des exhortations.

25. Je vous ai dit ces choses en figures. L'heure vient où je ne vous parlerai plus en figures, mais *où* je vous parlerai ouvertement du Père. 26. En ce jour, vous demanderez en mon nom, et je ne vous dis point que je prierai le Père pour vous. 27. Car le Père lui-même vous aime, parce que vous m'avez aimé, et que vous avez cru que je suis sorti de Dieu. 28. Je suis sorti du Père, et je suis venu dans le monde; maintenant je quitte le

22. *Se réjouira*, lorsque l'Esprit Saint, au jour de la Pentecôte, vous aura faits des hommes nouveaux. — 23. *Sur rien :* l'Esprit Saint vous éclairera. — *Donnera :* nouveau motif de consolation proposé par Notre Seigneur aux Apôtres. — 24. *Jusqu'à présent* je n'ai pas prié *en vous*, mais *pour vous :* vous vous adressiez à moi, et je vous obtenais tout de mon Père; maintenant que je vous quitte, adressez-vous vous-mêmes à mon Père; il suffit, pour être exaucés, que vous invoquiez mon nom. — 26. "Jésus Christ comme homme intercède pour nous, dit S. Augustin; comme Dieu, il nous exauce avec son Père." Ni l'un ni l'autre n'est nié ici; Notre Seigneur ne dit qu'une chose, c'est que son Père, de lui-même et sans autre intercesseur, les aime assez pour les exaucer.

monde, et je vais au Père." 29. Ses disciples lui dirent : " Voilà que vous parlez ouvertement et sans vous servir d'aucune figure. 30. Maintenant nous voyons que vous savez toutes choses, et qu'il n'est pas besoin que personne vous interroge; c'est pourquoi nous croyons que vous êtes sorti de Dieu. " 31. Jésus leur répondit : " Vous croyez à présent... 32. Voici que l'heure vient, et déjà elle est venue, où vous serez dispersés; chacun de vous s'enfuira dans sa maison, et vous me laisserez seul; pourtant je ne suis pas seul, parce que le Père est avec moi. 33. Je vous ai dit ces choses, afin que vous ayez la paix en moi. Vous aurez des tribulations dans le monde; mais prenez confiance, j'ai vaincu le monde."¶

CH. 17. — *Prière sacerdotale de Jésus : pour lui-même, pour ses disciples et son Eglise.*

Ayant ainsi parlé, ✠ Jésus leva les yeux au ciel et dit : "Père, l'heure est venue, glorifiez votre Fils, afin que votre Fils vous glorifie, 2. puisque vous lui avez donné autorité sur toute chair, afin que, à tous ceux que vous lui avez donnés, il donne la vie éternelle. 3. Or la vie éternelle, c'est qu'ils vous connaissent, vous, le seul Dieu véritable, et celui que vous avez envoyé, Jésus Christ. 4. Je vous ai glorifié sur la terre, j'ai achevé l'œuvre que vous m'avez donnée à faire. 5. Et maintenant vous, Père, glorifiez-moi auprès de vous, *en me rendant* la gloire que j'avais en vous, avant que le monde

33. *Ces choses*, tous les discours après la cène. — *En moi*, dans la foi en moi et dans mon amour. — *J'ai vaincu*, passé prophétique : la victoire est commencée; elle sera bientôt consommée par ma mort sur la croix, par ma résurrection, mon ascension glorieuse et la mission du Saint Esprit.

Chap. 17. — 1. *Et dit.* Dès l'antiquité on a désigné ce chapitre sous le nom de *prière sacerdotale de Jésus*, parce que le Sauveur y prie pour lui-même (vers. 1-5), pour ses Apôtres (vers. 6-19) et pour toute l'Eglise chrétienne (vers. 20-26), en même temps qu'il s'offre à la mort comme une victime d'expiation (vers. 19). — 4. *Je vous ai glorifié* en accomplissant, avec une libre obéissance, votre décret d'amour pour la rédemption des hommes. — *J'ai*, j'aurai bientôt, *achevé* par ma mort sur la croix *l'œuvre*, etc.

fût. 6. J'ai manifesté votre nom aux hommes que vous m'avez donnés du milieu du monde. Ils étaient à vous, et vous me les avez donnés : et ils ont gardé votre parole. 7. Ils savent à présent que tout ce que vous m'avez donné vient de vous; 8. car les paroles que vous m'avez données, je les leur ai données; et ils les ont reçues, et ils ont vraiment reconnu que je suis sorti de vous, et ils ont cru que c'est vous qui m'avez envoyé.

9. C'est pour eux que je prie. Je ne prie pas pour le monde, mais pour ceux que vous m'avez donnés, parce qu'ils sont à vous 10. (car tout ce qui est à moi est à vous, et tout ce qui est à vous est à moi), et que je suis glorifié en eux. 11. Je ne suis plus dans le monde; pour eux, ils sont dans le monde, et moi je vais à vous. Père saint, gardez dans votre nom ceux que vous m'avez donnés, afin qu'ils ne fassent qu'un, comme nous. 12. Lorsque j'étais avec eux, je les conservais dans votre nom. J'ai gardé ceux que vous m'avez donnés, et pas un d'eux ne s'est perdu, hormis le fils de perdition, afin que l'Ecriture fût accomplie. 13. Maintenant je vais à vous, et je fais cette prière, pendant que je suis dans le monde, afin qu'ils aient en eux la plénitude de ma joie. 14. Je leur ai donné votre parole, et le monde les a haïs, parce qu'ils ne sont pas du monde, comme moi-même je ne suis pas du monde. 15. Je ne vous demande pas de les ôter du monde, mais de

6. *Aux hommes*, aux Apôtres, tirés du milieu de la corruption du monde et du péché. — *Votre parole*, votre doctrine, que je leur ai enseignée. — 9. *Pour eux*, pour les Apôtres; il priera pour ses disciples en général à partir du vers. 20. — *Je ne prie pas...* Jésus Christ a prié pour tous les hommes, même pour ses bourreaux; il a offert pour tous le mérite de sa mort. Le monde n'est donc pas exclu de sa prière en général, mais de cette prière particulière qu'il adresse à son Père pour ses Apôtres et ses disciples en ce moment solennel. — *Que vous m'avez donnés*, que vous avez fait venir à moi par l'attrait de votre grâce. — *A vous :* ce sont vos élus, choisis éternellement dans vos desseins de miséricorde. — 11. *Comme nous*, d'une union semblable à la nôtre : que par la foi ils soient unis à J. C., et par J. C. au Père. — 12. *Fils de perdition*, voué à la perte éternelle : hébraïsme. Il s'agit de Judas (xiii, 18). — 15. *Les ôter du monde*, en

les garder du mal. 16. Ils ne sont pas du monde, comme moi-même je ne suis pas du monde. 17. Sanctifiez-les dans votre vérité : votre parole est vérité. 18. Comme vous m'avez envoyé dans le monde, je les ai aussi envoyés dans le monde. 19. Et je me sanctifie moi-même pour eux, afin qu'eux aussi soient sanctifiés en vérité.

20. Je ne prie pas pour eux seulement, mais aussi pour ceux qui, par leur parole, croiront en moi, 21. pour que tous ils soient un, comme vous, mon Père, vous êtes en moi, et moi en vous, — pour que, eux aussi, ils soient un en nous, afin que le monde croie que vous m'avez envoyé. 22. Et je leur ai donné la gloire que vous m'avez donnée, afin qu'ils soient un comme nous sommes un, 23. moi en eux, et vous en moi, afin qu'ils soient consommés en un, et que le monde connaisse que vous m'avez envoyé, et que vous les avez aimés comme vous m'avez aimé. 24. Père, ceux que vous m'avez donnés, je veux que là où je suis, ils y soient avec moi, afin qu'ils voient ma gloire, *la gloire* que vous m'avez donnée, parce que vous m'avez aimé avant la création du monde. 25. Père juste, le monde ne vous a pas connu; mais moi, je vous ai connu, et ceux-ci ont connu que c'est vous qui m'avez envoyé. 26. Je

---

les appelant tout de suite au ciel; car ils doivent prêcher l'Evangile. — 17. Les Apôtres sont déjà *dans la vérité*, qu'ils ont fidèlement reçue; Notre Seigneur demande pour eux à son Père quelque chose de plus, c'est de les *y sanctifier*, pour qu'ils en soient les ministres et les prédicateurs dans le monde, et cela en leur envoyant l'Esprit Saint, qui les remplira de force et d'ardeur (comp. *Act.* xiii, 2). — 19. *Je me sanctifie moi-même*, j'offre en sacrifice sur la croix, en toute obéissance, mon humanité chargée des péchés du monde, afin qu'étant ensuite glorifié, j'envoie l'Esprit Saint qui sanctifiera mes Apôtres. — 22. Cette *gloire* est celle de Jésus ressuscité, communiquée aux fidèles, d'abord avec la qualité d'enfants de Dieu qui fait d'eux les membres vivants de Jésus Christ, puis, d'une manière complète, au dernier jour, après la résurrection glorieuse. — 23. *Moi en eux*, par l'Esprit Saint qui habite dans les âmes. — *Consommés en un*, parfaitement uns. — *Les avez aimés*, leur ayant donné par adoption la qualité d'enfants de Dieu, que moi, votre Fils unique, je possède par nature. — 24. *Où je suis*, dans le ciel. — *Voient ma gloire*, et, en la voyant, la partagent (*I Jean*, iii, 2).

leur ai fait connaître votre nom, et je le leur ferai connaître, afin que l'amour dont vous m'avez aimé soit en eux, et que je sois moi-même en eux."

Gloire divine de Jésus manifestée dans sa Passion. — CH. 18. — 1. *L'arrestation de Jésus; il se livre en toute liberté.*

Après ce discours, ✠ Jésus sortit, accompagné de ses disciples, et passa au delà du torrent de Cédron, où il y avait un jardin, dans lequel il entra avec eux. 2. Judas, qui le trahissait, connaissait aussi ce lieu, parce que Jésus y était souvent allé avec ses disciples. 3. Ayant donc pris la cohorte et des satellites des Pontifes et des Pharisiens, il y vint avec des lanternes, des torches et des armes. 4. Alors Jésus, sachant tout ce qui devait lui arriver, s'avança et leur dit : "Qui cherchez-vous?" 5. Ils lui répondirent : "Jésus de Nazareth." "C'est moi," leur dit Jésus. Or Judas, qui le trahissait, était là avec eux. 6. Lors donc que Jésus leur eut dit : "C'est moi," ils reculèrent et tombèrent par terre. 7. Il leur demanda encore une fois : "Qui cherchez-vous?" Ils dirent : "Jésus de Nazareth." 8. Jésus répondit : "Je vous l'ai dit, c'est moi; si donc c'est moi que vous cherchez, laissez aller ceux-ci." 9. *Il dit cela*, afin que fût accomplie la parole qu'il avait dite : "Je n'ai perdu aucun de ceux que vous m'avez donnés." 10. Simon Pierre, qui avait une épée, la tira, et frappant le serviteur du grand-prêtre, il lui coupa l'oreille droite : ce serviteur s'appelait Malchus. 11. Jésus dit à Pierre : "Remets ton épée dans le fourreau. Ne boirai-je donc pas le calice que mon Père m'a donné?" 12. Alors la cohorte, le tribun et les satellites des Juifs se saisirent de Jésus et le lièrent.

2. *Chez Anne et Caïphe.*

13. Ils l'emmenèrent d'abord chez Anne, parce qu'il était beau-père de

Chap. 18. — 3. La *cohorte* romaine qui occupait la forteresse Antonia. — *Pontifes et Pharisiens*, membres du sanhédrin. — 9. Cette parole (xvii, 12) de Notre Seigneur s'accomplit ici dans le sens de la vie du corps.

Caïphe, lequel était grand prêtre cette année-là. 14. Et Caïphe était celui qui avait donné ce conseil aux Juifs : "Il est avantageux qu'un seul homme meure pour le peuple."

15. Cependant Simon Pierre suivait Jésus, avec l'autre disciple. Ce disciple, étant connu du grand prêtre, entra avec Jésus dans la cour du grand prêtre, 16. tandis que Pierre était resté près de la porte, en dehors. L'autre disciple, qui était connu du grand-prêtre, sortit donc, parla à la portière, et fit entrer Pierre. 17. Cette servante qui gardait la porte, dit à Pierre : "Toi aussi, n'es-tu pas des disciples de cet homme?" Il dit : "Je n'en suis point." 18. Les serviteurs et les satellites étaient rangés autour d'un brasier, parce qu'il faisait froid, et ils se chauffaient; Pierre se tenait avec eux, et se chauffait.

19. Le grand-prêtre interrogea Jésus sur ses disciples et sur sa doctrine. 20. Jésus lui répondit : "J'ai parlé ouvertement au monde; j'ai toujours enseigné dans la synagogue et dans le temple, où tous les Juifs s'assemblent, et je n'ai rien dit en secret. 21. Pourquoi m'interroges-tu? Demande à ceux qui m'ont entendu, ce que je leur ai dit; ils savent ce que j'ai enseigné." 22. A ces mots, un des satellites, qui se trouvait là, donna un soufflet à Jésus, en disant : "C'est ainsi que tu réponds au grand-prêtre?" 23. Jésus lui dit : "Si j'ai mal parlé, fais voir ce que j'ai dit de mal; mais si j'ai bien parlé, pourquoi me frappes-tu?" 24. Anne avait envoyé Jésus lié à Caïphe, le grand-prêtre.

25. Simon Pierre était là, se chauffant. Ils lui dirent : "Toi aussi, n'es-tu pas de ses disciples?" Il le nia et dit : "Je n'en suis point." 26. Un des serviteurs du grand-prêtre, parent de celui à qui

---

15. Ce qui suit se passe chez Caïphe; c'est de lui qu'il s'agit vers. 19, et c'est dans la cour de son palais qu'eurent lieu les trois reniements de S. Pierre. Saint Jean, qui n'avait pas dit un mot de ce changement du lieu de la scène, répare cet oubli vers. 24. — *L'autre disciple*, S. Jean, qui se désigne souvent de cette manière.

Pierre avait coupé l'oreille, lui dit : "Ne t'ai-je pas vu avec lui dans le jardin?" 27. Pierre le nia de nouveau; et aussitôt le coq chanta.

3. *Chez Pilate.*

28. Ils conduisirent Jésus de chez Caïphe au prétoire : c'était le matin. Ils n'entrèrent pas eux-mêmes dans le prétoire, de peur de se souiller et de ne pouvoir manger la Pâque. 29. Pilate sortit donc vers eux, et dit : "Quelle accusation portez-vous contre cet homme?" 30. Ils lui répondirent : "Si ce n'était pas un malfaiteur, nous ne l'aurions pas livré." 31. Pilate leur dit : "Prenez-le vous-mêmes, et jugez-le selon votre loi." Les Juifs lui répondirent : "Il ne nous est pas permis de mettre personne à mort." 32. *C'était* afin que s'accomplît la parole que Jésus avait dite, en indiquant de quelle mort il devait mourir.

33. ✠ Pilate étant donc rentré dans le prétoire, appela Jésus, et lui dit : "Es-tu le roi des Juifs?" 34. Jésus répondit : "Dis-tu cela de toi-même, ou d'autres te l'ont-ils dit de moi?" 35. Pilate répondit : "Est-ce que je suis Juif? Ta nation et les chefs des prêtres t'ont livré à moi : qu'as-tu fait?" 36. Jésus répondit: "Mon royaume n'est pas de ce monde; si mon royaume était de ce monde, mes serviteurs combattraient pour que je ne fusse pas livré aux Juifs; mais maintenant mon royaume n'est point d'ici-bas." 37. Pilate lui dit : "Tu es donc roi?" Jésus répondit : "Tu le dis, je suis roi. Je suis né et je suis venu dans le monde pour rendre témoignage à la vérité : quiconque est de la vérité écoute ma voix." ¶ 38. Pilate lui dit : "Qu'est-ce que la vérité?" Ayant dit cela, il sortit de nouveau pour

28. *Se souiller*, en entrant dans la maison d'un païen. — *La Pâque*, non l'agneau pascal, mais les victimes qu'on avait coutume d'immoler pendant les 7 jours que durait la fête. — 35. *Juif*, pour attendre la venue d'un roi des Juifs, et pour m'imaginer que tu es ce roi? Comme la fierté du Romain et le mépris des Juifs respirent dans toutes les paroles de Pilate! — 37. *Tu le dis :* formule d'affirmation ou de concession. — *Est de la vérité.* est ami ou du parti de la vérité. — Entre les vers. 39 et 40 doit se placer le message de la femme de Pilate (*Matth.* xxvii, 19-20).

aller vers les Juifs, et il leur dit : " Pour moi, je ne trouve aucun crime en lui. 39. Mais c'est la coutume que je vous accorde à la fête de Pâque la délivrance d'un prisonnier : voulez-vous que je vous délivre le roi des Juifs? " 40. Alors tous crièrent de nouveau : " Non pas lui, mais Barabbas. " Or Barabbas était un brigand.

CH. 19.

Alors Pilate prit Jésus, et le fit battre de verges. 2. Et les soldats, ayant tressé une couronne d'épines, la mirent sur sa tête, et le revêtirent d'un manteau d'écarlate; 3. puis, s'approchant de lui, ils disaient : " Salut, roi des Juifs!" et ils le souffletaient. 4. Pilate sortit encore une fois *du prétoire* et dit aux Juifs : "Voici que je vous l'amène dehors, afin que vous sachiez que je ne trouve en lui aucun crime. " 5. Jésus sortit donc, portant la couronne d'épines et le manteau d'écarlate; et Pilate leur dit : " Voilà l'homme. " 6. Lorsque les Princes des prêtres et les satellites le virent, ils s'écrièrent : " Crucifie-le! crucifie-le!" Pilate leur dit : " Prenez-le vous-mêmes et le crucifiez ; car, pour moi, je ne trouve aucun crime en lui. " 7. Les Juifs lui répondirent : " Nous avons une loi, et, d'après notre loi, il doit mourir, parce qu'il s'est fait Fils de Dieu. " 8. Ayant entendu ces paroles, Pilate fut encore plus effrayé. 9. Et rentrant dans le prétoire, il dit à Jésus : " D'où es-tu? " Mais Jésus ne lui fit aucune réponse. 10. Pilate lui dit : " C'est à moi que tu ne parles pas? Ignores-tu que j'ai le pouvoir de te crucifier, et le pouvoir de te délivrer?" 11. Jésus répondit : " Tu n'aurais sur moi aucun pouvoir, s'il ne t'avait pas été donné d'en haut. C'est pourquoi celui qui m'a li-

Chap. 19. — 8. *Plus effrayé :* il lui répugnait jusqu'alors de condamner un innocent; en entendant parler de *Fils de Dieu*, il craint d'attirer sur lui la colère de quelque divinité. Comp. *Matth.* xxvii, 19. — 9. *Rentrant dans le prétoire*, pour interroger Jésus en particulier. — *Aucune réponse*, sans doute parce que Pilate était incapable de le comprendre. — 11. Le *péché* des Juifs, qui ont péché par haine et par malice, est plus grand que le tien, toi qui ne me con-

vré à toi a un péché plus grand. "

12. Dès ce moment, Pilate cherchait à le délivrer. Mais les Juifs criaient : "Si tu le délivres, tu n'es point ami de César; car quiconque se fait roi, se déclare contre César. " 13. Pilate, ayant entendu ces paroles, fit conduire Jésus hors *du prétoire*, et il s'assit sur son tribunal, au lieu appelé *en grec* Lithostrotos, et en hébreu Gabbatha. — 14. C'était *le jour de* la Préparation de la Pâque, et environ la sixième heure. — Pilate dit aux Juifs : "Voici votre roi." 15. Mais ils se mirent à crier : "Qu'il meure! qu'il meure! Crucifiez-le." Pilate leur dit : "Crucifierai-je votre roi?" Les Princes des prêtres répondirent : "Nous n'avons de roi que César. " 16. Alors il le leur livra pour être crucifié. Et ils prirent Jésus et l'emmenèrent.

4. *Au Calvaire.*

17. Jésus portant sa croix, arriva hors de la ville au lieu nommé Calvaire, en hébreu Golgotha; 18. c'est là qu'ils le crucifièrent, et deux autres avec lui, un de chaque côté, et Jésus au milieu. 19. Pilate fit aussi un écriteau, et le fit mettre au haut de la croix; il portait ces mots : "Jésus de Nazareth, le roi des Juifs. " 20. Beaucoup de Juifs lurent cet écriteau, car le lieu où Jésus avait été crucifié était près de la ville, et l'inscription était en hébreu, en grec et en latin. 21. Les Princes des prêtres des Juifs dirent donc à Pilate : "Ne mets pas : Le roi des Juifs; mets que lui-même a dit : Je suis roi des Juifs. " 22. Pilate répondit : "Ce qui est écrit, est écrit. "

23. Les soldats, après avoir crucifié Jésus, prirent ses vêtements, et ils en firent quatre parts, une pour chacun d'eux. *Ils prirent* aussi sa tunique : c'était une tunique sans couture, d'un seul

---

damnes que par crainte et par faiblesse. Le Sauveur, humilié et condamné, juge ses juges! — 13. *Ayant entendu ces paroles*, et craignant de perdre la faveur de *César*, qui était alors l'empereur Tibère. — 16. *Crucifié*, non par les Juifs, mais par les soldats romains.

tissu depuis le haut jusqu'en bas. 24. Ils se dirent donc entre eux : "Ne la déchirons pas, mais tirons au sort à qui elle sera :" afin que s'accomplît cette parole de l'Ecriture : "Ils se sont partagé mes vêtements, et ils ont tiré ma robe au sort." C'est ce que firent les soldats.

25. ✠ Près de la croix de Jésus se tenaient sa mère et la sœur de sa mère, Marie, femme de Cléophas, et Marie Madeleine. 26. Jésus, ayant vu sa mère, et auprès d'elle le disciple qu'il aimait, dit à sa mère : "Femme, voilà votre fils." 27. Ensuite il dit au disciple : "Voilà ta mère." Et depuis cette heure-là, le disciple la prit chez lui.¶

28. Après cela, Jésus sachant que tout était déjà accompli, afin qu'une parole de l'Ecriture s'accomplît *encore*, il dit : "J'ai soif." 29. Il y avait là un vase plein de vinaigre; *les soldats* en remplirent une éponge, et l'ayant fixée autour *d'une tige* d'hysope, ils l'approchèrent de sa bouche. 30. ✠ Quand Jésus eut pris le vinaigre, il dit : "Tout est consommé;" et baissant la tête, il rendit l'esprit.

31. Comme les Juifs craignaient que les corps ne restassent sur la croix pendant le sabbat, — car c'était la Préparation, et ce jour du sabbat était un grand jour, — ils demandèrent à Pilate qu'on rompît les jambes aux crucifiés et qu'on les détachât. 32. Les soldats vinrent donc, et ils rompirent les jambes au premier *brigand*, puis à l'autre qui avait été crucifié

26-27. *Voilà votre fils... voilà ta mère :* ce que, durant sa vie terrestre, Jésus fut pour sa mère, et elle pour lui, Jean le sera désormais pour Marie, et Marie pour Jean. Tous les enfants de l'Eglise, dit S. Augustin, sont ici représentés par S. Jean; c'est à tous les fidèles que Jésus, dans la personne de cet apôtre, a donné Marie pour mère. — 28. *J'ai soif*, Ps. 68. Jésus devait éprouver la souffrance dont ce mot est l'expression, *afin qu'une parole*, etc. — 29. *Vinaigre*, vin acide, qui servait de boisson aux soldats romains. — 30. *Consommé :* les prophéties sont réalisées, les décrets éternels de mon Père sont exécutés, l'œuvre de la rédemption du monde est accomplie. — 31. *Sur la croix :* La Loi (*Deut.* xxi, 22) ordonnait de détacher le supplicié et de l'ensevelir avant le coucher du soleil; cette prescription était plus rigoureuse encore la veille d'un jour de fête - *Rompît les jambes*, pour hâter la mort.

avec lui. 33. Etant venus à Jésus, et le voyant déjà mort, ils ne lui rompirent pas les jambes; 34. mais un des soldats lui ouvrit le côté avec sa lance, et aussitôt il en sortit du sang et de l'eau. 35. Et celui qui l'a vu en rend témoignage, et son témoignage est vrai; et il sait qu'il dit vrai, afin que vous aussi vous croyiez. ¶ 36. ✠ Car ces choses sont arrivées afin que l'Ecriture fût accomplie : " Vous ne briserez aucun de ses os." 37. Et il est encore écrit ailleurs : " Ils regarderont celui qu'ils ont transpercé." 38. Après cela, Joseph d'Arimathie, qui était disciple de Jésus, mais en secret, par crainte des Juifs, pria Pilate *de lui permettre* d'enlever le corps de Jésus. Et Pilate le permit. Il vint donc, et prit le corps de Jésus. 39. Nicodème, qui était venu la première fois trouver Jésus de nuit, vint aussi, apportant un mélange de myrrhe et d'aloès, d'environ cent livres. 40. Ils prirent donc le corps de Jésus, et l'enveloppèrent dans des linceuls, avec les aromates, selon la manière d'ensevelir en usage chez les Juifs. 41. Au lieu où Jésus avait été crucifié, il y avait un jardin, et dans le jardin un sépulcre neuf, où personne n'avait encore été mis. 42. C'est là qu'ils déposèrent *le corps de* Jésus, à cause de la Préparation des Juifs, parce que ce sépulcre était proche. ¶

34. Dans l'eau et le sang qui sortirent du côté de Jésus, les SS. Pères voient une figure des deux sacrements de baptême et d'eucharistie, dons principaux de son cœur brisé par une mort volontaire. — 36. *De ses os*, Exod. xii, 46 : ces paroles se rapportent immédiatement à l'agneau pascal, figure du Messie. — 41. *Sépulcre neuf :* en sorte que, dit S. Augustin, Jésus eut un tombeau virginal, comme le sein de Marie. — 42. *Ils déposèrent Jésus*, le vendredi soir : on touchait au grand sabbat de Pâque, jour de repos absolu.

2° — Gloire divine de Jésus manifestée dans sa Résurrection.

Ch. 20. — *Apparition à Marie Madeleine.*

✠ Le premier jour de la semaine, Marie Madeleine se rendit au sépulcre, dès le matin, avant que les ténèbres fussent dissipées : elle vit qu'on en avait ôté la pierre. 2. Elle courut donc, et vint trouver Simon Pierre et l'autre disciple que Jésus aimait, et leur dit : "Ils ont enlevé du sépulcre le Seigneur, et nous ne savons où ils l'ont mis." 3. Pierre sortit avec l'autre disciple, et ils allèrent au sépulcre. 4. Ils couraient tous deux, mais l'autre courut plus vite que Pierre, et arriva le premier au sépulcre. 5. Et s'étant penché, il vit les linceuls posés à terre; mais il n'entra pas. 6. Simon Pierre, qui le suivait, arriva à son tour et entra dans le sépulcre; il vit les linges posés à terre, 7. et le suaire qui couvrait la tête de Jésus, non pas avec les linges, mais roulé en un lieu à part. 8. Alors l'autre disciple qui était arrivé le premier au sépulcre, entra aussi; et il vit, et il crut : 9. car ils ne comprenaient pas encore que, d'après l'Ecriture, *le Christ* devait ressusciter des morts. ¶ 10. Les disciples s'en retournèrent donc chez eux.

11. ✠ Cependant Marie se tenait près du sépulcre, en dehors, versant des larmes; et en pleurant elle se pencha pour regarder dans le sépulcre; 12. et elle vit deux anges vêtus de blanc, assis à la place où avait été mis le corps de Jésus, l'un à la tête, l'autre aux pieds. 13. Ils lui dirent :

Chap. 20. — 1. *Au sépulcre*, pour embaumer Jésus (*Marc*, xvi, 1). Elle n'était point seule, car elle dit au verset suivant : *Nous ne savons*, etc. — 2. *L'autre disciple*, S. Jean. — 9. *D'après l'Ecriture*, par ex. *Ps.* xv, 10; *Is.* liii. Notre Seigneur lui-même avait parlé plusieurs fois de sa résurrection à ses Apôtres; mais leurs fausses idées sur la personne du Messie les empêchaient sans doute de prendre à la lettre ce qu'il leur disait. Ils n'eurent la complète intelligence des desseins de Dieu qu'après que le divin Ressuscité se fut montré à eux et leur eut envoyé le Saint Esprit.

"Femme, pourquoi pleurez-vous?" Elle leur dit: "Parce qu'ils ont enlevé mon Seigneur, et je ne sais où ils l'ont mis." 14. Ayant dit ces mots, elle se retourna, et vit Jésus debout; et elle ne savait pas que c'était Jésus. 15. Jésus lui dit: "Femme, pourquoi pleurez-vous? Qui cherchez-vous?" Elle, pensant que c'était le jardinier, lui dit: "Seigneur, si c'est vous qui l'avez emporté, dites-moi où vous l'avez mis, et j'irai le prendre." 16. Jésus lui dit: "Marie!" Elle se retourna et lui dit en hébreu: "Rabboni!" c'est-à-dire Maître. 17. Jésus lui dit: "Ne me touchez point, car je ne suis pas encore remonté vers mon Père. Mais allez à mes frères, et dites-leur: Je monte vers mon Père et votre Père, vers mon Dieu et votre Dieu." 18. Marie Madeleine alla annoncer aux disciples qu'elle avait vu le Seigneur, et qu'il lui avait dit ces choses.¶

Aux Apôtres dans le Cénacle.

19. Le soir du même jour, qui était le premier de la semaine, les portes du lieu où se trouvaient les disciples étant fermées, parce qu'ils craignaient les Juifs, Jésus vint, et se présentant au milieu d'eux, il leur dit: "La paix soit avec vous!" 20. Ayant ainsi parlé, il leur montra ses mains et son côté. Les disciples furent remplis de joie en voyant le Seigneur. 21. Il leur dit une seconde fois: "La paix soit avec vous! Comme *mon* Père m'a envoyé, moi aussi je vous

14. *Ne savait pas:* le visage de Jésus ressuscité avait-il subi quelque léger changement? Comp. *Luc*, xxiv. 16; *Marc.* xvi, 12. — 16. *Se retourna:* tout absorbée dans son amour, Madeleine avait les yeux instinctivement attachés sur le tombeau vide. Mais ayant reconnu Jésus lorsqu'il dit: *Marie*, elle se jeta aussitôt à ses pieds en les embrassant. — 17. *Ne me touchez point:* ne vous arrêtez pas si longtemps à embrasser mes genoux; vous pourrez le faire plus tard à loisir, car je suis encore pour quelque temps sur la terre. — 19. *Au milieu d'eux:* Jésus se trouva tout à coup au milieu de ses disciples, son corps glorieux, doué de *subtilité*, selon le langage des théologiens, n'étant arrêté par aucun obstacle. — 20. *Son côté* et *ses pieds.* Notre Seigneur voulut porter dans son corps glorieux les cicatrices de ses plaies, comme des trophées de sa victoire sur la mort, l'enfer et le péché; il les conserve jusque dans le ciel, afin de montrer continuellement à son Père le prix de notre rédemption, et de nous obtenir tout, en intercédant par elles en notre faveur.

envoie." 22. Après ces paroles, il souffla sur eux et leur dit : "Recevez l'Esprit Saint. 23. Ceux à qui vous remettrez les péchés, ils leur seront remis; et ceux à qui vous les retiendrez, ils leur seront retenus."

A S. Thomas et aux Apôtres.

24. ✠ Thomas, l'un des Douze, celui qu'on appelle Didyme, n'était pas avec eux lorsque Jésus vint. 25. Les autres disciples lui dirent donc : "Nous avons vu le Seigneur." Mais il leur dit : "Si je ne vois dans ses mains la marque des clous, et si je ne mets mon doigt à la place des clous et ma main dans son côté, je ne croirai point." 26. Huit jours après, les disciples étant encore dans le même lieu, et Thomas avec eux, Jésus vint, les portes étant fermées, et se présentant au milieu d'eux, il leur dit : "La paix soit avec vous." 27. Puis il dit à Thomas : "Mets ici ton doigt, et regarde mes mains; approche aussi ta main; et mets-la dans mon côté; et ne sois pas incrédule, mais fidèle." 28. Thomas lui répondit : "Mon Seigneur et mon Dieu!" 29. Jésus lui dit : "Parce que tu m'as vu, Thomas, tu as cru. Heureux ceux qui auront cru sans avoir vu!" ¶

Épilogue.

30. Jésus a fait encore, en présence de ses disciples, beaucoup d'autres miracles qui ne sont pas écrits dans ce livre. 31. Mais ceux-ci ont été écrits, afin que vous croyiez que Jésus est le Christ, le Fils de Dieu, et qu'en croyant vous ayez la vie en son nom.

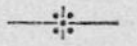

22. Ce *souffle* était le symbole de la communication, partielle encore, de l'Esprit Saint, dont il devait recevoir la plénitude le jour de la Pentecôte. — 23. Le concile de Trente a défini que ces paroles doivent s'entendre du pouvoir de remettre et de retenir les péchés dans le sacrement de pénitence. — 26. *Dans le même lieu*, dans la maison vaguement indiquée vers. 19, probablement le cénacle. — 30-31. Ces versets sont la conclusion du quatrième évangile. S. Jean ajouta plus tard le chapitre suivant.

APPENDICE.

CH. 21. — *Au lac de Tibériade : pêche miraculeuse.*

✠ Après cela, Jésus se montra de nouveau à ses disciples sur les bords de la mer de Tibériade : et voici de quelle manière. 2. Simon Pierre, Thomas, appelé Didyme, Nathanaël, qui était de Cana en Galilée, les fils de Zébédée et deux autres de ses disciples, étaient ensemble. 3. Simon Pierre leur dit : " Je vais pêcher. " Ils lui dirent : " Nous y allons avec toi." Ils sortirent donc et montèrent dans la barque; mais ils ne prirent rien cette nuit-là. 4. Le matin venu, Jésus se trouva sur le rivage; mais les disciples ne savaient pas que c'était lui. 5. Jésus leur dit : " Enfants, n'avez-vous rien à manger?" " Non, " répondirent-ils. 6. Il leur dit : " Jetez le filet à droite de la barque, et vous trouverez *du poisson.* " Ils le jetèrent; et ils ne pouvaient plus le tirer à cause de la grande quantité de poissons. 7. Alors le disciple que Jésus aimait dit à Pierre : " C'est le Seigneur ! " Simon Pierre, ayant entendu que c'était le Seigneur, mit son vêtement et sa ceinture, car il était nu, et se jeta dans la mer. 8. Les autres disciples vinrent avec la barque (car ils n'étaient éloignés de la terre que d'environ deux cents coudées), en tirant le filet plein de poissons. 9. Lorsqu'ils furent descendus à terre, ils virent sur le sol des charbons allumés, du poisson mis dessus, et du pain. 10. Jésus leur dit : " Apportez de ces poissons que vous venez de prendre. " 11. Simon Pierre monta *dans la barque,* et tira à terre le filet, qui était plein de cent cinquante-trois gros poissons; et quoiqu'il y en eût un si grand nombre, le filet ne se rompit point. 12. Jésus leur dit : " Venez et mangez. " Et aucun des disciples n'o-

Chap. 21. — 1. *Disciples :* ils s'étaient rendus en Galilée, selon l'ordre de leur Maître (*Matth.* xxviii, 7). — 7. *Son vêtement*, propr. un *sarrau* de toile, descendant jusqu'à la ceinture. — *Nu*, n'ayant que le vêtement de dessous.

sait lui demander : " Qui êtes-vous? " parce qu'ils savaient que c'était le Seigneur. 13. Jésus s'approcha, et prenant le pain, il leur en donna; il fit de même du poisson. 14. C'était déjà la troisième fois que Jésus apparaissait à ses disciples, depuis qu'il était ressuscité des morts. ¶

La primauté conférée à Pierre.

15. ✠ Lorsqu'ils eurent mangé, Jésus dit à Simon Pierre : " Simon, fils de Jean, m'aimes-tu plus que ne font ceux-ci?" Il lui répondit: "Oui, Seigneur, vous savez que je vous aime. " Jésus lui dit : " Pais mes agneaux. " 16. Il lui dit une seconde fois : " Simon, fils de Jean, m'aimes-tu? " Pierre lui répondit : " Oui, Seigneur, vous savez que je vous aime. " Jésus lui dit: "Pais mes agneaux." 17. Il lui dit pour la troisième fois : " Simon, fils de Jean, m'aimes-tu? " Pierre fut contristé de ce que Jésus lui demandait pour la troisième fois : " M'aimes-tu? " et il lui répondit : " Seigneur, vous connaissez toutes choses, vous savez bien que je vous aime. " Jésus lui dit : " Pais mes brebis.

Son martyre prédit.

18. En vérité, en vérité, je te le dis, quand tu étais plus jeune, tu te ceignais toi-même, et tu allais où tu voulais; mais quand tu seras vieux, tu étendras les mains, et un autre te ceindra et te mènera où tu ne voudras pas." — 19. Il dit cela, indiquant par quelle mort Pierre devait glorifier Dieu. ¶ — Et après avoir ainsi parlé, ✠ il ajouta : " Suis-moi. "

Sort réservé à Jean.

20. Pierre, s'étant retourné, vit venir après lui le disciple que Jésus aimait, celui qui, pendant la cène, s'était penché

14. *La troisième fois* : comp. xx, 19 et 26. — 16. *Pais mes brebis.* Pierre a réparé son triple reniement par une triple protestation d'amour : il est investi de la dignité de Pasteur suprême sur les brebis et les agneaux, c'est-à-dire sur le troupeau tout entier, sur toute l'Eglise de Jésus Christ. — 18. *Tu étendras les mains...* autant d'images qui expriment l'état d'une personne livrée à la puissance d'une autre, et conviennent spécialement au supplice de la croix (comp. *Is.* lxv, 2). On sait que saint Pierre fut crucifié la tête en bas, à Rome sous l'empereur Néron.

sur son sein, et lui avait dit : "Seigneur, qui est celui qui vous trahit?" 21. Pierre donc, l'ayant vu, dit à Jésus : "Seigneur, et à celui-ci qu'adviendra-t-il?" 22. Jésus lui dit : "Si je veux qu'il demeure jusqu'à ce que je vienne, que t'importe? Toi, suis-moi." 23. Le bruit courut donc parmi les frères que ce disciple ne mourrait point. Pourtant Jésus ne lui avait pas dit qu'il ne mourrait pas; mais : "Si je veux qu'il demeure jusqu'à ce que je vienne, que t'importe?"

Ultime conclusion.

24. C'est ce même disciple qui rend témoignage de ces choses et qui les a écrites; et nous savons que son témoignage est vrai. ¶ 25. Jésus a fait encore beaucoup d'autres choses; si on les rapportait en détail, je ne pense pas que le monde entier pût contenir les livres qu'il faudrait écrire.

22. *Qu'il demeure ainsi*, qu'il reste en vie, par opposition à *suivre* Jésus par le martyre. — *Jusqu'à ce que je vienne* à la fin du monde. — *Que t'importe* ce qui doit arriver à tes frères dans l'apostolat? Songe à bien remplir la tâche qui t'est assignée. — 24-25. Ces versets sont une nouvelle conclusion de l'Evangile de S. Jean (comp. xx, 30), devenue nécessaire après l'addition du chap. xxi. — 25. *Le monde entier :* locution hyperbolique presque réalisée par les faits : les discours et les livres composés sur la vie du Sauveur ne sont-ils pas vraiment innombrables?

ACTES DES APÔTRES.

Prologue.

CH. 1.

✠ THÉOPHILE, j'ai raconté dans mon premier livre toute la suite des actions et des enseignements de Jésus, 2. jusqu'au jour où, après avoir donné par l'Esprit Saint ses instructions aux Apôtres qu'il avait choisis, il fut enlevé au ciel. 3. A eux aussi, après sa passion, il s'était montré vivant par plusieurs signes certains, leur apparaissant pendant quarante jours et les entretenant du royaume de Dieu.

PREMIÈRE PARTIE

FONDATION DE L'ÉGLISE CHRÉTIENNE ET SES DÉBUTS CHEZ LES JUIFS OU ACTES DE S. PIERRE. (CH. 1 — 12).

1° — PRÉPARATIFS DE LA FONDATION DE L'ÉGLISE.

Ascension de Jésus.

4. Un jour qu'il était à table avec eux, il leur recommanda de ne pas s'éloigner de Jérusalem, mais d'attendre ce que le Père avait promis, " ce que, leur dit-il, vous avez

Chap. 1. — 2. *Par l'Esprit Saint*, qui disposait les Apôtres à recevoir les instructions de Jésus. — 3. *Vivant*, et leur en avait donné des preuves nombreuses. — *Royaume de Dieu*, l'Eglise. — 4. *Ce que le Père avait promis*, l'effusion du Saint Esprit qui devait

entendu de ma bouche; 5. car Jean a baptisé dans l'eau, mais vous, sous peu de jours, vous serez baptisés du Saint Esprit." 6. Eux donc, étant réunis, lui demandèrent : "Seigneur, le temps est-il venu où vous rétablirez le royaume d'Israël?" 7. Il leur répondit : "Ce n'est pas à vous de connaître les temps ou les moments que le Père a fixés de sa propre autorité. 8. Mais lorsque le Saint Esprit descendra sur vous, vous serez revêtus de force et vous me rendrez témoignage à Jérusalem, dans toute la Judée, dans la Samarie, et jusqu'aux extrémités de la terre."

9. Après qu'il eut ainsi parlé, il fut élevé en leur présence, et une nuée le déroba à leurs yeux. 10. Et comme ils avaient les regards fixés vers le ciel pendant qu'il s'éloignait, voici que deux hommes parurent auprès d'eux, vêtus de robes blanches, 11. et dirent : "Hommes de Galilée, pourquoi vous arrêtez-vous à regarder au ciel? Ce Jésus qui, du milieu de vous, a été enlevé au ciel, en viendra de la même manière que vous l'y avez vu monter." ¶

Les Apôtres au Cénacle.

12. Ils revinrent alors à Jérusalem, de la montagne appelée des Oliviers, laquelle est près de Jérusalem, à la distance du chemin d'un jour de sabbat. 13. Quand ils furent arrivés, ils montèrent dans le cénacle, où ils se tenaient d'ordinaire : *c'étaient* Pierre et Jean, Jacques et André, Philippe et Thomas, Barthélemi et Matthieu, Jacques, fils d'Alphée, et Simon le Zélé, et Jude, frère de Jacques. 14. Tous, dans un même esprit, persévéraient dans la prière, avec quelques femmes, et Marie, mère de Jésus, et ses frères.

Élection de S. Matthias.

15. En ces jours-là, Pierre se levant au mi-

avoir lieu le jour de la Pentecôte. — 8. *Vous me rendrez témoignage*, vous prêcherez l'Evangile. — 10. *Deux hommes*, deux anges sous une forme humaine. — 12. *A la distance* qu'il était permis à un Juif de parcourir un jour de Sabbat : environ 1400 mètres. — 13. *Le cénacle*, probablement la chambre haute où Jésus fit la dernière cène avec ses Apôtres.

lieu des frères (ils étaient réunis au nombre d'environ cent vingt), leur dit : 16. "Mes frères, il faut que s'accomplisse ce que le Saint Esprit, dans l'Ecriture, a prédit par la bouche de David au sujet de Judas, le guide de ceux qui ont arrêté Jésus; 17. car il était un d'entre nous, et il avait part à notre ministère. 18. Cet homme, après avoir acheté un champ avec le salaire de son crime, *se pendit*, *et*, étant tombé, se rompit par le milieu, et toutes ses entrailles se répandirent. 19. Ce fait est si connu de tous les habitants de Jérusalem, que ce champ a été nommé dans leur langue Haceldama, c'est-à-dire, champ du sang. 20. Il est écrit, en effet, dans le livre des Psaumes : Que sa demeure devienne déserte, et que personne ne l'habite ! Et ailleurs : Qu'un autre prenne sa charge ! 21. Il faut donc que, parmi les hommes qui nous ont accompagnés tout le temps que le Seigneur Jésus a vécu avec nous, 22. depuis le baptême de Jean jusqu'au jour où il a été enlevé du milieu de nous, il y en ait un qui devienne avec nous témoin de sa résurrection." 23. Ils en présentèrent deux : Joseph appelé *communément* Barsabas et surnommé Justus, et Matthias. 24. Et s'étant mis en prière, ils dirent : "Seigneur, vous qui connaissez le cœur de tous les hommes, montrez-*nous* lequel de ces deux vous avez choisi 25. pour occuper, dans ce ministère de l'apostolat, la place que Judas a laissée par son crime pour aller en son lieu." 26. On apporta des sorts avec leurs noms, et le sort tomba sur Matthias, qui fut ainsi associé aux onze Apôtres.

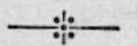

18. *Etant tombé :* le lien s'était sans doute rompu. — 20. *Sa demeure*, sa place dans le collège apostolique. — *Sa charge*, son office d'apôtre (*Ps.* cviii, 8). — 24. *Seigneur* désigne ici le Sauveur glorifié. — *Montrez-nous :* c'est à J. C. seul à choisir ses Apôtres. — 25. *En son lieu :* à sa perte, en enfer.

2° — FONDATION DE L'EGLISE A JÉRUSALEM.

CH. 2. — *Descente du Saint Esprit.*

✠ Le jour de la Pentecôte étant arrivé, ils étaient tous ensemble en un même lieu. 2. Tout à coup il vint du ciel un bruit comme celui d'un vent qui souffle avec force, et il remplit toute la maison où ils étaient assis. 3. Et ils virent paraître comme des langues de feu, qui se partagèrent et se posèrent sur chacun d'eux. 4. Ils furent tous remplis du Saint Esprit, et ils se mirent à parler diverses langues, selon que l'Esprit Saint leur donnait de s'exprimer. 5. Or il y avait à Jérusalem des Juifs pieux qui y résidaient, de toutes les nations qui sont sous le ciel. 6. Au bruit qui se fit entendre, ils accoururent en foule, et ils étaient tout hors d'eux-mêmes, de ce que chacun les entendait parler sa propre langue. 7. Surpris et étonnés, ils disaient : "Ces gens qui parlent, ne sont-ils pas tous Galiléens? 8. Comment se fait-il que chacun de nous les entende parler la langue de son pays? 9. Nous tous, Parthes, Mèdes, Elamites, habitants de la Mésopotamie, de la Judée et de la Cappadoce, du Pont et de l'Asie, 10. de la Phrygie et de la Pamphylie, de l'Egypte, et des contrées de la Lybie voisines de Cyrène, Romains de passage ici, 11. soit Juifs, soit prosélytes, Crétois et Arabes, nous les entendons annoncer dans nos langues les merveilles de Dieu."¶ 12. Ils étaient tous dans l'étonnement, et, ne sachant que penser, ils se disaient les uns aux autres : "Qu'est-ce que cela pourrait bien être?" 13. D'autres disaient, en se moquant : "Ils sont pleins de vin nouveau."

Chap. 2. — 1. *Pentecôte*, fête juive, qui se célébrait 50 jours après Pâque. D'abord fête de la moisson, on y rattacha plus tard le souvenir de la loi donnée sur le mont Sinaï. — 7. *Galiléens*, des ignorants, qui parlent grossièrement leur langue, loin de connaître les langues étrangères. — 11. *Les merveilles* que *Dieu* a faites par J. C. pour le salut du monde.

1ère Prédication de Pierre.

14. ✠ Alors Pierre, se présentant avec les Onze, éleva la voix et leur dit : " Juifs, et vous tous qui séjournez à Jérusalem, sachez bien ceci, et prêtez l'oreille à mes paroles. 15. Ces hommes ne sont point ivres, comme vous le supposez, car c'est la troisième heure du jour. 16. Ce que vous voyez, c'est ce qui a été annoncé par le prophète Joël : 17. ' Dans les derniers jours, dit le Seigneur, je répandrai de mon Esprit sur toute chair, et vos fils et vos filles prophétiseront; vos jeunes gens auront des visions, et vos vieillards des songes. 18. Oui, dans ces jours-là, je répandrai de mon Esprit sur mes serviteurs et sur mes servantes, et ils prophétiseront. 19. Et je ferai paraître des prodiges en haut dans le ciel, et des miracles en bas sur la terre : du sang, du feu et des tourbillons de fumée; 20. le soleil se changera en ténèbres, et la lune en sang, avant que vienne le jour du Seigneur, le jour grand et terrible. 21. Alors quiconque invoquera le nom du Seigneur sera sauvé.' ¶ 22. Enfants d'Israël, écoutez ces paroles : Jésus de Nazareth, cet homme à qui Dieu a rendu témoignage devant vous par les prodiges, les miracles et les signes qu'il a opérés par lui au milieu de vous, comme vous le savez vous-mêmes; 23. cet homme vous ayant été livré selon le dessein immuable et la prescience de Dieu, vous l'avez attaché à la croix et mis à mort par la main des impies. 24. Dieu l'a ressuscité, en le délivrant des douleurs de la mort, parce qu'il n'était pas possible qu'il fût retenu par elle. 25. Car David dit de lui : ' J'avais con-

15. Les Juifs ne prenaient d'ordinaire aucune nourriture avant l'heure de la prière, ou la troisième heure du jour (9 h. du matin), surtout les jours de sabbat et de fête. — 17. *Les derniers jours*, le temps du Messie, dont l'avènement ouvre la dernière période du monde. — *Visions*, révélations pendant la veille; *songes*, révélations pendant le sommeil. — 19-21. Ces versets se rapportent, selon les uns, à la fin du monde, placée, dans la vision prophétique, sur le même plan que l'avènement du Messie; selon les autres, à la ruine de Jérusalem, qui en est comme le premier acte. — 20. *Le soleil* s'obscurcira, *la lune* deviendra couleur de sang : images de grandes calamités.

tinuellement le Seigneur devant moi, parce qu'il est à ma droite, afin que je ne sois point ébranlé. 26. C'est pourquoi mon cœur est dans la joie, et ma langue dans l'allégresse, et ma chair aussi reposera dans l'espérance; 27. car vous ne laisserez pas mon âme dans le séjour des morts, et vous ne permettrez pas que votre Saint voie la corruption. 28. Vous m'avez fait connaître les sentiers de la vie, et vous me remplirez de joie en me montrant votre visage.' — 29. Mes frères, qu'il me soit permis de vous dire en toute franchise, au sujet du patriarche David, qu'il est mort, qu'il a été enseveli, et que son sépulcre est encore parmi nous. 30. Comme il était prophète, et qu'il savait que Dieu lui avait promis avec serment de faire asseoir sur son trône un fils de son sang, 31. c'est la résurrection du Christ qu'il a vue d'avance et annoncée, en disant que son âme ne serait pas laissée dans le séjour des morts, et que sa chair ne verrait pas la corruption. 32. C'est ce Jésus que Dieu a ressuscité; nous en sommes tous témoins. 33. Et maintenant qu'il a été élevé au ciel par la droite de Dieu, et qu'il a reçu du Père le Saint Esprit promis *aux siens*, il a répandu cet Esprit que vous voyez et entendez. 34. Car David n'est pas monté au ciel; mais il a dit lui-même : ' Le Seigneur a dit à mon Seigneur : Asseyez-vous à ma droite, 35. jusqu'à ce que je fasse de vos ennemis l'escabeau de vos pieds.' 36. Que toute la maison d'Israël sache donc avec certitude que Dieu a fait Seigneur et Christ ce Jésus que vous avez crucifié."

Conversion
de trois mille hommes.

37. Le cœur transpercé par ce discours, ils dirent à Pierre et aux autres Apôtres : "Frères, que

27. *Voie*, éprouve, en style biblique. — 29. *Son sépulcre*, contenant les restes de son corps mortel. — 36. *Dieu a fait*, etc. Dans son premier discours, Pierre, pour s'accommoder à la faiblesse d'esprit de ses auditeurs, parle de J. C. surtout comme homme; mais son langage laisse intacte la divinité du Messie.

ferons-nous?" 38. Pierre leur répondit : " Repentez-vous, et que chacun de vous soit baptisé au nom de Jésus Christ pour obtenir le pardon de vos péchés; et vous recevrez le don du Saint Esprit. 39. Car la promesse est pour vous, pour vos enfants, et pour tous ceux qui sont au loin, en aussi grand nombre que le Seigneur notre Dieu les appellera." 40. Et par beaucoup d'autres paroles il les pressait et les exhortait en disant : " Sauvez-vous du milieu de cette génération perverse." 41. Ceux qui reçurent la parole de Pierre furent baptisés; et ce jour-là le nombre des disciples s'augmenta de trois mille personnes environ.

Vie admirable des premiers fidèles.

42. Ils étaient assidus à entendre l'enseignement des Apôtres, à prendre part ensemble à la fraction du pain et aux prières. 43. Et la crainte était dans toutes les âmes, et beaucoup de prodiges et de miracles se faisaient par les Apôtres dans Jérusalem, et tous étaient remplis de frayeur. 44. Tous ceux qui croyaient étaient unis ensemble, et ils avaient tout en commun. 45. Ils vendaient leurs terres et leurs biens, et ils en partageaient le prix entre tous, selon les besoins de chacun. 46. Chaque jour, unis de cœur, ils fréquentaient le temple, et, rompant le pain dans leurs maisons, ils prenaient leur nourriture avec joie et simplicité, 47. louant Dieu et ayant la faveur de tout le peuple. Et le Seigneur ajoutait chaque jour à l'Eglise ceux qui devaient être sauvés.

42. *A la fraction du pain*, à assister aux agapes où l'on recevait la sainte Eucharistie. — 44. *Tout en commun :* cette communauté de biens n'exista que dans l'Eglise naissante de Jérusalem, et encore n'était-elle pas aussi absolue que ces mots semblent l'indiquer. (*Act.* iv, 32). — 46. Après avoir passé une grande partie du jour dans le temple, le soir ils faisaient chez eux l'agape et la communion.

3° — Développement et affermissement de l'Église de Jérusalem.

1. Action de Pierre.

Ch. 3. — *Guérison d'un boiteux.*

✠ Pierre et Jean montaient ensemble au temple pour la prière de la neuvième heure. 2. Il y avait à la porte du temple appelée la Belle Porte un homme boiteux de naissance, qui s'y faisait transporter et poser chaque jour, pour demander l'aumône à ceux qui entraient dans le temple. 3. Cet homme, ayant vu Pierre et Jean qui allaient y entrer, leur demanda l'aumône. 4. Pierre, ainsi que Jean, fixa les yeux sur lui et dit : " Regarde-nous." 5. Il les regarda attentivement, s'attendant à recevoir d'eux quelque chose. 6. Mais Pierre lui dit : " Je n'ai ni or ni argent; mais ce que j'ai, je te le donne : au nom de Jésus Christ de Nazareth, lève-toi et marche." 7. Et le prenant par la main droite, il l'aida à se lever. Au même instant, ses jambes et ses pieds devinrent fermes; 8. d'un saut il fut debout, et il se mit à marcher. Puis il entra avec eux dans le temple, marchant, sautant et louant Dieu. 9. Tout le peuple le vit marcher et louer Dieu. 10. Et reconnaissant que c'était celui-là même qui se tenait assis à la Belle Porte du temple pour demander l'aumône, ils furent stupéfaits et hors d'eux-mêmes de ce qui lui était arrivé. ¶ 11. Comme il ne quittait pas Pierre et Jean, tout le peuple étonné accourut vers eux, au portique dit de Salomon.

2ème Prédication de Pierre.

12. Voyant cela, Pierre dit au peuple : " Enfants d'Israël, pourquoi cet homme est-il pour vous un sujet d'étonnement? Et pourquoi tenez-vous les yeux fixés sur nous, comme si c'était par notre propre puissance ou

Chap. 3. — 1. *Neuvième heure :* les Juifs priaient à la troisième, à la sixième et à la neuvième heure (9 h. du matin, midi, 3 h. après-midi). — 11. *Portique de Salomon*, situé à l'est du temple.

par notre piété que nous l'eussions fait marcher? 13. ✠ Le Dieu d'Abraham, d'Isaac et de Jacob, le Dieu de vos pères a glorifié son fils Jésus, que vous avez livré *à Pilate* et renié devant lui, alors que ce gouverneur était d'avis qu'on le relâchât. 14. Vous, vous avez renié le Saint et le Juste, et vous avez sollicité la grâce d'un meurtrier. 15. Vous avez fait mourir l'Auteur de la vie, que Dieu a ressuscité des morts; nous en sommes tous témoins. 16. C'est à cause de notre foi en son nom qu'il a raffermi l'homme que vous voyez et connaissez; c'est la foi qu'il a mise en nous qui a opéré devant vous tous cette parfaite guérison.

17. Je sais bien, mes frères, que vous avez agi par ignorance, ainsi que vos magistrats. 18. Mais Dieu a accompli de la sorte ce qu'il avait prédit par la bouche de tous les prophètes, que son Christ devait souffrir. 19. Repentez-vous donc et convertissez-vous, pour que vos péchés soient effacés, ¶ 20. afin que des temps de rafraîchissement viennent de la part du Seigneur, et qu'il envoie celui qui vous a été annoncé, Jésus Christ, 21. que le ciel doit recevoir jusqu'aux jours du rétablissement de toutes choses, jours dont Dieu a parlé anciennement par la bouche de ses saints prophètes. 22. Moïse a dit : ' Le Seigneur votre Dieu vous suscitera d'entre vos frères, un prophète semblable à moi; vous l'écouterez dans tout ce qu'il vous dira. 23. Et quiconque n'écoutera pas ce prophète, sera exterminé du milieu du peuple.' — 24. Tous les prophètes qui ont successivement parlé depuis Samuel ont aussi annoncé ces jours-là. 25. Vous êtes, vous, les fils des

13. *Son fils*, litt. *son serviteur :* allusion au *Serviteur de Jéhovah* d'Isaïe (lii, liii), qui désigne ainsi le Messie. — 20-21. Au dernier jugement, le Messie expulsera de son royaume tout péché et toute souillure; il y aura alors un ciel nouveau et une terre nouvelle (*Apoc.* xxi, 1-5), et toutes choses seront ramenées à l'état primitif, antérieur à la chute (comp. *Rom.* xiii, 19 sv.); alors se lèvera pour les justes et les fidèles le jour du grand sabbat, le temps du repos et du rafraîchissement, après les jours du combat et de la tribulation. — 25. Sens :

prophètes et de l'alliance que Dieu a faite avec nos pères, lorsqu'il a dit à Abraham : ' En ta postérité seront bénies toutes les nations de la terre. ' 26. C'est à vous premièrement que Dieu, ayant suscité son Fils, l'a envoyé pour vous bénir, en détournant chacun de vous de ses iniquités. "

CH. 4. — *Pierre et Jean devant le Sanhédrin.*

Pendant que Pierre et Jean parlaient au peuple, survinrent les prêtres, le capitaine *des gardes* du temple et les Sadducéens, 2. mécontents de ce qu'ils enseignaient le peuple et annonçaient en la personne de Jésus la résurrection des morts. 3. Ils les arrêtèrent et les mirent en prison jusqu'au lendemain; car il était déjà soir. 4. Cependant beaucoup de ceux qui avaient entendu ce discours crurent, et le nombre des hommes s'éleva à environ cinq mille.

5. Le lendemain, les membres du sanhédrin, *savoir* les Anciens et les Scribes, s'assemblèrent à Jérusalem, 6. avec Anne, le grand prêtre, Caïphe, Jean, Alexandre, et tous ceux qui étaient de la famille du grand prêtre. 7. Et ayant fait comparaître les Apôtres devant eux, ils leur demandèrent : " Par quelle puissance ou au nom de qui avez-vous fait cela? " 8. Alors Pierre, rempli du Saint Esprit, leur dit : " Chefs du peuple et anciens d'Israël, écoutez : 9. Si l'on nous interroge aujourd'hui à l'occasion d'un bienfait accordé à un infirme, *et qu'on nous demande* par quoi cet homme a été guéri, 10. sachez-le bien, vous tous, et que tout le peuple d'Israël *le sache aussi:*

à vous tout d'abord appartiennent les promesses que Dieu a faites par ses prophètes, et qui étaient déjà renfermées dans l'alliance qu'il avait conclue avec Abraham.

Chap. 4. — 4. Les chrétiens, au nombre de trois mille (hommes et femmes) après la première prédication, sont devenus cinq mille (hommes seulement) après la deuxième. — 6. *Anne* était toujours grand prêtre de fait, et même de nom, tant son gendre Caïphe, le grand prêtre officiel, était nul. — *Jean* et *Alexandre* ne sont pas connus d'ailleurs. — 9. *Si*, dans le sens de *puisque*, renferme une fine ironie : Pierre semble mettre en doute ce qui est certain, mais à peine croyable.

C'est par le nom de notre Seigneur Jésus Christ de Nazareth, que vous avez crucifié et que Dieu a ressuscité des morts, c'est par lui que cet homme se présente devant vous pleinement guéri. 11. Ce Jésus est la pierre rejetée par vous de l'édifice, et qui est devenue la pierre angulaire. 12. Et le salut n'est en aucun autre ; car il n'y a pas sous le ciel un autre nom qui ait été donné aux hommes, par lequel nous devions être sauvés. "

13. Lorsqu'ils virent l'assurance de Pierre et de Jean, sachant que c'étaient des hommes du peuple sans instruction, ils furent étonnés ; ils les reconnurent en même temps pour avoir été avec Jésus. 14. Mais, comme ils voyaient debout, près d'eux, l'homme qui avait été guéri, ils n'avaient rien à répliquer. 15. Les ayant fait sortir du sanhédrin, ils se mirent à délibérer entre eux, 16. disant : " Que ferons-nous à ces hommes ? Qu'ils aient fait un miracle insigne, c'est ce qui est manifeste pour tous les habitants de Jérusalem, et nous ne pouvons le nier. 17. Mais afin que la chose ne se répande pas davantage parmi le peuple, défendons-leur avec menaces de parler désormais en ce nom-là à qui que ce soit. " 18. Et les ayant rappelés, ils leur interdirent absolument de parler et d'enseigner au nom de Jésus. 19. Pierre et Jean leur répondirent : " Jugez s'il est juste devant Dieu de vous obéir plutôt qu'à Dieu. 20. Pour nous, nous ne pouvons pas ne pas dire ce que nous avons vu et entendu. " 21. Alors ils leur firent des menaces et les relâchèrent, ne sachant comment les punir, à cause du peuple, parce que tous glorifiaient Dieu de ce qui venait d'arriver. 22. Car l'homme qui avait été guéri d'une manière si merveilleuse était âgé de plus de quarante ans.

11. *L'édifice :* le royaume de Dieu sur la terre est représenté sous l'image d'un édifice que les chefs de la nation juive avaient la mission de construire. — 19. *Devant Dieu*, le souverain Juge. Sens : s'il est *vraiment* juste.

Action de grâces.

23. Dès qu'on les eut mis en liberté, ils se rendirent auprès de leurs frères et leur racontèrent tout ce que les Princes des prêtres et les Anciens leur avaient dit. 24. Ce qu'ayant entendu, les frères élevèrent tous ensemble la voix vers Dieu, en disant : "Maître souverain, c'est vous qui avez fait le ciel, la terre, la mer et tout ce qu'ils renferment. 25. C'est vous qui avez dit par la bouche de David, votre serviteur : — ' Pourquoi les nations ont-elles frémi, et les peuples ont-ils formé de vains complots? 26. Les rois de la terre se sont soulevés; les princes se sont ligués contre le Seigneur, et contre son Christ. ' — 27. Voici qu'en effet, dans cette ville, se sont ligués contre votre saint serviteur Jésus, consacré par votre onction, Hérode et Ponce Pilate avec les gentils et les peuples d'Israël, 28. pour faire ce que votre main et votre conseil avaient arrêté d'avance. 29. Et maintenant, Seigneur, considérez leurs menaces, et donnez à vos serviteurs d'annoncer votre parole avec une pleine assurance, 30. en étendant votre main afin qu'il se fasse des guérisons, des miracles et des prodiges par le nom de votre saint fils Jésus." 31. Quand ils eurent prié, le lieu où ils étaient réunis trembla; ils furent tous remplis du Saint Esprit, et ils annoncèrent la parole de Dieu avec assurance.

Union et charité des fidèles.

32. La multitude des fidèles n'était qu'un cœur et qu'une âme; nul n'appelait sien ce qu'il possédait, mais tout était commun entre eux. 33. Les Apôtres rendaient avec beaucoup de force témoignage de la résur-

23. *Leurs frères*, la communauté chrétienne, peut-être réunie en ce moment et priant pour eux. — 27. *Serviteur* de Dieu : c'est ainsi qu'Isaïe désigne le Messie (lii, 13 sv.) — *Consacré par votre onction* répond à *son Christ* du vers. 26. Jésus a reçu cette onction au jour de son baptême, alors que l'Esprit Saint descendit sur lui, et qu'une voix le proclame Roi Messie. — *Hérode*, qui tourna Jésus en dérision, et *Pilate*, qui le condamna, répondent aux *rois de la terre* du vers. 26. — 31. *Trembla :* ce fut un ébranlement local, semblable à celui de la Pentecôte. — 33. *Force* et liberté de parole. — *Une grande*

rection du Seigneur Jésus, et une grande grâce était sur eux tous. 34. Car nul parmi eux n'était dans le besoin : tous ceux qui possédaient des terres ou des maisons les vendaient, 35. et en apportaient le prix aux pieds des Apôtres; on le distribuait ensuite aux fidèles, selon les besoins de chacun. 36. Un lévite originaire de Chypre, Joseph, surnommé par les apôtres Barnabé, c'est-à-dire Fils de consolation, 37. possédait un champ; il le vendit, en apporta l'argent et le déposa aux pieds des Apôtres.

CH. 5. — *Punition d'Ananie et Saphire.*

Un homme nommé Ananie, avec Saphire, sa femme, vendit une propriété, 2. et ayant, de concert avec elle, retenu quelque chose du prix, il apporta le reste et le mit aux pieds des Apôtres. 3. Pierre lui dit : " Ananie, pourquoi Satan a-t-il rempli ton cœur, au point que tu mentes au Saint Esprit et que tu retiennes quelque chose du prix de ce champ? 4. Ne pouvais-tu pas, sans le vendre, en rester possesseur? et après l'avoir vendu, n'étais-tu pas *encore* maître de l'argent? Comment as-tu pu concevoir un pareil dessein? Ce n'est pas à des hommes que tu as menti, mais à Dieu." 5. En entendant ces paroles, Ananie tomba et expira, et tous ceux qui l'apprirent furent saisis d'une grande crainte. 6. Les jeunes gens, s'étant levés, enveloppèrent le corps et l'emportèrent pour l'inhumer.

7. Environ trois heures après, la femme d'Ananie entra, sans savoir ce qui était arrivé. 8. Pierre lui demanda : " Dites-moi, est-ce tel prix que

grâce : la grâce de Dieu se manifestant dans les Apôtres par des prodiges, et surtout par le miracle continuel d'une vie sainte.

Chap. 5. — 3. *Que tu mentes au Saint Esprit :* Ananie avait vu les effets merveilleux opérés par le Saint Esprit dans les Apôtres. Essayer de les tromper, c'était vouloir tromper le Saint Esprit lui-même, dont ils étaient les organes. — 5. *Tomba et expira.* En frappant ce coup terrible, Dieu voulut anéantir le premier mensonge qui se montra dans l'Eglise, préserver les fidèles de la peste de l'hypocrisie, et sauvegarder l'autorité des Apôtres publiquement mise en question.

vous avez vendu votre champ?" — "Oui, répondit-elle, c'est ce prix-là." 9. Alors Pierre lui dit : "Comment vous êtes-vous accordés pour tenter l'Esprit du Seigneur? Voici que le pied des jeunes gens qui ont enterré votre mari heurte le seuil; ils vont vous porter aussi en terre." 10. Au même instant, elle tomba aux pieds de l'apôtre, et expira. Les jeunes gens étant entrés la trouvèrent morte; ils l'emportèrent et l'inhumèrent auprès de son mari. 11. Cet événement répandit une grande crainte dans toute l'Eglise, et parmi tous ceux qui en entendirent parler.

2. Persécution : *Merveilles et conversions opérées par les Apôtres.*

12. Les Apôtres faisaient beaucoup de miracles et de prodiges parmi le peuple, et tous *les disciples*, animés d'un même esprit, se tenaient sous le portique de Salomon; 13. aucune autre personne n'osait se joindre à eux, mais le peuple les louait hautement. 14. Chaque jour voyait s'accroître la multitude d'hommes et de femmes qui croyaient au Seigneur, 15. en sorte qu'on apportait les malades dans les rues, et qu'on les plaçait sur des lits ou des nattes, afin que, lorsque Pierre passerait, son ombre au moins couvrît quelqu'un d'entre eux. 16. On venait aussi en foule des villes voisines à Jérusalem, amenant des malades et des hommes tourmentés par des esprits impurs, et tous étaient guéris.

Jetés en prison et délivrés, puis arrêtés de nouveau, ils sont finalement relâchés.

17. Alors le grand prêtre et tous ses adhérents, qui forment le parti des Sadducéens, se levèrent, remplis de jalousie; 18. et ayant fait arrêter les Apôtres, ils les jetèrent dans une prison publique. 19. Mais un ange du Seigneur, ayant ouvert pendant la nuit les portes de la prison, les fit sortir en disant : 20. "Allez, te-

9. *Tenter l'Esprit Saint*, le mettre à l'épreuve, ici dans sa science infinie. — 11. *L'Eglise :* c'est la première fois que ce mot paraît dans les Actes avec la signification de *société de tous les Fidèles.* — 15. *Nattes;* ou bien, *civières*, *couchettes.* — 17. *Le grand prêtre* Caïphe.

nez-vous dans le temple et annoncez au peuple toutes ces paroles de vie." 21. Ce qu'ayant entendu, ils entrèrent dès le matin dans le temple, et se mirent à enseigner.

Cependant le grand prêtre et ses adhérents, s'étant réunis, assemblèrent le conseil et tous les anciens des enfants d'Israël, et ils envoyèrent à la prison chercher les Apôtres. 22. Les agents y allèrent, et ne les ayant pas trouvés dans la prison, ils revinrent et firent leur rapport, 23. en disant : "Nous avons trouvé la prison soigneusement fermée, et les gardes debout devant les portes; mais, après avoir ouvert, nous n'avons trouvé personne dedans." 24. Quand le grand prêtre, le commandant du temple et les princes des prêtres, eurent entendu ces paroles, ils furent dans une grande perplexité au sujet des prisonniers, ne sachant ce que ce pouvait être. 25. En ce moment arriva un homme qui leur dit : "Ceux que vous avez mis en prison, les voilà dans le temple et ils enseignent le peuple." 26. Le commandant s'y rendit aussitôt avec ses agents, et les amena sans violence, car ils craignaient le peuple, qui les aurait lapidés. 27. Et les ayant amenés, ils les firent comparaître devant le conseil, et le grand prêtre les interrogea, 28. en disant : "Nous vous avons expressément défendu d'enseigner en ce nom-là, et voilà que vous avez rempli Jérusalem de votre doctrine, et vous voulez faire retomber sur nous le sang de cet homme!" 29. Pierre et les Apôtres répondirent : "On doit obéir à Dieu plutôt qu'aux hommes. 30. Le Dieu de nos pères a ressuscité Jésus, que vous avez fait mourir en le pendant au bois. 31. Dieu l'a élevé par sa droite comme Prince et Sauveur, pour donner à Israël la repentance et le

---

30. *Au bois :* c'était, d'après la Loi, le supplice des grands criminels, et celui qui le subissait était "maudit de Dieu." *Deutér.* xxi, 23. Pierre choisit à dessein une expression qui rappelle toutes ces idées. — 31. *Prince*, chef du nouveau peuple de Dieu. — A *Israël* d'abord, puis aux gentils.

pardon des péchés. 32. Et nous sommes témoins de ces choses, et le Saint Esprit, que Dieu a donné à ceux qui lui obéissent, en est témoin avec nous."

33. Exaspérés de ce qu'ils venaient d'entendre, les membres du conseil étaient d'avis de les faire mourir. 34. Mais un pharisien, nommé Gamaliel, docteur de la loi et vénéré de tout le peuple, se leva dans le sanhédrin, et ayant ordonné de faire sortir un instant les Apôtres, 35. il leur dit : "Enfants d'Israël, prenez garde à ce que vous allez faire à l'égard de ces gens. 36. Car il n'y a pas longtemps parut Théodas, qui se donnait pour un personnage; environ quatre cents hommes s'attachèrent à lui : il fut tué, et tous ceux qui l'avaient suivi ont disparu sans laisser de traces. 37. Après lui s'éleva Judas le Galiléen, à l'époque du recensement, et il attira du monde à son parti : il périt aussi, et tous ses partisans ont été dispersés. 38. Voici donc le conseil que je vous donne : Ne vous occupez plus de ces gens-là, et laissez-les faire. Si cette idée ou cette œuvre vient des hommes, elle se détruira d'elle-même; 39. mais si elle vient de Dieu, vous ne sauriez la détruire. Ne courez pas le risque d'avoir lutté contre Dieu même." Ils se rendirent à son avis, 40. et ayant rappelé les Apôtres, ils les firent battre de verges; puis ils leur défendirent de parler au nom de Jésus, et les relâchèrent. 41. Les Apôtres sortirent du sanhédrin, joyeux d'avoir été jugés dignes de souffrir des opprobres pour le nom de Jésus. 42. Et ils ne passaient aucun jour sans enseigner dans le temple et dans les maisons, annonçant que Jésus est le Messie.

Election des sept diacres.
CH. 6.

En ces jours-là, le nombre des disciples aug-

32. *Le Saint Esprit* rend témoignage à la divine mission de Jésus par les miracles des Apôtres et par le succès de leur prédication. — 34. Probablement le célèbre *Gamaliel*, petit-fils de Hillel, et le maître de S. Paul (*Act.* xxii, 3). — 37. *Du recensement* fait sous Auguste par Quirinius, gouverneur de Syrie (*Luc.* ii, 1).

Chap. 6. — 1. *Les Grecs*, etc. A cette époque le christianisme

mentant, les Grecs élevèrent des plaintes contre les Hébreux, parce que leurs veuves étaient négligées dans l'assistance journalière. 2. Alors les Douze ayant assemblé la multitude des disciples, leur dirent : " Il ne convient pas que nous laissions la parole de Dieu pour servir aux tables. 3. Choisissez donc parmi vous, frères, sept hommes d'un bon témoignage, remplis de l'Esprit Saint et de sagesse, à qui nous puissions confier cet office; 4. et nous, nous serons tout entiers à la prière et au ministère de la parole." 5. Ce discours plut à toute l'assemblée, et ils élurent Etienne, homme plein de foi et du Saint Esprit, Philippe, Prochore, Nicanor, Timon, Parménas et Nicolas, prosélyte d'Antioche. 6. On les présenta aux Apôtres, et ceux-ci, après avoir prié, leur imposèrent les mains. 7. La parole de Dieu se répandait de plus en plus; le nombre des disciples s'augmentait considérablement à Jérusalem, et une multitude de prêtres obéissaient à la foi.

Martyre de S. Etienne :
Il est arrêté.

8. ✠ Etienne, plein de grâce et de force, faisait des prodiges et de grands miracles parmi le peuple. 9. Quelques-uns de la synagogue dite des Affranchis, et de celles des Cyrénéens et des Alexandrins, avec des Juifs de Cilicie et d'Asie, vinrent disputer avec lui; ¶ 10. mais ils ne purent

ne comptait que des fidèles sortis du judaïsme. Mais tandis que les uns étaient des Juifs nés en Palestine en parlant la langue nationale, les autres, venus des provinces et établis à Jérusalem, parlaient la langue grecque. Les premiers sont appelés ici *Hébreux*, les seconds *Grecs* ou *Hellénistes*. — 4. *La prière* par excellence, c'est le sacrifice eucharistique. — 5. *Prosélyte :* né de parents païens, mais affilié à la religion juive avant d'embrasser le christianisme. — 6. *L'imposition des mains* était comme le signe sensible de la grâce communiquée aux nouveaux élus. On leur donna le nom de *diacres*, c.-à-d. *serviteurs*, et leur ministère s'appela *diaconat*. Non seulement ils avaient le soin des pauvres et servaient dans les repas nommés agapes, mais ils distribuaient la sainte Eucharistie, prêchaient et baptisaient. — 9. *Des Affranchis :* les Juifs emmenés à Rome comme esclaves, par Pompée, furent mis plus tard en liberté; quelques-uns revinrent à Jérusalem où ils eurent une synagogue particulière. — *Cyrénéens*, Juifs de Cyrène, cap. de la Libye supérieure. Il y avait aussi beaucoup de Juifs à Alexandrie.

résister à la sagesse et à l'Esprit avec lesquels il parlait. 11. Alors ils subornèrent des gens qui dirent : " Nous l'avons entendu proférer des paroles blasphématoires contre Moïse et contre Dieu. " 12. Ils ameutèrent ainsi le peuple, ainsi que les Anciens et les Scribes, et tous ensemble se jetant sur lui, ils le saisirent et l'entraînèrent au sanhédrin. 13. Et ils produisirent de faux témoins, qui dirent : "Cet homme ne cesse de proférer des paroles contre le lieu saint et contre la Loi. 14. Car nous l'avons entendu dire que Jésus, ce Nazaréen, détruira le temple et changera les institutions que Moïse nous a données." 15. Comme tous ceux qui siégeaient dans le conseil avaient les yeux fixés sur Etienne, son visage leur parut comme celui d'un ange.

CH. 7. — *Son plaidoyer : comment les Juifs ont toujours résisté au Saint Esprit.*

Le grand prêtre lui demanda : " Les choses sont-elles ainsi?" 2. Etienne répondit : " Mes frères et mes pères, écoutez. Le Dieu de gloire apparut à notre père Abraham, lorsqu'il était en Mésopotamie, avant qu'il vînt demeurer à Charran, 3. et lui dit : 'Quitte ton pays et ta famille, et va dans le pays que je te montrerai. ' 4. Alors il quitta le pays des Chaldéens et s'établit à Charran. De là, après la mort de son père, Dieu le fit émigrer dans la terre que vous habitez maintenant. 5. Et il ne lui donna aucune propriété dans ce pays, pas même où poser le pied ; mais il lui promit, à une époque où le patriarche n'avait pas d'enfants, de lui en donner la possession, à lui et

13. Etienne avait sans doute rappelé aux Juifs la prédiction du Sauveur touchant la ruine du temple, et enseigné qu'une loi nouvelle et un sacrifice plus parfait avaient succédé à la loi et aux sacrifices mosaïques.

Chap. 7. — 2. *Répondit.* Le discours d'Etienne ne présente qu'une série de faits, d'où ressort pourtant cette pensée générale : A toutes les époques de son histoire, Israël a reçu de Dieu le salut. Mais au lieu de reconnaître et d'honorer les personnages qui furent les instruments de sa délivrance, il les a rejetés, s'attirant ainsi de terribles châtiments. — *Mes frères*, tous les assistants ; *mes pères*, les membres du sanhédrin.

à sa postérité après lui. 6. Dieu parla ainsi : 'Sa postérité habitera en pays étranger ; on la réduira en servitude, et on la maltraitera pendant quatre cents ans. 7. Mais la nation qui les aura tenus en esclavage, c'est moi qui la jugerai, dit le Seigneur. Après quoi ils sortiront et me serviront en ce lieu.' — 8. Puis il donna à Abraham l'alliance de la circoncision; et ainsi Ahraham ayant engendré Isaac, il le circoncit le huitième jour; Isaac engendra et circoncit Jacob, et Jacob les douze patriarches.

9. Poussés par la jalousie, les patriarches vendirent Joseph pour être emmené en Egypte. Mais Dieu était avec lui, 10. et il le délivra de toutes ses épreuves, et lui donna grâce et sagesse devant Pharaon, qui le mit à la tête de l'Egypte et de toute sa maison. 11. Or il survint une famine dans tout le pays d'Egypte et dans celui de Chanaan. La détresse était grande, et nos pères ne trouvaient pas de quoi se nourrir. 12. Jacob, ayant appris qu'il y avait des vivres en Egypte, y envoya nos pères une première fois. 13. Et la seconde fois, Joseph fut reconnu par ses frères, et Pharaon sut quelle était son origine. 14. Alors Joseph envoya chercher son père Jacob et toute sa famille, composée de soixante-quinze personnes. 15. Et Jacob descendit en Egypte, où il mourut, ainsi que nos pères. 16. Et ils furent transportés à Sichem, et déposés dans le sépulcre qu'Abraham avait acheté à prix d'argent des fils d'Hémor, fils de Sichem.

17. Comme le temps approchait où devait s'accomplir la promesse que Dieu avait faite à Abraham, le peuple s'accrut et se multiplia en Egypte, 18. jusqu'à ce que parut dans ce pays un autre roi qui n'avait pas connu Joseph. 19. Ce roi, usant d'artifice envers notre race, maltraita nos pères, au point de leur faire exposer leurs enfants, afin qu'ils ne vécussent pas. 20. A cette époque na-

18. *Un autre roi*, un roi *étranger*, d'une autre dynastie. — 20. *Beau aux yeux de Dieu*, c'est-à-dire très beau : si beau, qu'il

quit Moïse, qui était beau aux yeux de Dieu; il fut nourri trois mois dans la maison de son père. 21. Et quand il eut été exposé, la fille de Pharaon le recueillit et l'éleva comme son fils. 22. Moïse fut instruit dans toute la sagesse des Egyptiens, et il était puissant en paroles et en œuvres. 23. Quand il eut atteint l'âge de quarante ans, il lui vint dans l'esprit de visiter ses frères, les enfants d'Israël. 24. Il en vit un qu'on outrageait; prenant sa défense, il vengea l'opprimé en tuant l'Egyptien. 25. Or il pensait que ses frères comprendraient que Dieu leur accordait la délivrance par sa main; mais ils ne *le* comprirent pas. 26. Le jour suivant, en ayant rencontré *deux* qui se battaient, il les exhorta à la paix en disant: Hommes, vous êtes frères : pourquoi vous maltraiter l'un l'autre? 27. Mais celui qui maltraitait son frère le repoussa, en disant : Qui t'a établi chef et juge sur nous? 28. Veux-tu me tuer, comme tu as tué hier l'Egyptien? 29. Cette parole fut cause que Moïse s'enfuit et alla habiter dans la terre de Madian, où il eut deux fils.

30. Quarante ans après, au désert du mont Sinaï, un ange lui apparut dans la flamme d'un buisson en feu. 31. A cette vue, Moïse fut saisi d'étonnement, et comme il s'approchait pour examiner, la voix du Seigneur se fit entendre à lui : 32. 'Je suis le Dieu de tes pères, le Dieu d'Abraham, d'Isaac et de Jacob. ' — Et Moïse tout tremblant n'osait regarder. 33. Alors le Seigneur lui dit : 'Ote la chaussure de tes pieds, car le lieu que tu foules est une terre sainte. 34. J'ai vu l'affliction de mon peuple qui est en Egypte, j'ai entendu ses gémissements, et je suis descendu pour le délivrer. Viens donc maintenant, et je t'enverrai en Egypte.' — 35. Ce Moïse qu'ils avaient re-

paraissait tel aux yeux de Dieu même. — 29. *Madian*, dans l'Arabie Pétrée. — 30. *Un ange*, le Seigneur lui-même (vers. 31, 33). — 31. *A cette vue :* le buisson brûlait sans se consumer. — 35. *De l'ange :* cet ange n'était autre que le Fils de Dieu, l'*Ange du grand*

nié en disant : Qui t'a établi chef et juge? c'est lui que Dieu a envoyé comme chef et libérateur, avec l'assistance de l'ange qui lui était apparu dans le buisson. 36. C'est lui qui les a fait sortir, en opérant des prodiges et des miracles dans la terre d'Egypte, dans la mer Rouge et au désert pendant quarante ans. 37. C'est ce Moïse qui dit aux enfants d'Israël : ' Dieu vous suscitera d'entre vos frères un prophète comme moi : écoutez-le. ' 38. C'est lui qui, pendant que le peuple était assemblé au désert, conférant *tour à tour* avec l'ange qui lui parlait sur le mont Sinaï, et avec nos pères, a reçu des oracles vivants pour nous les transmettre. 39. Nos pères, loin de vouloir lui obéir, le repoussèrent, et, retournant de cœur en Egypte, 40. ils dirent à Aaron : ' Fais-nous des dieux qui marchent devant nous ; car ce Moïse qui nous a fait sortir du pays d'Egypte, nous ne savons ce qu'il est devenu. ' 41. Ils fabriquèrent alors un veau d'or, et ils offrirent un sacrifice à l'idole et se réjouirent de l'œuvre de leurs mains. 42. Mais Dieu se détourna, et les livra au culte de l'armée du ciel, selon qu'il est écrit au livre des prophètes : ' M'avez-vous offert des victimes et des sacrifices pendant quarante ans au désert, maison d'Israël...? 43. Vous avez porté la tente de Moloch et l'astre de votre dieu Remphan, ces images que vous avez faites pour les adorer ! C'est pourquoi je vous transporterai au-delà de Babylone. '

44. Nos pères dans le désert avaient le taber-

conseil ou *du Testament* (*Malach.* iii, 1). — 37. *Un prophète :* allusion au Messie (*Deutér.* xviii, 15). — 38. *Au désert*, au pied du Sinaï, pour la promulgation de la Loi. — *Conférant*, etc. : exerçant les fonctions de médiateur entre Dieu et son peuple (*Gal.* iii, 19). — 42. *Les livra*, en leur ôtant sa grâce (*Rom.* 1, 24). — *L'armée du ciel*, les astres : soleil, lune, étoiles. — *Des prophètes :* Amos, v, 25-27. — *M'avez-vous offert*, etc.? Oui; mais en honorant également les fausses divinités, vous avez perdu à mes yeux le mérite de vos sacrifices légitimes. — 43. *Tente de Moloch*, petite tente renfermant l'image de ce dieu des Ammonites, et que l'on portait dans les expéditions. — *Remphan* ou *Réphan*, nom de Saturne. — 44. *Le tabernacle*, aussi bien que l'arche, était appelé *du témoignage*, parce qu'on y conser-

nacle du témoignage, comme l'avait ordonné celui qui dit à Moïse de le construire selon le modèle qu'il avait vu. 45. L'ayant reçu de *Moïse*, nos pères l'apportèrent, sous la conduite de Josué, lorsqu'ils firent la conquête du pays sur les nations que Dieu chassa devant eux, *et il y subsista* jusqu'aux jours de David. 46. Ce roi trouva grâce devant Dieu, et demanda d'élever une demeure pour le Dieu de Jacob. 47. Néanmoins ce fut Salomon qui lui bâtit un temple. 48. Mais le Très Haut n'habite pas dans les temples faits de main d'homme, selon la parole du prophète : 49. 'Le ciel est mon trône, et la terre l'escabeau de mes pieds. Quelle demeure me bâtirez-vous, dit le Seigneur, ou quel sera le lieu de mon repos? 50. N'est-ce pas ma main qui a fait toutes ces choses?'

51. Hommes à la tête dure, incirconcis de cœur et d'oreilles, vous résistez toujours au Saint Esprit; tels furent vos pères, tels vous êtes. 52. Lequel des prophètes vos pères n'ont-ils pas persécuté? Ils ont même tué ceux qui annonçaient d'avance la venue du Juste; et vous, aujourd'hui, vous l'avez trahi et mis à mort. 53. Vous qui avez reçu la Loi par le ministère des anges, et ne l'avez pas gardée!..."

Il est lapidé.

54. En entendant ces paroles, la rage déchirait leurs cœurs, et ils grinçaient des dents contre lui. 55. Mais ✠ Etienne, qui était rempli de l'Esprit Saint, ayant fixé les yeux au ciel, vit la gloire de Dieu, et Jésus debout à la droite de son Père. Et il dit : "Voici que je vois les cieux ouverts, et le Fils de l'homme debout à la droite de Dieu." 56. Les Juifs poussèrent alors de grands cris, en se bouchant les oreilles, et se jetèrent tous ensemble sur lui. 57. Et l'ayant entraîné hors de la ville, ils se mirent à le lapider. Les témoins déposèrent

vait le décalogue, véritable *témoignage*, c'est-à-dire révélation de Dieu à son peuple. — 51. *Incirconcis*, c'est-à-dire endurcis. — 52. *Du Juste* par excellence, de Jésus de Nazareth. — 57. *A le lapider* : supplice des blasphémateurs.

leurs vêtements aux pieds d'un jeune homme nommé Saul. 58. Pendant qu'ils le lapidaient, Etienne priait, en disant : " Seigneur Jésus, recevez mon esprit!" 59. Puis, s'étant mis à genoux, il s'écria d'une voix forte : " Seigneur, ne leur imputez pas ce péché." Après cette parole, il s'endormit dans le Seigneur. ¶ Or Saul avait approuvé le meurtre d'Etienne.

4° — Dispersion des fidèles.

Ch. 8.

Le même jour une violente persécution éclata sur l'Église de Jérusalem; et tous, excepté les Apôtres, se dispersèrent dans les campagnes de la Judée et de la Samarie. 2. Des hommes pieux ensevelirent Etienne et firent de grandes lamentations sur lui. 3. Et Saul ravageait l'Eglise; pénétrant dans les maisons, il en arrachait les hommes et les femmes, et les faisait jeter en prison.

5° — Diffusion de l'Église hors de la Judée.

Prédication en Samarie.

4. Ceux qui étaient dispersés parcouraient le pays, annonçant la parole de Dieu. 5. ✠ Philippe étant descendu dans la ville de Samarie, y prêcha le Christ. 6. Et tout le peuple était attentif à ce que disait Philippe, en apprenant et en voyant les miracles qu'il faisait. 7. Car les esprits impurs sortaient de plusieurs démoniaques, en poussant de grands cris; beaucoup de paralytiques et de boiteux furent aussi guéris, 8. et ce fut une grande joie dans cette ville. ¶

Simon le Magicien.

9. Il s'y trouvait déjà un homme nommé Simon, qui pratiquait la magie et qui émerveillait le peuple de la Samarie, se donnant pour un grand

Chap. 8. — 2. *Des hommes pieux*, probablement des Juifs, qui ne partageaient pas les passions et les préjugés de leurs compatriotes. — 5. *Philippe*, le diacre nommé *Act.* vi, 5, appelé ailleurs *évangéliste* (xxi, 8), et différent de l'Apôtre de ce nom.

personnage. 10. Tous, petits et grands, s'étaient attachés à lui. Cet homme, disait-on, est la vertu de Dieu, celle qu'on appelle la Grande. 11. Ils s'étaient donc attachés à lui, parce que, depuis longtemps, il les avait séduits par ses enchantements. 12. Mais quand ils eurent cru à Philippe, qui leur annonçait le royaume de Dieu et le nom de Jésus Christ, hommes et femmes se firent baptiser. 13. Simon lui-même crut, et s'étant fait baptiser, il ne quitta plus Philippe, et les miracles et les grands prodiges dont il était témoin le frappaient d'étonnement. 14. ✠ Les Apôtres, qui étaient à Jérusalem, ayant appris que la Samarie avait reçu la parole de Dieu, y envoyèrent Pierre et Jean. 15. Ceux-ci, arrivés chez les Samaritains, prièrent pour eux, afin qu'ils reçussent le Saint Esprit. 16. Car il n'était encore descendu sur aucun d'eux; ils avaient seulement été baptisés au nom du Seigneur Jésus. 17. Alors Pierre et Jean leur imposèrent les mains, et ils reçurent le Saint Esprit. ¶

18. Lorsque Simon vit que le Saint Esprit était donné par l'imposition des mains des Apôtres, il leur offrit de l'argent, 19. en disant : " Donnez-moi aussi ce pouvoir, afin que tout homme à qui j'imposerai les mains reçoive aussi le Saint Esprit." Mais Pierre lui dit : 20. " Périsse ton argent avec toi, puisque tu as cru que le don de Dieu s'acquérait à prix d'argent! 21. Il n'y a pour toi aucune espèce de part dans cette faveur, car ton cœur n'est pas pur devant Dieu. 22. Repens-toi donc de ton iniquité, et prie le Seigneur de te pardonner, s'il est possible, la pensée de ton cœur. 23. Car je vois que tu es dans un fiel amer et dans les liens du péché." 24. Simon répondit : " Priez vous-mêmes le

---

13. *Crut*, non de cette foi pleine qui justifie et qui sauve. — 17. *Leur imposèrent les mains*, les *confirmèrent*. — 20. Telle est l'origine du nom de *simonie*, donné au trafic des choses saintes. — 23. *Fiel amer*, etc. : images d'une âme perverse, infectée du venin du péché et prise dans ses liens.

Seigneur pour moi, afin qu'il ne m'arrive rien de ce que vous avez dit." 25. Après avoir rendu témoignage et prêché la parole du Seigneur, les deux Apôtres retournèrent à Jérusalem, en annonçant la bonne nouvelle dans plusieurs villages des Samaritains.

Philippe baptise le ministre de la reine d'Ethiopie.

26. ✠ Un ange du Seigneur, s'adressant à Philippe, lui dit : " Lève-toi, et va du côté du midi, sur la route qui descend de Jérusalem à Gaza, celle qui traverse le désert." 27. Il se leva et partit. Et voici qu'il y avait là un Ethiopien, un eunuque, ministre de Candace, reine d'Ethiopie, et surintendant de tous ses trésors. Cet homme était venu à Jérusalem pour adorer. 28. Il s'en retournait, et, assis sur un char, il lisait le prophète Isaïe. 29. L'Esprit dit à Philippe : " Avance, et tiens-toi près de ce char." 30. Philippe accourut, et entendit l'Ethiopien lire le prophète Isaïe. Il lui dit : " Comprends-tu bien ce que tu lis?" 31. Celui-ci répondit : " Comment le pourrais-je, si quelqu'un ne me guide." Et il pria Philippe de monter et de s'asseoir avec lui. 32. Or le passage de l'Ecriture qu'il lisait était celui-ci : " Comme une brebis, il a été mené à la boucherie, et, comme un agneau muet devant celui qui le tond, il n'a pas ouvert la bouche. 33. C'est dans son humiliation que son jugement s'est consommé. Quant à sa génération, qui la racontera? Car sa vie a été retranchée de la terre." 34. L'eunuque dit à Philippe : " Je t'en prie, de qui le prophète parle-t-il ainsi? Est-ce de lui-même, ou de quelque autre?" 35. Alors Philippe, prenant la parole, et commençant par ce passage d'*Isaïe*, lui annonça Jésus. 36. Chemin faisant, ils rencontrèrent de l'eau, et l'eunuque dit : " Voici de l'eau : qu'est-ce qui empêche que je ne sois baptisé?"

28. *Il lisait*, ou se faisait lire à haute voix par un esclave. — 34. *De lui-même :* peut-être l'eunuque connaissait-il la tradition d'après laquelle Isaïe serait mort sous Manassès dans un cruel supplice.

37. Philippe répondit : "Si tu crois de tout ton cœur, cela est possible." — "Je crois, dit l'eunuque, que Jésus Christ est le Fils de Dieu." 38. *En même temps*, il fit arrêter son char, et Philippe étant descendu avec lui dans l'eau, il le baptisa. 39. Quand ils furent sortis de l'eau, l'Esprit du Seigneur enleva Philippe et l'eunuque ne le vit plus, et il continua tout joyeux son chemin. 40. Pour Philippe, il se trouva *transporté* dans Azot, d'où il alla jusqu'à Césarée, en évangélisant toutes les villes par où il passait. ¶

6° — CONVERSION DE SAUL.

CH. 9.

Cependant Saul, respirant encore la menace et la mort contre les disciples du Seigneur, alla trouver le grand prêtre 2. et lui demanda des lettres pour les synagogues de Damas, afin que, s'il trouvait des gens de cette croyance, hommes ou femmes, il les amenât enchaînés à Jérusalem. 3. Comme il était en chemin et qu'il approchait de Damas, tout à coup une lumière venant du ciel resplendit autour de lui. 4. Il tomba par terre, et il entendit une voix qui lui disait : "Saul, Saul, pourquoi me persécutes-tu?" 5. Il répondit : "Qui êtes-vous, Seigneur?" Et le Seigneur dit : "Je suis Jésus que tu persécutes. Il te serait dur de regimber contre l'aiguillon." 6. Tremblant et saisi d'effroi, il dit : "Seigneur, que voulez-vous que je fasse?" 7. Le Seigneur lui répondit : "Lève-toi et entre dans la ville; là on te dira ce que tu dois faire." Les hommes qui l'accompagnaient demeurèrent saisis de stupeur; car ils entendaient la voix, mais ne voyaient personne. 8. Saul se releva de terre, et quoique ses yeux fussent ouverts, il ne voyait rien; on le prit par la main et on le

Chap. 9. — 5. *Qui êtes-vous :* on peut conclure de cette question que Saul vit le Sauveur dans son humanité glorifiée, c'est-à-dire environnée d'une *gloire céleste*. — 7. *La voix*, le son de la voix, sans comprendre les paroles.

conduisit à Damas; 9. et il y fut trois jours sans voir, et il ne mangeait ni ne buvait. 10. Or il y avait à Damas un disciple nommé Ananie. Le Seigneur lui dit dans une vision : "Ananie?" Il répondit : " Me voici, Seigneur." 11. Et le Seigneur lui dit : "Lève-toi, va dans la rue qu'on appelle la Droite, et cherche dans la maison de Judas un nommé Saul, de Tarse; car il est en prière, 12. et il a vu un homme nommé Ananie, qui entrait et lui imposait les mains afin qu'il recouvrât la vue. " 13. Ananie répondit : " Seigneur, j'ai appris de plusieurs tout le mal que cet homme a fait à vos saints dans Jérusalem. 14. Et il a ici un mandat des princes des prêtres pour charger de chaînes tous ceux qui invoquent votre nom. " 15. Mais le Seigneur lui dit : "Va, car cet homme est un instrument que j'ai choisi, pour porter mon nom devant les nations, devant les rois et devant les enfants d'Israël; 16. et je lui montrerai tout ce qu'il doit souffrir pour mon nom. " 17. Ananie s'en alla, et lorsqu'il fut arrivé dans la maison, il imposa les mains à Saul, en disant : "Saul, mon frère, le Seigneur Jésus, qui t'est apparu sur le chemin par lequel tu venais, m'a envoyé pour que tu recouvres la vue et que tu sois rempli du Saint Esprit. " 18. Au même instant, il tomba des yeux de Saul comme des écailles, et il recouvra la vue. Il se leva et fut baptisé; 19. et après qu'il eut pris de la nourriture, ses forces lui revinrent.

Les premières prédications.

Saul passa quelques jours avec les disciples qui étaient à Damas, 20. et aussitôt il se mit à prêcher dans les synagogues que Jésus est le Fils de Dieu. 21. Tous

12. Ce verset continue le discours du Sauveur à Ananie. *Il a vu un homme*, etc. au lieu de, *il t'a vu*, pour indiquer qu'Ananie était jusque là inconnu de Saul, et que ce dernier avait appris son nom pour la première fois dans cette vision. — 13. *A vos saints :* c'est ici le premier passage du nouveau Testament où le mot *saints*, c'est-à-dire *consacrés à Dieu*, est employé pour désigner les disciples de Jésus, les chrétiens.

ceux qui l'entendaient étaient dans l'étonnement, et disaient : "N'est-ce pas lui qui persécutait à Jérusalem ceux qui invoquent ce nom, et n'est-il pas venu ici dans le dessein de les emmener chargés de chaînes aux princes des prêtres? " 22. Cependant Saul parlait chaque jour avec plus de force, et il confondait les Juifs de Damas, leur démontrant que Jésus est le Christ. 23. Au bout de quelque temps, les Juifs formèrent le dessein de le tuer, 24. mais leur complot parvint à la connaissance de Saul. On gardait les portes jour et nuit, afin de le mettre à mort. 25. Mais les disciples le prirent et le descendirent de nuit par la muraille dans une corbeille. 26. Il se rendit à Jérusalem, et il cherchait à se mettre en rapport avec les disciples; mais tous le craignaient, ne pouvant croire qu'il fût disciple de Jésus. 27. Alors Barnabé, l'ayant pris avec lui, le mena aux Apôtres, et leur raconta comment sur le chemin Saul avait vu le Seigneur, qui lui avait parlé, et avec quel courage il avait, à Damas, prêché le nom de Jésus. 28. Dès lors Saul allait et venait avec eux dans Jérusalem, et parlait avec assurance au nom du Seigneur. 29. Il s'adressait aussi aux Hellénistes et disputait avec eux; mais ceux-ci cherchaient à le mettre à mort. 30. Les frères, l'ayant su, l'emmenèrent à Césarée, d'où ils le firent partir pour Tarse.

7° — Travaux apostoliques de Pierre.

Pierre visite les églises : *miracles opérés par lui à Lydda et à Joppé.*

31. L'Eglise était en paix dans toute la Judée, la Galilée et la Samarie, s'édifiant et marchant dans la crainte du Seigneur, et elle était remplie de la consolation du

22. Le voyage de Saul en Arabie (*Gal.* I, 17) doit se placer soit après le vers. 22, soit après le vers. 25. — 26. *A Jérusalem*, pour la première fois depuis sa conversion. Quoiqu'il eût reçu immédiatement de Jésus Christ sa mission apostolique, il sentait qu'il devait se rattacher au chef visible de l'Eglise.

Saint Esprit. 32. Or il arriva que Pierre, visitant les saints de ville en ville, descendit vers ceux qui demeuraient à Lydda.

33. Il y trouva un homme appelé Enée, couché sur un lit depuis huit ans, étant paralytique. 34. Pierre lui dit : " Jésus Christ te guérit; lève-toi, et fais toi-même ton lit." Et aussitôt il se leva. 35. Tous les habitants de Lydda et de Saron le virent, et ils se convertirent au Seigneur.

36. Il y avait à Joppé, parmi les disciples, une femme nommée Tabithe, ce qui *en grec* signifie Dorcas : elle était riche en bonnes œuvres et faisait beaucoup d'aumônes. 37. Elle tomba malade en ce temps-là, et mourut. Après l'avoir lavée, on la déposa dans une chambre haute. 38. Comme Lydda est près de Joppé, les disciples ayant appris que Pierre s'y trouvait, envoyèrent deux hommes vers lui pour lui faire cette prière : " Hâte-toi de venir vers nous. " 39. Pierre se leva et partit avec eux. Dès qu'il fut arrivé, on le conduisit dans la chambre haute, et toutes les veuves l'entourèrent en pleurant, et lui montrant les tuniques et les vêtements que Dorcas leur faisait. 40. Pierre fit sortir tout le monde, se mit à genoux et pria; puis, se tournant vers le corps, il dit : " Tabithe, lève-toi ! " Elle ouvrit les yeux, et ayant vu Pierre, elle se mit sur son séant. 41. Pierre lui tendit la main et l'aida à se lever. Et ayant appelé les saints et les veuves, il la leur présenta vivante. 42. Ce prodige fut connu dans toute la ville de Joppé, et un grand nombre crurent au Seigneur. 43. Pierre demeura quelque temps à Joppé, chez un corroyeur nommé Simon.

Pierre reçoit les Gentils dans l'Eglise. — Ch. 10. — *Corneille le centurion.*

Il y avait à Césarée un homme nommé Corneille, centurion dans la cohorte italienne. 2. Religieux et craignant Dieu,

Chap. 10. — 1. A cette époque, les Apôtres se demandaient si les Gentils, ou païens, impurs par leur origine, pouvaient être admis dans l'Eglise sans avoir reçu la circoncision. Une révélation divine va éclairer S. Pierre sur cette grave question.

ainsi que toute sa maison, il faisait beaucoup d'aumônes au peuple et priait Dieu sans cesse. 3. *Un jour*, vers la neuvième heure, il vit clairement dans une vision un ange de Dieu qui entra chez lui et lui dit : "Corneille!" 4. Fixant les yeux sur l'ange et saisi d'effroi, il dit : "Qu'est-ce, Seigneur?" L'ange lui répondit : "Tes prières et tes aumônes sont montées devant Dieu, et il s'en est souvenu. 5. Et maintenant envoie des hommes à Joppé, et fais venir Simon, surnommé Pierre; 6. il est logé chez un corroyeur, appelé Simon, dont la maison est près de la mer." 7. L'ange qui lui parlait étant parti, Corneille appela deux de ses serviteurs et un soldat craignant Dieu parmi ceux qui étaient attachés à sa personne, 8. et après leur avoir tout raconté, il les envoya à Joppé.

9. Le jour suivant, comme les messagers étaient en route et qu'ils s'approchaient de la ville, Pierre monta sur le toit, vers la sixième heure, pour prier. 10. Ensuite, ayant faim, il désirait manger. Pendant qu'on lui préparait son repas, il tomba en extase : 11. il vit le ciel ouvert, et quelque chose en descendre, comme une grande nappe, attachée par les quatre coins et s'abaissant vers la terre; 12. là se trouvaient tous les quadrupèdes et les reptiles de la terre, et les oiseaux du ciel. 13. En même temps une voix lui dit : "Lève-toi, Pierre; tue et mange." 14. Pierre répondit : "Je n'ai garde, Seigneur, car jamais je n'ai rien mangé de profane ni d'impur." 15. Et une voix lui parla de nouveau : "Ce que Dieu a déclaré pur, ne l'appelle pas profane." 16. Cela se fit par trois fois, et

9. *Vers la 6e heure*, vers midi. En ce moment, selon la coutume des Juifs, Pierre était en prière sur le toit de sa maison. On sait que les maisons des Hébreux se terminaient par un toit plat ou terrasse, où l'on venait prier, lire, méditer. — 11. *Les quatre coins :* l'objet paraissait une nappe, dont les quatre coins semblaient *attachés* à l'ouverture même du ciel. — 12. *Là se trouvaient* tous les animaux, sans distinction de purs et d'impurs. La loi mosaïque ne permettait de manger que de certains animaux, appelés pour cette raison *purs*. — 16. *Par trois fois :* il avait été dit trois fois à Pierre : "Pais mes

aussitôt la nappe fut retirée dans le ciel.

17. Pierre cherchait en lui-même ce que pouvait signifier la vision qu'il avait eue, quand les hommes envoyés par Corneille, s'étant informés de la maison de Simon, se présentèrent à la porte; 18. et ayant appelé, ils demandèrent si c'était là qu'était logé Simon, surnommé Pierre. 19. Comme Pierre était à réfléchir sur la vision, l'Esprit lui dit : " Voici trois hommes qui te cherchent. 20. Lève-toi, descends et pars avec eux sans crainte, car c'est moi qui les ai envoyés." 21. Aussitôt Pierre descendit vers eux : " Je suis, leur dit-il, celui que vous cherchez; quel est le motif qui vous amène?" 22. Ils répondirent : " Le centurion Corneille, homme juste et craignant Dieu, à qui toute la nation juive rend *un bon* témoignage, a été averti par un ange saint de te faire venir dans sa maison et d'écouter tes paroles." 23. Pierre les fit donc entrer et les logea. Le lendemain, s'étant levé, il partit avec eux, et quelques-uns des frères de Joppé l'accompagnèrent.

24. Ils entrèrent à Césarée le jour suivant. Corneille les attendait, et il avait invité ses parents et ses amis intimes. 25. Quand Pierre entra, Corneille alla au-devant de lui, et se jeta à ses pieds pour l'adorer. 26. Mais Pierre le releva en disant : " Lève-toi; moi aussi je suis un homme." 27. Et tout en s'entretenant avec lui, il entra *dans sa maison*, et trouva beaucoup de personnes réunies. 28. Il leur dit : " Vous savez qu'il est défendu à un Juif de se lier avec un étranger ou d'entrer chez lui; mais Dieu m'a appris à ne regarder aucun homme comme souillé ou impur. 29. Aussi n'ai-je fait aucune difficulté à venir, dès que vous m'avez envoyé chercher. Je vous

---

brebis (*Jean*, xxi, 16)"; trois fois Dieu lui signifie que ses brebis ne sont pas toutes dans le bercail d'Israël. — 28. *Un étranger*, expression adoucie à dessein pour dire *un païen*. — 29. *Pour quelle raison*, etc. Pierre le savait déjà (vers. 22); mais il veut s'assurer des dispositions et des sentiments intimes du Centurion.

prie donc de me dire pour quelle raison vous m'avez fait appeler."

30. Corneille répondit : "Il y a en ce moment quatre jours que je jeûnais et priais à la neuvième heure; tout à coup parut devant moi un homme vêtu d'une robe éclatante, qui me dit : 31. Corneille, ta prière a été exaucée, et Dieu s'est souvenu de tes aumônes. 32. Envoie donc à Joppé, et fais appeler Simon, surnommé Pierre; il est logé dans la maison de Simon, corroyeur, près de la mer; il viendra te parler. — 33. Aussitôt j'ai envoyé vers toi, et tu as bien fait de venir. Maintenant nous sommes tous réunis devant Dieu pour entendre tout ce que Dieu t'a commandé de nous dire."

34. Alors Pierre ouvrant la bouche parla ainsi : "En vérité, je comprends que Dieu ne fait point acception des personnes, 35. mais qu'en toute nation celui qui le craint et pratique la justice lui est agréable. 36. Telle est la parole qu'il a fait entendre aux enfants d'Israël en annonçant la bonne nouvelle de la paix par Jésus Christ : il est le Seigneur de tous. 37. ✠ Vous savez ce qui s'est passé dans toute la Judée, ayant commencé en Galilée, après le baptême que Jean a prêché : 38. comment Dieu a oint du Saint Esprit et de force Jésus de Nazareth, qui allait de lieu en lieu, faisant du bien et guérissant tous ceux qui étaient sous l'empire du diable; car Dieu était avec lui. 39. Pour nous, nous sommes témoins de tout ce qu'il a fait dans les campagnes de la Judée et à Jérusalem. Ensuite ils l'ont fait mourir, en le pendant au bois. 40. Mais Dieu l'a ressuscité le troisième jour, et lui a donné de se faire voir, 41. non à tout

30. *Un homme :* un ange sous la figure d'un homme (vers. 4). — 35. Pierre proclame ici, non *l'indifférence des religions*, mais *l'indifférence des nations* pour le salut en Jésus Christ. — 38. *Oint du Saint Esprit.* Jésus Christ, Homme Dieu, a été, selon la nature humaine, oint du Saint Esprit, c'est-à-dire que sa nature humaine reçut la plénitude du Saint Esprit, au moment même où s'accomplit le mystère de l'incarnation. Quand Jésus fut baptisé, le Saint Esprit descendit sur lui sous une forme visible, pour *signifier* que la plénitude de ses dons habitait en lui.

le peuple, mais aux témoins choisis d'avance par Dieu, à nous qui avons mangé et bu avec lui après sa résurrection d'entre les morts. ¶ 42. ✠ Et il nous a commandé de prêcher au peuple et d'attester que c'est lui que Dieu a établi juge des vivants et des morts. 43. Tous les prophètes rendent de lui ce témoignage, que tout homme qui croit en lui reçoit par son nom la rémission de ses péchés."

44. Pierre parlait encore, lorsque le Saint Esprit descendit sur tous ceux qui écoutaient la parole. 45. Tous les fidèles circoncis qui étaient venus avec Pierre furent étonnés de ce que le don du Saint Esprit était aussi répandu sur les Gentils, 46. car ils les entendaient parler des langues et glorifier Dieu. 47. Alors Pierre dit : " Peut-on refuser l'eau du baptême à ces hommes qui ont reçu le Saint Esprit aussi bien que nous?" 48. Et il commanda de les baptiser au nom du Seigneur Jésus Christ. ¶ Après quoi ils le prièrent de rester quelques jours auprès d'eux.

CH. 11. — *Pierre se justifie devant les fidèles de Jérusalem.*

Les Apôtres et les frères qui étaient dans la Judée apprirent que les Gentils avaient aussi reçu la parole de Dieu. 2. Et lorsque Pierre fut revenu à Jérusalem, les fidèles de la circoncision lui adressèrent des reproches, 3. et dirent : "Tu es entré chez des incirconcis, et tu as mangé avec eux!"

4. Pierre, prenant la parole, se mit à leur exposer tout ce qui s'était passé : 5. " Comme j'étais en prière, dit-il, dans la ville de Joppé, j'eus, en extase, une vision : un objet semblable à une grande nappe, tenue par les quatre coins, descendait du ciel et venait jusqu'à moi. 6. Fixant les yeux sur cette nappe, je la considérai, et j'y vis les quadrupèdes de la terre, les bêtes sauvages, les reptiles et les oiseaux

43. *Par son nom*, par le mérite de sa rédemption, au moyen de la foi en lui. — 48. *Il commanda* aux prêtres et aux diacres venus avec lui de Joppé.

du ciel. 7. J'entendis aussi une voix qui me disait : Lève-toi, Pierre ; tue et mange. — 8. Je répondis : Je n'ai garde, Seigneur, car jamais rien de profane et d'impur n'est entré dans ma bouche. — 9. Pour la seconde fois une voix se fit entendre du ciel : Ce que Dieu a déclaré pur, ne le regarde pas comme souillé. — 10. Cela arriva par trois fois ; puis tout fut retiré dans le ciel. 11. Au même instant, trois hommes se présentèrent devant la maison où j'étais; ils étaient envoyés de Césarée vers moi. 12. L'Esprit me dit de partir avec eux sans hésiter. Les six frères que voici m'accompagnèrent, et nous entrâmes dans la maison de Corneille. 13. Cet homme nous raconta comment il avait vu dans sa maison un ange se présenter à lui, en disant : Envoie à Joppé, et fais venir Simon, surnommé Pierre ; 14. il te dira des choses par lesquelles tu seras sauvé, toi et toute ta maison. — 15. Lorsque j'eus commencé à leur parler, l'Esprit Saint descendit sur eux, comme *il est descendu* sur nous au commencement. 16. Et je me souvins de cette parole du Seigneur : Jean a baptisé dans l'eau ; mais vous, vous serez baptisés dans l'Esprit Saint. — 17. Si donc Dieu leur a donné la même grâce qu'à nous, qui avons cru au Seigneur Jésus Christ, qui étais-je, moi, pour pouvoir m'opposer à Dieu ? " 18. Ayant entendu ce discours, ils se calmèrent, et ils glorifièrent Dieu en disant : " Dieu a donc accordé aussi aux gentils la pénitence, afin qu'ils aient la vie."

Fondation de l'Eglise d'Antioche : *Paul et Barnabé.*

19. ✠ Ceux qui avaient été dispersés par la persécution survenue à l'occasion d'Etienne, allèrent jusqu'en Phénicie, dans l'île de Chypre et à An-

Chap. 11. — 15. *Au commencement* de l'Eglise, le jour de la Pentecôte. — 16. L'effusion de l'Esprit Saint dans les âmes est appelée par figure un baptême, évidemment supérieur au baptême d'eau. — 17. *M'opposer à Dieu*, en refusant le baptême d'eau à ceux qui avaient déjà reçu une grâce plus grande, le baptême de l'Esprit Saint.

tioche, annonçant la parole, mais seulement aux Juifs. 20. Il y eut cependant parmi eux quelques hommes de Chypre et de Cyrène qui, étant venus à Antioche, s'adressèrent aussi aux païens, et leur annoncèrent le Seigneur Jésus. 21. Et la main du Seigneur était avec eux, et un grand nombre de personnes crurent et se convertirent au Seigneur.

22. Le bruit en étant venu aux oreilles de l'Eglise de Jérusalem, ils envoyèrent Barnabé jusqu'à Antioche. 23. Lorsqu'il fut arrivé et qu'il eut vu la grâce de Dieu, il s'en réjouit, et il les exhortait tous à demeurer d'un cœur ferme dans le Seigneur. 24. Car c'était un homme de bien, rempli d'Esprit Saint et de foi. Et une foule assez considérable se joignit au Seigneur.

25. Barnabé se rendit ensuite à Tarse pour chercher Saul, et l'ayant trouvé, il l'amena à Antioche. 26. Ils passèrent une année entière dans cette Eglise et instruisirent beaucoup de personnes. Ce fut à Antioche que, pour la première fois, les disciples reçurent le nom de chrétiens. ¶

27. En ces jours-là, des prophètes vinrent de Jérusalem à Antioche. 28. L'un d'eux, nommé Agab, s'étant levé, annonça par l'Esprit qu'il y aurait sur toute la terre une grande famine ; elle eut lieu, en effet, sous Claude. 29. Les disciples décidèrent d'envoyer, chacun selon ses moyens, un secours aux frères qui habitaient la Judée : 30. ce qu'ils firent. Ce secours fut envoyé aux anciens par les mains de Barnabé et de Saul.

---

23. *La grâce de Dieu* se manifestant par des miracles et œuvres saintes dans les nouveaux convertis. — 26. *Chrétiens :* ce nom fut donné aux disciples de Jésus par les païens d'Antioche. — 27. *Des prophètes*, des fidèles qui avaient reçu le don de prophétie. — 30. *Aux anciens*, *prêtres* ou *évêques* ordonnés par les Apôtres pour diriger les fidèles, les instruire et leur administrer les sacrements.

8° — Nouvelle persécution contre l'Eglise de Jérusalem.

Ch. 12.

✠ *Martyre de S. Jacques.*

Vers ce temps-là, le roi Hérode fit arrêter quelques membres de l'Eglise pour les maltraiter; 2. il fit mourir par le glaive Jacques, frère de Jean.

Pierre délivré de prison.

3. Voyant que cela était agréable aux Juifs, il ordonna encore l'arrestation de Pierre : c'était pendant les jours des Azymes. 4. Lorsqu'il l'eut en son pouvoir, il le jeta en prison, et le mit sous la garde de quatre escouades de quatre soldats chacune, avec l'intention de le faire comparaître devant le peuple après la Pâque. 5. Pendant que Pierre était ainsi gardé dans la prison, l'Eglise ne cessait d'adresser pour lui des prières à Dieu. 6. Or, la nuit même du jour où Hérode devait le faire comparaître, Pierre, lié de deux chaînes, dormait entre deux soldats, et des sentinelles devant la porte gardaient la prison. 7. Tout à coup un ange du Seigneur survint, et une lumière resplendit dans la prison. L'ange, frappant Pierre au côté, le réveilla en disant : " Lève-toi promptement; " et les chaînes tombèrent de ses mains. 8. L'ange lui dit : " Mets ta ceinture et tes sandales. " Il le fit, et l'ange ajouta : " Enveloppe-toi de ton manteau et suis-moi. " 9. Pierre sortit et le suivit, ne sachant pas que ce qui se faisait par l'ange fut réel; il croyait avoir une vision. 10. Lorsqu'ils eurent passé la première garde, puis la seconde, ils arrivèrent à la porte de fer qui donne sur la ville : elle s'ouvrit d'elle-même devant eux; étant sortis, ils s'engagèrent dans une rue, et aussitôt l'ange le quitta. ¶

11. Revenu à lui-même, Pierre *se* dit : " Je vois maintenant que le Seigneur a réellement envoyé son ange et qu'il

Chap. 12. — 3. *Azymes :* on appelait ainsi les sept jours que durait la fête de Pâque, parce qu'on n'y mangeait que du pain azyme, ou sans levain.

m'a délivré de la main d'Hérode et de l'attente de tout le peuple Juif. " 12. Après un moment de réflexion, il se dirigea vers la maison de Marie, la mère de Jean, surnommé Marc, où un grand nombre *de disciples* étaient rassemblés et priaient. 13. Il frappa à la porte du vestibule, et une servante, nommée Rhode, s'approcha pour écouter. 14. Dès qu'elle eut reconnu la voix de Pierre, dans sa joie, au lieu d'ouvrir, elle courut à la maison annoncer que Pierre était devant la porte. 15. Ils lui dirent : " Tu es folle. " Mais elle affirma que la chose était ainsi; et ils dirent : " C'est son ange. " 16. Cependant Pierre continuait à frapper; et lorsqu'ils lui eurent ouvert, en le voyant, ils furent saisis de stupeur. 17. Mais leur ayant fait de la main signe de se taire, il leur raconta comment le Seigneur l'avait tiré de la prison, et il ajouta : " Allez porter cette nouvelle à Jacques et aux frères. " Puis il sortit et s'en alla dans un autre lieu.

Mort terrible d'Hérode-Agrippa.

18. Quand il fit jour, il y eut une grande agitation parmi les soldats, pour savoir ce que Pierre était devenu. 19. Hérode le fit chercher, et ne l'ayant pas découvert, il procéda à l'interrogatoire des gardes et les fit conduire au supplice. Ensuite il quitta la Judée pour retourner à Césarée, où il séjourna. 20. Hérode était en hostilité avec les Tyriens et les Sidoniens. Ceux-ci vinrent ensemble le trouver, et ayant gagné Blastus, son chambellan, ils lui demandèrent la paix, parce que leur pays tirait sa subsistance des terres du roi. 21. Au jour fixé *pour les recevoir*, Hérode, revêtu de ses insignes royaux, et assis sur son trône, les haranguait; 22. et le peuple s'écria : " C'est la voix d'un dieu, et non d'un homme ! " 23. Au même instant, un ange du Seigneur le frappa, parce qu'il n'avait pas donné gloire à Dieu. Et il expira, rongé de vers.

15. *C'est son ange :* les premiers fidèles croyaient donc que tout chrétien est confié à la garde d'un ange spécial.

24. ✠ Cependant la parole de Dieu se répandait de plus en plus, et enfantait de nouveaux disciples. 25. Barnabé et Saul, après s'être acquittés de leur ministère, s'en retournèrent de Jérusalem, emmenant avec eux Jean, surnommé Marc.

DEUXIÈME PARTIE

ACTES DE S. PAUL : SES MISSIONS ET SA CAPTIVITÉ (CH. 13 — 28).

1° — PREMIÈRE MISSION DE S. PAUL.

CH. 13. — *Mission de Paul et Barnabé.*

✠ Il y avait dans l'Eglise d'Antioche des prophètes et des docteurs, savoir, Barnabé, Siméon, appelé Niger, Lucius de Cyrène, Manahen, frère de lait d'Hérode le Tétrarque, et Saul. 2. Comme ils vaquaient au service du Seigneur et qu'ils jeûnaient, l'Esprit Saint leur dit : " Séparez-moi Saul et Barnabé pour l'œuvre à laquelle je les ai appelés. " 3. Alors, après avoir jeûné et prié, ils leur imposèrent les mains et les laissèrent partir. ¶

Leur ministère dans l'île de Chypre.

4. Envoyés par le Saint Esprit, Saul et Barnabé se rendirent à Séleucie, d'où ils firent voile pour l'île de Chypre. 5. Arrivés à Salamine, ils annoncèrent la parole de Dieu dans les synagogues des Juifs. Ils avaient avec eux Jean pour les aider dans leur ministère. 6. Ayant parcouru toute l'île jusqu'à Paphos, ils trouvèrent un certain magicien, faux prophète juif, nommé Barjésu, 7. qui vivait auprès du proconsul Sergius Paulus, homme sage. Ce dernier,

---

25. Ce verset se rattache au dernier du chap. XI. — Sur *Jean Marc*, voyez verset 12.

Chap. 13. — 2. *Au service du Seigneur :* à la célébration de l'eucharistie, de la messe, — *Séparez-moi*, consacrez-moi. — 7. *Homme sage :* semblable à beaucoup d'esprits élevés de ce temps, Sergius Paulus, dégoûté du paganisme, aspirait à une religion plus pure. Il

ayant fait appeler Barnabé et Saul, manifesta le désir d'entendre la parole de Dieu. 8. Mais Elymas, le magicien — telle est la signification de ce nom — leur faisait opposition, cherchant à détourner de la foi le proconsul. 9. Alors Saul, appelé aussi Paul, rempli du Saint Esprit, fixant son regard sur le magicien, 10. lui dit : "Homme plein de toute sorte de ruses et de fourberies, fils du diable, ennemi de toute justice, ne cesseras-tu pas de pervertir les voies droites du Seigneur? 11. Maintenant voici que la main de Dieu est sur toi; tu seras aveugle, privé pour un temps de la vue du soleil." Aussitôt d'épaisses ténèbres tombèrent sur lui, et il cherchait, en se tournant de tous côtés, quelqu'un qui lui donnât la main. 12. A la vue de ce prodige, le proconsul crut, frappé d'admiration pour la doctrine du Seigneur.

De Paphos à Antioche de Pisidie.

13. Paul et ses compagnons, s'étant embarqués à Paphos, se rendirent à Perge en Pamphylie; *là* Jean les quitta et s'en retourna à Jérusalem. 14. Eux, poussant au-delà de Perge, se rendirent à Antioche de Pisidie, et étant entrés dans la synagogue le jour du sabbat, ils s'assirent. 15. Après la lecture de la Loi et des Prophètes, les chefs de la synagogue leur envoyèrent dire : "Frères, si vous avez quelque exhortation à adresser au peuple, parlez."

Paul dans la synagogue.

16. Paul se leva, et ayant fait signe de la main pour demander le silence, il dit : "Enfants d'Israël, et vous qui craignez Dieu, écoutez. 17. Le Dieu de ce peuple d'Israël choisit autrefois nos pères. Il glorifia ce peuple pendant son séjour en Egypte, et l'en fit sortir par son bras puissant. 18. Durant près de qua-

était tombé d'abord entre les mains d'un imposteur juif; puis, ayant entendu parler de Paul et de Barnabé, il les fit venir. — 9. *Saul*, né citoyen romain, avait sans doute dès sa naissance le nom romain de *Paul* à côté de son nom juif. — 10. *Fils du diable*, le contraire de *Barjésu*, fils de Jésus. — 16. *Qui craignez Dieu :* cette périphrase désigne les prosélytes.

rante ans, il en prit soin dans le désert. 19. Puis, ayant détruit sept nations au pays de Chanaan, il lui distribua leur territoire par le sort, 20. quatre cent cinquante ans environ après *la naissance d'Isaac;* et il lui donna des juges jusqu'au prophète Samuel. 21. Alors ils demandèrent un roi; et Dieu leur donna, pendant quarante ans, Saül, fils de Cis, de la tribu de Benjamin. 22. Puis, l'ayant rejeté, il leur suscita pour roi David, auquel il a rendu ce témoignage : J'ai trouvé David, fils de Jessé, homme selon mon cœur, qui accomplira toutes mes volontés. — 23. C'est de la postérité de ce prince que Dieu, selon sa promesse, a fait sortir pour Israël un Sauveur, *qui est* Jésus. 24. Avant sa venue, Jean avait prêché un baptême de pénitence à tout le peuple d'Israël; 25. et arrivé au terme de sa course, il disait : Je ne suis pas celui que vous pensez; mais voici qu'après moi vient celui dont je ne suis pas digne de délier la chaussure.

26. ✠ Mes frères, fils de la race d'Abraham, et vous qui craignez Dieu, c'est à vous que cette parole de salut a été envoyée. 27. Car les habitants de Jérusalem et leurs magistrats n'ont pas reconnu Jésus, et, en le condamnant, ils ont accompli les oracles des prophètes qui se lisent chaque sabbat. 28. Quoiqu'ils n'aient trouvé en lui rien qui méritât la mort, ils ont demandé à Pilate de le faire mourir. 29. Et quand ils eurent accompli tout ce qui est écrit de lui, ils le descendirent de la croix et le déposèrent dans un sépulcre. 30. Mais Dieu l'a ressuscité des morts, et pendant plusieurs jours de suite il s'est montré à ceux 31. qui l'avaient accompagné de la Galilée à Jérusalem, et qui sont maintenant ses témoins auprès du peuple. 32. Nous aussi, nous vous

---

24. *Sa venue* officielle, son entrée en fonction, son baptême. — 25. *Sa course*, sa mission de précurseur. D'autres traduisent, *pendant qu'il remplissait son office.* — *Celui*, le Messie. — 26. *Qui craignez Dieu :* les prosélytes,

annonçons que la promesse faite à nos pères, 33. Dieu l'a accomplie pour nous, leurs enfants, en ressuscitant Jésus, selon ce qui est écrit dans le Psaume deuxième : Tu es mon Fils, je t'ai engendré aujourd'hui. ¶ — 34. Que Dieu l'ait ressuscité des morts pour ne plus retourner à la corruption, c'est ce qu'il a déclaré en disant : Je vous donnerai les grâces saintes assurées à David. — 35. C'est pourquoi il dit encore ailleurs : Tu ne permettras pas que ton Saint voie la corruption. — 36. Or David, après avoir, pour sa propre génération, servi les desseins de Dieu, s'est endormi, et il a été réuni à ses pères, et il a vu la corruption. 37. Mais celui que Dieu a ressuscité n'a pas vu la corruption.

38. Sachez donc, mes frères, que c'est par lui que le pardon des péchés vous est annoncé, et que toutes les souillures dont vous n'avez pu être justifiés par la loi de Moïse, 39. quiconque croit en lui est justifié par lui. 40. Prenez donc garde qu'il ne vous arrive ce qui est dit dans les Prophètes : 41. Voyez, hommes dédaigneux, soyez étonnés et disparaissez; car je vais faire en vos jours une œuvre que vous ne croiriez pas si on vous la racontait. "

Effets de sa prédication.

42. Lorsqu'ils sortirent, on les pria de parler encore sur le même sujet au sabbat suivant. 43. Et à l'issue de l'assemblée, beaucoup de Juifs et de prosélytes pieux suivirent Paul et Barnabé, et ceux-ci, par leurs discours, les exhortèrent à rester attachés à la grâce de Dieu. 44. Le sabbat suivant, la ville presque tout entière se rassembla *dans la synagogue* pour entendre la parole de Dieu. 45. Les Juifs,

33. *Je t'ai engendré aujourd'hui :* S. Paul a ici en vue la résurrection de Jésus; c'est vraiment ce jour-là que Jésus s'est montré le Fils de Dieu. — 34. *Je vous donnerai*, Is. lv, 3. Ces grâces promises à David consistent en ce qu'un de ses descendants siègera pour toujours sur son trône. Comp. *Luc*, I, 32 sv. — 38. *Par lui :* la rémission des péchés vous est annoncée comme devant avoir lieu par lui. — 43. *A la grâce de Dieu*, à la doctrine évangélique. — 45. *De jalousie :* les Juifs s'imaginaient qu'eux seuls avaient droit au salut

voyant tout ce concours, furent remplis de jalousie, et ils contredisaient tout ce que disait Paul, en l'injuriant. 46. Alors Paul et Barnabé dirent hardiment : " C'est à vous les premiers que la parole de Dieu devait être annoncée; mais, puisque vous la repoussez, et que vous-mêmes ne vous jugez pas dignes de la vie éternelle, voici que nous nous tournons vers les gentils. 47. Car le Seigneur nous l'a ainsi ordonné : Je t'ai établi pour être la lumière des nations, pour porter le salut jusqu'aux extrémités de la terre." 48. En entendant ces paroles, les gentils se réjouirent, et ils glorifiaient la parole du Seigneur; et tous ceux qui étaient destinés à la vie éternelle crurent.

49. La parole du Seigneur se répandait dans tout le pays. 50. Mais les Juifs, ayant excité les femmes dévotes de distinction et les principaux de la ville, soulevèrent une persécution contre Paul et Barnabé, et les chassèrent de leur territoire. 51. Alors Paul et Barnabé secouèrent contre eux la poussière de leurs pieds et allèrent à Icone. 52. Cependant les disciples étaient remplis de joie et du Saint Esprit.

Paul et Barnabé à Iconium.

CH. 14.

A Icone, Paul et Barnabé entrèrent ensemble dans la synagogue des Juifs, et parlèrent de telle sorte qu'une grande multitude de Juifs et de Grecs embrassèrent la foi. 2. Mais les Juifs restés incrédules excitèrent l'esprit des gentils contre les frères. 3. Ils firent un assez long séjour *dans cette ville*, parlant hardiment, appuyés sur le Seigneur, qui rendait témoignage à la parole de sa grâce par les prodiges et les miracles qu'il leur donnait de faire. 4. Toute la ville se divisa; les uns étaient pour les Juifs, les autres pour les Apôtres. 5. Mais les gentils et les Juifs, avec leurs chefs, se mettaient en mouvement

apporté au monde par le Messie. — 46. *A vous les premiers :* dans les desseins de Dieu et selon l'ordre positif du Sauveur. — 48. *A la vie éternelle*, à la foi qui y conduit. Cette prédestination ne détruit pas le libre arbitre de l'homme.

pour les outrager et les lapider.

A Lystres : guérison d'un boiteux.

6. Les Apôtres l'ayant su se réfugièrent dans les villes de la Lycaonie, à Lystres, et à Derbé, et dans toute la contrée d'alentour, et ils annoncèrent la bonne nouvelle. 7. Il y avait à Lystres un homme perclus des jambes, qui se tenait assis, étant boiteux de naissance et n'ayant jamais marché. 8. Il écoutait Paul parler; et Paul, ayant arrêté les yeux sur lui et voyant qu'il avait la foi pour être guéri, 9. dit d'une voix forte : " Lève-toi droit sur tes pieds." Aussitôt il sauta et se mit à marcher.

La foule les prend pour des dieux, puis veut les lapider.

10. A la vue de ce que Paul venait de faire, la foule éleva la voix et dit en lycaonien : "Les dieux sous une forme humaine sont descendus vers nous." 11. Et ils appelaient Barnabé Jupiter, et Paul Mercure, parce que c'était lui qui portait la parole. 12. Le prêtre de Jupiter, dont le temple était à l'entrée de la ville, amena des taureaux avec des bandelettes devant la porte, et voulait, de même que la foule, offrir un sacrifice. 13. Les Apôtres Paul et Barnabé, l'ayant appris, déchirèrent leurs vêtements et se précipitèrent au milieu de la foule, 14. en s'écriant : " O hommes, pourquoi faites-vous ces choses? Nous sommes des hommes de la même nature que vous; nous vous annonçons qu'il faut quitter ces vaines divinités pour vous tourner vers le Dieu vivant, qui a fait le ciel, la terre, la mer, et tout ce qu'ils renferment. 15. Ce Dieu, dans les siècles passés, a laissé toutes les nations suivre leurs voies, 16. sans toutefois qu'il ait cessé de

Chap. 14. — 7. *Assis*, sur la place où Paul prêchait. — 11. Les vieilles légendes païennes de divinités descendues parmi les hommes sous la forme humaine étaient encore vivaces dans la croyance des peuples, surtout en Asie Mineure. Les païens de Lystres prirent donc Barnabé, le plus âgé et le plus majestueux des deux Apôtres, pour Jupiter, et Paul, qui était le plus jeune et le "chef de la parole," pour Mercure, l'interprète des dieux. — 13. *Déchirèrent leurs vêtements*, en signe de douleur et de sainte colère. — 16. *De joie :* telles sont les marques de la bonté divine envers les païens.

se rendre témoignage à lui-même, faisant du bien, dispensant du ciel les pluies et les saisons favorables, nous donnant la nourriture avec abondance et remplissant nos cœurs de joie." 17. Malgré ces paroles, ils ne parvinrent qu'avec peine à empêcher le peuple de leur offrir un sacrifice.

18. Alors survinrent d'Antioche et d'Icone des Juifs qui, ayant gagné le peuple, lapidèrent Paul et le traînèrent hors de la ville, le croyant mort. 19. Mais les disciples l'ayant entouré, il se releva et rentra dans la ville.

A Derbé et autres lieux.

Le lendemain, il partit pour Derbé avec Barnabé. 20. Quand ils eurent évangélisé cette ville et fait un assez grand nombre de disciples, ils retournèrent à Lystres, à Icone et à Antioche, 21. fortifiant l'esprit des disciples, les exhortant à persévérer dans la foi, et disant que c'est par beaucoup de tribulations qu'il nous faut entrer dans le royaume de Dieu. 22. Ils instituèrent des anciens dans chaque Eglise, après avoir prié et jeûné, et les recommandèrent au Seigneur, en qui ils avaient cru. 23. Traversant ensuite la Pisidie, ils vinrent en Pamphylie, 24. et après avoir annoncé la parole de Dieu à Perge, ils descendirent à Attalie.

25. De là ils firent voile pour Antioche, d'où ils étaient partis, après avoir été recommandés à la grâce de Dieu pour l'œuvre qu'ils venaient d'accomplir. 26. Dès qu'ils furent arrivés, ayant assemblé l'Eglise, ils racontèrent tout ce que Dieu avait fait avec eux, et comment il avait ouvert aux gentils la porte de la foi. 27. Et ils demeurèrent à Antioche assez longtemps avec les disciples.

---

21. *Il nous faut*, etc. : à cause de la perpétuelle opposition qui, depuis la chute de nos premiers parents, règne entre Dieu et le monde. — 22. *Instituèrent*, ordonnèrent. — *Des anciens.* Ce mot désignait à l'origine aussi bien les anciens du premier ordre, *les évêques*, que les anciens du second ordre, *les simples prêtres.*

2° — Concile de Jérusalem.

Ch. 15. — *Occasion du concile.*

Quelques disciples, venus de la Judée, enseignaient aux frères cette doctrine : " Si vous n'êtes circoncis selon la loi de Moïse, vous ne pouvez pas être sauvés." 2. Il en résulta un grave dissentiment; Paul et Barnabé disputèrent avec force contre eux, et il fut décidé que tous deux, avec quelques autres disciples, monteraient à Jérusalem vers les Apôtres et les anciens pour traiter cette question. 3. Après avoir été accompagnés par l'Eglise, ils poursuivirent leur route à travers la Phénicie et la Samarie, racontant la conversion des gentils, ce qui donnait une grande joie à tous les frères. 4. Arrivés à Jérusalem, ils furent reçus par l'Eglise, les Apôtres et les anciens, et ils rapportèrent tout ce que Dieu avait fait avec eux. 5. Alors quelques-uns du parti des Pharisiens, qui avaient cru, se levèrent, en disant qu'il fallait circoncire les gentils et leur enjoindre d'observer la loi de Moïse.

Réunion du concile.

6. Les Apôtres et les anciens s'assemblèrent pour examiner cette affaire. 7. Une longue discussion s'étant engagée, Pierre se leva et leur dit : " Mes frères, vous savez que Dieu, il y a longtemps déjà, m'a choisi parmi vous pour faire entendre aux gentils, par ma bouche, la parole de l'Evangile, afin qu'ils croient. 8. Et Dieu, qui connaît les cœurs, a té-

Chap. 15. — 1. La grave question des conditions auxquelles les gentils, ou païens, pouvaient être admis dans l'Eglise semblait être résolue depuis longtemps (*Act.* x). Quelques fidèles sortis du judaïsme, surtout de ceux qui avaient appartenu à la secte des Pharisiens, la firent renaître. — *De la Judée* à Antioche. — 2. *Il fut décidé* par les frères d'Antioche. — 3. *Accompagnés* jusqu'à une certaine distance *par* quelques disciples députés par *l'Eglise* d'Antioche. — 6. Cette assemblée a toujours été regardée comme le premier concile général et le type de tous ceux qui sont venus plus tard. Pierre, le chef de l'Eglise, préside et propose (vers. 7); les Apôtres donnent leur voix comme juges (vers. 13, 19); les décisions sont prises avec l'assistance de l'Esprit Saint (vers. 28), et deviennent des lois pour l'Eglise entière (vers. 29).

moigné en leur faveur, en leur donnant le Saint Esprit comme à nous; 9. il n'a fait aucune différence entre eux et nous, ayant purifié leurs cœurs par la foi. 10. Pourquoi donc tentez-vous Dieu maintenant, en imposant aux disciples un joug que ni nos pères ni nous n'avons pu porter? 11. Non, c'est par la grâce du Seigneur Jésus Christ que nous croyons être sauvés, de la même manière qu'eux." 12. Toute l'assemblée garda le silence; et l'on écouta Barnabé et Paul, qui racontèrent tous les miracles et les prodiges que Dieu avait faits par eux au milieu des gentils. 13. Lorsqu'ils eurent cessé de parler, Jacques prit la parole et dit : "Frères, écoutez-moi. 14. Simon *vous* a raconté comment Dieu tout d'abord a pris soin de tirer du milieu des gentils un peuple qui portât son nom. 15. Avec ce dessein concordent les paroles des prophètes, selon qu'il est écrit : 16. Après cela je reviendrai, et je rebâtirai la tente de David qui est renversée par terre; j'en réparerai les ruines et la relèverai, 17. afin que le reste des hommes cherche le Seigneur, ainsi que toutes les nations qui sont appelées de mon nom, dit le Seigneur, qui exécute ces choses. — 18. Cette œuvre, Dieu l'a connue de toute éternité. — 19. C'est pourquoi je suis d'avis qu'il ne faut pas inquiéter ceux d'entre les gentils qui se convertissent à Dieu. 20. Qu'on leur écrive seulement qu'ils ont à s'abstenir des souillures des idoles, de la fornication, des viandes étouffées et du sang. 21. Car, depuis bien des généra-

13. *Jacques* le Mineur qui, en sa qualité d'évêque de Jérusalem, avait le premier rang après Pierre. — 18. *Cette œuvre*, l'admission des gentils dans l'Eglise, *Dieu l'a vue* et préparée *de toute éternité*. — 20. *Souillures des idoles*, viandes offertes aux idoles. — *La fornication*, que les païens regardaient comme permise. — *Viandes étouffées* ou *suffoquées*, provenant de petits animaux (grives, lièvres, etc.) pris au filet et non saignés. L'usage de ces viandes et du sang était interdit aux Juifs. — Cette loi, destinée à aplanir les rapports entre les chrétiens d'origine juive et ceux d'origine païenne, tomba d'elle-même quand la fusion fut opérée. — 21. *Car :* comme la loi de Moïse est lue chaque jour de sabbat dans les synagogues, le scandale

tions, Moïse a dans chaque ville des hommes qui le prêchent, puisqu'on le lit tous les jours de sabbat dans les synagogues. "

Décisions du concile.

22. Alors les Apôtres et les anciens, avec toute l'Eglise, décidèrent de choisir quelques-uns d'entre eux pour les envoyer à Antioche avec Paul et Barnabé ; on choisit Jude, surnommé Barsabas, et Silas, personnages éminents parmi les frères. 23. Ils les chargèrent d'une lettre ainsi conçue : " Les Apôtres, les anciens et les frères, aux frères d'entre les gentils qui sont à Antioche, en Syrie et en Cilicie, salut ! 24. Ayant appris que quelques-uns des nôtres sont venus, sans aucune mission de notre part, vous troubler par des discours qui ont bouleversé vos âmes, 25. nous nous sommes assemblés et nous avons été d'avis de choisir des délégués et de vous les envoyer avec nos bien aimés Barnabé et Paul, 26. ces hommes qui ont exposé leur vie pour le nom de Notre Seigneur Jésus Christ. 27. Nous avons donc député Jude et Silas, qui vous diront de vive voix les mêmes choses *que nous écrivons.* 28. Il a semblé bon au Saint Esprit et à nous de ne vous imposer aucun fardeau au-delà de ce qui est indispensable, savoir, 29. de vous abstenir des viandes offertes aux idoles, du sang, de la chair étouffée et de la fornication. En vous gardant de ces choses, vous ferez bien. Adieu. "

30. Ayant donc pris congé, les députés se rendirent à Antioche, assemblèrent tous les fidèles et leur remirent la lettre. 31. On en fit lecture, et tous furent heureux de la consolation qu'elle renfermait. 32. Jude et Silas, qui étaient eux-mêmes prophètes, adressèrent plusieurs fois la parole aux frères pour les exhorter et les affermir *dans la foi.* 33. Après

---

des judéo-chrétiens vis-à-vis des fidèles sortis de la gentilité ne ferait qu'augmenter, si ces derniers ne s'abstenaient au moins de ces quatre choses. — 28. *Indispensable*, dans les circonstances présentes. — 29. *Vous ferez bien ;* ou, *vous vous en trouverez bien.*

avoir passé quelque temps avec eux, ils reçurent les adieux des frères, et revinrent vers ceux qui les avaient envoyés. 34. Toutefois Silas trouva bon de rester, et Jude s'en alla seul à Jérusalem.

3° — DEUXIÈME MISSION DE S. PAUL.

D'Antioche à Troas : *Séparation de Paul et de Barnabé.*

35. Paul et Barnabé demeurèrent à Antioche, enseignant et annonçant avec plusieurs autres la parole du Seigneur. 36. Au bout de quelques jours, Paul dit à Barnabé : " Retournons visiter les frères dans les différentes villes où nous avons annoncé la parole du Seigneur, pour voir dans quel état ils se trouvent." 37. Barnabé voulait emmener aussi Jean, surnommé Marc; 38. mais Paul estimait qu'il n'était pas juste de prendre pour compagnon un homme qui les avait quittés depuis la Pamphylie, et qui n'avait pas été à l'œuvre avec eux. 39. Ce dissentiment fut tel qu'ils se séparèrent l'un de l'autre; et Barnabé, prenant Marc avec lui, s'embarqua pour Chypre. 40. Paul fit choix de Silas, et partit, recommandé par les frères à la grâce de Dieu. 41. Il parcourut la Syrie et la Cilicie, fortifiant les Eglises, et leur ordonnant de garder ce qui avait été prescrit par les Apôtres et les anciens.

Paul parcourt la Syrie et la Galatie avec Silas.

CH. 16.

Paul se rendit ensuite à Derbe, puis à Lystres. Il y avait dans cette dernière ville, un disciple nommé Timothée, fils d'une juive chrétienne et d'un père païen. 2. Les frères de Lystres et d'Icone rendaient de lui un bon témoignage. 3. Paul voulut l'emmener avec

36. *Visiter.* Dieu inspira ensuite à Paul un autre dessein (XVI, 6-9). — 39. Marc devint un bon ouvrier évangélique, que nous retrouverons plus tard avec Paul (*Col.* IV, 10; II *Tim.* IV. 11.) Barnabé lui-même, après une courte séparation, reprendra sa place auprès du grand Apôtre (I *Cor.* IX, 6); en sorte que, selon la remarque de S. Jean Chrysostome, ce dissentiment passager eut pour résultat d'envoyer des missionnaires à un plus grand nombre de contrées. — 41. *Prescrit*, au concile de Jérusalem.

lui, et l'ayant pris, il le circoncit, à cause des Juifs qui étaient dans ces contrées; car tous savaient que son père était païen. 4. En passant par les villes, ils enseignaient aux fidèles à observer les décisions des Apôtres et des anciens de Jérusalem. 5. Et les Eglises se fortifiaient dans la foi et croissaient en nombre de jour en jour. 6. Lorsqu'ils eurent traversé la Phrygie et la Galatie, l'Esprit leur défendit d'annoncer la parole de Dieu dans l'Asie. 7. Arrivés aux confins de la Mysie, ils se disposaient à entrer en Bithynie; mais l'Esprit de Jésus ne le leur permit pas.

8. Alors, ayant traversé rapidement la Mysie, ils descendirent à Troas. 9. Pendant la nuit, Paul eut une vision : un Macédonien se présenta devant lui, et lui fit cette prière : " Passe en Macédoine, viens à notre secours ! " 10. Après cette vision de Paul, nous cherchâmes aussitôt à nous rendre en Macédoine, certains que Dieu nous appelait à y annoncer la bonne nouvelle.

En Macédoine : *Il convertit Lydie à Philippes.*

11. Nous étant embarqués à Troas, nous fîmes voile droit vers la Samothrace, et le lendemain nous débarquâmes à Néapolis. 12. De là nous allâmes à Philippes, qui est la première ville de cette partie de la Macédoine et *a le titre de* colonie. Nous y demeurâmes quelques jours. 13. Le jour du sabbat, sortant de la ville, nous nous rendîmes sur le bord d'une rivière, où, selon l'usage, se trouvait un lieu de prière. Nous étant assis, nous parlâmes aux femmes qui s'y étaient

Chap. 16. — 9. *A notre secours :* la civilisation païenne arrivée à son apogée, sentant son impuissance morale, jette ce cri de détresse. — 10. *Nous cherchâmes.* Ce brusque passage de la troisième personne à la première, dans le récit des Actes, marque le moment précis où l'auteur de ce livre, S. Luc, s'attache à Paul comme compagnon de ses voyages. — 13. Dans les villes où les Juifs étaient trop peu nombreux pour avoir une synagogue, leurs réunions se tenaient hors des portes, loin des habitations païennes, soit dans un lieu ouvert, soit dans un petit édifice. Ces lieux de prières, appelés *oratoires*, étaient établis près de la mer ou d'une rivière, pour la commodité des ablutions.

assemblées. 14. L'une d'elles *nous* écouta : c'était une marchande de pourpre, nommée Lydie, de la ville de Thyatire, *femme* craignant Dieu, et le Seigneur lui ouvrit le cœur pour qu'elle fût attentive à ce que disait Paul. 15. Quand elle eut reçu le baptême, elle et sa famille, elle nous adressa cette prière : " Si vous avez jugé que j'ai foi au Seigneur, entrez dans ma maison et demeurez-y." Et elle nous contraignit par ses instances.

Il chasse le démon d'une pythonisse.

16. Un jour que nous allions au lieu de prière, nous rencontrâmes une jeune esclave qui avait un esprit Python et procurait un grand profit à ses maîtres par ses divinations. 17. Elle se mit à nous suivre, Paul et nous, en criant : " Ces hommes sont les serviteurs du Dieu très haut; ils nous annoncent la voie du salut." 18. Elle fit ainsi pendant plusieurs jours. Comme Paul en éprouvait de la peine, il se retourna et dit à l'esprit : " Je te commande, au nom de Jésus Christ, de sortir de cette fille." Et il sortit à l'heure même.

Il est flagellé et mis en prison, dont il est miraculeusement délivré.

19. Les maîtres de la jeune fille, voyant s'évanouir l'espoir de leur gain, se saisirent de Paul et de Silas et les traînèrent à l'agora devant les magistrats. 20. Et les ayant amenés aux préteurs, ils dirent : " Ces hommes troublent notre ville. Ce sont des Juifs; 21. ils prêchent des usages qu'il n'est pas permis, à nous, Romains, de recevoir ni de suivre." 22. En même temps la foule se souleva contre eux, et les préteurs ayant fait arracher leurs vêtements, ordonnèrent qu'on les battît de verges.

---

16. *Python* (ou *de Python*). Dans la mythologie grecque, Python est le nom d'un serpent monstrueux, qui fut tué par Apollon, le dieu des oracles. Dans la suite on appela *python* en général un esprit ou démon fatidique. — 19. *Agora*, place publique. — *Les magistrats* en général. Le verset suiv. précise davantage. — 20. *Préteurs*, qui rendaient la justice. — 22. *Ayant fait* déchirer leurs tuniques par des licteurs, ou officiers publics qui accompagnaient les premiers magistrats.

23. Après qu'on les eut chargés de coups, ils les firent mettre en prison, en recommandant au geôlier de les garder sûrement. 24. Le geôlier ayant reçu cet ordre, les mit dans un des cachots intérieurs, et engagea leurs pieds dans les ceps.

25. Vers le milieu de la nuit, Paul et Silas, s'étant mis en prière, chantaient les louanges de Dieu, et les prisonniers les entendaient. 26. Tout à coup il se fit un tremblement de terre si violent, que les fondements de la prison en furent ébranlés; au même instant, toutes les portes s'ouvrirent et les fers de tous les prisonniers tombèrent. 27. Le geôlier s'étant éveillé et voyant les portes de la prison ouvertes, tira son épée et allait se tuer, pensant que les prisonniers avaient pris la fuite. 28. Mais Paul cria d'une voix forte : " Ne te fais point de mal, nous sommes tous ici." 29. Alors le geôlier, ayant demandé de la lumière, entra précipitamment, et se jeta tout tremblant aux pieds de Paul et de Silas; puis 30. il les fit sortir et dit : " Seigneurs, que faut-il que je fasse pour être sauvé?" 31. Ils répondirent : " Crois au Seigneur Jésus, et tu seras sauvé, toi et ta famille." 32. Et ils lui annoncèrent la parole du Seigneur, ainsi qu'à tous ceux qui étaient dans sa maison. 33. Les prenant avec lui à cette heure de la nuit, il lava leurs plaies, et aussitôt après il fut baptisé, lui et tous les siens. 34. Ensuite il les conduisit dans son logement et leur servit à manger, se réjouissant avec toute sa famille de ce qu'il avait cru en Dieu. 35. Quand le jour parut, les préteurs envoyèrent les licteurs dire au geôlier : " Mets ces hommes en liberté." 36. Le geôlier annonça

24. *Ceps*, blocs de bois garnis de trous, où l'on engageait les pieds des prisonniers, soit pour augmenter leur peine, soit pour mieux s'assurer de leur personne. — 28. Ce qui venait de se passer était si extraordinaire, que les autres prisonniers n'avaient pas même songé à s'enfuir. — 30. *Pour être sauvé :* Paul était déjà connu dans Philippes comme un chef de religion (vers. 17.) — 33. *Lava... baptisé :* tout cela se passait dans la cour intérieure de la prison, où se trouvait une fontaine ou un bassin.

la chose à Paul : " Les préteurs, *dit-il*, ont envoyé l'ordre de vous relâcher; sortez donc maintenant et vous en allez en paix." 37. Mais Paul dit aux licteurs : " Quoi ! après nous avoir publiquement battus de verges, sans jugement, nous qui sommes Romains, on nous a jetés en prison, et maintenant on nous fait sortir en secret ! Il n'en sera pas ainsi. Qu'ils viennent eux-mêmes 38. nous mettre en liberté." Les licteurs rapportèrent ces paroles aux préteurs, qui furent effrayés en apprenant que ces hommes étaient Romains. 39. Ils vinrent donc leur faire des excuses, et ils les mirent en liberté, en les priant de quitter la ville. 40. Au sortir de la prison, Paul et Silas entrèrent chez Lydie, et après avoir vu et exhorté les frères, ils partirent.

CH. 17. — *A Thessalonique et à Bérée.*

Après avoir traversé Amphipolis et Apollonie, Paul et Silas arrivèrent à Thessalonique, où les Juifs avaient une synagogue. 2. Selon sa coutume, Paul y entra, et pendant trois sabbats, il discuta avec eux. Partant des Ecritures, 3. il expliquait et établissait que le Christ avait dû souffrir et ressusciter des morts; et "le Christ, disait-il, c'est Jésus que je vous annonce." 4. Quelques Juifs furent persuadés, et ils se joignirent à Paul et à Silas, ainsi qu'une grande multitude de gentils craignant Dieu, et un assez grand nombre des premières femmes *de la ville.* 5. Mais les Juifs jaloux, prenant avec eux quelques méchants hommes de la populace, provoquèrent des attroupements, et répandirent l'agitation dans la ville. Puis, s'étant portés vers la maison de Jason, ils cherchèrent Paul et Silas pour les amener devant le peuple. 6. Ne les ayant pas trouvés, ils traînèrent Jason et quelques frères

37. *Romains*, citoyens romains : à quel titre? on l'ignore. On sait que la loi défendait de battre de verges un citoyen romain. — *En liberté :* Paul exige cette réparation dans l'intérêt de la cause qu'il soutient. Il ne faut pas qu'on puisse dire que le christianisme est annoncé par des aventuriers sans nom et sans aveu.

Chap. 17. — 4. *Craignant Dieu*, prosélytes.

devant les magistrats, en criant : " Ces hommes qui ont bouleversé le monde sont aussi venus ici, 7. et Jason les a reçus. Ils agissent tous contre les édits de César, disant qu'il y a un autre roi, Jésus." 8. Par ces accusations, ils jetèrent le trouble parmi la foule et chez les magistrats. 9. Ce ne fut qu'après avoir reçu satisfaction de Jason et des autres qu'ils les laissèrent aller.

10. Les frères, sans perdre de temps, firent partir de nuit Paul et Silas pour Bérée. Quand ils furent arrivés dans cette ville, ils se rendirent à la synagogue des Juifs. 11. Ces derniers avaient des sentiments plus élevés que ceux de Thessalonique ; ils reçurent la parole avec beaucoup d'empressement, examinant chaque jour les Ecritures, pour voir si ce qu'on leur enseignait était exact. 12. Beaucoup d'entre eux, et, parmi les Grecs, des femmes de qualité et des hommes en grand nombre embrassèrent la foi. 13. Mais quand les Juifs de Thessalonique surent que Paul annonçait aussi à Bérée la parole de Dieu, ils vinrent y agiter aussi la population.

En Grèce :
Discours devant l'Aréopage.

14. Alors les frères firent sur-le-champ partir Paul du côté de la mer ; mais Silas et Timothée restèrent à Bérée. 15. Ceux qui conduisaient Paul l'accompagnèrent jusqu'à Athènes ; *là* il les chargea de mander à Silas et à Timothée de venir le rejoindre au plus tôt, et ils s'en retournèrent. 16. Pendant que Paul les attendait à Athènes, il sentait au dedans de lui son esprit s'irriter, à la vue de cette ville pleine d'idoles. 17. Il discutait donc dans la synagogue avec les Juifs et les hommes craignant Dieu, et tous les jours sur la place publique avec ceux qu'il rencontrait. 18. Des philosophes épicuriens et des Stoïciens

9. *Reçu satisfaction*, une garantie que l'ordre ne serait pas troublé. — 16. *Pleine d'idoles :* Athènes renfermait à elle seule plus de statues et de temples que tout le reste de la Grèce. — 18. *Epicuriens et Stoïciens*, les deux sectes les plus opposées. L'une, niant l'action de

conférèrent avec lui ; les uns disaient : " Que nous veut ce discoureur? " D'autres l'entendant prêcher Jésus et la résurrection, disaient : " Il paraît qu'il vient nous annoncer de nouvelles divinités." 19. Et l'ayant pris avec eux, ils le menèrent à l'Aréopage, en disant : " Pourrions-nous savoir quelle est cette nouvelle doctrine que tu enseignes? 20. Car tu nous fais entendre des choses etranges. Nous voudrions donc savoir ce que cela peut être. " 21. Or tous lesAthéniens et les étrangers demeurant à Athènes ne passaient leur temps qu'à dire ou à écouter des nouvelles.

22. Paul, debout au milieu de l'Aréopage, parla ainsi : " Athéniens. je vous trouve à tous égards plus religieux *que les autres peuples*. 23. Car, en parcourant *votre ville*, et en regardant les objets de votre culte, j'ai trouvé même un autel avec cette inscription : A UN DIEU INCONNU. Ce que vous adorez sans le connaître, je viens vous l'annoncer. 24. Le Dieu qui a fait le monde et tout ce qu'il renferme, étant le Seigneur du ciel et de la terre, n'habite point dans des temples faits de main d'hommes ; 25. il n'est point servi par des mains humaines, comme s'il avait besoin de quelque chose, lui qui donne à tous la vie, la respiration et toutes choses. 26. Il a fait habiter tont le genre humain, qui est issu d'un seul sang, sur toute la surface de la terre, ayant déterminé pour chaque nation la durée de son existence et les bornes de son domaine, 27. afin que les hommes le cherchent et le trouvent comme à tâtons : quoiqu'il ne soit pas loin de chacun de

Dieu dans la nature et son image dans l'homme, ne recherchait que le plaisir; l'autre niant la déchéance de l'homme, plaçait la perfection et le bonheur dans l'austérité d'une orgueilleuse vertu. — *La résurrection* des morts. — 19. *Aréopage*, place où se rassemblait, à ciel ouvert, le tribunal suprême de la nation, qui portait aussi le nom d'Aréopage. — 22. *Parla ainsi.* Ce discours est tout à la fois d'un tour oratoire exquis et d'une profondeur de vues admirable. — 23. *A un Dieu inconnu :* les Athéniens érigeaient ces sortes d'autels par crainte de blesser sans le savoir, ou de négliger quelque Dieu puissant dont ils ignoraient le nom.

nous, 28. car c'est en lui que nous avons la vie, le mouvement et l'être; et, comme l'ont dit aussi quelques-uns de vos poètes,

...de sa race nous sommes.

29. Etant donc la race de Dieu, nous ne devons pas croire que la divinité soit semblable à de l'or, à de l'argent, à de la pierre, sculptés par l'art et le génie de l'homme. 30. Dieu, passant sur ces temps d'ignorance, annonce maintenant aux hommes qu'ils aient tous, en tous lieux, à se repentir, 31. parce qu'il a fixé un jour où il jugera le monde selon la justice, par l'Homme qu'il a désigné, et qu'il a accrédité auprès de tous, en le ressuscitant des morts."

32. Lorsqu'ils entendirent parler de résurrection des morts, les uns se moquèrent, les autres dirent: "Nous t'entendrons là-dessus une autre fois." 33. C'est ainsi que Paul se retira du milieu d'eux. 34. Quelques personnes néanmoins s'attachèrent à lui et crurent; de ce nombre furent Denys l'Aréopagite, une femme nommée Damaris, et d'autres avec eux.

CH. 18. — *Paul à Corinthe.*

Après cela, Paul partit d'Athènes et se rendit à Corinthe. 2. Il y trouva un Juif nommé Aquilas, originaire du Pont, et récemment arrivé d'Italie avec sa femme Priscille, parce que Claude avait enjoint à tous les Juifs de sortir de Rome. Paul alla les voir; 3. et comme il avait le même métier, il demeura chez eux et y travailla : ils étaient faiseurs de tentes. 4. Chaque sabbat, il discourait dans la synagogue, mêlant à ses discours le nom de Jésus, et il persuadait des Juifs et des Grecs. 5. Lorsque Silas et Timothée furent arrivés de la Macédoine,

31. *Par l'Homme :* c'est comme Homme-Dieu que N. S. jugera les hommes (*Jean*, v, 22).

Chap. 18. — 3. *Faiseurs de tentes :* Paul, en même temps qu'il suivait à Rome les leçons des rabbins, avait appris un métier : c'était la coutume des Juifs. Ce métier était celui de faiseur de tentes. En Orient, où les hôtelleries sont rares, les voyageurs s'abritent sous de petites tentes qui font partie de leurs bagages : de là l'industrie dont il est ici question. — 5. *Tout entier*, etc., laissant à Silas et à Timothée le soin des ministères inférieurs : baptêmes, aumônes, etc.

il se donna tout entier à la parole, attestant aux Juifs que Jésus est le Christ. 6. Mais comme ceux-ci s'opposaient à lui et l'injuriaient, Paul secoua ses vêtements et leur dit : " Que votre sang soit sur votre tête! J'en suis pur; dès ce moment j'irai chez les gentils. " 7. Et sortant de là, il entra chez un nommé Justus, homme craignant Dieu, et dont la maison était contiguë à la synagogue. 8. Crispus, le chef de la synagogue, crut au Seigneur avec toute sa maison; un grand nombre de Corinthiens, en entendant Paul, crurent aussi et se firent baptiser. 9. Pendant la nuit, le Seigneur dit à Paul dans une vision : " Sois sans crainte, mais parle et ne te tais point. 10. Je suis avec toi, et personne ne mettra la main sur toi pour te faire du mal; car j'ai un peuple nombreux dans cette ville." 11. Paul demeura un an et demi à Corinthe, y enseignant la parole de Dieu.

Il est accusé devant le proconsul Gallion.

12. Du temps que Gallion était proconsul d'Achaïe, les Juifs se soulevèrent unanimement contre Paul, et le menèrent devant le tribunal, 13. en disant : " Cet homme prêche un culte contraire à la Loi. " 14. Comme Paul ouvrait la bouche pour répondre, Gallion dit aux Juifs : " S'il s'agissait de quelque délit ou de quelque grave méfait, je vous écouterais comme de raison, ô Juifs. 15. Mais puisqu'il s'agit de discussions sur une doctrine, sur des noms et sur votre loi, cela vous regarde; je ne veux pas être juge de ces choses." 16. Et il les renvoya du tribunal. 17. Alors tous, se saisissant de Sosthènes, le chef de la synagogue, le battirent devant le tribunal, sans que Gallion s'en mît en peine.

---

6. *J'en suis pur;* sens ; Vous périrez par votre faute, non par la mienne. La perte éternelle des Juifs est présentée sous l'image d'une mort, d'un sang répandu. — 13. *A la loi* mosaïque : le judaïsme était autorisé dans l'empire. — 17. *Tous* les païens qui se trouvaient là et qui n'aimaient pas les Juifs. — *Sosthènes :* c'était sans doute lui qui avait porté la parole devant le proconsul.

Retour à Antioche.

18. Paul resta encore assez longtemps à Corinthe; puis, ayant dit adieu aux frères, il s'embarqua pour la Syrie, avec Priscille et Aquilas; il se fit auparavant raser la tête à Cenchrée, à cause d'un vœu qu'il avait fait. 19. Ils arrivèrent à Ephèse, et Paul y laissa ses compagnons. Pour lui, étant entré dans la synagogue, il s'entretint avec les Juifs, 20. qui le prièrent de prolonger son séjour. Mais il n'y consentit point, 21. et il prit congé d'eux, en disant : "Il faut absolument que je célèbre la fête prochaine à Jérusalem. Je reviendrai vers vous, si Dieu le veut." Et il partit d'Ephèse. 22. Ayant débarqué à Césarée, il monta *à Jérusalem*, où il salua l'Eglise, et descendit à Antioche.

4° — Troisième Mission de S. Paul.

Débuts du voyage.

23. Après un court séjour dans cette ville, Paul se mit en route, et parcourut successivement la Galatie et la Phrygie, affermissant tous les disciples. 24. Or, un Juif nommé Apollos, originaire d'Alexandrie, homme éloquent et versé dans les Ecritures, vint à Ephèse. 25. Il avait été instruit dans la voie du Seigneur, parlait avec un grand zèle, et enseignait avec exactitude ce qui concerne Jésus, bien qu'il ne connût que le baptême de Jean. 26. Il se mit à parler librement dans la synagogue. Priscille et Aquilas, l'ayant entendu, le prirent avec eux et lui exposèrent plus à fond la voie du Seigneur. 27. Et comme il voulait passer en Achaïe, les frères l'y encouragèrent et écrivirent aux disciples de le bien recevoir. Quand il fut arrivé, il fut, par la grâce de Dieu, d'un grand secours à ceux qui avaient cru; 28. car il réfutait vigoureusement les Juifs en public, démontrant par les Ecritures que Jésus est le Christ.

25. *Instruit*, probablement par les disciples de S. Jean Baptiste.

A Ephèse :

Il baptise des disciples de Jean.

CH. 19.

✠ Pendant qu'Apollos était à Corinthe, Paul, après avoir parcouru les hautes provinces *de l'Asie*, arriva à Ephèse, où il trouva quelques disciples. 2. Il leur dit : " Avez-vous reçu le Saint Esprit quand vous avez cru ?" Ils lui répondirent : " Nous n'avons pas même entendu dire qu'il y ait un Saint Esprit. " — 3. " Quel baptême avez-vous donc reçu ?" demanda Paul. Ils dirent : " Le baptême de Jean." 4. Il leur dit : " Jean a baptisé du baptême de pénitence, en disant au peuple de croire en celui qui venait après lui, c'est-à-dire en Jésus. " 5. Ayant entendu ces paroles, ils se firent baptiser au nom du Seigneur Jésus. 6. Lorsque Paul leur eut imposé les mains, le Saint Esprit vint sur eux, et ils se mirent à parler des langues et à prophétiser. 7. Ils étaient environ douze en tout.

Conversions et miracles.

8. Ensuite Paul entra dans la synagogue, et, pendant trois mois, il y parla librement chaque sabbat, discourant sur les choses qui concernent le royaume de Dieu et persuadant *ses auditeurs*. 9. Mais, comme quelques-uns restaient endurcis et incrédules, décriant devant le peuple la voie du Seigneur, il se sépara d'eux, prit à part les disciples et enseigna chaque jour dans l'école d'un nommé Tyrannus. 10. Ce qu'il fit durant deux ans, de sorte que tous ceux qui habitaient l'Asie, Juifs et Grecs, entendirent la parole du Seigneur. 11. Et Dieu faisait des miracles extraordinaires par les mains de Paul, 12. au point qu'on appliquait sur les malades des linges ou des mouchoirs qui avaient touché son corps, et les maladies les quittaient, et les esprits mauvais étaient chassés.

Chap. 19. — 2. *Le Saint Esprit*, dans le sacrement de confirmation, *quand* ou *depuis que vous avez* cru. — 6. *Imposé les mains* : rite de la confirmation. — *Parler des langues*, etc. : voy. I. *Cor.* XIV, 2 sv. — 10. *Durant deux ans* : Pendant ce séjour de deux ans à Ephèse, Paul écrivit plusieurs épîtres : celle aux Galates, la première aux Corinthiens, etc. — *Tous ceux* : hyperbole.

Châtiment d'exorcistes Juifs.

13. Quelques-uns des exorcistes juifs qui courent le pays essayèrent aussi d'invoquer le nom du Seigneur Jésus sur ceux qui avaient des esprits malins, en disant : " Je vous adjure par Jésus que Paul prêche." 14. Ceux qui faisaient cela étaient sept fils de Scéva, grand prêtre juif. 15. L'esprit malin leur répondit : " Je connais Jésus et je sais qui est Paul; mais vous, qui êtes-vous?" 16. Et l'homme qui était possédé de l'esprit malin se jeta sur eux, s'en rendit maître et les maltraita si fort, qu'ils s'enfuirent de cette maison nus et blessés. 17. Ce fait étant venu à la connaissance de tous les Juifs et de tous les Grecs qui demeuraient à Ephèse, la crainte tomba sur eux tous, et le nom du Seigneur Jésus fut glorifié.

Progrès de l'Evangile.

18. Plusieurs de ceux qui avaient cru vinrent confesser et déclarer leurs actes. 19. Et parmi ceux qui avaient exercé la magie, beaucoup apportèrent leurs livres et les brûlèrent devant tout le peuple : on en estima la valeur à cinquante mille pièces d'argent : 20. tant la parole du Seigneur s'étendait avec force et se montrait puissante! 21. Après cela, Paul résolut d'aller à Jérusalem, en traversant la Macédoine et l'Achaïe. " Quand j'aurai été là, se disait-il, il faut aussi que je voie Rome." 22. Il envoya en Macédoine deux de ses auxiliaires, Timothée et Eraste, et lui-même resta encore quelque temps en Asie.

---

13. *Exorcistes juifs :* il s'agit ici d'imposteurs qui circulaient de ville en ville pour gagner de l'argent. Pour eux le nom de Jésus n'était qu'une formule magique dont la vertu excitait leur admiration, et qu'ils voulurent employer à leur tour. — 18. *Leurs actes*, les crimes de leur vie antérieure, et spécialement celui d'avoir pris part aux pratiques de la magie, pour lesquelles les Ephésiens avaient un goût prononcé. — 19. *Leurs livres*, qui traitaient de la magie et en renfermaient les formules. — 21. *En traversant la Macédoine :* afin de recueillir auprès des Eglises de ces contrées des aumônes pour les chrétiens pauvres de Jérusalem, aumônes qu'il devait leur porter lui-même. — 22. *Il envoya*, sans doute pour préparer la collecte dont nous venons de parler

Sédition contre l'Apôtre.

23. Il survint en ce temps-là un grand tumulte au sujet de la voie du Seigneur. 24. Un orfèvre, nommé Démétrius, fabriquait en argent de petits temples de Diane, et procurait à ses ouvriers un gain considérable. 25. Les ayant rassemblés, avec tous ceux du même métier, il leur dit : " Mes amis, vous savez que notre bien-être dépend de cette industrie; 26. et vous voyez et entendez dire que, non seulement à Ephèse, mais encore dans presque toute l'Asie, ce Paul a fait changer une foule de gens, en persuadant par ses discours que des dieux faits de main d'homme ne sont pas des dieux. 27. Il est donc à craindre, non seulement que notre industrie ne tombe dans le discrédit, mais encore que le temple de la grande déesse Diane ne perde ses honneurs, et même que la majesté de celle que révèrent l'Asie et le monde entier ne soit réduite à néant. " 28. A ces mots, transportés de colère, ils se mirent à crier : " Grande est la Diane des Ephésiens ! " 29. Bientôt la ville fut dans la confusion. Ils se portèrent tous ensemble au théâtre, entraînant Caius et Aristarque, Macédoniens qui avaient accompagné Paul dans son voyage. 30. Paul voulait pénétrer au milieu de la foule, mais les disciples l'en empêchèrent. 31. Quelques-uns même des Asiarques, qui étaient de ses amis, envoyèrent vers lui, pour l'engager à ne pas se présenter au théâtre. 32. Mille cris divers s'y faisaient entendre; car le désordre régnait dans l'assemblée, et la plupart ne savaient pourquoi ils s'étaient réunis. 33. Alors on dégagea Alexandre de la foule à l'aide des Juifs, qui le poussaient devant eux. Il fit signe de la main qu'il voulait parler au peuple. 34. Mais, lorsqu'ils eurent reconnu qu'il était juif, ils crièrent tous d'une seule voix durant plus de deux heures :

28. *A crier*, en se répandant dans les rues. — 31. *Asiarques*, présidents des jeux et des cérémonies religieuses.

" Grande est la Diane des Ephésiens!" 35. Le magistrat ayant enfin apaisé la foule dit : "Quel est l'homme qui ne sache que la ville d'Ephèse est vouée au culte de la grande Diane, fille de Jupiter? 36. Cela étant incontestable, vous devez être calmes et ne rien faire inconsidérément; 37. car ceux que vous avez amenés ici ne sont ni des sacrilèges, ni des blasphémateurs de votre déesse. 38. Si donc Démétrius et ses ouvriers ont à se plaindre de quelqu'un, il y a des jours d'audience et des proconsuls : que chacun fasse valoir ses griefs. 39. Si vous avez quelque autre affaire à régler, on en décidera dans l'assemblée légale. 40. Nous risquons, en effet, d'être accusés de sédition pour ce qui s'est passé aujourd'hui, car il n'existe aucun motif qui justifie cet attroupement." Ayant parlé ainsi, il congédia l'assemblée.

Retour par la Grèce, la Macédoine et l'Asie. — Ch. 20.

Lorsque le tumulte eut cessé, Paul réunit les disciples, prit congé d'eux et partit pour la Macédoine. 2. Il parcourut cette contrée, en adressant aux disciples de nombreuses exhortations, et se rendit en Grèce, 3. où il passa trois mois. Il se disposait à faire voile pour la Syrie, quand les Juifs lui dressèrent des embûches. Alors il se décida à reprendre la route de Macédoine. 4. Il avait pour l'accompagner jusqu'en Asie : Sopater de Bérée, fils de Pyrrhus, Aristarque et Secundus de Thessalonique, Caius de Derbe, Timothée, Tychique et Trophime d'Asie.

A Troas : résurrection d'un mort.

5. Ceux-ci prirent les devants et nous attendirent à Troas. 6. Pour nous, après les jours des Azymes, nous nous embarquâmes à Philippes,

37. *Ni des blasphémateurs de votre déesse :* Paul et les siens avaient évité, par prudence, toute attaque directe contre le culte de Diane; la simple exposition de la doctrine évangélique suffisait à leur cause. — 39. *Quelque autre affaire*, qui ne soit pas une affaire judiciaire ordinaire. — *L'assemblée légale :* le proconsul, à des époques fixes, siégeait tour à tour dans les principales villes de la province.

et au bout de cinq jours nous les rejoignîmes à Troas, où nous passâmes sept jours. 7. Le premier jour de la semaine, comme nous étions assemblés pour la fraction du pain, Paul, qui devait partir le lendemain, s'entretint avec les disciples, et prolongea son discours jusqu'à minuit. 8. Il y avait beaucoup de lampes dans la salle haute où nous étions assemblés. 9. Or un jeune homme, nommé Eutyque, était assis sur le bord de la fenêtre. Pendant le long discours de Paul, il s'endormit profondément, et, sous le poids du sommeil, il tomba du troisième étage en bas; on le releva mort. 10. Mais Paul, étant descendu, se pencha sur lui et le prit dans ses bras, en disant : " Ne vous troublez pas, car son âme est en lui. " 11. Il remonta ensuite, rompit le pain et mangea, et il parla longtemps encore, jusqu'au jour; après quoi, il partit. 12. Quant au jeune homme, on le ramena vivant, ce qui fut le sujet d'une grande consolation.

De Troas à Milet.

13. Pour nous, prenant les devants par mer, nous fîmes voile pour Assos, où nous devions reprendre Paul; c'est ainsi qu'il l'avait ordonné; car il devait faire le voyage à pied. 14. Quand il nous eut rejoints à Assos, nous le prîmes à bord, et nous gagnâmes Mytilène. 15. De là, continuant par mer, nous arrivâmes le lendemain à la hauteur de Chios. Le jour suivant, nous cinglâmes vers Samos, et nous arrivâmes le jour d'après à Milet. 16. Paul avait résolu de passer devant Ephèse sans y prendre terre, afin de ne pas perdre de temps en Asie. Car il se hâtait pour se trouver, s'il était possible, le jour de la Pentecôte à Jérusalem.

Chap. 20. — 7. *La fraction du pain*, la célébration de l'eucharistie, qui avait lieu le soir. — 8. *De lampes*, destinées, non seulement à éclairer la salle, mais aussi à honorer les saints mystères. Leur lumière était le joyeux symbole de la présence sacramentelle de l'Epoux céleste (*Matth.* XXV, 1 sv.). — 11. Revenu dans la chambre haute, Paul célébra le sacrifice eucharistique et communia les disciples; puis se fit l'agape, qui fut ce jour-là un repas d'adieu.

Adieux aux anciens d'Ephèse.

17. ✠ De Milet, Paul envoya à Ephèse pour faire venir les anciens de cette Eglise. 18. Lorsqu'ils furent arrivés et réunis autour de lui, il leur dit : "Vous savez comment, depuis le premier jour que j'ai mis le pied en Asie, je me suis toujours comporté avec vous, 19. servant le Seigneur en toute humilité, au milieu des larmes et des épreuves que me suscitaient les embûches des Juifs. 20. *Vous savez* que je ne vous ai rien caché de ce qui vous était avantageux, vous prêchant *l'Evangile* et vous enseignant en public et dans les maisons particulières; 21. annonçant aux Juifs et aux gentils le retour à Dieu par la pénitence et la foi en notre Seigneur Jésus Christ. ¶ 22. Et maintenant voici que, lié par l'Esprit, je vais à Jérusalem, sans savoir ce qui doit m'y arriver; 23. seulement, de ville en ville, l'Esprit Saint m'assure que des chaînes et des persécutions m'attendent. 24. Mais je n'en tiens aucun compte, et je n'attache pour moi-même aucun prix à la vie, pourvu que je fournisse ma course et que j'accomplisse le ministère que j'ai reçu du Seigneur Jésus, d'annoncer la bonne nouvelle de la grâce de Dieu. 25. Oui, je sais que vous ne verrez plus mon visage, ô vous tous parmi lesquels j'ai passé en prêchant le royaume de Dieu. 26. C'est pourquoi je vous déclare aujourd'hui que je suis pur du sang de *vous* tous; 27. car je vous ai annoncé tout le conseil de Dieu, sans vous en rien cacher. 28. Prenez donc garde à vous-mêmes et à tout le troupeau sur lequel le Saint Esprit vous a établis évêques, pour paître l'Eglise de Dieu, qu'il s'est

17. *Les anciens de cette Eglise*, prêtres et évêques. — 22. *Lié par l'Esprit*, docile à l'impulsion de l'Esprit Saint et comme enchaîné à ses ordres. Ou bien, *lié en* mon *esprit*, cédant à un entraînement irrésistible. — 26. *C'est pourquoi*, puisque je vous quitte pour ne plus vous revoir. — *Pur*, etc., innocent de la perte éternelle de tous ceux qui ne seront pas sauvés (comp. xviii, 6). — 27. *Le conseil de Dieu*, son dessein de sauver le monde par Jésus Christ. — 28. *Evêques*, dans le sens général *d'anciens*, chefs de communauté.

acquise par son propre sang. 29. Je sais que, après mon départ, il s'introduira parmi vous des loups rapaces, qui n'épargneront pas le troupeau. 30. Et même il s'élèvera du milieu de vous des hommes qui enseigneront des doctrines perverses, pour entraîner les disciples après eux. 31. Veillez donc, vous souvenant que, durant trois années, je n'ai cessé nuit et jour d'exhorter avec larmes chacun de vous. 32. Et maintenant je vous recommande à Dieu et à la parole de sa grâce, à celui qui peut achever l'édifice et vous donner l'héritage avec tous les sanctifiés. 33. Je n'ai désiré ni l'argent, ni l'or, ni le vêtement de personne. 34. Vous savez vous-mêmes que ces mains ont pourvu à mes besoins et à ceux des personnes qui étaient avec moi. 35. Je vous ai montré de toutes manières que c'est en travaillant ainsi qu'il faut soutenir les faibles, et se rappeler la parole du Seigneur, qui a dit lui-même : Il y a plus de bonheur à donner qu'à recevoir. "

36. Après avoir ainsi parlé, il se mit à genoux et pria avec eux tous. 37. Ils fondaient tous en larmes, et se jetant au cou de Paul, ils le baisaient, 38. affligés surtout de ce qu'il avait dit : " Vous ne verrez plus mon visage. " Et ils l'accompagnèrent jusqu'au navire.

A Césarée : *prédiction d'Agabus.* — CH. 21.

Après nous être arrachés à leurs embrassements, nous mîmes à la voile et nous allâmes droit à Cos; le lendemain nous atteignîmes Rhodes, puis Patare. 2. Là, ayant trouvé un vaisseau qui faisait la traversée vers la Phénicie, nous y montâmes et partîmes. 3. Arrivés en vue de Chypre, nous laissâmes l'île à gauche, nous dirigeant vers la Syrie, et nous abordâmes à Tyr, où le navire devait déposer sa cargaison. 4. Nous trou-

32. *A la parole de sa grâce*, à son Evangile, par lequel la grâce et la vérité sont venues jusqu'à nous. — 35. *La parole*, etc. Cette sentence ne se trouve dans aucun de nos quatre Evangiles; S. Paul l'avait connue par la tradition

vâmes les disciples, et nous restâmes là sept jours; et ils disaient à Paul, par l'Esprit de Dieu, de ne point monter à Jérusalem. 5. Mais au bout de sept jours, nous nous acheminâmes pour partir, et tous, avec leurs femmes et leurs enfants, nous accompagnèrent jusqu'en dehors de la ville. Nous nous mîmes à genoux sur le rivage pour prier; 6. puis, après nous être dit adieu, nous montâmes sur le vaisseau, et ils retournèrent chez eux. 7. Pour nous, achevant notre navigation, nous allâmes de Tyr à Ptolémaïs, et ayant salué les frères, nous passâmes un jour avec eux.

8. Nous partîmes le lendemain, et nous arrivâmes à Césarée. Etant entrés dans la maison de Philippe l'évangéliste, l'un des sept *diacres*, nous logeâmes chez lui. 9. Il avait quatre filles vierges, qui prophétisaient. 10. Comme nous étions *dans cette ville* depuis quelques jours, il arriva de Judée un prophète, nommé Agab. 11. Nous étant venu trouver, il prit la ceinture de Paul, se lia les pieds et les mains et dit : "Voici ce que dit l'Esprit Saint : L'homme à qui appartient cette ceinture sera ainsi lié dans Jérusalem par les Juifs et livré aux mains des gentils." 12. Ayant entendu ces paroles, nous et les fidèles de Césarée, nous conjurâmes Paul de ne point monter à Jérusalem. 13. Alors il répondit : "Que faites-vous de pleurer ainsi et de me briser le cœur? Pour moi, je suis prêt, non seulement à porter des chaînes, mais encore à mourir à Jérusalem pour le nom du Seigneur Jésus." 14. Comme il restait inflexible, nous cessâmes nos instances, en disant : "Que la volonté du Seigneur se fasse!" 15. Quelques jours après, ayant achevé nos préparatifs, nous montâmes à Jérusalem. 16. Plusieurs disciples de Césarée vinrent

Chap. 21. — 8. *Philippe* (vi, 5; viii, 5 sv.) *l'évangéliste*, c'est-à-dire prédicateur de l'Evangile, missionnaire. — 11. *Se lia les pieds et les mains :* imitant les anciens prophètes par cette action symbolique.

aussi avec nous, emmenant un nommé Mnason, de l'île de Chypre, depuis longtemps disciple, chez qui nous devions loger. 17. A notre arrivée à Jérusalem, les frères nous reçurent avec joie.

Captivité de S. Paul.

Paul à Jérusalem : *sa réception par les fidèles ; il prend part à un nazaréat.*

18. Le lendemain, Paul se rendit avec nous chez Jacques, et tous les anciens s'y réunirent. 19. Après les avoir embrassés, il raconta en détail ce que Dieu avait fait parmi les gentils par son ministère. 20. Ce qu'ayant entendu, ils glorifièrent Dieu, et dirent à Paul : " Tu vois, frère, combien de milliers de Juifs ont cru, et tous sont zélés pour la Loi. 21. Or ils ont entendu dire que tu enseignes aux Juifs dispersés parmi les gentils de renoncer à Moïse, leur disant de ne pas circoncire leurs enfants et de ne pas se conformer aux coutumes. 22. Que faire donc ? Sans aucun doute, on se rassemblera en foule, car on va savoir ton arrivée. 23. Fais donc ce que nous allons te dire. Nous avons ici quatre hommes qui ont fait un vœu ; 24. prends-les, purifie-toi avec eux, et fais pour eux les frais des sacrifices, afin qu'ils se rasent la tête. Ainsi tous sauront que les rapports faits sur ton compte sont sans valeur, et que toi aussi tu observes la Loi. 25. Quant aux gentils qui ont cru, nous leur avons écrit, après avoir décidé qu'ils n'ont rien de pareil à observer, mais qu'ils doivent *seulement* s'abs-

---

20. *Combien de milliers*, etc. Un grand nombre de judéo-chrétiens étaient venus à Jérusalem pour la fête de la Pentecôte. — 21. *Leur disant de ne pas circoncire*, etc. : l'accusation était fausse dans sa généralité (I *Cor.* vii, 18. al. *Act.* xvi, 3 ; xviii, 18) ; mais elle s'explique, Paul prêchant partout que le chrétien, comme tel, était affranchi de la loi ancienne, que le salut s'obtenait, non par les œuvres légales, mais par la foi en J. C. — 24. *Purifie-toi avec eux*, fais-toi nazaréen comme eux. — *Fais pour eux les frais*, etc. Les nazaréens devaient, le temps de leur vœu expiré, amener aux prêtres trois victimes pour êtres offertes en sacrifice, et il arrivait souvent que des personnes riches faisaient cette dépense pour les pauvres. — *Se rasent la tête :* cette cérémonie marquait la fin du vœu.

tenir de viandes offertes aux idoles, du sang, des animaux étouffés et de la fornication."

26. Alors Paul prit avec lui ces hommes, et après s'être purifié, il entra, le lendemain avec eux dans le temple, pour annoncer que les jours du nazaréat étaient expirés, *et il y vint* jusqu'à ce que le sacrifice eût été offert pour chacun d'eux.

Emeute — Son arrestation.

27. Comme les sept jours touchaient à leur fin, les Juifs d'Asie, ayant vu Paul dans le temple, soulevèrent toute la foule et mirent la main sur lui en criant : 28. "Enfants d'Israël, au secours ! Voici l'homme qui prêche partout et à tout le monde contre le peuple, contre la Loi et contre ce lieu; il a même introduit des païens dans le temple et a profané ce saint lieu." 29. Car ils avaient vu auparavant Trophime d'Éphèse avec lui dans la ville, et ils croyaient que Paul l'avait fait entrer dans le temple. 30. Aussitôt toute la ville fut en émoi, et le peuple accourut de toutes parts; on se saisit de Paul et on l'entraîna hors du temple, dont les portes furent immédiatement fermées. 31. Pendant qu'ils cherchaient à le tuer, la nouvelle arriva au tribun de la cohorte que tout Jérusalem était en confusion. 32. Il prit à l'instant des soldats et des centurions, et accourut à eux. A la vue du tribun et des soldats, ils cessèrent de frapper Paul. 33. Alors le tribun s'approchant, se saisit de lui et le fit lier de deux chaînes; puis il demanda qui il était et ce qu'il avait fait. 34. Mais, dans cette foule, les uns criaient une chose, les autres une autre. Ne pouvant donc apprendre rien de certain, à cause du tumulte, il ordonna de l'emmener dans la forteresse. 35. Lorsque Paul fut sur les degrés, il dut être porté par les soldats, à cause de la violence de la multitude. 36. Car le peuple le suivait en foule en criant :

28. *Au secours !* comme si Paul était l'agresseur. — *Ce lieu*, le temple. — *Des païens*, Trophime d'Ephèse (vers. 29), que la tradition fait le premier évêque d'Arles.

"Fais-le mourir." 37. Au moment d'être introduit dans la forteresse, Paul dit au tribun : "M'est-il permis de te dire quelque chose ?" — "Tu sais le grec ? répondit le tribun. 38. Tu n'es donc pas l'Egyptien qui s'est révolté dernièrement et qui a emmené au désert quatre mille sicaires ?" 39. Paul lui dit : "Je suis Juif, de Tarse en Cilicie, citoyen d'une ville qui n'est pas sans renom. Je t'en prie, permets-moi de parler au peuple." 40. Le tribun le lui ayant permis, Paul, debout sur les degrés, fit signe de la main au peuple. Un profond silence s'établit, et Paul, s'exprimant en langue hébraïque, leur parla ainsi :

Ch. 22. — *Il fait connaître sa conversion et sa mission.*

"Mes frères et mes pères, écoutez ce que j'ai maintenant à vous dire pour ma défense." — 2. Dès qu'ils entendirent qu'il leur parlait en langue hébraïque, ils firent encore plus de silence. — 3. Et Paul dit : "Je suis juif, né à Tarse en Cilicie; mais j'ai été élevé dans cette ville et instruit aux pieds de Gamaliel dans la connaissance exacte de la loi de nos pères, étant plein de zèle pour Dieu, comme vous l'êtes tous aujourd'hui. 4. C'est moi qui ai persécuté cette secte jusqu'à la mort, chargeant de chaînes et jetant en prison hommes et femmes : 5. le grand prêtre et tous les Anciens m'en sont témoins. Ayant même reçu d'eux des lettres pour les frères de Damas, je partis *pour cette ville*, afin d'amener enchaînés à Jérusalem ceux qui se trouvaient là, et de les faire punir. 6. Mais comme j'étais en chemin, et déjà près de Damas, tout à coup, vers midi, une vive lumière venant du ciel resplendit autour de moi. 7. Je tombai par terre, et j'entendis une voix qui me disait : Saul, Saul, pourquoi me per-

Chap. 22. — 3. *Dans cette ville*, Jérusalem, la métropole du judaïsme. — *Aux pieds* : les disciples se tenaient assis sur d'humbles sièges, ou même par terre, tandis que le rabbi enseignait du haut de la chaire. — *De Gamaliel*, le chef célèbre de l'école orthodoxe, du pharisaïsme.

sécutes-tu? 8. Je répondis : Qui êtes-vous, Seigneur? Et il me dit : Je suis Jésus de Nazareth, que tu persécutes. 9. Ceux qui étaient avec moi virent bien la lumière, mais ils n'entendirent pas la voix de celui qui parlait. 10. Alors je dis : Que dois-je faire, Seigneur? Et le Seigneur me répondit : Lève-toi, va à Damas, et là on te dira tout ce que tu dois faire. 11. Et comme l'éclat de cette lumière m'avait ôté la vue, ceux qui étaient avec moi me prirent par la main, et j'arrivai à Damas. 12. Or il y avait dans cette ville un homme *vivant* selon la Loi, nommé Ananie, et de qui tous les Juifs de la ville rendaient un bon témoignage. 13. Il vint se présenter à moi et me dit : Saul, mon frère, recouvre la vue. Et au même instant, *ayant recouvré la vue*, je le regardai. 14. Il dit : Le Dieu de nos pères t'a prédestiné à connaître sa volonté, à voir le Juste et à entendre les paroles de sa bouche. 15. Car tu lui serviras de témoin, devant tous les hommes, des choses que tu as vues et entendues. 16. Et maintenant que tardes-tu? Lève-toi, reçois le baptême et purifie-toi de tes péchés, en invoquant le nom du Seigneur. — 17. De retour à Jérusalem, comme je priais dans le temple, je fus ravi en esprit, 18. et je vis le Seigneur qui me disait : Hâte-toi et sors au plus tôt de Jérusalem, parce qu'on n'y recevra pas le témoignage que tu rendras de moi. — 19. Seigneur, répondis-je, ils savent eux-mêmes que je faisais mettre en prison et battre de verges dans les synagogues ceux qui croyaient en vous, 20. et que, lorsqu'on répandit le sang d'Etienne, votre témoin, j'étais moi-même présent, joignant mon approbation à celle des autres et gardant les vêtements de ceux qui le lapidaient. 21. Alors il me dit : Va, c'est aux nations lointaines que je veux t'envoyer."

9. *N'entendirent pas la voix*, de manière à comprendre les paroles : comp. IX, 7. — 14. *Le Juste* par excellence, le Messie.

Sur le point d'être flagellé, il se déclare citoyen romain.

22. Les Juifs l'avaient écouté jusqu'à ces mots; ils élevèrent alors la voix en disant : " Ote de la terre un pareil homme; il n'est pas digne de vivre." 23. Et comme ils poussaient de grands cris, jetant leurs manteaux et lançant de la poussière en l'air, 24. le tribun ordonna de faire entrer Paul dans la forteresse et de lui donner la question par le fouet, afin de savoir pour quel motif ils criaient ainsi contre lui. 25. Déjà les soldats l'avaient attaché aux courroies, lorsque Paul dit au centurion qui était là : " Vous est-il permis de flageller un citoyen romain, qui n'est pas même condamné?" 26. A ces mots, le centurion alla trouver le tribun pour l'avertir, et lui dit : "Que vas-tu faire? Cet homme est citoyen romain." 27. Le tribun vint et dit à Paul : " Dis-moi, es-tu citoyen romain?" "Oui," répondit-il; 28. et le tribun reprit : " Moi, j'ai acheté bien cher ce droit de cité." — " Et moi, dit Paul, je l'ai par ma naissance." 29. Aussitôt ceux qui se disposaient à lui donner la question se retirèrent; et le tribun aussi eut peur, quand il sut que Paul était *citoyen* romain et qu'il l'avait fait lier.

Paul devant le Sanhédrin.

30. Le lendemain, voulant savoir plus exactement de quoi les Juifs l'accusaient, il lui fit ôter ses chaînes et donna l'ordre aux princes des prêtres et à tout le sanhédrin de se réunir; puis, ayant fait descendre Paul, il le plaça au milieu d'eux.

CH. 23.

Paul, les regards fixés sur le sanhédrin, dit : " Mes frères, je me suis conduit devant Dieu jusqu'à ce jour dans toute la droiture d'une bonne conscience..." 2. Le grand prêtre Ananie ordonna à ses satellites de le frapper sur la bouche. 3. Alors Paul lui dit : " Dieu te frappera, muraille blan-

24. *Afin de savoir :* le tribun, ignorant la langue du pays, n'avait pas sans doute compris le discours de Paul, et il s'imaginait, en voyant la fureur de la foule, avoir devant lui un grand criminel.

Chap. 23. — 3. *Muraille blanchie*, sans tache au dehors, boue

chie! Tu sièges ici pour me juger selon la Loi, et, au mépris de la Loi, tu ordonnes qu'on me frappe!" 4. Les satellites dirent : "Tu outrages le grand prêtre de Dieu!" 5. Paul répondit : "Je ne savais pas, mes frères, qu'il était grand prêtre; car il est écrit : Tu ne proféreras pas d'injure contre un chef de ton peuple."

6. Paul, sachant qu'une partie de l'assemblée était composée de Sadducéens et l'autre de Pharisiens, s'écria dans le sanhédrin : "Mes frères, je suis Pharisien, fils de Pharisiens; c'est à cause de mon espérance et de la résurrection des morts que je suis mis en jugement." 7. Dès qu'il eut prononcé ces paroles, il s'éleva une discussion entre les Pharisiens et les Sadducéens, et l'assemblée se divisa. 8. Car les Sadducéens disent qu'il n'y a point de résurrection, ni d'ange et d'esprit, tandis que les Pharisiens affirment l'un et l'autre. 9. Il y eut donc une bruyante agitation, et quelques Scribes du parti des Pharisiens s'étant levés, engagèrent un vif débat, et dirent : "Nous ne trouvons rien à reprendre en cet homme; si un esprit ou un ange lui avait parlé?..." 10. Comme la discorde allait croissant, le tribun, craignant que Paul ne fût mis en pièces par eux, fit descendre des soldats pour l'enlever du milieu d'eux et le ramener dans la forteresse.

Le Seigneur l'encourage.

11. La nuit suivante, le Seigneur apparut à Paul et lui dit : "Courage! De même que tu as rendu témoignage de moi dans Jérusalem, il faut aussi que tu me rendes témoignage dans Rome."

Complot des Juifs.

12. Dès que le jour parut, les Juifs ourdirent

---

infecte au dedans. — 6. *Je suis pharisien :* une apologie calme et raisonnée ne pouvait réussir auprès de juges si passionnés. Avec autant de présence d'esprit que d'habileté, Paul a recours à un autre moyen : il jette un brandon de discorde au sein du sanhédrin. — *Mon espérance* au Messie promis à nos pères. Ou bien : *C'est à cause de notre espérance commune en la résurrection des morts*, etc. — 9. *Et si un esprit*, etc.; question ironique adressée aux Sadducéens. — *Lui avait parlé*, lui avait révélé la doctrine qu'il prêche.

un complot et jurèrent, avec des imprécations contre eux-mêmes, de ne manger ni boire jusqu'à ce qu'ils eussent tué Paul. 13. Il y en avait plus de quarante qui s'étaient engagés dans cette conjuration. 14. Ils allèrent trouver le prince des prêtres et les Anciens, et dirent : " Nous avons solennellement juré de ne prendre aucune nourriture que nous n'ayons tué Paul. 15. Vous donc, maintenant, adressez-vous avec le sanhédrin au tribun, pour qu'il l'amène devant vous, comme si vous vouliez examiner plus à fond sa cause; et nous, nous sommes prêts à le tuer pendant le trajet. "

16. Le fils de la sœur de Paul ayant eu connaissance du complot, accourut à la forteresse et en donna avis à Paul. 17. Celui-ci appela un centurion et lui dit : " Mène ce jeune homme vers le tribun, car il a quelque chose à lui révéler." 18. Le centurion, prenant le jeune homme avec lui, le mena au tribun et dit : " Le prisonnier Paul m'a prié de t'amener ce jeune homme, qui a quelque chose à te dire." 19. Le tribun le prit par la main, et l'ayant tiré à part, il lui demanda : " Qu'as-tu à me communiquer? " 20. Il répondit : " Les Juifs sont convenus de te prier de faire demain comparaître Paul devant le sanhédrin, sous le prétexte d'examiner plus à fond sa cause. 21. Ne les écoute pas, car plus de quarante d'entre eux lui dressent des embûches, et se sont engagés, avec des imprécations contre eux-mêmes, à ne manger ni boire qu'ils ne l'aient tué. Ils sont tous prêts et n'attendent que ton consentement." 22. Le tribun renvoya le jeune homme, en lui recommandant de ne dire à personne qu'il lui avait fait ce rapport.

Paul tranféré à Césarée.

23. Et ayant appelé deux centurions, il leur dit : " Tenez prêts, dès la troisième heure de la

19. *Par la main*, pour lui inspirer de la confiance. — 21. *Ton consentement* à faire comparaître Paul devant le sanhédrin. — 23. *Troisième heure de la nuit*, 9 h. du soir.

nuit, deux cents soldats avec soixande-dix cavaliers et deux cents lanciers, pour aller jusqu'à Césarée. 24. Préparez aussi des chevaux pour y faire monter Paul, afin de le conduire sain et sauf au gouverneur Félix." 25. Car le tribun craignait que les Juifs ne l'enlevassent et ne le missent à mort, et qu'ensuite on ne l'accusât lui-même d'avoir reçu de l'argent. Il écrivit en même temps une lettre ainsi conçue :

26. "Claude Lysias au très excellent gouverneur Félix, salut. 27. Les Juifs s'étaient saisis de cet homme et allaient le tuer, lorsque je survins avec des soldats, et l'arrachai de leurs mains, ayant appris qu'il était *citoyen* romain. 28. Voulant savoir de quel crime ils l'accusaient, je le menai devant leur assemblée, 29. et je trouvai qu'il s'agissait de controverses relatives à leur loi, sans aucun grief qui méritât la mort ou la prison. 30. Informé que les Juifs lui dressaient des embûches, je te l'ai immédiatement envoyé, en faisant savoir à ses accusateurs qu'ils eussent à porter leur plainte devant toi. Adieu."

31. Les soldats ayant donc pris Paul, selon l'ordre qu'ils avaient reçu, le conduisirent pendant la nuit à Antipatris. 32. Le lendemain, laissant les cavaliers poursuivre la route avec le prisonnier, ils retournèrent à la forteresse. 33. Arrivés à Césarée, les cavaliers remirent la lettre au gouverneur et lui présentèrent Paul. 34. Le gouverneur après avoir lu la lettre, demanda de quelle province était Paul, et apprenant qu'il était de Cilicie : 35. "Je t'entendrai, dit-il, quand tes accusateurs seront venus." Et il ordonna de le garder dans le prétoire d'Hérode.

Captivité à Césarée :
CH. 24. — *Paul se défend devant Félix.*

Cinq jours après, arriva le grand prêtre Ana-

25. *Car le tribun... de l'argent* : ces mots paraissent avoir été ajoutés à tort dans la Vulgate.

Chap. 24. — 1. *Anciens*, membres du sanhédrin, délégués pour le représenter. — *Tertullus* : ce nom indique un Romain. De nombreux

nie, avec quelques Anciens, et un avocat nommé Tertullus; ils portèrent plainte au gouverneur contre Paul. 2. Celui-ci ayant été appelé au tribunal, Tertullus se mit à l'accuser en ces termes : " Par toi, très excellent Félix, nous jouissons d'une paix profonde et de salutaires réformes dues à tes soins prévoyants; 3. c'est ce que nous reconnaissons toujours et partout avec une entière gratitude. 4. Mais, pour ne pas t'arrêter davantage, je te prie de nous écouter un moment avec ta bonté ordinaire. 5. Nous avons trouvé cet homme : c'est une peste, un homme qui excite des troubles parmi les Juifs dans le monde entier, un chef de la secte des Nazaréens, 6. et qui même a tenté de profaner le temple; et nous l'avons arrêté, voulant le juger selon notre loi. 7. Mais le tribun Lysias étant survenu, l'a arraché violemment de nos mains, 8. et il a ordonné que ses accusateurs vinssent devant toi. Tu pourras toi-même, en l'interrogeant, apprendre de sa bouche tout ce dont nous l'accusons. " 9. Les Juifs se joignirent à cette accusation, soutenant que les choses étaient ainsi.

10. Après que le gouverneur lui eut fait signe de parler, Paul répondit : " C'est avec confiance que je prends la parole pour me justifier *devant toi*, car je sais que tu gouvernes cette nation depuis plusieurs années. 11. Il n'y a pas plus de douze jours, tu peux t'en assurer, que je suis monté à Jérusalem pour adorer. 12. Et l'on ne m'a vu parler à personne dans le temple, ni ameuter la foule, soit dans les synagogues, 13. soit dans la ville; et ils ne sauraient prouver ce dont ils m'accusent maintenant. 14. Je te confesse que je sers le Dieu de mes pères selon la voie qu'ils appellent

avocats de ce genre, parlant le grec et le latin et connaissant les formes de la procédure romaine, exerçaient leur profession dans les provinces de l'empire. — 8. *De sa bouche :* de la bouche de Paul, ou de Lysias? S. Luc ne donne qu'un résumé de ce discours. — 14. *La voie*, la religion chrétienne. — *Secte :* vers. 5.

une secte, croyant tout ce qui est écrit dans la Loi et les Prophètes, 15. et ayant en Dieu cette espérance, comme ils l'ont eux-mêmes, qu'il y aura une résurrection des justes et des pécheurs. 16. Dans cette conviction, moi aussi je m'efforce d'avoir constamment une conscience sans reproche devant Dieu et devant les hommes. 17. Or, après plusieurs années d'absence, je suis venu pour faire des aumônes à ma nation et pour présenter des offrandes. 18. C'est dans ces circonstances que j'ai été trouvé purifié dans le temple, sans attroupement ni tumulte, *non par ceux qui sont ici*, 19. mais par quelques Juifs d'Asie. C'était à ces derniers de paraître en ta présence et de se porter accusateurs, s'ils ont quelque plainte à faire valoir contre moi. 20. Ou bien que ceux-ci disent de quel crime ils m'ont trouvé coupable, lorsque j'ai comparu devant le sanhédrin, 21. à moins qu'on me fasse un crime de cette seule parole que j'ai dite à haute voix devant eux : C'est à cause de la résurrection des morts que vous me mettez aujourd'hui en jugement. "

22. Félix, qui connaissait bien cette doctrine, les remit à un autre jour, en disant : " Quand le tribun Lysias sera venu, j'examinerai votre affaire." 23. Et il donna l'ordre au centurion de garder Paul, mais en lui laissant quelque liberté, et sans empêcher aucun des siens de lui rendre des services. 24. Quelques jours après, Félix vint avec Drusille, sa femme, qui était juive. Ayant fait appeler Paul, il l'entendit sur la foi en Jésus Christ. 25. Mais Paul en étant venu à parler de justice, de tempérance et de jugement à venir, Félix effrayé dit : " Pour le moment, retire-toi ; je te rappellerai à la première occasion. " 26. Il espérait en même temps que

17. *Présenter des offrandes*, offrir des sacrifices à l'occasion de la fête de la Pentecôte. — 18. *Purifié*, accomplissant les rites qui mettent fin au nazaréat : comp. xxi, 24, 26. Ou bien *après m'être purifié* par les ablutions ordinaires. — 21. *De cette seule parole* : ironie.

Paul lui donnerait de l'argent; aussi le faisait-il venir assez fréquemment pour s'entretenir avec lui. 27. Deux ans s'écoulèrent ainsi et Félix eut pour successeur Porcius Festus, et, dans le désir de se rendre agréable aux Juifs, il laissa Paul en prison.

Paul devant Festus; il en appelle à César. — CH. 25.

Festus, étant arrivé dans sa province, monta trois jours après de Césarée à Jérusalem. 2. Les chefs des prêtres et les principaux d'entre les Juifs vinrent lui porter plainte contre Paul. Avec beaucoup d'instances 3. ils lui demandèrent comme une faveur, dans un but hostile à l'Apôtre, qu'il le fît transférer à Jérusalem : leur dessein était de le faire périr en route dans une embuscade. 4. Festus répondit que Paul était gardé à Césarée et que lui-même y retournerait sous peu. 5. " Que ceux d'entre vous, ajouta-t-il, qui ont qualité pour cela, descendent avec moi, et s'il y a des charges contre cet homme, qu'ils l'accusent. "

6. Après avoir passé seulement huit ou dix jours à Jérusalem, Festus descendit à Césarée, et le lendemain, ayant pris place sur son tribunal, il fit amener Paul. 7. Quand on l'eut amené, les Juifs venus de Jérusalem l'entourèrent en portant contre lui de nombreuses et graves accusations, qu'ils ne pouvaient prouver. 8. Paul se défendait, affirmant qu'il n'avait rien fait de répréhensible, ni contre la loi des Juifs, ni contre le temple, ni contre César. 9. Festus, qui voulait complaire aux Juifs, dit à Paul : " Veux-tu monter à Jérusalem et y être jugé sur ces choses en ma présence?" 10. Paul répondit : " Je suis devant le tribunal de César; c'est là que je dois être jugé. Je n'ai fait aucun

---

27. *Se rendre agréable aux Juifs*, qu'il avait irrités par ses vexations et ses crimes. — *En prison.* Quoique prisonnier, Paul continua son apostolat à Césarée.

Chap. 25. — 9. *Veux-tu :* comme citoyen romain, Paul avait le droit de réclamer au tribunal romain. Festus ne lui fait cette proposition que pour donner aux Juifs une preuve de son bon vouloir à leur égard.

tort aux Juifs, comme tu le sais bien toi-même. 11. Si j'ai commis quelque injustice ou quelque attentat qui mérite la mort, je ne refuse pas de mourir; mais si leurs accusations sont sans fondement, personne n'a le droit de me livrer à eux. J'en appelle à César. " 12. Alors Festus, après en avoir conféré avec son conseil, répondit : " Tu en as appelé à César, tu iras à César. "

Il comparaît devant Agrippa.

13. Quelques jours après, le roi Agrippa et Bérénice arrivèrent à Césarée pour saluer Festus. 14. Comme ils y passaient plusieurs jours, Festus exposa au roi l'affaire de Paul, en disant : " Il y a *ici* un homme que Félix a laissé prisonnier. 15. Les princes des prêtres et les anciens des Juifs ont porté plainte contre lui, lorsque j'étais à Jérusalem, demandant sa condamnation. 16. Je leur ai répondu que ce n'est pas la coutume des Romains de livrer un homme avant de l'avoir confronté avec ses accusateurs et de lui avoir donné les moyens de se défendre. 17. Ils sont donc venus ici, et, sans différer, j'ai pris place le lendemain sur mon tribunal, et j'ai fait amener cet homme. 18. Les accusateurs, s'étant présentés, ne lui imputèrent rien de ce que je supposais; 19. mais ils l'attaquèrent sur des controverses ayant trait à leur religion, et à un certain Jésus, qui est mort, et que Paul affirme être vivant. 20. Comme j'étais embarrassé pour faire une enquête sur ces matières, je lui demandai s'il voulait aller à Jérusalem et y être jugé sur ces choses. 21. Mais Paul en ayant appelé, pour que sa cause fût réservée à la connaissance de l'empereur j'ai ordonné de le garder jusqu'à ce que je l'envoyasse à César. " 22. Agrippa dit à Festus : " Je voudrais bien, moi aussi, entendre cet homme."— "Demain, répondit Festus, tu l'enten-

---

14. *Festus exposa au roi :* encore étranger aux mœurs et à la religion des Juifs, il profita de l'occasion pour s'éclairer auprès du Juif Agrippa.

dras." 23. Le lendemain, Agrippa et Bérénice vinrent en grande pompe. Quand ils furent dans la salle d'audience avec les tribuns et les principaux personnages de la ville, Paul fut amené par l'ordre de Festus. 24. Alors Festus dit : "Roi Agrippa, et vous tous qui êtes présents avec nous, vous avez devant vous l'homme au sujet duquel les Juifs sont venus en foule me parler, soit à Jérusalem, soit ici, en criant qu'il ne fallait plus le laisser vivre. 25. Pour moi ayant reconnu qu'il n'a rien fait qui mérite la mort, et lui-même en ayant appelé à l'empereur, j'ai résolu de le lui envoyer. 26. Comme je n'ai rien de précis à écrire à l'empereur sur son compte, je l'ai fait comparaître devant vous, et surtout devant toi, roi Agrippa, afin qu'après cette audience je puisse rédiger mon rapport. 27. Car il ne me paraît pas raisonnable d'envoyer un prisonnier, sans indiquer en même temps de quoi on l'accuse."

CH. 26. — *Discours de Paul devant Agrippa, qui reconnaît son innocence.*

Agrippa dit à Paul : "Tu as la parole pour ta défense." Alors Paul, étendant la main, se justifia en ces termes : 2. "Je m'estime heureux, roi Agrippa, d'avoir aujourd'hui à me justifier devant toi de toutes les choses dont je suis accusé par les Juifs; 3. car tu connais mieux que personne leurs institutions et leurs controverses. Je te prie donc de m'écouter avec patience. 4. Ma vie, dès les premiers temps de ma jeunesse, est connue de tous les Juifs, puisqu'elle s'est passée à Jérusalem, au milieu de ma nation. 5. Me connaissant ainsi depuis longtemps, ils savent, s'ils veulent en rendre témoignage, que j'ai vécu dans le pharisaïsme, la secte la plus austère de notre religion. 6. Et maintenant je suis mis en jugement parce que j'espère en la promesse que Dieu a faite à nos pères, 7. promesse dont nos douze tribus, en servant

Chap. 26. — 6. *La promesse*, l'ensemble des promesses faites au peuple juif, touchant le royaume de Dieu que le Messie doit fonder.

Dieu sans relâche, nuit et jour, attendent la réalisation. C'est pour cette espérance, ô roi, que les Juifs m'accusent! 8. Vous semble-t-il donc incroyable que Dieu ressuscite les morts? 9. Moi aussi j'avais cru que je devais m'opposer de toutes mes forces au nom de Jésus de Nazareth. 10. C'est ce que j'ai fait à Jérusalem; j'ai fait enfermer dans les prisons un grand nombre de saints, en ayant reçu le pouvoir des princes des prêtres; et quand on les mettait à mort, je joignais mon suffrage à celui des autres. 11. Souvent, parcourant toutes les synagogues, j'ai sévi contre eux, pour les forcer à blasphémer; et ma fureur allant toujours croissant, je les poursuivais jusque dans les villes étrangères.

12. Comme j'allais ainsi à Damas, avec les pleins pouvoirs et un mandat des chefs des prêtres, 13. vers le milieu du jour, je vis sur le chemin, ô roi, une lumière venant du ciel, plus éclatante que celle du soleil, resplendir autour de moi et de mes compagnons. 14. Nous tombâmes tous par terre, et j'entendis une voix qui me disait en langue hébraïque : Saul, Saul, pourquoi me persécutes-tu? Il te serait dur de regimber contre l'aiguillon. — 15. Qui êtes-vous, Seigneur? m'écriai-je. Et le Seigneur dit : Je suis Jésus, que tu persécutes. 16. Mais relève-toi, et tiens-toi debout, car je t'ai apparu, afin de te constituer ministre et témoin des choses que tu as vues et de celles pour lesquelles je t'apparaîtrai encore. 17. Je t'ai tiré du milieu de ce peuple et des gentils auxquels je t'envoie, 18. pour leur ouvrir les yeux, afin qu'ils passent des ténèbres à la lumière et de la puissance de Satan à Dieu, et qu'ainsi, par la foi en moi, ils reçoivent la ré-

8. *Ressuscite les morts :* allusion à la résurrection de J. C., sur laquelle repose la foi chrétienne (I *Cor.* xv, 14). — 11. *Sévi contre eux*, en les faisant fouetter dans les synagogues. — *Etrangères*, hors de la Palestine. — 16. Chap. 22. 14 sv. (comp. ix, 15), Paul dit que c'est par l'intermédiaire d'Ananie que Jésus lui adressa ces paroles. — 17. *Je t'ai tiré*, délivré de leurs mains. Ou bien : *Je t'ai choisi du milieu de ce peuple.*

mission des péchés et une part avec les saints.

19. Je n'ai donc pas résisté, roi Agrippa, à la vision céleste; 20. mais j'ai prêché d'abord à ceux de Damas, puis à Jérusalem, dans toute la Judée, et parmi les gentils, le repentir et la conversion à Dieu, avec la pratique d'œuvres dignes de la pénitence. 21. Voilà pourquoi les Juifs se sont saisis de moi dans le temple et ont essayé de me faire périr. 22. C'est donc grâce au secours de Dieu que j'ai subsisté jusqu'à ce jour, rendant témoignage devant les petits et les grands, sans dire autre chose que ce que Moïse et les prophètes ont prédit, 23. savoir, que le Christ devait souffrir, et que, ressuscité le premier d'entre les morts, il annoncerait la lumière au peuple et aux gentils..."

24. Comme il parlait ainsi pour sa défense, Festus dit à haute voix : "Tu es fou, Paul; ton grand savoir égare ta raison." — 25. "Je ne suis point fou, très excellent Festus, répondit Paul; je parle le langage de la vérité et de la sagesse. 26. Le roi est instruit de ces choses, et je lui en parle librement, persuadé qu'il n'en ignore aucune; car rien de tout cela ne s'est passé dans un coin obscur. 27. Crois-tu aux prophètes, roi Agrippa? Je sais que tu y crois." 28. Agrippa dit à Paul : "Peu s'en faut que tu ne me persuades de devenir chrétien." — 29. "Qu'il s'en faille de peu ou de beaucoup, répartit Paul, plût à Dieu que non seulement toi, mais encore tous ceux qui m'écoutent en ce moment, vous fussiez tels que je suis, à l'exception de ces chaînes!" 30. Alors le roi se leva, et avec lui le gouverneur, Bérénice et toute leur suite. 31. S'étant retirés, ils se disaient les uns aux autres : "Cet homme n'a rien fait qui mérite la mort ou la prison." 32. Et Agrippa dit à Festus : "On pourrait le relâcher, s'il n'en avait pas appelé à César."

26. *De ces choses*, des principaux faits de la vie de Jésus. — 28. Impressionné par le discours de Paul, Agrippa, en homme du monde, dissimule ou réprime son émotion par ce mot de forme légère.

Départ de Paul pour Rome :
CH. 27. — *De Césarée à l'île de Crète.*

Lorsqu'il eut été décidé que nous devions nous embarquer pour l'Italie, on remit Paul et quelques autres prisonniers à un centurion nommé Julius, de la cohorte Auguste. 2. Nous montâmes sur un vaisseau d'Adramytte qui devait longer les côtes de l'Asie, et nous levâmes l'ancre, ayant avec nous Aristarque, Macédonien de Thessalonique. 3. Le jour suivant, nous abordâmes à Sidon ; et Julius, qui traitait Paul avec bienveillance, lui permit d'aller chez ses amis et de recevoir leurs soins. 4. Etant partis de là, nous cotoyâmes l'île de Chypre, parce que les vents étaient contraires. 5. Après avoir traversé la mer qui baigne la Cilicie et la Pamphylie, nous arrivâmes à Myre, en Lycie. 6. Le centurion ayant trouvé dans le port un navire d'Alexandrie qui faisait voile pour l'Italie, il nous y fit monter. 7. Pendant plusieurs jours nous naviguâmes lentement, et ce ne fut pas sans difficulté que nous arrivâmes à la hauteur de Cnide, où le vent ne nous permit pas d'aborder. Nous passâmes au dessous de l'île de Crète, du côté de Salmoné, 8. et longeant la côte avec peine, nous arrivâmes à un lieu nommé Bons-Ports, près duquel était la ville de Thalassa. 9. Un temps assez long s'était écoulé, et la navigation devenait dangereuse, car l'époque même du jeûne était déjà passée. Paul fit des représentations à l'équipage : 10. " Mes amis, leur dit-il, je prévois que la navigation ne peut se faire sans exposer au danger et à de graves dommages, non seulement la cargaison et le navire, mais encore nos personnes. " 11. Mais le centurion avait plus de confiance en ce que disaient le pilote et le patron du navire, que

Chap. 27. — 3. *D'aller chez ses amis*, naturellement sous la garde d'un soldat. — 9. *Du jeûne* du Pardon ou de la fête des Expiations, qui avait lieu en octobre. Passé cette date, les voyages maritimes devenaient dangereux. — 10. *Nos personnes :* plus tard (vers. 23), une révélation le rassura sur ce dernier point.

dans les paroles de Paul. 12. Et comme le port n'était pas bon pour hiverner, la plupart furent d'avis de reprendre la mer et de tâcher d'atteindre, pour y passer l'hiver, Phénix, port de Crète, qui regarde l'occident.

Tempête.

13. Un léger vent du sud vint à souffler; se croyant maîtres de leur dessein, ils levèrent l'ancre et rasèrent de près les côtes de Crète. 14. Mais bientôt un vent impétueux, nommé Euraquilon, se déchaîna sur l'île. 15. Le navire fut entraîné, sans pouvoir lutter contre l'ouragan, et nous nous laissâmes aller à la dérive. 16. Nous passâmes rapidement au dessous d'une petite île, nommée Cauda, et nous eûmes beaucoup de peine à remonter la chaloupe. 17. Quand on l'eut hissée, les matelots, ayant recours à tous les moyens de salut, ceignirent le navire *avec des câbles*, et dans la crainte d'échouer sur la Syrte, ils abattirent la voilure et se laissèrent aller. 18. Comme nous étions violemment battus par la tempête, on jeta le lendemain la cargaison à la mer, 19. et le jour suivant nous y lançâmes de nos propres mains les agrès du navire. 20. Pendant plusieurs jours, ni le soleil ni les étoiles ne se montrèrent, et la tempête continuait de sévir avec violence : tout espoir de salut s'était évanoui. 21. Il y avait longtemps que personne n'avait pas mangé. Paul, se levant alors au milieu d'eux, leur dit : " Vous auriez dû m'écouter, mes amis, et ne point partir de Crète; vous vous seriez épargné ce péril et ce dommage. 22. Cependant je vous exhorte à prendre courage, car aucun de vous ne perdra la vie; il n'y aura pas d'autre perte que celle du navire.

12. *Passer l'hiver :* on avait perdu l'espoir d'arriver à Rome avant l'hiver. — 13. Vulgate : *Ils levèrent l'ancre d'Asson, et côtoyèrent la Crète.* — 16. *La chaloupe*, qui suit librement, d'ordinaire, le navire auquel elle est attachée, fut remontée à bord, de peur qu'elle ne se brisât et ne pût plus servir en cas de naufrage. — 17. Ces *câbles*, ceignant tout autour le navire, lui donnaient plus de résistance à la mer, et pouvaient l'empêcher de se disjoindre si l'on venait à échouer sur un banc de sable.

23. Cette nuit même un ange de Dieu à qui j'appartiens et que je sers, m'est apparu 24. et m'a dit : Paul, ne crains point; il faut que tu comparaisses devant César, et voici que Dieu t'a donné tous ceux qui naviguent avec toi. 25. Courage donc, mes amis; car j'ai cette confiance en Dieu qu'il en sera comme il m'a été dit. 26. Nous devons échouer sur une île."

Echouage.

27. La quatorzième nuit, comme nous étions ballotés dans la mer Adriatique, les matelots soupçonnèrent, vers le milieu de la nuit, qu'on approchait de quelque terre. 28. Jetant aussitôt la sonde, ils trouvèrent vingt brasses; un peu plus loin, ils la jetèrent de nouveau, et en trouvèrent quinze. 29. Dans la crainte de heurter contre des récifs, ils jetèrent quatre ancres de la poupe, et attendirent le jour avec impatience. 30. Mais comme les matelots cherchaient à s'échapper du navire, et que déjà, sous prétexte d'aller jeter des ancres du côté de la proue, ils avaient mis la chaloupe à flot, 31. Paul dit au centurion et aux soldats : "Si ces hommes ne restent pas dans le navire, vous êtes tous perdus." 32. Alors les soldats coupèrent les amarres de la chaloupe, et l'abandonnèrent aux vagues. 33. En attendant le jour, Paul exhorta tout le monde à prendre de la nourriture : "Voici, leur dit-il, le quatorzième jour que, remplis d'anxiété, vous restez à jeûn sans rien prendre. 34. Je vous engage donc à manger, car cela importe à votre salut, et aucun de vous ne perdra un cheveu de la tête." 35. Ayant ainsi parlé, il prit du pain, et après avoir rendu grâces à Dieu en présence de tous, il le rompit et se mit à manger. 36. Et tous, reprenant courage, mangèrent aussi. 37. Nous étions en tout, sur le bâtiment, deux cent soixante-seize personnes. 38. Quand ils eurent mangé suffisamment, ils allé-

24. *T'a donné*, etc. sens : En ta considération, Dieu épargnera la vie des autres passagers. — 29. *Quatre ancres :* les ancres des anciens étaient plus petites, mais aussi plus nombreuses que les nôtres.

gèrent le navire en jetant les provisions à la mer. 39. Le jour étant venu, ils ne réconnurent pas la côte; mais ayant aperçu une baie qui avait une plage de sable, ils résolurent d'y faire échouer le navire, s'ils le pouvaient. 40. On coupa donc les amarres des ancres, qu'on abandonna à la mer; on lâcha en même temps les cordes des gouvernails, on mit au vent la voile d'artimon et on gouverna vers la plage. 41. Mais ayant touché sur une langue de terre, ils y poussèrent le navire; la proue s'enfonça *dans le sable* et resta immobile, tandis que la poupe se disloquait par la violence des vagues. 42. Les soldats formèrent le projet de tuer les prisonniers, de peur que quelqu'un d'eux ne s'échappât à la nage. 43. Mais le centurion, qui voulait sauver Paul, les empêcha d'exécuter leur dessein. Il ordonna à ceux qui savaient nager de se jeter les premiers à l'eau et de gagner la terre, 44. et aux autres de se mettre sur des planches ou sur des débris arrachés au navire. Et ainsi tous atteignirent le rivage sains et saufs.

Ch. 28. — *Paul dans l'île de Malte.*

Une fois à terre, nous reconnûmes que l'île s'appelait Malte. Les barbares nous traitèrent avec une bienveillance peu commune; 2. ils nous recueillirent tous autour d'un grand feu qu'ils avaient allumé, à cause de la pluie qui était survenue, et du froid. 3. Paul ayant ramassé quelques broussailles et les ayant jetées dans le brasier, une vipère, que la chaleur en fit sortir, s'attacha à sa main. 4. En voyant ce reptile qui pendait à sa main, les barbares se dirent les uns aux autres : " Sans aucun doute, cet

40. *Desgouvernails.* Les navires anciens avaient deux gouvernails, l'un à droite, l'autre à gauche, qu'on serrait avec des cordes lorsqu'on ne pouvait pas s'en servir. — *D'artimon*, petit mât arboré sur les hunes des autres mâts, et dont la voile sert moins à mouvoir qu'à diriger le navire.

Chap. 28. — 2. *Les barbares :* les habitants de Malte, originaires de Carthage, ne parlaient ni latin ni grec, ce qui suffisait, au point de vue romain, pour leur donner ce nom.

homme est un meurtrier; car, après qu'il a été sauvé de la mer, la justice divine n'a pas voulu le laisser vivre." 5. Lui, cependant, secoua la vipère dans le feu et n'en ressentit aucun mal. 6. Les barbares s'attendaient à le voir enfler ou tomber mort subitement. Mais après avoir longtemps attendu, voyant qu'il ne lui arrivait aucun mal, ils changèrent de sentiment et dirent que c'était un dieu. 7. Il y avait, dans le voisinage, des terres appartenant au premier personnage de l'île, nommé Publius, qui nous reçut et nous donna pendant trois jours l'hospitalité la plus amicale. 8. Le père de Publius était alors au lit, malade de la fièvre et de la dyssenterie. Paul alla le visiter, et après avoir prié, il lui imposa les mains et le guérit. 9. Sur quoi tous les autres malades de l'île vinrent le trouver, et ils furent guéris. 10. On nous rendit de grands honneurs, et, à notre départ, ils mirent *dans le navire* toutes les choses dont nous avions besoin.

De Malte à Rome.

11. Après un séjour de trois mois, nous nous embarquâmes sur un vaisseau d'Alexandrie qui avait passé l'hiver dans l'île; il portait pour enseigne les Dioscures. 12. Ayant abordé à Syracuse, nous y restâmes trois jours. 13. De là, contournant *la pointe de l'Italie*, nous atteignîmes Rhegium; le lendemain, le vent souffla du sud, et nous arrivâmes en deux jours à Pouzzoles; 14. nous y trouvâmes des frères qui nous prièrent de passer sept jours avec eux; ensuite nous partîmes pour Rome. 15. Ayant entendu parler de notre arrivée, les frères de cette ville vinrent au devant de nous jusqu'au Forum d'Appius et aux Trois-Tavernes. Paul, en les

11. *Après un séjour de 3 mois*, vers le mois de février. — *Les Dioscures*. Les vaisseaux anciens portaient à l'avant une image peinte ou sculptée : c'est de là qu'ils tiraient leur nom. Celui dont on parle ici s'appelait donc le *Castor et Pollux*. — 14. *Nous partîmes pour Rome*, à pied. — 15. Paul, depuis l'envoi de son épître aux Romains, était pour les fidèles de Rome un maître connu et respecté.

voyant, rendit grâces à Dieu et fut rempli de confiance.

Captivité à Rome — Double entrevue avec les Juifs.

16. Quand nous fûmes arrivés à Rome, on permit à Paul de demeurer en son particulier avec un soldat qui le gardait. 17. Trois jours après, Paul fit appeler les principaux d'entre les Juifs, et quand ils furent venus, il leur dit : " Mes frères, sans avoir rien fait ni contre le peuple, ni contre les coutumes de nos pères, j'ai été mis en prison et transféré de Jérusalem à Césarée, pour être livré aux Romains. 18. Après m'avoir interrogé, ils voulaient me relâcher, parce qu'il n'y avait rien en moi qui méritât la mort. 19. Mais les Juifs s'y opposèrent, et je me suis vu forcé d'en appeler à César, non certes que j'aie aucun dessein d'accuser ma nation. 20. Voilà pourquoi j'ai demandé à vous voir et à vous parler; car c'est à cause de l'espérance d'Israël que je porte cette chaîne. " 21. Ils lui répondirent : " Nous n'avons reçu de Judée aucune lettre à ton sujet, et aucun des frères qui en sont revenus n'a rien rapporté ou dit de défavorable sur ton compte. 22. Mais nous voudrions entendre de ta bouche ce que tu penses; car, pour ce qui est de cette secte, nous savons qu'elle rencontre partout de l'opposition. "

23. Ayant pris jour avec lui, ils vinrent en plus grand nombre le trouver où il logeait. Paul leur exposa, dans un langage pressant, *ce qui a trait* au royaume de Dieu, cherchant à les persuader, par la loi de Moïse et les prophètes, de ce qui concerne Jésus. L'entretien dura depuis le matin jusqu'au soir. 24. Les uns furent convaincus par ce qu'il disait, mais les autres ne crurent point.

---

16. *En son particulier*, chez un hôte chrétien (vers. 23), peut-être Aquilas. Selon l'usage, une chaîne joignait le bras gauche du soldat au bras droit du prisonnier. — 21-22. On sent dans le langage des Juifs, une sorte de réserve diplomatique; ils s'en tiennent, vis-à-vis de Paul, au point de vue purement officiel. — *Pour cette secte*, religion de Jésus, à laquelle Paul a fait allusion vers. 20. — 23. *Ce qui concerne Jésus*, savoir que Jésus est le Messie.

25. Comme ils se retiraient en désaccord, Paul n'ajouta que ces mots : " Elle est bien vraie cette parole que le Saint Esprit a dite à vos pères par le prophète Isaïe : 26. Va vers ce peuple et dis-leur : Vous entendrez de vos oreilles, et vous ne comprendrez point; vous regarderez de vos yeux, et vous ne verrez point. 27. Car le cœur de ce peuple est devenu insensible; ils ont endurci leurs oreilles et ils ont fermé leurs yeux, de peur de voir de leurs yeux, d'entendre de leurs oreilles, de comprendre avec leur cœur, de se convertir et de recevoir de moi le salut. — 28. Sachez donc que ce salut de Dieu a été envoyé aux gentils; pour eux, ils le recevront avec docilité." 29. Lorsqu'il eut ainsi parlé, les Juifs s'en allèrent, en discutant vivement entre eux.

Pendant deux ans Paul exerce librement son apostolat.

30. Paul demeura deux ans entiers dans une maison qu'il avait louée. Il recevait tous ceux qui venaient le visiter, 31. prêchant le royaume de Dieu et enseignant ce qui regarde le Seigneur Jésus Christ, en toute liberté et sans empêchement.

31. Terminons par ce mot d'un commentateur : " La parole de Dieu triomphe; Paul est à Rome : c'est le sommet de l'Evangile et la fin des Actes."

ÉPÎTRE DE SAINT PAUL AUX ROMAINS.

Préambule (1, 1 — 17).

CH. I. — *Adresse et salutation.*

✠ PAUL, serviteur de Jésus Christ, appelé à l'apostolat, mis à part pour *annoncer* l'Evangile de Dieu, 2. *Evangile* que Dieu avait promis auparavant par ses prophètes dans les saintes Ecritures, 3. touchant son Fils (né de la postérité de David selon la chair, 4. *et* déclaré Fils de Dieu avec puissance, selon l'Esprit de sainteté, par sa résurrection d'entre les morts), Jésus Christ Notre Seigneur, 5. par qui nous avons reçu la grâce et l'apostolat, pour amener en son nom à l'obéissance de la foi, tous les gentils, 6. du nombre desquels vous êtes aussi, vous, appelés de Jésus Christ, ¶ — 7. à tous les bien aimés de Dieu, les saints appelés par lui, qui sont à Rome : grâce et paix vous *soient données* de la part de Dieu notre Père et du Seigneur Jésus Christ !

Chap. 1. — 4. *Déclaré*, ou *démontré avec puissance*, avec une autorité irréfragable, *Fils de Dieu selon l'Esprit Saint*, selon la nature divine, par opposition à *selon la chair* (vers. 3), qui désigne la nature humaine. Au lieu de *déclaré*, il y a dans la Vulgate *prédestiné*, qui s'explique difficilement. — 6. Ou bien, *vous qui êtes à J. C. par votre vocation.*

Exorde : amour de S. Paul pour les chrétiens de Rome.

8. Et d'abord je rends grâces à mon Dieu, par Jésus Christ, au sujet de vous tous, de ce que votre foi est renommée dans le monde entier. 9. Dieu m'en est témoin, *ce Dieu* que je sers en mon esprit par *la prédication de* l'Evangile de son Fils, sans cesse je fais mention de vous, 10. demandant continuellement dans mes prières d'avoir enfin, par sa volonté, le bonheur de me rendre auprès de vous. 11. Car j'ai un grand désir de vous voir, pour vous communiquer quelque don spirituel, afin que vous soyez affermis, 12. je veux dire, afin de nous encourager ensemble au milieu de vous par la foi qui nous est commune, à vous et à moi. 13. Je ne veux pas vous laisser ignorer, mes frères, que je me suis souvent proposé d'aller vous voir, — mais j'en ai été empêché jusqu'ici, — afin de recueillir aussi quelque fruit parmi vous, comme *j'en ai recueilli* parmi les autres nations. 14. Je me dois aux Grecs et aux barbares, aux savants et aux ignorants. 15. Ainsi, autant qu'il est en moi, je suis prêt à vous annoncer aussi l'Evangile, à vous qui êtes à Rome.

Sujet de l'Epître : la justification par la foi.

16. Car je n'ai point honte de l'Evangile; c'est une force divine pour le salut de tout homme qui croit, premièrement du Juif, puis du Grec. 17. Car la justice de Dieu y est révélée *et communiquée* par la foi à tout homme qui croit, selon qu'il est écrit : " Le juste vivra par la foi."

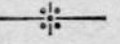

9. *En mon esprit*, dans la partie la plus intime et la plus sainte de mon âme, et non pas seulement de corps. — 14. *Grecs :* ce mot, d'après la manière de parler en usage à cette époque, désignait les peuples de race ou de civilisation hellénique (Grecs et Romains); tous les autres étaient des barbares. — 16. *De l'Evangile*, qui présente au monde un Sauveur crucifié, lequel n'offre aux siens ici-bas qu'une part dans ses humiliations et ses souffrances. — 17. *La justice de Dieu*, cet état de grâce et de sainteté dans lequel l'homme avait été créé à l'origine, et qui était comme un reflet des perfections de Dieu, spécialement de sa sainteté.

PREMIÈRE PARTIE [DOGMATIQUE].

DE LA JUSTIFICATION PAR LA FOI (Ch. 1, 18 — 11, 36).

Section I (1, 18 — 4, 25).

Nécessité de la justification.

A. — *Tous les hommes ont besoin d'être justifiés.*

Païens : *méconnaissance coupable du vrai Dieu.*

18. En effet, la colère de Dieu se révèle du ciel contre toute impiété et toute injustice des hommes, qui, par leur injustice, retiennent la vérité captive; 19. car ce qui est connu de Dieu est manifeste pour eux : Dieu le leur a fait connaître. 20. Car ses perfections invisibles, son éternelle puissance et sa divinité sont, depuis la création du monde, aperçues par l'intelligence au moyen de ses œuvres. Ils sont donc inexcusables, 21. puisque, ayant connu Dieu, ils ne l'ont pas glorifié comme Dieu et ne lui ont pas rendu grâces; mais ils sont devenus vains dans leurs pensées, et leur cœur sans intelligence s'est enveloppé de ténèbres. 22. Se vantant d'être sages, ils sont devenus fous; 23. et ils ont échangé la majesté du Dieu incorruptible pour des images représentant l'homme corruptible, des oiseaux, des quadrupèdes et des reptiles.

Le jugement divin.

24. Aussi Dieu les a-t-il livrés, au milieu des convoitises de leurs cœurs, à l'impureté, en sorte qu'ils déshonorent entre eux leurs propres corps,

19. *Ce qui est connu de Dieu*, ce que la raison naturelle nous apprend de son existence et de sa nature. — 21. *Vains :* allusion à l'idolâtrie, le mot *vanité* en hébreu signifiant aussi *idole*. — 23. *Images :* les idoles avaient la figure d'homme chez les Grecs et les Romains, d'animaux chez les Egyptiens (bœuf, crocodile). — 24. *Les a livrés*, en ce sens que, d'après une loi du monde moral attestée par l'expérience et dont Dieu est l'auteur, l'iniquité suit l'iniquité, de même que la vertu est récompensée par un accroissement de vertu, sans qu'il y ait, ni d'un côté ni de l'autre, privation de liberté.

25. eux qui ont échangé le Dieu véritable pour le mensonge, et qui ont adoré et servi la créature de préférence au Créateur, lequel est béni éternellement. Amen! 26. C'est pourquoi Dieu les a livrés à des passions d'ignominie : leurs femmes ont changé l'usage naturel en celui qui est contre nature; 27. de même aussi les hommes, au lieu d'user de la femme selon *l'ordre de* la nature, ont, dans leurs désirs, brûlé les uns pour les autres, ayant hommes avec hommes un commerce infâme, et recevant, dans une mutuelle dégradation, le juste salaire de leur égarement. 28. Et comme ils ne se sont pas souciés de bien connaître Dieu, Dieu les a livrés à leur sens pervers pour faire ce qui ne convient pas, 29. étant remplis de toute espèce d'iniquité, de malice, de fornication, d'avarice, de méchanceté, pleins d'envie, de pensées homicides, de querelle, de ruse, de malignité, 30. semeurs de faux bruits, calomniateurs, haïs de Dieu, arrogants, hautains, fanfarons, ingénieux au mal, rebelles à leurs parents, 31. insensés, traîtres, implacables, sans affection, sans pitié. 32. Et bien qu'ils connaissent le jugement de Dieu déclarant dignes de mort ceux qui commettent de telles choses, non seulement ils les font, mais encore ils approuvent ceux qui les font.

Transition des Gentils aux Juifs : *chacun sera jugé selon ses œuvres.* — CH. 2.

Ainsi, qui que tu sois, ô homme, toi qui juges, tu es inexcusable; car, en jugeant les autres, tu te condamnes toi-même,

25. *Le mensonge*, les vaines idoles. — 27. *Leur égarement*, l'idolâtrie. — 28. *Ce qui ne convient pas*, les actions les plus indignes. — 30. *Haïs de Dieu*, ce qui suppose une profonde corruption. — 32. *Connaissent*, par leur conscience. — *Dignes de mort*, de la mort éternelle. — *Non seulement*, etc. Il est d'expérience que l'homme, sollicité par ses passions, fait longtemps le mal avant de cesser de le condamner, surtout avant de l'approuver dans les autres. Néanmoins, comme la gradation indiquée par S. Paul n'est pas aperçue au premier coup d'œil, on a essayé, par divers changements, de ramener le texte à un sens en apparence plus raisonnable. De là est venue la leçon de la Vulgate : *Ayant connu la justice de Dieu, ils n'ont pas compris que ceux qui font ces choses sont dignes de mort, et non seulement ceux qui les font, mais encore ceux qui approuvent ceux qui les font.*

puisque tu fais les choses mêmes que tu condamnes. 2. Car nous savons que le jugement de Dieu est selon la vérité contre ceux qui commettent de telles choses. 3. Et tu penses, ô homme, toi qui juges ceux qui les commettent, et qui les fais toi-même, que tu échapperas au jugement de Dieu? 4. Ou méprises-tu les richesses de sa bonté, de sa patience et de sa longanimité? et ne sais-tu pas que la bonté de Dieu t'invite à la pénitence? 5. Pour ton endurcissement et l'impénitence de ton cœur, tu t'amasses un trésor de colère pour le jour de la colère et de la manifestation du juste jugement de Dieu, 6. qui rendra à chacun selon ses œuvres : 7. la vie éternelle à ceux qui, par la persévérance dans le bien, cherchent la gloire, l'honneur et l'immortalité; 8. mais la colère et l'indignation aux enfants de contention, indociles à la vérité, dociles à l'iniquité.

Les Juifs selon la loi écrite, les Gentils selon la loi naturelle.

9. *Oui*, tribulation et angoisse sur tout homme qui fait le mal, sur le Juif premièrement, puis sur le Grec; 10. gloire, honneur et paix pour quiconque fait le bien, pour le Juif premièrement, puis pour le Grec. 11. Car Dieu ne fait pas acception des personnes. 12. Tous ceux qui ont péché sans loi périront aussi sans loi, et tous ceux qui ont péché avec une loi seront jugés par cette loi. 13. Ce ne sont pas, en effet, ceux qui écoutent une loi qui sont justes devant Dieu; mais ce sont ceux qui la mettent en pratique qui seront justifiés. 14. Quand des païens, qui n'ont pas de loi, accomplissent naturellement ce que la Loi commande, n'ayant pas de loi, ils se tiennent lieu de loi à eux-mêmes; 15. ils

Chap. 2. — 5. *Trésor de colère* correspond à *richesses de sa bonté* (vers. 4). — *Jour de colère*, etc., jugement dernier. — 7. *La gloire, l'immortalité*, tout ce qui compose le bonheur du ciel. — 12. *Ont péché :* au parfait, du point de vue du jour du jugement, *sans loi* écrite, comme celle de Moïse; car les païens ont la loi morale naturelle, gravée dans leurs cœurs. — 14. *Naturellement*, avec la lumière intérieure de la conscience. — *Une loi :* leur nature morale, avec la voix de la conscience qui condamne ou défend, leur tient lieu de loi écrite.

montrent que l'œuvre de la Loi est écrite dans leurs cœurs, leur conscience rendant en même temps témoignage, et, dans leurs rapports mutuels, leurs pensées les accusant ou les défendant *tour à tour.* 16. *C'est ce qui paraîtra* au jour où, selon mon Evangile, Dieu jugera par Jésus Christ les actions secrètes des hommes.

Juifs : *la loi aggravera leur condamnation.*

17. Toi qui portes le nom de Juif, qui te reposes sur la Loi, qui te glorifies en Dieu, 18. qui connais sa volonté, qui sais discerner ce qu'il y a de meilleur, instruit que tu es par la Loi ; 19. toi qui te flattes d'être le guide des aveugles, la lumière de ceux qui sont dans les ténèbres, 20. le docteur des ignorants, le maître des enfants, ayant dans la Loi la règle de la science et de la vérité : — 21. toi donc qui enseignes les autres, tu ne t'enseignes pas toi-même ! Toi qui prêches de ne pas dérober, tu dérobes ! 22. Toi qui défends de commettre l'adultère, tu commets l'adultère ! Toi qui as les idoles en abomination, tu profanes le temple ! 23. Toi qui te fais une gloire d'avoir une loi, tu déshonores Dieu en la transgressant ! 24. Car " le nom de Dieu est blasphémé à cause de vous parmi les nations, " comme dit l'Ecriture.

Leur vaine confiance : en la circoncision,

25. La circoncision est utile, il est vrai, si tu observes la Loi ; mais si tu transgresses la Loi, tu n'es plus, avec ta circoncision, qu'un incirconcis. 26. Si donc l'incirconcis observe les préceptes de la Loi, son incirconcision ne sera-t-elle pas réputée

17. Liaison : on connaît la règle qui présidera au jugement des hommes (vers. 13). Or les Juifs vivent en contradiction flagrante avec elle. — *En Dieu*, de Dieu, père et protecteur spécial d'Israël. — 19. *Guide des aveugles*, etc. : allusion au prosélytisme des Juifs parmi les païens, qu'ils regardaient comme des *aveugles*, des *ignorants* ou des *insensés*, etc. — 20. *Des enfants*, de ceux qui ignorent la vérité religieuse. — 21. Sens général des vers. 21 sv. : Pourquoi donc ne conformes-tu pas ta conduite à la connaissance que tu as de la Loi ? — 25. Liaison : la circoncision, autre privilège dont s'enorgueillissent les Juifs, ne leur sert pas davantage, s'ils n'observent pas la Loi.

circoncision? 27. L'homme incirconcis de naissance, s'il observe la Loi, te jugera, toi qui, avec la lettre *de la Loi* et la circoncision, transgresses la Loi. 28. Le *vrai* Juif, ce n'est pas celui qui l'est au dehors, et la *vraie* circoncision, ce n'est pas celle qui paraît dans la chair. 29. Mais le Juif, c'est celui qui l'est intérieurement, et la circoncision, c'est celle du cœur, dans l'Esprit, et non dans la lettre : ce Juif aura sa louange, non des hommes, mais de Dieu.

Dans les promesses. — CH. 3.

Quel est donc l'avantage du Juif? En d'autres termes, quelle est l'utilité de la circoncision? 2. Cet avantage est grand de toute manière. Et d'abord c'est à eux qu'ont été confiés les oracles de Dieu. 3. Mais quoi? Si quelques-uns *d'entre eux* n'ont pas cru, leur incrédulité anéantira-t-elle la fidélité de Dieu? Loin de là! 4. Mais plutôt que Dieu soit reconnu pour vrai, et tout homme pour menteur, selon qu'il est écrit : " Afin, *ô Dieu*, que tu sois trouvé juste dans tes paroles, et que tu triomphes lorsqu'on te juge. " 5. Mais si notre injustice démontre la justice de Dieu, que dirons-nous? Dieu n'est-il pas injuste en donnant cours à sa colère? 6. (Je parle à la manière des hommes). Loin de là! Autrement, comment Dieu jugera-t-il le monde? 7. Car si, par mon mensonge, la vérité de Dieu éclate davantage pour sa gloire, pourquoi, après cela, suis-je moi-même condamné comme pécheur? 8. Et pourquoi ne ferions-nous pas le mal afin qu'il en arrive du bien, comme la calomnie nous en accuse, et comme quelques-uns

---

29. *Celle du cœur*, qui consiste à retrancher de notre volonté tout attachement au péché. — *Dans l'Esprit* Saint, par son action dans l'âme.

Chap. 3. — 3. *Quelques-uns :* Paul ménage les Juifs. — *Cru* en Jésus Christ. — 4. *Menteur*, sujet à manquer à ses promesses. — *Lorsqu'on te juge*, lorsque les hommes examinent humblement ta conduite dans le gouvernement du monde. — 6. *Jugera-t-il*, et jugera-t-il justement, *le monde*. — 7. *Vérité... mensonge*, dans l'ordre moral, c'est-à-dire, justice, injustice.

prétendent que nous l'enseignons?

Conclusion : *Tous, Juifs et Gentils, sont convaincus de péché par l'Ecriture.*

9. Eh bien donc? Avons-nous quelque supériorité? Non, aucune; car nous venons de prouver que tous, Juifs et Grecs, sont sous le péché, 10. selon qu'il est écrit : " Il n'y a point de juste, pas même un seul; 11. il n'y en a point qui ait de l'intelligence, il n'y en a point qui cherche Dieu. 12. Tous sont sortis de la voie, tous sont inutiles; il n'y a personne qui fasse le bien, pas même un seul. " 13. " Sépulcre ouvert est leur gosier; ils se servent de leurs langues pour tromper. " " Un venin d'aspic est sous leurs lèvres. " 14. " Leur bouche est pleine de malédiction et d'amertume. " 15. "Ils ont les pieds agiles pour répandre le sang. 16. La désolation et le malheur sont dans leurs voies. 17. Ils ne connaissent pas le chemin de la paix. " 18. " La crainte de Dieu n'est pas devant leurs yeux. " 19. Or nous savons que tout ce que dit la Loi, elle le dit à ceux qui sont sous la Loi, afin que toute bouche soit fermée, et que le monde entier soit sous le coup de la justice de Dieu. 20. En effet, nul homme ne sera justifié devant lui par les œuvres de la Loi, car la Loi ne fait que donner la connaissance du péché.

B. — *Preuve de la justification par la foi en Jésus Christ* (3, 21 — 4, 25.)

La véritable justice est donnée à tous par la foi sans les œuvres de la loi.

21. Mais maintenant, sans la Loi, a été manifestée *au monde* une justice de Dieu à laquelle rendent témoignage la

9. *Sous le péché :* S. Paul représente souvent le péché comme un tyran qui tient le pécheur sous sa domination. — 10. *Pas même un seul :* David, peignant à grands traits la corruption qui régnait de son temps, néglige les exceptions : Paul peut faire de même. — 11. *L'intelligence* pratique, la piété. — 20. *Ne sera justifié.* L'homme ne peut prendre une seconde naissance que dans le second Adam, en s'unissant à Jésus Christ par la foi et l'amour. — *La connaissance du péché*, non la grâce nécessaire pour l'éviter. — 21. *Manifestée*, par la venue de Jésus Christ. — *Une justice* qui vient *de Dieu*, que Dieu communique à l'homme.

Loi et les Prophètes, 22. justice de Dieu par la foi en Jésus Christ pour tous ceux et à tous ceux qui croient; il n'y a point de distinction, 23. car tous ont péché et sont privés de la gloire de Dieu; 24. et ils sont justifiés gratuitement par sa grâce, par le moyen de la rédemption qui est en Jésus Christ. 25. C'est lui que Dieu a montré *aux hommes* comme victime propitiatoire par son sang au moyen de la foi, afin de manifester sa justice, ayant, au temps de sa patience, laissé impunis les péchés précédents, 26. afin, *dis-je*, de manifester sa justice dans le temps présent, de manière à être reconnu juste et justifiant celui qui croit en Jésus Christ. 27. Où est donc ta jactance? Elle est exclue. Par quelle loi? Par la loi des œuvres? Non, mais par la loi de la foi. 28. Car nous tenons pour certain que l'homme est justifié par la foi, sans les œuvres de la Loi. 29. Ou bien Dieu n'est-il que le Dieu des Juifs? et n'est-il pas aussi le Dieu des gentils? Oui, il est aussi le Dieu des gentils, 30. puisqu'il y a un seul Dieu qui justifiera les circoncis par la foi et les incirconcis par la foi.

Exemple d'Abraham, justifié non par les œuvres, mais par la foi.

31. Anéantissons-nous donc la Loi par la foi? Loin de là! Nous la confirmons, au contraire.

CH. 4.

Quel avantage dirons-nous donc qu'Abraham, notre père, a obtenu selon la chair? 2. Si Abraham a été justifié par les œuvres, il a sujet de se glorifier. *Eh bien*, il n'en a pas sujet devant Dieu.

24. *Gratuitement*, " parce que tes mérites n'ont pas précédé, mais que les bienfaits de Dieu t'ont prévenu, " dit S. Augustin. — 28. *Sans les œuvres de la loi :* la justification ne saurait être méritée par des œuvres quelconques. La condition pour l'obtenir, c'est la foi, qui seule donne à l'homme la capacité intérieure de la recevoir. Mais dès que ce sol ainsi préparé a reçu la divine semence de la grâce, il peut et doit produire le fruit des bonnes œuvres. — 31. *Nous la confirmons*, car la justification par la foi, ainsi qu'on va le voir par l'exemple d'Abraham, est en conformité parfaite avec les faits et les enseignements de l'ancien Testament.

Chap. 4. — 1. *Selon la chair*, d'une manière purement humaine, par les seules forces de la nature, correspond à *par les œuvres* du vers. 2. — 2. *Il a sujet de se glorifier*, même devant Dieu; or cette

3. En effet, que dit l'Ecriture? " Abraham crut à Dieu, et cela lui fut imputé à justice. " 4. Or, à celui qui fait une œuvre, le salaire est imputé, non comme une grâce, mais comme une chose due; 5. et à celui qui ne fait aucune œuvre, mais qui croit en celui qui justifie l'impie, sa foi *lui* est imputée à justice. 6. C'est ainsi que David proclame heureux l'homme à qui Dieu impute la justice indépendamment des œuvres : 7. " Heureux ceux dont les iniquités sont pardonnées, et dont les péchés sont couverts! 8. Heureux l'homme à qui le Seigneur n'impute pas son péché!"

Avant la circoncision.

9. Ce bonheur n'est-il que pour les circoncis, ou est-il également pour les incirconcis? Car nous disons que la foi fut imputée à justice à Abraham. 10. Comment donc lui fut-elle imputée? Etait-ce en l'état de circoncision, ou en l'état d'incirconcision? Ce ne fut pas dans l'état de circoncision; il était encore incirconcis. 11. Il reçut ensuite le signe de la circoncision comme sceau de la justice qu'il avait obtenue par la foi quand il était incirconcis, afin d'être le père de tous ceux qui ont la foi dans l'incirconcision, pour que la justice leur soit aussi imputée. 12. et le père des circoncis, de ceux qui ne sont pas seulement circoncis, mais qui marchent en même temps sur les traces de la foi qu'avait notre père Abraham lorsqu'il était incirconcis.

Héritage messianique et postérité, promis à sa foi.

13. En effet, ce n'est point par une loi que

conséquence n'est pas admissible, car l'Ecriture dit que " sa foi lui a été imputée à justice." — 3. *Imputé à justice*, expression choisie pour faire ressortir l'idée de gratuité, d'absence de mérite, dans la justification. — 5. Même pensée sous une autre forme. — La locution *croit en* dit plus que *croit à;* elle ajoute une idée de confiance et d'amour. — 6. *Indépendamment des œuvres*, sans y avoir égard; car David ne parle ici ni d'œuvres ni de mérite; et il célèbre le bonheur du pardon avec de tels transports, qu'il ne peut être question que d'un pardon gratuit. — 11. *Comme sceau*, comme témoignage et signe extérieur *de la justice*, etc. — *Afin de* marque le *dessein* de Dieu. Ainsi est élargie la paternité d'Abraham; de charnelle, elle devient spirituelle et embrasse tous les croyants, juifs et païens. — 13. L'assertion de ce verset est prouvée *par l'absurde* dans les vers. 14-17.

l'héritage du monde a été promis à Abraham ou à sa postérité ; c'est par la justice de la foi. 14. Car si ceux qui ont la Loi sont héritiers, la foi est vaine et la promesse est anéantie, 15. parce que la loi produit la colère, et que là où il n'y a pas de loi, il n'y a pas non plus de transgression. 16. Aussi est-ce par la foi qu'on est héritier, afin que ce soit par grâce, pour que la promesse soit assurée à tous les enfants, non seulement à ceux qui relèvent de la Loi, mais encore à ceux qui relèvent de la foi d'Abraham, notre père à tous, 17. selon qu'il est écrit : " Je t'ai fait père d'un grand nombre de nations." *Il est notre père* devant celui auquel il a cru, devant Dieu, qui donne la vie aux morts et qui appelle les choses qui ne sont point comme si elles étaient. 18. Espérant contre toute espérance, il crut, afin qu'il devînt le père d'un grand nombre de nations, selon ce qui lui avait été dit : " Telle sera ta postérité." 19. Et, inébranlable dans sa foi, il ne considéra pas que son corps était déjà éteint, puisqu'il avait près de cent ans, et que Sara n'était plus en âge d'avoir des enfants. 20. Devant la promesse de Dieu, il n'eut ni hésitation ni défiance ; mais, puisant sa force dans la foi, il rendit gloire à Dieu, 21. pleinement convaincu que, ce qu'il a promis, il est puissant aussi pour l'accomplir. 22. C'est pour cela que sa foi lui fut imputée à justice. 23. Or ce n'est pas pour lui seul qu'il est écrit qu'elle lui fut imputée à justice, 24. mais c'est aussi pour nous, à qui elle doit être imputée, pour nous qui croyons en

14. *Sont*, comme tels et par cela seul, *héritiers*. — *Anéantie*, sans valeur. — 15. *La loi produit la colère* divine, non par elle-même, mais en éveillant l'attrait de la chose défendue et en révélant le péché à la conscience. — 16. *On est héritier* de la promesse, du salut en Jésus Christ. — 18. *Afin que* indique le but que *Dieu* s'était proposé, non l'intention d'Abraham. — 23-24. L'histoire d'Abraham est comme un type dont tous ceux qui aspirent à devenir ses véritables enfants doivent reproduire les traits. Abraham crut que Dieu pouvait lui donner une nombreuse postérité, dont le Messie futur serait le plus glorieux rejeton ; de même nous devons croire que Dieu a ressuscité Jésus d'entre les morts, etc.

celui qui a ressuscité des morts Jésus Christ Notre Seigneur, 25. lequel a été livré pour nos offenses, et est ressuscité pour notre justification.

Section II (5, 1 — 8, 39).

Excellence et efficacité de la justice par la foi.

1er fruit de la justification : *réconciliation avec Dieu et assurance du ciel.* — CH. 5.

✠ Étant donc justifiés par la foi, ayons la paix avec Dieu par Notre Seigneur Jésus Christ, 2. à qui nous devons d'avoir eu accès par la foi à cette grâce dans laquelle nous demeurons fermes, et de nous glorifier dans l'espérance de la gloire de Dieu. 3. Bien plus, nous nous glorifions même dans les tribulations, sachant que la tribulation produit la constance, 4. la constance une vertu éprouvée, et la vertu éprouvée l'espérance. 5. Or l'espérance ne trompe point, parce que l'amour de Dieu est répandu dans nos cœurs par l'Esprit Saint qui nous a été donné. ¶

Amour de Dieu prouvé par la mort de J. C.

6. Car, lorsque nous étions encore faibles, le Christ, au temps marqué, est mort pour des impies. 7. C'est difficilement qu'on mourra pour un juste, car il se peut encore qu'on ait le courage de mourir pour un homme de bien. 8. Mais Dieu montre son amour envers nous en ce que, lorsque nous étions encore des pécheurs, 9. Jésus Christ est mort pour nous. A plus forte raison donc, maintenant que nous sommes justifiés dans son sang, serons-nous sauvés par lui de la colère. 10. Car si, lorsque nous étions ennemis, nous avons été réconciliés avec Dieu par la mort de son Fils, à plus forte raison,

Chap. 5. — 6. *Faibles*, malades, dans l'état du péché, n'ayant pas encore reçu l'Esprit Saint. — *Marqué* dans les desseins éternels de Dieu. — *Pour des impies*, non seulement en leur faveur, mais à leur place. — 7. *Difficilement* on trouve des hommes qui donnent leur vie pour un juste, pour un homme de bien; *car* enfin peut-être s'en rencontre-t-il. — 10. *Par sa vie :* le Christ mourant nous a réconciliés; le Christ ressuscité et toujours vivant nous sanctifie en nous transformant et nous régénérant par son Esprit Saint.

étant réconciliés, serons-nous sauvés par sa vie. 11. Bien plus, nous nous glorifions même en Dieu par Notre Seigneur Jésus Christ, par qui maintenant nous avons obtenu la réconciliation.

Parallèle entre Adam et Jésus Christ.

12. Ainsi donc, comme par un seul homme le péché est entré dans le monde, et par le péché la mort, et qu'ainsi la mort a passé dans tous les hommes, tous ayant péché en lui, *de même par un seul homme, Jésus Christ, la justice est entrée dans le monde, et par la justice la vie.* 13. Car jusqu'à la Loi le péché était dans le monde; or le péché n'est pas imputé lorsqu'il n'y a pas de loi. 14. Cependant la mort a régné depuis Adam jusqu'à Moïse, même sur ceux qui n'avaient pas péché par une transgression semblable à celle d'Adam, lequel est la figure de celui qui devait venir. 15. Mais il n'en est pas du don gratuit comme de la faute; car si, par la faute d'un seul, tous les hommes sont morts, à plus forte raison la grâce de Dieu et le don se sont, par la grâce d'un seul homme, Jésus Christ, abondamment répandus sur tous les hommes. 16. Il y a encore cette différence entre le don et *ce qui est arrivé* par un seul qui a péché, c'est que le jugement de condamnation a été porté pour une seule faute *commise*, tandis que le don amène la justification

12. Le dogme chrétien du péché originel ne pouvait être plus clairement exprimé. — 13-14. *Car* amène la preuve que tous les hommes subissent la mort parce que tous ont péché en Adam. Raisonnement : avant Moïse, le péché (actuel) existait dans le monde, c'est un fait historique certain (*Gen.* iv. v); or ce péché, en l'absence de loi positive, n'étant pas imputé quant à la peine, ne pouvait être cause de la mort des individus. Cependant la mort frappait même ceux qui n'avaient pas, comme Adam, commis de péché actuel, par ex. les enfants; donc elle a pour cause, non des fautes personnelles, mais le péché d'Adam. — 15. *A plus forte raison* devons-nous croire que, etc., Dieu donnant plus volontiers cours à la bonté qu'à la rigueur. — 16. Pensée : un seul pécheur ou un seul péché a excité la justice de Dieu à porter contre l'humanité un jugement de condamnation. Si N. S. nous avait délivrés de ce seul péché, il y aurait parité entre la condamnation encourue et la grâce accordée; mais le don de la justification nous a remis, avec le péché originel, les innombrables péchés actuels, fruits de notre volonté perverse.

de beaucoup de fautes. 17. En effet, si, par la faute d'un seul, la mort a régné par ce seul homme, à plus forte raison ceux qui reçoivent l'abondance de la grâce et du don de la justice règneront-ils dans la vie par le seul Jésus Christ. 18. Ainsi donc, comme par la faute d'un seul la condamnation est venue sur tous les hommes, ainsi par la justice d'un seul vient à tous les hommes la justification qui donne la vie. 19. De même, en effet, que par la désobéissance d'un seul homme tous ont été constitués pécheurs, de même par l'obéissance d'un seul tous seront constitués justes. 20. La Loi est intervenue pour faire abonder la faute; mais là où le péché a abondé, la grâce a surabondé, 21. afin que, comme le péché a régné pour la mort, ainsi la grâce régnât par la justice pour la vie éternelle par Jésus Christ Notre Seigneur.

2me fruit : *inséré en J. C. par le baptême, le chrétien meurt au péché et ressuscite à une vie nouvelle.* — Ch. 6.

Que dirons-nous donc? Demeurerons-nous dans le péché, afin que la grâce abonde? 2. Loin de là! Nous qui sommes morts au péché, comment vivrions-nous encore dans le péché? 3. ✠ Ne savez-vous pas que nous tous qui avons été baptisés en Jésus Christ, c'est en sa mort que nous avons été baptisés? 4. Nous avons donc été ensevelis avec lui par le baptême en sa mort, afin que, comme le Christ est ressuscité des morts par la gloire du Père, nous aussi nous marchions dans une vie nouvelle. 5. Si, en

20. *Pour faire abonder la faute :* l'effet immédiat de la Loi fut d'augmenter le nombre des péchés actuels aperçus par la conscience, et ainsi, en faisant sentir à l'homme sa misère, de lui faire désirer le Sauveur. — *La faute*, le péché concret ou actuel. — *Le péché*, considéré en général. — *A surabondé*, a été très abondante. — 21. *Pour* donner *la mort.* — *Par la justice*, en donnant la justification, qui conduit à *la vie éternelle.*

Chap. 6. — 2. *Mourir* ou *vivre* à *quelqu'un* ou *à quelque chose* sont des expressions familières à S. Paul; elles signifient : rompre ou entretenir un commerce, des relations assidues avec cette personne ou cette chose. — 3. *En J. C.*, pour J. C., pour lui appartenir et lui être unis, pour devenir membres de son corps mystique. — *En sa mort*, pour mourir avec lui au péché, au vieil homme.

effet, dans notre union avec lui, nous avons reproduit l'image de sa mort, nous reproduirons aussi l'image de sa résurrection : 6. sachant que notre vieil homme a été crucifié avec lui, afin que le corps du péché fût détruit, pour que nous ne soyons plus les esclaves du péché ; 7. car celui qui est mort est affranchi du péché. 8. Mais si nous sommes morts avec le Christ, nous croyons que nous vivrons aussi avec lui, 9. sachant que le Christ ressuscité des morts ne meurt plus ; la mort n'a plus sur lui d'empire. 10. Car sa mort fut une mort au péché une fois pour toutes, et sa vie est une vie pour Dieu. 11. Ainsi vous-mêmes regardez-vous comme morts au péché, et comme vivants pour Dieu en Jésus Christ Notre Seigneur. ¶

Il ne doit donc plus obéir au péché.

12. Que le péché ne règne donc point dans votre corps mortel, de sorte que vous obéissiez à ses convoitises. 13. Ne livrez pas vos membres au péché pour être des instruments d'iniquité ; mais offrez-vous vous-mêmes à Dieu comme étant vivants, de morts que vous étiez, et offrez-lui vos membres pour être des instruments de justice. 14. Car le péché n'aura pas d'empire sur vous, parce que vous n'êtes pas sous la Loi, mais sous la grâce.

Esclave de la justice, il doit désormais vivre saintement.

15. Quoi donc ! Pécherons-nous, parce que nous ne sommes pas sous la Loi, mais sous la grâce ? Loin de là ! 16. Ne savez-vous pas que, si vous vous

6. Le *vieil homme* désigne dans S. Paul l'homme naturel, esclave du péché, tel qu'il est d'après sa descendance du premier Adam et avant d'être régénéré en J. C. — *A été crucifié*, détruit : allusion à la mort de J. C. sur la croix. — *Le corps du péché*, la nature déchue, prise dans son ensemble, siège de la concupiscence. Ailleurs Paul dit : *Le corps de la chair*, ou simplement *la chair*. — 7. *Est affranchi du péché*, il ne pèche plus. — 10. *Au péché :* le péché, dont il avait pris pour nous la dette, après lui avoir une fois coûté la vie, a perdu sur lui tout pouvoir. — 12. *Le péché*, ici, désigne le foyer de concupiscence qui est en nous. — 14. *Sous la Loi*, que Paul appelle ailleurs la *puissance du péché* (I *Cor.* xv, 56), parce qu'elle a pour résultat de le multiplier. — *Sous la grâce*, qui vous aidera à développer en vous la vie divine.

livrez à quelqu'un comme esclaves pour *lui* obéir, vous êtes esclaves de celui à qui vous obéissez, soit du péché pour la mort, soit de l'obéissance *à Dieu* pour la justice? 17. Mais grâces soient rendues à Dieu de ce que, après avoir été les esclaves du péché, vous avez obéi de cœur au modèle de doctrine qui vous a été enseigné. 18. *Ainsi*, ayant été affranchis du péché, vous êtes devenus les esclaves de la justice. — 19. ✠ Je parle à la manière des hommes, à cause de la faiblesse de votre chair. — De même que vous avez livré vos membres comme esclaves à l'impureté et à l'injustice, pour *arriver* à l'injustice, de même livrez maintenant vos membres comme esclaves à la justice, pour *arriver* à la sainteté. 20. Car, lorsque vous étiez les esclaves du péché, vous étiez libres à l'égard de la justice. 21. Quel fruit aviez-vous alors des choses dont vous rougissez aujourd'hui? Car la fin de ces choses, c'est la mort. 22. Mais maintenant, affranchis du péché et devenus les esclaves de Dieu, vous avez pour fruit la sainteté, pour fin la vie éternelle. 23. Car le salaire du péché, c'est la mort; mais le don de Dieu, c'est la vie éternelle en Jésus Christ Notre Seigneur. ¶

3me fruit : *le justifié est délié de la Loi par une mort mystique.* — CH. 7.

Ignorez-vous, mes frères, — car je parle à des hommes qui connaissent la Loi, — que l'homme est sous l'empire de la loi aussi longtemps qu'il vit? 2. Ainsi une femme mariée est liée par la loi à son mari tant qu'il est vivant; mais si le mari meurt, elle est dégagée

17. *Le modèle* ou *la forme de doctrine*, l'Evangile tel que Paul l'enseignait. — 19. *A cause de la faiblesse de votre chair*, parce que vous êtes encore des enfants en Jésus Christ, faibles d'intelligence. — 20. *Libres*, de fait, non en droit, *à l'égard de la justice :* vous aviez un autre maître, le péché. — 23. *Le salaire* que le *péché*, maître cruel, donne à ses sujets. — *Le don*, la récompense que *Dieu* accorde, etc. S. Paul l'appelle un *don* gratuit, parce que les mérites mêmes que Dieu récompense sont un fruit de sa grâce.

Chap. 7. — 2. Vulgate, *est liée à la loi tant que vit son mari.* — *Elle est dégagée*, litt. *elle est anéantie* en tant qu'épouse, et par suite *dégagée de la loi.*

de la loi qui la liait à son mari. 3. Si donc, du vivant de son mari, elle épouse un autre homme, elle sera appelée adultère; mais si son mari meurt, elle est affranchie de la loi, en sorte qu'elle n'est pas adultère en devenant la femme d'un autre mari. 4. Ainsi, mes frères, vous aussi vous êtes morts à la Loi, par le corps de Jésus Christ, pour que vous soyez à un autre, à celui qui est ressuscité des morts, afin que nous portions des fruits pour Dieu. 5. Car, lorsque nous étions dans la chair, les passions qui engendrent les péchés, excitées par la Loi, agissaient dans nos membres, de manière à produire des fruits pour la mort. 6. Mais maintenant nous avons été dégagés de la loi de mort, sous l'autorité de laquelle nous étions tenus, de sorte que nous servons Dieu dans un esprit nouveau, et non selon une lettre vieillie.

Car la Loi, quoique sainte, provoque les transgressions.

7. Que dirons-nous donc? La Loi est-elle péché? Loin de là! Mais je n'ai connu le péché que par la Loi; par exemple, je n'aurais pas connu la convoitise, si la Loi ne disait : " Tu ne convoiteras point." 8. Puis le péché, saisissant l'occasion, a fait naître en moi, par le commandement, toutes sortes de convoitises; car, sans la loi, le péché est mort. 9. Pour moi, étant autrefois sans loi, je vivais; mais le commandement étant venu, le péché a pris vie, 10. et moi, je suis mort. Ainsi le commandement qui devait conduire à la vie, s'est trouvé pour moi conduire à la mort. 11. Car le péché, saisissant l'occasion, m'a séduit

6. *De la loi* produisant des fruits *de mort.* — 7. *Est-elle péché*, quelque chose de moralement mauvais en soi. — 8. *Le péché*, la puissance mauvaise qui habite en nous et incline à l'acte du péché. — *Le péché est mort*, il demeure inerte, n'ayant pas *l'occasion*, c'est-à-dire sa force de tentation et de révolte. — 9. *Autrefois*, pendant mon enfance. — *Je vivais*, dans le sens moral, je menais la vie candide et innocente de l'enfant qui n'est pas encore initié aux combats de la vertu. — 10. *Je suis mort*, dans le sens moral : le principe mauvais, en me faisant tomber dans le péché actuel, m'a mis sous le coup de la mort éternelle. — 11. *M'a séduit*, allusion au récit de la tentation de nos premiers parents (*Gen.* iii, 13).

par le commandement, et par lui m'a donné la mort. 12. Ainsi donc la Loi est sainte, et le commandement est saint, juste et bon. 13. Une chose bonne a donc été pour moi une cause de mort? Loin de là! Mais c'est le péché *qui m'a donné la mort*, afin de se montrer péché en me donnant la mort par le moyen d'une chose bonne, et de se développer à l'excès comme péché par le moyen du commandement.

Impuissance de la Loi dans la lutte de la chair contre l'esprit.

14. Nous savons, en effet, que la Loi est spirituelle; mais moi, je suis charnel, vendu au péché. 15. Car je ne sais pas ce que je fais : je ne fais pas ce que je veux, et je fais ce que je hais. 16. Or, si je fais ce que je ne voudrais pas, je reconnais *par là* que la Loi est bonne. 17. Mais alors ce n'est plus moi qui le fais, c'est le péché qui habite en moi. 18. Je sais que le bien n'habite pas en moi, c'est-à-dire, dans ma chair; le vouloir est à ma portée, mais non le pouvoir de l'accomplir. 19. Car je ne fais pas le bien que je veux, et je fais le mal que je ne veux pas. 20. Or, si je fais ce que je ne veux pas, ce n'est plus moi qui le fais, c'est le péché qui habite en moi. 21. Je trouve donc cette loi en moi : quand je veux faire le bien, le mal est près de moi. 22. Car je prends plaisir à la loi de Dieu, selon l'homme intérieur; 23. mais je vois dans mes membres une autre loi qui lutte contre la loi de ma raison, et qui me rend captif de la loi du péché qui est dans mes membres. 24. Malheureux que je suis! Qui me délivrera

13. *C'est le péché*, la puissance mauvaise cachée dans la nature humaine. — 14. *Spirituelle*, par opposition à *charnelle :* elle vient de Dieu; elle est, quant à sa nature morale, de même sorte avec l'Esprit Saint qui l'a dictée. — 15. *Je ne sais pas...*, comme l'esclave, pur instrument qui ne se rend pas compte de la nature et du but de ses actes : ainsi l'homme sous le péché est entraîné et trompé par ses appétits déréglés. — 21. *Cette loi*, cet état moral. — 23. *Une autre loi*, la loi du péché. — 24. Sens : qui me délivrera de la loi du péché qui est dans mes membres, de telle sorte que mon corps, ma *chair*, ne soit plus le siège de la puissance victorieuse du péché, et par suite de la mort spirituelle ou éternelle.

de ce corps de mort? 25. C'est la grâce de Dieu par Jésus Christ Notre Seigneur! Ainsi donc moi-même, par la raison, je suis l'esclave de la loi de Dieu, et par la chair, *l'esclave* de la loi du péché.

4me fruit : *plus aucun sujet de condamnation* — CH. 8.

Il n'y a donc maintenant aucune condamnation pour ceux qui sont en Jésus Christ, qui ne marchent pas selon la chair. 2. En effet, la loi de l'Esprit de la vie m'a affranchi en Jésus Christ de la loi du péché et de la mort. 3. Car, ce qui était impossible à la Loi parce qu'elle était sans force à cause de la chair, Dieu l'a fait : en envoyant, pour le péché, son propre Fils dans une chair semblable à celle du péché, il a condamné le péché dans la chair, 4. afin que la justice de la loi fût accomplie en nous, qui marchons, non selon la chair, mais selon l'Esprit.

La vie selon l'Esprit.

5. Ceux, en effet, qui vivent selon la chair, s'affectionnent aux choses de la chair; mais ceux qui vivent selon l'Esprit, s'affectionnent aux choses de l'Esprit. 6. Et les affections de la chair, c'est la mort, tandis que les affections de l'Esprit, c'est la vie et la paix : 7. parce que les affections de la chair sont inimitié contre Dieu, car elles ne se soumettent pas à la loi divine, et elles ne le peuvent même pas. 8. Or ceux qui vivent dans la chair ne sauraient plaire à Dieu.

---

25. *Ainsi :* Paul résume, sous la forme d'une conclusion, ce qu'il vient d'enseigner (vers. 14-24). — *Moi-même*, moi seul, l'homme naturel, sans le secours de Jésus Christ.

Chap. 8. — 1. *Aucune condamnation* à la mort éternelle. — 2. *La loi de l'Esprit*, etc., la puissance, le règne du Saint Esprit vivant dans l'âme du chrétien et lui communiquant la véritable vie (II *Cor.* iii, 6), *m'a affranchi*, a rendu sans force *la loi*, la puissance *du péché*; elle m'aide à triompher de cette tyrannie. — 3. *A cause de la chair*, des penchants mauvais qui se révoltaient contre elle. — *Dans une chair*, etc., revêtu de la nature humaine, d'une nature semblable à celle à laquelle le péché est attaché. — 4. *La justice* ou *le droit de la loi*, ce que la loi a le droit d'exiger, de commander. — *Selon* les impulsions de *la chair*. — 6. *Les affections de la chair*, ses tendances aboutissent à la mort spirituelle. — 7. *Ne le peuvent pas*, en vertu de leur nature.

9. Pour vous, vous ne vivez point dans la chair, mais dans l'Esprit, si du moins l'Esprit de Dieu habite en vous. Si quelqu'un n'a pas l'Esprit du Christ, il ne lui appartient pas. 10. Mais si le Christ est en vous, le corps, il est vrai, est mort à cause du péché, mais l'esprit est vie à cause de la justice. 11. Et si l'Esprit de celui qui a ressuscité Jésus d'entre les morts habite en vous, celui qui a ressuscité le Christ d'entre les morts rendra aussi la vie à vos corps mortels, à cause de son Esprit qui habite en vous.

Filiation divine
et héritage céleste.

12. Ainsi donc, ✠ mes frères, nous ne sommes point redevables à la chair pour vivre selon la chair. 13. Car si vous vivez selon la chair, vous mourrez; mais si, par l'Esprit, vous faites mourir les œuvres du corps, vous vivrez; 14. car tous ceux qui sont conduits par l'Esprit de Dieu sont fils de Dieu. 15. En effet, vous n'avez point reçu un esprit de servitude, pour être encore dans la crainte; mais vous avez reçu un Esprit d'adoption, en qui nous crions : Abba! Père! 16. Cet esprit lui-même rend témoignage à notre esprit que nous sommes enfants de Dieu. 17. Or, si nous sommes enfants, nous sommes aussi héritiers, héritiers de Dieu et cohéritiers du Christ, si toutefois nous souffrons avec lui, pour être glorifiés avec lui. ¶

Gloire certaine fondée sur :
a) *l'attente de la création.*

18. ✠ Car j'estime que les souffrances du temps présent sont sans proportion avec la gloire à venir qui sera manifestée en nous. 19. Aussi la

9. *Si, du moins*, vous n'avez pas chassé l'Esprit Saint de votre âme par le péché mortel. — 10. *Si le Christ est en vous* par son Esprit, qui est l'Esprit Saint, votre *corps*, il est vrai, est soumis à la mort, qu'il a encourue par suite du péché originel, mais votre *esprit est vie*, est vivant, parce qu'il a en lui le Christ, qui est lui-même la vie, et son Esprit. — 13. *Vous mourrez* de la mort éternelle. — 15. *Abba! Père!* le second de ces deux mots est la traduction du premier. — 16. *Rend témoignage*, joint son témoignage à celui de l'esprit du chrétien. — 17. Paul conclut, d'après l'analogie du droit romain, de l'adoption à l'héritage. — 19. *La création*, la nature physique elle-même, blessée par le péché.

création attend-elle avec un ardent désir la manifestation des enfants de Dieu. 20. La création, en effet, a été assujettie à la vanité, — non de son gré, mais par la volonté de celui qui l'y a soumise, — avec l'espérance 21. qu'elle aussi sera affranchie de la servitude de la corruption, pour avoir part à la liberté de la gloire des enfants de Dieu. 22. Car nous savons que, jusqu'à ce jour, la création tout entière gémit et souffre les douleurs de l'enfantement.

b) *l'espérance des fidèles.*

23. Et ce n'est pas elle seulement; nous aussi, qui avons les prémices de l'Esprit, nous gémissons en nous-mêmes, attendant l'adoption des enfants de Dieu, la rédemption de notre corps. ¶ 24. Car c'est en espérance que nous sommes sauvés. Or, quand on voit ce qu'on espère, ce n'est plus espérance : car espère-t-on encore ce qu'on voit? 25. Mais si nous espérons ce que nous ne voyons pas, nous l'attendons avec patience.

c) *la prière du Saint Esprit en nous.*

26. De même aussi l'Esprit vient en aide à notre faiblesse, car nous ne savons pas ce que nous devons, selon nos besoins, demander dans nos prières. Mais l'Esprit lui-même prie pour nous par des gémissements ineffables; 27. et celui qui sonde les cœurs connaît quels sont les désirs de l'Esprit; *il sait* qu'il prie selon Dieu pour les saints.

---

20. *Assujettie*, comme une esclave, *à la vanité, à la corruption* (vers. 21), la nature est le théâtre de changements et d'altérations incessantes; dans tout être vivant, il y a une lutte instinctive, violente et douloureuse contre la destruction. — 23. *Nous aussi*, les chrétiens en général. — Les *prémices de l'Esprit Saint*, ses premiers dons, savoir la grâce de la justification; mais ce ne sont là que des *prémices*, et comme une faible partie des bienfaits du Messie, si on les compare à la pleine effusion de l'Esprit Saint qui aura lieu à la fin des temps, au jour de la résurrection. — 24. *En espérance :* la réalisation est encore incomplète. — 25. Pensée : l'espérance de ce qu'on ne voit pas n'est pas sans fruit ; elle produit la patience et la fermeté dans les épreuves. — 27. *Celui qui sonde les cœurs*, Dieu. — *Selon Dieu*, dans le sens de Dieu, conformément à sa volonté. — *Pour des Saints*, dignes du secours divin.

d) *l'amour de Dieu pour ses élus.*

28. Nous savons d'ailleurs que toutes choses concourent au bien de ceux qui aiment Dieu, de ceux qui sont appelés selon son *éternel* dessein. 29. Car ceux qu'il a reconnus d'avance, il les a aussi prédestinés à être conformes à l'image de son Fils, afin que son Fils soit le premier-né d'un grand nombre de frères. 30. Et ceux qu'il a prédestinés, il les a aussi appelés; et ceux qu'il a appelés, il les a aussi justifiés; et ceux qu'il a justifiés, il les a aussi glorifiés. 31. Que dirons-nous donc après cela? Si Dieu est pour nous, qui sera contre nous? 32. Lui qui n'a pas épargné son propre Fils, mais qui l'a livré à la mort pour nous tous, comment avec lui ne nous donnera-t-il pas toutes choses? 33. Qui accusera des élus de Dieu? Dieu les justifie! 34. Qui les condamnera? Le Christ est mort; bien plus, il est ressuscité, il est à la droite de Dieu, il intercède pour nous! 35. ✠ Qui nous séparera de l'amour du Christ? *Sera-ce* la tribulation, ou l'angoisse, ou la persécution, ou la faim, ou la nudité, ou le péril, ou l'épée? 36. Selon qu'il est écrit : " A cause de toi, tout le jour nous sommes livrés à la mort, et on nous regarde comme des brebis destinées à la boucherie. " 37. Mais dans toutes ces épreuves

28. *Au bien*, en général, mais surtout au bien suprême, le salut. — 29-30. Paul décompose le décret divin relatif au salut des hommes en plusieurs actes successifs, savoir la *prescience*, ou la connaissance éternelle que Dieu a des élus ; la *prédestination*, par laquelle il les destine à être associés à son Fils glorifié ; la *vocation*, par laquelle il les appelle à la foi; la *justification* par laquelle il leur confère la grâce sanctifiante ; enfin la *glorification*, qui appartient encore à l'avenir, mais que l'Apôtre désigne aussi par un verbe au passé, parce qu'il considère tous ces actes au point de vue de Dieu. — 31. Pensée : le chrétien n'a donc rien à craindre, son salut éternel reposant sur le fondement inébranlable de l'amour de Dieu et de J. C. — 34. *Mort*, pour anéantir la sentence de condamnation prononcée contre eux.— *Ressuscité*, pour les associer à sa vie nouvelle.— Les vers. 33-34 pourraient être ponctués ainsi : *Qui accusera des élus de Dieu? Sera-ce Dieu, qui les justifie? Qui les condamnera? Sera-ce le Christ, qui est mort*, etc. — 37. *Plus que vainqueurs*, expression qui respire la fierté du triomphe. — *Par celui*, J. C. — *Nous a aimés* désigne l'acte d'amour par excellence le sacrifice

nous sommes plus que vainqueurs, par celui qui nous a aimés. 38. Car j'ai l'assurance que ni la mort, ni la vie, ni les anges, ni les principautés, ni les choses présentes, ni les choses à venir, ni les puissances, 39. ni la hauteur, ni la profondeur, ni aucune autre créature ne pourra nous séparer de l'amour de Dieu en Jésus Christ Notre Seigneur. ¶

Section III (9, 1 — 11, 36)

Situation d'Israël vis à vis de la justice par la foi — ou le problème du rejet des Juifs.

1° Exorde : *Douleur de Paul.*

CH. 9.

Je dis la vérité en *Jésus* Christ, je ne mens point, ma conscience m'en rend témoignage dans l'Esprit Saint : 2. j'éprouve une grande tristesse et j'ai au cœur une douleur incessante. 3. Car je souhaiterais d'être moi-même anathème, loin du Christ, pour mes frères, mes parents selon la chair, 4. qui sont Israélites, à qui appartiennent l'adoption, et la gloire, et l'alliance, et la Loi, et le culte, et les promesses, 5. et les patriarches, et de qui est sorti le Christ selon la chair, lequel est au-dessus de toutes choses, Dieu, béni éternellement. Amen!

Le salut promis aux enfants d'Abraham selon l'esprit.

6. Ce n'est pas à dire que la parole de Dieu ait failli. Car tous ceux qui descendent d'Israël ne sont pas *le véritable* Israël, 7. et pour être la

---

de J. C. sur la croix. — 38-39. Pensée : aucune puissance, quelle qu'elle soit, ne pourra faire que Dieu abandonne les justifiés, — si eux-mêmes ne l'abandonnent les premiers.

Chap. 9. — 1. Le contraste entre l'heureux état de l'homme justifié et le malheur d'Israël endurci et réprouvé, émeut l'âme de Paul et en fait déborder cet épanchement douloureux de son amour pour son peuple. — 3. *Anathème*, maudit, mis en dehors de la communion spirituelle des enfants de Dieu. L'excès de son amour pour son peuple met dans la bouche de Paul des paroles excessives. — 5. *Les patriarches*, les trois patriarches par excellence, Abraham, Isaac et Jacob. — *Selon la chair*, selon la nature humaine. — 6. *La parole*, la promesse que le peuble juif aurait part au salut apporté au monde par le Messie. — 7. *Ses enfants*, ses héritiers compris dans la promesse.

postérité d'Abraham, tous ne sont pas *ses* enfants; mais "c'est la postérité d'Isaac qui sera dite ta postérité," 8. c'est-à-dire que ce ne sont pas les enfants de la chair qui sont enfants de Dieu, mais que ce sont les enfants de la promesse qui sont considérés comme la postérité *d'Abraham*. 9. Car voici les termes d'une promesse : "Je reviendrai à cette même époque, et Sara aura un fils." 10. Et non seulement Sara, mais Rebecca aussi *eut une parole de Dieu*, elle qui conçut *deux enfants* d'un seul homme, d'Isaac notre père; 11. car, avant même que les enfants fussent nés, et qu'ils eussent fait ni bien ni mal, — afin que le dessein électif de Dieu fût reconnu ferme, non en vertu des œuvres, mais par le choix de celui qui appelle, — 12. il fut dit à Rebecca : "L'aîné sera assujetti au plus jeune," 13. selon qu'il est écrit : "J'ai aimé Jacob, et j'ai haï Esaü." 14. Que dirons-nous donc? N'y a-t-il pas de l'injustice en Dieu? Loin de là! 15. Car il dit à Moïse : "Je fais miséricorde à qui je veux faire miséricorde, et j'ai compassion de qui je veux avoir compassion. 16. Ainsi donc cela ne dépend ni de celui qui veut, ni de celui qui court, mais de Dieu qui fait miséricorde. 17. Car l'Ecriture dit à Pharaon : "Je t'ai excité *à la résistance*, pour montrer en toi ma puissance, et pour que mon nom soit célébré dans toute la terre." 18. Ainsi il fait miséricorde à qui il veut, et il endurcit qui il veut. 19. Tu me diras : De quoi donc se plaint-il encore? Car qui peut s'opposer à sa volonté? 20. Mais plutôt, ô homme, qui es-tu pour contester avec Dieu? Est-ce

---

9. *A cette même époque* de l'année (*Gen.* xviii. 10). — 10. *Eut*, entendit *une parole de Dieu*, lui annonçant la prérogative accordée à Jacob. — 11. *Le dessein* ou *décret* éternel de Dieu (viii, 28) de sauver l'humanité par J. C. — 13. *J'ai aimé*, préféré... *j'ai haï*, négligé, etc. — 17. *Je t'ai excité*. Le rôle divin est décrit ici d'après l'effet produit; les miracles opérés dans un autre but eurent pour résultat d'exciter l'opiniâtreté de Pharaon. — 18. *Il endurcit*, de fait, non d'intention. — 19. *Se plaint-il* des pécheurs.

que le vase d'argile dit à celui qui l'a formé : Pourquoi m'as-tu fait ainsi? 21. Le potier n'est-il pas maître de son argile, pour faire de la même masse un vase d'honneur et un vase d'ignominie? 22. Et si Dieu, voulant montrer sa colère et faire connaître sa puissance, a supporté avec une grande patience des vases de colère, formés pour la perdition, 23. et s'il a voulu faire connaître aussi les richesses de sa gloire envers des vases de miséricorde qu'il a d'avance préparés pour la gloire, 24. envers nous, qu'il a appelés, non seulement d'entre les Juifs, mais encore d'entre les Gentils, *où est l'injustice?*

Ainsi les Gentils sont choisis à la place des Juifs infidèles.

25. C'est ainsi qu'il dit dans Osée : " J'appellerai mon peuple celui qui n'était pas mon peuple, et bien aimée celle qui n'était pas la bien aimée." 26. " Et dans le lieu où on leur a dit : Vous n'êtes pas mon peuple, là même on les appellera fils du Dieu vivant." 27. D'autre part, Isaïe s'écrie au sujet d'Israël : " Quand le nombre des fils d'Israël serait comme le sable de la mer, un *faible* reste seulement sera sauvé. 28. Car le Seigneur exécutera un oracle; dans sa justice il en hâtera l'accomplissement; oui, il accomplira un oracle hâtif sur la terre *de Juda.*" 29. Et comme Isaïe l'avait prédit : " Si le Seigneur des armées ne nous avait laissé une semence, nous serions devenus comme Sodome, et nous aurions été semblables à Gomorrhe."

21. *Vase d'honneur*, destiné à un noble usage; *d'ignominie*, destiné à un usage vil. Paul parle ainsi, non qu'il ôte à l'homme son libre arbitre, mais pour montrer jusqu'où il faut porter la soumission envers Dieu. — 22. *A supporté*, n'a pas brisé, puni de suite. — *Vase de colère*, dans le sens passif : sur qui tombe la colère (justice) de Dieu. Paul a surtout en vue les Juifs incrédules. *Formés pour la perdition*, par suite de leur incrédulité volontaire. — 23. *Vases de miséricorde*, les élus. — *Qu'il a préparés*, en les appelant gratuitement à la justification. Mais cette grâce n'est qu'une *préparation ;* l'œuvre du salut ne s'achève qu'avec la libre coopération de l'homme à la grâce divine. — 28. *Hâtif*, qui mûrit vite pour l'accomplissement. — 29. *Is.* i, 9. — *Une semence :* Une *semence* sera pourtant laissée dans les Apôtres et quelques Juifs fidèles, et de cette semence sortira, à la fin des temps, le salut de tout Israël (xi, 16 sv.).

2° Cause de la réprobation des Juifs : *Ils ont négligé la foi.*

30. Que dirons-nous donc? Que les Gentils, qui ne cherchaient pas la justice, ont atteint la justice, la justice qui vient de la foi, 31. tandis qu'Israël, qui cherchait une loi de justice, n'est point parvenu à une loi de justice. 32. Pourquoi? parce *qu'il a cherché à l'atteindre*, non par la foi, mais comme *s'il avait pu y arriver* par les œuvres. Il s'est heurté contre la pierre d'achoppement, 33. selon qu'il est écrit : " Voici que je mets en Sion une pierre d'achoppement et un rocher de scandale, et celui qui croit en lui ne sera pas confondu. "

Cependant la fin de la loi c'est le Christ. — CH. 10.

Mes frères, le vœu de mon cœur et ma prière à Dieu pour eux, c'est qu'ils soient sauvés. 2. Car je leur rends le témoignage qu'ils ont du zèle pour Dieu, mais c'est un zèle mal éclairé. 3. Ne connaissant pas la justice de Dieu, et cherchant à établir leur propre justice, ils ne se sont pas soumis à la justice de Dieu; 4. car *Jésus* Christ est la fin de la Loi, afin que la justice soit donnée à tout homme qui croit. 5. En effet, Moïse dit de la justice qui vient de la Loi : " L'homme qui mettra ces choses en pratique vivra par elles." 6. Mais voici comment parle la justice qui vient de la foi : " Ne dis pas dans ton cœur : Qui montera au ciel? " C'est en faire descendre le Christ. 7. Ou : " Qui descendra dans l'abîme? " C'est faire remonter le Christ d'entre

31. *Une loi de justice :* même sens que s'il y avait simplement *la justice.*

Chap. 10. — 3. A *la justice* qui vient gratuitement *de Dieu* à l'homme par Jésus Christ, et dont l'homme entre en possession par la foi (i, 17; iii. 22; iv, 13), S. Paul oppose la *justice propre*, appelée ailleurs *justice de la Loi*, que les Juifs s'imaginaient acquérir par leurs propres efforts et par l'accomplissement des œuvres légales. — 4. *La fin*, le terme; Jésus Christ a institué un mode nouveau de salut, qui a sa racine dans la foi. — 6-7. *Au ciel? C'est*, ce serait dire : Qui peut en faire descendre le Christ? En d'autres termes, il est impossible que le Verbe éternel soit descendu du ciel pour s'incarner parmi les hommes. — *De l'abîme? C'est* dire : Il est impossible que le Christ soit sorti vivant du tombeau ; en d'autres termes, c'est

les morts. 8. Que dit l'Ecriture? " Près de toi est la parole, dans ta bouche et dans ton cœur."

La seule voie de salut pour tous est la foi en lui.

C'est la parole de la foi que nous prêchons. 9. Si tu confesses de ta bouche Jésus comme Seigneur, et si tu crois dans ton cœur que Dieu l'a ressuscité des morts, tu seras sauvé. 10. ✠ Car c'est en croyant de cœur qu'on parvient à la justice, et c'est en confessant de bouche qu'on parvient au salut, 11. selon ce que dit l'Ecriture : " Quiconque croit en lui ne sera pas confondu." 12. Il n'y a pas de différence entre le Juif et le gentil, parce que le même Christ est le Seigneur de tous, étant riche envers tous ceux qui l'invoquent. 13. Car "quiconque invoquera le nom du Seigneur sera sauvé."

L'Evangile prêché partout, repoussé par les Juifs, est reçu par les Gentils.

14. Comment donc invoquera-t-on celui en qui on n'a pas *encore* cru? Et comment croira-t-on en celui dont on n'a pas entendu parler? Et comment en entendra-t-on parler s'il n'y a pas de prédicateur? 15. Et comment y aura-t-il des prédicateurs, s'ils ne sont pas envoyés? selon qu'il est écrit : " Qu'ils sont beaux les pieds de ceux qui annoncent la paix, de ceux qui annoncent le salut!" 16. Mais tous n'ont pas obéi à l'Evangile; car Isaïe dit : " Seigneur, qui a cru à notre prédication?" 17. Ainsi la foi vient de ce qu'on entend, et ce qu'on entend vient de la parole de Dieu. 18. Mais je demande : Ne l'auraient-ils pas entendue? Au contraire! " Leur voix est allée par toute la terre, et leurs paroles jusqu'aux extrémités du monde." ¶ 19. Je demande encore : Israël n'en a-t-il pas eu connaissance? Moïse le premier a dit : " J'exci-

nier l'incarnation et la résurrection, et par conséquent rejeter le Christ comme Messie. — 8. Ce que Moïse disait de la parole divine de la Loi, Paul l'applique à *la parole de la foi*, au Christ lui-même. — 14. *Prédicateur* parlant en son nom. — 18. Les Juifs *n'ont-ils pas entendu* la prédication de l'Evangile? — 19. *N'a-t-il pas eu connaissance* de la prédication de l'Evangile parmi toutes les nations, et par suite de la vocation des gentils.

terai votre jalousie contre ce qui n'est pas une nation; j'exciterai votre colère contre une nation insensée." 20. Et Isaïe pousse la hardiesse jusqu'à dire : "J'ai été trouvé par ceux qui ne me cherchaient pas, je me suis manifesté à ceux qui ne me demandaient pas." 21. Mais au sujet d'Israël il dit : "J'ai tendu mes mains tout le jour vers un peuple rebelle et contredisant."

3° Motifs de consolation pour Israël : *une partie est appelée au salut par la foi.* — CH. 11.

Je dis donc : Est-ce que Dieu a rejeté son peuple? Loin de là! Car moi aussi je suis Israélite, de la postérité d'Abraham, de la tribu de Benjamin. 2. *Non*, Dieu n'a pas rejeté son peuple, qu'il a connu d'avance. Ne savez-vous pas ce que l'Ecriture rapporte dans *le chapitre* d'Elie, comment il adresse à Dieu cette plainte contre Israël : 3. "Seigneur, ils ont tué vos prophètes, ils ont renversé vos autels; je suis resté seul, et ils en veulent à ma vie." 4. Mais que lui répond la voix divine? "Je me suis réservé sept mille hommes qui n'ont pas fléchi le genou devant Baal." 5. De même aussi, dans le temps présent, il y a un reste, en vertu d'une élection de grâce. 6. Or, si c'est par grâce, ce n'est plus par les œuvres; autrement la grâce cesse d'être une grâce. Et si c'est par les œuvres, ce n'est plus une grâce; autrement l'œuvre cesse d'être une œuvre. 7. Que *dirons-nous* donc? Ce qu'Israël cherche, il ne l'a pas obtenu, mais l'élection l'a obtenu, tandis que les autres ont été rendus aveugles, 8. selon qu'il est écrit : "Dieu leur a donné un esprit d'étourdissement, des yeux pour ne point voir, et des oreilles pour ne point en-

21. *Contredisant :* ce mot caractérise bien la conduite des Juifs à l'égard de Jésus Christ.

Chap. 11. — 2. *Connu d'avance*, choisi dans ses desseins éternels pour être son peuple, le dépositaire des promesses relatives au Messie. — 4. *Sept mille*, des milliers, le nombre sept ayant souvent dans la Bible une signification indéterminée.— 5. *Un reste*, un petit nombre de Juifs appelés au christianisme par *l'élection*, le choix libre et purement *gratuit* de Dieu. — 8. *Dieu leur a donné*, en ne leur accordant pas une certaine mesure de grâce (ix, 7).

tendre, jusqu'à ce jour." 9. Et David dit : "Que leur table leur devienne un piège, un lacs, un trébuchet et un juste châtiment! 10. Que leurs yeux soient obscurcis pour ne point voir; tiens leur dos continuellement courbé!"

L'incrédulité du plus grand nombre a servi au salut des Gentils.

11. Je demande donc : Ont-ils bronché afin de tomber? Loin de là! mais, par leur faute, le salut est arrivé aux gentils, de manière à exciter la jalousie d'Israël. 12. Or, si leur faute a été la richesse du monde, et leur échec la richesse des gentils, que ne sera pas leur plénitude! 13. En effet, je vous le dis, à vous, *chrétiens* nés dans la gentilité : moi-même, en tant qu'apôtre des gentils, je m'efforce de rendre mon ministère glorieux, 14. afin, s'il est possible, d'exciter la jalousie de ceux de mon sang, et d'en sauver quelques-uns. 15. Car si leur rejet a été la réconciliation du monde, que sera leur admission, sinon la résurrection d'entre les morts? 16. Si les prémices sont saintes, la masse l'est aussi; et si la racine est sainte, les branches le sont aussi. 17. Mais si quelques-unes des branches ont été retranchées, et si toi, qui *n'*étais *qu'*un olivier sauvage, tu as été enté à leur place et rendu participant de la ra-

11. S'ils avaient docilement reçu l'Evangile, ils seraient arrivés au salut avant la gentilité. Mais ils l'ont repoussé; dès lors les Apôtres se tournent du côté des gentils (*Act.* xiii, 46; xxviii, 28). Ceux-ci entrent donc les premiers dans l'Eglise, et ce fait aura pour Israël un heureux résultat : il excitera en lui une généreuse émulation. — 12. *Leur échec*, le fait que la partie incrédule d'Israël a été momentanément exclue du salut. — *Leur plénitude*, leur conversion en masse, qui aura lieu à la fin des temps. — 14. *La jalousie* des Juifs, le désir d'entrer, comme les païens, dans l'Eglise chrétienne. — 15. *La résurrection*, le signe que les desseins de Dieu sont accomplis, que les temps vont finir. — 16. *Les prémices :* image empruntée à un usage de la vie commune. Quand les Juifs préparaient le pain, ils mettaient à part un peu de pâte, pour en faire un gâteau qui était offert à Dieu (*Nombr.* xv, 21) comme *prémices* de la cuite entière. — 17. *Les branches retranchées* sont les Juifs incrédules; le sauvageon enté à leur place, ce sont les païens convertis, qui ont ainsi part *à la racine et au suc*, c'est-à-dire au salut en Jésus Christ.

cine et du suc de l'olivier, 18. ne te glorifie pas à l'encontre des branches. Si tu te glorifies, *sache que* ce n'est pas toi qui portes la racine, mais *que* c'est la racine qui te porte. 19. Tu diras donc : Ces branches ont été retranchées, afin que moi je fusse enté. 20. Cela est vrai; elles ont été retranchées à cause de leur incrédulité, et toi, tu subsistes par la foi; garde-toi de pensées orgueilleuses, mais crains. 21. Car si Dieu n'a pas épargné les branches naturelles, crains qu'il ne t'épargne pas non plus. 22. Considère donc la bonté et la sévérité de Dieu : sa sévérité envers ceux qui sont tombés, et sa bonté envers toi, si tu te maintiens dans cette bonté; autrement toi aussi tu seras retranché. 23. Eux aussi, s'ils ne persévèrent pas dans leur incrédulité, ils seront entés; car Dieu est puissant pour les enter de nouveau. 24. Si toi, tu as été coupé sur un olivier de nature sauvage, et enté, contrairement à ta nature, sur l'olivier franc, à plus forte raison les branches naturelles seront-elles entées sur leur propre olivier.

A la fin tout Israël sera sauvé.

25. Car je ne veux pas, mes frères, que vous ignoriez ce mystère, afin que vous ne soyez pas sages à vos propres yeux: c'est qu'une partie d'Israël est tombée dans l'aveuglement jusqu'à ce que la totalité des gentils soit entrée. 26. Et ainsi tout Israël sera sauvé, selon qu'il est écrit : "Le libérateur viendra de Sion, et il éloignera de Jacob toute impiété; 27. et ce sera mon alliance avec eux, lorsque j'ôterai leurs péchés." 28. Il est vrai, en ce qui concerne l'Evangile, ils sont *encore* ennemis à cause de vous; mais en ce qui concerne l'élection, ils sont aimés à cause de leurs pères. 29. Car les dons et la vo-

24. *A plus forte raison* est-il à croire que *les branches*, etc. — 25. *Jusqu'à ce que :* cet aveuglement durera jusqu'à ce que *la totalité des gentils soit entrée* dans l'Eglise. — 28. *A cause de vous*, en votre faveur (vers. 11). — 29. *Sans repentance*, irrévocables.

cation de Dieu sont sans repentance. 30. Et comme vous-mêmes *autrefois* vous avez désobéi à Dieu, et que, par le fait de leur désobéissance, vous avez maintenant obtenu miséricorde, 31. de même eux aussi ont été maintenant incrédules à cause de la miséricorde qui vous a été faite, afin d'obtenir également miséricorde. 32. Car Dieu a enfermé tous les hommes dans la désobéissance, pour faire miséricorde à tous.

Epilogue :
hymne à la Sagesse divine.

33. ✠ O profondeur des richesses, de la sagesse et de la science de Dieu! Que ses jugements sont insondables et ses voies incompréhensibles! 34. Car "qui a connu la pensée du Seigneur, ou qui a été son conseiller?" 35. Ou bien "qui lui a donné le premier, pour qu'il ait à recevoir en retour?" 36. De lui, par lui et pour lui sont toutes choses. A lui la gloire dans tous les siècles! Amen! ¶

DEUXIÈME PARTIE [MORALE].

(Ch. 12, 1 — 16, 27)

1° — Exhortations et Préceptes.

1° Règles générales :
Subordonner au bien commun les dons spéciaux.

Je vous exhorte donc, mes frères, par la miséricorde de Dieu, à offrir vos corps comme une hostie vivante, sainte, agréable à Dieu : c'est là le culte spirituel que vous lui devez. 2. Et ne vous conformez pas au siècle

31. *A cause de la miséricorde :* la principale cause de la chute d'Israël a été la révélation du salut par la grâce, offert à tous, même aux gentils, et reçu par la foi seule, sans le mérite antérieur des œuvres. — *Afin que*, humiliés par cette chute profonde, et voyant les fruits amers de leur révolte, ils aient aussi recours à la grâce, par la foi au Sauveur, et *obtiennent miséricorde.* — 32. *A enfermé* comme dans une prison. — *Pour faire miséricorde* et montrer *à tous* que la vocation au salut est une pure grâce de sa part.

Chap. 12. — 1. *Offrir*, comme on offre un sacrifice, *vos corps :* le vers. 2 recommande la sainteté de l'âme. — *Vivante*, à la différence des animaux qui cessent de vivre par le sacrifice. — *Spirituel* ou *raisonnable*, qui part de l'âme. — 2. *Le renouvellement de votre esprit*, par la régénération de plus en plus parfaite de l'âme dans

présent, mais transformez-vous par le renouvellement de votre esprit, afin que vous éprouviez ce qu'est la volonté de Dieu, combien elle est bonne, agréable, parfaite. 3. En vertu de la grâce qui m'a été donnée, je dis à chacun de vous de n'avoir pas de lui-même une trop haute opinion, mais d'avoir des sentiments modestes, chacun selon la mesure de foi que Dieu lui a départie. 4. Car, de même que nous avons plusieurs membres dans un seul corps, et que tous les membres n'ont pas la même fonction, 5. ainsi, nous qui sommes plusieurs, nous ne faisons qu'un seul corps en *Jésus* Christ, et chacun en particulier nous sommes membres les uns des autres. ¶ 6. ✠ Et comme nous avons des dons différents, selon la grâce qui nous a été faite, si c'est la prophétie, *prophétisons* selon la mesure de notre foi; 7. si c'est le ministère, attachons-nous au ministère; celui-ci a reçu le don d'enseigner : qu'il enseigne; 8. celui-là, le don d'exhorter : qu'il exhorte; un autre distribue *les aumônes :* qu'il s'en acquitte avec simplicité; un autre préside : qu'il le fasse avec zèle; un autre exerce les œuvres de miséricorde : qu'il s'y livre avec joie.

De la charité fraternelle.

9. Que votre charité soit sans hypocrisie. Ayez le mal en horreur; attachez-vous fortement au bien. 10. Quant à l'amour fraternel, soyez pleins d'affection les uns pour les autres; quant à l'honneur, prévenez-vous mutuellement; 11. quant au zèle, ne soyez pas nonchalants. Soyez fervents d'esprit; servez le Seigneur. 12. Soyez joyeux par l'espérance, patients dans l'affliction,

l'Esprit Saint. — *Eprouviez*, constatiez par l'expérience que vous en ferez en vous-mêmes. — 6. *Dons différents :* sur ces dons extraordinaires accordés aux premiers fidèles, voy. I. *Cor.* xii. — *De notre foi* (comp. vers. 3), sans rien y mêler qui soit de l'esprit de l'homme. — 7. *Le ministère*, le diaconat proprement dit, ou le ministère ecclésiastique en général. — 8. *Préside*, est préposé à une œuvre quelconque. — *Les œuvres de miséricorde*, principalement le soin des malades. — *Avec joie :* qu'il présente à ceux qui souffrent un visage affable et joyeux.

persévérants dans la prière. 13. Prenez part aux nécessités des saints. Exercez avec empressement l'hospitalité. 14. Bénissez ceux qui vous persécutent; bénissez et ne maudissez pas. 15. Réjouissez-vous avec ceux qui sont dans la joie; pleurez avec ceux qui pleurent. 16. Ayez les mêmes sentiments entre vous; n'aspirez pas à ce qui est élevé, mais laissez-vous attirer par ce qui est humble. ¶ Ne soyez point sages à ✠ vos propres yeux. 17. Ne rendez à personne le mal pour le mal; appliquez-vous à faire ce qui est bien devant tous les hommes. 18. S'il est possible, autant qu'il dépend de vous, soyez en paix avec tous. 19. Ne vous vengez point vous-mêmes, bien-aimés; mais laissez agir la colère *de Dieu*, car il est écrit : " A moi la vengeance; je ferai justice, dit le Seigneur." 20. " Si ton ennemi a faim, donne-lui à manger; s'il a soif, donne-lui à boire; car, en agissant ainsi, tu amasseras des charbons de feu sur sa tête." 21. Ne te laisse pas vaincre par le mal, mais vaincs le mal par le bien. ¶

Soumission aux autorités.

✠ CH. 13.

Que tout homme soit soumis aux autorités supérieures; car il n'y a point d'autorité qui ne vienne de Dieu, et celles qui existent ont été instituées par lui. 2. C'est pourquoi celui qui résiste à l'autorité résiste à l'ordre que Dieu a établi, et ceux qui résistent attire-

13. *Aux nécessités des saints :* conduisez-vous comme si les nécessités de vos frères étaient les vôtres; venez-leur en aide. — 16. *Les mêmes sentiments :* que l'union et la bonne intelligence règnent *entre vous.* Pour cela, soyez humbles. — 19. *La colère*, la justice vindicative, qui a sa raison dans la sainteté même de Dieu. — 20. *Charbons ardents*, image d'une vive et cruelle douleur. — Sens : tu lui prépareras, par ta générosité et ta grandeur d'âme, la confusion et bientôt le repentir; il n'aura plus de repos qu'il n'ait réparé ses torts envers toi. — 21. *Vaincre*, ici, entraîner à la vengeance. — *Vaincs le mal :* une bonté opiniâtre vient à bout des méchants.

Chap. 13. — 1. *Soit soumis*, en observant l'ordre prescrit par le Sauveur lui-même : " Rendez à Dieu ce qui est à Dieu, et à César ce qui est à César. " — *Supérieures :* ce mot est ajouté pour insinuer la raison de l'obéissance des *inférieurs*, et désigne tout homme dépositaire de l'autorité. — *Qui existent* en fait, *ont été instituées de Dieu*, sont venues à l'existence par sa volonté.

ront sur eux-mêmes une condamnation. 3. Car les princes ne sont point à redouter pour la bonne action, mais pour la mauvaise. Veux-tu ne pas craindre l'autorité? Fais le bien, et tu auras son approbation. 4. Le prince est ministre de Dieu pour ton bien. Mais si tu fais le mal, crains; car ce n'est pas en vain qu'il porte l'épée : il est ministre de Dieu pour tirer vengeance de celui qui fait le mal, et le punir. 5. Il est donc nécessaire d'être soumis, non seulement à cause du châtiment, mais aussi à cause de la conscience. 6. C'est aussi pour cette raison que vous payez les impôts; car les magistrats sont des ministres de Dieu, en s'acquittant exactement de cette fonction. 7. Rendez donc à tous ce qui leur est dû : l'impôt à qui vous devez l'impôt, le tribut à qui vous devez le tribut, la crainte à qui vous devez la crainte, l'honneur à qui vous devez l'honneur.

Amour mutuel.

8. ✠ Ne soyez en dette avec personne, si ce n'est de l'amour mutuel; car celui qui aime son prochain a accompli la loi. ¶ 9. En effet, ces commandements : " Tu ne commettras point d'adultère; tu ne tueras point; tu ne déroberas point; tu ne diras point de faux témoignage; tu ne convoiteras point, " et ceux qu'on pourrait citer encore, se résument dans cette parole : " Tu aimeras ton prochain comme toi-même. " 10. L'amour ne fait point de mal au prochain; l'amour est donc la plénitude de la loi. ¶

Vigilance et pureté.

11. Cela importe d'autant plus, que vous savez en quel temps nous sommes : ✠ c'est l'heure de nous réveiller enfin du

8. Ne laissez aucun devoir inaccompli, excepté celui de la charité, qui subsiste toujours; c'est une dette qu'on ne saurait payer une fois pour toutes. — 9. *Comme toi-même*, d'un amour semblable, non égal. — 11. *Cela*, la pratique de la charité. — *En quel temps :* il s'agit du retour glorieux du Sauveur pour le jugement final, que les premiers fidèles regardaient comme prochain. — *Le salut* complet, la glorification du chrétien dans son âme et dans son corps, telle qu'elle aura lieu après la résurrection; ou bien l'éternelle félicité après la mort.

sommeil; car maintenant le salut est plus près de nous que lorsque nous avons embrassé la foi. 12. La nuit est avancée, et le jour approche. Dépouillons-nous donc des œuvres des ténèbres et revêtons les armes de la lumière. 13. Marchons honnêtement, comme en plein jour; ne *vous laissez* point *aller* aux excès de la table et du vin, à la luxure et à l'impudicité, aux querelles et aux jalousies. 14. Mais revêtez-vous du Seigneur Jésus Christ, et ne prenez pas soin de la chair, de manière à en exciter les désirs. ¶

2° Conduite à tenir envers les faibles dans la foi. *Ne juger personne.* — CH. 14.

Quant à celui qui est faible dans la foi, accueillez-le sans vouloir juger ses pensées. 2. Tel croit pouvoir manger de tout; tel autre, qui est faible, se nourrit de légumes. 3. Que celui qui mange ne méprise point celui qui ne mange pas, et que celui qui ne mange pas ne méprise point celui qui mange, car Dieu l'a accueilli *dans son Eglise.* 4. Qui es-tu, toi qui juges le serviteur d'autrui? S'il se tient debout, ou s'il tombe, cela regarde son maître. Mais il se tiendra debout, car Dieu a le pouvoir de le soutenir. 5. Tel met de la différence entre les jours; tel autre les estime tous pareils : que chacun ait dans son esprit une pleine conviction. 6. Celui qui observe tel ou tel jour, l'observe en vue du Seigneur; et celui qui mange, mange en vue du Seigneur, car il rend

12. *La nuit... le jour*, soit le temps qui doit s'écouler entre le premier et le second avènement du Sauveur, suivi du jour sans fin de la glorification; soit le temps de la vie présente, suivi de la félicité de l'âme dans le ciel. — *Dépouillons-nous des œuvres des ténèbres*, du péché. — *Revêtons*, comme des soldats du Christ, *les armes de la lumière*, les sentiments et les actes qui conviennent au chrétien baptisé, éclairé de la lumière de la foi. — 14. *De Jésus Christ*, en reproduisant dans vos sentiments et vos actes toute sa vie et ses sentiments.

Chap. 14. — 1. Ces *faibles dans la foi* étaient des chrétiens sortis du judaïsme, qui ne pouvaient se résoudre à ne plus accomplir certaines prescriptions de la loi mosaïque relatives aux aliments, etc. — 3. *Qui mange... qui ne mange pas* de tout. — 5. *Conviction :* quand il s'agit de choses indifférentes ou non commandées par une loi, le principal est que chacun se forme la conscience et la suive. — 6. *En vue du Seigneur*, de Jésus Christ, et par lui en vue de Dieu.

grâces à Dieu; et celui qui ne mange pas, c'est en vue du Seigneur qu'il ne mange pas, et il rend *aussi* grâces à Dieu. 7. ✠ En effet, nul de nous ne vit pour soi-même, et nul ne meurt pour soi-même. 8. Car, soit que nous vivions, nous vivons pour le Seigneur; soit que nous mourions, nous mourons pour le Seigneur. Soit donc que nous vivions, soit que nous mourions, nous appartenons au Seigneur. 9. Car le Christ est mort et a vécu, afin d'être le Seigneur des morts et des vivants. 10. Mais toi, pourquoi juges-tu ton frère? Toi aussi, pourquoi méprises-tu ton frère? puisque nous paraîtrons tous devant le tribunal du Christ; 11. car il est écrit : "Je suis vivant, dit le Seigneur : tout genou fléchira devant moi, et toute langue donnera gloire à Dieu." 12. Ainsi chacun de nous rendra compte à Dieu pour soi-même. ¶

Se garder de scandaliser les faibles.

13. Ne nous jugeons donc plus les uns les autres; mais jugez plutôt de ne rien faire qui soit pour votre frère une pierre d'achoppement ou une occasion de chute. 14. Je sais et je suis persuadé dans le Seigneur Jésus que rien n'est impur en soi; néanmoins, si quelqu'un estime qu'une chose est impure, elle est impure pour lui. 15. Si, pour un aliment, tu contristes ton frère, tu ne marches plus selon la charité; n'entraîne pas à la perdition, par ton aliment, un homme pour lequel le Christ est mort. 16. Que votre bien ne soit pas un sujet de blas-

7. Tout chrétien racheté par Jésus Christ vit pour Jésus Christ, son Seigneur et maître. — 9. La vie et la mort de Jésus Christ sont envisagées comme l'acquisition, l'achat, la conquête *des vivants et des morts :* nul n'osera toucher à sa propriété. Les *morts* sont les âmes dans les limbes. — *Mais toi*, faible dans la foi. — *Toi aussi*, chrétien sorti de la gentilité. — *Puisque* tous nous appartenons au Christ, seul juge de tous. — 13. *Jugez plutôt*, vous, sortis de la gentilité. — *De chute*, en mangeant avec affectation toute espèce d'aliments. — 14. *Impur en soi*, de sa propre nature. — 15. *Entraîner à la perdition :* comment? Soit en donnant à cet homme occasion de faire des jugements téméraires, soit en l'amenant par ton exemple à manger aussi d'un aliment que sa conscience repousse. — 16. *Votre bien*, la liberté chrétienne, l'affranchissement des prescriptions mosaïques. —

phème! 17. Car le royaume de Dieu ne consiste ni dans le manger ni dans le boire; il est dans la justice, dans la paix et dans la joie par l'Esprit Saint. 18. Celui qui sert le Christ de cette manière est agréable à Dieu et approuvé des hommes. 19. Recherchons donc ce qui contribue à la paix et à l'édification mutuelle. 20. Garde-toi pour un aliment, de détruire l'œuvre de Dieu. Il est vrai que toutes choses sont pures, mais il est mal à un homme de manger en devenant une pierre d'achoppement. 21. Ce qui est bien, c'est de ne pas manger de viande, de ne pas boire de vin, *de ne rien faire* qui soit pour ton frère une occasion de chute, de scandale ou de faiblesse. 22. As-tu la foi? Garde-la pour toi-même devant Dieu. Heureux celui qui ne se condamne pas dans l'acte qu'il approuve! 23. Mais celui qui a des doutes, s'il mange, il est condamné, parce qu'il n'agit pas par la foi; tout ce qui ne vient pas de la foi est péché.

A l'exemple de J. C. les supporter et les accueillir. — CH. 15.

NOUS devons, nous qui sommes forts, supporter les faiblesses de ceux qui ne le sont pas, et ne pas nous plaire à nous-mêmes. 2. Que chacun de nous cherche à complaire au prochain pour le bien, afin de l'édifier. 3. Car le Christ n'a pas eu de complaisance pour lui-même; mais, selon qu'il est écrit : " Les outrages de ceux qui t'outragent sont tombés sur moi. " 4. ✠ Car tout ce qui a été écrit avant nous l'a été pour notre instruction, afin que, par la patience et la consolation que donnent les Ecritures,

Un sujet de blasphème, en devenant pour les faibles une occasion de ruine. — 20. *A un homme* fort dans la loi, qui mange de tout. — 22. *La foi*, la conviction que toutes choses sont pures. — *Qui ne se condamne* pas intérieurement *dans l'acte qu'il* se résoud à faire, malgré sa conscience. — 23. *Par la foi*, selon sa conscience, avec la conviction que cela est permis. — *Ne vient pas de la foi*, n'est pas conforme à la voix de la conscience.

Chap. 15. — 1. *Nous plaire à nous-mêmes*, consulter uniquement nos idées et nos goûts. — 4. *Tout ce qui a été écrit*, tout l'ancien Testament. — *L'espérance* de la gloire éternelle.

nous possédions l'espérance. 5. Que le Dieu de la patience et de la consolation vous donne d'avoir les uns envers les autres les mêmes sentiments selon Jésus Christ, 6. afin que, d'un même cœur et d'une même bouche, vous glorifiiez Dieu, le Père de Notre Seigneur Jésus Christ. 7. Accueillez-vous donc les uns les autres, comme le Christ vous a accueillis, pour la gloire de Dieu. 8. J'affirme, en effet, que le Christ a été le ministre des circoncis, pour montrer la véracité de Dieu, en accomplissant les promesses faites à leurs pères, 9. tandis que les gentils glorifient Dieu à cause de sa miséricorde, selon qu'il est écrit : "C'est pourquoi je te louerai parmi les nations, et je chanterai à la gloire de ton nom." 10. L'Ecriture dit encore : "Nations, réjouissez-vous avec son peuple." 11. Et ailleurs : "Nations, louez toutes le Seigneur; peuples, célébrez-le tous." 12. Isaïe dit aussi : "Il paraîtra, le rejeton de Jessé, celui qui se lève pour régner sur la nation; en lui les nations mettront leur espérance." 13. Que le Dieu de l'espérance vous remplisse de toute joie et de toute paix dans la foi, afin que, par la vertu de l'Esprit Saint, vous abondiez en espérance! ¶

2° — EXPLICATION PERSONNELLE.

Paul écrit aux Romains comme Apôtre.

14. Moi aussi, mes frères, j'ai de vous cette persuasion que vous êtes de vous-mêmes pleins de bons sentiments, remplis de toute connaissance, et capables de vous avertir les uns les autres. 15. Si, en quelques endroits, je vous ai écrit un peu librement, c'est plutôt pour raviver vos souvenirs, à cause de la grâce que Dieu m'a faite, 16. d'être ministre de Jésus Christ pour les gentils, en m'ac-

8. *Ministre des circoncis :* la fonction du Messie, conformément aux promesses, était de consacrer son activité au salut de la nation juive. — 14. *Connaissance* de la religion. — 16. *Ministre*, dans le sens de prêtre. Paul décrit sa prédication parmi les païens sous une

quittant du divin service de l'Evangile de Dieu, afin que l'offrande des gentils *lui* soit agréable, étant sanctifiée par le Saint Esprit. 17. J'ai donc sujet de me glorifier en Jésus Christ pour ce qui regarde les choses de Dieu. 18. Car je n'oserais dire chose au monde que le Christ n'ait pas faite par mon ministère pour amener les païens à obéir *à l'Evangile*, par la parole et par l'action, 19. par la puissance des miracles et des prodiges, par la puissance de l'Esprit *Saint :* si bien que, depuis Jérusalem et les pays voisins jusqu'à l'Illyrie, j'ai porté partout l'Evangile du Christ, 20. mettant toutefois mon honneur à prêcher l'Evangile non pas là où le Christ avait été nommé, afin de ne pas bâtir sur le fondement qu'un autre aurait posé, 21. mais *dans d'autres pays*, selon qu'il est écrit : " Ceux à qui il n'avait pas été annoncé le verront, et ceux qui n'en avaient pas entendu parler le connaîtront."

Projets de voyage.
Demande de prières.

22. C'est ce qui m'a souvent empêché d'aller chez vous. 23. Mais maintenant, n'ayant plus rien qui me retienne dans ces contrées, et ayant depuis plusieurs années le désir d'aller vers vous, 24. j'espère vous voir en passant, quand je me rendrai en Espagne, et y être accompagné par vous, après que j'aurai satisfait, en partie *du moins*, mon désir de me trouver parmi vous. 25. Présentement je vais à Jérusalem, pour venir en aide aux saints. 26. Car la Macédoine et l'Achaïe ont bien voulu faire une collecte en faveur des saints de Jérusalem qui sont dans la pauvreté. 27. Elles l'ont bien voulu, mais *vraiment* elles le leur devaient; car si les gentils

image empruntée aux sacrifices mosaïques. Le prédicateur est le *prêtre*, les gentils sont *l'offrande*, la victime à offrir, et la prédication est *l'acte* du sacrifice. — 22. La Vulgate ajoute, à tort, *et je ne l'ai pu faire jusqu'à cette heure.* — 25. *Aux saints*, aux chrétiens de cette ville. — 26. Une grande pauvreté régnait parmi les fidèles de Jérusalem, non seulement parce qu'ils avaient aliéné, au moins en partie, leurs biens pour les mettre en commun (*Act.* IV, 32 sv.), mais surtout à cause de la persécution, souvent accompagnée de confiscations.

ont eu part à leurs biens spirituels, ils doivent aussi les assister de leurs biens temporels. 28. Dès que j'aurai rempli cette mission et que je leur aurai fidèlement remis ce don, je partirai pour l'Espagne et passerai chez vous. 29. Je sais qu'en allant chez vous, j'y viendrai avec une abondante bénédiction du Christ.

30. Je vous exhorte, mes frères, par Notre Seigneur Jésus Christ et par la charité que l'Esprit *Saint* répand *dans les âmes*, à combattre avec moi, en adressant pour moi des prières à Dieu, 31. afin que j'échappe aux incrédules qui sont en Judée, et que l'offrande que je porte à Jérusalem soit agréable aux saints, 32. en sorte que j'arrive chez vous dans la joie, si c'est la volonté de Dieu, et que je goûte quelque repos au milieu de vous. 33. Que le Dieu de paix soit avec vous tous ! Amen !

Epilogue (CH. 16).

Recommandations et salutations.

Je vous recommande Phœbé, notre sœur, qui est diaconesse de l'Eglise de Cenchrée, 2. afin que vous la receviez en Notre Seigneur d'une manière digne des saints, et que vous l'assistiez dans toutes les choses où elle pourrait avoir besoin de vous, car elle aussi a donné aide à plusieurs et à moi-même.

3. Saluez Prisca et Aquilas, mes coopérateurs en Jésus Christ, 4. eux qui, pour sauver ma vie, ont mis leur cou sous *la hache;* ce n'est pas moi seul qui leur rends grâces, ce sont encore toutes les Eglises des gentils.

---

28. *Et passerai chez vous :* la chose se réalisa en effet, mais d'une tout autre manière que Paul l'avait prévu (*Act.* XXV, 10). — 31. Les chrétiens de Jérusalem, sortis la plupart du judaïsme, se montraient en général défiants vis-à-vis de Paul.

Chap. 16. — 1. *Phœbé :* on conjecture que Paul lui avait confié sa lettre pour la porter aux Romains. — *Diaconesse :* c'étaient, dans la primitive Eglise, des femmes d'un certain âge, chargées du soin des pauvres et des malades, de l'instruction des catéchumènes de leur sexe, etc. — 2. *En Notre Seigneur*, comme membre de son corps mystique, comme chrétienne. — 4. *Sous la hache :* ont expose leur vie.

5. *Saluez* aussi l'Eglise qui est dans leur maison. — Saluez Epénète, mon bien aimé, qui a été pour le Christ les prémices de l'Asie. — 6. Saluez Marie, qui a pris beaucoup de peine parmi vous. — 7. Saluez Andronique et Junias, mes parents et mes compagnons de captivité, qui jouissent d'une grande considération parmi les Apôtres, et qui même ont été dans le Christ avant moi. — 8. Saluez Amplias, mon bien aimé dans le Seigneur. — 9. Saluez Urbain, notre coopérateur dans le Christ, et Stachys, mon bien aimé. — 10. Saluez Apelle, qui a fait ses preuves dans le Christ. Saluez ceux de la maison d'Aristobule. — 11. Saluez Hérodion, mon parent. Saluez ceux de la maison de Narcisse qui sont dans le Seigneur. — 12. Saluez Tryphène et Tryphose, qui travaillent dans le Seigneur. Saluez Perside la bien aimée, qui a beaucoup travaillé dans le Seigneur. — 13. Saluez Rufus, distingué dans le Seigneur, et sa mère, qui est aussi la mienne. — 14. Saluez Asyncrite, Phlégon, Hermès, Patrobas, Hermas, et les frères qui sont avec eux. — 15. Saluez Philologue et Julie, Nérée et sa sœur, ainsi qu'Olympas, et tous les saints qui sont avec eux. — 16. Saluez-vous les uns les autres par un saint baiser.

Toutes les Eglises du Christ vous saluent.

17. Je vous exhorte, mes frères, à prendre garde à ceux qui causent les divisions et les scandales, en s'écartant de l'enseignement que vous avez reçu; éloignez-vous d'eux. 18. Car de tels hommes ne servent point le Christ Notre Seigneur, mais leur propre ventre, et avec leurs paroles

5. Ces *églises domestiques* nous offrent le premier germe des futures paroisses. — *Epénète* avait été le premier chrétien de cette province. — 16. *Un saint baiser :* chez les Orientaux, et spécialement chez les Juifs, le salut était accompagné d'un baiser. Ce baiser entra de bonne heure dans la liturgie comme symbole de charité et d'union. — 17-19. Ces versets, écrits peut-être de la main de Paul, sont destinés à prémunir d'avance les fidèles de Rome contre ses adversaires ordinaires, les chrétiens judaïsants, qui pouvaient d'un moment à l'autre faire leur apparition à Rome. — 18. *Leur ventre*, toutes les passions basses.

douces et leur langage flatteur, ils séduisent les cœurs des simples. 19. Car votre obéissance est connue de tous; je me réjouis donc à votre sujet; mais je désire que vous soyez prudents pour le bien et simples pour le mal. 20. Le Dieu de paix écrasera bientôt Satan sous vos pieds.

Que la grâce de Notre Seigneur Jésus Christ soit avec vous ! Amen !

21. Timothée, le compagnon de mes travaux, vous salue, ainsi que Lucius, Jason et Sosipater, mes parents. — 22. Je vous salue dans le Seigneur, moi Tertius, qui ai écrit cette lettre. — 23. Caius, mon hôte et celui de toute l'Eglise, vous salue. Eraste, le trésorier de la ville, vous salue, ainsi que Quartus, *notre* frère.

24. Que la grâce de Notre Seigneur Jésus Christ soit avec vous tous ! Amen !

Doxologie.

25. A celui qui peut vous affermir dans mon Evangile et dans la prédication de Jésus Christ, — conformément à la révélation du mystère resté caché durant de longs siècles, 26. mais manifesté maintenant, et, selon l'ordre de Dieu, au moyen des écrits des prophètes, porté à la connaissance de toutes les nations pour qu'elles obéissent à la foi, — 27. à Dieu, seul sage, soit la gloire par Jésus Christ aux siècles des siècles ! Amen !

---

19. *Prudents*, pour discerner le *bien* que vous avez à pratiquer. — *Pour le mal*, y restant complètement étrangers. — 20. *Satan*, et les sectaires qui sont ses organes. — *Que la grâce*, etc. Entre cette bénédiction et la doxologie (vers. 25 sv.), Paul se trouve amené à ajouter encore quelques salutations. — 23. *De toute l'Eglise*, la communauté de Corinthe se réunissait chez lui pour le service divin. — *Notre frère* en J. C. — 24. Répétition de la bénédiction du vers. 20. — 25. *Dans mon Evangile*, l'Evangile que je vous prêche, qui n'est autre que la *prédication touchant J. C.*, dont J. C. est en quelque sorte tout le contenu. — *Conformément à...* Sens : mon Évangile est la *révélation d'un mystère*, savoir du dessein éternel de Dieu de racheter le monde par J. C. — 26. Ce mystère est manifesté, maintenant que Jésus est venu au monde, 1. *selon l'ordre de Dieu*, qui a choisi les Apôtres pour l'annoncer ; 2. *au moyen des écrits des prophètes*, qui devaient servir d'appui et de confirmation à la prédication de l'Evangile; 3. *pour que les nations obéissent à la foi* : comp. i, 5.

PREMIÈRE ÉPÎTRE DE S. PAUL AUX CORINTHIENS.

Préambule (I, 1 — 9).

Salutation.

PAUL, apôtre de Jésus Christ appelé par la volonté de Dieu, et Sosthène, son frère, 2. à l'Eglise de Dieu qui est à Corinthe, aux fidèles sanctifiés en Jésus Christ, aux saints appelés *de Dieu*, et à tous ceux qui invoquent, en quelque lieu que ce soit, le nom de Notre Seigneur Jésus Christ, leur Seigneur et le nôtre : 3. grâce et paix vous soient données de la part de Dieu notre Père et du Seigneur Jésus Christ!

Actions de grâces.

4. ✠ Je rends à mon Dieu de continuelles actions de grâces à votre sujet, pour la grâce de Dieu qui vous a été faite en Jésus Christ. 5. Car en lui vous avez été comblés de richesses *spirituelles*, de toute parole et de toute connaissance, 6. le témoignage du Christ ayant été solidement établi parmi vous, 7. de sorte que vous ne manquez d'aucun don de grâce, attendant avec confiance la révélation de Notre Seigneur Jésus Christ. 8. Il vous affermira aussi jusqu'à la fin, pour que vous soyez irréprochables au jour de Notre Seigneur Jésus Christ. ¶ 9. Dieu, qui vous a appelés à la communion de son Fils Jésus Christ, Notre Seigneur, est fidèle.

Chap. I. — 2. *Aux saints* (comp. *Rom.* i, 7) *appelés* de Dieu au royaume du Messie par le moyen de la prédication de l'Evangile. 4. *Pour la grâce :* avant tout la grâce qui sanctifie les âmes, et peut-être aussi les dons spirituels dont il sera parlé au chapitre xii. — 5. *De toute parole*, grâce spéciale pour tenir des discours dans les assemblées des fidèles; *et de toute connaissance*, science de la religion. — 6. *Le témoignage* touchant *le Christ*, l'Evangile. — 7. *Vous ne manquez d'aucun don de grâce :* allusion aux dons merveilleux du chap. xii. — *Attendant la révélation*, c.-à-d. le second avènement de J. C. — 8. *Jusqu'à la fin*, soit de la vie, soit plutôt de ce siècle. — *Au jour de* l'avènement de *N. S. J. C.* — 9. *Dieu est fidèle*, il achèvera son œuvre. — *A la communion*, à participer à la filiation divine de J. C.

PREMIÈRE PARTIE.

ABUS A RÉFORMER DANS L'ÉGLISE DE CORINTHE (CH. 1, 10 — 6, 20).

1° — DIVISIONS ENTRE LES FIDÈLES AU SUJET DE LEURS PRÉDICATEURS. (1, 10 — 4, 21).

Exposé de leurs divisions.

10. Je vous exhorte, *mes* frères, au nom de Notre Seigneur Jésus Christ, à avoir tous un même langage ; qu'il n'y ait point de divisions parmi vous, mais soyez bien unis dans un même esprit et un même sentiment. 11. Car, *mes* frères, j'ai appris à votre sujet, par les gens de Chloé, qu'il y a des disputes parmi vous. 12. Je veux dire que chacun de vous parle ainsi : " Moi, je suis à Paul ! — et moi, à Apollos ! — et moi, à Céphas ! — et moi au Christ ! "

Leur condamnation.

13. Le Christ est-il divisé ? Est-ce que Paul a été crucifié pour vous ? Est-ce au nom de Paul que vous avez été baptisés ? 14. Je rends grâces à Dieu de ce que je n'ai baptisé aucun de vous, si ce n'est Crispus et Caius, 15. afin que personne ne puisse dire qu'il a été baptisé en mon nom. 16. J'ai encore baptisé la famille de Stéphanas ; du reste, je ne sache pas que j'aie baptisé personne d'autre.

Car Dieu, qui a choisi la faiblesse, condamne la sagesse humaine.

17. ✠ Ce n'est pas pour baptiser que le Christ m'a envoyé, c'est pour prêcher l'Evangile, et *pour le prêcher* sans la sagesse du discours, afin que la croix du Christ ne

10. *Un même langage ;* comp. vers. 12. — 13. *Le Christ* est un, une aussi doit être l'Église, son corps mystique. — 17. *Baptiser :* comp. *Act.* x, 48. — *La sagesse du discours*, la forme que les philosophes donnaient à leurs leçons : allusion à l'éloquence étudiée des prédicateurs du parti d'Apollos. — *La croix du Christ*, la doctrine de Jésus crucifié. — *Rendue vaine :* ce qui arriverait si le triomphe de cette doctrine était dû, non à sa vertu propre, mais à l'art de bien dire.

soit pas rendue vaine. 18. En effet, la doctrine de la croix est une folie pour ceux qui périssent; mais pour nous qui sommes sauvés, elle est une force divine. 19. Car il est écrit : "Je détruirai la sagesse des sages, et j'anéantirai la science des savants." 20. Où est le sage? où est le docteur? où est le dialecticien de ce siècle? Dieu n'a-t-il pas convaincu de folie la sagesse du monde? 21. Car le monde, avec sa sagesse, n'ayant pas connu Dieu dans la sagesse de Dieu, il a plu à Dieu de sauver les croyants par la folie de la prédication. 22. Les Juifs demandent des miracles, et les Grecs cherchent la sagesse; 23. nous, nous prêchons le Christ crucifié, scandale pour les Juifs et folie pour les gentils, 24. mais puissance de Dieu et sagesse de Dieu pour ceux qui sont appelés, soit Juifs, soit Grecs. 25. Car la folie de Dieu est plus sage que les hommes, et la faiblesse de Dieu est plus forte que les hommes.¶ 26. ✠ Considérez en effet votre vocation, mes frères : il n'y a *parmi vous* ni beaucoup de sages selon la chair, ni beaucoup de puissants, ni beaucoup de nobles. 27. Mais Dieu a choisi la folie du monde pour confondre les sages; et Dieu a choisi la faiblesse du monde pour confondre les forts; 28. et Dieu a choisi la bassesse et l'opprobre du monde, ce qui n'est rien, pour réduire au néant ce qui est, 29. afin que nulle chair ne se glorifie devant Dieu. 30. Or c'est par lui que vous êtes en

18. *Qui périssent* par suite de leur incrédulité. — *Une force divine*, qui nous régénère et nous transforme intérieurement (*Rom.* i, 16.) — 21. *Dans la sagesse de Dieu*, dans ses œuvres, où brille une sagesse infinie. — *Il a plu à Dieu de sauver* le monde, du moins les croyants, par un moyen tout opposé, par la simple prédication de la croix. — 22. *Les Grecs*, ici, les païens. — *Cherchent la sagesse*, prétendent arriver au salut par la voie de la sagesse humaine. — 25. *La folie de Dieu*, etc. : allusion à la mort de J. C. sur la croix pour le salut du monde. — 26. *Votre vocation*, au point de vue des personnes appelées de Dieu. — 27-28. *La folie*, les insensés *du monde*. — *Confondre les sages*, *les forts*, qui, avec toute leur sagesse et leur puissance, ne sont pas arrivés au salut. La triple répétition, *et Dieu a choisi*, donne à la phrase un accent triomphal (comme au vers. 20.) — *Ce qui n'est rien*, dans l'estime des hommes. — 30. *Vous êtes en J. C.*, dans l'union la plus intime avec lui.

Jésus Christ, lequel par *la volonté* de Dieu, a été fait pour nous sagesse, et justice, et sanctification, et rédemption, 31. afin que, comme il est écrit, "celui qui se glorifie, se glorifie dans le Seigneur." ¶

Simplicité de la prédication de S. Paul. — CH. 2.

Moi aussi, mes frères, lorsque je suis venu chez vous, ce n'est pas avec une supériorité de langage ou de sagesse que je suis venu vous annoncer le témoignage du Christ. 2. Car je n'ai pas jugé que je dusse savoir parmi vous autre chose que Jésus Christ, et Jésus Christ crucifié. 3. Moi-même j'ai été auprès de vous dans la faiblesse, dans la crainte et un grand tremblement; 4. et mes discours et ma prédication n'avaient rien du langage persuasif de la sagesse humaine, mais l'Esprit *Saint* et la force de Dieu en démontraient la vérité : 5. afin que votre foi repose, non sur la sagesse des hommes, mais sur la puissance de Dieu.

La vraie sagesse dans l'Evangile.

6. Pourtant c'est une sagesse que nous prêchons parmi les parfaits, sagesse qui n'est pas celle de ce siècle, ni des princes de ce siècle, dont le règne va finir. 7. Nous prêchons une sagesse de Dieu mystérieuse et cachée, que Dieu, avant les siècles, avait destinée pour notre glorification. 8. Cette sagesse, nul des princes de ce siècle ne l'a connue; — car, s'ils l'avaient connue, ils n'au-

vivant de sa vie. — *Justice*, justification, ayant expié nos péchés par sa mort. — 31. *Jér.* ix, 24.

Chap. 2. — 1. *Moi aussi*, comme en effet, d'après les considérations précédentes (1, 17-31), c'est le devoir de tout prédicateur. — *Le témoignage du Christ :* comp. 1, 6. — 3. *La faiblesse :* expression générale du sentiment que Paul avait de son insuffisance personnelle en face de la grande tâche que Dieu lui avait imposée. — 4. *L'Esprit Saint et la force* divine qui, par lui, transformait vos âmes, vous donnaient cette démonstration. — 6. L'Evangile est-il donc étranger à toute sagesse? Non. — *Sagesse* désigne donc ici les plus hauts enseignements du christianisme. — *Les princes de ce siècle*, les puissants, les dépositaires de l'autorité (vers. 8). — *Dont le règne* finira avec ce siècle, au second avènement du Sauveur. — 7. *Mystérieuse*, qui suppose de la part de Dieu une révélation, et de la part de l'homme une foi humble. — *Notre glorification* dans le ciel.

raient pas crucifié le Seigneur de la gloire. 9. Mais ce sont, comme il est écrit, " des choses que l'œil n'a point vues, que l'oreille n'a point entendues, et qui ne sont pas montées au cœur de l'homme, — des choses que Dieu a préparées pour ceux qui l'aiment." 10. Dieu nous les a révélées par son Esprit; car l'Esprit pénètre tout, même les profondeurs de Dieu. 11. Qui est-ce qui connaît ce qui est en l'homme, si ce n'est l'esprit de l'homme qui est en lui? De même personne ne connaît ce qui est en Dieu, si ce n'est l'Esprit de Dieu.

Comprise des parfaits.

12. Pour nous, nous avons reçu, non l'esprit de ce monde, mais l'Esprit qui vient de Dieu, afin que nous connaissions les choses que Dieu nous a données par sa grâce. 13. Et nous en parlons, non avec des paroles qu'enseigne la sagesse humaine, mais avec celles qu'enseigne l'Esprit, en exprimant les choses spirituelles par un langage spirituel. 14. Mais l'homme animal ne reçoit pas les choses de l'Esprit de Dieu, car elles sont une folie pour lui, et il ne peut les connaître, parce que c'est par l'Esprit qu'on en juge. 15. L'homme spirituel, au contraire, juge de tout, et il n'est lui-même jugé par personne. 16. Car " qui a connu la pensée du Seigneur, pour pouvoir l'instruire?" Mais nous, nous avons la pensée du Christ.

10. *Dieu nous les* a révélées, a révélé aux parfaits (vers. 6) le contenu de la sagesse cachée aux hommes de ce siècle, savoir les décrets éternels relatifs au salut de l'humanité. — *Les profondeurs de Dieu*, ses perfections, ses pensées, ses desseins éternels. — 11. *Ce qui est dans l'homme*, son intérieur (pensées, affections, desseins). — *L'esprit de ce monde*, la manière de voir et de sentir propre aux hommes du siècle. — 13. *Spirituel*, qui vient de l'Esprit Saint, non de l'art de l'éloquence. — 14. *L'homme animal*, l'homme naturel, que l'Esprit de Dieu n'a pas encore éclairé et sanctifié. — 15. *Juge de tout*, des hommes et des choses, même de l'ordre profane, à la lumière plus pure de l'Esprit Saint. — *Par personne*, qui ne serait pas spirituel comme lui. — 16. *L'instruire*, ou le reprendre (*Is.* xl, 13). — *Nous*, spirituels. — *La pensée*, les vues, la manière de juger et de sentir *de J. C.*, parce que nous possédons l'Esprit Saint, qui est l'Esprit de Jésus, et qu'ainsi Jésus vit en nous, aime en nous, etc.

Mais les Corinthiens sont encore charnels. — CH. 3.

Moi-même, mes frères, ce n'est pas comme à des hommes spirituels que j'ai pu vous parler, mais comme à des hommes charnels, comme à de petits enfants en Christ. 2. Je vous ai donné du lait à boire, non de la nourriture solide, car vous n'en étiez pas capables, et vous ne l'êtes pas même à présent, parce que vous êtes encore charnels. 3. En effet, puisqu'il y a parmi vous de la jalousie et des disputes, n'êtes-vous pas charnels, et ne marchez-vous pas selon l'homme?

Dignité et devoir des prédicateurs de l'Evangile.

4. Quand l'un dit : Moi, je suis à Paul! et un autre : Moi, je suis à Apollos! n'êtes-vous pas des hommes? Qu'est-ce donc qu'Apollos? et qu'est-ce que Paul? 5. Des ministres de celui en qui vous avez cru, selon ce que le Seigneur a donné à chacun. 6. J'ai planté, Apollos a arrosé; mais Dieu a fait croître. 7. Ainsi celui qui plante n'est rien, ni celui qui arrose; Dieu, qui fait croître, *est tout.* 8. Celui qui plante et celui qui arrose sont une même chose; et chacun recevra sa propre récompense selon son propre travail. 9. Car nous sommes ouvriers avec Dieu. Vous êtes le champ de Dieu, l'édifice de Dieu. 10. Selon la grâce de Dieu qui m'a été donnée, j'ai, comme un sage architecte, posé le fondement, et un autre bâtit dessus. Seulement que chacun prenne garde comment il bâtit dessus. 11. Car personne ne peut poser un autre fondement que celui qui est déjà posé, savoir Jésus Christ.

Dieu les jugera. Le Temple de Dieu.

12. Si l'on bâtit sur ce

Chap. 3. — 1. *Vous parler*, vous prêcher cette sagesse supérieure : voy. ii, 6. — *Charnels*, si peu changés par l'influence de l'Esprit Saint, que la *chair*, foyer du péché et de la concupiscence, domine encore en eux. — 2. *Du lait*, partie élémentaire de l'enseignement chrétien. — 5. *Selon* le genre de fonction et de ministère que Dieu a assigné à chacun. — 8. *Une même chose :* ils sont également ministres.— 9. *Car* : puisque nous sommes les coopérateurs de Dieu, dont vous êtes le champ et l'édifice, nos travaux ne sauraient rester sans récompense. — 12. Ces divers matériaux figurent les diverses doctrines, vraies ou fausses, solides ou sans consistance, qui sans

fondement avec de l'or, de l'argent, des pierres précieuses, du bois, du foin, du chaume, 13. l'ouvrage de chacun sera manifesté ; car le jour *du Seigneur* le fera connaître, parce qu'il va apparaître dans le feu, et le feu même éprouvera ce qu'est l'ouvrage de chacun. 14. Si l'ouvrage bâti par quelqu'un *sur le fondement* subsiste, il recevra une récompense; 15. si l'ouvrage de quelqu'un est consumé, il perdra sa récompense; lui pourtant sera sauvé, mais comme au travers du feu.

16. Ne savez-vous pas que vous êtes le temple de Dieu, et que l'Esprit de Dieu habite en vous? 17. Si quelqu'un détruit le temple de Dieu, Dieu le détruira ; car le temple de Dieu est saint, et c'est ce que vous êtes vous-mêmes.

Conclusion : *ni préférences inspirées par la sagesse humaine*

18. Que nul ne s'abuse soi-même. Si quelqu'un parmi vous pense être sage dans ce siècle, qu'il devienne fou, afin de devenir sage. 19. En effet, la sagesse de ce monde est folie devant Dieu ; car il est écrit : " Je prendrai les sages dans leurs ruses. " 20. Et encore : " Le Seigneur connaît les pensées des sages, *il sait* qu'elles sont vaines." 21. Que personne donc ne mette sa gloire dans des hommes; 22. car tout est à vous, et Paul,

---

renverser le dogme fondamental de J. C. crucifié, en dérivent ou s'y ajoutent. — 13. *Le jour* du Seigneur, où J. C. reviendra pour le jugement.— Vers. 14-15. *Subsiste*, résiste au feu.— Ainsi le prédicateur qui aura mêlé à la pure doctrine du christianisme des éléments imparfaits, empruntés, soit pour le fond soit pour la forme, à la sagesse mondaine, perdra la récompense spéciale promise à l'apôtre, tout en ayant part, mais à grand'peine, au salut. — 16. *Ne savez-vous pas*, ô prédicateurs téméraires, ô fidèles imprudents qui les écoutez, *que vous êtes : vous* désigne l'Eglise de Corinthe, et, dans un sens secondaire, chaque fidèle en particulier, pierre vivante de ce temple. — 17. *Détruit*, c.-à-d. profané, ici par des doctrines peu chrétiennes. — *Ce que vous êtes*, savoir saints; ou bien, *et vous êtes ce temple*. — 18. *Si quelqu'un parmi vous* prétend avoir la sagesse de ce siècle, *qu'il devienne fou*, qu'il renonce à sa prétendue sagesse, *afin de devenir*, par une foi humble à l'Evangile, vraiment *sage*. — 21. *Sa gloire*, et comme sa fin suprême, *dans des hommes*, ici des prédicateurs. — 22. *Tout est à vous*, mis à votre disposition par la divine providence pour vous conduire au salut, non seulement les

et Apollos, et Céphas, et le monde, et la vie, et la mort, et les choses présentes, et les choses à venir. Tout est à vous, 23. et vous êtes à *Jésus* Christ, et *Jésus* Christ est à Dieu.

ni comparaison entre leurs prédicateurs, dont ils ne sont pas juges. — CH. 4.

Ainsi, qu'on nous regarde comme des serviteurs du Christ et des dispensateurs des mystères de Dieu. 2. Dès lors, ce que l'on cherche dans les dispensateurs, c'est que chacun soit trouvé fidèle. 3. Pour moi, il m'importe fort peu d'être jugé par vous ou par un tribunal humain; je ne me juge pas non plus moi-même; 4. car, quoique je ne me sente coupable de rien, je ne suis pas pour cela justifié : mon juge, c'est le Seigneur. 5. C'est pourquoi ne jugez de rien avant le temps, jusqu'à ce que vienne le Seigneur : il mettra en lumière ce qui est caché dans les ténèbres et manifestera les desseins des cœurs, et alors chacun recevra de Dieu la louange qui lui est due.¶

Ironie de Paul qui rabaisse l'orgueil des Corinthiens.

6. Ce que je viens de dire d'Apollos et de moi, n'est qu'une forme que j'ai prise à cause de vous, mes frères, afin que vous appreniez en nos personnes à ne pas aller au-delà de ce qui est écrit, ne vous enflant pas d'orgueil en faveur de l'un contre l'autre. 7. Car qui est-ce qui te distingue? Qu'as-tu que tu ne l'aies reçu? Et si tu l'as reçu, pourquoi te glorifies-tu comme si tu ne l'avais pas reçu? 8. Déjà vous êtes rassasiés! Déjà vous êtes riches! Sans nous, vous êtes rois! Dieu veuille que vous le soyez en effet, afin que nous aussi nous régnions avec

---

prédicateurs de l'Evangile, mais le monde entier. — 23. *Et J. C est à Dieu*, lui appartient, non comme sa créature, mais comme son Fils.

Chap. 4. — 1. *Ainsi :* les 5 premiers versets de ce chapitre se rattachent à ce qui précède. — *Les dispensateurs*, les économes, des *mystères de Dieu*, tout d'abord de la vérité ou doctrine chrétienne. ensuite de la grâce ou des sacrements. — 6. *Une forme :* j'ai semblé parlé d'Apollos et de moi, mais en réalité mes paroles visaient vos prédicateurs et condamnaient leur présomption et leur orgueil.

vous! 9. ✠ Car il semble que Dieu nous ait fait paraître, nous les Apôtres, comme les derniers des hommes, comme des condamnés à mort, puisque ✠ nous avons été en spectacle au monde, aux anges et aux hommes. 10. Nous sommes insensés à cause du Christ, et vous, vous êtes sages dans le Christ; nous sommes faibles, et vous êtes forts; vous êtes en honneur, et nous dans le mépris! 11. A cette heure encore, nous souffrons la faim, la soif, la nudité; nous sommes meurtris de coups, nous n'avons ni feu ni lieu, 12. et nous nous fatiguons à travailler de nos propres mains; maudits, nous bénissons; persécutés, nous supportons; 13. calomniés, nous supplions; nous sommes jusqu'à présent comme les balayures du monde, le rebut des hommes.

Exhortation paternelle.

14. Ce n'est pas pour vous faire honte que j'écris ces choses; mais je vous avertis comme mes enfants bien aimés. ¶ 15. Car, eussiez-vous dix mille maîtres dans le Christ, vous n'avez pas cependant plusieurs pères, puisque c'est moi qui vous ai engendrés en Jésus Christ par l'Evangile. ¶ 16. Je vous en conjure donc, soyez mes imitateurs, comme je le suis du Christ. 17. C'est pour cela que je vous ai envoyé Timothée, qui est mon enfant bien aimé et fidèle dans le Seigneur; il vous rappellera quelles sont mes voies dans le Christ, de quelle manière j'enseigne partout, dans toutes les Eglises. 18. Quelques-uns, présumant que je n'irais plus chez vous, se sont enflés d'orgueil. 19. Mais j'irai bientôt

9. *Car* rattache ce verset au vœu qui précède et continue l'ironie : cela serait vraiment fort désirable, *car...* — *Puisque*, selon la coutume antique d'exposer publiquement les criminels avant leur exécution, etc. — *En spectacle* : objet de compassion pour les bons, de joie maligne pour les méchants. — 10. L'ironie continue : vous êtes bien d'autres hommes que nous! — *Insensés*, ayant renoncé pour Jésus Christ à toute la sagesse humaine. — *Sages en Jésus Christ*, non seulement dans les choses de ce monde, mais dans la doctrine chrétienne. — 13. *Nous supplions*, nous répondons par des paroles douces, polies, suppliantes. — 16. *Les imitateurs* de mon humilité et de mon abnégation. — 18. *Que* je n'oserais plus retourner *chez vous*.

chez vous, s'il plaît au Seigneur, et je prendrai connaissance, non des paroles de ceux qui se sont enflés, mais de ce qu'ils peuvent faire. 20. Car le royaume de Dieu consiste, non en paroles, mais en œuvres. 21. Que voulez-vous? Que j'aille chez vous avec la verge, ou avec amour et dans un esprit de douceur?

2° — SCANDALES DONNÉS PAR QUELQUES FIDÈLES (5 — 6).

L'incestueux; son excommunication. — CH. 5.

✠ On entend dire généralement qu'il y a parmi vous de l'impudicité, et une telle impudicité qu'elle ne se rencontre pas même chez les païens; c'est au point que l'un *de vous* a la femme de son père. 2. Et vous êtes enflés d'orgueil! Et vous n'avez pas été plutôt dans le deuil, afin que celui qui a commis cet acte fût ôté du milieu de vous! 3. Pour moi, absent de corps, mais présent d'esprit, j'ai déjà jugé, comme si j'étais présent, celui qui a péché de la sorte : 4. au nom de Notre Seigneur Jésus Christ, vous et mon esprit étant assemblés, avec la puissance de Notre Seigneur Jésus, 5. qu'un tel homme soit livré à Satan pour la mort de la chair, afin que l'esprit soit sauvé au jour du Seigneur Jésus.

Se purifier du vieux levain des vices.

6. Ils ne sont pas beaux, vos titres de gloire! Ne savez-vous pas qu'un peu de levain fait lever toute la pâte? 7. ✠ Purifiez-vous du vieux levain, afin que vous soyez une pâte nouvelle, comme aussi vous êtes sans levain; car le

21. *Que*, lequel des deux *voulez-vous?*

Chap. 5. — 3-5. *J'ai jugé* et rendu la sentence suivante (vers. 4-5). — *Livré à Satan*, expression aussi juste qu'énergique pour désigner l'excommunication. — *Pour la mort de la chair*, pour être tourmenté dans son corps par Satan, au moyen de maladies et d'autres afflictions extérieures. Comparez l'histoire de Job. — *L'esprit*, organe de la vie surnaturelle, conservant la foi, sera *sauvé*. — 7. *Vieux levain*, synonyme de vieil homme. — L'image est empruntée à la coutume des Juifs de faire disparaître de leurs maisons toute espèce de

Christ, notre Pâque, a été immolé. 8. Célébrons donc la Pâque, non avec du vieux levain, non avec un levain de malice et de perversité, mais avec les azymes de la pureté et de la vérité. ¶

Eviter les mauvais chrétiens.

9. Je vous ai écrit dans ma lettre " de ne pas avoir de relations avec les impudiques :" 10. non pas absolument avec les impudiques de ce monde, ou avec les hommes cupides et rapaces, ou avec les idolâtres; autrement il vous faudrait sortir du monde. 11. J'ai simplement voulu vous dire de n'avoir point de relations avec un homme qui, portant le nom de frère, est impudique, ou cupide, ou idolâtre, ou médisant, ou ivrogne, ou rapace, de ne pas même manger avec un tel homme. 12. Qu'ai-je à faire de juger aussi ceux du dehors? N'est-ce pas ceux du dedans que vous jugez? 13. Ceux du dehors, c'est Dieu qui les juge. Retranchez le méchant du milieu de vous.

Procès devant les tribunaux païens. — CH. 6.

Quoi! il y en a parmi vous qui, ayant un différend avec un autre, osent aller en jugement devant les injustes, et non devant les saints! 2. Ne savez-vous pas que les saints jugeront le monde? Et si c'est par vous que le monde doit être jugé, êtes-vous indignes de rendre des jugements dans les moindres affaires? 3. Ne savez-vous pas que nous jugerons les anges? A plus forte raison devons-nous juger les affaires de cette

levain à l'approche de la fête de Pâque. — *Pâte nouvelle* (même sens que *créature nouvelle*, *homme nouveau*), fraîche, que le levain du péché n'a pas fait fermenter. — *Comme*, *aussi* bien, *vous êtes sans levain.* vous, chrétiens, purifiés par le baptême du levain du péché. — *Notre Pâque*, notre agneau pascal, Jésus Christ, est immolé. — 8. *La Pâque*, ici, la fête de ce nom, laquelle, dans le sens spirituel, dure toujours. — *Azymes*, pains sans levain. — 9-10. *Les impudiques de ce monde*, non chrétiens. — 11. *Portant le nom de frère*, chrétien de nom. — *Idolâtre*, en prenant part à des fêtes païennes. — 12. *Ceux du dehors* de l'Eglise, les non chrétiens.

Chap. 6. — 1. *Les injustes*, les païens. *Les saints*, les chrétiens. — 2. *Jugeront le monde*, en union avec Jésus Christ leur chef. — 3. *Les anges*, les bons anges. D'autres : les mauvais anges, qui ne recevront leur sentence définitive qu'au jugement général (*Matth.* viii, 29).

vie. 4. Quand donc vous avez des jugements à faire rendre sur les affaires de cette vie, ce sont des gens méprisés dans l'Eglise que vous prenez pour juges! 5. Je le dis à votre honte : ainsi il n'y a pas un homme sage parmi vous, pas un seul qui puisse prononcer entre ses frères! 6. Mais un frère est en procès avec un frère, et cela devant des infidèles! 7. C'est déjà, certes, un défaut pour vous que d'avoir des procès les uns avec les autres. Pourquoi ne souffrez-vous pas plutôt quelque injustice? Pourquoi ne vous laissez-vous pas plutôt dépouiller? 8. Mais c'est vous-mêmes qui commettez l'injustice et qui dépouillez, et cela envers des frères! 9. Ne savez-vous pas que les injustes ne posséderont point le royaume de Dieu? Ne vous y trompez pas : ni les impudiques, ni les idolâtres, ni les adultères, 10. ni les efféminés, ni les infâmes, ni les voleurs, ni les avares, ni les ivrognes, ni les outrageux, ni les rapaces ne posséderont le royaume de Dieu. 11. Voilà pourtant ce que vous étiez, *du moins* quelques-uns d'entre vous; mais vous avez été lavés, mais vous avez été sanctifiés, mais vous avez été justifiés au nom du Seigneur Jésus Christ et par l'Esprit de notre Dieu.

L'impudicité n'est pas une chose indifférente.

12. Tout m'est permis, mais tout n'est pas utile; tout m'est permis, mais moi, je ne me laisserai dominer par quoi que ce soit. 13. Les aliments

4. *Méprisés dans l'Eglise*, les païens. Ou, avec la Vulgate : *Prenez pour juges ceux qui sont les moins considérés*, les premiers venus, *dans l'Eglise*. — 9. L'*idolâtrie* figure parmi les péchés d'impureté. parce qu'elle offrait d'ordinaire une occasion de s'y livrer. — 12. *Tout* ce qui n'est ni bon ni mauvais en soi *est permis*, à deux conditions : 1° que la chose ne soit dommageable pour personne; 2° que l'usage n'entraîne pas pour l'âme une sorte d'esclavage. S. Jean Chrysostome : "Tu es maître de manger et de boire : fort bien; mais prends garde que ce besoin ne devienne une volupté qui fasse de toi son esclave." — 13. Le boire et le manger, étant dans l'ordre de la nature et devant cesser un jour, peuvent être regardés comme des actes indifférents. Il n'en est pas de même de la fornication. Car *le corps* est membre de Jésus Christ et temple de l'Esprit Saint; il n'a donc pas une destination purement terrestre,

sont pour le ventre, et le ventre pour les aliments, et Dieu détruira l'un et l'autre. Mais le corps n'est pas pour l'impudicité; il est pour le Seigneur, et le Seigneur pour le corps. 14. Et Dieu, qui a ressuscité le Seigneur, nous ressuscitera aussi par sa puissance.

Elle outrage en nous les membres de J. C.

15. Ne savez-vous pas que vos corps sont des membres du Christ? Prendrai-je donc les membres du Christ pour en faire les membres d'une prostituée? Loin de là! 16. Ne savez-vous pas que celui qui s'unit à la prostituée est un seul corps avec elle? Car, dit *l'Ecriture*, " les deux deviendront une seule chair. " 17. Mais celui qui s'unit au Seigneur est un seul esprit avec lui. 18. Fuyez l'impudicité. Quelque autre péché qu'un homme commette, ce péché est hors du corps; mais celui qui se livre à l'impudicité pèche contre son propre corps. 19. Ne savez-vous pas que votre corps est le temple du Saint Esprit qui est en vous, que vous avez reçu de Dieu, et que vous ne vous appartenez point à vous-mêmes? 20. Car vous avez été rachetés à grand prix. Glorifiez donc Dieu dans votre corps.

de telle sorte qu'on puisse le faire servir à toute espèce d'usages; sa dignité est plus haute. D'ailleurs, il sera un jour réuni à l'âme pour vivre éternellement avec Dieu (vers. 14). — *Le Seigneur pour le corps*, pour le diriger, comme la tête gouverne et dirige les membres. — 17. *Un seul esprit :* l'Esprit Saint, qui habite en Jésus Christ, habite aussi dans le chrétien, principe d'une vie commune à tous deux. — 20. *Rachetés*, de la colère de Dieu et de la dette du péché. — *A grand prix*, au prix du sang de J. C. — *Glorifiez Dieu*, par la chasteté, *dans* le temple de *votre corps*.

DEUXIÈME PARTIE.

RÉPONSE A CINQ QUESTIONS DES CORINTHIENS (CH. 7, 1 — 15, 58).

1° — SUR LE MARIAGE ET LA VIRGINITÉ.

Droits et devoirs des époux.
CH. 7.

Quant aux points sur lesquels vous m'avez écrit, *je vous dirai qu'*il est bon pour l'homme de ne pas toucher une femme. 2. Toutefois, pour *éviter* l'impudicité, que chacun ait sa femme, et que chaque femme ait son mari. 3. Que le mari rende à sa femme ce qu'il lui doit, et que la femme agisse de même envers son mari. 4. La femme n'a pas autorité sur son propre corps, mais c'est le mari; pareillement le mari n'a pas autorité sur son propre corps, mais c'est la femme. 5. Ne vous privez point l'un l'autre, si ce n'est d'un commun accord *et* pour un temps, afin de vaquer à la prière; puis remettez-vous ensemble, de peur que Satan ne vous tente par votre incontinence. 6. Je dis cela par condescendance, je n'en fais pas un ordre. 7. Je voudrais, au contraire, que tous les hommes fussent comme moi; mais chacun reçoit de Dieu son don particulier, l'un d'une manière, l'autre d'une autre. 8. A ceux qui ne sont pas mariés et aux veuves, je dis qu'il leur est bon de demeurer en cet état, comme *j'y demeure* moi-même. 9. Mais s'ils sont incontinents, qu'ils se marient; car il vaut mieux

Chap. 7. — Quand Dieu dit (*Gen.* ii, 18) : " Il n'est pas bon que l'homme soit seul, " il considérait la propagation de l'espèce humaine en général; Paul se place au point de vue de la perfection morale de l'individu. — 2. *Ait sa femme*, soit marié. — 5. *Par*, ou *à cause de votre incontinence*, parce que vous n'êtes pas capables de garder la continence. — 7. *Tous les hommes*, pris individuellement. — *Son don particulier*, pour vivre soit dans la continence, soit dans l'état du mariage. — *Qui ne sont pas mariés*, qu'ils l'aient été ou non autrefois; et spécialement *aux veuves.* — 9. *Mais s'ils* n'ont pas reçu le don de continence (vers. 7). — *Que de brûler*, d'être assiégé de tentations charnelles.

se marier que de brûler.

Indissolubilité du lien conjugal.

10. Quant aux personnes mariées, j'ordonne, non pas moi, mais le Seigneur, que la femme ne se sépare point de son mari; — 11. si elle en est séparée, qu'elle demeure sans se marier ou qu'elle se réconcilie avec son mari, — et que le mari ne renvoie point sa femme. 12. Aux autres, ce n'est pas le Seigneur, c'est moi qui dis : Si un frère a une femme qui n'a pas la foi, et qu'elle consente à habiter avec lui, qu'il ne la renvoie point; 13. et si une femme croyante a un mari qui n'a pas la foi, et qu'il consente à habiter avec elle, qu'elle ne renvoie point son mari. 14. Car le mari infidèle est sanctifié par la femme croyante, et la femme infidèle est sanctifiée par le mari croyant; autrement vos enfants seraient impurs, tandis que maintenant ils sont saints. 15. Si l'infidèle se sépare, qu'il se sépare; dans ce cas, le frère ou la sœur ne sont pas liés; Dieu nous a appelés à vivre en paix. 16. Car que sais-tu, femme, si tu sauveras ton mari? Ou que sais-tu, mari, si tu sauveras ta femme?

Que chacun garde son état de vie.

17. Seulement, que chacun conforme sa conduite à la position que le Seigneur lui a assignée, à l'état dans lequel il se trouvait quand Dieu l'a appelé; c'est la règle que j'établis dans toutes les Eglises. 18. Quelqu'un a-t-il été appelé étant circoncis, qu'il demeure circoncis; quelqu'un a-t-il été appelé étant incirconcis; qu'il ne se fasse pas circoncire. 19. La circoncision n'est rien, l'incirconcision n'est rien; ce qui est tout, c'est l'observation des commande-

12. *Aux autres*, à ceux qui, s'étant mariés avant de connaître l'Evangile, se trouvaient, par suite de la conversion d'un des époux, dans la plus critique des situations. — 15. *Qu'il* (le conjoint chrétien) *se sépare :* le lien du mariage, qui n'est indissoluble qu'entre chrétiens, à raison du sacrement, est rompu. — 16. *Si tu sauveras ton mari* qui veut se séparer, en persistant à rester avec lui. — 17. *Seulement :* le chrétien ne doit pas user par caprice et à la légère de sa liberté.

ments de Dieu. 20. Que chacun demeure dans l'état où il était lorsqu'il a été appelé. 21. As-tu été appelé étant esclave, ne t'en mets point en peine; mais alors même que tu peux devenir libre, mets plutôt ton appel à profit. 22. Car l'esclave qui a été appelé dans le Seigneur est un affranchi du Seigneur; pareillement l'homme libre qui a été appelé est un esclave du Christ. 23. Vous avez été rachetés un grand prix; ne devenez pas esclaves des hommes. 24. Que chacun, *mes* frères, demeure devant Dieu dans l'état où il était lorsqu'il a été appelé.

Excellence de la virginité.

25. Pour ce qui est des vierges, je n'ai pas de commandement du Seigneur; mais je donne un conseil, comme ayant reçu du Seigneur la grâce d'être fidèle. 26. Je pense donc que cet état est bon, à cause des temps difficiles qui approchent, qu'il est bon, *dis-je*, à un homme d'être ainsi. 27. Es-tu lié à une femme, ne cherche pas à rompre ce lien; n'es-tu pas lié à une femme, ne cherche pas de femme. 28. Si pourtant tu t'es marié, tu n'as pas péché et si la vierge s'est mariée, elle n'a pas péché : mais ces personnes auront des afflictions dans la chair, et moi je voudrais vous les épargner. 29. Mais je vous le dis, *mes* frères, le temps s'est fait court, il faut donc que ceux qui ont des femmes soient comme n'en ayant pas, 30. ceux qui pleurent comme ne pleurant pas, ceux qui se réjouissent comme ne se réjouissant pas, ceux

21. *Mets plutôt à profit* cette circonstance d'avoir été appelé étant esclave, et reste volontiers dans cette condition, qui est une école d'humilité et de patience. — 22. *Appelé dans le Seigneur*, devenu chrétien. — *Est un affranchi du Seigneur*, il a acquis dans le Christ la vraie liberté spirituelle. — 23. *Des hommes :* quiconque, esclave ou libre, se fait un tourment de sa position extérieure, comme si son salut en dépendait, se rend esclave des hommes. — 26. *A cause des temps difficiles qui approchent*, les temps qui doivent précéder le second avènement de J. C. Les premiers chrétiens regardaient cet avènement comme prochain. — 28. *Afflictions dans la chair :* comp. *Matth.* xxiv, 19. — 29. *Le temps* qui nous sépare du retour du Christ, ou de la mort.

qui achètent comme ne possédant pas, 31. et ceux qui usent du monde comme n'en usant pas, car la figure de ce monde passe. 32. Or je voudrais que vous fussiez libres de soucis *mondains*. Celui qui n'est pas marié a souci des choses du Seigneur, il cherche à plaire au Seigneur; 33. celui qui est marié a souci des choses du monde, il cherche à plaire à sa femme, et il est partagé. 34. De même la femme qui n'a pas de mari et la vierge ont souci des choses du Seigneur, afin d'être saintes de corps et d'esprit; mais celle qui est mariée a souci des choses du monde, elle cherche à plaire à son mari. 35. Je dis cela dans votre intérêt, non pour jeter sur vous le filet, mais pour *vous porter* à ce qui est bienséant et qui vous permette de prier Dieu sans empêchement.

Règles pratiques pour les parents.

36. Si quelqu'un juge qu'il manquerait aux convenances envers sa fille, si elle passait la fleur de l'âge *sans être mariée*, et qu'il est de son devoir de la marier, qu'il fasse comme il le veut, il ne pèche point; qu'elle se marie. 37. Mais celui qui, sans y être forcé, étant maître de faire ce qu'il veut, a mis dans son cœur une ferme résolution, et a décidé de garder sa fille vierge, celui-là fait bien. 38. Ainsi celui qui marie sa fille fait bien, et celui qui ne la marie pas fait mieux.

L'état de viduité.

39. La femme est liée à son mari aussi longtemps qu'il est vivant; si son mari meurt, elle est libre de se marier à qui elle voudra; seulement, que ce soit dans le Seigneur. 40. Elle est plus heureuse, néanmoins, si

---

31. *La figure*, la forme extérieure, non la substance. Comp. *Apoc.* XXI, 1. Pensée : le monde passe avec ses biens et ses joies ; celui qui y attache son cœur, aura des soucis et des peines. — 32. L'Apôtre donne dans les vers. qui suivent le motif principal qui a toujours porté les nobles âmes à la pratique du célibat. — 34. *La femme qui n'a pas de mari*, la veuve. — 35. *Pour jeter sur vous le filet :* image empruntée à la chasse. Sens : pour vous faire tomber, comme dans un piège, dans des tentations qui seraient pires que toutes les tribulations du mariage. — 39. *Dans le Seigneur*, dans la communion du Seigneur, à un chrétien. — 40. *Plus heureuse*, non en ce qu'elle évite

elle demeure comme elle est : c'est mon avis; et je crois avoir, moi aussi, l'Esprit de Dieu.

2° — Sur les Idolothytes ou viandes offertes aux idoles.

Solution théorique : *Les idoles ne sont rien.*

Ch. 8.

Pour ce qui est des viandes immolées aux idoles, nous savons que nous sommes tous éclairés *là-dessus.* — Mais la science enfle, tandis que la charité édifie. 2. Si quelqu'un présume de sa science, il n'a encore rien connu comme on doit le connaître. 3. Mais si quelqu'un aime Dieu, celui-là est connu de lui. — 4. Pour ce qui est donc de manger des viandes immolées aux idoles, nous savons qu'une idole n'est rien dans le monde, et qu'il n'y a qu'un seul Dieu. 5. Car s'il est des êtres qui sont appelés dieux, soit dans le ciel, soit sur la terre, — comme il y a en effet plusieurs dieux et plusieurs seigneurs, — 6. pour nous, néanmoins, il n'y a qu'un seul Dieu, le Père, de qui viennent toutes choses et pour qui nous sommes, et un seul Seigneur, Jésus Christ, par qui sont toutes choses et par qui nous sommes.

Mais la charité, à cause des faibles, peut conseiller l'abstinence.

7. Mais tous n'ont pas cette connaissance. Quelques-uns, conservant encore leur ancienne ma-

---

ainsi les embarras du mariage, mais au point de vue de la perfection chrétienne. — *Moi aussi*, aussi bien que les autres docteurs.

Chap. 8. — 1. Les chrétiens pouvaient-ils se permettre l'usage de ces viandes? — Ce qui suit jusqu'à la fin du vers. 3. est une digression sur les rapports entre la science et la charité. *Enfle :* ceux qui mangeaient de ces viandes le faisaient sans doute au nom d'une science plus profonde, qui dédaignait les scrupules des âmes timorées. — 2. *Il n'a encore rien connu :* sa science n'a pas les qualités de la connaissance chrétienne, laquelle est accompagnée d'humilité et de charité. — 3. *Connu* de Dieu; l'objet de ses faveurs. — 4. *Qu'une idole n'est rien*, ne représente aucune réalité. D'où la conclusion — non exprimée — que les viandes offertes à ces idoles ne diffèrent pas des viandes communes. — 5. *Plusieurs dieux... seigneurs*, honorés comme tels. — 6. *J. C. par qui nous*, chrétiens, *nous sommes*, nous avons le salut et la vie.

nière d'envisager l'idole, mangent de ces viandes comme ayant été immolées à une idole *réelle*, et leur conscience, qui est faible, en est souillée. 8. Un aliment n'est pas chose qui nous recommande à Dieu; si nous en mangeons, nous n'avons rien de plus; si nous n'en mangeons pas, nous n'avons rien de moins. 9. Toutefois prenez garde que cette liberté dont vous jouissez ne devienne une occasion de chute pour les faibles. 10. Car si quelqu'un te voit, toi qui es un homme éclairé, assis à table dans un temple d'idoles, sa conscience, à lui qui est faible, ne le portera-t-elle pas à manger des viandes immolées aux idoles? 11. Et ainsi le faible périra par ta science, ce frère pour lequel *Jésus* Christ est mort! 12. En péchant de la sorte contre vos frères, et en violentant leur conscience faible, vous péchez contre le Christ. 13. C'est pourquoi, si un aliment est une occasion de chute pour mon frère, je me passerai éternellement de viande, afin de ne pas être pour lui une occasion de chute.

Paul aurait pu revendiquer ses droits d'Apôtre. — CH. 9.

Ne suis-je pas libre? Ne suis-je pas apôtre? N'ai-je pas vu Jésus Christ Notre Seigneur? N'êtes-vous pas mon ouvrage dans le Seigneur? 2. Si pour d'autres je ne suis pas apôtre, je le suis au moins pour vous, car vous êtes le sceau de mon apostolat dans le Seigneur. 3. Voilà ma réponse à mes détracteurs. 4. N'avons-nous pas le droit de manger et de boire? 5. N'avons-nous pas le droit de mener avec nous une sœur, comme font les autres

11. *Le faible périra*, en faisant, contrairement à sa conscience, ce que tu fais, toi qui es plus éclairé, conformément à la tienne.

Chap. 9.— 2. Votre conversion au christianisme est pour moi comme un diplôme d'apôtre muni d'un sceau divin. — 4. *Le droit*, comme apôtre, d'être nourri par les communautés chrétiennes. — 5. *Une sœur;* litt. *une femme sœur*, une chrétienne. Paul n'avait jamais été marié, ou ne l'était plus quand il écrivit cette lettre (vii, 7). — *Les frères*, les apôtres Jacques, Simon et Jude, parents *du Seigneur*. — *Céphas*. saint Pierre (*Matth*. viii, 14). On voit par là que les Apôtres, selon l'usage des docteurs juifs et à l'exemple de Notre Seigneur lui-

Apôtres, et les frères du Seigneur, et Céphas? 6. Ou bien sommes-nous les seuls, Barnabé et moi, qui n'ayons pas le droit d'agir ainsi? 7. Qui jamais a porté les armes à ses propres frais? Qui est-ce qui plante une vigne pour n'en pas manger le fruit? Qui est-ce qui fait paître un troupeau, sans se nourrir de son lait? 8. Est-ce selon l'homme que je dis ces choses, et la Loi ne les dit-elle pas aussi? 9. Car il est écrit dans la loi de Moïse : "Tu ne mettras pas une corbeille à la bouche du bœuf qui foule le grain." Dieu se met-il en peine des bœufs? 10. N'est-ce pas absolument à cause de nous qu'il parle ainsi? Oui, c'est à cause de nous que cela a été écrit; celui qui laboure doit labourer avec espérance, et celui qui foule le grain doit le fouler dans l'espérance d'y avoir part. 11. Si nous avons semé parmi vous les biens spirituels, est-ce une si grande chose que nous moissonnions de vos biens temporels? 12. Si d'autres usent de ce droit sur vous, combien plus ne devons-nous pas en jouir? Cependant nous n'avons pas usé de ce droit; mais nous souffrons tout, afin de ne pas créer d'obstacle à l'Evangile du Christ. 13. Ne savez-vous pas que ceux qui remplissent les fonctions sacrées vivent du temple, et que ceux qui servent à l'autel ont part à l'autel? 14. De même aussi le Seigneur a ordonné à ceux qui annoncent l'Evangile de vivre de l'Evangile.

Mais préféra y renoncer.

15. Pour moi, je n'ai usé d'aucun de ces droits, et ce n'est pas afin de les réclamer en ma faveur que j'écris ceci : il me vaudrait mieux mourir que de me laisser enlever ce titre de gloire. 16. Si j'annonce l'Evangile, ce n'est pas pour

même, étaient souvent accompagnés de femmes pieuses, qui leur rendaient des services et facilitaient leur mission auprès des personnes du sexe.— 8. *Selon l'homme*, d'après la manière de voir des hommes. — 9. Chez les Juifs, quand on avait coupé le blé, on le rassemblait dans une aire, et, pour le *battre*, on faisait passer et repasser des bœufs dessus. — 16. *Nécessité* morale : Jésus Christ lui en a donné l'ordre.

moi un sujet de gloire, car la nécessité m'en est imposée, et malheur à moi si je n'annonce pas l'Evangile! 17. En effet, si je le fais de bon cœur, je mérite une récompense; mais si je le fais à regret, c'est une charge qui m'est confiée. 18. Quelle est donc ma récompense? C'est d'offrir gratuitement l'Evangile que je prêche, sans user de mon droit de prédicateur de l'Evangile. 19. Car, bien que je sois libre à l'égard de tous, je me suis fait le serviteur de tous, afin d'en gagner un plus grand nombre. 20. Avec les Juifs, j'ai été comme Juif, afin de gagner les Juifs; 21. avec ceux qui sont sous la Loi, comme étant sous la Loi (quoique je ne sois pas moi-même sous la Loi), afin de gagner ceux qui sont sous la Loi; avec ceux qui sont sans loi, comme étant sans loi, (quoique je ne sois point sans la loi de Dieu, étant sous la loi du Christ), afin de gagner ceux qui sont sans loi. 22. J'ai été faible avec les faibles, afin de gagner les faibles. Je me suis fait tout à tous, afin de les sauver tous. 23. Je fais tout à cause de l'Evangile, afin d'y avoir part.

Exhortation à imiter son exemple.

24. ✠ Ne savez-vous pas que, dans les courses du stade, tous courent, mais qu'un seul remporte le prix? Courez de même, afin de le remporter. 25. Tous ceux qui combattent *dans l'arène* s'imposent toute espèce d'abstinences : ils le font pour abtenir une couronne périssable; nous, *faisons-le* pour une couronne impérissable. 26. Je cours donc ainsi, non comme à l'aventure; je frappe, non comme battant l'air. 27. Mais je traite durement mon corps et je le tiens en servitude, de

20. *Comme Juif*, me conformant dans mes relations avec eux, aux observances légales (*Act.* XVI, 3; XXI, 26), sans les regarder comme obligatoires. — *Qui sont sous la Loi*, encore les Juifs, considérés sous le point de vue spécial de la loi mosaïque. — 21. *Qui sont sans loi*, les païens. — 22. *Les faibles*, les hommes ignorants ou à préjugés, soit Juifs, soit païens. — 24. *Le prix*, pour le chrétien, c'est l'éternelle béatitude. — 26. *Non comme à l'aventure*, mais ayant l'œil fixé sur le but à atteindre, sans m'écarter de la piste.

peur qu'après avoir prêché aux autres, je ne sois moi-même réprouvé.

L'exemple d'Israël instruit les chrétiens. — CH. 10.

Car, ✠ *mes* frères, je ne veux pas que vous ignoriez que nos pères ont tous été sous la nuée, qu'ils ont tous passé au travers de la mer, 2. et qu'ils ont été baptisés en Moïse dans la nuée et dans la mer; 3. qu'ils ont tous mangé le même aliment spirituel; 4. et qu'ils ont tous bu le même breuvage spirituel, car ils buvaient à un rocher spirituel qui les suivait, et ce rocher était le Christ. 5. Néanmoins la plupart d'entre eux ne furent pas agréables à Dieu, ¶ puisque leurs corps jonchèrent le sol du désert. 6. ✠ Or ces choses sont arrivées pour nous servir d'exemple, afin que nous n'ayons pas de désirs coupables, comme ils en ont eu. 7. Ne soyez donc point idolâtres, comme quelques-uns d'entre eux, selon qu'il est écrit : " Le peuple s'assit pour manger et pour boire; puis il se leva pour se divertir." 8. Ne nous livrons point à l'impudicité, comme quelques-uns d'entre eux s'y livrèrent, de sorte qu'il en tomba vingt-trois mille en un seul jour. 9. Ne tentons point le Christ, comme le tentèrent quelques-uns d'entre eux, qui périrent par les serpents. 10. Ne murmurez point, comme murmurèrent quelques-uns d'entre eux, qui périrent par l'Exterminateur. 11. Toutes ces choses leur sont arrivées pour servir d'exemple, et elles ont été écrites pour notre

Chap. 10. — 1. *Sous la nuée :* allusion à la nuée miraculeuse qui les guidait (*Ex.* xiii, 21). — *La mer* Rouge (*Ex.* xiv, 22). — 2. *Baptisés en Moïse*, liés, engagés à l'obéissance envers Moïse, et cela en vertu d'une sorte de baptême *dans la nuée et dans la mer.* — 3. *Le même aliment*, la manne (*Ex.* xvi, 15), *spirituel*, parce qu'il était le résultat d'un miracle, et surtout parce qu'il figurait une manne supérieure, la sainte eucharistie. — 4. *Breuvage spirituel*, l'eau que Dieu fit jaillir d'un rocher (*Ex.* xvii, 6). — *Ce rocher était le Christ*, une figure du Verbe incarné, du sein duquel jaillit une source d'eau vive, c'est-à-dire de grâce et de vérité, pour tous les hommes qui croient en lui. — 9. *Tenter Dieu*, c'est mettre sa patience ou sa bonté à l'épreuve. — *Le Christ*, le Verbe en tant que Dieu manifesté. — 11. *La fin des temps*, le temps du Messie, qui sera la dernière grande époque du monde.

instruction, à nous qui sommes arrivés à la fin des temps. 12. Ainsi donc que celui qui croit être debout prenne garde de tomber. 13. Aucune tentation ne vous est survenue, qui n'ait été humaine; et Dieu, qui est fidèle, ne permettra pas que vous soyez tentés au-delà de vos forces; mais avec la tentation, il préparera aussi le moyen d'en sortir, afin que vous puissiez la supporter. ¶

Solution pratique : *ne pas participer aux repas sacrés.*

14. C'est pourquoi, mes bien aimés, fuyez l'idolâtrie. 15. Je vous parle comme à des hommes intelligents; jugez vous-mêmes de ce que je dis. 16. Le calice de bénédiction, que nous bénissons, n'est-il pas une communion au sang du Christ? Et le pain, que nous rompons, n'est-il pas une communion au corps du Christ? 17. Puisqu'il y a un seul pain, nous formons un seul corps, tout en étant plusieurs, car nous participons tous à un même pain. 18. Voyez Israël selon la chair : ceux qui mangent les victimes ne sont-ils pas en communion avec l'autel? 19. Qu'est-ce donc que je veux dire? Que la viande sacrifiée aux idoles soit quelque chose, ou qu'une idole soit quelque chose? 20. *Nullement;* je dis que ce que les païens offrent en sacrifice, ils l'offrent à des démons, et non à Dieu; or je ne veux pas que vous soyez en communion avec les démons. Vous ne pouvez boire au calice du Seigneur et au calice des démons; 21. vous ne pouvez prendre part à la table du Seigneur et à la table des démons. 22. Voulons-nous provoquer la jalou-

14. *L'idolâtrie*, tout ce qui pourrait passer pour une participation au culte des idoles. — 16. *Le calice*, la coupe eucharistique. — *Le pain* céleste de l'eucharistie. — 17. Ce verset prouve *par l'effet* que le pain eucharistique est une participation au corps de Jésus Christ : la manducation de ce pain fait de tous les fidèles un seul corps; or, pour qu'elle ait cet effet, il faut que ce pain soit une participation *au corps du Christ.* — 18. *Avec l'autel*, et par conséquent avec Dieu, à qui le sacrifice est offert : de même celui qui mange des viandes immolées aux idoles prend part au culte des idoles. —22. *La jalousie :* l'âme chrétienne est devenue dans le baptême la fiancée ou l'épouse du Seigneur, et cette union se consomme dans la sainte eucharistie; prendre part aux sacrifices païens est donc un adultère.

sie du Seigneur? Sommes-nous plus forts que lui?

Règles de conduite dans les repas ordinaires.

23. Tout m'est permis, mais tout n'est pas utile; tout m'est permis, mais tout n'édifie pas. 24. Que personne ne cherche son propre avantage, mais celui d'autrui. 25. Mangez de tout ce qui se vend au marché, sans faire aucune question par motif de conscience; 26. car "la terre est au Seigneur, et tout ce qu'elle renferme." 27. Si un infidèle vous invite et que vous vouliez y aller, mangez de tout ce qu'on vous présentera, sans faire aucune question par motif de conscience. 28. Mais si quelqu'un vous dit : Ceci a été offert en sacrifice aux idoles, n'en mangez pas, à cause de celui qui vous a donné ce renseignement et à cause de la conscience, 29. non pas de la vôtre, mais de celle d'autrui; car pourquoi ma liberté serait-elle jugée par une conscience étrangère? 30. Si je mange avec actions de grâces, pourquoi serais-je blâmé pour une chose dont je rends grâces? 31. Soit donc que vous mangiez, soit que vous buviez, soit que vous fassiez quelque autre chose, faites tout pour la gloire de Dieu. 32. Ne soyez en scandale ni aux Juifs, ni aux Grecs, ni à l'Eglise de Dieu. 33. C'est ainsi que moi-même je m'efforce en toutes choses de complaire à tous, cherchant, non mon avantage, mais celui de tous, afin qu'ils soient sauvés.

CH. 11.

Soyez mes imitateurs, comme je le suis moi-même de *Jésus* Christ.

24. *Que personne* ne s'attache à son droit strict, sans considérer le scandale qui peut en résulter pour autrui. — 25. *Aucune question :* sans demander si telle viande mise en vente n'a point fait partie d'une victime offerte en sacrifice. — 28. *A cause de*, par ménagement pour *celui*, etc., pour ne pas blesser sa *conscience*, en l'entraînant peut-être à faire ce qu'elle lui défend. — 32. *En scandale*, en usant sans ménagement de votre liberté.

3° — Avis sur le culte divin.

Dans les églises l'homme doit prier tête nue, et la femme tête voilée.

2. Je vous loue, mes frères, de ce que vous vous souvenez de moi à tous égards, et de ce que vous retenez mes instructions telles que je vous les ai données. 3. Je veux cependant que vous sachiez que le chef de tout homme, c'est *Jésus* Christ, que le chef de la femme, c'est l'homme, et que le chef du Christ, c'est Dieu. 4. Tout homme qui prie ou qui prophétise la tête couverte, déshonore sa tête. 5. Toute femme qui prie ou qui prophétise la tête non voilée, déshonore sa tête : elle est comme celle qui est rasée. 6. Si une femme ne se voile pas *la tête*, qu'elle se coupe aussi les cheveux. Or, s'il est honteux à une femme d'avoir les cheveux coupés ou la tête rasée, qu'elle se voile. 7. L'homme ne doit pas se couvrir la tête, parce qu'il est l'image et la gloire de Dieu, tandis que la femme est la gloire de l'homme. 8. En effet, l'homme n'a pas été tiré de la femme, mais la femme *a été tirée* de l'homme; 9. et l'homme n'a pas été créé à cause de la femme, mais la femme a été créée à cause de l'homme. 10. C'est pourquoi la femme, à cause des anges, doit avoir sur la tête une marque de l'autorité dont elle dépend. 11. Toutefois, ni la femme n'est

---

Chap. 11. — 3. *Dieu est le chef du Christ* comme homme; c'est lui qui l'a créé, glorifié associé à sa souveraineté. *Jésus Christ* comme homme est le second Adam, le chef de l'humanité régénérée par lui et en lui. Enfin *l'homme* est le représentant de toute l'espèce, ayant été créé immédiatement par Dieu et renfermant en lui-même la femme. — 4. *Prie ou prophétise*, parle sous l'inspiration, comme interprète de Dieu (xii, 10). — 5. *Déshonore sa tête :* elle ne se comporte pas comme une femme modeste et soumise. D'autres : *Déshonore son chef*, son mari (vers. 3); elle semble faire acte d'indépendance vis-à-vis de lui et méconnaître son autorité. — 6. *Qu'elle se coupe les cheveux :* qu'elle soit ou qu'elle consente à passer pour une femme dévergondée. — 7. *L'image et* le reflet de *la gloire* de Dieu, Seigneur de toutes choses, qui l'a créé immédiatement et dont il est le représentant sur la terre. — *La femme est* le reflet de *la gloire* de l'homme, d'où elle a été tirée (*Gen.* 11, 26 sv.) et avec lequel elle est dans un rapport de subordination et de dépendance. — 11. *Toutefois, dans le Seigneur,*

sans l'homme, ni l'homme sans la femme, dans le Seigneur. 12. Car, si la femme a été tirée de l'homme, l'homme aussi naît de la femme, et tout vient de Dieu. 13. Jugez-en vous-mêmes : est-il bienséant qu'une femme prie Dieu sans être voilée? 14. La nature elle-même ne nous enseigne-t-elle pas que c'est une honte à un homme de porter de longs cheveux, 15. tandis que c'est une gloire pour la femme qu'une longue chevelure, parce que la chevelure lui a été donnée en guise de voile? 16. Si quelqu'un songe à contester, nous n'avons pas cette habitude, non plus que l'Eglise de Dieu.

Abus dans la célébration de la Cène.

17. Mais en vous recommandant ce point, je n'ai garde de vous louer de ce que vous vous assemblez, non pour devenir meilleurs, mais pour devenir pires. 18. Et d'abord j'apprends que, lorsque vous vous réunissez dans une assemblée, il y a des divisions parmi vous, — et je le crois en partie; 19. car il faut qu'il y ait parmi vous même des sectes, afin que les frères d'une vertu éprouvée soient manifestés parmi vous. — 20. ✠ Lors donc que vous vous réunissez, il n'est pas possible de prendre le repas du Seigneur; 21. car, à table, chacun prend son repas particulier avant que tous soient là, en sorte que l'un a faim, tandis que l'autre est ivre. 22. N'avez-vous pas des maisons pour y manger et boire? ou méprisez-vous l'Eglise de Dieu, et voulez-vous faire un affront à ceux qui n'ont rien? Que vous dirai-je? Que je vous loue? Non,

en Jésus Christ, dans l'ordre surnaturel de la grâce, il y a égalité entre l'homme et la femme. — 16. *Contester* ce que je viens de dire. — *Cette habitude*, de contester. Ou bien : qu'il sache que *nous n'avons pas cette coutume*, que les femmes assistent sans voile aux réunions du culte. — 19. *Il faut*, eu égard à l'*imperfection* des hommes. — *Même des sectes*, des hérésies, ce qui est pire que des *divisions*. — 20. *Il n'est pas possible* moralement. — *Le repas du Seigneur*, l'agape, non la sainte Eucharistie. Ou bien : *Ce n'est pas prendre un repas du Seigneur :* ces repas ne méritent pas le nom de *repas du Seigneur*, car... — 21. *Son repas particulier*, ce qu'il a apporté. — *A faim.... est ivre :* hyperbole. — 22. *L'Eglise de Dieu*, la communauté chrétienne.

je ne vous loue point en cela.

Institution de l'Eucharistie ; préparation exigée pour la recevoir.

23. ✠ Car, pour moi, j'ai reçu du Seigneur ce que je vous ai aussi transmis, *savoir*, que le Seigneur Jésus, dans la nuit où il fut livré, prit du pain, 24. et après avoir rendu grâces, le rompit et dit : " Prenez et mangez; ceci est mon corps, qui sera livré pour vous; faites ceci en mémoire de moi." 25. De même, après avoir soupé, il prit le calice et dit : " Ce calice est la nouvelle alliance en mon sang; faites ceci, toutes les fois que vous en boirez, en mémoire de moi. " 26. Car toutes les fois que vous mangerez ce pain et que vous boirez ce calice, vous annoncerez la mort du Seigneur, jusqu'à ce qu'il vienne. 27. C'est pourquoi celui qui mangera le pain ou boira le calice du Seigneur indignement, sera coupable envers le corps et le sang du Seigneur. 28. Que chacun donc s'éprouve soi-même, et qu'ainsi il mange de ce pain et boive de ce calice; 29. car celui qui mange et boit indignement, sans discerner le corps du Seigneur, mange et boit sa propre condamnation. ¶ 30. C'est pour cela qu'il y a parmi vous beaucoup de gens débiles et de malades, et qu'un grand nombre sont morts. 31. Si nous nous examinions nous-mêmes, nous ne serions pas jugés. 32. Mais le Seigneur nous juge et nous châtie, afin que nous ne soyons pas condamnés avec ce monde. ¶

Conclusion.

33. Ainsi, mes frères, lorsque vous vous réunissez pour le repas, attendez-vous les uns les autres. 34. Si quelqu'un a faim, qu'il mange chez

25. *Ce calice*, etc. Sens : ce que contient ce calice est mon sang, dans lequel est conclue la nouvelle alliance de Dieu avec les hommes. — 26. *Vous annoncerez* en fait et renouvellerez, etc. Et cela *jusqu'à ce qu'il vienne*, à la fin des temps, pour le jugement général, — 30. Ce verset paraît devoir s'entendre de maladies et de morts physiques, comme châtiment de la profanation de l'Eucharistie. — 31. *Jugés* par Dieu, et frappés de maladie ou de mort. — 32. Pensée : mais Dieu nous châtie afin que, faisant pénitence, nous ne soyons pas éternellement condamnés avec les non-chrétiens.

lui, afin que vous ne vous réunissiez pas pour votre condamnation.

Je règlerai les autres choses quand je serai arrivé *chez vous*.

4° — SUR LES DONS ET LEUR USAGE (12 — 14).

1° Nature, diversité et origine des dons. — CH. 12.

Pour ce qui concerne les dons spirituels, je ne veux pas, mes frères, que vous soyez dans l'ignorance. 2. ✠ Vous savez que, lorsque vous étiez païens, vous vous laissiez entraîner vers les idoles muettes, selon que vous y étiez conduits. 3. Apprenez donc qu'aucun homme, s'il parle dans l'Esprit de Dieu, ne dit : " Jésus est anathème! " et que nul ne peut dire : " Jésus est le Seigneur, " si ce n'est dans l'Esprit Saint.

4. Il y a pourtant diversité de dons, mais c'est le même Esprit; 5. diversité de ministères, mais c'est le même Seigneur; 6. diversité d'opérations, mais c'est le même Dieu qui opère tout en tous. 7. A chacun la manifestation de l'Esprit est donnée pour l'utilité *commune*. 8. En effet, à l'un est donnée par l'Esprit une parole de sagesse, à l'autre une parole de connaissance, selon le même Esprit; 9. à un autre, la foi, grâce au même Esprit; à un autre, le don des guérisons, grâce à ce seul et même Esprit; 10. à un autre, la puissance d'opérer des miracles; à un

Chap. 12. — 1. Ces *dons spirituels*, ainsi que les manifestations extraordinaires auxquelles ils donnaient lieu, fréquents à l'origine de l'Eglise, sont devenus plus rares, sans avoir disparu tout à fait. — 2. *Conduits* par la puissance du démon ; aujourd'hui vous êtes sous l'empire de l'Esprit de Dieu. — 3. *Parler*, ici, c'est *parler des langues* (vers. 30) ou *prophétiser* (vers. 10). — *Dans*, en union avec *l'Esprit de Dieu*. — 4-5. *Le même Esprit* qui en est la source. — *Le même Seigneur*, chef de l'Eglise, qu'ils servent. — 7. *La manifestation de l'Esprit*, le don par lequel l'Esprit Saint se manifeste. — 8. *Sagesse*, que l'Esprit Saint donne à des âmes simples et sans étude. — *Connaissance* ou *science*, don par lequel l'Esprit Saint vient en aide au travail de l'intelligence, dans l'étude de la vérité religieuse. — 9. *La foi*, non la vertu théologale de ce nom, qui est nécessaire à tous, mais ce degré de foi qui obtient et fait des miracles. — 10. *Prophétie*, don de parler sous un e inspiration divine momentanée,

autre, la prophétie; à un autre, le discernement des esprits; à un autre, la diversité des langues; à un autre, l'interprétation des langues. 11. Mais c'est le seul et même Esprit qui produit tous ces dons, les distribuant à chacun en particulier, comme il lui plaît. ¶

Les moins apparents sont parfois les plus utiles. Le corps et les membres.

12. Car, comme le corps est un et a plusieurs membres, et comme tous les membres du corps, malgré leur nombre, ne forment qu'un seul corps, ainsi en est-il du Christ. 13. Tous, en effet, nous avons été baptisés dans un seul Esprit pour former un seul corps, soit Juifs, soit Grecs, soit esclaves, soit libres, et nous avons tous été abreuvés d'un seul Esprit. 14. Ainsi le corps n'est pas un seul membre, mais *il est formé de* plusieurs. 15. Si le pied disait : "Puisque je ne suis pas main, je ne suis pas du corps," en serait-il moins du corps pour cela? 16. Et si l'oreille disait : "Puisque je ne suis pas œil, je ne suis pas du corps," en serait-elle moins du corps pour cela? 17. Si tout le corps était œil, où serait l'ouïe? S'il était tout entier ouïe, où serait l'odorat? 18. Mais Dieu a placé chacun des membres dans le corps, comme il a voulu. 19. Si tous les membres étaient un seul et même membre, où serait le corps? 20. Il y a donc plusieurs membres, et un seul corps. 21. L'œil ne peut pas dire à la main : "Je n'ai pas besoin de toi;" ni la tête dire aux pieds : "Je n'ai pas besoin de vous." 22. Au contraire, les membres du corps qui paraissent les plus faibles, sont plus nécessaires; 23. et ceux que

et d'expliquer ainsi aux fidèles une vérité que l'Esprit Saint éclaire d'une plus grande lumière. — *Discernement des esprits*, qui apprend à distinguer ce qui vient de Dieu, du démon ou de l'esprit de l'homme. — Pour ce qui regarde les *langues*, voy. chap. XIV. — 12. *Du Christ* mystique, de l'Église dans laquelle il vit, et qui le prolonge, en quelque sorte, et le continue visiblement à travers l'humanité. — 13. *Abreuvés d'un seul Esprit* comprend les dons ordinaires et extraordinaires communiqués aux premiers fidèles dans le baptême et la confirmation. — 23. *Les moins honnêtes*, ceux auxquels, depuis la chute, s'attache un sentiment de pudeur. — *Nous les entou-*

nous tenons pour les moins honorables du corps, sont ceux que nous entourons de plus d'honneur. Ainsi nos membres les moins honnêtes sont les plus honorés, 24. tandis que ceux qui sont honnêtes n'ont pas besoin d'autant d'honneur. Dieu a disposé le corps de manière à donner plus d'honneur à ce qui en manquait, 25. afin qu'il n'y ait pas de division dans le corps, mais que les membres aient également soin les uns des autres. 26. Et si un membre souffre, tous les membres souffrent avec lui; si un membre est honoré, tous les membres s'en réjouissent avec lui.

Application.

27. ✠ Vous êtes le corps du Christ, et *vous êtes* membres les uns des autres. 28. Dieu a établi dans l'Eglise premièrement des Apôtres, secondement des prophètes, troisièmement des docteurs, ensuite ceux qui ont le don des miracles, puis ceux qui ont les dons de guérir, de secourir, de gouverner, de parler diverses langues, de les interpréter. 29. Tous sont-ils apôtres? Tous sont-ils prophètes? Tous sont-ils docteurs? 30. Tous ont-ils le don des miracles? Tous ont-ils le don des guérisons? Tous parlent-ils des langues? Tous interprètent-ils?

2° La charité surpasse tous les dons.

31. Aspirez aux meilleurs dons. ¶ Et je vais vous montrer une voie encore plus excellente.

✠ CH. 13.

Quand je parlerais les langues des hommes et des anges, si je n'ai pas la charité, je suis un airain qui résonne ou une cymbale qui retentit. 2. Quand j'aurais le don

rons d'un voile de modestie. — 28. *Des Apôtres*, les Douze, au premier rang. — *Prophètes :* voy. vers. 10. — *Docteurs*, chargés officiellement d'instruire la communauté. — *Secourir* les malades et les pauvres. — *Gouverner* les Eglises particulières (diocèses, paroisses). — *Diverses langues :* voyez chap. xiv. — 31. *Meilleurs dons*, les plus utiles à la communauté. — *Une voie plus excellente*, celle de la charité, supérieure aux dons mêmes les meilleurs.

Chap. 13. — 1. *Des anges*, comprenant la manière mystérieuse dont les anges se communiquent leurs pensées. — *La charité*, l'amour de Dieu se manifestant dans l'amour du prochain.

de prophétie, que je connaîtrais tous les mystères, et que je posséderais toute science; quand j'aurais même toute la foi, jusqu'à transporter des montagnes, si je n'ai pas la charité, je ne suis rien.

Son excellence.

3. Quand je distribuerais tous mes biens pour la nourriture des pauvres, quand je livrerais mon corps aux flammes, si je n'ai pas la charité, cela ne me sert de rien. 4. La charité est patiente, elle est pleine de bonté; la charité n'est point envieuse, la charité ne se vante point, elle ne s'enfle point d'orgueil; 5. elle n'est point avide d'honneur, elle ne cherche point son intérêt, elle ne s'irrite point, elle ne tient pas compte du mal; 6. elle ne se réjouit pas de l'injustice, mais elle se réjouit de la vérité; 7. elle souffre tout, elle croit tout, elle espère tout, elle supporte tout.

Sa durée éternelle.

8. La charité ne passera jamais. Les prophéties prendront fin, les langues cesseront, la science aura son terme. 9. Car nous ne connaissons qu'en partie, et nous ne prophétisons qu'en partie; 10. or, quand sera venu ce qui est parfait, ce qui est partiel prendra fin. 11. Lorsque j'étais enfant, je parlais comme un enfant, je pensais comme un enfant, je raisonnais comme un enfant; lorsque je suis devenu homme, j'ai laissé là ce qui était de l'enfant. 12. Maintenant nous voyons dans un miroir, d'une manière obscure, mais alors *nous verrons* face à face; aujourd'hui je connais en partie, mais alors je connaîtrai comme je suis connu.

5. *Elle n'est point avide d'honneur*, et par conséquent elle rend les plus humbles services. — *Du mal ;* ou bien, *elle ne soupçonne pas le mal.* — 6. *Injustice*, dans le sens général de péché commis par autrui. — *Vérité*, dans l'ordre moral, bien. — 7. *Croit tout*, elle n'est pas soupçonneuse et défiante. Même pensée dans *elle espère tout.* — 8. Les dons de *prophétie*, de *langue*, de *science* plus profonde de la religion ne dureront que jusqu'au second avènement de J. C. — 9. *En partie :* les dons de prophétie et de connaissance n'éclairent que des parties de l'ensemble des vérités que le second avènement du Sauveur révèlera pleinement. — 12. *Maintenant*, dans la vie présente. — *Obscure :* les objets apparaissaient moins clairement sur les miroirs métalliques des anciens. — *Comme je suis connu de* Dieu.

13. Maintenant ces trois choses demeurent : la foi, l'espérance, la charité; mais la plus grande des trois, c'est la charité. ¶

3° Le don des langues et le don de prophétie.

Ch. 14.

Recherchez la charité. Aspirez *néanmoins* aux dons spirituels, mais surtout au don de prophétie. 2. En effet, celui qui parle en langues ne parle pas aux hommes, mais à Dieu, car personne ne le comprend, et c'est en esprit qu'il dit des mystères. 3. Celui qui prophétise, au contraire, parle aux hommes, les édifie, les exhorte, les console. 4. Celui qui parle en langues s'édifie lui-même; celui qui prophétise édifie l'Eglise de Dieu. 5. Je désire que vous parliez tous en langues, mais encore plus que vous prophétisiez; car celui qui prophétise est plus grand que celui qui parle en langues, à moins que ce dernier n'interprète *ce qu'il dit*, pour que l'Eglise en reçoive de l'édification.

Inutilité du don des langues sans l'interprétation.

6. De quelle utilité vous serais-je donc, mes frères, si je venais à vous parlant en langues, et si je ne vous parlais pas *comme on s'exprime* dans la révélation, ou dans la science, ou dans la prophétie, ou dans la doctrine? 7. Si les objets inanimés qui rendent un son, comme une flûte ou une harpe, ne rendent pas des sons distincts, comment connaîtra-t-on ce qui est joué avec la flûte ou sur la harpe? 8. Et si la trompette rend un son confus, qui se préparera au combat? 9. De même vous, si vous ne faites

13. *Demeurent*, par opposition aux dons spirituels qui sont passagers et nullement indispensables.

Chap. 14. — 1. Les Corinthiens estimaient et désiraient par dessus tous les autres le don des langues; l'Apôtre va leur démontrer que celui de *prophétie* (xii, 10) est bien préférable. — 2. *En esprit :* comp. vers. 14. — *Des mystères*, pour les auditeurs. — 7. Paul montre par deux comparaisons que le don des langues, s'il n'est accompagné de celui d'interprétation, ne sert de rien à la communauté. La première est tirée des instruments de musique (7-9), la deuxième des langues humaines (10-12). — *Distincts*, distingués par le ton et les pauses. — 9. *Avec la langue*, parlant en langues. — *Distincte*, dont le sens soit facile à saisir.

pas entendre avec la langue une parole distincte, comment saura-t-on ce que vous dites? Vous parlerez en l'air. 10. Quelque nombreuses que puissent être dans le monde les diverses langues, il n'en est aucune qui ne soit un idiome *intelligible.* 11. Si donc je ne connais pas le sens de cet idiome, je serai un barbare pour celui qui parle et celui qui parle sera un barbare pour moi. 12. De même vous aussi, puisque vous aspirez aux dons spirituels, que ce soit pour l'édification de l'Eglise que vous cherchiez à en avoir abondamment. 13. C'est pourquoi, que celui qui parle en langue prie pour *obtenir le don* d'interpréter. 14. Car si je prie en langues, mon esprit est en prière, mais mon intelligence demeure sans fruit. 15. Que faire donc? Je prierai avec l'esprit, mais je prierai aussi avec l'intelligence; je chanterai avec l'esprit, mais je chanterai aussi avec l'intelligence. 16. Autrement, si tu rends grâces avec l'esprit, comment celui qui est dans les rangs de l'homme du peuple répondra-t-il "Amen!" à ton action de grâces, puisqu'il ne sait pas ce que tu dis? 17. Toi, il est vrai, tu rends d'excellentes actions de grâces, mais l'autre n'en est pas édifié. 18. Je rends grâces à mon Dieu de ce que je parle la langue de vous tous; 19. mais, dans l'Eglise j'aime mieux dire cinq paroles avec mon intelligence, afin d'instruire aussi les autres, que dix mille paroles en langues. 20. *Mes* frères, ne soyez pas des enfants pour la raison; mais faites-vous enfants sous le rapport de la malice, et, pour la raison, soyez des hommes faits.

Surtout pour les fidèles.

21. Il est écrit dans la Loi : "C'est par des hommes d'une autre langue et par des lèvres étrangères que je parlerai à ce peuple, et même ainsi ils ne m'écouteront pas, dit

11. *Donc ... un barbare*, un étranger, ne comprenant pas son langage. — 14. Pendant l'extase de celui qui parle en langues, l'intelligence reste inactive; elle est *sans fruit* pour elle-même et pour les autres. — 18. *La langue de vous tous*, toutes les langues.

le Seigneur." 22. Par conséquent les langues sont un signe, non pour les croyants, mais pour les incrédules; la prophétie, au contraire, *est un signe*, non pour les incrédules, mais pour les croyants. 23. Si donc, dans une assemblée de l'Eglise entière, tous parlent en langues, et qu'il survienne des hommes du peuple ou des incrédules, ne diront-ils pas que vous êtes des fous? 24. Mais si tous prophétisent, et qu'il survienne quelque incrédule ou un homme du peuple, il est convaincu par tous, il est jugé par tous, 25. les secrets de son cœur sont dévoilés, de telle sorte que, tombant sur sa face, il adorera Dieu, et publiera que Dieu est vraiment au milieu de vous.

Règles pratiques pour l'usage des dons.

26. Que faire donc, mes frères? Lorsque vous vous assemblez, chacun de vous a-t-il un cantique, une instruction, une révélation, une langue, une interprétation, que tout se fasse pour l'édification. 27. En est-il qui parlent en langues, que deux ou trois au plus parlent, chacun à son tour, et qu'un seul interprète; 28. s'il n'y a point *là* d'interprète, qu'ils se taisent dans l'assemblée, et qu'ils se parlent à eux-mêmes et à Dieu. 29. Pour les prophètes, que deux ou trois parlent, et que les autres jugent; 30. et si un autre, qui est assis, a une révélation, que le premier se taise. 31. Car vous pouvez tous prophétiser l'un après l'autre, afin que tous soient instruits et que tous soient exhortés. 32. Les esprits des prophètes sont soumis aux prophètes; 33. car

23. *Des hommes du peuple*, des chrétiens étrangers au don des langues. — 24-25. *Il est convaincu*, etc. Les prophètes, sous l'action de l'esprit de Dieu, font un tableau saisissant de l'état de l'homme en dehors du christianisme; pénétrant jusqu'au plus intime de la conscience, ils dévoilent ce qui est caché dans les replis du cœur, les faiblesses, les inclinations secrètes, les germes de l'orgueil et de l'égoïsme. En les entendant parler tour à tour, l'incrédule, le non-chrétien, est convaincu et comme jugé; il reconnaît son erreur et sa misère, et, touché par la grâce, il se convertit. — 29. *Que les autres jugent* si ce que disent les prophètes vient de Dieu ou d'une imagination exaltée. — 30. *Assis :* le prophète parlait debout (*Luc.* iv, 16). — 32-33. *Les esprits*, l'esprit prophétique, les inspirations données par l'Esprit Saint *sont soumises au prophète* qui les a reçues : il peut à

Dieu n'est pas un Dieu de désordre, mais de paix.

Comme je l'enseigne dans toutes les Eglises des saints, 34. que vos femmes se taisent dans les assemblées, car il ne leur est pas permis d'y parler; mais qu'elles soient soumises, comme le dit aussi la Loi. 35. Si elles veulent s'instruire sur quelque chose, qu'elles interrogent leurs maris à la maison; car il est malséant à une femme de parler dans une assemblée.

36. Est-ce de chez vous que la parole de Dieu est sortie? ou est-ce à vous seuls qu'elle est parvenue? 37. Si quelqu'un croit être prophète ou riche en dons spirituels, qu'il reconnaisse que les choses que je vous écris sont des commandements du Seigneur. 38. Et s'il veut l'ignorer, il sera ignoré.

39. Ainsi donc, mes frères, aspirez au don de prophétie, et n'empêchez pas de parler en langues. 40. Mais que tout se fasse avec bienséance et avec ordre.

5° — La résurrection des morts (15).

1° La résurrection de J. C. preuve de la nôtre. — ✠Ch. 15.

Je vous rappelle, *mes* frères, l'Evangile que je vous ai annoncé, que vous avez reçu, auquel vous êtes fermement attachés, 2. et par lequel aussi vous êtes sauvés, si vous le retenez tel que je vous l'ai annoncé; autrement, vous auriez cru en vain. 3. Je vous ai enseigné avant tout, comme je l'ai appris moi-même, que le Christ est mort pour nos péchés, conformément aux Ecritures; 4. qu'il a été enseveli et qu'il est ressuscité le troisième jour, conformément aux Ecritures; 5. et qu'il est apparu à Céphas, puis aux Onze. 6. Après cela, il est apparu en une seule fois à plus de cinq cents frères,

son gré les manifester au dehors ou les renfermer en lui-même. — 36. Les Corinthiens ne sont ni la première ni l'unique communauté chrétienne; ils n'ont pas le droit d'introduire des usages inconnus aux autres Eglises. — 38. *Il sera ignoré*, comme un homme sans valeur.

Chap. 15. — 6. *Cinq cents frères :* les Evangélistes n'ont pas men-

dont la plupart sont encore vivants, et quelques-uns se sont endormis. 7. Ensuite il est apparu à Jacques, puis à tous les apôtres. 8. Après eux tous, il m'est aussi apparu à moi, comme à l'avorton. 9. Car je suis le moindre des Apôtres, moi qui ne suis pas digne d'être appelé apôtre, parce que j'ai persécuté l'Eglise de Dieu. 10. C'est par la grâce de Dieu que je suis ce que je suis, et sa grâce envers moi n'a pas été vaine; ¶ loin de là, j'ai travaillé plus qu'eux tous, non pas moi pourtant, mais la grâce de Dieu qui est avec moi. 11. Ainsi, que ce soit moi, que ce soient eux, voilà ce que nous prêchons, et voilà ce que vous avez cru.

Conséquenses absurdes découlant de la négation de ce dogme.

12. Or, si l'on prêche que *Jésus* Christ est ressuscité des morts, comment quelques-uns parmi vous disent-ils qu'il n'y a point de résurrection des morts? 13. S'il n'y a point de résurrection des morts, *Jésus* Christ non plus n'est pas ressuscité. 14. Et si *Jésus* Christ n'est pas ressuscité, notre prédication est donc vaine, vaine aussi est votre foi. 15. Il se trouve même que nous sommes de faux témoins à l'égard de Dieu, puisque nous avons témoigné contre lui qu'il a ressuscité *Jésus* Christ, tandis qu'il ne l'aurait pas ressuscité, s'il est vrai que les morts ne ressuscitent pas. 16. Car si les morts ne ressuscitent pas, *Jésus* Christ non plus n'est pas ressuscité. 17. Et si *Jésus* Christ n'est pas ressuscité, votre foi est vaine, vous êtes encore dans vos péchés, 18. •et par conséquent

tionné cette apparition. — 7. L'apôtre *Jacques* le Mineur, parent de Jésus et premier évêque de Jérusalem. — *Apôtres*, dans le sens large de disciples de Jésus. — 8. *Il est apparu*, sur le chemin de Damas (*Act.* ix, 3 sv.) — *Avorton*, fruit qui se détache avant d'être arrivé à maturité : Paul s'appelle ainsi, soit parce que sa conversion, sa régénération a eu lieu d'une manière violente et en dehors de la voie ordinaire, soit surtout parce qu'il a conscience de son indignité et de sa faiblesse. — 12. A Corinthe, comme à Athènes (*Act.* xvii, 32), la résurrection des corps était pour les philosophes une pierre d'achoppement. — 17. *Si Jésus Christ n'est pas ressuscité*, il n'a pas vaincu la mort, suite et châtiment du péché, il n'est pas Sauveur de l'homme dans son âme et dans son corps. — 18. *Morts dans le Christ*, en union

aussi ceux qui sont morts dans le Christ sont perdus. 19. Si nous n'avons d'espérance dans le Christ que pour cette vie seulement, nous sommes les plus malheureux de tous les hommes.

Notre résurrection exigée par celle de J. C.

20. Mais maintenant le Christ est ressuscité des morts, il est les prémices de ceux qui sont morts. 21. Car, puisque la mort est venue par un homme, c'est aussi par un homme qu'est venue la résurrection des morts. 22. Et comme tous meurent en Adam, de même aussi tous revivront dans le Christ, 23. mais chacun en son rang : d'abord le Christ, comme prémices; ensuite ceux qui appartiennent au Christ, qui ont cru en son avènement. 24. Puis ce sera la fin, quand il remettra le royaume à Dieu et au Père, après avoir détruit toute domination, toute autorité et toute puissance. 25. Car il faut qu'il règne "jusqu'à ce qu'il ait mis tous ses ennemis sous ses pieds." 26. Le dernier ennemi qui sera détruit, c'est la mort, 27. car Dieu "a tout mis sous ses pieds." Mais lorsque *l'Ecriture* dit que tout lui a été soumis, il est évident que celui-là est excepté, qui lui a soumis toutes choses. 28. Et lorsque tout lui aura été soumis, alors le Fils lui-même sera soumis à celui qui lui aura soumis toutes choses, afin que Dieu soit tout en tous.

Conclusion.

29. Autrement, que feront ceux qui se font baptiser pour les morts? Si les morts ne ressuscitent en aucune manière, pourquoi se font-ils baptiser pour eux? 30. Et nous-même, pourquoi sommes-nous à toute heure en péril? 31. Cha-

avec le Christ, chrétiens. — 19. *Les plus malheureux*, car notre titre de chrétiens nous impose ici-bas mille sacrifices et nous attire toutes sortes de persécutions. — 20. On appelait *prémices* les premiers fruits de la moisson. Si Jésus Christ est *prémices* en tant que ressuscité des morts, la moisson doit suivre, tous ses disciples doivent ressusciter. — 29. *Autrement*, s'il n'y a pas de résurrection. — *Pour les morts :* il paraît qu'en effet quelques fidèles de Corinthe se faisaient baptiser une seconde fois en faveur ou à la place de parents ou d'amis qui étaient morts sans baptême. Paul mentionne cet usage sans l'approuver.

que jour je suis exposé à la mort, aussi vrai, mes frères, que vous êtes ma gloire en Jésus Christ Notre Seigneur. 32. Si c'est avec des vues humaines que j'ai combattu contre les bêtes à Ephèse, quel avantage m'en revient-il? Si les morts ne ressuscitent pas, "mangeons et buvons, car demain nous mourrons." 33. Ne vous laissez pas séduire : "les mauvaises compagnies corrompent les bonnes mœurs." 34. Justes, sortez de l'assoupissement, et ne péchez point; car il y en a *parmi vous* qui ne connaissent pas Dieu, je le dis à votre honte.

2° Mode de la résurrection. *Dieu est assez puissant pour rendre la vie à nos corps.*

35. Mais quelqu'un dira : Comment les morts ressuscitent-ils? avec quel corps viendront-ils? 36. Insensé! ce que tu sèmes ne reprend pas vie, s'il ne meurt auparavant. 37. Et ce que tu sèmes, ce n'est pas le corps qui sera un jour; c'est un simple grain, de blé peut-être, ou de quelque autre semence; 38. mais Dieu lui donne un corps comme il l'a voulu, et à chaque semence il donne le corps qui lui est propre.

Qualités des corps ressuscités.

39. Toute chair n'est pas la même chair; autre est la chair des hommes, autre celle des quadrupèdes, autre celle des oiseaux, autre celle des poissons. 40. Il y a aussi des corps célestes et des corps terrestres; mais l'éclat des corps célestes est d'une autre nature que celui des corps terrestres : 41. autre est l'éclat du soleil, autre l'éclat de la lune, et autre l'éclat des étoiles; même une étoile diffère en éclat d'une autre étoile. 42. Ainsi en est-il pour la résurrection des morts. Semé dans la corruption, le corps ressuscite incorruptible; 43. semé dans l'ignominie, il ressuscite glorieux; semé dans la faiblesse, il

---

32. *Avec des vues humaines*, en vue d'avantages terrestres. — *Combattu contre les bêtes*, au figuré : soutenu de rudes combats. — 33. *Séduire* par ceux qui nient la résurrection. — *Les mauvaises*, etc. : vers d'un poète grec, passé en proverbe. — 36. *Meurt :* ses éléments constitutifs se décomposent. — 42-44. *Corps animal*, n'ayant

ressuscite plein de force; 44. semé corps animal, il ressuscite corps spirituel.

S'il y a un corps animal, il y a aussi un corps spirituel. 45. C'est en ce sens qu'il est écrit : " Le premier homme, Adam, a été doué d'une âme vivante; " le dernier Adam l'a été d'un esprit vivifiant. 46. Mais ce qui est spirituel n'est pas le premier, c'est ce qui est animal; ce qui est spirituel vient ensuite. 47. Le premier homme, tiré de la terre, est terrestre; le second, venu du ciel, est céleste. 48. Tel est le terrestre, tels sont aussi les terrestres; et tel est le céleste, tels sont aussi les célestes. 49. Et de même que nous avons porté l'image du terrestre, portons aussi l'image du céleste. 50. Ce que j'affirme, *mes* frères, c'est que ni la chair ni le sang ne peuvent hériter le royaume de Dieu, et que la corruption n'héritera pas l'incorruptibilité.

Tous seront-ils transformés?

51. ✠ Voici un mystère que je vous révèle : Nous ressusciterons tous, mais nous ne serons pas tous changés. 52. En un instant, en un clin d'œil, au son de la dernière trompette, — car la trompette sonnera, — les morts ressusciteront incorruptibles, et nous, nous serons changés. 53. Car il faut que ce corps corruptible revête l'incorruptibilité, et que ce corps mortel revête l'immortalité.

La résurrection est la victoire de J. C. sur le péché et la mort.

54. Lorsque ce corps corruptible aura revêtu

qu'une vie sensible et périssable. — *Corps spirituel*, ayant, par son union avec l'Esprit Saint, une vie supérieure, divine, éternelle. — 45. J. C., le dernier Adam, quand il sortit glorifié du tombeau, avait un corps spirituel, non seulement vivant, mais *vivifiant*, ayant la vertu de spiritualiser, en quelque sorte, en les ressuscitant, les corps des chrétiens régénérés en lui et vivants de sa vie. — 48. Comme fils du premier Adam, nous sommes, quant au corps, terrestres comme lui; selon notre nouvelle naissance en J. C., second Adam, à la fin des temps, nous serons quant au corps, célestes comme lui. — 49. *Portons*, méritons de porter, par une vie sainte, etc. — 50. Pensée : de quelque nature que doive être le corps ressuscité, ceci du moins est certain, savoir, que nous n'entrerons point dans le royaume de Dieu avec ce corps grossier et périssable. — 54. *La mort*, le dernier ennemi, *a été engloutie*, détruite

l'incorruptibilité, et que ce corps mortel aura revêtu l'immortalité, alors s'accomplira la parole qui est écrite : " La mort a été engloutie dans la victoire. " 55. " O mort, où est ta victoire? O mort, où est ton aiguillon? " 56. L'aiguillon de la mort, c'est le péché, et la puissance du péché, c'est la loi. 57. Mais grâces soient rendues à Dieu, qui nous a donné la victoire par notre Seigneur Jésus Christ! ¶

Conclusion.

58. Ainsi, mes frères bien aimés, soyez fermes, inébranlables, travaillant de plus en plus à l'œuvre du Seigneur, sachant que votre travail n'est pas vain dans le Seigneur.

Epilogue.

Des collectes ou aumônes.

Ch. 16.

A l'égard de la collecte pour les saints, suivez, vous aussi, les prescriptions que j'ai données aux Eglises de la Galatie. 2. Que chacun de vous, le premier jour de la semaine, mette à part chez soi et tienne en réserve ce qu'il lui plaira, afin qu'on n'attende pas mon arrivée pour recueillir les dons. 3. Et quand je serai arrivé, j'enverrai avec des lettres les personnes que vous aurez approuvées, porter vos libéralités à Jérusalem. 4. Si la chose mérite que j'y aille aussi moi-même, elles feront le voyage avec moi.

Projets de visite.

5. J'irai chez vous quand j'aurai passé par la Macédoine; car je la traverserai seulement; 6. mais peut-être séjournerai-je auprès de vous, ou même y passerai-je

dans la victoire de la vie, de manière que la vie triomphe pour toujours. — 56. *L'aiguillon* empoisonné car lequel la mort, semblable à un serpent, tue les hommes, etc. — *Et la puissance du péché :* le péché a dans la loi toute sa puissance, ear c'est la loi qui lui donne une existence officielle, et qui condamne le pécheur et le livre à la mort (*Rom.* v, 20 sv. vii, 7 sv.). — 58. *Dans le Seigneur*, en qui et par qui nous pouvons mériter l'éternelle récompense.

Chap. 16. — 1. *Les saints*, les chrétiens pauvres de Jérusalem. — 2. *Le premier jour*, notre dimanche. — 4. *Si la chose mérite*, si la quête est assez abondante pour qu'il soit convenable qu'un apôtre la porte lui-même à destination. C'est ce qui arriva en effet.

l'hiver, afin que ce soit vous qui m'accompagniez là où je dois aller. 7. Je ne veux pas cette fois vous voir *seulement* en passant, mais j'espère demeurer quelque temps auprès de vous, si le Seigneur le permet. 8. Je resterai *néanmoins* à Ephèse jusqu'à la Pentecôte; 9. car une porte m'est ouverte, grande et manifeste, et les adversaires sont nombreux.

Recommandations.

10. Si Timothée vient chez vous, faites en sorte qu'il soit sans crainte parmi vous, car il travaille comme moi à l'œuvre du Seigneur. 11. Que personne donc ne le méprise. Reconduisez-le en paix, afin qu'il vienne me trouver, car je l'attends avec les frères.

12. Pour ce qui est de notre frère Apollos, je l'ai fortement engagé à se rendre chez vous avec les frères, mais il n'a absolument pas voulu le faire maintenant; il ira quand il en trouvera l'occasion.

13. Veillez, demeurez fermes dans la foi, soyez des hommes, soyez forts.

14. Que tout ce que vous faites se fasse avec charité.

15. Je vous adresse encore cette recommandation, *mes* frères. Vous savez que la famille de Stéphanas, de Fortunat et d'Achaïque est les prémices de l'Achaïe, et qu'elle s'est dévouée au service des saints : 16. ayez à votre tour de la déférence pour de tels hommes, et pour tous ceux qui travaillent et prennent de la peine pour la même œuvre. 17. Je suis heureux de la présence de Stéphanas, de Fortunat et d'Achaïque; ils ont suppléé à votre absence, 18. car ils ont tranquillisé mon esprit et le vôtre. Sachez donc apprécier de tels hommes.

---

11. *Méprise*, peut-être à cause de sa jeunesse. — 12. *Avec les frères*, les chrétiens de Corinthe partis d'Ephèse avec cette lettre. — 15. *Les prémices*, la première famille d'Achaïe qui embrassa le christianisme. — 18. *Tranquillisé*, consolé et réjoui, *mon esprit*, non seulement par leur présence, mais encore par ce qu'ils m'ont dit et assuré à votre sujet. — *Et le vôtre*, en tant qu'ils vous représentaient auprès de moi, portant dans leur cœur, dit S. Jean Chrysostome, toute l'Eglise de Corinthe.

Salutations.

19. Les Eglises d'Asie vous saluent. Aquilas et Priscille, avec l'Eglise qui est dans leur maison, vous saluent beaucoup dans le Seigneur. 20. Tous les frères vous saluent. Saluez-vous les uns les autres par un saint baiser.

21. Je vous salue de ma propre main, moi Paul.

22. Si quelqu'un n'aime pas le Seigneur, qu'il soit anathème!

Maran-atha.

23. Que la grâce du Seigneur Jésus soit avec vous!

24. Mon amour est avec vous tous en Jésus Christ. Amen!

DEUXIÈME ÉPÎTRE AUX CORINTHIENS.

Préambule (1, 1 — 14).

Salutation. — Consolations de l'Apôtre au milieu de ses souffrances. — CH. 1.

AUL, apôtre de Jésus Christ par la volonté de Dieu, et Timothée son frère, à l'Eglise de Dieu qui est à Corinthe, et à tous les saints qui sont dans toute l'Achaïe : 2. grâce et paix vous soient données de la part de Dieu notre Père et du Seigneur Jésus Christ!

3. ✠ Béni soit Dieu, le Père de Notre Seigneur Jésus Christ, le Père des miséricordes et le Dieu de toute consolation, 4. qui nous console dans toutes nos tribulations, afin que, par la consolation que nous recevons nous-même de lui, nous puissions consoler les autres, dans quelque affliction qu'ils se trouvent! 5. Car de même que les souffrances du Christ abondent en nous, de même aussi par le Christ

20. *Tous les frères*, les chrétiens d'Ephèse. — 22. *Maran-atha*, c.-à-d. *Notre Seigneur vient* pour le jugement; cet avertissement dans une langue étrangère avait quelque chose de plus grave et de plus solennel.

Chap. 1. — 3. *Le Père des miséricordes :* le Père miséricordieux. — 5. *Les souffrances du Christ :* celui qui souffre pour l'Evangile

abonde notre consolation. 6. Si nous sommes affligé, c'est pour votre consolation et pour votre salut; si nous sommes consolé, c'est pour votre consolation, qui fait que vous supportez avec patience les mêmes souffrances que nous endurons aussi. 7. Et notre espérance à votre égard est ferme, parce que nous savons que, comme vous avez part aux souffrances, vous avez part aussi à la consolation. ¶

8. Nous ne voulons pas, en effet, vous laisser ignorer, *mes* frères, au sujet de la tribulation qui nous est survenue en Asie, que nous avons été accablé au-delà de toute mesure, au-delà de nos forces, à tel point que nous n'espérions plus même conserver la vie. 9. Mais nous avions reçu en nous-même une réponse de mort, afin de ne pas mettre notre confiance en nous-même, mais de la mettre en Dieu, qui ressuscite les morts. 10. C'est lui qui nous a délivré de cette mort si imminente, qui nous en délivre, et de qui nous espérons qu'il nous délivrera encore, 11. *surtout* si vous-mêmes vous nous assistez aussi de vos prières, afin que, plusieurs personnes contribuant à nous obtenir ce bienfait, plusieurs aussi en rendent grâces pour nous.

12. Car ce qui fait notre gloire, c'est ce témoignage de notre conscience que nous nous sommes conduit dans le monde, et particulièrement envers vous, dans la simplicité et la pureté de Dieu, non avec une sagesse charnelle, mais avec la grâce de Dieu. 13. Nous ne vous écrivons pas

---

souffre ce qu'a souffert le Christ. — 6. *C'est pour... c'est pour :* ayant éprouvé nous-même l'affliction et la consolation, nous serons plus capables de vous consoler, si vous venez à votre tour à connaître la tribulation. — 9. *Réponse de mort :* à la question si nous échapperions à la mort, nous répondions négativement. — *Afin de :* Dieu l'ayant permis ainsi, *afin que nous ne mettions pas*, etc. — 11. *Vous-mêmes aussi*, comme le font d'autres Eglises. — *Afin que* marque l'intention divine. — 12. *Car :* nous avons confiance que vous nous aiderez ainsi de vos prières, *car* nous croyons le mériter; en effet, etc. — *Dans le monde*, dans mes relations avec les infidèles. — *Simplicité de Dieu*, qui vient de la grâce de Dieu; ou que Dieu demande. — *Sagesse charnelle :* comp. I *Cor.* i, 26; ii, 4. — *Avec la grâce*, sous l'influence de *la grâce de Dieu.*

autre chose que ce que vous lisez et ce que vous connaissez bien; et j'espère que vous reconnaîtrez jusqu'à la fin, — 14. comme une partie d'entre vous nous connaissent, — que nous sommes votre gloire, de même que vous serez aussi la nôtre au jour du Seigneur Jésus.

PREMIÈRE PARTIE

APOLOGIE DU MINISTÈRE CHRÉTIEN

(CH. 1, 15 — 7, 16).

a) *Loyauté et droiture de Paul.*

15. Dans cette persuasion, je m'étais proposé d'aller d'abord chez vous, afin que vous eussiez une double grâce : 16. je voulais passer par chez vous pour aller en Macédoine, puis revenir de la Macédoine chez vous, et vous m'auriez fait accompagner en Judée. 17. Est-ce donc qu'en formant ce dessein j'aurais agi avec légèreté? Ou bien est-ce que les projets que je fais, je les fais selon la chair, de sorte qu'il y ait en moi le oui et le non? 18. Aussi vrai que Dieu est fidèle, la parole que nous vous avons adressée n'a pas été oui et non. 19. Car le Fils de Dieu, Jésus Christ, que nous avons prêché au milieu de vous, Silvain, Timothée et moi, n'a pas été oui et non; il n'y a eu que oui en lui. 20. Car, pour autant qu'il y a de promesses de Dieu, elles sont oui en Jésus; c'est pourquoi aussi, grâce à lui, l'amen est pro-

---

14. *Au jour du Seigneur*, au jour du jugement. — 15-16. *Grâce*, fruits spirituels de toutes sortes attachés à la présence de Paul. — 17. Ai-je formé ce dessein à la légère? Suis-je inconstant? *Selon la chair*, selon les inspirations, non de l'Esprit Saint, mais de l'homme charnel (I *Cor*. XVI, 5). — 18. *La parole*, la prédication de l'Evangile. — 19. *En lui*, en J. C. Pensée : J. C. ne s'est pas montré comme quelqu'un qui affirme et qui nie tour à tour; en lui est le *oui*, c. à. d. l'affirmation, par le fait même de son avènement et de ses œuvres, qu'il a accompli les promesses de l'ancien Testament (vers. 20). — 20. Pensée : toutes les promesses de Dieu relatives au salut se sont accomplies en J. C.

noncé, à la gloire de Dieu, par notre ministère. 21. Et celui qui nous affermit avec vous en *Jésus* Christ, et qui nous a oints, c'est Dieu, 22. lequel nous a aussi marqués d'un sceau et nous a donné pour arrhes le Saint Esprit dans nos cœurs.

Pourquoi il a changé d'itinéraire.

23. Pour moi, je prends Dieu à témoin sur mon âme, que c'est pour vous épargner que je ne suis point allé de nouveau à Corinthe; 24. non que nous prétendions dominer sur votre foi, mais nous contribuons à votre joie; car, dans la foi, vous êtes fermes.

CH. 2.

J'ai donc pris en moi-même la résolution de ne pas retourner chez vous dans la tristesse. 2. Car si je vous attriste, de qui puis-je attendre de la joie, puisque j'aurai affligé moi-même ceux qui devaient m'en donner? 3. Je vous ai écrit comme je l'ai fait, pour ne pas éprouver, à mon arrivée, de la tristesse de la part de ceux qui devaient me donner de la joie, ayant en vous tous cette confiance que vous faites tous votre joie de la mienne. 4. Car c'est dans une grande affliction et angoisse de cœur, à travers beaucoup de larmes, que je vous ai écrit, non dans le dessein de vous attrister, mais pour vous faire connaître l'amour extrême que j'ai pour vous.

5. Si quelqu'un a été une cause de tristesse, ce n'est pas moi *seul* qu'il a attristé; je n'en ai eu qu'une part, pour ne pas vous charger tous. 6. C'est assez pour cet homme du châtiment qui lui a été infligé par le

21-22. Paul donne la raison de l'efficacité de son ministère. — 23-24. *Sur mon âme*, sachant bien que ce serment engage le salut de mon âme.

Chap. 2. — 1. *Dans la tristesse*, pour y causer de la tristesse. — 3. *Comme je l'ai fait* dans ma 1re lettre : voy. chap. 5. — 5. *Si quelqu'un*, si l'incestueux (I *Cor*. v, 1 sv.). — *Une part* de cette tristesse; vous avez été attristés comme moi. — *Vous charger tous* du crime d'un seul, comme si vous l'aviez vu avec indifférence. D'autres autrement. — 6. Durant l'excommunication, *le plus grand nombre*, la masse de la communauté n'avait eu aucun rapport avec l'incestueux : cette peine était suffisante, d'autant plus que ce dernier témoignait le plus vif repentir.

plus grand nombre, 7. en sorte que vous devez bien plutôt lui faire grâce et le consoler, de peur qu'il ne soit accablé par une trop grande affliction. 8. Je vous invite donc à décider de l'admettre à votre charité. 9. Car, en vous écrivant, mon but était aussi de connaître, à l'épreuve, si vous êtes obéissants en toutes choses. 10. A qui vous pardonnez, je pardonne également; car pour moi, ce que j'ai pardonné, si tant est que je pardonne quelque chose, c'est à cause de vous, dans la personne du Christ, 11. afin de ne pas laisser à Satan l'avantage sur nous; car nous n'ignorons pas ses desseins. 12. Lorsque je fus arrivé à Troas pour l'Evangile du Christ, quoiqu'une porte m'y fût ouverte dans le Seigneur, 13. je n'eus point l'esprit en repos, parce que je n'y trouvai pas Tite, mon frère; c'est pourquoi, ayant pris congé des frères, je partis pour la Macédoine.

Dieu l'a justifié par les fruits de son apostolat.

14. Mais grâces soient rendues à Dieu, qui nous fait toujours triompher dans le Christ, et qui répand par nous en tout lieu le parfum de sa connaissance! 15. En effet, nous sommes pour Dieu la bonne odeur du Christ, parmi ceux qui sont sauvés et parmi ceux qui se perdent : 16. aux uns, une odeur de mort, qui donne la mort; aux autres, une odeur de vie, qui donne la vie. — Mais qui est capable d'un tel ministère? — 17. Car nous ne frelatons pas, comme plusieurs le font, la parole de Dieu; mais c'est dans sa pureté, telle qu'elle vient de Dieu, que nous la prêchons devant Dieu en Jésus Christ.

9. *Mon but :* cet autre but est atteint. — 10-11. Les versets qui précèdent expriment, dans leurs traits principaux, la doctrine et la pratique des *indulgences*, telles que l'Eglise catholique les a toujours accordées. — 14. La *connaissance* de J. C. est comme un parfum d'agréable odeur qui monte vers Dieu de toute la terre. — 15. L'apôtre est en lui-même un *parfum*, rempli, imprégné *du Christ*, et par conséquent agréable à *Dieu*, quel que soit le succès de sa prédication. — 16. A la pensée que tant de prédicateurs remplissent mal une si haute fonction, Paul s'écrie : *Qui est capable*, etc. La réponse est indiquée par le verset suivant : *Nous*, et ceux qui prêchent la parole comme nous, et non pas les *plusieurs* qui la frelatent par un mélange de doctrines humaines.

b) *Succès rapportés à Dieu.*

CH. 3.

Recommençons-nous à nous recommander nous-même? Ou avons-nous besoin, comme certaines gens, de lettres de recommandation auprès de vous ou de votre part? 2. C'est vous-mêmes qui êtes notre lettre, écrite dans nos cœurs, connue et lue de tous les hommes. 3. Vous êtes manifestement une lettre du Christ, écrite par notre ministère, non avec de l'encre, mais avec l'Esprit du Dieu vivant; non sur des tables de pierre, mais sur des tables de chair, sur vos cœurs. 4. ✠ Cette assurance, nous l'avons par le Christ en vue de Dieu. 5. Ce n'est pas que nous soyons par nous-même capable de concevoir quelque chose comme venant de nous-même; mais notre capacité vient de Dieu. 6. C'est lui également qui nous a rendu capable d'être ministre d'une nouvelle alliance, non de la lettre, mais de l'Esprit; car la lettre tue, mais l'Esprit vivifie.

Supériorité du ministère de la Loi nouvelle sur celui de la Loi mosaïque.

7. Or, si le ministère de la mort, gravé en lettres sur des pierres, a été entouré d'assez de gloire pour que les fils d'Israël ne pussent fixer leurs regards sur la face de Moïse à cause de l'éclat de son visage, bien que cet éclat fût passager, 8. comment le ministère de l'Esprit ne sera-t-il pas revêtu d'une gloire supérieure? 9. Si le ministère de la condamnation a été glo-

Chap. 3. — 1. *Recommençons-nous :* ses adversaires de Corinthe accusaient sans doute Paul de s'être trop loué dans sa première épître. — 4. *Cette assurance*, Paul ne la puise pas en lui-même. Ce n'est pas à ses propres forces qu'il attribue le succès de ses travaux apostoliques, c'est à Dieu seul, qui l'a *rendu capable d'être ministre de la nouvelle alliance* (vers. 6), si supérieure à l'ancienne. — 6. *Ministre, non de la lettre*, c'est à dire de l'ancienne alliance, représentee par la loi écrite, *mais de l'Esprit* Saint, don de la nouvelle alliance en Jésus Christ. — *La lettre tue :* voy. l'explication *Rom.* vii, 5 sv. viii, 10 sv. — 7-8. *Le ministère* que Moïse remplit en apportant au peuple les tables de la loi, laquelle donnait *la mort, a été entourée de gloire :* le visage de Moïse descendant du Sinaï était resplendissant de lumière (*Ex.* xxxiv, 29 sv.). — *Le ministère* des Apôtres qui donne *l'Esprit* Saint. — *Gloire supérieure :* allusion à la gloire des élus dans le ciel. — 9. La loi ancienne, en provoquant le péché, appelait la *condamnation;* la nouvelle donne la *justification*, la vraie justice devant Dieu.

rieux, le ministère de la justification le surpasse de beaucoup en gloire. ¶ 10. Et même, sous ce rapport, la gloire dont *le premier* a été entouré *dans la personne de Moïse* n'est pas une gloire, à cause de la gloire *du second* qui lui est infiniment supérieure. 11. En effet, si ce qui était passager a été glorieux, ce qui est permanent l'est bien davantage.

Le voile qui empêche les Juifs de voir, est enlevé par la foi en J. C.

12. Ayant donc une telle espérance, nous usons d'une grande liberté, 13. et nous ne faisons pas comme Moïse, qui mettait un voile sur son visage pour que les fils d'Iraël n'y vissent point une clarté passagère. 14. Mais leurs esprits se sont aveuglés. Car jusqu'à ce jour le même voile demeure, quand ils font la lecture de l'ancien Testament, et il ne se lève pas, parce qu'il n'est ôté que par *Jésus* Christ. 15. Aujourd'hui encore, quand on lit Moïse, un voile est étendu sur leurs cœurs; 16. mais quand leurs cœurs se tourneront vers le Seigneur, le voile sera ôté. 17. Or le Seigneur c'est l'Esprit, et là où est l'Esprit du Seigneur, là est la liberté. 18. Nous tous qui, le visage découvert, contemplons dans un miroir la gloire du Seigneur, nous sommes transformés en la même image, *avançant* de gloire en gloire, comme par l'Esprit du Seigneur.

Par une prédication sincère l'Evangile est prêché à tous. — CH. 4.

C'est pourquoi, ayant cet apostolat, selon la miséricorde qui nous a été

10. *A cause de* (étant éclipsée par) *la gloire du second*, de l'apostolat chrétien. — 13. Sans ce voile, ils auraient vu disparaître peu à peu cette clarté, et ils auraient compris que son ministère aussi devait *finir*, pour faire place au ministère évangélique. — 16. *Se tourneront* en masse, un peu avant la fin du monde (*Rom*, xi, 25 sv.). — 17. *La liberté :* l'Esprit Saint affranchit l'homme de la lettre morte, du joug de la Loi, en répandant dans son cœur la charité (*Gal.* v, 1, 13). — 18. *Nous tous*, chrétiens, qui sur la terre contemplons, le visage découvert, c'est à dire d'un regard libre, non voilé comme celui de Moïse, *la gloire du Seigneur* réfléchie *dans le miroir* de l'Evangile, *nous sommes transformés en la même image* du Christ, image qui brile chaque jour d'un nouvel éclat, et cela par l'action intérieure de l'Esprit Saint dans nos âmes.

faite, nous ne perdons pas courage. 2. Nous rejetons loin de nous les choses honteuses qui se font en secret, ne marchant point dans l'astuce et n'altérant point la parole de Dieu; mais, en manifestant franchement la vérité, nous nous recommandons devant Dieu à toute conscience d'homme. 3. Si notre Evangile est encore voilé, il n'est voilé qu'à ceux qui se perdent, à ces incrédules 4. dont le dieu de ce siècle a aveuglé l'intelligence, afin qu'ils ne voient point briller la splendeur de l'Evangile, *où reluit* la gloire du Christ, qui est l'image de Dieu. 5. ✠ Nous ne nous prêchons pas nous-mêmes; c'est Jésus Christ le Seigneur que nous prêchons, et nous nous disons vos serviteurs à cause de Jésus. 6. Car Dieu, qui a fait jaillir la lumière du sein des ténèbres, a fait luire sa lumière dans nos cœurs, pour que nous fassions briller la connaissance de sa gloire, *laquelle resplendit* sur la face du Christ.

c) *Les prédicateurs de la foi souffrent beaucoup d'adversités, mais sont fortifiés par Dieu.*

7. Mais nous portons ce trésor dans des vases de terre, afin que cette souveraine puissance *de l'Evangile* paraisse, non venir de nous, mais appartenir à Dieu. 8. Nous sommes pressé de toute manière, mais non accablé; dans la détresse, mais non dans le désespoir; 9. persécuté, mais non délaissé; abattu, mais non perdu; 10. portant toujours avec nous dans notre corps la mort de

Chap. 4. — 4. *Le dieu de ce siècle*, le démon. — *Où reluit*, où est révélée *la gloire*, la nature divine du Christ, sa grâce et sa vérité. — *L'image* substantielle *de Dieu*, lumière de lumière. — 5. *Se prêcher soi-même*, c'est, ou bien prêcher sa propre sagesse, ou avoir en vue sa propre gloire et ses intérêts. — 6. *A fait jaillir la lumière*, le premier jour de la création (*Gen.* 1, 3). — *A fait luire*, par la seconde création en Jésus Christ, la lumière spirituelle (*Ephés.* v, 8) *dans le cœur* des Apôtres, *afin que* ceux-ci *fissent briller la connaissance de la gloire de Dieu*, laquelle gloire se réfléchit *sur la face* du Christ, en d'autres termes, la connaissance de la gloire du Christ comme Fils de Dieu. — 10. *La mort de Jésus :* étant exposé, en prêchant l'Evangile, aux mêmes souffrances et à la même mort que Jésus a soufferte. — *Afin que* notre délivrance et notre conservation soient comme la manifestation de la vie de Jésus ressuscité.

Jésus, afin que la vie de Jésus soit aussi manifestée dans votre corps. 11. Car nous qui vivons, nous sommes sans cesse livré à la mort à cause de Jésus, afin que la vie de Jésus soit aussi manifestée dans notre chair mortelle. 12. Ainsi la mort agit en nous, et la vie agit en vous.

L'espérance du ciel

13. Et comme nous avons le même Esprit de foi, selon ce qui est écrit : " J'ai cru, c'est pourquoi j'ai parlé, " nous aussi nous croyons, et c'est pourquoi nous parlons, 14. sachant que celui qui a ressuscité le Seigneur Jésus, nous ressuscitera aussi avec Jésus, et nous fera paraître avec vous en sa présence. ¶ 15. Car tout cela est à cause de vous, afin que la grâce, en se multipliant, fasse abonder l'action de grâces d'un plus grand nombre, à la gloire de Dieu. 16. C'est pourquoi nous ne perdons pas courage; au contraire, alors même que notre homme extérieur se détruit, notre homme intérieur se renouvelle de jour en jour. 17. Car nos légères afflictions du moment présent produisent pour nous, au delà de toute mesure, un poids éternel de gloire, 18. parce que nous regardons, non pas aux choses visibles, mais à celles qui sont invisibles, car les choses visibles ne sont que pour un temps, au lieu que les invisibles sont éternelles.

CH. 5.

Nous savons, en effet, que, si cette tente où nous logeons sur la terre est détruite, nous avons dans le ciel un édifice qui est l'ouvrage de Dieu, une demeure éternelle qui n'a pas été faite de main d'homme. 2. Aussi gémissons-nous dans cette tente, désireux que nous

12. Les souffrances et les persécutions sont notre lot; à vous, à ce prix, la vie, c'est à dire la grâce et tous les biens spirituels. — 15. *Tout* cela : nos travaux, nos souffrances, nos victoires. — *En se multipliant* par des conversions nouvelles. — 16. *L'homme extérieur*, la chair mortelle; *l'homme intérieur*, l'homme de la grâce, régénéré en Jésus Christ. — 18. *Les choses visibles*, terrestres, par exemple les plaisirs, les richesses de la vie présente.

Chap. 5. — 1. *Cette tente*, le corps. — *Un édifice*, pour le corps glorieux des élus après la résurrection.

sommes d'être revêtus de notre domicile céleste, 3. si du moins nous sommes trouvés vêtus, et non pas nus. 4. Car tant que nous sommes dans cette tente, nous gémissons accablés, parce que nous voulons, non pas nous dépouiller, mais nous revêtir, afin que ce qu'il y a de mortel *en nous* soit englouti par la vie. 5. Et celui qui nous a formés pour cet état, c'est Dieu, qui nous a donné pour arrhes son Esprit.

6. Etant donc toujours plein d'assurance, et sachant que, aussi longtemps que nous habitons dans ce corps, nous sommes loin du Seigneur, — 7. car nous marchons par la foi, et non par la vue, — 8. dans cette assurance, nous aimons mieux déloger de ce corps et habiter auprès du Seigneur. 9. C'est pour cela aussi que nous nous efforçons d'être agréable à Dieu, soit que nous soyons absent de ce corps, soit que nous y demeurions. 10. Car il nous faut tous comparaître devant le tribunal du Christ, afin que chacun reçoive ce qu'il a fait étant dans son corps, selon ce qu'il a fait de bien ou de mal.

Et l'amour de J. C. pour tous stimulent leur zèle.

11. Etant donc pénétré de la crainte du Seigneur, nous cherchons à convaincre les hommes ; quant à Dieu, il nous connaît intimement, et j'espère que dans vos consciences vous nous connaissez aussi. 12. Nous ne *venons* pas nous recommander encore nous-même auprès de vous ; mais vous fournir l'occasion de vous glorifier à notre sujet, afin que vous puissiez répondre à ceux qui tirent gloire de l'apparence, et non de ce qui est dans le cœur. 13. En effet, si nous sommes hors

3. *Si du moins*, et cela est certain, *nous sommes*, au jour du jugement, *trouvés vêtus*, revêtus d'immortalité, d'un corps incorruptible, *et non pas nus*, dépouillés de la gloire et de la félicité. — 4. Explication du vers. 2. *Accablés*, par l'horreur instinctive de la mort, en ce que *nous voudrions*, *non pas nous dépouiller* de notre corps, mourir, *mais*, sans passer par la mort, *nous revêtir*, être revêtus d'un corps glorieux et immortel. — 5. *Pour cet état*, où nous serons *revêtus* d'immortalité. — 13. Sens : Si je vous parais excessif dans les louanges que je me donne, c'est pour la gloire de Dieu, à qui je dois tout; si je parle humblement de moi-même, c'est pour vous donner l'exemple.

de sens, c'est pour Dieu; si nous sommes de sens rassis, c'est pour vous. 14. Car l'amour de *Jésus* Christ nous presse, persuadé comme nous le sommes que si un seul est mort pour tous, tous donc sont morts; 15. et qu'il est mort pour tous, afin que ceux qui vivent ne vivent plus pour eux-mêmes, mais pour celui qui est mort et ressuscité pour eux. 16. Aussi, désormais, nous ne connaissons plus personne selon la chair; et si nous avons connu le Christ selon la chair, à présent nous ne le connaissons plus de cette manière. 17. Si quelqu'un est dans le Christ, il est une nouvelle créature; les choses anciennes sont passées, voici que toutes choses sont devenues nouvelles. 18. Tout cela vient de Dieu, qui nous a réconcilié avec lui par Jésus Christ, et qui nous a confié le ministère de la réconciliation. 19. Car Dieu réconciliait avec lui le monde en *Jésus* Christ, en n'imputant point aux hommes leurs offenses, et c'est lui qui a mis en nous la parole de la réconciliation. 20. Nous faisons donc les fonctions d'ambassadeur pour le Christ, comme si Dieu exhortait par nous : nous vous en conjurons pour le Christ, réconciliez-vous avec Dieu! 21. Celui qui n'a point connu le péché, il l'a fait péché pour nous, afin que nous devenions en lui justice de Dieu.

14-15. *L'amour* que Jésus Christ nous a témoigné en mourant à notre place, *nous presse* de n'avoir en vue en toutes choses que Dieu et vous. — *Tous* doivent se regarder comme morts en lui, et réaliser en eux-mêmes cette mort du Christ, en s'unissant à lui par la foi et l'amour. — *Qui vivent* de la vie de la grâce. Pour la pensée comp. *Rom.* XIV, 7 sv. — 16. *Désormais*, depuis ma conversion ou mon apostolat, *nous ne connaissons*, jugeons et apprécions, *personne selon la chair*, d'après des points de vue charnels, humains, inférieurs. — *Le Christ selon la chair*, du côté humain, comme pur homme; *à présent nous le connaissons* selon l'esprit (*Rom.* I, 4), comme le Fils de Dieu. — 17. *Dans le Christ*, membre de son corps par la foi et le baptême. — *Les choses anciennes*, la mort et le péché, *sont passées* en principe. — 18. *Tout cela*, ce merveilleux changement. — 21. La bonté même de Dieu doit nous porter à nous réconcilier avec lui. Jésus Christ, qui était sans péché, Dieu *l'a fait le péché* personnifié, l'a traité comme l'unique pécheur, afin de détruire le péché par sa mort. — *Justice de Dieu*, que Dieu donne; que nous soyons par conséquent réellement justes aux yeux de Dieu.

Dévouement de Paul dans son ministère. — CH. 6.

Etant les coopérateurs du Christ, ✠ nous vous exhortons à ne pas recevoir la grâce de Dieu en vain. 2. Car il dit : " Au temps favorable je t'ai exaucé, au jour du salut je t'ai porté secours. " Voici maintenant le jour favorable, voici le jour du salut. 3. Nous ne donnons aucun sujet de scandale en quoi que ce soit, afin que notre ministère ne soit pas un objet de blâme. 4. Mais nous nous rendons recommandable en toutes choses, comme *il convient* à des serviteurs de Dieu, par une grande patience dans les tribulations, dans les angoisses, dans les extrêmes misères, 5. sous les coups, dans les prisons, dans les séditions, dans les travaux, dans les veilles, dans les jeûnes; 6. par la pureté, par la science, par la longanimité, par la bonté, par l'Esprit Saint, par une charité sincère, 7. par la parole de vérité, par la puissance de Dieu, par les armes offensives et défensives de la justice; 8. dans la gloire et dans l'ignominie, dans la mauvaise et dans la bonne réputation; traité d'imposteur, et pourtant véridique, d'homme inconnu, et pourtant bien connu; 9. regardé comme mourant, et voici que nous vivons; comme châtié, et nous ne sommes pas mis à mort; 10. comme attristé, nous qui sommes toujours joyeux; comme pauvre, nous qui en enrichissons un grand nombre; comme n'ayant rien, nous qui possédons toutes choses. ¶

Conclusion : *que les Corinthiens lui rendent amour pour amour; pas de société avec les infidèles.*

11. Notre bouche s'est ouverte pour vous, ô Corinthiens, notre cœur s'est élargi. 12. Vous

Chap. 6. — 6. *Par la pureté*, une vie pure en général, *par la science* des vérités religieuses,... *par l'Esprit Saint*, dont l'action se révèle dans mes paroles et ma conduite. — 7. *Par la puissance de Dieu*, se manifestant par l'efficacité de ma prédication et par des miracles. — *Par les armes offensives de la justice*, que la justice fournit. Sens : par la manière dont nous combattons contre les ennemis de l'Evangile. — 10. *Nous enrichissons* de biens spirituels. — *Toutes choses* en Jésus Christ. — 12. *Entrailles :* il y a en moi de l'amour pour vous

n'êtes point à l'étroit dans nos entrailles, mais les vôtres se sont rétrécies. 13. Rendez-nous la pareille, — je vous parle comme à *mes* enfants, — vous aussi, élargissez *vos cœurs*. 14. Ne vous mettez pas avec les infidèles sous un joug disparate. Car quelle société y a-t-il entre la justice et l'iniquité? ou qu'a de commun la lumière avec les ténèbres? 15. Quel accord y a-t-il entre le Christ et Bélial? ou quelle part a le fidèle avec l'infidèle? 16. Quelle entente y a-t-il entre le temple de Dieu et des idoles? Car nous sommes le temple du Dieu vivant, comme Dieu l'a dit : "J'habiterai et je marcherai au milieu d'eux; je serai leur Dieu, et ils seront mon peuple." 17. "C'est pourquoi sortez du milieu d'eux et séparez-vous *d'eux*, dit le Seigneur; ne touchez pas à ce qui est impur, et je vous recevrai. 18. Je serai pour vous un père, et vous serez pour moi des fils et des filles, dit le Seigneur tout puissant."

CH. 7.

Ayant donc de telles promesses, *mes* bien aimés, purifions-nous de toute souillure de la chair et de l'esprit, en achevant *l'œuvre* de notre sanctification dans la crainte de Dieu.

Affection qu'il a toujours pour eux.

2. Donnez-nous une place *dans vos cœurs*. Nous n'avons fait d'injustice à personne, nous n'avons causé de dommage à personne, nous n'avons tiré du profit de personne. 3. Ce n'est pas pour vous condamner que je parle ainsi, puisque je viens de vous dire que vous êtes dans nos cœurs à la vie et à la mort. 4. Je m'épanche librement avec vous, j'ai grand sujet de me glorifier de vous; je suis rempli de

tous. — *Rétrécies* : à peine y ai-je encore une place. — 14. Le grand danger pour les fidèles de Corinthe était dans les relations trop intimes avec les infidèles; l'Apôtre les détourne de ces liaisons. — *Joug disparate*, allusion à la défense faite par Moïse d'accoupler ensemble, pour le labourage, les animaux de différentes espèces, par exemple, le bœuf avec l'âne. — *La justice*, le christianisme; *l'iniquité*, le paganisme.

Chap. 7. — 3. *Pour vous condamner*, comme si vous aviez dit ou pensé cela de moi : mon amour pour vous m'empêche de le croire.

consolation, je surabonde de joie au milieu de toutes nos tribulations. 5. Car, depuis notre arrivée en Macédoine, notre chair n'eut aucun repos ; nous étions affligé de toute manière : combats au dehors, appréhensions au dedans. 6. Mais celui qui console les humbles, Dieu, nous a consolé par l'arrivée de Tite ; 7. non seulement par son arrivée, mais encore par la consolation que Tite lui-même avait éprouvée à votre sujet : il nous a raconté votre ardent désir, vos larmes, votre zèle pour moi, en sorte que ma joie en a été plus grande.

Sa joie à cause des heureux effets produits par sa lettre précédente.

8. Quand même je vous ai attristés par ma lettre, je ne m'en repens point ; et si j'en ai eu du regret, — car je vois que cette lettre vous a attristés, bien que momentanément, — 9. je me réjouis à cette heure, non pas de ce que vous avez été attristés, mais de ce que votre tristesse vous a portés à la pénitence ; car vous avez été attristés selon Dieu, de manière à n'éprouver aucun préjudice de notre part. 10. En effet, la tristesse selon Dieu produit un repentir pour le salut éternel, au lieu que la tristesse du monde produit la mort. 11. Et quel empressement n'a-t-elle pas produit en vous, cette tristesse selon Dieu ! Que dis-je ? quelle justification ! quelle indignation ! quelle crainte ! quel désir ardent ! quel zèle ! quelle punition ! Vous avez montré à tous égards que vous étiez in-

5. *Notre chair*, l'homme inférieur, naturel, par opposition à *l'esprit*, l'homme supérieur, surnaturel. — *Combats*, contre les ennemis de l'Evangile. — *Appréhensions*, soucis pour les Eglises, spécialement pour celle de Corinthe. — 8. *Si j'en ai eu d'abord du regret*, comme j'en ai eu réellement, et non sans raison, *car je vois*, etc. — 9. *Aucun préjudice :* Paul fait entendre qu'ils ont retiré un grand profit spirituel des reproches contenus dans sa première lettre. — 10. *La tristesse selon Dieu*, causée par l'amour de Dieu et de la justice ; *la tristesse du monde*, causée par l'amour du monde et par des motifs humains. — 11. *Empressement* à se séparer de l'incestueux. — *Justification* pour convaincre Tite qu'ils n'avaient aucune part à ce crime. — *Crainte*, de Paul (I *Cor.* iv, 21). — *Désir* que Paul vienne bientôt à Corinthe. — *Zèle* dans la punition du coupable.

nocents dans cette affaire. 12. Si donc je vous ai écrit, ce n'est ni à cause de celui qui a fait l'injure, ni à cause de celui qui l'a reçue, mais pour manifester la sollicitude que nous avons pour vous.

L'arrivée de Tite, qui les loue, augmente sa joie.

13. C'est pourquoi nous avons été consolé. Mais, à cette consolation, s'est ajoutée une joie beaucoup plus vive, celle que nous a fait éprouver la joie de Tite, dont vous avez tous tranquillisé l'esprit. 14. Et si devant lui je me suis un peu glorifié à votre sujet, je n'en ai point eu de confusion; mais comme nous vous avons toujours parlé selon la vérité, ce dont nous nous sommes glorifié devant Tite s'est trouvé véritable. 15. Son cœur ressent pour vous un redoublement d'affection, au souvenir de votre obéissance à tous, de la crainte, du tremblement avec lequel vous l'avez reçu. 16. Je me réjouis de pouvoir en toutes choses compter sur vous.

DEUXIÈME PARTIE

COLLECTE POUR LES CHRÉTIENS DE JÉRUSALEM (CH. 8, 1 — 9, 15).

Exemple des Eglises de Macédoine. — CH. 8.

Nous vous faisons connaître, mes frères, la grâce que Dieu a faite aux *fidèles des* Eglises de Macédoine. 2. Au milieu de beaucoup de tribulations qui les ont éprouvés, leur joie a été pleine, et leur profonde pauvreté a produit les abondantes largesses de leur simplicité. 3. *Tous*, je l'atteste, ont donné volontairement selon leurs moyens, et même au delà de leurs moyens, 4. nous deman-

---

12. *Ce n'est ni*, etc. : ce n'est pas tant. — *Qui l'a reçue :* le père de l'incestueux. — 16. Transition délicate au sujet dont il va les entretenir : la collecte en faveur des chrétiens pauvres de Jérusalem.

Chap. 8. — 2. *Largesses de leur simplicité*, faites d'un cœur droit et simple, qui ne calcule pas et ne songe pas à l'avenir.

dant avec de grandes instances la faveur de prendre part à l'assistance destinée aux saints. 5. Et non seulement ils ont rempli notre espérance, mais ils se sont donnés eux-mêmes d'abord au Seigneur, puis à nous, par la volonté de Dieu. 6. Nous avons donc prié Tite d'aller aussi chez vous achever cette œuvre de charité, comme il l'avait commencée.

Imiter leur générosité.

7. De même que vous excellez en toutes choses, en foi, en parole, en connaissance, en zèle à tous égards et en affection pour nous, faites en sorte d'exceller aussi dans cette œuvre de bienfaisance. 8. Je ne dis pas cela pour donner un ordre, mais je profite du zèle des autres pour mettre aussi à l'épreuve la sincérité de votre charité. 9. ✠ Car vous connaissez la grâce de Notre Seigneur Jésus Christ, qui pour vous s'est fait pauvre, de riche qu'il était, afin de vous faire riches par sa pauvreté. 10. C'est un avis que je donne ici, car vous n'avez pas besoin d'autre chose, vous qui, les premiers, non seulement avez commencé à agir, mais encore en avez eu la volonté dès l'an passé. 11. Achevez donc maintenant cette œuvre, afin que l'exécution selon vos moyens réponde chez vous à l'empressement de la volonté. 12. Quand la bonne volonté existe, elle est agréable, *si l'on donne* à raison de ce qu'on possède, et non à raison de ce qu'on ne possède pas. 13. Car il ne faut pas qu'il y ait soulagement pour les autres, et détresse pour vous, mais égalité : 14. dans la circonstance présente, votre superflu supplée à leurs besoins, afin que leur superflu pourvoie aussi aux vô-

5. *Se sont donnés*, etc. : ils ont porté la générosité jusqu'au sacrifice, en sorte qu'on peut y voir comme une donation d'eux-mêmes au Seigneur, que l'on sert dans la personne des pauvres, et à ceux qui le représentent aux Apôtres et à leurs collaborateurs. — *Par la volonté de Dieu*, qui a mis dans leurs cœurs ces bonnes dispositions. — 14. *Leur superflu* doit s'entendre ici surtout des biens spirituels que les prières des fervents chrétiens de Jérusalem obtiendront du Seigneur pour les Corinthiens.

tres, en sorte qu'il y ait égalité, selon qu'il est écrit : 15. " Celui qui avait recueilli beaucoup *de manne* n'avait rien de trop, et celui qui en avait peu recueilli n'avait pas trop peu. " ¶

Eloge de Tite et des deux disciples chargés de recueillir leurs aumônes.

16. ✠ Grâces soient rendues à Dieu de ce qu'il a mis dans le cœur de Tite le même zèle *que nous avons* pour vous; 17. car il a, sans doute, bien accueilli notre prière; mais, dans l'ardeur de son zèle, c'est de son plein gré qu'il part pour aller chez vous. 18. Nous envoyons avec lui le frère dont toutes les Eglises font l'éloge pour *sa prédication de* l'Evangile, 19. et qui de plus a été désigné par le suffrage des Eglises, pour être notre compagnon de voyage dans cette œuvre de charité, que nous accomplissons à la gloire du Seigneur même et *en preuve* de notre bonne volonté. 20. Nous prenons cette mesure, afin que personne ne puisse nous blâmer au sujet de cette abondante collecte à laquelle nous donnons nos soins; 21. car nous recherchons ce qui est bien, non seulement devant Dieu, mais aussi devant les hommes. 22. Avec eux nous envoyons aussi notre frère, dont nous avons souvent éprouvé le zèle en mainte occasion, et qui en montre encore plus cette fois à cause de sa grande confiance en vous. 23. *Nous vous les recommandons :* pour Tite, il est mon compagnon et mon collaborateur auprès de vous; et quant à nos frères, ils sont les envoyés des Eglises, la gloire du Christ. 24. Donnez-leur donc, à la face des Eglises, des preuves de votre charité, et ne démentez pas le juste orgueil que nous leur avons témoigné à votre sujet. ¶

Pourquoi il les envoie dès maintenant. — CH. 9.

Touchant l'assistance destinée aux saints, il est superflu que je vous écrive à ce sujet; 2. car je connais votre bonne

20. *Afin que :* en envoyant ce frère, nous écartons de nous tout soupçon de fraude et de cupidité.

volonté, et je m'en fais gloire pour vous auprès des Macédoniens, en *annonçant* que l'Achaïe est prête dès l'année passée. Ce zèle de votre part a stimulé le plus grand nombre. 3. Toutefois je vous ai envoyé les frères, afin que le sujet de gloire que vous nous avez donné ne soit pas réduit à néant sur ce point, et que vous soyez prêts, comme j'ai affirmé que vous le seriez. 4. Prenez-y garde : si des Macédoniens venaient avec moi et ne vous trouvaient pas prêts, quelle confusion pour moi, — pour ne pas dire pour vous, — dans une telle assurance ! 5. J'ai donc jugé nécessaire de prier nos frères de me devancer chez vous, et de s'occuper de votre libéralité déjà promise, afin qu'elle soit prête, mais comme une libéralité, et non comme une lésinerie.

Donner abondamment et avec joie.

6. ✠ Je vous le dis, celui qui sème peu moissonnera peu, et celui qui sème abondamment moissonnera abondamment. 7. Que chacun donne comme il l'a résolu en son cœur, sans tristesse ni contrainte ; car " ✠ Dieu aime celui qui donne joyeusement. " 8. Il est puissant pour vous combler de toutes sortes de grâces, afin que, ayant toujours en toutes choses de quoi satisfaire à tous vos besoins, vous soyez encore riches pour toute espèce de bonnes œuvres, 9. selon qu'il est écrit : " Il a fait des largesses, il a donné aux pauvres ; sa justice subsiste à jamais."

Récompense réservée à leur charité.

10. Celui qui fournit la semence au semeur et le pain pour la nourriture, vous fournira la semence, et la multipliera, et il fera croître les fruits de votre justice ; ¶ 11. et vous serez ainsi enrichis à tous égards, pour donner d'un cœur simple ce qui, re-

Chap. 9. — 4. *Dans une telle assurance*, l'assurance avec laquelle Paul se glorifiait de ses chers Corinthiens et faisait partout leur éloge. — 5. *Promise* par moi et par vous. — *Comme une libéralité*, etc. : de manière qu'elle soit abondante, et non chétive. — 10. *Vous fournira la semence*, les moyens de faire l'aumône. — *Fera croître les fruits de votre justice*, répandra sur vous ses bénédictions.

cueilli par nous, fera offrir à Dieu des actions de grâces. 12. Car la dispensation de cette libéralité ne pourvoit pas seulement en abondance aux besoins des saints, mais elle est encore une riche source de nombreuses actions de grâces envers Dieu. 13. A cause de la vertu éprouvée que cette offrande montre en vous, ils glorifient Dieu de votre obéissance dans la profession de l'Evangile, et de la simplicité avec laquelle vous faites part de vos dons à eux et à tous. 14. Ils prient aussi pour vous, vous aimant d'un tendre amour, à cause de la grâce éminente que Dieu a mise en vous. 15. Grâces soient rendues à Dieu pour son don ineffable !

TROISIÈME PARTIE

APOLOGIE DE PAUL CONTRE SES ADVERSAIRES (CH. 10 — 13).

Il défend son autorité apostolique. *Il a le pouvoir de punir.* — CH. 10.

Moi, Paul, je vous en conjure par la douceur et la bonté du Christ, — moi "qui ai l'air humble quand je suis au milieu de vous, mais qui suis hardi avec vous quand je suis absent !" — 2. Je vous en prie, que je n'aie pas, quand je serai présent, à user de cette hardiesse qu'on m'attribue, contre certaines gens qui se figurent que nous marchons selon la chair. 3. Si nous marchons dans la chair, nous ne combattons pas selon la chair. 4. Car les armes avec lesquelles nous combattons ne sont pas char-

---

13. *A cause de la vertu éprouvée*, etc. ; ou bien, *à cause de l'excellence* (litt. *la bonne qualité*) *de cette offrande.* — *Simplicité*, bonté pure et droite. — 14. *A cause de la grâce*, etc., de la foi, source de la charité, qu'ils verront briller en vous (vers. 13). — 15. *Don :* même sens que *grâce* au vers. précédent.

Chap. 10. — 2. *Nous marchons selon la chair*, me conduisant, non selon l'Esprit Saint, mais selon des vues humaines et égoïstes. — 4. *Des forteresses*, mes orgueilleux adversaires (vers. 5).

nelles; elles sont puissantes devant Dieu pour renverser des forteresses. 5. Nous renversons les raisonnements et toute hauteur qui s'élève contre la connaissance de Dieu, et nous amenons toute intelligence captive à l'obéissance du Christ. 6. Nous sommes prêt aussi à punir toute désobéissance, lorsque, de votre côté, votre obéissance sera complète.

Il en usera présent comme par lettre.

7. Regardez-vous à "l'air?" *Eh bien*, si quelqu'un se persuade qu'il est au Christ, qu'il se dise de lui-même, à son tour, que, s'il appartient au Christ, nous aussi nous lui appartenons. 8. Si même je me glorifiais encore un peu plus de l'autorité que le Seigneur m'a donnée pour votre édification, et non pour votre destruction, je n'en aurais pas de confusion. 9. Afin que je ne paraisse pas vouloir vous intimider par mes lettres, — 10. car "ses lettres, dit-on, sont sévères et fortes; mais, quand il est présent, c'est un homme faible et sa parole est méprisable," — 11. que celui qui parle de la sorte se dise bien que tel nous sommes en paroles dans nos lettres, étant absent, tel nous sommes dans nos actes, étant présent.

Il ne dépasse pas la mesure de son pouvoir.

12. Nous n'avons pas la hardiesse de nous égaler ou de nous comparer à certaines gens qui se recommandent eux-mêmes; mais nous nous mesurons à notre propre mesure et nous nous comparons nous-même à nous-même. 13. Nous ne nous glorifions pas hors de mesure, mais selon la mesure du champ d'action que Dieu nous a assigné, pour nous faire arriver jusqu'à vous : — 14. car nous ne dépassons

5. Les *raisonnements* subtils de la sagesse humaine et *l'orgueil* de l'esprit sont comme des remparts derrière lesquels s'abrite l'*intelligence :* Paul renversera ces murailles et *amènera l'intelligence captive*, etc. — 6. *Lorsque* la masse de la communauté se sera séparée des fauteurs de troubles. — 7. *Regardez-vous à l'air* (vers. 1); jugez-vous d'après ce qui paraît aux yeux. — 8. *Confusion :* ce ne serait pas une jactance injustifiée. — 14. *Limites*, *comme si*, comme ce serait le cas, *si*, etc.

pas nos limites, comme si nous n'étions pas appelé à venir chez vous, et nous sommes réellement arrivé les premiers jusqu'à vous avec l'Evangile du Christ. — 15. Nous ne nous glorifions pas outre mesure, pour les travaux d'autrui; et nous avons l'espérance que, lorsque votre foi aura fait des progrès, nous agrandirons beaucoup notre champ d'action parmi vous, en suivant les limites qui nous sont assignées, 16. de manière à prêcher l'Evangile dans les pays qui sont au delà du vôtre, sans entrer dans le partage d'autrui, pour nous glorifier des travaux déjà faits. 17. Toutefois " ✠ que celui qui se glorifie, se glorifie dans le Seigneur." 18. Car ce n'est pas celui qui se recommande lui-même qui est un homme éprouvé, c'est celui que le Seigneur recommande.

Ses titres de gloire. *Il s'excuse de les produire* : — CH. 11.

Oh ! si vous pouviez supporter de ma part un peu de folie! Mais oui, vous me supportez. 2. J'ai conçu pour vous une jalousie de Dieu; car je vous ai fiancés à un seul époux pour vous présenter au Christ comme une vierge pure. ¶ 3. Mais je crains bien que, comme Eve fut séduite par la ruse du serpent, ainsi vos pensées ne se corrompent et ne perdent leur simplicité à l'égard du Christ. 4. Car si quelqu'un vient vous prêcher un autre Jésus que celui que nous vous avons prêché, ou si vous recevez un autre esprit que celui que vous avez reçu, ou un autre Evangile que celui que vous avez embrassé, vous le supporteriez fort bien. 5. Certes, j'estime que je ne suis inférieur en rien à ces apôtres par

---

15-16. *Lorsque votre foi* sera développée et que je pourrai vous quitter pour aller prêcher ailleurs. — 18. *Eprouvé*, garanti de bon aloi. — *Que Dieu recommande*, par une assistance visible.

Chap. 11. — 1. *Folie :* il va faire son éloge. — *Mais oui, vous me supportez*, je n'ai pas besoin de faire ce vœu. — 2. *Une jalousie de Dieu*, une sainte jalousie, semblable à celle que Dieu ressentait à l'égard de la nation Israélite, dont il était comme l'époux. — 3. *Ne se corrompent* par l'influence des faux docteurs. — *La simplicité* d'un cœur non partagé, fidèle.

excellence ! 6. Si je suis étranger à l'art de la parole, je ne le suis point à la science; nous l'avons fait voir parmi vous en toutes choses.

1. *Gratuité de sa prédication.*

7. Ou bien ai-je commis un péché, parce qu'en m'abaissant moi-même pour vous élever, je vous ai annoncé gratuitement l'Evangile de Dieu? 8. J'ai dépouillé d'autres Eglises, en recevant d'elles un salaire, pour pouvoir vous servir. 9. Et lorsque j'étais chez vous, et que je me suis trouvé dans le besoin, je n'ai été à charge à personne : des frères venus de Macédoine ont pourvu à ce qui me manquait. En toutes choses je me suis gardé de vous être à charge, et je m'en garderai. 10. Aussi vrai que la vérité du Christ est en moi, j'affirme que ce sujet de gloire ne me sera pas enlevé dans les contrées de l'Achaïe. 11. Pourquoi? Parce que je ne vous aime pas? Ah ! Dieu le sait ! 12. Mais je le fais et je le ferai, pour ôter ce prétexte à ceux qui cherchent un prétexte, afin qu'ils soient reconnus semblables à nous dans ce désintéressement dont ils se vantent. 13. Ces gens-là sont de faux apôtres, des ouvriers astucieux, qui se déguisent en apôtres du Christ. 14. Et cela n'est pas étonnant, puisque Satan lui-même se déguise en ange de lumière. 15. Il n'est donc pas étrange que ses ministres aussi se déguisent en ministres de justice. Leur fin sera selon leurs œuvres.

2. *Egal en tout le reste à ses adversaires.*

16. Je le répète, que personne ne me regarde comme un insensé; sinon, acceptez-moi comme un insensé, afin que moi aussi je me glorifie un peu. 17. Ce que je vais dire au sujet de mes titres de gloire, je ne le dis pas selon le Seigneur, mais

7. *En m'abaissant*, m'assujettissant à un travail manuel, *pour vous élever*, de l'abîme de l'idolâtrie, à la dignité de chrétiens. — 8. *Dépouillé :* hyperbole. — 12. *Un prétexte* de me rabaisser en me faisant passer pour un homme intéressé. — *Je le fais... afin que* ces faux docteurs, qui vantent bien à tort leur désintéressement, me ressemblent sous ce rapport. — 17. *Selon le Seigneur :* l'éloge que je fais de moi-même, tel qu'il s'offre à première vue, n'est pas selon l'esprit de

comme si j'étais en état de folie. 18. Puisque tant de gens se glorifient selon la chair, je me glorifierai aussi. 19. ✠ Vous supportez volontiers les insensés, vous qui êtes sages. 20. Vous supportez bien qu'on vous traite comme des esclaves, qu'on vous dévore, qu'on vous pille, qu'on vous traite avec arrogance, qu'on vous frappe au visage. 21. Je le dis à ma honte, nous avons été bien faible sur ce point! Cependant, de quoi que ce soit qu'on ose se vanter, — je parle en insensé, — moi aussi je l'ose. 22. Sont-ils Hébreux? Moi aussi, je le suis. Sont-ils Israélites? Moi aussi. Sont-ils de la postérité d'Abraham? Moi aussi.

3. *Apôtre du Christ par les souffrances qu'il a endurées.*

23. Sont-ils ministres du Christ? — Ah! je vais parler en homme qui extravague : — je le suis plus qu'eux : je le suis plus par les travaux, bien plus par les coups, infiniment plus par les emprisonnements; souvent j'ai vu de près la mort; 24. cinq fois j'ai reçu des Juifs quarante coups de fouet moins un; 25. trois fois j'ai été battu de verges; une fois j'ai été lapidé; trois fois j'ai fait naufrage; j'ai passé un jour et une nuit dans l'abîme. 26. Dans mes voyages sans nombre, j'ai été en danger sur les fleuves, en danger des brigands, en danger de la part de ceux de ma nation, en danger de la part des gentils, en danger dans les villes, en danger dans les déserts, en danger sur la mer, en danger parmi les faux frères. 27. Labeurs, pei-

J. C., — quoique, eu égard aux circonstances (XII, 11), il ne fût pas en dehors de l'action de l'Esprit Saint qui inspirait l'Apôtre. — 19. Reproche mêlé d'ironie. — 22. *Hébreux* indique la nationalité; *Israélites* désigne le peuple *de Dieu; la postérité d'Abraham*, le peuple héritier des promesses. — 23. *Plus qu'eux :* sans accorder à ses adversaires une prérogative qu'ils se donnaient à eux-mêmes, Paul répond qu'il a plus qu'eux le droit de se l'attribuer, à cause de ses travaux et de ses souffrances pour J. C. Mais, dans la conscience intime qu'il ne doit cet avantage qu'à la grâce de Dieu, il s'excuse de le revendiquer par cette forte expression : *en homme qui extravague.* — 25. *Battu de verges :* Act. XVI, 22. — *Lapidé*, voy. *Act.* XIV, 19. — *Dans l'abîme*, la mer, ballotté peut-être sur quelque débris du vaisseau naufragé.

nes, veilles nombreuses, faim, soif, jeûnes multipliés, froid, nudité, *j'ai tout souffert*. 28. Outre ces choses qui sont du dehors, je suis assailli chaque jour par les soucis que me donnent toutes les Églises. 29. Qui est faible sans que je sois faible? Qui vient à tomber sans qu'un feu me dévore?

30. S'il faut se glorifier, c'est de ma faiblesse que je me glorifierai. 31. Dieu, qui est le Père de Notre Seigneur Jésus Christ, et qui est béni éternellement, sait que je ne mens point. 32. A Damas, l'ethnarque du roi Arétas faisait garder la ville pour se saisir de moi; 33. mais on me descendit par une fenêtre, dans une corbeille, le long de la muraille, et j'échappai *ainsi* de ses mains.

4. *Il pourrait encore se glorifier des visions et révélations.* — CH. 12.

Faut-il se glorifier? Cela n'est pas utile; j'en viendrai néanmoins à des visions et à des révélations du Seigneur. 2. Je connais un homme dans le Christ qui, il y a quatorze ans, fut ravi jusqu'au troisième ciel (si ce fut dans son corps, je ne sais; si ce fut hors de son corps, je ne sais : Dieu le sait). 3. Et je sais que cet homme (si ce fut dans son corps ou sans son corps, je ne sais, Dieu le sait) 4. fut enlevé dans le paradis, et qu'il a entendu des paroles ineffables qu'il n'est pas permis à un homme de révéler.

Mais il préfère se glorifier de ses faiblesses.

5. Je me glorifierai pour cet homme-là; mais pour ce qui est de ma

29. Il s'intéresse même à chaque fidèle en particulier : l'un d'eux est-il *faible* dans la foi ou dans la vertu, Paul s'abaisse jusqu'à sa faiblesse pour l'encourager et le raffermir. — *Un feu*, une douleur qui le consume. — 30. *De ma faiblesse*, des souffrances et des misères que je viens d'exposer.

Chap. 12. — 1. Sens : c'est une chose dangereuse que de se glorifier soi-même; mais, puisque mes adversaires m'en imposent la nécessité, je vais à mon tour me glorifier, non plus seulement de mes faiblesses, mais des faveurs extraordinaires que j'ai reçues de Dieu. — 2. *Un homme*, S. Paul lui-même. — *Troisième ciel :* les Hébreux distinguaient le ciel de l'air, le ciel des astres et le ciel spirituel où Dieu habite. — 4. *Il n'est pas permis de révéler;* cette sublime révélation, Paul doit la garder pour lui seul. D'autres, *il n'est pas possible d'exprimer* dans une langue humaine.

personne, je ne me ferai gloire que de mes faiblesses. 6. Si je voulais me glorifier, je ne serais pas un insensé, car je dirais la vérité; mais je m'en abstiens, afin que personne ne se fasse de moi une idée supérieure à ce qu'il voit en moi ou à ce qu'il entend de moi. 7. Et pour que je ne vienne pas à m'enorgueillir de l'excellence de ces révélations, il m'a été mis une écharde dans la chair, un ange de Satan pour me souffleter. 8. Trois fois j'ai prié le Seigneur de l'éloigner de moi, 9. et il m'a dit : " Ma grâce te suffit, car c'est dans la faiblesse que ma puissance se montre tout entière." Je préfère donc bien volontiers me glorifier de mes faiblesses, afin que la puissance du Christ habite en moi. 10. C'est pourquoi je me plais dans les faiblesses, dans les opprobres, dans les persécutions, dans les détresses, à cause du Christ; car lorsque je suis faible, c'est alors que je suis fort. ¶

Résumé et excuses.

11. J'ai été insensé : c'est vous qui m'y avez contraint. C'est par vous que j'aurais dû être recommandé, car je n'ai été inférieur en rien à ces apôtres par excellence, quoique je ne sois rien. 12. Les preuves de mon apostolat ont paru au milieu de vous par une patience à toute épreuve, par des signes, des prodiges et des miracles. 13. Qu'avez-vous à envier aux autres Eglises, si ce n'est que je ne vous ai pas été à charge? Pardonnez-moi ce tort. 14. Voici que pour la troisième fois je suis prêt à aller chez vous, et je ne vous serai point à charge; car ce ne sont pas vos biens que je cherche, c'est vous-mêmes. Ce n'est pas, en effet, aux enfants à amasser pour leurs parents, mais aux parents pour

7. *Mis dans ma chair* par Dieu. — *Une écharde*, un éclat de bois, une épine : figure, soit de quelque souffrance corporelle, soit de tentations de la chair. — *Un ange de Satan :* l'écharde personnifiée devient un ministre de Satan. — 9. *Se montre tout entière*, donne toute sa mesure, en faisant triompher la *faiblesse* de l'homme. — 11. *Insensé :* ironie. — 12. *Des signes*, etc. ces trois mots ont la même signification au fond. — 13. *Ce tort :* voy. xi, 11.

leurs enfants. 15. Pour moi, bien volontiers je dépenserai et je me dépenserai moi-même tout entier pour vos âmes, dussé-je, en vous aimant davantage, être moins aimé de vous.

16. Soit! je ne vous ai point été à charge; mais, en homme astucieux, je vous ai pris par ruse. — 17. Ai-je donc, par quelqu'un de ceux que je vous ai envoyés, tiré de vous du profit? 18. J'ai engagé Tite à aller chez vous, et avec lui j'ai envoyé le frère : est-ce que Tite a rien tiré de vous? N'avons-nous pas marché dans le même esprit, suivi les mêmes traces?

Conclusion :
Ses craintes et ses inquiétudes.

19. Vous vous imaginez depuis longtemps que nous nous justifions auprès de vous. C'est devant Dieu, en *Jésus* Christ, que nous parlons, et tout cela, *mes* bien aimés, nous le disons pour votre édification. 20. Car je crains bien qu'à mon arrivée je ne vous trouve pas tels que je voudrais, et que vous ne me trouviez aussi tel que vous ne voudriez pas. *Je crains* de trouver parmi vous des disputes, des jalousies, des animosités, des contestations, des médisances, des calomnies, de l'orgueil, des troubles. 21. *Je crains* que, lorque je serai de retour chez vous, mon Dieu ne m'humilie de nouveau à votre sujet, et que je n'aie à pleurer sur plusieurs pécheurs qui ne se seront pas repentis de l'impudicité, des fornications et des débauches auxquelles ils se sont livrés.

Au nom du Christ, il punira sévèrement. — CH. 13.

Je vais chez vous pour la troisième fois. "Toute affaire se décidera sur la déclaration de deux ou trois témoins." 2. Je l'ai déjà dit, et je le répète à l'avance; comme je l'ai fait lors de mon séjour, étant présent, aujourd'hui encore, étant absent, je déclare à ceux qui ont

16. Langage des adversaires de Paul. — 18. Ici finit l'apologie de Paul, et commence la conclusion de l'épître.

Chap. 13. — 1. Sens : J'arrive; qu'on se prépare; les pécheurs ne peuvent être tolérés plus longtemps. Quiconque me sera dénoncé, sera jugé, comme chez les Juifs, *sur la déclaration*, etc.

péché auparavant et à tous les autres pécheurs, que, si je retourne chez vous, je n'userai d'aucun ménagement. 3. Est-ce que vous cherchez une preuve que le Christ parle en moi, lui qui n'est pas faible à votre égard, mais qui est puissant *pour sévir* parmi vous? — 4. Car, s'il a été crucifié à cause de sa faiblesse, il vit par la puissance de Dieu ; et nous aussi, nous sommes faible en lui, mais nous vivrons avec lui par la puissance de Dieu, pour sévir parmi vous. — 5. Examinez-vous *plutôt* vous-mêmes, *pour voir* si vous êtes dans la foi; éprouvez-vous vous-mêmes. Ne reconnaissez-vous pas que Jésus Christ est en vous? A moins peut-être que vous ne soyez pas *des chrétiens* éprouvés. 6. Mais j'espère que vous reconnaîtrez que nous, nous sommes éprouvé.

Il souhaite de ne pas être réduit à cette dure nécessité.

7. Cependant nous prions Dieu que vous ne fassiez rien de mal, non pour paraître nous-même éprouvé, mais afin que vous pratiquiez ce qui est bien, dussions-nous passer pour non éprouvé. 8. Car nous n'avons pas de puissance contre la vérité; nous n'en avons que pour la vérité. 9. C'est un bonheur pour nous lorsque nous sommes faible, et que vous êtes forts, et même c'est là ce que nous demandons dans nos prières, *savoir* votre perfectionnement. 10. C'est pourquoi je vous écris ces choses pendant que je suis loin de vous, afin de n'avoir pas, arrivé chez vous, à user de sévérité, selon le pouvoir que le Seigneur m'a donné pour l'édification, et non pour la destruction.

3. *Lui qui n'est pas faible à votre égard*, qui a déjà manifesté sa puissance parmi vous par les dons spirituels, les miracles, etc., il la montrera encore en punissant les pécheurs scandaleux. — 4. *De sa faiblesse*, comme homme. — *De Dieu*, qui l'a ressuscité et glorifié. — 5. *Dans la foi* vivante, et si vous ne seriez pas chrétiens de nom. — *J. C. est en vous*, manifeste sa présence parmi vous par les dons spirituels, les miracles. — *Éprouvés*, vrais, sincères. — 8. *Vérité* pratique. Notre pouvoir de punir cesse, en quelque sorte, si vous faites le bien. — 9. *Lorsque* votre bonne conduite nous ôte l'occasion de déployer notre autorité, alors vous êtes *forts* vis-à-vis de nous.

Epilogue.

11. ✠ Du reste, mes frères, soyez dans la joie, perfectionnez-vous, consolez-vous, ayez un même sentiment, vivez en paix, et le Dieu d'amour et de paix sera avec vous. 12. Saluez-vous les uns les autres par un saint baiser. Tous les saints vous saluent. 13. Que la grâce de Notre Seigneur Jésus Christ, l'amour de Dieu et la communication du Saint Esprit soient avec vous tous ! ¶

ÉPÎTRE AUX GALATES.

Préambule (I, 1 — 10).

Adresse et salutation.

CH. I.

PAUL apôtre, non de la part des hommes, ni par un homme, mais par Jésus Christ et Dieu le Père, qui a ressuscité Jésus d'entre les morts, 2. ainsi que tous les frères qui sont avec moi, aux Eglises de Galatie : 3. que la paix et la grâce vous soient données de la part de Dieu le Père et de Notre Seigneur Jésus Christ, 4. qui s'est donné lui-même pour nos péchés, afin de nous arracher à la corruption du siècle présent, selon la volonté de notre Dieu et Père, 5. à qui soit la gloire aux siècles des siècles ! Amen !

Vifs reproches à cause de leur inconstance.

6. Je m'étonne que vous vous laissiez détourner si vite de celui qui vous a appelés en la grâce de Jésus Christ, pour passer à un autre Evangile : 7. non qu'il y ait un autre

11. Ces recommandations finales sont bien appropriées à la déplorable situation de l'Eglise de Corinthe, divisée par les partis contraires qui s'agitaient dans son sein.

Chap. 1. — 6. *Si vite*, si peu de temps après votre conversion au christianisme. — *Qui vous a appelés* : Dieu le Père. — *En la grâce* : notre vocation a ses racines dans la grâce que J. C. nous a méritée et qui, de ce divin Chef, se répand sur tous ses membres.

Evangile; mais il y a des gens qui vous troublent et qui veulent pervertir l'Evangile du Christ. 8. Mais quand nous-même, quand un ange venu du ciel vous annoncerait un autre Evangile que celui que nous vous avons annoncé, qu'il soit anathème! 9. Nous l'avons dit précédemment, et je le répète à cette heure, si quelqu'un vous annonce un autre Evangile que celui que vous avez reçu, qu'il soit anathème! 10. En ce moment, est-ce la faveur des hommes que je me concilie, ou celle de Dieu? Est-ce aux hommes que je cherche à plaire? Si je plaisais encore aux hommes, je ne serais pas serviteur du Christ.

PREMIÈRE PARTIE

APOLOGIE DE SON APOSTOLAT ET DE SA DOCTRINE (CH. 1, 11 — 2, 21).

Son Evangile vient de J. C. Aucun homme ne lui a enseigné sa doctrine.

11. ✠ Je vous le déclare, *mes* frères, l'Evangile que j'ai prêché n'est pas de l'homme; 12. car ce n'est pas d'un homme que je l'ai appris; *je l'ai appris* par une révélation de J.C.

13. Vous avez, en effet, entendu parler de ma conduite quand j'étais dans le judaïsme; *vous savez* que je persécutais à outrance et ravageais l'Eglise de Dieu. 14. J'étais plus avancé dans le judaïsme que beaucoup de ceux de mon âge et de ma nation, ayant un zèle excessif pour les traditions de mes pères. 15. Mais, lorsqu'il plut à celui qui m'avait mis à part dès le sein de ma mère, et qui m'a appelé par sa grâce, 16. de révéler son Fils en moi, afin que je l'annonçasse

---

10. *En ce moment.* Liaison : après un tel langage, mes adversaires diront-ils encore que je n'ai pas de doctrine arrêtée, que je parle selon les circonstances, n'ayant en vue que de plaire aux hommes? — 16-17. *Révéler son Fils en moi*, me le montrer, avec la doctrine évangélique, par une illumination intérieure. — *Sans*

parmi les gentils, sur-le-champ, sans consulter ni la chair ni le sang, 17. sans monter à Jérusalem vers ceux qui étaient apôtres avant moi, je partis pour l'Arabie ; puis je revins encore à Damas.

18. Trois ans plus tard, je montai à Jérusalem pour faire la connaissance de Céphas, et je demeurai quinze jours auprès de lui. 19. Mais je ne vis aucun des autres Apôtres, si ce n'est Jacques, le frère du Seigneur. 20. Dans ce que je vous écris, j'atteste devant Dieu que je ne mens point. ¶ 21. J'allai ensuite dans les contrées de la Syrie et de la Cilicie. 22. Mais mon visage était inconnu aux Eglises de Judée qui sont dans le Christ; 23. seulement elles avaient entendu dire que celui qui les persécutait autrefois prêchait maintenant la foi qu'il s'efforçait alors de détruire. 24. Et elles glorifiaient Dieu à mon sujet.

Cependant elle fut approuvée des Apôtres. — CH. 2.

Ensuite, après un intervalle de quatorze ans, je montai de nouveau à Jérusalem avec Barnabé, ayant pris aussi Tite avec moi. 2. Ce fut sur une révélation que je m'y rendis, et je leur exposai l'Evangile que je prêche aux gentils ; *je* l'exposai en particulier à ceux qui étaient les plus considérés, de peur de courir ou d'avoir couru en vain. 3. Et Tite même, qui m'accompagnait, et qui était Grec, ne fut pas contraint de se faire circoncire. 4. Et cela, à cause des faux frères intrus, qui s'étaient glissés parmi nous pour espionner la liberté que nous avons en Jésus Christ, avec l'intention de nous asservir. 5. Loin de nous soumettre à eux, nous ne leur cédâmes pas un ins-

consulter la chair et le sang, aucun homme. — 22. *Qui sont dans le Christ*, c'est à dire chrétiennes.

Chap. 2. — 1. *Je montai de nouveau*, pour assister au concile de Jérusalem (*Act.* xv). — 2. *Courir*, expression figurée, empruntée aux courses dans le stade, qui désigne l'effort, la peine prise pour sauver les autres et se sauver soi-même. — 4. *Et cela*, savoir qu'on ne put contraindre Tite à se faire circoncire. — *Faux frères*, judéo-chrétiens de Judée, venus à Antioche (*Act.* xv, 1, 2). — *De nous asservir* au joug de la loi mosaïque ; *nous*, les chrétiens en général.

tant, afin que la vérité de l'Evangile fût maintenue parmi vous. 6. Quant à ceux qu'on tient en si haute estime, — ce qu'ils ont été autrefois ne m'importe pas : Dieu ne fait point acception des personnes, — ces hommes si considérés n'ont rien ajouté *à ma doctrine.* 7. Au contraire, voyant que l'Evangile m'avait été confié pour les incirconcis, comme à Pierre pour les circoncis, — 8. car celui qui a fait de Pierre l'apôtre des circoncis a aussi fait de moi l'apôtre des gentils, — 9. et ayant reconnu la grâce qui m'avait été accordée, Jacques, Céphas et Jean, qui sont regardés comme des colonnes, nous donnèrent, à Barnabé et à moi, la main *en signe* de communion, pour aller, nous aux païens, eux aux circoncis. 10. *Ils nous recommandèrent* seulement de nous souvenir des pauvres, ce que j'ai eu bien soin de faire.

Il n'a pas craint de proclamer devant Pierre l'abrogation des observances rituelles.

11. Mais lorsque Céphas vint à Antioche, je lui résistai en face, parce qu'il était digne de blâme. 12. En effet, avant l'arrivée de quelques personnes qui venaient d'auprès de Jacques, il mangeait avec les païens; mais, quand elles furent arrivées, il s'esquiva et se tint à l'écart, par crainte des circoncis. 13. Avec lui, les autres Juifs usèrent aussi de dissimulation, en sorte que Barnabé lui-même s'y laissa entraîner. 14. Voyant qu'ils ne marchaient pas dans la voie droite de la vérité de l'Evangile, je dis à Céphas en présence de tous : "Si toi qui es Juif, tu vis à la manière des

6. *Ces hommes si considérés :* ils sont nommés vers. 9. — 7. *Pour les incirconcis*, les païens, principalement. — 9. *Jacques* le Mineur, év. de Jérusalem, et, pour cette raison, nommé le premier. — *Céphas*, Pierre. — 10. *Des pauvres*, nombreux dans l'Eglise de Jérusalem. Voy. *Rom.* xv, 27. — 11. *Vint à Antioche :* après *Act.* xv, 30. — *Digne de blâme* (Vulgate), litt. *condamné*, par sa conduite antérieure, qu'il démentait alors. (Voir les versets suivants). Enfin Pierre reconnut son imprudence. En sorte que, dit S. Augustin, nous avons à louer ici, dans Paul, la sainte liberté de l'Evangile ; dans Pierre, un modèle d'humilité chrétienne. — 12. *Avec les païens*, les chrétiens d'origine païenne. — 14. *Tu vis* d'ordinaire, tu menais le genre de

gentils, et non à la manière des Juifs, comment peux-tu forcer les gentils à judaïser?" 15. Pour nous, nous sommes Juifs de naissance, et non pécheurs d'entre les gentils. 16. Sachant néanmoins que l'homme est justifié, non par les œuvres de la Loi, mais par la foi en Jésus Christ, nous aussi nous avons cru en Jésus Christ, afin d'être justifiés par la foi dans le Christ, et non par les œuvres de la Loi; car nul homme ne sera justifié par les œuvres de la Loi. 17. Or si, tandis que nous cherchons à être justifiés par le Christ, nous étions nous-mêmes trouvés pécheurs..., le Christ serait-il un ministre du péché? Loin de là! 18. Car si je rebâtis les choses que j'ai détruites, je me constitue moi-même prévaricateur, 19. puisque c'est par la Loi que je suis mort à la Loi, afin de vivre pour Dieu. J'ai été crucifié avec *Jésus* Christ, 20. et je vis... mais ce n'est plus moi qui vis, c'est *Jésus* Christ qui vit en moi. La vie dont je vis maintenant en la chair, est une vie dans la foi au Fils de Dieu, qui m'a aimé et qui s'est livré lui-même pour moi. 21. Je ne regrette pas la grâce de Dieu; car si la justice s'obtient par la Loi, le Christ est donc mort pour rien.

---

vie des chrétiens de la gentilité, *comment*, en donnant ensuite un exemple contraire, *forces-tu*, en quelque sorte, les fidèles de la gentilité à observer les pratiques religieuses de la loi mosaïque? — 15. *Pécheurs :* les Juifs appelaient ainsi les païens. — 17. Sens : si la foi en Jésus Christ nous laisse encore *pécheurs*, c'est à dire semblables aux païens, il s'ensuit que Jésus Christ, qui n'exige de nous que la foi, est la cause et comme le ministre de cet état de péché dans lequel ses fidèles se trouveraient encore. — 18. Car ce n'est pas quand nous cherchons à être justifiés par la foi en Jésus Christ que nous sommes trouvés *pécheurs*, mais c'est quand nous voulons rétablir la Loi dont nous avions reconnu l'impuissance et abandonné la pratique. — 19. La Loi, dans son inviolable sainteté, condamne et tue le pécheur qui désespère de l'accomplir jamais, et se sent forcé de chercher sa vie ailleurs, savoir dans la foi en Jésus Christ. — 21. *Je ne rejette pas* (ou *je n'annule pas*) *la grâce de Dieu* en proclamant ma liberté vis à vis des observances mosaïques; c'est vous qui rejetez cette grâce, *car*, etc.

DEUXIÈME PARTIE

LE SALUT PAR LA FOI EN JÉSUS CHRIST

(CH. 3 — 4).

Impuissance de la Loi. *Le Saint Esprit nous est donné par la foi, non par les œuvres de la loi.*

O Galates dépourvus de sens ! qui vous a fascinés pour ne pas obéir à la vérité, vous aux yeux de qui a été tracée l'image de Jésus Christ, comme s'il eût été crucifié parmi vous? 2. Voici seulement ce que je voudrais savoir de vous : Est-ce par les œuvres de la Loi que vous avez reçu l'Esprit, ou par la prédication de la foi? 3. Avez-vous si peu de sens, qu'après avoir commencé par l'Esprit, vous finissiez par la chair? 4. Avez-vous tant souffert en vain? si toutefois c'est en vain. 5. Celui qui vous confère l'Esprit et qui opère des miracles parmi vous, le fait-il donc par les œuvres de la Loi, ou par la prédication de la foi? 6. comme " Abraham crut à Dieu, et cela lui fut imputé à justice." 7. Reconnaissez donc que ceux-là sont fils d'Abraham, qui ont la foi pour principe.

Le Christ nous a rachetés de la malédiction de la loi.

8. Aussi l'Ecriture, prévoyant que Dieu justifierait les nations *païennes* par la foi, annonça d'avance à Abraham cette bonne nouvelle: "Toutes les nations seront bénies en toi." 9. De sorte que ceux qui sont de la foi sont bénis avec Abraham le croyant. 10. Car tous ceux qui s'appuient sur les œuvres de la Loi sont sous la malédiction; car il est écrit : " Maudit quiconque n'est pas constant à observer tout ce qui est écrit dans le livre

Chap. 3. — 1. *De sens*, dans les choses spirituelles. — *A été tracée* par ma prédication. — *Comme si*, aussi vivement que si, etc. — 5. Répétition de la question du vers. 2. La réponse est sous-entendue : C'est par la foi, *de la même manière qu'Abraham, etc. Etre justifié*, comme le fut Abraham, et recevoir l'Esprit Saint, *être sanctifié*, sont une seule et même chose. — 8. *L'Ecriture* personnifiée, l'Esprit Saint parlant par elle. — 9. *Qui sont de la foi*, qui ont la foi pour principe.

de la Loi!" 11. ✠ Que nul ne soit justifié devant Dieu par la Loi, cela est évident, puisqu'il est dit : "Le juste vivra par la foi." 12. Or la Loi n'est pas de *même nature que* la foi; mais *elle dit :* "Celui qui accomplira les commandements vivra par eux." 13. *Jésus* Christ nous a rachetés de la malédiction de la Loi, s'étant fait malédiction pour nous, — car il est écrit : "Maudit quiconque est suspendu au bois," — 14. afin que la bénédiction promise à Abraham se réalisât pour les nations en Jésus Christ, et qu'ainsi nous reçussions par la foi l'Esprit promis.

Par la foi, il nous fait héritiers des promesses.

15. *Mes* frères, — je parle selon les usages des hommes, — un contrat en bonne forme, bien que l'engagement soit pris par un homme, n'est annulé par personne, et personne n'y ajoute. 16. ✠ Or les promesses ont été faites à Abraham et à sa descendance. Dieu ne dit pas : "Et à ses descendants," comme s'il s'agissait de plusieurs; mais il dit : "A ta descendance," parce qu'il ne s'agit que d'une seule, savoir le Christ. 17. Eh bien, j'affirme que la Loi, qui est venue quatre cents ans après, ne peut annuler un engagement antérieur que Dieu a pris en bonne forme, de manière à rendre vaine la promesse. 18. Car si l'héritage s'obtient par la Loi, il ne vient plus d'une promesse; or c'est par une promesse que Dieu a fait à Abraham ce don de sa grâce.

Rôle de la loi dans l'économie du salut : *elle devait conduire au Christ.*

19. Pourquoi donc la Loi? Elle a été ajoutée

12. *N'est pas de même nature;* ou bien, *ne relève pas.* — 13. Ce n'est pas la loi, c'est Jésus Christ qui *nous a rachetés, nous,* chrétiens sortis du judaïsme. — 16. *A sa descendance.* L'Esprit de Dieu, en choisissant nn mot qui désigne une unité collective, de préférence à un pluriel, *enfants* ou *descendants,* indiquait un objet de la promesse collectivement un, savoir le Christ uni à tous ceux qui ne forment avec lui qu'un seul corps. — 17. *Un engagement,* une *alliance,* celle de Dieu avec Abraham. — *Pris en bonne forme;* d'autres, *confirmé* par serment (*Gen.* xxii, 16). — 18. *Par* l'observation de *la loi,* de telle sorte que l'homme pût mériter ce salut par ses œuvres. —*Or,* nul ne peut le contester, *c'est par une promesse* gratuite, etc. — 19. *Pour faire apparaître les transgressions,* pour que

à la promesse, *pour* faire apparaître *les transgressions*, jusqu'à ce que vînt "la descendance" à qui la promesse avait été faite; elle a été donnée par des anges, par l'entremise d'un médiateur. 20. Or le médiateur n'est pas *médiateur* d'un seul, mais Dieu est un seul. 21. La loi va-t-elle donc contre les promesses de Dieu? Loin de là! S'il eût été donné une loi capable de procurer la vie, la justice viendrait réellement de la loi. 22. Mais l'Ecriture a tout enfermé sous le péché, afin que, par la foi en Jésus Christ, ce qui avait été promis fût donné à ceux qui croient. ¶ 23. Avant que vînt la foi, nous étions enfermés sous la garde de la Loi, en vue de la foi qui devait être révélée. 24. Ainsi la Loi a été notre pédagogue pour nous conduire au Christ, afin que nous fussions justifiés par la foi.

La foi nous a affranchis de la tutelle de la Loi.

25. Mais la foi étant venue, nous ne sommes plus sous un pédagogue. 26. Car vous êtes tous fils de Dieu par la foi en Jésus Christ. 27. Vous tous, en effet, qui avez été baptisés dans le Christ, vous avez revêtu le Christ. 28. Il n'y a plus ni Juif ni Grec; il n'y a plus ni esclave ni homme libre; il n'y a plus ni homme ni femme : car tous vous ne formez qu'une

---

l'homme eût conscience de sa faiblesse morale, et fût ainsi préparé au salut par J. C. — *D'un médiateur* entre Dieu et le peuple, Moïse. — 20. Dans la promesse, il n'y a eu ni anges, ni médiateur; elle est adressée immédiatement par Dieu au rejeton d'Abraham, au Christ, Dieu et homme dans l'unité d'une seule personne : elle est faite par Dieu à un Dieu. Or Dieu est *un*, toujours le même dans ses desseins. — 22. *L'Ecriture* personnifiée c. à d. Dieu dans l'Ecriture, proclame tous les hommes pécheurs, il les tient comme *enfermés* dans le péché, sans qu'ils puissent par eux-mêmes arriver à la délivrance, c. à d. à la justice et à la sainteté. — 23. *Révélée*, manifestée en J. C. — 24. Les *pédagogues*, chez les Grecs et les Romains, étaient des esclaves qui accompagnaient partout les enfants confiés à leurs soins, et leur apprenaient les premiers éléments des connaissances, jusqu'à ce que l'enfant pût entendre plus tard les leçons de quelque maître renommé. Tel fut exactement le rôle de la Loi auprès du peuple juif. — 27. *Dans le Christ*, pour devenir membres du corps mystique de J. C. — *Revêtu le Christ :* cette image signifie l'intime communauté d'esprit et de vie dans laquelle l'homme entre avec J. C. par le baptême. — 28. J. C. appelle tous les hommes à devenir enfants de Dieu.

personne en Jésus Christ. 29. Et si vous êtes au Christ, vous êtes donc " descendance " d'Abraham, héritiers selon la promesse.

Dieu a envoyé son Fils afin de nous rendre ses fils adoptifs. — CH. 4.

Or je dis ceci : ✠ Aussi longtemps que l'héritier est enfant, il ne diffère en rien d'un esclave, quoiqu'il soit le maître de tout; 2. mais il est soumis à des tuteurs et des curateurs jusqu'au temps marqué par le père. 3. De même, nous aussi, quand nous étions enfants, nous étions sous l'esclavage des rudiments du monde. 4. Mais lorsqu'est venue la plénitude des temps, Dieu a envoyé son Fils, né d'une femme, né sous la Loi, 5. pour affranchir ceux qui sont sous la Loi, afin de nous conférer l'adoption. 6. Et parce que vous êtes fils, Dieu a envoyé dans vos cœurs l'Esprit de son Fils, lequel crie : Abba ! Père ! 7. Ainsi tu n'es plus esclave, tu es fils; et si tu es fils, *tu es* aussi héritier, grâce à Dieu. ¶

Exhortations : *ne pas retourner au premier état de servitude.*

8. Autrefois, il est vrai, ne connaissant pas Dieu, vous serviez des dieux qui ne le sont pas de leur nature; 9. mais à présent que vous avez connu Dieu, ou plutôt que vous avec été connus de Dieu, comment retournez-vous à ces pauvres et faibles rudiments, auxquels de nouveau vous voulez vous asservir encore ? 10. Vous observez les jours, les mois, les temps et les années ! 11. J'ai peur pour vous d'avoir travaillé en vain parmi vous.

29. *Au Christ*, membres de son corps mystique. — *Vous êtes*, comme lui et en lui, *descendance*, etc.

Chap. 4. — 3. *Enfants*, non encore chrétiens. — *Les rudiments :* les institutions et les cérémonies mosaïques étaient les premiers éléments, comme l'A B C de la sagesse supérieure révélée par J. C. — 6. *L'Esprit de son Fils*, l'Esprit Saint, sceau de votre adoption divine et gage de l'héritage éternel. — 8. *De leur nature*, mais seulement dans l'imagination des hommes. — 9. *Eté connus* de Dieu, aimés et appelés par sa grâce à l'Evangile. — *Retournez-vous* aux institutions et cérémonies mosaïques? — 10. *Les jours* de jeûne et de sabbat, etc.

Souvenir de leur première affection pour l'Apôtre.

12. Devenez comme moi, car moi aussi *je suis devenu* comme vous; *mes* frères, je vous en supplie. Vous ne m'avez blessé en rien. 13. Vous savez que ce fut à cause d'une infirmité de la chair que je vous ai pour la première fois annoncé l'Évangile, et que, mis à l'épreuve par *l'infirmité* de ma chair, 14. vous n'avez témoigné ni mépris ni répulsion; mais vous m'avez reçu comme un ange de Dieu, comme Jésus Christ. 15. Que sont devenus ces sentiments? Car je vous rends témoignage que, si cela eût été possible, vous vous seriez arraché les yeux pour me les donner. 16. Je serais donc devenu votre ennemi, en vous enseignant la vérité? 17. Il y a des gens qui se prennent d'affection pour vous, mais non pas comme il le faut; ils veulent vous détacher *de nous*, afin que vous leur donniez votre affection. 18. Attachez-vous à tout homme bon, dans le bien *et* toujours, et non pas seulement quand je suis présent parmi vous. 19. Mes petits enfants, pour qui j'éprouve de nouveau les douleurs de l'enfantement, jusqu'à ce que le Christ soit formé en vous, 20. combien je voudrais être auprès de vous à cette heure et changer de langage, car je suis dans une grande perplexité à votre sujet!

Il confirme sa doctrine par l'allégorie de Sara et d'Agar.

21. Dites-moi, vous qui voulez être sous la Loi, n'avez-vous pas lu la Loi? 22. ✠ Car il est écrit qu'Abraham eut deux fils, l'un de la servante, l'autre de la femme libre. 23. Mais le fils de la servante naquit selon la chair, et celui de la fem-

12. *Comme moi*, libres du joug du judaïsme; *moi aussi*, dans mes rapports avec vous, je n'ai tenu aucun compte de la loi mosaïque. — *En rien*. Liaison : jamais vous ne m'avez fait de peine; ne me refusez pas ce que je vous demande en ce moment. — 17. *Il y a des gens qui*, etc., les prédicateurs judaïsants. — 18. L'Apôtre reproche à mots couverts aux Galates leur inconstance. *A tout homme bon*, à moi, qui vous ai enseigné la vraie doctrine. — 19. J. C. est formé en nous quand, par la foi et l'amour, nous sommes transformés en sa ressemblance. — 23. *Selon la chair*, d'après les lois ordinaires de la nature. — *En vertu de la promesse* divine, par miracle.

me libre en vertu de la promesse. 24. Ces choses ont un sens allégorique; car les *deux* femmes sont deux alliances. L'une, *celle* du mont Sinaï, enfante pour la servitude : c'est Agar, — 25. car Agar, c'est le mont Sinaï en Arabie; — elle correspond à la Jérusalem actuelle, laquelle, en effet, est esclave avec ses enfants. 26. Mais la Jérusalem d'en haut est libre : c'est *elle qui est* notre mère; 27. car il écrit : " Réjouis-toi, stérile, toi qui n'enfantes point! Eclate en cris de joie et d'allégresse, toi qui ne connais pas les douleurs de l'enfantement! Car les enfants de la femme délaissée seront plus nombreux que les enfants de celle qui a un époux." 28. Pour nous, mes frères, nous sommes, à la manière d'Isaac, enfants de la promesse. 29. Mais de même qu'alors celui qui était né selon la chair persécutait celui qui était né selon l'Esprit, ainsi en est-il encore maintenant. 30. Mais que dit l'Ecriture? "Chasse l'esclave et son fils, car le fils de l'esclave ne saurait hériter avec le fils de la femme libre." 31. C'est pourquoi, *mes* frères, nous ne sommes pas enfants d'une esclave, mais nous sommes enfants de la femme libre; et cette liberté, c'est du Christ que nous la tenons. ¶

24. *Les femmes sont*, figurent. — *Enfante...*, donne naissance à des esclaves de la Loi. — *C'est Agar*, l'esclave Agar en est le type. — 25. *Le mont Sinaï*, où la Loi fut donnée. — La *Jérusalem actuelle* (avant la venue du Messie), centre du judaïsme, dont les fils sont assujettis à la Loi. — 26. *Mais.* Ajoutez, pour le développement régulier de l'idée : L'autre alliance, venue du ciel, donne naissance à des enfants libres : c'est (en figure) Sara; et Sara, la femme libre correspond à *la Jérusalem d'en haut*, l'Eglise chrétienne, notre mère, dont les enfants sont libres comme elle. — 27. Lorsque J. C. eut fait cesser par sa mort la malédiction de la Loi, et que, après sa résurrection glorieuse, il se fut uni dans l'Esprit Saint avec son Eglise, celle-ci devint féconde et donna naissance à des enfants plus nombreux que ceux de la Jérusalem terrestre.

TROISIÈME PARTIE

LIBERTÉ CHRÉTIENNE (CH. 5 — 6).

1° *Inutilité de la circoncision; nécessité de la foi.* — CH. 5.

Tenez donc ferme, et ne vous laissez pas mettre de nouveau sous le joug de la servitude. 2. C'est moi, Paul, qui vous le dis : Si vous vous faites circoncire, le Christ ne vous servira de rien. 3. Je déclare encore une fois à tout homme qui se fait circoncire, qu'il est tenu de pratiquer la Loi, tout entière. 4. Vous n'avez plus rien de commun avec le Christ, vous tous qui cherchez la justification dans la Loi; vous êtes déchus de la grâce. 5. Nous, c'est de la foi, par l'Esprit, que nous attendons l'espérance de la justice. 6. Car en Jésus Christ ni la circoncision, ni l'incirconcision n'ont de valeur, mais la foi qui est agissante par la charité.

Se défier des séducteurs.

7. Vous couriez bien : qui vous a arrêtés, pour vous empêcher d'obéir à la vérité? 8. Cette persuasion ne vient pas de celui qui vous appelle. 9. Un peu de levain fait lever toute la pâte. 10. J'ai cette confiance en vous dans le Seigneur, que vous ne penserez pas autrement; mais celui qui met le trouble parmi vous, en portera la peine, quel qu'il soit. 11. Pour moi, *mes* frères, si je prêche encore la circoncision, pourquoi suis-je encore persécuté? Le scandale de la croix a donc été levé! 12. Ah! qu'ils se fassent mutiler par dessus, ceux qui vous troublent!

Chap. 5. — 1. *De la servitude* de la loi mosaïque. — 2. En effet, recevoir, après le baptême, la circoncision comme nécessaire au salut, n'est-ce pas nier que Jésus Christ seul peut le procurer, et par conséquent abjurer la foi chrétienne? — 5. *Par l'Esprit* Saint, agent divin dans l'œuvre de la justification, principe de la foi et de l'espérance. — *L'espérance de la justice*, la récompense du chrétien justifié, l'éternelle béatitude. — 7. *Vous couriez* dans la vie chrétienne : image familière à Paul. — 8. *Cette persuasion* que les judaïsants ont fait entrer dans vos esprits. — *Qui vous appelle*, vous a appelés au Christianisme. — 11. *Le scandale de la croix* aurait disparu pour les Juifs.

Pratiquer la charité.

13. *Mes* frères, vous avez été appelés à la liberté; seulement ne faites pas de cette liberté un prétexte pour vivre selon la chair; mais rendez-vous, par la charité, serviteurs les uns des autres. 14. Car toute la Loi est contenue dans un seul mot : "Tu aimeras ton prochain comme toi-même." 15. Mais si vous vous mordez et vous dévorez les uns les autres, prenez garde que vous ne soyez détruits les uns par les autres.

La chair et l'esprit.

16. Je dis donc : ✠ Marchez selon l'esprit, et vous n'accomplirez pas les convoitises de la chair. 17. Car la chair a des désirs contraires à ceux de l'esprit, et l'esprit en a de contraires à ceux de la chair; ils sont opposés l'un à l'autre, de telle sorte que vous ne faites pas ce que vous voudriez. 18. Mais si vous êtes conduits par l'esprit, vous n'êtes plus sous la Loi. 19. Or les œuvres de la chair sont manifestes; ce sont la fornication, l'impudicité, le libertinage, 20. l'idolâtrie, la magie, les inimitiés, les querelles, les jalousies, les emportements, les disputes, les divisions, les sectes, 21. l'envie, les meurtres, l'ivrognerie, les excès de table, et autres choses semblables. Je vous préviens, comme je l'ai déjà fait, que ceux qui commettent de telles choses n'obtiendront pas le royaume de Dieu. 22. Le fruit de l'Esprit, au contraire, c'est la charité, la joie, la paix, la patience, la mansuétude, la bonté, la longanimité, 23. la douceur, la fidélité, la modestie, la tempérance, la chasteté. Contre de pareils fruits, il n'y a pas de loi. 24. Ceux qui sont à Jésus Christ ont crucifié la

13. S. Augustin : " La vérité vous a rendus libres; que la charité vous rende serviteurs." — 16. *L'esprit* désigne souvent dans S. Paul l'esprit de l'homme éclairé et fortifié par l'Esprit Saint; *la chair*, le principe de toute concupiscence. — 17. *Des désirs contraires*, même dans le chrétien. — *Ce que vous voudriez* selon l'esprit, dans tel ou tel cas particulier. — 18. *Sous la Loi :* elle n'a plus ni commandements ni menaces à vous adresser. — 22-23. *La joie* qui jaillit de l'amour de Dieu et de la pensée du salut. — *Il n'y a pas de loi :* la loi mosaïque n'a rien à faire avec ces fruits de l'Esprit Saint, et par conséquent est inutile. — 24. *Ont crucifié*, attaché à la croix avec

chair avec ses passions et ses désirs. ¶ 25. ✠ Si nous vivons par l'esprit, marchons aussi par l'esprit.

2° *Avis pratiques. Support mutuel.*

26. Ne cherchons pas une vaine gloire, en nous provoquant les uns les autres, en nous portant mutuellement envie.

CH. 6.

Mes frères, lors même qu'un homme se serait laissé surprendre à quelque faute, vous qui êtes spirituels, redressez-le avec un esprit de douceur, prenant garde à vous-mêmes, de peur que vous ne tombiez aussi en tentation. 2. Portez les fardeaux les uns des autres, et vous accomplirez ainsi la loi du Christ; 3. car si quelqu'un croit être quelque chose, quoiqu'il ne soit rien, il s'abuse lui-même. 4. Que chacun examine ses propres œuvres, et alors il aura sujet de se glorifier pour lui seul, et non en se comparant à autrui; 5. car chacun aura son propre fardeau à porter. 6. Que celui à qui on enseigne la parole fasse part de tous ses biens à celui qui l'enseigne.

Semer pour recueillir.

7. Ne vous y trompez pas : on ne se moque pas de Dieu. 8. Ce qu'on aura semé, on le moissonnera. Celui qui sème dans sa chair moissonnera, de la chair, la corruption; celui qui sème pour l'esprit moissonnera, de l'esprit, la vie éternelle. 9. Ne nous lassons point de faire le bien; car nous moissonnerons en son temps, si nous ne nous relâchons pas. 10. Ainsi donc, pendant que nous en avons le temps, faisons ce qui est bien envers tous, et surtout envers les frères dans la foi. ¶

Jésus Christ leur vieil homme, la *chair*, le foyer de concupiscence qu'ils tenaient du premier Adam.

Chap. 6. — 4. *Et alors*, voyant les bonnes œuvres que la grâce a faites en lui et par lui, il y trouvera matière à se réjouir devant Dieu, sans faire de comparaison avec *autrui*. — 6. *La parole*, l'Evangile. — *De tous ses biens* temporels. — 8. *La corruption*, la perte éternelle, par opposition à la *vie éternelle*.

Epilogue.

Conclusion et salut final.

11. ✠ Voyez quelles lettres j'ai tracé pour vous de ma propre main.

12. Tous ceux qui veulent se rendre agréables selon la chair, ce sont ceux-là qui vous contraignent à vous faire circoncire, uniquement afin de n'être pas persécutés pour la croix du Christ. 13. Car, quoique circoncis, eux-mêmes n'observent pas la Loi; mais ils veulent que vous receviez la circoncision, afin de se glorifier dans votre chair. 14. ✠ Pour moi, Dieu me garde de me glorifier, si ce n'est dans la croix de Notre Seigneur Jésus Christ, par qui le monde est crucifié pour moi, comme je le suis pour le monde! 15. Car en Jésus Christ la circoncision n'est rien, l'incirconcision n'est rien; ce qui est tout, c'est d'être une nouvelle créature.

16. Paix et miséricorde sur tous ceux qui observeront cette règle, et sur l'Israël de Dieu! 17. Que personne à l'avenir ne me fasse de peine; car je porte sur mon corps les stigmates de Jésus. 18. *Mes* frères, que la grâce de Notre Seigneur Jésus Christ soit avec votre esprit! Amen! ¶

11. *De ma propre main*, pour attirer sur ce passage l'attention particulière des Galates. Il avait dicté, comme à l'ordinaire, le reste de l'épître. — 12. *Se rendre agréables selon la chair*, rechercher l'approbation des hommes. — 13. *Se glorifier* auprès des Juifs de vous avoir fait circoncire. — 14. *Par qui* tout lien entre le monde et moi est brisé; le monde étant mort pour moi, je n'ai plus ni à le craindre ni à rechercher sa faveur. — 16. *L'Israël de Dieu*, les chrétiens de Galatie. — 17. *Je porte*, dans les cicatrices des coups de fouet et de bâton que j'ai reçus pour la cause de l'Evangile, *les stigmates*, ou marques *de Jésus.*

ÉPÎTRE AUX ÉPHÉSIENS.

Prélude.

Adresse et salutation.

CH. 1.

AUL, apôtre de Jésus Christ par la volonté de Dieu, à tous les saints qui sont à Ephèse, et aux fidèles en Jésus Christ : 2. grâce et paix vous soient données de la part de Dieu, notre Père, et du Seigneur Jésus Christ!

PREMIÈRE PARTIE [DOGMATIQUE].

L'ÉGLISE CORPS MYSTIQUE DU CHRIST

(CH. 1, 3 — 3).

Action de grâces pour le salut donné en J. C. *Prédestination et Rédemption par J. C.*

3. ✠ Béni soit Dieu, le Père de Notre-Seigneur Jésus Christ, qui nous a bénis dans le Christ de toutes sortes de bénédictions spirituelles dans les cieux! 4. C'est en lui que Dieu nous a élus dès avant la création du monde, pour que nous soyons saints et irrépréhensibles devant lui, 5. nous ayant, dans son amour, prédestinés à être ses fils adoptifs par Jésus Christ, selon le bon plaisir de sa volonté, 6. à la louange de la magnificence de sa grâce, par laquelle il nous a faits agréables à ses yeux en son Fils bien aimé.

7. C'est en lui que nous avons la rédemption par son sang, la rémission des péchés, selon la richesse de sa grâce, 8. que Dieu a répandue abondamment sur nous en toute sagesse et intelligence, ¶ 9. nous ayant fait connaître le mystère de sa volonté, selon le bienveillant dessein qu'il avait formé

Chap. 1. — 4. *En lui*, en vue de Jésus Christ, le rédempteur futur. — 6. *A la louange*, but final de la prédestination : la gloire de Dieu. — 7. *En lui*, dans notre union vivante avec Jésus Christ.

en lui-même, 10. pour le réaliser lorsque la plénitude des temps serait accomplie, *à savoir*, de restaurer toutes choses en *Jésus* Christ, celles qui sont dans les cieux et celles qui sont sur la terre. 11. C'est aussi en lui que nous avons été élus, ayant été prédestinés suivant la résolution de celui qui opère toutes choses d'après le conseil de sa volonté, 12. pour que nous servions à la louange de sa gloire, nous qui d'avance avons espéré dans le Christ.

Vocation à la foi et don de l'Esprit Saint.

13. C'est en lui que vous-mêmes, après avoir entendu la parole de la vérité, l'Evangile de votre salut, c'est en lui, *dis-je*, que vous avez cru et que vous avez été marqués du sceau du Saint Esprit, qui avait été promis, 14. et qui est une arrhe de notre héritage, en attendant la *pleine* rédemption de ceux que Dieu s'est acquis, à la louange de sa gloire.

Prière pour les Ephésiens, *afin qu'ils comprennent l'œuvre divine par J. C., ressuscité des morts et chef de l'Eglise.*

15. C'est pourquoi, ayant entendu parler de votre foi dans le Seigneur Jésus et de votre charité pour tous les saints, 16. je ne cesse, moi aussi, de rendre grâces pour vous, faisant mention de vous dans mes prières, 17. afin que le Dieu de Notre Seigneur Jésus Christ, le Père de la gloire, vous donne un esprit de sagesse et de révélation pour le connaître, 18. éclairant les yeux de votre cœur, pour que vous sachiez

10. *Restaurer :* à l'origine, toute la création formait, dans une harmonieuse unité, le royaume de Dieu. Brisée par le péché, cette harmonie a été rétablie par Jésus Christ, mais ne sera pleinement réalisée qu'après son retour glorieux à la fin des temps. — 12. *Pour que*, etc. : fin dernière, la gloire de Dieu. — 13. *Marqués du sceau :* en recevant l'Esprit Saint le chrétien a un gage assuré de l'héritage éternel. C'est pourquoi les SS. Pères donnaient au sacrement qui confère le Saint Esprit les noms de *sceau* et de *confirmation.* — 14. *Une arrhe*, une avance, en attendant le tout, qui ne nous sera donné qu'après le second avènement de Jésus Christ. — 17. *Le Dieu de N. S. J. C.*, médiateur, en tant qu'Homme Dieu, de toutes les grâces et de tous les dons qui ont leur source en Dieu. — *Le Père de la gloire*, de Jésus Christ, Verbe éternel, reflet et splendeur de la gloire du Père. — 18. *L'espérance*, les biens que la vocation au

quelle est l'espérance attachée à son appel, quelles sont les richesses de la gloire de son héritage réservé aux saints, 19. et quelle est, envers nous qui croyons, la suréminente grandeur de sa puissance, attestée par l'efficacité de sa force victorieuse. 20. Cette force, il l'a déployée dans le Christ, lorsqu'il l'a ressuscité des morts et l'a fait asseoir à sa droite dans les cieux, 21. au dessus de toute principauté, de toute autorité, de toute puissance, de toute dignité et de tout nom qui se peut nommer, non seulement dans le siècle présent, mais encore dans le siècle à venir. 22. Il a tout mis sous ses pieds et il l'a donné pour chef suprême à toute l'Eglise, 23. qui est son corps, la plénitude de celui qui remplit tout en tous.

Le salut par la grâce en J. C.

CH. 2.

Et vous, vous étiez morts par vos offenses et vos péchés, 2. dans lesquels vous marchiez autrefois selon le train de ce monde, selon le prince de la puissance de l'air, *le prince* de l'esprit qui agit maintenant dans les fils de la désobéissance. 3. Nous tous aussi nous étions autrefois de ce nombre, et nous vivions selon les convoitises de notre chair; accomplissant les volontés de la chair et de nos pensées, et nous étions par nature enfants de colère, comme les autres. 4. Mais Dieu, qui est riche en miséricorde, à cause de l'extrême amour dont il nous a aimés, 5. et alors que nous étions morts par nos offenses, nous a rendus vivants avec le Christ (c'est par grâce que vous êtes sauvés);

christianisme donne droit d'espérer. — 21. *Principauté*, etc. Ces noms abstraits désignent divers ordres de bons anges. — 23. S. Paul conçoit l'action divine versant toute sa richesse dans la personne du Christ qui est ainsi la *plénitude de Dieu :* le Christ à son tour communique sans cesse toute sa richesse à l'Eglise, qui devient la *plénitude du Christ*, son corps véritable.

Chap. 2. — 2. *Les fils de la désobéissance*, ceux qui rejettent la loi divine. — 3. *Nous tous aussi*, Juifs, par opposition aux chrétiens sortis du paganisme, auxquels Paul s'adresse dans les versets 1-2. — *Par nature*, par suite de notre descendance naturelle d'Adam. — *Enfants de colère*, soumis à la colère de Dieu. — 5. *Vivants* de la vie de la grâce, par la régénération.

6. Il nous a ressuscités ensemble et nous a fait asseoir ensemble dans les cieux en Jésus Christ, 7. afin de montrer dans les siècles à venir l'infinie richesse de sa grâce par sa bonté envers nous en Jésus Christ. 8. Car c'est par la grâce que vous êtes sauvés, par le moyen de la foi; et cela ne vient pas de vous, c'est le don de Dieu; 9. ce n'est point par les œuvres, afin que nul ne se glorifie. 10. Car nous sommes son ouvrage, ayant été créés en Jésus Christ pour *faire* de bonnes œuvres, que Dieu a préparées d'avance, afin que nous les pratiquions.

Juifs et Gentils unis par la croix de J. C. en un seul corps.

11. C'est pourquoi souvenez-vous qu'autrefois, vous païens dans la chair, traités d'incirconcis par ceux qu'on appelle circoncis, *et* qui le sont en la chair par la main de l'homme, *souvenez-vous* 12. que vous étiez en ce temps-là sans le Christ, en dehors de l'Etat d'Israël, étrangers aux alliances de la promesse, sans espérance et sans Dieu dans le monde. 13. Mais maintenant, en Jésus Christ, vous qui étiez jadis éloignés, vous êtes rapprochés par le sang du Christ. 14. Car c'est lui qui est notre paix, qui des deux *peuples* n'en a fait qu'un : il a renversé le mur de séparation, l'inimitié, 15. ayant abrogé par *l'immolation de* sa chair la loi des ordonnances avec ses *rigoureuses*

6. *Nous a ressuscités*, en principe : les membres doivent suivre la tête. — 7. *Dans les siècles à venir*, après le second avènement du Sauveur. — 9. Nous ne pouvons pas *mériter* par nos œuvres la première grâce, la justification; mais, une fois justifiés, nous pouvons et nous devons, avec la grâce de Dieu, faire des œuvres méritoires du ciel. — 10. *A préparées* par sa grâce, *afin que nous les pratiquions* avec le libre concours de notre volonté. — 11. *Dans la chair*, non circoncis, et méprisés pour cela par les Juifs. — *Par la main de l'homme*, et non dans le sens spirituel et moral (*Rom.* ii, 28-29). — 12. *En dehors de l'Etat d'Israël*, du peuple de Dieu. — *Aux alliances*, à l'alliance souvent renouvelée, donnant *la promesse* du Messie Sauveur. — 13. *En J. C.*, étant unis à *J. C.* — *Eloignés* de Dieu, du salut. — *Rapprochés* de Dieu et de son royaume. — 14. *Des deux peuples*, des Juifs et des gentils. — *Le mur de séparation* que l'ancien Testament élevait entre les Juifs et les païens, et qui était entre eux une cause de haine. — *En lui-même*, Jésus Christ étant la tête de cette humanité nouvelle.

prescriptions, afin de créer en lui-même avec les deux un seul homme nouveau, en faisant la paix, 16. et de les réconcilier, l'un et l'autre *unis* en un seul corps, avec Dieu par sa croix, en détruisant dans sa chair l'inimitié *entre eux*. 17. Et il est venu annoncer la paix à vous qui étiez loin, et la paix à ceux qui étaient près; 18. car par lui nous avons accès les uns et les autres auprès du Père, dans un seul et même Esprit. 19. ✠ Ainsi donc vous n'êtes plus des étrangers, ni des gens du dehors; mais vous êtes concitoyens des saints, faisant partie de la maison de Dieu. 20. *Vous avez été* édifiés sur le fondement des apôtres et des prophètes, Jésus Christ lui-même étant la pierre angulaire. 21. C'est en lui que tout édifice bien ordonné s'élève, pour former un temple saint dans le Seigneur; 22. c'est en lui que, vous aussi, vous êtes édifiés, pour être, par l'Esprit Saint, une maison où Dieu habite. ¶

Le salut des Gentils : *ministère de Paul.* — CH. 3.

A cause de cela, moi Paul, le prisonnier du Christ pour vous, païens... 2. si du moins vous avez appris la dispensation de la grâce de Dieu qui m'a été donnée pour vous. 3. C'est par révélation que j'ai eu connaissance du mystère sur lequel je viens d'écrire en peu de mots. 4. Vous pouvez, en les lisant, vous représenter l'intelligence que j'ai du mystère du Christ. 5. Il n'a pas été manifesté aux hommes dans les âges antérieurs, comme il a été révélé de nos jours par l'Esprit aux saints apôtres et aux saints prophètes de Dieu. 9. *Ce mystère*, c'est que les gentils sont héritiers avec *les Juifs*, forment un même corps et participent à la même promesse en Jésus Christ par l'Evangile.

16. *Dans sa chair* attachée à la croix. — 17. *Qui étaient près*, aux Juifs. — 18. *Même Esprit*, l'Esprit Saint animant tous les fidèles de la même vie surnaturelle.

Chap. 3. — 3. *Mystère :* la vocation des gentils au christianisme (vers. 6). — 4. *Du mystère* renfermé dans le Christ (*Col.* i, 27). — 5. *Prophètes*, ceux du nouveau Testament. — 6. *La même promesse* du salut. — *Par l'Evangile* auquel ils ont cru.

7. J'ai été fait ministre de cet Evangile selon le don de la grâce de Dieu qui m'a été accordée par l'efficacité de sa puissance. 8. ✠ C'est à moi, le moindre de tous les saints, qu'a été accordée cette grâce d'annoncer parmi les gentils les richesses incompréhensibles du Christ, 9. et de mettre en lumière aux yeux de tous l'économie du mystère qui avait été caché depuis le commencement en Dieu, le Créateur de toutes choses, 10. afin que les principautés et les puissances dans les cieux connaissent aujourd'hui, à la vue de l'Eglise, la sagesse infiniment variée de Dieu, 11. selon le dessein éternel qu'il a réalisé par Jésus Christ Notre Seigneur, 12. en qui nous avons, par la foi en lui, l'assurance et l'accès en *toute* confiance *auprès de Dieu.* 13. ✠ C'est pourquoi je vous prie de ne pas vous laisser décourager à cause des afflictions que j'endure pour vous : elles sont votre gloire.

Puissent-ils devenir parfaits par la foi et la charité.

14. A cause de cela, je fléchis les genoux devant le Père de Notre Seigneur Jésus Christ, 15. de qui tire son nom toute famille dans les cieux et sur la terre : 16. qu'il vous donne, selon la richesse de sa gloire, d'être puissamment fortifiés par son Esprit pour le *perfectionnement* de l'homme intérieur, 17. et que Jésus Christ habite dans vos cœurs par la foi, afin que, étant enracinés et fondés dans la charité, 18. vous puissiez comprendre avec tous les saints quelle est la largeur et la longueur, la

7. *Le don de la grâce de Dieu*, la dignité apostolique que Dieu a conférée par grâce à S. Paul. — 9. *L'économie du mystère*, tout ce qui a trait au salut des hommes par J. C. — 10. *Afin que* dépend de *caché en Dieu*. — *Les principautés* : il s'agit des bons anges. — *Par l'Eglise*. Les anges connaissaient le dessein éternel de Dieu de sauver les hommes par l'immolation de son Fils; mais la manière, les détails, les diverses manifestations de la sagesse divine, ils les apprennent seulement à mesure que les faits se déroulent dans la vie de l'Eglise. — 12. *L'assurance* d'hommes réconciliés avec Dieu. — 15. *Tire son nom* de *famille*. Sens : devant Dieu, le Père de tous, des anges et des hommes. — 16. *De l'homme intérieur*, de l'homme en tant que raisonnable et moral, par opposition à *l'homme extérieur*, c. à d. charnel et animal. — 18. *La largeur*, etc., toutes les dimensions de

profondeur et la hauteur, 19. et connaître l'amour du Christ, qui surpasse toute connaissance, en sorte que vous soyez remplis de toute la plénitude de Dieu. ¶ 20. A celui qui peut faire, par la puissance qui agit en nous, infiniment au delà de ce que nous demandons ou pensons, 21. à Lui soit la gloire dans l'Eglise et en Jésus Christ, dans tous les âges, aux siècles des siècles! Amen! ¶

DEUXIÈME PARTIE [MORALE].

PRÉCEPTES MORAUX (CH. 4 — 6, 9).

Vivre dignes de leur vocation : *garder l'unité.* — CH. 4.

✠ Je vous prie donc instamment, moi qui suis prisonnier dans le Seigneur, de vous conduire d'une manière digne de la vocation à laquelle vous avez été appelés, 2. en toute humilité et douceur, avec patience, vous supportant les uns les autres avec charité, 3. vous efforçant de conserver l'unité de l'esprit par le lien de la paix. 4. Il y a un seul corps et un seul Esprit, comme aussi vous avez été appelés à une seule espérance par votre vocation. 5. Il y a un seul Seigneur, une seule foi, un seul baptême, 6. un seul Dieu et Père de tous, qui est au dessus de tous, *agissant* par tous et *demeurant* en tous. ¶

La diversité des dons concourt à l'édification du corps du Christ.

7. ✠ Or à chacun de nous la grâce a été donnée selon la mesure du don du Christ. 8. C'est pourquoi l'*Ecriture* dit : " Etant monté en haut, il a emmené des captifs, et il a fait des largesses aux hommes. " 9. Or que signifie : " Il est monté, "

---

l'amour du Christ. — 19. *De toute la plénitude* : comp. i, 23, note. — 20. *La puissance*, la grâce.

Chap. 4. — 1. *Dans le Seigneur*, pour sa cause. — 3. *L'unité de l'esprit*, des sentiments et des pensées, de la foi. — 4. Vous tous formez *un seul corps*, l'Eglise, animé par *un seul Esprit*, l'Esprit Saint.

sinon qu'il était descendu d'abord dans les régions inférieures de la terre? 10. Celui qui est descendu est celui-là même qui est monté au dessus de tous les cieux, afin de remplir toutes choses. 11. Et lui-même a donné les uns comme apôtres, les autres comme prophètes, d'autres comme évangélistes, d'autres comme pasteurs et docteurs, 12. en vue du perfectionnement des saints, pour l'œuvre du ministère, pour l'édification du corps de *Jésus* Christ, 13. jusqu'à ce que nous soyons tous parvenus à l'unité de la foi et de la connaissance du Fils de Dieu, à l'état d'homme fait, à l'âge de la plénitude du Christ. ¶ 14. *Il veut* que nous ne soyons plus des enfants, flottants et emportés à tout vent de doctrine, par la tromperie des hommes, par leur astuce pour induire en erreur; 15. mais que, pratiquant la vérité dans la charité, nous croissions à tous égards en union avec celui qui est le chef, *Jésus* Christ. 16. C'est de lui que tout le corps, bien coordonné et solidement uni par tous les liens d'une assistance mutuelle, suivant une opération mesurée pour chaque membre, tire son accroissement et s'édifie lui-même dans la charité.

Avis généraux :
Sainteté chrétienne.

17. Voici donc ce que je dis et ce que je déclare dans le Seigneur, c'est que vous ne devez plus marcher comme les païens, qui marchent selon la vanité de leurs pensées. 18. Ils ont l'intelligence obscurcie, ils sont étrangers à la vie de Dieu, à cause de l'ignorance où ils sont et de l'endur-

11. *Apôtres* proprement dits; *prophètes*, parlant sous l'inspiration dans les assemblées (I *Cor.* xii, 29); *évangélistes*, auxiliaires des apôtres, missionnaires (*Act.* xxi, 8); *pasteurs et docteurs*, préposés aux paroisses, *curés*. — 12. *Pour l'œuvre*, l'exercice *du ministère* ecclésiastique, c'est à dire *pour l'édification du corps de J. C.*, de l'Eglise. — 13. *A l'âge*, etc., à ce degré de développement dans la vie chrétienne où le Christ met en nous *la plénitude* de ses grâces, de sa vie divine. — 16. Cet accroissement se fait pour chaque membre dans la mesure qui lui convient, de telle sorte, par ex., que la main ne soit pas hors de proportion avec le pied, etc. En outre, il n'a lieu que *dans la charité*, qui unit les membres entre eux et avec la tête, J. C.

cissement de leur cœur. 19. Ayant perdu toute espérance, ils se sont livrés aux désordres pour *commettre* toute espèce d'impureté avec une ardeur insatiable. 20. Mais vous, ce n'est pas ainsi que vous avez appris *Jésus* Christ, 21. si du moins vous l'avez entendu, et si, comme c'est la vérité en Jésus, vous avez été instruits à son école, ¶ 22. à vous dépouiller, eu égard à votre vie passée, du vieil homme corrompu par les convoitises trompeuses, 23. ✠ à vous renouveler dans l'esprit de votre intelligence, 24. et à revêtir l'homme nouveau, créé selon Dieu dans une justice et une sainteté véritables. 25. C'est pourquoi, renonçant au mensonge, que chacun de vous parle selon la vérité à son prochain; car nous sommes membres les uns des autres. 26. " Etes-vous en colère, ne péchez point; " que le soleil ne se couche point sur votre colère. 27. Ne donnez pas non plus accès au diable. 28. Que celui qui dérobait ne dérobe plus; mais plutôt qu'il s'occupe en travaillant de ses mains à quelque chose de bon, afin d'avoir de quoi donner à celui qui est dans le besoin. ¶ 29. Qu'il ne sorte de votre bouche aucune parole mauvaise; mais si l'un de vous a quelque bonne parole propre à édifier, *qu'il la dise*, afin qu'elle fasse du bien à ceux qui l'entendent. 30. N'attristez pas le Saint Esprit de Dieu, par lequel vous avez été marqués d'un sceau pour le jour de la rédemption. 31. Que toute aigrenr, toute animosité, toute colère, toute clameur, toute injure soient bannies du milieu de vous,

19. *Toute espérance* pour le monde à venir. — *Avec une ardeur insatiable;* ou bien *en y joignant la cupidité.* — 20. *Ce n'est pas ainsi*, pour vivre ainsi. — *Si*, comme je le suppose, vous avez reçu la vraie doctrine que Jésus de Nazareth, en qui a paru le Messie, a prêchée. — 23. *A vous renouveler :* ici et vers. 24, la Vulgate met les verbes à l'impératif. — *L'esprit de votre intelligence*, dans le plus intime de votre âme. — 24. *Selon Dieu*, à l'image de Dieu. — 26. Il y a une colère juste et sainte; c'est celle qui a le mal pour objet. — 30. *N'attristez pas*, etc., par de mauvaises paroles ou des actions coupables. — *Marqués d'un sceau :* voy. plus haut chap. i, 13, 14. — *Le jour de la rédemption*, finale et complète, le jour du jugement.

ainsi que toute méchanceté. 32. Soyez bons les uns envers les autres, miséricordieux, vous pardonnant mutuellement, comme Dieu vous a pardonné dans le Christ.

Imiter Dieu et J. C.

✠ Ch. 5.

Soyez donc des imitateurs de Dieu, comme des enfants bien aimés; 2. et marchez dans la charité, à l'exemple du Christ, qui nous a aimés et s'est livré lui-même à Dieu pour nous comme une oblation et un sacrifice d'agréable odeur.

Eviter l'impureté.

3. Que la fornication et toute impureté, que l'avarice ne soient pas même nommées parmi vous, ainsi qu'il convient à des saints. 4. *Qu'on n'entende* ni paroles déshonnêtes, ni bouffonneries, ni plaisanteries grossières, toutes choses qui sont malséantes; *qu'on entende* plutôt des actions de grâces. 5. Car sachez-le bien, aucun fornicateur, aucun impur, aucun avare (l'avarice est une idolâtrie) n'a d'héritage dans le royaume du Christ et de Dieu.

Se garder des séducteurs.

6. Que personne ne vous abuse par de vains discours; car c'est à cause de ces vices que la colère de Dieu vient sur les fils de l'incrédulité. 7. N'ayez donc aucune part avec eux.

Ne prendre aucune part aux œuvres des enfants de ténèbres.

8. Autrefois vous étiez ténèbres, mais à présent vous êtes lumière dans le Seigneur : marchez comme des enfants de la lumière! 9. Car le fruit de la lumière consiste en toute sorte de bonté, de justice et de vérité. ¶ 10. Examinez ce qui est agréable au Seigneur; 11. et ne prenez aucune part aux œuvres infructueuses des ténèbres, mais plutôt condamnez-les. 12. Car, ce qu'ils font en secret, on a honte même de le dire; 13. mais toutes ces abominations, une fois condamnées,

Chap. 5. — 1. *Des enfants bien aimés* ont à cœur d'imiter leur père. — 6. *Vient*, viendra au dernier jour. — 13. Raison du *condamnez-les* (vers. 11) : *une fois condamnées* par la pureté de votre vie, les abominations des païens apparaissent dans leur vrai jour; votre lumière en a fait voir toute la laideur.

sont rendues manifestes par la lumière, car tout ce qui est mis au jour, est lumière. 14. C'est pourquoi l'Ecriture dit : " Eveille-toi, toi qui dors; relève-toi d'entre les morts, et le Christ t'illuminera."

Racheter le temps par l'exercice des vertus.

15. ✠ Prenez donc garde, *mes* frères, de vous conduire avec prudence, non en insensés, 16. mais comme des hommes sages; rachetez le temps, car les jours sont mauvais. 17. C'est pourquoi ne soyez pas inconsidérés, mais comprenez quelle est la volonté du Seigneur. 18. Ne vous enivrez pas de vin : c'est de la débauche; mais soyez remplis de l'Esprit *Saint.* 19. Entretenez-vous par des psaumes, par des hymnes et des cantiques spirituels; chantez et célébrez *aussi* du fond du cœur les louanges du Seigneur. 20. Rendez continuellement grâces pour toutes choses à Dieu le Père, au nom de Notre Seigneur Jésus Christ.

Devoirs d'état : *des époux.*

21. Soyez soumis les uns aux autres dans la crainte du Christ. ¶ 22. ✠ Que les femmes soient soumises à leurs maris comme au Seigneur; 23. car le mari est le chef de la femme, comme le Christ est le chef de l'Eglise. Le Christ, *il est vrai*, est le Sauveur de *l'Eglise*, *qui est* son corps. 24. N'importe, de même que l'Eglise est soumise au Christ, les femmes aussi doivent l'être à leurs maris en toutes choses. 25. Maris, aimez vos femmes comme le Christ a aimé l'Eglise et s'est livré lui-même pour elle, 26. afin de la sanctifier par la parole de vie, après l'avoir purifiée par le baptême d'eau, 27. afin de se la présenter

16. *Rachetez*, ou *achetez le temps*, usez-en comme d'une chose de beaucoup de valeur et qui coûte cher. — 23-24. *N'importe* : quoique les femmes ne se trouvent pas, vis-à-vis de leurs maris, dans le même rapport que l'Eglise vis-à-vis de Jésus Christ Sauveur, elles n'en doivent pas moins leur être soumises. — *En toutes choses* : c'est à des chrétiens que Paul donne cette loi; il suppose donc que le mari représente *le Seigneur* (vers. 22) et ne commande rien contre la loi divine. — 27. *Afin de se la présenter à lui-même*, comme une fiancée.

lui-même à lui-même, Eglise glorieuse, n'ayant ni tache, ni ride, ni rien de semblable, mais sainte et irrépréhensible. 28. C'est ainsi que les maris doivent aimer leurs femmes comme *étant* leurs propres corps. Celui qui aime sa femme s'aime lui-même. 29. Car jamais personne n'a haï sa propre chair; mais il la nourrit et en prend soin, comme *Jésus* Christ le fait pour l'Église, 30. parce que nous sommes membres de son corps, *formés* " de sa chair et de ses os." 31. " C'est pourquoi l'homme quittera son père et sa mère pour s'attacher à sa femme, et les deux ne feront qu'une seule chair." 32. Ce mystère est grand; je dis cela par rapport au Christ et à l'Église. 33. Du reste, que chacun de vous, de la même manière, aime aussi sa femme comme soi-même, et que la femme craigne son mari. ¶

Devoirs des enfants et des parents. — CH. 6.

Enfants, obéissez à vos parents dans le Seigneur, car cela est juste. 2. " Honore ton père et ta mère — c'est le premier commandement qui soit accompagné d'une promesse, — 3. afin que tu sois heureux et que tu vives longtemps sur la terre." 4. Et vous, pères, n'exaspérez pas vos enfants, mais élevez-les en les corrigeant et en les avertissant selon le Seigneur.

Devoirs des serviteurs et des maîtres.

5. Serviteurs, obéissez à vos maîtres selon la chair avec crainte et tremblement, dans la simplicité de votre cœur, comme au Christ, 6. non pas seulement sous leurs yeux, comme pour plaire

28. *C'est ainsi :* l'amour des époux a pour but final leur sanctification mutuelle. — 31. Paroles d'Adam en voyant pour la première fois Eve, son épouse (*Gen.* ii, 24). — 32. *Ce mystère est grand.* Dans les paroles d'Adam (vers. 31), outre le sens littéral, Paul découvre une signification plus profonde, *mystérieuse*, dans son application aux rapports du Christ et de son Eglise. — 33. *Craigne* avec amour, respecte *dans la crainte du Christ* (vers. 21), *son mari.*

Chap. 6. — 2. *Le premier commandement* (le *seul* du décalogue), *qui soit accompagné d'une promesse*, tant le Seigneur tient à en assurer l'accomplissement ! — 5. *Comme au Christ* explique qu'il n'est pas question d'une crainte purement servile.

aux hommes, mais comme des serviteurs du Christ, qui font de bon cœur la volonté de Dieu. 7. Servez-les avec affection, comme *si vous serviez* le Seigneur, et non des hommes, 8. sachant que chacun, soit esclave, soit libre, recevra du Seigneur ce qu'il aura fait de bien. 9. Et vous, maîtres, agissez de même à leur égard et laissez là les menaces, sachant que leur Seigneur et le vôtre est dans les cieux, et que devant lui il n'y a point d'acception de personnes.

Epilogue.

Armes spirituelles du chrétien.

10. ✠ Au reste, *mes* frères, fortifiez-vous dans le Seigneur et dans sa force toute puissante. 11. Revêtez-vous de toutes les armes de Dieu, afin de pouvoir tenir contre les ruses du diable. 12. Car nous n'avons pas à lutter contre la chair et le sang, mais contre les puissances, contre les autorités, contre les princes de ce monde de ténèbres, contre les esprits mauvais *répandus* dans les régions de l'air. 13. C'est pourquoi prenez toutes les armes de Dieu, afin de pouvoir résister dans le jour mauvais, et rester debout, parfaits en toutes choses. 14. Tenez donc ferme, ayant à vos reins la vérité pour ceinture, ayant revêtu la cuirasse de la justice, 15. et mis pour chaussure à vos pieds le zèle pour annoncer l'Evangile de paix. 16. Par dessus tout cela, prenez le bouclier de la foi, avec lequel vous pourrez éteindre tous les traits enflammés du Malin. 17. Prenez aussi le casque du salut, et l'épée de l'Esprit, qui est la parole

12. *Contre la chair et le sang*, les hommes : ils ne sont que les instruments du démon. — *Puissances*, etc. : mauvais anges, appelés aussi princes de ce monde, parce que tous les hommes qui ne sont pas entrés dans la rédemption en Jésus Christ, sont sous leur domination. — 16. Les anciens lançaient quelquefois des traits tout enflammés : ils figurent sans doute, dit S. Jean Chrysostome, les tentations impures, qui arrivent à l'improviste et sont souvent comparées à un feu ardent. Les grands boucliers des Romains étant recouverts de cuir, ces traits venaient s'y *éteindre*. — 17. *Prenez* pour *casque* l'espérance *du salut*, l'espérance chrétienne, et pour *épée* la parole de Dieu, qui vient de

de Dieu. ¶ 18. Faites en tout temps par l'Esprit toutes sortes de prières et de supplications; dans ce but, veillez avec une persévérance continuelle et priez pour tous les saints, 19. et *spécialement* pour moi, afin qu'il me soit donné d'ouvrir la bouche et de faire connaître hardiment le mystère de l'Evangile, 20. pour lequel je suis ambassadeur, lié d'une chaîne, et que j'en parle avec assurance, comme je dois en parler.

La mission de Tychique; salutation.

21. Mais afin que vous aussi vous sachiez ce qui me concerne, ce que je fais, Tychique, le bien aimé frère et fidèle ministre dans le Seigneur, vous fera tout connaître. 22. Je vous l'envoie tout exprès, pour que vous connaissiez notre situation et pour qu'il console vos cœurs.

23. Paix aux frères, charité et foi, de la part de Dieu le Père et du Seigneur Jésus Christ! 24. Que la grâce soit avec tous ceux qui aiment Notre Seigneur Jésus Christ d'un amour incorruptible.

ÉPÎTRE AUX PHILIPPIENS.

Préambule (1, 1 — 11).

Salutation. — CH. 1.

AUL et Timothée, serviteurs de Jésus Christ, à tous les saints en Jésus Christ qui sont à Philippes, aux évêques et aux diacres : 2. grâce et paix vous soient données de la part de Dieu notre Père et du Seigneur Jésus Christ.

Action de grâces.

3. Je ne cesse dans toutes mes prières pour vous tous, de rendre grâces à mon Dieu de tout le *bon* souvenir que je garde de vous, 4. lui adressant avec joie ma prière, 5. à cause

l'Esprit Saint. — 19. *Le mystère de l'Evangile*, Jésus et sa doctrine. — 20. *L'ambassadeur* du Roi des rois, chargé d'annoncer le joyeux message du salut, est dans les chaînes!

de votre concours unanime pour *le progrès de* l'Evangile, depuis le premier jour *où vous avez cru* jusqu'à présent ; 6. ✠ et j'ai confiance que celui qui a commencé en vous une œuvre excellente, en poursuivra l'achèvement jusqu'au jour du Christ. 7. C'est une justice que je vous dois, de penser ainsi de vous tous, parce que je vous porte dans mon cœur, vous tous qui, soit dans mes liens, soit dans la défense et l'affermissement de l'Evangile, participez à la même grâce que moi. 8. Car Dieu m'est témoin que je vous aime tous dans les entrailles de Jésus Christ.

Prière pour eux.

9. Et ce que je lui demande, c'est que votre charité abonde de plus en plus en connaissance et en pleine intelligence, 10. pour discerner ce qui vaut le mieux, afin que vous soyez purs et irréprochables pour le jour du Christ, 11. remplis du fruit de justice, par Jésus Christ, à la gloire et à la louange de Dieu. ¶

CORPS DE LA LETTRE.

(CH. 1, 12 — 4, 7).

Nouvelles personnelles.

Sa situation à Rome.

12. Je désire que vous sachiez, *mes* frères, que ce qui m'est arrivé a plutôt contribué au progrès de l'Evangile. 13. En effet, nul n'ignore dans le prétoire, ni personne ailleurs, que c'est pour le Christ que je suis dans les chaînes ; 14. et la plupart des frères, encouragés dans le Seigneur par mes liens, ont plus d'assurance pour annoncer sans crainte la parole

Chap. 1. — 6. *Une œuvre excellente*, l'œuvre de votre conversion et de votre sanctification. — *En poursuivra l'achèvement*, vous donnera par sa grâce d'y persévérer jusqu'à la fin. — 7. *De penser ainsi*, savoir que vous persévérerez. — *Grâce*, dans le sens de *mérite*. — 8. *Dans les entrailles*, le cœur *de J. C.* : c'est le cœur de Jésus qui bat dans la poitrine de Paul pour ses chers Philippiens. — 9-11. La *charité* chrétienne ne doit pas être aveugle, mais accompagnée de *connaissance* et d'*intelligence* pratique (prudence), *pour discerner*, dans les différentes situations, etc. — *Purs* devant Dieu, *irréprochables* devant les hommes. — *Fruit de justice*, bonnes œuvres.

de Dieu. 15. Quelques-uns, il est vrai, prêchent aussi Jésus Christ par envie et par esprit de dispute; mais il y en a d'autres qui le font avec des dispositions bienveillantes. 16. Ceux-ci agissent par charité, sachant que je suis établi pour la défense de l'Evangile; 17. tandis que les autres, animés d'un esprit de dispute, annoncent *Jésus* Christ par des motifs qui ne sont pas purs, avec la pensée de susciter quelque tribulation à mes liens. 18. Mais quoi? De quelque manière qu'on le fasse, que ce soit avec des arrière-pensées, ou sincèrement, *Jésus* Christ est annoncé : je m'en réjouis, et je m'en réjouirai encore. 19. Car je sais que cela tournera à mon salut, grâce à vos prières et à l'assistance de l'Esprit de Jésus Christ : 20. j'attends et j'espère que je ne serai confondu en rien, mais que, ✠ maintenant comme toujours, le Christ sera glorifié dans mon corps en toute assurance, soit par ma vie, soit par ma mort; 21. car le Christ est ma vie, et la mort m'est un gain.

Ses sentiments et ses espérances.

22. Mais s'il est utile pour mon œuvre que je vive dans la chair, je ne sais plus ce que je dois préférer. 23. Je suis pressé des deux côtés : j'ai le désir d'être dégagé *des liens du corps* et d'être avec le Christ, ce qui de beaucoup est le meilleur; 24. mais il est plus nécessaire que je demeure dans la chair à cause de vous. 25. Et dans cette persuasion, je sais que je resterai *dans ce monde* et que j'y demeurerai avec vous tous, pour votre avancement et pour votre joie dans la foi, 26. afin que, par mon retour auprès de vous, vous ayez en moi un

15. *Quelques-uns*, des chrétiens judaïsants. — *Par envie*, jaloux de la renommée croissante de Paul. — 18. *Avec des arrière-pensées :* le zèle de ces prédicateurs judaïsants pour la cause de J. C. couvrait un attachement excessif à la loi de Moïse et des sentiments hostiles à l'Apôtre des Gentils. — 19. *Cela*, la tribulation suscitée par les judaïsants (vers. 17). — 20. *Par ma vie*, toute consacrée à la prédication de l'Evangile; *par ma mort*, qui rendra à J. C. un suprême témoignage et me réunira à lui. — 26. *En moi :* ma présence au milieu de vous devant contribuer à votre progrès spirituel.

abondant sujet de vous glorifier en Jésus Christ.

Exhortations :
rester unis dans la foi.

27. Seulement, conduisez-vous d'une manière digne de l'Evangile du Christ, afin que, soit que je vienne vous voir, soit que je reste absent, j'entende dire de vous que vous demeurez fermes dans un même esprit, combattant d'une même âme pour la foi de l'Evangile, 28. sans vous laisser aucunement intimider par les adversaires. Leur hostilité est pour eux une cause de ruine, mais pour vous, de salut, et cela de la part de Dieu. 29. Car il vous a fait, à vous, la grâce, non seulement de croire dans le Christ, mais encore de souffrir pour lui, 30. en soutenant le même combat que vous m'avez vu soutenir, et que, vous le savez, je soutiens encore aujourd'hui.

Dans la charité et l'humilité à l'exemple du Christ. — Ch. 2.

Si donc il y a quelque encouragement dans le Christ, s'il y a quelque consolation de charité, s'il y a quelque union d'esprit, s'il y a quelque tendresse et quelque compassion, 2. rendez ma joie parfaite : soyez en bonne intelligence, ayant une même charité, une même âme, une même pensée. 3. Ne faites rien par esprit de rivalité ou de vaine gloire; mais que l'humilité vous fasse regarder les autres comme étant au dessus de vous. 4. Que chacun considère, non ses propres intérêts, mais aussi ceux des autres. 4. ✠ Ayez en vous les sentiments dont Jésus Christ a été animé : 6. quoiqu'il fût en forme de Dieu, il n'a pas regardé comme une proie de s'égaler à Dieu; 7. mais il s'est anéanti

27. *Pour* que *la foi* à l'Evangile se propage parmi ceux qui lui sont étrangers.

Chap. 2. — 1-2. *Si donc il y a* parmi vous, et si vous êtes capables de me procurer *quelque encouragement* chrétien ; s'il y a, entre vous et moi, *union d'esprit;* si vous avez *quelque compassion* et affection pour moi, *rendez*, etc. : comment? Par la *bonne intelligence* entre vous. — 6. *Quoiqu'il fût*, comme Verbe, avant l'incarnation, *en forme de Dieu*, étant l'image de Dieu et le reflet de sa gloire, ayant par conséquent la nature divine. — *Comme une proie* qu'on saisit avidement, ou comme une *dépouille*, un *butin* dont on fait trophée.

lui-même, en prenant la forme de serviteur, en devenant semblable aux hommes, et en se montrant sous l'aspect d'un homme; 8. ✠ il s'est humilié lui-même, se faisant obéissant jusqu'à la mort, et à la mort de la croix. 9. C'est pourquoi aussi Dieu l'a souverainement élevé, et lui a donné le nom qui est au dessus de tout nom, 10. afin qu'au nom de Jésus tout genou fléchisse dans les cieux, sur la terre et dans les enfers, 11. et que toute langue confesse que Jésus Christ est dans la gloire de Dieu le Père. ¶

Opérer son salut avec crainte.

12. Ainsi, mes bien aimés, comme vous avez toujours été obéissants, travaillez à votre salut avec crainte et tremblement, non seulement comme *vous le faisiez* en ma présence, mais bien plus encore maintenant que je suis absent; 13. car c'est Dieu qui opère en vous le vouloir et le faire, parce que c'est son bon plaisir. 14. Faites toutes choses sans murmures ni hésitations, 15. afin que vous soyez irréprochables et purs, des enfants de Dieu irrépréhensibles au milieu d'une génération perverse et corrompue, parmi laquelle vous brillez comme des flambeaux dans le monde, 16. étant en possession de la parole de vie; et *ainsi* je pourrai me glorifier, au jour du Christ, de n'avoir pas couru en vain, ni travaillé en vain. 17. Et même si je dois servir de libation en offrant à Dieu le sacrifice de votre foi, je m'en réjouis et vous en félicite. 18. Vous aussi réjouissez-vous-en et m'en félicitez.

Nouvelles : *de Timothée et d'Epaphrodite.*

19. J'espère dans le Seigneur Jésus vous envoyer bientôt Timothée, afin de me sentir moi-même plein de courage en

11. *J. C. est dans la gloire de Dieu le Père*, a une puissance et une gloire égales à celles du Père. — 17. Dans les sacrifices, quand le prêtre avait immolé la victime, il répandait une libation de vin autour de l'autel. L'Apôtre se représente ici comme prêtre, offrant à Dieu ce peuple de croyants, convertis du paganisme : c'est ce qu'il appelle le *sacrifice de votre foi*. La *libation* pourrait bien être son propre sang. — *Je vous en félicite :* cette libation serait glorieuse pour vous.

apprenant de vos nouvelles. 20. Car je n'ai personne qui partage comme lui mes sentiments, pour prendre sincèrement à cœur ce qui vous concerne; 21. tous, en effet, ont en vue leurs propres intérêts, et non ceux de Jésus Christ. 22. Sachez qu'il est d'une vertu éprouvée, qu'il s'est dévoué avec moi, comme un enfant avec son père, au service de l'Evangile. 23. J'espère donc vous l'envoyer dès que j'apercevrai l'issue de ma situation; 24. et j'ai cette confiance dans le Seigneur, que moi-même aussi j'irai bientôt *chez vous.*

25. En attendant, j'ai cru nécessaire de vous envoyer Epaphrodite mon frère, le compagnon de mes travaux et de mes combats, qui était venu de votre part pour subvenir à mes besoins. 26. Car il désirait vous revoir tous, et était fort en peine de ce que vous aviez appris sa maladie. 27. Il a été malade, en effet, et tout près de la mort; mais Dieu a eu pitié de lui, et non pas seulement de lui, mais aussi de moi, afin que je n'eusse pas tristesse sur tristesse. 28. J'ai donc mis plus d'empressement à vous l'envoyer, afin que la joie vous revînt en le voyant, et que moi-même je fusse sans tristesse. 29. Recevez-le donc dans le Seigneur, avec une joie entière, et honorez de tels hommes. 30. Car c'est pour l'œuvre du Christ qu'il a été près de la mort, ayant mis sa vie en jeu, afin de vous suppléer dans le service que vous ne pouviez me rendre.

Justice chrétienne. *Elle nous vient par la foi en J. C.; pour elle l'Apôtre rejette les avantages de la Loi.* — CH. 3.

Du reste, mes frères, réjouissez-vous dans le Seigneur. — Je ne me lasse point de vous écrire les mêmes choses, et pour vous cela est salutaire. 2. Prenez garde aux

27. *Afin que* le chagrin de sa mort ne s'ajoutât pas à la tristesse de ma situation. — 28. *Sans tristesse*, vous sachant dans la joie.

Chap. 3. — 1. *Dans le Seigneur :* Il s'agit de la joie intérieure qu'éprouve le chrétien justifié, arrivé au salut par J. C. — 2. Le *chien*, animal impur, figurait chez les Juifs les païens; il figure ici les faux docteurs. — *Faux circoncis*, circoncis quant à la chair, par opposi-

chiens, prenez garde aux mauvais ouvriers, prenez garde aux faux circoncis. 3. Car c'est nous qui sommes les *vrais* circoncis, nous qui rendons *à Dieu* notre culte par l'Esprit de Dieu, qui nous glorifions en Jésus Christ, et qui ne mettons pas notre confiance en la chair, 4. quoique j'aie, quant à moi, tout sujet de mettre aussi ma confiance en la chair. Si quelqu'un croit pouvoir se confier en la chair, je le puis bien davantage, moi, 5. un circoncis du huitième jour, de la race d'Israël, de la tribu de Benjamin, Hébreu fils d'Hébreux; pharisien, pour ce qui est de la Loi; 6. persécuteur de l'Eglise, pour ce qui est du zèle, et quant à la justice de la Loi, irréprochable. 7. Mais ✠ ces choses qui étaient pour moi de précieux avantages, je les ai tenus pour un préjudice à cause du Christ. 8. Et même je regarde toutes choses comme un préjudice, à cause de l'excellence de la connaissance de Jésus Christ mon Seigneur, pour lequel j'ai voulu tout perdre; et je les regarde comme de la balayure, afin de gagner le Christ, 9. et d'être trouvé en lui, non avec ma justice, celle qui vient de la Loi, mais avec celle qui vient de la foi dans le Christ, la justice qui vient de Dieu par la foi; 10. afin de connaître le Christ, et la vertu de sa résurrection, et la communion de ses souffrances, en lui devenant conforme dans sa mort, 11. pour parvenir, si je puis, à la résurrection des morts.

A son exemple, progresser toujours en s'attachant à J. C.

12. Ce n'est pas que j'aie déjà saisi le prix, ou

tion aux circoncis de cœur et d'esprit. — *Par l'Esprit de Dieu*, par opposition au culte purement extérieur des Juifs. — 5. *Circoncis du huitième jour*, par conséquent *né juif*, et non prosélyte. — 6. *La justice* qui résulte de l'accomplissement *de la Loi*. — 7. *Avantages*, lorsque j'étais dans le judaïsme. — Comme *un préjudice*, comme des empêchements à ma conversion. — 10. *La vertu*, la puissance *de sa résurrection* par rapport aux fidèles : elle leur donne la certitude de leur réconciliation avec Dieu, et le gage de leur propre résurrection. — *La communion*, etc. Souffrir pour Jésus Christ, c'est boire à son calice, participer à ses souffrances, et mériter d'avoir part à sa résurrection glorieuse (*Matth.* xx, 22). — 12. *Saisi le prix*, image emprun-

que j'aie déjà atteint la perfection ; mais je cours pour tâcher de le saisir, puisque j'ai été saisi moi-même par le Christ. ¶ 13. Pour moi, *mes* frères, je ne pense pas l'avoir saisi, mais je fais une chose : oubliant ce qui est derrière moi, et me portant vers ce qui est en avant, 14. je cours vers le but, pour remporter le prix auquel Dieu m'a appelé d'en haut en Jésus Christ. 15. Que ce soient là nos sentiments, à nous tous qui sommes arrivés à l'âge d'homme ; et si, sur quelque point, vous avez des pensées différentes, Dieu vous éclairera aussi là dessus. 16. Seulement, au point où nous sommes arrivés, ayons les mêmes sentiments et marchons comme nous l'avons fait jusqu'ici. 17. ✠ Vous aussi, *mes* frères, soyez mes imitateurs, et ayez les yeux sur ceux qui marchent suivant le modèle que vous avez en nous. 18. Car il en est plusieurs qui marchent en ennemis de la croix de *Jésus* Christ : je vous en ai souvent parlé, et j'en parle maintenant encore les larmes aux yeux. 19. Leur fin, c'est la perdition, eux qui font leur Dieu de leur ventre, et mettent leur gloire dans ce qui fait leur honte, n'ayant de goût que pour les choses de la terre. 20. Pour nous, notre cité est dans les cieux, d'où nous attendons aussi comme Sauveur le Seigneur Jésus Christ, 21. qui transformera notre corps vil, en le rendant semblable à son corps glorieux, par le pouvoir qu'il a de s'assujettir toutes choses.

CH. 4.

C'est pourquoi, mes chers et bien aimés frères, ma joie et ma couronne, demeurez ainsi fermes dans le Seigneur, mes bien aimés.

Avis particuliers : *il recommande la concorde à deux femmes.*

2. J'exhorte Evodie et j'invite Syntiche à être

tée au jeu de la course, *ou*, pour parler sans figure, *atteint la perfection*, qui consiste à *gagner le Christ* et vivre de sa vie (vers. 7-10). — *Saisi par le Christ*, qui me poursuivait tandis que je le fuyais de toutes mes forces. — 16. *Seulement*, continuons de marcher dans la même direction, sans dévier ni à droite ni à gauche. — 18. *Plusieurs* : des chrétiens qui menaient une vie molle et efféminée.

en bonne intelligence dans le Seigneur. 3. Et toi aussi, mon fidèle compagnon, je te prie de leur venir en aide, elles qui ont combattu pour l'Evangile avec moi, avec Clément et mes autres collaborateurs, dont les noms sont dans le livre de vie. ¶

A tous la joie et la générosité.

4. ✠ Réjouissez-vous toujours dans le Seigneur; je le répète, réjouissez-vous. 5. Que votre douceur soit connue de tous les hommes : le Seigneur est proche. 6. Ne vous inquiétez de rien; mais en toute chose faites connaître vos besoins à Dieu par des prières et des supplications, avec des actions de grâces. 7. Et que la paix de Dieu, qui surpasse toute intelligence, garde vos cœurs et vos pensées en Jésus Christ. ¶

8. Au reste, *mes* frères, que tout ce qui est vrai, tout ce qui est honorable, tout ce qui est juste, tout ce qui est pur, tout ce qui est aimable, tout ce qui mérite l'approbation, ce qui est vertueux et digne de louange, soit l'objet de vos pensées; 9. *en un mot*, ce que vous avez appris et reçu, ce que vous m'avez entendu dire et vu faire moi-même, pratiquez-le, et le Dieu de paix sera avec vous.

Epilogue.

Sa gratitude pour les Philippiens.

10. J'ai éprouvé une grande joie dans le Seigneur, de ce que votre sollicitude à mon égard a porté enfin de nouveaux fruits; vous y pensiez bien, mais les temps étaient difficiles. 11. Ce n'est pas en vue de mes besoins que je parle ainsi, car j'ai appris, dans les circonstances où je me

Chap. 4. — 3. *Mon fidèle compagnon*, probablement l'évêque de Philippes. — *De les aider*, de rétablir entre elles la concorde. — *Clément*, probablement S. Clément de Rome, le troisième successeur de S. Pierre. — 7. *Surpasse toute intelligence :* il faut l'avoir goûtée pour la comprendre. — *Garde... en J. C.*, étant unis à lui dans la foi, l'espérance et la charité. — 10. *De nouveaux fruits :* de ce que la communauté de Philippes, qui ne m'envoyait plus aucun secours, la difficulté des temps ne le permettant pas, a pu enfin m'en faire parvenir par Epaphrodite (ii, 25 sv.).

trouve, à me suffire à moi-même. 12. Je sais vivre dans l'humiliation, et je sais vivre dans l'abondance. En tout et partout j'ai appris à être rassasié et à avoir faim, à être dans l'abondance et à être dans la disette. 13. Je puis tout en celui qui me fortifie. 14. Cependant vous avez bien fait de prendre part à ma détresse.

Salutations et bénédiction.

15. Vous savez aussi, vous, Philippiens, qu'au commencement de *la prédication de* l'Evangile, lorsque je partis de la Macédoine, aucune Eglise ne m'ouvrit un compte de Doit et Avoir; vous fûtes les seuls à le faire, 16. puisque déjà vous m'aviez envoyé à Thessalonique, à deux reprises, de quoi pourvoir à mes besoins. 17. Ce n'est pas que je recherche les dons, mais je recherche le fruit qui va s'augmentant à votre compte. 18. J'ai tout ce que je pouvais désirer, et je suis dans l'abondance; j'ai été comblé en recevant d'Epaphrodite vos dons, un parfum de bonne odeur, sacrifice que Dieu accepte et qui lui est agréable. 19. Que mon Dieu pourvoie à tous vos besoins, selon sa richesse, avec gloire, en Jésus Christ. 20. A Dieu, notre Père, soit la gloire aux siècles des siècles! Amen!

21. Saluez en Jésus Christ tous les saints. 22. Les frères qui sont avec moi vous saluent. Tous les saints vous saluent, et principalement ceux de la maison de César.

23. Que la grâce du Seigneur Jésus Christ soit avec votre esprit! Amen!

12. *Dans l'humiliation*, l'état d'indigence. — 15. *De Doit et Avoir :* locution empruntée à la langue du commerce. Les Eglises *recevaient* des secours spirituels, et *donnaient* en retour de quoi subvenir aux besoins des prédicateurs. — 17. *Le fruit* spirituel que les Philippiens recueilleront de leur libéralité. — 19. *A vos besoins* spirituels, *selon la richesse* de sa grâce, *avec la gloire* éternelle. — 22. *Ceux de la maison*, les chrétiens au service *de César* (Néron).

ÉPÎTRE AUX COLOSSIENS.

Préambule (I, 1 — 14).

Salutation. — CH. I.

PAUL, apôtre de Jésus Christ par la volonté de Dieu, et Timothée notre frère, 2. aux saints qui sont à Colosses, *nos* fidèles frères dans le Christ : 3. que la grâce et la paix vous soient données de la part de Dieu notre Père et du Seigneur Jésus Christ!

Action de grâces pour l'œuvre accomplie à Colosses.

Nous ne cessons de rendre grâces à Dieu, le Père de Notre Seigneur Jésus Christ, dans nos prières pour vous, 4. depuis que nous avons entendu parler de votre foi en Jésus Christ et de votre charité pour tous les saints, 5. à cause de l'espérance qui vous est réservée dans les cieux, et dont vous avez eu connaissance par la parole de vérité, *la parole* de l'Evangile. 6. Il est, *cet Evangile*, au milieu de vous, ainsi que dans le monde entier; il porte des fruits, et il va grandissant, comme cela a eu lieu parmi vous, depuis le jour où vous l'avez entendu, et *où vous avez* connu la grâce de Dieu dans la vérité, 7. d'après les instructions que vous avez reçues d'Epaphras, notre bien aimé compagnon de service, qui est pour vous un fidèle ministre du Christ; 8. c'est lui qui nous a appris quelle est votre charité dans l'Esprit *Saint*.

Il prie pour qu'elle atteigne sa perfection.

9. C'est pourquoi, depuis le jour où nous en avons été informé, ✠ nous ne cessons de prier Dieu pour vous, et de demander que vous ayez la

Chap. I. — 1. *Timothée* se trouvait alors auprès de Paul à Rome. Peut-être est-ce lui qui écrivit l'épître sous la dictée de l'Apôtre (IV, 18). — 5. *A cause* se lie à *votre charité*, etc. — 6. *La grâce de Dieu*, l'Evangile. — *Dans la vérité*, d'après des renseignements vrais, par opposition aux erreurs des faux docteurs. — 8. *Votre charité*, votre amour pour nous, allumé dans vos cœurs par *l'Esprit Saint*. — 9. *En toute sagesse*, par la communication de toute sagesse, etc.

pleine connaissance de sa volonté, en toute sagesse et intelligence spirituelle, 10. pour marcher d'une manière digne du Seigneur et lui plaire en toutes choses, portant des fruits en toutes sortes de bonnes œuvres, et faisant des progrès dans la connaissance de Dieu; — 11. fortifiés à tous égards par sa puissance glorieuse, pour tout supporter avec patience et avec joie; 12. ✠ rendant grâces à Dieu le Père, qui nous a rendus dignes d'avoir part à l'héritage des saints dans la lumière, 13. en nous délivrant de la puissance des ténèbres, pour nous transporter dans le royaume du Fils de son amour, 14. en qui nous avons la rédemption par son sang, la rémission des péchés. ¶

PREMIÈRE PARTIE [DOGMATIQUE].

(Ch. 1, 15 — 2, 23).

La personne et l'œuvre de J. C. *Dignité suréminente du Christ, Créateur et Chef de l'Eglise.*

15. Ce Fils est l'image du Dieu invisible, le premier-né de toute créature; 16. car c'est en lui que toutes choses ont été créées, celles qui sont dans les cieux et celles qui sont sur la terre, les choses visibles et les choses invisibles, trônes, dominations, principautés, puissances; tout a été créé par lui et pour lui. 17. Et lui-même est avant toutes choses, et toutes choses subsistent en lui. 18. Il est la tête du corps de l'Eglise, lui qui est prémices *de la résurrection*, premier-né d'entre

12. *L'héritage des saints dans la lumière*, l'éternelle béatitude. — 13. *La puissance des ténèbres*, de Satan. — 15-20. Ces versets résument la doctrine de Paul sur la personne de Jésus Christ. Comp. *Eph.* i, 20-23; *Phil.* ii, 6-11. Le Christ est décrit dans les vers. 15-17, comme Dieu, dans ses rapports avec son Père; dans les vers. 18-20, comme Dieu-Homme, dans ses rapports avec l'Eglise. — 15. *Premier-né de toute créature*, né du Père, engendré éternellement par lui, avant qu'aucune créature fût appelée à l'existence. — 17. *Subsistent en lui*, ont en lui le fondement et le soutien de leur existence. — 18. *La tête :* comp. I *Cor.* xii, 12 sv. *Eph.* i, 23. —

les morts, afin d'être le premier en tout. 19. Car il a plu à Dieu que toute plénitude habitât en lui; 20. *il lui a plu* de réconcilier par lui toutes choses avec lui-même, soit celles qui sont sur la terre, soit celles qui sont dans les cieux, en faisant la paix par le sang de sa croix. ¶

Ce qu'il a fait pour les fidèles.

21. Vous aussi, qui étiez autrefois étrangers et ennemis par vos sentiments et par vos mauvaises œuvres, 22. il vous a maintenant réconciliés par la mort *de son Fils* en son corps charnel, pour vous faire paraître devant lui saints, sans tache et sans reproche, 23. si du moins vous demeurez fondés et inébranlables dans la foi, ne vous laissant pas détacher de l'espérance de l'Evangile que vous avez entendu, qui a été prêché à toute créature sous le ciel, et dont moi, Paul, j'ai été fait ministre.

Paul, ministre de J. C.

24. Je me réjouis maintenant dans mes souffrances pour vous, et ce qui manque aux souffrances du Christ, je l'achève en ma chair pour son corps, qui est l'Eglise. 25. J'en ai été fait ministre, selon la charge que Dieu m'a donnée auprès de vous, pour répandre partout la parole de Dieu, 26. le mystère caché de toute éternité et dans tous les âges, mais révélé maintenant à ses saints. 27. à qui Dieu a voulu faire connaître quelle est la richesse de la gloire de ce mystère parmi les païens:

Prémices de la résurrection, le premier ressuscité, et principe de résurrection glorieuse pour tous ses membres. — 19. *Toute plénitude:* la plénitude de la divinité, de l'Etre divin, renfermant en soi toute vie, toute grâce et toute vérité. — 20. Le péché avait brisé l'harmonie primitive entre Dieu et l'homme; dans le ciel même, il y avait eu révolte, et les anges tombés formaient le royaume de Satan. Jésus Christ, propitiation pour le péché, rétablit partout la paix et réconcilie toutes choses avec son Père. — 21. *Etrangers*, éloignés de Dieu, en tant que païens. — 23. *De l'espérance de* la béatitude éternelle, promise par *l'Evangile*. — 24. *Pour vous*, pour votre profit spirituel. — *Ce qui manque*, etc. : les souffrances de l'Eglise et de chacun de ses membres sont les souffrances du Christ, qui, dit S. Léon, continue ainsi de souffrir jusqu'à la fin du monde, comme il continue d'être honoré et aimé dans ses saints, nourri et vêtu dans ses pauvres. — 26. *Le mystère*, le dessein de racheter l'humanité déchue par Jésus Christ.

cette richesse, c'est le Christ en vous, c'est l'espérance de la gloire. 28. C'est lui que nous annonçons, exhortant, instruisant tout homme en toute sagesse, afin de présenter *à Dieu* tout homme devenu parfait en Jésus Christ. 29. C'est aussi dans ce but que je travaille, en combattant avec sa force, qui agit puissamment en moi.

Sa sollicitude pour les Eglises.

CH. 2.

Je veux, en effet, que vous sachiez combien est grand le combat que je soutiens pour vous et pour ceux de Laodicée, et pour tous ceux qui n'ont pas vu mon visage en la chair, 2. afin que leurs cœurs soient réconfortés, et qu'étant étroitement unis dans la charité, ils soient enrichis d'une pleine conviction de l'intelligence, et connaissent le mystère de Dieu le Père et du Christ Jésus, 3. où sont cachés tous les trésors de la sagesse et de la science.

S'attacher à J. C. et éviter la fausse philosophie.

4. Je *vous* dis cela, afin que personne ne vous trompe par des discours séduisants. 5. Car, si je suis absent de corps, je suis avec vous en esprit, heureux de voir le bon ordre qui règne parmi vous et la solidité de votre foi dans le Christ. 6. ✠ Ainsi donc, comme vous avez reçu le Christ Jésus, le Seigneur, marchez en lui, 7. étant enracinés en lui et vous édifiant sur ce fondement, étant affermis par la foi, telle qu'on vous l'a enseignée, et y faisant des progrès, avec actions de grâces. 8. Prenez garde que personne ne vous séduise par la philosophie et une vaine tromperie, selon la tradition des hommes, selon les rudiments du monde, et non selon le Christ. 9. Car en lui habite corporellement

Chap. 2. — 2. *Le mystère de Dieu*, ou, en d'autres termes, le mystère *du Christ*, Sauveur des hommes. — 8. *Les rudiments* ou *éléments du monde :* Paul appelle ainsi les maximes de la sagesse humaine et les lois cérémonielles des Juifs, qui étaient comme l'A B C religieux de l'humanité, en attendant la science complète de l'Evangile. — 9. La *plénitude de la divinité* (comp. I, 19), c'est à dire l'ensemble des attributs et des perfections de Dieu, ce que S. Jean appelle *sa gloire*. Cette plénitude divine habite *corporellement* en Jésus

toute la plénitude de la divinité. 10. Vous avez tout pleinement en lui, qui est le chef de toute principauté et de toute puissance; 11. lui en qui vous avez été circoncis d'une circoncision que la main n'a pas faite, de la circoncision du Christ, par le dépouillement du corps de la chair, ¶ 12. lorsque vous avez été ensevelis avec lui dans le baptême, où vous êtes aussi ressuscités avec lui par la foi en la puissance de Dieu, qui l'a ressuscité des morts. 13. Vous qui étiez morts par vos offenses et par l'incirconcision de votre chair, il vous a rendus à la vie avec lui, après nous avoir pardonné toutes nos offenses. 14. Il a effacé l'acte, avec *toutes* ses ordonnances, qui nous était contraire, et il l'a détruit en le clouant à la croix; 15. il a dépouillé les principautés et les puissances, et les a livrées hardiment en spectacle, en triomphant d'elles par la croix.

Et le faux ascétisme.

16. Que personne donc ne vous juge à l'égard du manger ou du boire, ou au sujet d'une fête, d'une nouvelle lune ou d'un sabbat : 17. ce n'est là que l'ombre des choses à venir, mais la réalité se trouve en *Jésus* Christ. 18. Qu'aucun homme ne vous fasse perdre la palme du combat, en se faisant

Christ, c'est à dire essentiellement, substantiellement; bien plus, elle a pris en lui *un corps;* pour parler avec S. Jean (i, 14), " le Verbe a été fait chair, et nous avons vu sa gloire, la gloire du Fils unique du Père." — 10. *Tout*, toute vérité, toute grâce, etc. Comp. *Jean*, i, 16. — 11. *Corps de la chair :* même sens que *corps du péché* (Rom. vi, 6). Le mot *chair* n'a pas ici son sens propre et matériel; il désigne le siège du péché et de la concupiscence. *Dépouiller le corps du péché* n'est pas autre chose que *dépouiller le vieil homme.* — 13. *Par l'incirconcision de votre chair.* par l'incirconcision spirituelle, la concupiscence, fruit du péché originel. — *Il* (Dieu) *vous a rendus à la vie* de la grâce, et vous prépare la vie éternelle du corps et de l'âme, *avec lui*, la résurrection de Jésus Christ étant un gage de la vôtre. — 14. *Il a effacé* avec le sang de Jésus Christ l'*acte*, le billet écrit, ce que nous appelons *reconnaissance* d'une dette, savoir la loi mosaïque, *dont les ordonnances* étaient pour nous une occasion de péché, et par suite de châtiment et de mort. — 15. *Dépouillé les principautés*, etc., tous ces êtres intermédiaires que les faux docteurs de Colosses imaginaient entre Dieu et le monde, et auxquels ils attribuaient l'honneur de la création et de la rédemption universelle. — 16. *Donc :* puisque Jésus Christ a aboli la loi mosaïque. — 18. *La palme du combat* de la vie chrétienne, la *couronne de justice*, la béatitude éternelle.

humble et en rendant un culte aux anges, tandis qu'il s'égare en des choses qu'il n'a pas vues, et qu'il est enflé d'un vain orgueil par les pensées de sa chair, 19. sans s'attacher au chef, d'où tout le corps, disposé et solidement assemblé au moyen des nerfs et des jointures, tire l'accroissement que Dieu lui donne. 20. Si vous êtes morts avec le Christ aux rudiments du monde, pourquoi, comme si vous viviez dans le monde, vous laissez-vous dicter ces arrêts : 21. " Ne prends pas! Ne goûte pas! Ne touche pas? " — 22. Toutes ces choses vont à la corruption par l'usage même qu'on en fait. — Ces défenses ne sont que des préceptes et des enseignements d'hommes. 23. Elles ont un renom de sagesse, en ce qu'elles font paraître un culte volontaire, de l'humilité et le mépris du corps, mais elles sont sans valeur réelle, et ne servent qu'à la satisfaction de la chair.

DEUXIÈME PARTIE [MORALE].

(CH. 3, 1 — 4, 6).

Devoirs généraux.

✠ *Vie nouvelle.* — CH. 3.

Si donc vous êtes ressuscités avec Jésus Christ, recherchez les choses qui sont en haut, où le Christ est assis à la droite de Dieu; 2. affectionnez-vous aux choses d'en haut, et non à celles qui sont sur la terre : 3. car vous êtes morts, et votre vie est cachée avec le Christ en Dieu. 4. Quand le Christ,

---

19. *Au chef*, J. C., chef du corps de l'Eglise. — 20. *Aux rudiments* ou *éléments du monde*, la loi mosaïque. — 21. *Ne prends pas :* n'approche pas la main des choses déclarées impures par la Loi. — *Ne goûte pas* des mets défendus, *n'y touche* même *pas*. — 22. *Toutes ces choses*, sont destinées à servir aux usages de l'homme, et par cet usage même à périr et à disparaître (*Matth.* xv, 17). — 23. *Un culte volontaire* (que Dieu ne commande pas), rendu aux anges, *de l'humilité* (vers. 18) *et le mépris du corps*, litt. la *rigueur envers le corps.* — *Servent à la satisfaction de la chair :* à nourrir par l'orgueil les mauvais penchants de l'homme naturel.

Chap. 3. — 3. *Morts* dans le baptême à l'homme terrestre ; vous devez donc vous montrer insensibles à l'attrait des choses de la terre.

votre vie, apparaîtra, alors vous apparaîtrez aussi avec lui dans la gloire. ¶

Se dépouiller du vieil homme; se revêtir du nouveau.

5. Faites donc mourir vos membres, *ces membres* qui sont sur la terre, la fornication, l'impureté, les passions, les mauvais désirs, et l'avarice, qui est une idolâtrie. 6. C'est à cause de ces choses que la colère de Dieu vient sur les fils de l'incrédulité, 7. parmi lesquels vous marchiez autrefois, lorsque vous viviez dans ces désordres. 8. Mais maintenant, vous aussi, rejetez toutes ces choses, la colère, l'animosité, la méchanceté; que les injures et les paroles déshonnêtes soient bannies de votre bouche. 9. N'usez point de mensonge les uns envers les autres, puisque vous avez dépouillé le vieil homme avec ses œuvres, 10. et revêtu l'homme nouveau, qui se renouvelle, pour la connaissance, conformément à l'image de celui qui l'a créé. 11. Il n'y a ici ni Grec, ni Juif, ni circoncis, ni incirconcis, ni barbare, ni Scythe, ni esclave, ni homme libre; mais le Christ est tout en tous. 12. ✠ Ainsi donc, comme des élus de Dieu, saints et bien aimés, revêtez-vous d'entrailles de miséricorde, de bonté, d'humilité, de douceur, de patience, 13. vous supportant les uns les autres et vous pardonnant réciproquement, si l'un a sujet de se plaindre de l'autre. Comme le Christ vous a pardonné, pardonnez-vous aussi. 14. Mais surtout revêtez-vous de la charité, qui est le lien de la perfection. 15. Et que la paix du Christ, à laquelle vous avez été appelés pour former un seul corps, règne dans vos cœurs; soyez reconnaissants. 16. Que la parole du Christ habite en vous

5. *Faites mourir vos membres* (main, pied, œil, etc.), dans le sens moral (ii, 11). — 6. *Les fils de l'incrédulité*, les Juifs et les païens qui refusent de se soumettre à l'Evangile. — 10. *Qui se renouvelle* sans cesse, se sanctifie de plus en plus. — *Pour la connaissance*, toujours plus parfaite, de Dieu, de la rédemption par J. C., des devoirs de la vie chrétienne. — 14. La charité rassemble toutes les vertus chrétiennes dans une vivante unité, dont elle est le lien. — 16. *La parole du Christ*, la pure doctrine de l'Evangile.

abondamment, de telle sorte que vous vous instruisiez et vous avertissiez les uns les autres en toute sagesse, par des psaumes, par des hymnes, par des cantiques spirituels; que vous chantiez à Dieu dans vos cœurs sous l'inspiration de la grâce. 17. Et quoi que ce soit que vous fassiez, paroles ou actes, faites tout au nom du Seigneur Jésus, en rendant par lui des actions de grâces à Dieu le Père. ¶

Devoirs spéciaux :
des époux,

18. Femmes, soyez soumises à vos maris, comme il convient dans le Seigneur. 19. Maris, aimez vos femmes, et ne vous aigrissez pas contre elles.

des enfants et des parents,

20. Enfants, obéissez en toutes choses à vos parents, car cela est agréable dans le Seigneur. 21. Pères, n'irritez pas vos enfants, de peur qu'ils ne se découragent.

des serviteurs et des maîtres.

22. Serviteurs, obéissez en toutes choses à vos maîtres selon la chair, non pas seulement sous leurs yeux, comme gens qui ne cherchent qu'à plaire aux hommes, mais avec simplicité de cœur, dans la crainte du Seigneur. 23. Quoi que vous fassiez, faites-le de bon cœur, comme pour le Seigneur, et non pour des hommes, 24. sachant que vous recevrez du Seigneur l'héritage pour récompense. Servez le Seigneur *Jésus* Christ. 25. Car celui qui commet l'injustice recevra selon son injustice : il n'y a point d'acception de personnes auprès de Dieu.

CH. 4.

Maîtres, rendez à vos serviteurs ce qui est juste et équitable, sachant que vous aussi vous avez un maître dans le ciel.

Conclusion :
Prière et sagesse.

2. Persévérez dans la prière, apportez-y de la vigilance, avec des actions de grâces. 3. Priez en même temps pour

21. *N'irritez pas*, par une sévérité excessive. — 22. *En toutes choses* (ici comme au vers. 20) non contraires à la loi de Dieu.
Chap. 4. — 3-4. *Le mystère du Christ*, l'Evangile, *pour lequel*

nous, afin que Dieu nous ouvre une porte pour la parole, et qu'ainsi je puisse annoncer le mystère du Christ, pour lequel je suis aussi dans les chaînes, 4. et le faire connaître comme je dois en parler. 5. Conduisez-vous avec sagesse à l'égard de ceux du dehors, et rachetez le temps. 6. Que votre parole soit toujours aimable, assaisonnée du sel *de la sagesse*, en sorte que vous sachiez comment il faut répondre à chacun.

Epilogue.

Mission de Tychique et d'Onésime.

7. Tychique, le bien aimé frère et le fidèle ministre, mon compagnon de service dans le Seigneur, vous fera connaître tout ce qui me concerne. 8. Je vous l'envoie tout exprès pour qu'il connaisse votre situation, et qu'il console vos cœurs. 9. *Je l'envoie* avec Onésime, le fidèle et bien aimé frère, qui est des vôtres. Ils vous informeront de tout ce qui se passe ici.

Salutations et recommandations.

10. Aristarque, mon compagnon de captivité, vous salue, ainsi que Marc, le cousin de Barnabé, au sujet duquel vous avez reçu des ordres. S'il va chez vous, accueillez-le. 11. Jésus aussi, appelé Justus, vous salue. Ce sont des circoncis et les seuls, parmi ceux de la circoncision, qui travaillent avec moi pour le royaume de Dieu; ils ont été pour moi une consolation. 12. Epaphras, qui est des vôtres, vous salue; serviteur du Christ, il ne cesse de combattre pour vous dans ses prières, afin que vous teniez ferme dans le parfait et plein accomplissement de la volonté de Dieu. 13. Car je lui rends le té-

(mystère), etc. — *Comme je dois en parler*, pour persuader et convertir. — 5. *Ceux du dehors*, les infidèles. — *Rachetez le temps*, faites-en bon usage. — 6. *Répondre à chacun*, ce qui avait son importance dans une Eglise souvent troublée par de faux docteurs. — 11. *Les seuls* : les chrétiens d'origine juive se montraient en général défiants vis à vis de S. Paul.

moignage qu'il se donne bien de la peine pour vous, pour ceux de Laodicée et pour ceux d'Hiérapolis. 14. Luc, le médecin bien aimé, vous salue, ainsi que Démas.

15. Saluez les frères qui sont à Laodicée, et Nymphas, et l'Eglise qui se réunit dans sa maison. 16. Lorsque cette lettre aura été lue chez vous, faites qu'on la lise aussi dans l'Eglise de Laodicée, et que vous lisiez à votre tour celle qui vous arrivera de Laodicée. 17. Dites à Archippe : " Considère le ministère que tu as reçu dans le Seigneur, afin de le bien remplir."

18. Je vous salue, moi Paul, de ma propre main. Souvenez-vous de mes liens. Que la grâce soit avec vous ! Amen !

PREMIÈRE ÉPÎTRE AUX THESSALONICIENS.

Préambule (I, 1 — 10).

Salutation. Action de grâces pour la conversion et la persévérance des Thessaloniciens. — CH. 1.

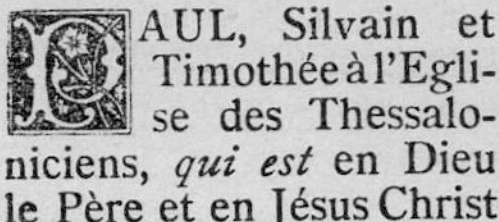

PAUL, Silvain et Timothée à l'Eglise des Thessaloniciens, *qui est* en Dieu le Père et en Jésus Christ le Seigneur : que la grâce et la paix vous soient données ! 2. ✠ Nous rendons continuellement grâces à Dieu pour vous tous, en faisant mention de vous dans nos prières, 3. nous rappelant sans cesse l'activité de votre foi, vos épreuves, votre charité et la fermeté de votre espérance en Jésus Christ, devant Dieu notre Père, 4. sachant, frères bien aimés de Dieu, que vous avez été élus; 5. car notre Evangile ne vous

18. Après avoir dicté sa lettre, probablement à Timothée (*Col.* i, 1), Paul ajouta ces mots *de sa main.*

Chap. 1. — 4. *Elus* et désignés pour le salut en J. C. par un décret éternel de Dieu. — 5. *Avec puissance*, etc. : ma parole était accompagnée de miracles, des dons de l'Esprit Saint (don des langues, etc.) répandus sur les fidèles, et portait avec elle la persuasion.

a pas été prêché en paroles seulement, mais aussi avec puissance, avec l'Esprit Saint et avec une pleine persuasion. Vous n'ignorez pas d'ailleurs ce que nous avons été au milieu de vous à cause de vous. 6. Et vous avez été nos imitateurs et ceux du Seigneur, en recevant la parole au milieu de beaucoup de tribulations avec la joie de l'Esprit Saint, 7. en sorte que vous avez été des modèles pour tous les croyants de la Macédoine et de l'Achaïe. 8. Non seulement, en effet, la parole du Seigneur a retenti de chez vous dans la Macédoine et l'Achaïe, mais votre foi en Dieu s'est fait connaître en tout lieu; aussi n'avons-nous pas besoin d'en parler. 9. Car on raconte, à notre sujet, quel accès nous avons eu auprès de vous, et comment vous vous êtes convertis à Dieu, en abandonnant les idoles, pour servir le Dieu vivant et vrai, 10. et pour attendre des cieux son Fils, qu'il a ressuscité des morts, Jésus, qui nous a délivré de la colère qui va venir. ¶

PREMIÈRE PARTIE

PAUL ET LES THESSALONICIENS

(Ch. 1, 11 — 3, 13).

1° *Pureté de ses intentions. Désintéressement et dévouement.* — Ch. 2.

Vous savez vous-mêmes, *mes* frères, que notre venue parmi vous n'a pas été vaine. 2. Après avoir souffert et été injuriés à Philippes, comme vous le savez, ✠ nous prîmes confiance en notre Dieu, pour vous annoncer l'Evangile de Dieu, au milieu de bien des combats. 3. Car notre prédication n'a sa source ni dans une erreur,

10. *Et pour attendre* le retour glorieux de son Fils, etc. — De la *colère qui va venir* : de la damnation.

Chap. 2. — 3. Il est à croire que les Juifs et les païens de Thessalonique essayaient de faire passer Paul et ses compagnons pour des hommes qui se repaissaient de chimères, ne cherchaient qu'à s'enrichir, etc.

ni dans des motifs impurs, ni dans aucune fraude; 4. mais, selon que Dieu nous a jugés dignes de nous confier l'Evangile, ainsi nous enseignons, non comme voulant plaire aux hommes, mais *pour plaire* à Dieu, qui voit le fond de nos cœurs. 5. Jamais, en effet, nous n'avons usé de paroles flatteuses, comme vous le savez; jamais la cupidité ne s'est abritée sous notre ministère, Dieu en est témoin. 6. Nous n'avons pas davantage recherché la gloire des hommes, qu'elle vienne de vous ou d'autres, quoique nous eussions pu prétendre à quelque autorité, comme apôtres de *Jésus* Christ; 7. mais nous avons été petits enfants au milieu de vous. Comme une nourrice prend un tendre soin de ses enfants, 8. ainsi, dans notre affection pour vous, nous aurions voulu vous donner, non seulement l'Evangile de Dieu, mais encore notre propre vie, tant vous nous étiez chers. 9. Vous vous rappelez, *mes* frères, nos peines et nos labeurs : c'est en travaillant nuit et jour pour n'être à charge à aucun de vous, que nous vous avons prêché l'Evangile de Dieu. 10. Vous êtes témoins, et Dieu l'est aussi, que nous avons eu, envers vous qui croyez, une conduite sainte, juste et irrépréhensible; 11. comment, ainsi que vous le savez, nous avons été pour chacun de vous ce qu'un père est pour ses enfants, 12. vous exhortant, vous consolant, vous conjurant de marcher d'une manière digne de Dieu, qui vous appelle à son royaume et à sa gloire.

Zèle et ferveur des Thessaloniciens.

13. ✠ C'est pourquoi nous ne cessons de rendre grâces à Dieu de ce que, en recevant la divine parole prêchée par nous, vous l'avez reçue, non comme une parole d'homme, mais, ainsi qu'elle l'est véritablement, comme la parole de Dieu. Cette parole aussi déploie sa puissance en vous qui croyez. ¶ 14. Car, *mes* frères, vous êtes devenus les imitateurs des Eglises de Dieu qui sont dans la Judée *et qui croient* en Jésus Christ, puisque vous aussi vous avez souffert

de la part de vos propres compatriotes les mêmes maux qu'elles ont eu à souffrir de la part des Juifs, — 15. de ces Juifs qui ont fait mourir le Seigneur Jésus et les prophètes, qui nous ont persécutés, qui ne plaisent point à Dieu et qui sont ennemis du genre humain, 16. en nous empêchant de parler aux païens pour qu'ils soient sauvés : c'est ainsi qu'ils ne cessent de remplir la mesure de leurs péchés. Mais la colère *de Dieu* est arrivée pour eux à son dernier terme. ¶

2° Son désir de revenir parmi eux.

17. Pour nous, *mes* frères, séparés un instant de vous, de corps, non de cœur, nous n'avons fait que plus d'efforts pour aller vous voir, selon le vif désir que nous en avions. 18. Par deux fois nous avons voulu, moi du moins, Paul, nous rendre auprès de vous; mais Satan nous en a empêché. 19. Qui est, en effet, notre espérance, notre joie, notre couronne de gloire? Ne le serez-vous pas, vous aussi, devant Notre Seigneur Jésus, au jour de son avènement? — 20. Oui, vous êtes notre gloire et notre joie.

A sa place, il leur envoie Timothée. — CH. 3.

Aussi, n'y tenant plus, nous nous décidâmes à rester seul à Athènes, 2. et nous envoyâmes Timothée, notre frère et le collaborateur de Dieu dans l'Evangile de *Jésus* Christ, pour vous affermir et vous exhorter au sujet de votre foi, 3. afin que personne ne fût ébranlé au milieu de ces persécutions qui, vous le savez vous-mêmes, sont notre partage. 4. Déjà, lorsque nous étions auprès de vous, nous vous annoncions d'avance que nous serions en butte aux persécutions, comme cela est arrivé et comme vous le savez. 5. C'est pour cela que, moi aussi, n'y tenant

16. *La colère :* de son regard prophétique, Paul voit dans un avenir prochain la ruine de Jérusalem et de la maison juive. — 18. *Satan*, peut-être les Juifs de Thessalonique, considérés comme les auxiliaires de Satan.

Chap. 3. — 3. *Notre partage*, à nous, chrétiens : c'est comme la loi du royaume de Dieu sur la terre, l'Evangile mettant partout en présence l'esprit et la chair, la foi et l'incrédulité, l'amour et la haine.

plus, j'envoyai m'informer de votre foi, dans la crainte que le tentateur ne vous eût tentés et que notre travail pût devenir inutile.

Dont le rapport l'a consolé.

6. Timothée, récemment arrivé ici de chez vous, nous a donné de bonnes nouvelles de votre foi et de votre charité; il a ajouté que vous gardiez toujours de nous un bon souvenir, désirant nous voir comme nous désirons aussi vous voir. 7. C'est pourquoi, *mes* frères, au milieu de toutes nos angoisses et de nos tribulations, nous avons été consolé à votre sujet, à cause de votre foi. 8. Car maintenant nous vivons, puisque vous demeurez fermes dans le Seigneur. 9. Quelles actions de grâces, en effet, nous pouvons rendre à Dieu à votre sujet, pour toute la joie que nous éprouvons à cause de vous devant notre Dieu! 10. Nuit et jour nous le prions avec une extrême ardeur de nous permettre de vous voir, et d'achever ce qui manque à votre foi.

Que Dieu les fasse croître en perfection.

11. Puisse Dieu lui-même, notre Père, et Notre Seigneur Jésus Christ, aplanir notre route pour que nous allions vers vous! 12. Puisse le Seigneur vous faire croître et abonder en charité les uns envers les autres et envers tous les hommes, comme nous-même nous en sommes rempli pour vous, 13. afin d'affermir vos cœurs, pour qu'ils soient d'une sainteté irréprochable, lors de l'avènement de Notre Seigneur Jésus avec tous ses saints! Amen.

13. *Tous ses saints*, les chrétiens morts dans le Seigneur; ou bien : avec les anges (*Matth.* XXV, 21).

DEUXIÈME PARTIE

DIDACTIQUE ET MORALE (CH. 4, 1 — 5, 22).

1° *Exhortation à la sainteté, à la charité, au travail.* — CH. 4.

Au reste, ✠ *mes* frères, nous vous prions et nous vous conjurons dans le Seigneur Jésus, de marcher de progrès en progrès, comme vous l'avez appris de nous et comme aussi vous le faites, dans la route qu'il faut suivre pour plaire à Dieu. 2. Vous savez quels préceptes nous vous avons donnés de la part du Seigneur Jésus. 3. Car ce que Dieu veut, c'est votre sanctification : c'est que vous vous absteniez de l'impudicité, 4. et que chacun de vous sache posséder son corps dans la sainteté et l'honnêteté, 5. sans se livrer aux emportements de la passion, comme font les païens qui ne connaissent pas Dieu ; 6. c'est que personne n'use envers son frère de fraude et de cupidité dans aucune affaire, parce que le Seigneur tire vengeance de toutes ces choses, comme nous vous l'avons déjà dit et attesté. 7. Car Dieu ne nous a pas appelés à l'impureté, mais à la sainteté. ¶ 8. Celui donc qui rejette *ces préceptes*, ne rejette pas un homme, mais Dieu, qui nous a aussi donné son *Saint* Esprit.

9. Pour ce qui est de l'amour fraternel, vous n'avez pas besoin qu'on vous en écrive, car vous avez vous-mêmes appris de Dieu à vous aimer les uns les autres ; 10. c'est un devoir que vous pratiquez envers tous les frères dans la Macédoine entière. Mais nous vous exhortons, *mes* frères, à le remplir toujours mieux, 11. et à mettre votre ambition à vivre paisiblement, à vous occuper de vos propres affaires, et à travailler de vos mains, comme nous vous l'avons

Chap. 4. — 8. *Un homme*, moi Paul, mais Dieu qui m'a envoyé, et qui m'a *donné son Saint Esprit*, lequel vous exhorte par ma bouche. — 11. *De vos mains :* la petite communauté se composait en grande partie d'artisans et d'ouvriers.

recommandé, 12. en sorte que vous vous conduisiez honnêtement envers ceux du dehors et que vous n'ayez besoin de personne.

2° *Sort des vivants et des morts au 2e avènement du Seigneur.*

13. ✠ Mais nous ne voulons pas, *mes* frères, que vous soyez dans l'ignorance au sujet de ceux qui se sont endormis, afin que vous ne vous affligiez pas, comme les autres qui n'ont pas d'espérance. 14. Car si nous croyons que Jésus est mort et qu'il est ressuscité, *croyons* aussi *que* Dieu amènera par Jésus et avec lui ceux qui sont morts. 15. Voici, en effet, ce que nous vous déclarons d'après la parole du Seigneur : Nous, les vivants, laissés pour l'avènement du Seigneur, nous ne devancerons pas ceux qui se sont endormis. 16. Car le Seigneur lui-même, au signal donné, à la voix d'un archange et au son de la trompette de Dieu, descendra du ciel, et les morts en *Jésus* Christ ressusciteront premièrement. 17. Ensuite nous, les vivants qui serons laissés, nous serons tous ensemble enlevés avec eux sur les nuées pour aller à la rencontre du Seigneur dans les airs, et ainsi nous serons toujours avec le Seigneur. ¶ 18. Consolez-vous donc les uns les autres par ces paroles.

Incertitude de l'heure.

CH. 5.

Quant au temps et au moment, vous n'avez pas besoin, *mes* frères, qu'on vous en écrive. 2. Car vous savez bien vous-mêmes que le jour du Seigneur viendra comme un voleur dans la nuit. 3. Quand les hommes diront : " Paix et sûreté ! " alors une ruine soudaine les surprendra, comme les douleurs de l'enfantement surprennent la femme enceinte, et ils n'échapperont point.

12. *Ceux du dehors*, les non chrétiens. — *De personne :* vivant dans une active et honorable indépendance. — 14. *Amènera*, ressuscitera et *amènera* dans le royaume de la paix et de la béatitude. — *Ceux*, les fidèles *qui sont morts* dans la grâce; S. Paul ne parle pas ici des autres. — 15. *D'après la parole du Seigneur*, d'après une révélation immédiate de Jésus à Paul. — *Nous ne devancerons pas*, etc., en entrant avant eux et sans eux dans le royaume glorieux de Jésus Christ.

Toujours veiller.

4. Mais vous, *mes* frères, vous n'êtes pas dans les ténèbres, pour que ce jour vous surprenne comme un voleur. 5. Vous êtes tous des enfants de la lumière et des enfants du jour; nous ne sommes pas de la nuit, ni des ténèbres. 6. Ne dormons donc point comme les autres; mais veillons et soyons sobres. 7. Car ceux qui dorment, dorment la nuit, et ceux qui s'enivrent, s'enivrent la nuit. 8. Mais nous qui sommes du jour, soyons sobres, ayant revêtu la cuirasse de la foi et de la charité, et ayant pris pour casque l'espérance du salut. 9. Car Dieu ne nous a pas destinés à être les objets de sa colère, mais à posséder le salut par Notre Seigneur Jésus Christ, 10. qui est mort pour nous, afin que, soit que nous veillions, soit que nous dormions, nous vivions tous ensemble avec lui. 11. C'est pourquoi consolez-vous mutuellement et édifiez-vous les uns les autres, comme aussi vous le faites.

3° *Devoirs envers les supérieurs, envers les frères et euvers Dieu.*

12. Nous vous prions, *mes* frères, d'avoir de la considération pour ceux qui travaillent parmi vous, qui vous gouvernent dans le Seigneur et qui vous avertissent. 13. Ayez pour eux la plus grande affection, à cause de leur œuvre. Vivez en paix avec eux. 14. ✠ Nous vous en prions, *mes* frères, avertissez ceux qui vivent dans le désordre, consolez ceux qui sont abattus, soutenez les faibles, usez de patience envers tous. 15. Prenez garde que personne rende à autrui le mal pour le mal; mais poursuivez toujours le bien, soit entre vous, soit à l'égard de tous. 16. Soyez toujours joyeux. 17. Priez sans cesse.

Chap. 5. — 4. *Les ténèbres* désignent l'état malheureux de l'humanité coupable, en dehors de la grâce et de la vérité évangélique. — 5. *Nous*, chrétiens, nous n'appartenons pas à la nuit, etc. — 10. *Veillions... dormions* (non plus dans le sens moral, comme vers. 6), images de la vie et de la mort. Sens : soit que nous soyons encore en vie, soit que la mort nous ait déjà frappés, le jour où Jésus reviendra. — *Nous vivions tous ensemble*, les uns aussi bien que les autres, éternellement *avec lui.*

18. Rendez grâces en toutes choses : c'est ce que Dieu demande de vous en Jésus Christ. 19. N'éteignez pas l'Esprit. 20. Ne méprisez pas les prophéties; 21. mais examinez toutes choses, et retenez ce qui est bon; 22. abstenez-vous de toute apparence de mal.

Epilogue.

Vœux et salutations.

23. Que le Dieu de paix vous sanctifie lui-même tout entiers, et que tout votre être, l'esprit, l'âme et le corps, soit conservé irrépréhensible lors de l'avènement de Notre Seigneur Jésus Christ! ¶ 24. Celui qui vous appelle *à son royaume* est fidèle, et il le fera ainsi. 25. *Mes* frères, priez pour nous. 26. Saluez tous les frères par un saint baiser. 27. Je vous en conjure par le Seigneur, que cette lettre soit lue à tous les saints frères. 28. Que la grâce de Notre Seigneur Jésus Christ soit avec vous! Amen.

DEUXIÈME ÉPÎTRE AUX THESSALONICIENS.

Préambule (1).

Salutation. — CH. 1.

PAUL, Silvain et Timothée, à l'Eglise des Thessaloniciens, qui est en Dieu notre Père et en Jésus Christ le Seigneur : 2. que la grâce et la paix

19. *N'éteignez pas l'Esprit* Saint, n'empêchez pas ses manifestations extérieures (dons de langues, de prophétie, etc.). — 20. *Les prophéties*, le don de prophétie : voy. I *Cor.* XIV. — 21. Ce qui est proposé par les prophètes, examinez-le à la lumière du *discernement des esprits* (I *Cor.* XII, 10); à défaut de ce don, les fidèles ont l'enseignement de l'Eglise. — 23. *L'esprit* et *l'âme*, dans S. Paul, ne désignent pas deux substances distinctes. *L'esprit*, c'est la partie supérieure de l'âme, siège de la raison et de la liberté, et aussi de la vie divine de la grâce; *l'âme*, c'est la partie inférieure, principe de la vie physique, siège des passions basses. — 24. *Il fera* que vous soyez conservés irrépréhensibles.

vous soient données de la part de Dieu notre Père et du Seigneur Jésus Christ !

Leurs progrès dans la foi et la charité. Leur constance sera récompensée.

3. Nous devons rendre de continuelles actions de grâces à Dieu à votre sujet, *mes* frères, comme cela est juste, parce que votre foi fait de grands progrès, et que votre charité les uns pour les autres s'accroît de plus en plus. 4. Aussi nous glorifions-nous de vous dans les Eglises de Dieu, à cause de votre constance et de votre fidélité au milieu de toutes les persécutions et de toutes les tribulations que vous avez à supporter : — 5. preuve du juste jugement de Dieu, — pour que vous soyez rendus dignes du royaume de Dieu, pour lequel vous souffrez. 6. Car il est de la justice de Dieu de rendre l'affliction à ceux qui vous affligent, 7. et de vous donner, à vous qui êtes affligés, du repos avec nous, quand le Seigneur Jésus apparaîtra du ciel avec les anges, *ministres* de sa puissance, 8. au milieu d'une flamme de feu, pour faire justice de ceux qui ne connaissent pas Dieu et de ceux qui n'obéissent pas à l'Evangile de Notre Seigneur Jésus. 9. Ils auront pour châtiment une ruine éternelle, loin de la face du Seigneur et de la gloire de sa force, 10. lorsqu'il viendra pour être, en ce jour-là, glorifié dans ses saints et admiré dans tous ceux qui auront cru, — car il a été cru, le témoignage que nous avons rendu devant vous.

Il prie pour qu'ils soient dignes de leur vocation.

11. Dans cette attente, nous prions constamment pour vous, afin que notre Dieu vous juge dignes de sa vocation, et qu'il accomplisse avec puissance tous les desseins bienveillants de sa bonté, ainsi

Chap. I. — 5. *Preuve :* que vous, justes et saints, ayez tant à souffrir, n'est-ce pas une preuve que l'état présent des choses n'est pas définitif et qu'il y aura après cette vie un jugement de Dieu ? — 7. *Du repos* éternel, *quand Jésus,* caché maintenant, apparaîtra en qualité de roi et de juge. — 8. *Au milieu d'une flamme de feu,* comme au Sinaï, répond à *dans sa gloire* de *Matth.* xxiv, 31. — *Qui ne connaissent pas Dieu,* les païens ; *qui n'obéissent pas,* etc., les Juifs.

que l'œuvre de votre foi, 12. en sorte que le nom de Notre Seigneur Jésus soit glorifié en vous, et que vous soyez glorifiés en lui, par la grâce de notre Dieu et du Seigneur Jésus Christ.

I. — *De l'Antéchrist et de la fin du monde.*

Apostasie générale et apparition préalable de l'Antéchrist. — CH. 2.

✠ Quant à ce qui concerne l'avènement de Notre Seigneur Jésus Christ et notre réunion à lui, nous vous prions, *mes* frères, 2. de ne pas vous laisser facilement troubler l'esprit, ni vous alarmer, soit par quelque inspiration, soit par quelque parole ou lettre qu'on dirait venir de nous, comme si le jour du Seigneur était déjà là.

3. Que personne ne vous égare d'aucune manière; car il faut que l'apostasie ait eu lieu auparavant, et qu'on ait vu paraître l'homme de péché, le fils de la perdition, 4. l'adversaire qui s'élève au dessus de tout ce qui est appelé Dieu ou adoré, jusqu'à s'asseoir dans le sanctuaire de Dieu, se proclamant Dieu lui-même. 5. Ne vous souvenez-vous pas que je vous disais ces choses, lorsque j'étais encore chez vous? 6. Vous savez aussi ce qui maintenant le retient, afin qu'il ne paraisse qu'en son temps. 7. Car le mystère d'iniquité agit déjà; mais seulement jusqu'à ce que celui qui le retient encore paraisse au grand jour.

Caractère de ce personnage; sa fin terrible.

8. Et alors paraîtra l'impie, que le Seigneur Jésus détruira par le souffle de sa bouche, et anéantira par l'éclat de

12. *Glorifié en vous*, par votre constance et votre fidélité dans les épreuves. — *Glorifiés en lui*, associés un jour à sa gloire.

Chap. 2. — 3. *L'homme de péché*, l'homme en qui le péché s'est comme incarné et personnifié, — *le fils de la perdition*, dévoué à la perte éternelle. — 4. *L'adversaire* du Christ, l'*antéchrist* de S. Jean. — *Dans le sanctuaire de Dieu :* soit, par figure, l'Eglise chrétienne, soit un temple quelconque. — 7. L'enseignement oral de Paul avait rendu ce passage aussi clair pour les Thessaloniciens qu'il est resté obscur pour nous. Le plus sage est de souscrire aux paroles de S. Augustin : " Je confesse que j'ignore absolument ce qu'entendait l'Apôtre. "

son avènement. ¶ 9. L'apparition de cet impie se fera, selon la puissance de Satan, avec toutes sortes de miracles, de signes et de prodiges mensongers, 10. et avec toute la séduction dont l'iniquité *est capable*, pour *la ruine de* ceux qui périssent, parce qu'ils n'ont pas ouvert leur cœur à l'amour de la vérité pour être sauvés. 11. C'est pourquoi Dieu leur envoie une puissance d'égarement qui les fera croire au mensonge, 12. afin que tous ceux qui n'auront pas cru à la vérité, mais qui auront pris plaisir à l'injustice, soient condamnés.

Action de grâces pour leur élection et leur fermeté.

13. Pour nous, frères bien aimés du Seigneur, nous devons rendre à Dieu de continuelles actions de grâces à votre sujet, de ce que Dieu vous a choisis comme des prémices pour vous sauver par la sanctification de l'Esprit *Saint* et par la foi en la vérité, 14. vous ayant appelés à ce salut par notre Evangile, afin que vous possédiez la gloire de Notre Seigneur Jésus Christ. 15. Ainsi donc, *mes* frères, demeurez fermes, et retenez les enseignements que vous avez reçus, soit par notre parole, soit par notre lettre. 16. Que Notre Seigneur Jésus Christ lui-même, que Dieu notre Père, qui nous a aimés et nous a donné par sa grâce une consolation éternelle et une bonne espérance, 17. console vos cœurs et vous affermisse en toute bonne œuvre et en toute bonne parole !

9. *Selon la puissance de Satan* agissant en lui. — 11. *C'est pourquoi*, parce qu'ils n'ont pas eu l'amour de la vérité, Dieu, punissant le péché par le péché (*Rom.* i, 24), *leur envoie*, etc. — 13. *Comme des prémices :* l'Église de Thessalonique était une des premières que Paul eût fondée en Europe. Allusion à la loi de l'ancien Testament d'après laquelle Dieu se réservait les prémices pour lui être offertes en sacrifice.

II. — *Exhortations diverses.*

Demande de prières.

CH. 3.

Au reste, *mes* frères, priez pour nous, afin que la parole du Seigneur poursuive sa course et soit *partout* glorifiée, comme elle l'est chez vous, 2. et afin que nous soyons délivrés des hommes méchants et pervers; car la foi n'est pas la chose de tous. 3. Mais le Seigneur est fidèle, il vous affermira et vous préservera du mal. 4. Nous avons en vous cette confiance dans le Seigneur, que vous faites et que vous ferez les choses que nous prescrivons. 5. Que le Seigneur dirige vos cœurs vers l'amour de Dieu et vers la patience de *Jésus* Christ!

Imiter son exemple au travail.

6. Nous vous recommandons, *mes* frères, au nom de Notre Seigneur Jésus Christ, de vous éloigner de tout frère qui vit dans le désordre, et ne se conforme pas aux instructions qu'il a reçues de nous. 7. Vous savez vous-mêmes ce que vous devez faire pour nous imiter; car nous n'avons pas vécu parmi vous dans le désordre. 8. Nous n'avons mangé gratuitement le pain de personne; mais nous avons été nuit et jour à l'œuvre, dans la fatigue et la peine, pour n'être à charge à aucun de vous. 9. Ce n'est pas que nous n'en eussions le droit; mais nous avons voulu vous donner en nous-même un modèle à imiter. 10. Aussi bien lorsque nous étions chez vous, vous disions-nous expressément : " Si quelqu'un ne veut pas travailler, qu'il ne mange pas non plus. "

Se séparer des désobéissants.

11. Cependant nous apprenons qu'il y en a parmi vous quelques-uns

Chap. 3. — 2. *Des hommes méchants*, etc., des Juifs fanatiques. — *Car :* qu'il existe de tels hommes, cela ne doit pas nous étonner, *car tous* n'ouvrent pas leur cœur à *la foi.* — 3. *Du mal*, ou *du Malin*, du diable. — 5. *La patience de J. C.*, une patience chrétienne, semblable à celle que Jésus montra dans ses épreuves.

qui vivent dans le désordre, qui ne travaillent pas, mais qui ne s'occupent que de choses vaines. 12. Nous les invitons et nous les exhortons par le Seigneur Jésus Christ à manger un pain qui soit le leur, en travaillant paisiblement. 13. Pour vous, *mes* frères, ne vous lassez pas de faire le bien. 14. Et si quelqu'un n'obéit pas à ce que nous vous adressons dans cette lettre, notez-le et ne le fréquentez pas, afin qu'il éprouve de la honte. 15. Ne le regardez *pourtant* pas comme un ennemi, mais avertissez-le comme un frère.

Epilogue.

16. Que le Seigneur de la paix vous donne lui-même la paix en tout temps et en tout lieu! Que le Seigneur soit avec vous tous! 17. Je vous salue, moi Paul, de ma propre main; c'est là ma signature dans toutes mes lettres : c'est ainsi que j'écris. 18. Que la grâce de Notre Seigneur Jésus Christ soit avec vous tous! Amen!

PREMIÈRE ÉPÎTRE A TIMOTHÉE.

1° — OBLIGATIONS CONCERNANT L'EGLISE EN GÉNÉRAL (1-3).

Avis sur la prédication de la vraie doctrine. *Salutation.* — CH. I.

PAUL, apôtre de Jésus Christ, selon l'ordre de Dieu notre Sauveur et de Jésus Christ notre espérance, 2. à Timothée, mon cher enfant en la foi : grâce, miséricorde et paix de la part de Dieu le Père et de Jésus Christ Notre Seigneur!

17. *Je vous salue.* Après avoir dicté jusque-là, Paul écrit lui-même la salutation et le souhait qui terminent la lettre.

Chap. I. — 1. *Dieu notre Sauveur* (comp. *Jud.* 25), parce qu'il a envoyé son Fils sur la terre.

Les faux docteurs.

3. Je te rappelle l'exhortation que je te fis, en partant pour la Macédoine, de rester à Ephèse, afin d'enjoindre à certaines personnes de ne pas enseigner d'autres doctrines, 4. et de ne pas s'attacher à des fables et à des généalogies sans fin, qui sont une source de disputes, plutôt qu'èlles n'avancent l'édifice de Dieu, lequel repose sur la foi. 5. Le but de cette recommandation, c'est une charité venant d'un cœur pur, d'une bonne conscience et d'une foi sincère. 6. Quelques-uns, ayant perdu de vue ces choses, se sont égarés dans de vains discours; 7. ils ont la prétention d'être des docteurs de la loi, et ils ne comprennent ni ce qu'ils disent, ni ce qu'ils affirment. 8. Nous savons que la Loi est bonne, pourvu qu'on en fasse un usage légitime, 9. et qu'on retienne bien qu'elle n'est pas faite pour le juste, mais pour les méchants et les rebelles, pour les impies et les pécheurs, pour les scélérats et les profanes, pour les parricides, les meurtriers, 10. les impudiques, les infâmes, les voleurs d'hommes, les menteurs, les parjures et pour tout homme qui agit contrairement à la saine doctrine *morale*. — 11. Ainsi l'enseigne l'Evangile de la gloire du Dieu bienheureux, Evangile qui m'a été confié.

Paul, Apôtre de la grâce.

12. Je rends grâces à celui qui m'a fortifié, à Jésus Christ Notre Seigneur, de ce qu'il m'a jugé fidèle, en m'établissant dans le ministère, 13. moi qui étais auparavant un blasphémateur, un persécuteur, un homme de violence. Mais j'ai obtenu miséricorde, parce que j'agissais par igno-

3. *Certaines personnes*, en petit nombre et connues de Timothée. — 4. *Fables* consistant en des *généalogies* d'êtres intermédiaires imaginés entre Dieu et le monde. — *L'édifice de Dieu*, le progrès de l'Eglise, le salut des âmes. — 9. *Pour le juste*, l'homme justifié en Jésus Christ, le chrétien. — *Les profanes*, vivant en dehors de Dieu. — 10. *Voleurs d'hommes*, ordinairement d'enfants, pour les vendre comme esclaves. — 11. *Ainsi :* ce que je viens de dire sur la Loi (vers. 8-10) est en conformité avec *l'Evangile de la gloire*, où se manifeste la gloire, c'est à dire les attributs de Dieu, tels que sa sagesse, sa bonté, etc.

rance, dans l'incrédulité; 14. et la grâce de Notre Seigneur a surabondé avec la foi et la charité qui est en Jésus Christ. 15. C'est une parole certaine et digne de toute créance, que Jésus Christ est venu dans le monde pour sauver les pécheurs, dont je suis le premier. 16. Mais j'ai obtenu miséricorde, précisément afin que Jésus Christ fît voir en moi le premier toute sa longanimité, pour que je servisse d'exemple à ceux qui, à l'avenir, croiront en lui pour avoir la vie éternelle. 17. Au Roi des siècles, immortel, invisible, seul Dieu, soient honneur et gloire aux siècles des siècles ! Amen !

Garder la vraie foi.

18. La recommandation que je t'adresse, Timothée, mon enfant, suivant les prophéties faites précédemment à ton sujet, c'est que, d'après elles, tu combattes le bon combat, 19. en gardant la foi et une bonne conscience. *Cette bonne conscience*, quelques-uns l'ont repoussée, et ils ont fait naufrage par rapport à la foi. 20. De ce nombre sont Hyménée et Alexandre, que j'ai livrés à Satan, afin qu'ils apprennent à ne point blasphémer.

La prière publique : *prier pour tous.* — CH. 2.

J'exhorte donc, avant toutes choses, à faire des prières, des supplications, des intercessions, des actions de grâces pour tous les hommes, 2. pour les rois et pour ceux qui sont constitués en dignité, afin que nous passions une vie paisible et tranquille, en toute piété et honnêteté. 3. Cela est bon et agréable devant Dieu notre Sauveur, 4. qui veut que tous les hommes soient sauvés et parviennent à la connaissance de la vérité. 5. Car il y a un seul Dieu, et

16. *En moi le premier* : personne avant lui n'ayant témoigné tant de haine contre le Christ. — *D'exemple* de la patience et de la miséricorde de Dieu envers les pécheurs. — 17. *Amen*, mot hébreu qui veut dire : *Ainsi soit-il*. — 19. *Repoussée*, sacrifiée à leurs penchants mauvais. — *La foi* est présentée sous l'image d'une marchandise précieuse, qui se perd dans un naufrage. — 29. *Livrés à Satan*, séparés de l'Eglise par l'excommunication : comp. I *Cor.* v, 5. — *Afin que*, ramenés au bien par ce châtiment, ils cessent de blasphémer.

Chap. 2. — 3. *Cela*, prier pour *tous* les hommes. — 5. *J. C. homme.* Paul met ici en relief la nature humaine du Christ, à cause du verset

aussi un seul médiateur entre Dieu et les hommes, Jésus Christ homme, 6. qui s'est donné lui-même en rançon pour tous : c'est là un fait attesté en son temps, 7. et c'est pour en témoigner que j'ai été établi prédicateur et apôtre, — je dis la vérité, je ne mens pas, — chargé d'instruire les païens dans la foi et la vérité.

Comment doivent prier les hommes — et les femmes.

8. Je veux donc que les hommes prient en tout lieu, levant *au ciel* des mains pures, sans colère ni agitation de pensées. 9. De même *je veux* que les femmes soient vêtues d'une manière décente, avec pudeur et modestie; qu'elles se parent, non de tresses, de bijoux, de perles ou d'habits somptueux, 10. mais de bonnes œuvres, comme il convient à des femmes qui font profession de servir Dieu.

11. Que la femme écoute l'instruction en silence, avec une entière soumission. 12. Je ne permets pas à la femme d'enseigner, ni de prendre de l'autorité sur l'homme; mais elle doit se tenir dans le silence. 13. Car Adam a été formé le premier, Eve ensuite; 14. et ce n'est pas Adam qui a été séduit, c'est la femme qui, ayant été séduite, tomba dans la transgression. 15. Néanmoins, la femme sera sauvée en devenant mère, si elle persévère dans la foi, dans la charité et dans la sainteté, unies à la modestie.

Des ministres de l'Eglise : *Qualités des Evêques.*—CH. 3.

Cette parole est certaine: si quelqu'un aspire à un épiscopat, il désire une œuvre excellente.

suivant où Jésus Christ est présenté comme médiateur par sa mort volontaire. — 6. *Un fait attesté*, révélé dans la plénitude des temps (*Eph.* iii, 5, sv.), savoir le dessein éternel de Dieu de sauver par Jésus-Christ tous les hommes, juifs et païens. — 7. *Pour en témoigner*, pour l'annoncer au monde. — 8. *Donc* ramène à la pensée des vers. 1-2. — 9. *Que les femmes*, dans les assemblées religieuses, etc., quoique plusieurs des recommandations qui suivent aient une application plus étendue. — 14. La femme étant plus facile à tromper doit donc être soumise à l'homme, qui a plus de clairvoyance et de jugement.

Chap. 3. — 1. *Un épiscopat*, un emploi d'évêque ou de prêtre (voy. sur ces deux mots *Act.* xx, 17, note), de chef spirituel d'une communauté chrétienne. — *Une œuvre excellente*, une grande et noble fonction.

2. Il faut donc que l'évêque soit irréprochable, qu'il n'ait eu qu'une seule femme, qu'il soit de sens rassis, circonspect, bien réglé dans son extérieur, hospitalier, capable d'enseigner; 3. *qu'il ne soit* ni adonné au vin, ni violent, mais doux, pacifique, désintéressé; 4. qu'il gouverne bien sa propre maison, et qu'il maintienne ses enfants dans la soumission, avec une parfaite honnêteté; 5. car si quelqu'un ne sait pas gouverner sa propre maison, comment prendra-t-il soin de l'Eglise de Dieu? 6. Qu'il ne soit pas un nouveau converti, de peur que, venant à s'enfler d'orgueil, il n'encoure le jugement du diable. 7. Il faut encore qu'il jouisse de la considération de ceux du dehors, afin de ne pas tomber dans l'opprobre et dans les pièges du diable.

Des Diacres et Diaconesses.

8. Les diacres aussi doivent être de mœurs pures, éloignés de la duplicité, des excès du vin, d'un gain sordide, 9. conservant le mystère de la foi dans une conscience pure. 10. Qu'on les éprouve d'abord, et qu'ils exercent ensuite leur ministère, s'ils sont *trouvés* sans reproche. 11. Les femmes, de même, doivent être honorables, non médisantes, sobres, fidèles en toutes choses. 12. Que les diacres soient maris d'une seule femme; qu'ils gouvernent bien leurs enfants et leurs propres maisons. 13. Car ceux qui remplissent bien leur ministère s'acquièrent un rang honorable et une grande assurance dans la foi en JésusChrist.

Grandeur incomparable de l'Eglise.

14. ✠ Je t'écris ces cho-

2. *Qu'il n'ait eu qu'une seule femme*, qu'il n'ait été marié, s'il l'a été, qu'une seule fois, comme il est dit plus loin (v, 9) qu'une veuve, pour être établie diaconesse, doit avoir été " l'épouse d'un seul homme. " — 6. *Le jugement du diable*, la condamnation encourue par le diable. — 7. *Ceux du dehors*, les infidèles doivent pouvoir lui rendre *un bon témoignage* pour sa vie passée. — 11. *Les femmes*, les diaconesses (*Rom.* xvi, 1). — 12. *D'une seule femme* : comp. vers. 2. — 13. *S'acquièrent un rang honorable*, ont des titres pour être élevés au rang supérieur de prêtre ou d'évêque. — *Une grande assurance* pour confesser et prêcher *la foi*, qui a ses racines *en J. C.*

ses, quoique j'espère aller bientôt vers toi, 15. afin que, si je tarde, tu saches comment il faut te conduire dans la maison de Dieu, qui est l'Eglise du Dieu vivant, la colonne et le fondement de la vérité. 16. Et, de l'aveu de tous, il est grand le mystère de la piété, *Jésus Christ*, qui a été manifesté en chair et justifié en Esprit, a été vu des anges et prêché parmi les nations, a été cru dans le monde et élevé dans la gloire.

2° — OBLIGATIONS PERSONNELLES DE TIMOTHÉE DANS L'EXERCICE DE SA CHARGE.

Lutte contre les hérétiques. CH. 4.

Mais l'Esprit dit expressément que, dans les temps qui viendront, quelques-uns abandonneront la foi, pour s'attacher à des esprits d'erreur et à des doctrines de démons, 2. *y étant entraînés* par l'hypocrisie des docteurs de mensonge, qui ont la marque de la flétrissure dans leur propre conscience; 3. qui proscrivent le mariage et l'usage d'aliments que Dieu a créés afin que les fidèles et ceux qui ont connu la vérité en usent avec actions de grâces. 4. Car tout ce que Dieu a créé est bon, et rien ne doit être rejeté, pourvu qu'on le prenne avec actions de grâces, 5. parce que tout est sanctifié par la parole de Dieu et par la prière. ¶

Par l'enseignement de la foi.

6. En exposant ces choses aux frères, tu seras un bon ministre de Jésus Christ, nourri des

---

16. La vérité n'est autre que Jésus Christ, le Fils de Dieu, *qui a été manifesté en chair*, en nature humaine, s'est fait homme, *et justifié*, déclaré, vérifié *en Esprit*, en nature divine, vraiment Dieu (*Rom.* i, 4), par l'Esprit divin, dont sa doctrine, et ses œuvres révélaient en lui la présence. — *Qui a été vu des anges*, à mesure que le mystère de l'incarnation se déroulait dans la vie, la mort et la résurrection du Sauveur, etc.

Chap. 4. — 2. *Hypocrisie :* ils se faisaient passer pour des hommes austères, se privant de certains aliments. — *Qui ont la marque*, etc. : saints et austères en apparence, ils ont, imprimée sur leur conscience, la marque de leurs crimes : allusion à la *marque* des grands criminels. — 4. *Est bon* en soi; mais l'usage peut en être interdit pour une raison d'ordre supérieur.

leçons de la foi et de la bonne doctrine que tu as fidèlement suivie. 7. Rejette les fables profanes, ces contes de vieille femme. Exerce-toi à la piété; 8. car l'exercice corporel est utile à peu de chose, mais ✠ la piété est utile à tout, ayant la promesse de la vie présente et de la vie à venir. 9. C'est là une parole certaine et digne d'être reçue. 10. Car nous ne prenons tant de peine et nous n'endurons les outrages, que parce que nous avons mis notre espérance dans le Dieu vivant, qui est le Sauveur de tous les hommes, principalement des fidèles. 11. Commande ces choses, et enseigne-les.

Par le bon exemple.

12. Que personne ne méprise ta jeunesse; mais sois un modèle des fidèles, en parole, en conduite, en charité, en foi, en pureté. 13. Jusqu'à ce que je vienne, applique-toi à la lecture, à l'exhortation, à l'enseignement. 14. Ne néglige pas la grâce qui est en toi, et qui t'a été conférée, avec une *honorable* prophétie, lorsque l'assemblée des anciens t'a imposé les mains. 15. Occupe-toi de ces choses et sois tout entier à elles, afin que tes progrès soient évidents pour tous. 16. Veille sur toi-même et sur ton enseignement; mets-y une constante application; car, en agissant ainsi, tu te sauveras toi-même, et tu sauveras ceux qui t'écoutent. ¶

Devoirs spéciaux vis à vis : *des fidèles ordinaires.*—CH. 5.

Ne reprends pas durement le vieillard, mais exhorte-le comme un père; exhorte les jeunes gens comme des frères, 2. les femmes âgées comme des mères, celles qui

8. *L'exercice corporel*, course, lutte, etc., fort en vogue chez les anciens pour donner au corps de la vigueur et de la souplesse. — 10. *Des fidèles :* Dieu veut le salut de tous les hommes (ii, 4), mais ce salut n'arrive à sa réalisation que pour les croyants; c'est donc *principalement* pour eux qu'il est Sauveur. — 12. Conduis-toi de telle sorte *que personne* ne puisse *mépriser ta jeunesse.* — 13. *A la lecture*, à lire la sainte Ecriture dans les assemblées religieuses. — 14. *La grâce* attachée au sacrement de l'Ordre. — *Une prophétie*, un discours inspiré de Dieu, prononcé sans doute sous la forme d'une prière par l'Apôtre lui-même, lorsqu'il conféra à ce dernier la consécration épiscopale. — 16. *Veille sur toi-même*, à ta propre perfection.

sont jeunes comme des sœurs, en toute pureté.

Des veuves.

3. ✠ Honore les veuves qui sont véritablement veuves. 4. Si une veuve a des enfants ou des petits-enfants, qu'elle apprenne avant tout à bien gouverner sa maison, et à rendre à ses parents ce qu'elle a reçu d'eux. 5. Que celle qui est véritablement veuve, qui est seule dans le monde, mette son espérance en Dieu, et qu'elle persévère nuit et jour dans les supplications et les prières. 6. Mais celle qui vit dans les plaisirs est morte, quoique vivante. 7. Rappelle-leur ces choses, afin qu'elles soient sans reproche. 8. Si quelqu'un n'a pas soin des siens, et surtout de ceux de sa famille, il a renié la foi, et il est pire qu'un infidèle. 9. Qu'une veuve, pour être inscrite sur le rôle, n'ait pas moins de soixante ans; qu'elle ait été femme d'un seul mari; 10. qu'elle soit connue pour ses bonnes œuvres : ayant élevé des enfants, exercé l'hospitalité, lavé les pieds des saints, secouru les malheureux, poursuivi toute bonne œuvre. ¶ 11. Quant aux jeunes veuves, refusez-les; car, lorsque la volupté les éloigne du Christ, elles veulent se marier, 12. et encourent le reproche de manquer à leur premier engagement. 13. Avec cela, étant oisives, elles apprennent à aller de maison en maison; et non seulement elles sont oisives, mais encore causeuses et intrigantes, parlant de choses dont on ne doit point parler. 14. Je veux donc que les jeunes *veuves* se marient,

Chap. 5. — 3. *Honore* et sustente. — *Véritablement veuves*, isolées, sans ressources et sans appui. — 4. *Avant tout*, avant d'être admise au service spécial de l'Eglise, vers. 9, *à bien gouverner sa famille* (élever ses enfants), *et à rendre à ses parents* défunts, dans la personne de leurs enfants, etc. — 6. *Est morte* spirituellement, devant Dieu. — 8. *Si quelqu'un*, etc. : si une veuve n'a pas soin de ses enfants. — 9. *Sur le rôle*, non des veuves à assister, mais des femmes, veuves pour la plupart, qui se consacraient d'une manière spéciale au service de l'Eglise : éducation des enfants recueillis par la communauté, soin des pauvres, des malades, etc. On les appelait *diaconesses*. — *D'un seul mari* : comp. III, 2. — 10. *Lavé les pieds des saints*, rendu aux fidèles en voyage les plus humbles services.

qu'elles aient des enfants, qu'elles gouvernent leur maison, qu'elles ne donnent à l'adversaire aucune occasion de médire; 15. car déjà quelques-unes se sont détournées pour suivre Satan. 16. Si quelque fidèle a des veuves *dans sa famille*, qu'il pourvoie à leurs besoins, et que l'Eglise n'en soit point chargée, afin qu'elle puisse assister celles qui sont véritablement veuves.

Des Prêtres.

17. Que les prêtres qui gouvernent bien soient jugés dignes d'un double honneur, surtout ceux qui travaillent à la prédication et à l'enseignement. 18. Car l'Ecriture dit : " Tu ne muselleras pas le bœuf quand il foule le grain." Et l'ouvrier mérite son salaire. 19. Ne reçois point d'accusation contre un prêtre, si ce n'est sur la déposition de deux ou trois témoins. 20. Ceux qui manquent à leurs devoirs, reprends-les devant tous, afin que les autres aussi aient de la crainte. 21. Je te conjure devant Dieu, devant Jésus Christ et devant les anges élus, d'observer ces choses sans prévention, et de ne rien faire par faveur. 22. N'impose les mains à personne avec précipitation, et n'aie point de part aux péchés d'autrui; toi-même conserve-toi pur. 23. Ne continue pas à ne boire que de l'eau; mais prends un peu de vin, à cause de ton estomac et de tes fréquentes indispositions. 24. Les péchés de certains hommes sont manifestes, même avant qu'on les juge; mais chez d'autres, ils ne se découvrent que plus tard. 25. De même les bonnes œuvres sont manifestes, et celles qui ne le sont

15. *Détournées* du Christ, de la foi chrétienne, en se mariant avec un infidèle. — 16. Il s'agit ici des père et mère, oncles ou tantes de quelque veuve. — 17. *Prêtres*, litt. *anciens :* ce mot désignait alors les évêques et les prêtres proprement dits. — *Honneur*, dans le sens de rémunération (*honoraire*). — *Double*, dans le sens large de *riche, abondant*. — 20. *Ceux* des prêtres *qui manquent à leurs devoirs*, et dont les fautes sont publiques. — 21. *Anges élus*, aimés de Dieu. — 22. *N'aie point de part*, etc. : l'admission imprudente de personnes indignes aux saints ordres te rendrait responsable des péchés qui en résulteraient. — 24-5. Paul revient sur la première partie du vers. 22. Sens : tel défaut, dans ceux qui aspirent aux saints ordres, est si évident qu'on l'aperçoit avant tout examen; mais il en est d'autres qu'on

pas d'abord, ne peuvent rester cachées.

Des esclaves. — CH. 6.

Que tous ceux qui sont sous le joug de l'esclavage regardent leur maître comme digne de tout honneur, afin que le nom de Dieu et la doctrine ne soient pas blasphémés. 2. Et que ceux qui ont des fidèles pour maîtres ne les méprisent pas parce qu'ils sont leurs frères, mais qu'ils les servent d'autant mieux que ceux qui reçoivent leurs services sont des frères et des bien aimés. Enseigne ces choses et recommande-les.

Derniers avis :
fuir les docteurs avares.

3. Si quelqu'un enseigne de fausses doctrines et n'adhère pas aux saines paroles de Notre Seigneur Jésus Christ et à la doctrine qui est selon la piété, 4. c'est un orgueilleux qui ne sait rien; il a la maladie des questions oiseuses et des disputes de mots, d'où naissent l'envie, les querelles, les propos injurieux, les mauvais soupçons, 5. les discussions sans fin d'hommes corrompus dans leur entendement, privés de la vérité, qui ne voient dans la piété qu'un moyen de gain. 6. ✠ C'est, en effet, un grand gain que la piété avec le contentement d'esprit; 7. car nous n'avons rien apporté dans le monde, et il est évident que nous n'en pouvons rien emporter. 8. Si donc nous avons la nourriture et le vêtement, nous nous en contenterons. 9. Ceux qui veulent être riches tombent dans la tentation, dans le filet du démon, et dans une foule de désirs insensés et funestes, qui plongent les hommes dans la ruine et la perdition. 10. Car l'amour de l'argent est la racine de tous les maux; et quelques-uns, en s'y livrant, se sont égarés loin de la foi, et se sont engagés eux-mêmes dans beaucoup de tourments.

ne découvre qu'après une longue épreuve. Il en est de même pour les mérites et les vertus des candidats.

Chap. 6. — 1. Que les esclaves chrétiens aient du respect pour leurs maîtres païens. — *La doctrine*, le christianisme lui-même. — 6. *C'est, en effet*, etc., mais dans un autre sens : l'homme pieux, content de ce qu'il possède, est riche.

Le bon combat de la foi.

11. Pour toi, homme de Dieu, fuis ces désirs, et ✠ poursuis la justice, la piété, la foi, la charité, la patience, la douceur. 12. Combats le bon combat de la foi, saisis la vie éternelle ¶ à laquelle tu as été appelé, et pour laquelle tu as fait ta belle confession devant un grand nombre de témoins. 13. Je te recommande, devant Dieu qui donne la vie à toutes choses, et devant Jésus Christ qui a rendu un beau témoignage sous Ponce-Pilate, 14. de garder le commandement sans tache et sans reproche, jusqu'à l'apparition de Notre Seigneur Jésus Christ, 15. que manifestera en son temps le bienheureux et seul Souverain, le Roi des rois et le Seigneur des seigneurs, 16. qui seul possède l'immortalité, qui habite une lumière inaccessible, que nul homme [n'a vu ni] ne peut voir, à qui appartiennent l'honneur et la puissance éternelle ! Amen ! ¶

Inculquer l'humilité aux riches.

17. Recommande aux riches du siècle présent de ne pas être orgueilleux, et de mettre leur espérance, non dans des richesses incertaines, mais dans le Dieu vivant qui nous donne toutes choses avec abondance pour que nous en jouissions. 18. *Recommande-leur* de faire du bien, d'être riches en bonnes œuvres, de donner volontiers, généreusement, 19. et de s'amasser *ainsi* pour l'avenir un trésor placé sur un fondement solide, afin de saisir la vie véritable.

Résumé : garder le dépôt.

20. O Timothée, garde le dépôt, évitant les nouveautés profanes de langage et les controverses d'une science qui ne mérite pas ce nom : 21. c'est pour en avoir fait profession que quelques-uns ont erré dans la foi. Que la grâce soit avec toi ! Amen !

12. *Combats :* image empruntée aux jeux de la lutte, de la course, etc. — *Saisis* ,comme le vainqueur, dans ces jeux, saisit la palme de la victoire. — 14. *Le commandement* désigne ici la doctrine évangélique en tant que loi morale, comme *dépôt* (vers. 20) la désigne en tant que vérité à croire. — *Jusqu'à l'apparition*, au second avènement, *de J. C.*— 15. Apparition *que* Dieu *manifestera :* le Christ est aujourd'hui à l'état *caché*.

DEUXIÈME ÉPÎTRE A TIMOTHÉE.

Préambule.

Salutation et action de grâces.

CH. 1.

PAUL, apôtre de Jésus Christ, par la volonté de Dieu, pour annoncer la promesse de la vie qui est en Jésus Christ, 2. à Timothée, mon enfant bien aimé : que la grâce, la miséricorde et la paix te soient données de la part de Dieu le Père et de Jésus Christ Notre Seigneur !

3. Je rends grâces à Dieu, qu'ont servi mes ancêtres, et que je sers avec une conscience pure, de ce que tu es continuellement présent à ma pensée dans mes prières, le jour et la nuit. 4. Je me rappelle tes larmes et je désire te voir, afin d'être rempli de joie. 5. Je me souviens aussi de la foi sincère qui est en toi; cette foi habita d'abord dans ton aïeule Loïs et dans ta mère Eunice, et, j'en suis persuadé, elle habite aussi en toi.

1° — LA PRÉDICATION DE L'EVANGILE. (1, 6 — 2, 13).

Il doit se rappeler :
la grâce de son ordination.

6. C'est pourquoi je t'exhorte à ranimer la grâce de Dieu, que tu as reçue par l'imposition de mes mains. 7. Car ce n'est pas un esprit de timidité que Dieu nous a donné, mais un esprit de force, d'amour et de sagesse. 8. N'aie donc pas honte du témoignage *que tu dois* rendre à Notre Seigneur, ni de moi, son prisonnier; mais travaille avec moi pour l'Evangile par la force de Dieu.

La sainteté de sa vocation.

9. *C'est lui* qui nous a sauvés et nous a appelés par une sainte vocation,

---

Ch. 1. — 1. *Pour annoncer la vie* éternelle promise aux hommes en Jésus Christ. — 4. *Les larmes* que tu versas lorsque je te laissai à Ephèse avec la charge de gouverner cette Eglise. — 9. *Nous a sauvés*, en nous appelant, et a réalisé ce salut *par une vocation*

non à cause de nos œuvres, mais selon son propre dessein et selon la grâce qui nous a été donnée en Jésus Christ avant les temps éternels, 10. et qui a été manifestée maintenant par l'apparition de notre Sauveur Jésus Christ, lequel a détruit la mort et a mis en lumière la vie et l'immortalité par l'Evangile.

Le propre exemple de l'Apôtre.

11. C'est pour cet Evangile que j'ai été établi prédicateur et apôtre, chargé d'instruire les païens, 12. et c'est ce qui m'a attiré tous les maux que j'endure. Mais je n'en ai point honte, car je sais en qui j'ai cru, et j'ai la conviction qu'il a la puissance de garder mon dépôt jusqu'à ce jour-là. 13. Conserve dans la foi et dans la charité qui est en Jésus Christ l'image des saintes paroles que tu as reçues de moi. 14. Garde le bon dépôt, par le Saint Esprit qui habite en nous. 15. Tu sais que tous ceux qui sont en Asie m'ont abandonné, entre autres Phygelle et Hermogène. 16. Que le Seigneur répande sa miséricorde sur la maison d'Onésiphore; car souvent il m'a réconforté, et il n'a pas eu honte de la chaîne que je porte. 17. Au contraire, dès son arrivée à Rome, il m'a cherché avec un grand empressement, et il m'a trouvé. 18. Que le Seigneur lui donne d'obtenir miséricorde auprès du Seigneur en ce jour-là! Tu sais mieux que personne tous les services qu'il m'a rendus à Ephèse.

Sa qualité de soldat de J. C.

✠ CH. 2.

Toi donc, mon enfant, fortifie-toi dans la grâce qui est en Jésus Christ. 2. Et ce que tu as entendu de moi en présence de beaucoup de témoins, confie-le à des

sainte. — *La grâce*, fondement de notre salut, *nous a été donnée* de toute éternité en Jésus Christ, Homme-Dieu, le représentant de tous les appelés. — 10. *La mort*, du corps et de l'âme, fruit du péché. — *A mis en lumière par l'Evangile*, a fait connaître à tous *la vie* éternelle, du corps et de l'âme, fruit de l'incarnation. — 12. *Mon dépôt*, le ministère qui m'a été confié. — 18. *Le Seigneur :* Dieu le Père. — *En ce jour-là*, au jour du jugement.

Chap. 2. — 2. *Ce que tu as entendu :* Paul a sans doute ici en vue la consécration épiscopale de Timothée. — *De l'enseigner* oralement.

hommes fidèles, qui soient capables de l'enseigner aussi à d'autres. 3. Sache aussi souffrir comme un bon soldat de Jésus Christ. 4. Il n'est pas de soldat qui s'embarrasse dans les affaires de la vie, s'il veut plaire à celui qui l'a enrôlé; 5. et l'athlète n'est pas couronné, s'il n'a pas combattu selon les règles. 6. C'est le laboureur assidu au travail qui doit le premier en recueillir les fruits. 7. Fais attention à ce que je te dis, car le Seigneur te donnera l'intelligence en toutes choses. ¶

La récompense promise aux vaillants.

8. ✠ Souviens-toi que Jésus Christ, issu de la famille de David, est ressuscité des morts, selon mon Evangile, 9. pour lequel je souffre jusqu'à être enchaîné comme un malfaiteur; mais la parole de Dieu n'est point enchaînée. 10. C'est pourquoi je supporte tout à cause des élus, afin qu'eux aussi obtiennent le salut qui est en Jésus Christ, avec la gloire céleste. ¶ 11. Cette parole est certaine : si nous mourons avec lui, nous vivrons aussi avec lui; 12. si nous persévérons *dans l'épreuve*, nous régnerons avec lui; si nous le renions, lui aussi nous reniera; 13. si nous sommes infidèles, il demeure fidèle, car il ne peut se renier lui-même.

2° — DÉFENSE DE L'ÉGLISE CONTRE L'HÉRÉSIE (2, 14 — 4, 8).

Eviter les hérétiques.

14. Voilà ce que tu dois rappeler, en conjurant devant le Seigneur. Evite les disputes de mots; elles ne servent à rien, et sont la ruine de ceux qui les entendent. 15. Efforce-toi de te montrer dans le service de

6. Sentence générale proposée au serviteur de l'Evangile comme un motif de persévérance et de patience. — 8. *Que J. C.*, *issu*, etc., véritablement homme, *est ressuscité :* gage de notre victoire finale sur les persécutions et sur la mort; *selon mon Evangile*, ma prédication. — 13. Il nous reniera *si nous sommes infidèles* envers lui, non par l'effet d'une infidélité de sa part, mais parce qu'il demeure lui-même *fidèle* à ses menaces et à ses châtiments.

Dieu comme un homme éprouvé, un ouvrier qui n'a point à rougir, dispensant comme il convient la parole de la vérité. 16. Evite les discours vains et profanes; car ceux qui les tiennent avanceront toujours plus dans l'impiété, 17. et leur parole rongera comme la gangrène. De ce nombre sont Hyménée et Philète, 18. qui se sont éloignés de la vérité, en disant que la résurrection est déjà arrivée, et qui renversent la foi de plusieurs. 19. Mais le solide fondement de Dieu reste debout, avec ces paroles qui lui servent de sceau : " Le Seigneur connaît ceux qui sont à lui ; " et : " Qu'il s'éloigne de l'iniquité, celui qui prononce le nom du Seigneur. " 20. Dans une grande maison, il n'y a pas seulement des vases d'or et d'argent, mais il y en a aussi de bois et de terre ; les uns servent à un noble usage, les autres à un usage vil. 21. Si donc quelqu'un s'est gardé pur de *tout contact avec* ces derniers, il sera un vase d'honneur, sanctifié, utile à son maître, propre à toute bonne œuvre. 22. Fuis les passions de la jeunesse et recherche la justice, la foi, la charité et la paix, avec ceux qui invoquent le Seigneur d'un cœur pur. 23. Repousse les discussions folles et inutiles; tu sais qu'elles font naître des disputes. 24. Or il ne faut pas qu'un serviteur du Seigneur se dispute; il doit, au contraire, avoir de la condescendance pour tous, être capable d'enseigner, endurant, 25. redressant avec douceur les adversaires, dans l'espoir que Dieu leur donnera de se convertir à la connaissance de la vérité, 26. et que, revenus au bon sens, ils se dégageront des pièges du diable, qui s'est em-

18. Ils n'admettaient pas d'autre résurrection que la résurrection spirituelle de l'âme, passant de l'erreur à la vérité. — 19. *Le solide fondement de Dieu*, l'édifice solidement bâti par Dieu, l'Eglise. — 20. Ainsi, dans l'Eglise, il y a des chrétiens parfaits quant à la foi et aux mœurs, et des chrétiens imparfaits, attachés à l'erreur, etc. — 21. *Avec ces derniers*, les vases de bois et de terre, les faux docteurs, les mauvais chrétiens. — *A son maître*, au maître de la maison : sans figure, à Dieu ou à Jésus Christ.

paré d'eux et les asservit à ses volontés.

Des périls des derniers temps.

CH. 3.

Sache que, dans les derniers jours, il y aura des circonstances difficiles. 2. Car les hommes seront égoïstes, cupides, fanfarons, hautains, blasphémateurs, rebelles à leurs parents, ingrats, irréligieux, 3. sans affection, sans loyauté, calomniateurs, intempérants, cruels, ennemis des gens de bien, 4. traîtres, emportés, enflés d'orgueil, aimant le plaisir plus que Dieu, 5. ayant l'apparence de la piété sans en avoir la réalité : éloigne-toi aussi de ces hommes-là. 6. C'est parmi eux qu'on rencontre ces gens qui s'introduisent dans les maisons et s'emparent de l'esprit de faibles femmes chargées de péché, travaillées de passions de toute espèce, 7. apprenant toujours sans pouvoir jamais arriver à la connaissance de la vérité. 8. De même que Jannès et Mambrès s'opposèrent à Moïse, de même ces hommes, viciés d'esprit et de nulle valeur quant à la foi, s'opposent à la vérité. 9. Mais ils ne feront pas de plus grands progrès; car leur folie sera manifeste pour tous, comme le fut celle de ces *deux imposteurs.*

Etre ferme dans la vérité, sachant sur quel fondement elle s'appuie.

10. ✠ Pour toi, tu m'as suivi dans mon enseignement, dans ma conduite, dans mes projets, dans ma foi, dans ma longanimité, dans ma charité, dans ma constance, 11. dans mes persécutions, dans mes souffrances, telles qu'il m'en est survenu à Antioche, à Icone, à Lystres. Ces persécutions, je les ai supportées, et le Seigneur m'a délivré de toutes. 12. Tous ceux qui veulent vivre pieusement en Jésus Christ seront aussi persécutés. ¶ 13. Quant aux méchants et aux imposteurs, ils avanceront

Chap. 3. — 1. *Les derniers jours*, ceux qui précéderont le retour glorieux du Christ. — 7. *Apprenant toujours :* ironie. — 9. *De plus grands progrès*, de manière à anéantir l'Eglise et la vérité. Comme les magiciens de Pharaon, les faux docteurs finiront par être vaincus. — 12. *Seront persécutés*, dans le sens large : auront à souffrir et à combattre : comp. *Matth.* x, 22; *Jean*, xv, 19.

toujours plus dans le mal, égarant *les autres* et égarés *eux-mêmes.*

14. Pour toi, demeure dans les choses que tu as apprises, et dont tu as la certitude, sachant de qui tu les as apprises. 15. D'ailleurs, dès ton enfance, tu as connu les saintes lettres, qui peuvent te rendre sage pour le salut par la foi en Jésus Christ. 16. Toute Ecriture qui est divinement inspirée, est utile aussi pour enseigner, pour convaincre, pour corriger, pour former à la justice, 17. afin que l'homme de Dieu soit accompli et propre à toute bonne œuvre.

Adjuration finale.

✠ CH. 4.

Je t'en conjure devant Dieu et devant Jésus Christ, qui doit juger les vivants et les morts, et au nom de son apparition et de son règne, 2. prêche la parole, insiste en temps et hors de temps, reprends, censure, exhorte, en toute patience et en toute instruction. 3. Car un temps viendra où les hommes ne supporteront pas la saine doctrine; mais, désireux d'entendre des choses agréables, ils se donneront une foule de docteurs selon leurs convoitises, 4. détourneront l'oreille de la vérité pour la tourner du côté des fables. 5. Mais toi, veille, travaille en toutes choses, fais l'œuvre d'un évangéliste, remplis bien ton ministère, sois sobre. 6. Car, pour moi, je sers déjà de libation, et le moment de ma dissolution approche. 7. J'ai combattu le bon combat, j'ai achevé la course, j'ai gardé la foi; 8. il ne me reste plus qu'à recevoir la couronne de justice qui m'est réservée; le Sei-

---

14. *De qui*, de Paul. — 15. *Les saintes lettres*, les écrits de l'ancien Testament. — *Par la foi*, en les lisant avec foi en J. C. — 16. *Inspirée :* comp. II *Pier.* i, 21. — *Convaincre* de péché ou d'erreur. — 17. *L'homme de Dieu*, tout fidèle.

Chap. 4. — 1. *De son apparition*, de son glorieux retour, *et de son règne*, qui sera consommé alors dans la plénitude de la gloire. — 6. *Libation :* mon sang va être versé. Comp. *Philip.* II, 17. — *Dissolution*, séparation de l'âme et du corps, la mort. — 7. Image empruntée aux luttes des anciens athlètes. — *La foi* jurée au Christ, la fidélité. — 8. *En ce jour-là*, le jour où il *apparaîtra* pour le jugement. — *Aimé*, désiré *son avènement*, son glorieux retour.

gneur, le juste Juge, me la donnera en ce jour-là, et non seulement à moi, mais à tous ceux qui auront aimé son avènement. ¶

Epilogue.

Il invite son disciple à le rejoindre.

Viens au plus tôt vers moi; 9. car Démas m'a abandonné par amour pour le siècle présent, et il est parti pour Thessalonique; 10. Crescent est allé en Galatie, Tite en Dalmatie. 11. Luc seul est avec moi. Prends Marc et amène-le avec toi, car il m'est d'un grand secours pour le ministère. 12. J'ai envoyé Tychique à Ephèse. 13. Quand tu viendras, apporte le porte-manteau que j'ai laissé à Troas chez Carpus, ainsi que les livres, surtout les parchemins. 14. Alexandre, le fondeur, m'a fait bien du mal : le Seigneur lui rendra selon ses œuvres. 15. Toi aussi, tiens-toi en garde contre lui, car il a fait une forte opposition à nos paroles.

Cause et défense de Paul.

16. Personne ne m'a assisté dans ma première défense; tous m'ont abandonné : que cela ne leur soit point imputé! 17. Mais le Seigneur m'a fortifié, afin que la prédication fût pleinement remplie par moi et que tous les païens l'entendissent; et j'ai été délivré de la gueule du lion. 18. Le Seigneur me délivrera de toute œuvre mauvaise, et il me sauvera *en me faisant entrer* dans son royaume céleste. A lui soit la gloire aux siècles des siècles! Amen!

Salutations.

19. Salue Prisca et Aquilas, et la famille d'Onésiphore. 20. Eraste est resté à Corinthe, et j'ai laissé Trophime malade à Milet. 21. Tâche

16. *Ne m'a assisté*, lorsque j'ai comparu devant le tribunal de César; aucun des chrétiens envoyés ou venus d'Asie pour déposer en ma faveur n'a osé le faire. — *Imputé*, par Dieu. — 17. *De la gueule du lion*, expression figurée pour désigner un danger de mort. — 18. *De toute œuvre mauvaise*, de toute défaillance à confesser la foi en face des persécuteurs.

de venir avant l'hiver. Eubule te salue, ainsi que Pudens, Linus, Claudia et tous les frères. 22. Que le Seigneur Jésus Christ soit avec ton esprit! Que la grâce soit avec vous! Amen!

ÉPÎTRE A TITE.

Préambule.

Adresse et salutation.
CH. 1.

PAUL, serviteur de Dieu et apôtre de Jésus Christ pour la foi des élus de Dieu et la connaissance de la vérité qui est selon la piété, 2. pour l'espérance de la vie éternelle, promise dès les plus anciens temps par le Dieu qui ne ment point, 3. et qui a manifesté sa parole en son temps par la prédication qui m'a été confiée d'après l'ordre de Dieu notre Sauveur, — 4. à Tite, mon enfant bien aimé en la foi qui nous est commune : grâce et paix de la part de Dieu le Père et de Jésus Christ notre Sauveur.

I. — *Des ministres de l'Eglise.*

Qualités des Prêtres et des Evêques.

5. Je t'ai laissé en Crète afin que tu achèves de tout organiser, et que, selon les instructions que je t'ai données, tu établisses des anciens dans chaque ville, 6. si tu y trouves quelqu'un d'une réputation intacte, mari d'une seule femme, ayant des enfants fidèles, qui ne soient accusés de luxure ni insoumis. 7. Car il faut que l'évêque soit irréprochable, comme étant un économe de Dieu; qu'il ne soit ni arrogant, ni colère, ni

Chap. I. — 2. *Les plus anciens temps*, les temps de l'ancienne alliance et des patriarches (comp. *Luc*, i, 70; *Rom.* i, 2); ou bien, de toute éternité. — 3. *Manifesté sa parole*, l'Evangile. — *En son temps:* comp. *Gal.* iv. 4. — 6. *D'une seule femme*, dans le sens de I *Tim*, iii, 2. — *Ayant des enfants*, s'il en a, *fidèles*, chrétiens. — 7. *L'évêque*, l'ancien, le chef de la communauté, qu'il soit évêque proprement dit, ou simple prêtre. — *Econome*, administrateur de la maison *de Dieu*,

adonné au vin, ni violent, ni porté à un gain sordide; 8. mais qu'il soit hospitalier, bienveillant, de sens rassis, juste, saint, tempérant, 9. attaché à la vraie parole, telle qu'elle a été enseignée, afin d'être capable d'exhorter selon la saine doctrine et de confondre les contradicteurs.

Leurs devoirs.

10. Car il y a, surtout parmi les circoncis, bien des gens insubordonnés, vains discoureurs et séducteurs *des âmes*, 11. à qui il faut fermer la bouche. Ils bouleversent des familles entières, en enseignant, pour un vil intérêt, ce qu'on ne doit pas enseigner. 12. Un de leurs compatriotes, leur propre prophète, a dit : "Crétois toujours menteurs, méchantes bêtes, ventres paresseux." 13. Ce témoignage est vrai. C'est pourquoi reprends-les sévèrement, afin qu'ils aient une foi saine, 14. et qu'ils ne prêtent pas l'oreille à des fables judaïques et à des commandements d'hommes qui se détournent de la vérité. 15. Tout est pur pour ceux qui sont purs; mais rien n'est pur pour ceux qui sont souillés et incrédules; leur esprit est souillé, ainsi que leur conscience. 16. Ils font profession de connaître Dieu, et ils le renient par leurs actes; ils sont abominables, rebelles et incapables de toute bonne œuvre.

II. — *De la vie des fidèles.*

Comment exhorter les vieillards, les jeunes gens, les esclaves. — CH. 2.

Pour toi, dis les choses qui sont conformes à la saine doctrine. 2. *Dis* aux vieillards d'être sobres, honnêtes, circonspects, sains dans la foi, dans la charité, dans la patience. 3. *Dis* aux femmes âgées d'avoir un extérieur vénérable; de n'être ni médisantes, ni

de la communauté chrétienne. — 10. *Parmi les circoncis*, les chrétiens sortis du judaïsme. — 12. *Un de leurs compatriotes*, un poète crétois, Epiménide (vie siècle avant J. C.), auquel on attribue aussi des oracles. — 14. *Commandements*, prescriptions relatives aux aliments et aux purifications. — 15. *Tout est pur :* rien d'extérieur ne saurait, en soi et par sa propre vertu, souiller celui dont l'intérieur est pur.

Chap. 2. — 2. *Sobres*, dans le sens moral, sans passion qui altère le jugement. — *Honnêtes*, graves, sans légèreté.

sujettes aux excès du vin; d'être de sages conseillères, 4. apprenant aux jeunes femmes à aimer leurs maris et leurs enfants, 5. a être retenues, chastes, occupées aux soins domestiques, bonnes, soumises à leurs maris, afin que la parole de Dieu ne soit pas blasphémée. 6. Exhorte de même les jeunes gens à être sages, 7. te montrant toi-même à tous égards un modèle de bonnes œuvres, par la pureté de la doctrine et de la vie, par la gravité. 8. Que ta parole soit saine et irréprochable, afin que l'adversaire soit confus, n'ayant aucun mal à dire de nous. 9. Exhorte les serviteurs à être soumis à leurs maîtres, à leur complaire en toutes choses, n'étant point contredisants, 10. ne détournant rien, mais montrant toujours une fidélité parfaite, afin de faire honneur en toutes choses à la doctrine de Dieu, notre Sauveur.

Afin qu'ils se sanctifient par la grâce du Sauveur.

11. ✠ Car la grâce de Dieu, notre Sauveur, a été manifestée à tous les hommes. 12. Elle nous enseigne à renoncer à l'impiété et aux convoitises mondaines, et à vivre dans le siècle présent avec sagesse, justice et piété, 13. en attendant *la réalisation de* la bienheureuse espérance et l'apparition de la gloire de notre grand Dieu et Sauveur Jésus Christ, 14. qui s'est donné lui-même pour nous, afin de nous racheter de toute iniquité et de se faire, en nous purifiant, un peuple qui lui appartienne, et qui soit zélé pour les bonnes œuvres. 15. Dis ces choses, exhorte ¶ et reprends avec une pleine autorité. Que personne ne te méprise.

Que les fidèles soient doux dans leurs relations envers les étrangers. — CH. 3.

Rappelle aux fidèles d'être soumis aux magistrats et aux autorités, de

11. *Car* annonce la raison de toutes les recommandations qui précèdent. *Dieu* est *notre Sauveur* par Jésus Christ; sa *grâce manifestée*, c'est l'Evangile. — 13. *Et*, savoir, *l'apparition*, etc., le retour glorieux de Jésus, *notre grand Dieu et Sauveur*.

Chap. 3. — 1. *D'être soumis :* comp. *Rom.* xiii, 1-2 ; *Pier.* ii, 13

leur obéir, d'être prêts à toute bonne œuvre, 2. de ne dire du mal de personne, d'être pacifiques, indulgents, témoignant à tous les hommes la plus grande douceur. 3. Car nous aussi, nous étions autrefois insensés, désobéissants, égarés, asservis à toutes sortes de convoitises et de voluptés, vivant dans la méchanceté et l'envie, des gens détestables, et nous haïssant les uns les autres. 4. Mais, ✠ lorsque la bonté de Dieu notre Sauveur et son amour pour les hommes sont apparus, 5. il nous a sauvés, non à cause des œuvres de justice que nous aurions faites, mais selon sa miséricorde, par un bain de régénération et de renouvellement opéré par le Saint Esprit, 6. qu'il a répandu sur nous avec abondance par Jésus Christ notre Sauveur, 7. afin que, justifiés par sa grâce, nous devenions, en espérance, héritiers de la vie éternelle. ¶

Eviter les discussions inutiles.

8. Cette parole est certaine, et je veux que tu affirmes ces choses, afin que ceux qui ont cru en Dieu s'appliquent à pratiquer les bonnes œuvres. Voilà ce qui est bon et utile aux hommes. 9. Quant aux questions folles, aux généalogies, aux querelles, aux disputes relatives à la Loi, évite-les, car elles sont inutiles et vaines. 10. Eloigne de toi, après un premier et un second avertissement, le sectaire, 11. sachant qu'un tel homme est perverti, et qu'il pèche en se condamnant lui-même.

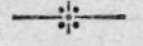

3. *Insensés*, n'ayant pas la connaissance du vrai Dieu. — 5. *Par un bain de régénération*, etc., c'est à dire par la nouvelle naissance qu'opère l'Esprit Saint répandu dans les âmes : allusion au sacrement de baptême. — 7. *En espérance* dans la vie présente, en réalité dans la vie future. — 8. *Afin que* ceux qui sont arrivés à la foi ne se contentent pas d'une foi morte.— 10. *Le sectaire*, ou *l'hérétique* : ce mot désignait alors, non seulement celui qui répandait des doctrines erronées, mais encore celui qui mettait la division dans l'Eglise.

Conclusion.

Recommandations et salutations.

12. Lorsque je t'aurai envoyé Artémas ou Tychique, hâte-toi de venir me rejoindre à Nicopolis, car j'ai résolu de passer l'hiver dans cette ville. 13. Aie soin de pourvoir au voyage de Zénas, le docteur de la loi, et d'Apollos, en sorte que rien ne leur manque. 14. Que les nôtres aussi apprennent à pratiquer les bonnes œuvres, de manière à subvenir aux besoins urgents, afin qu'ils ne soient pas sans fruits. 15. Tous ceux qui sont avec moi te saluent; salue ceux qui nous aiment dans la foi. Que la grâce de Dieu soit avec vous tous! Amen!

ÉPÎTRE A PHILÉMON.

Salutations et action de grâces. — CH. 1.

PAUL, prisonnier de Jésus Christ, et Timothée, son frère, à notre bien aimé Philémon, le compagnon de nos travaux, 2. à Appia, notre sœur très chère, à Archippe, notre compagnon d'armes, et à l'Eglise qui est dans ta maison : 3. la grâce et la paix vous soient données de la part de Dieu notre Père et du Seigneur Jésus Christ! 4. Je ne cesse de rendre grâces à mon Dieu, en faisant mention de toi dans mes prières, 5. parce que je suis informé de ta charité et de ta fidélité à l'égard du Seigneur Jésus et envers tous les saints : 6. au point que ta bienfaisance, inspirée par ta foi, éclate à tous les yeux, tous reconnaissant les bonnes œuvres que vous faites en Jésus Christ. 7. En effet, nous avons ressenti beaucoup de joie

14. *Que* nos chrétiens de Crète prennent part aussi à cette bonne œuvre, en venant en aide à ces deux voyageurs.

Chap. 1. — 6. *Vous faites*, toi, Philémon et les fidèles qui se réunissent dans ta maison (vers. 2). — 7. *Ranimés :* dans quelles circons-

et de consolation au sujet de ta charité, car les cœurs des saints ont été ranimés par toi, frère.

Requête en faveur d'Onésime.

8. C'est pourquoi, bien que j'aie dans le Christ toute liberté de te prescrire ce qui est convenable, 9. j'aime mieux, par charité, t'adresser une prière, à toi qui as l'âge du vieux Paul, lequel est, de plus, actuellement prisonnier de Jésus Christ : 10. je te prie pour mon enfant, que j'ai engendré dans mes chaînes, pour Onésime, 11. qui autrefois t'a été inutile, mais qui maintenant est utile, et à toi, et à moi. 12. Je te le renvoie; et toi, *accueille*-le, cet objet de ma tendresse. 13. Je l'aurais volontiers retenu près de moi, afin qu'il me servît à ta place tandis que je suis dans les chaînes pour l'Evangile. 14. Mais je n'ai voulu rien faire sans ton assentiment, pour que ton bienfait ne paraisse pas forcé, mais qu'il soit volontaire. 15. Peut-être aussi Onésime a-t-il été séparé de toi pour un temps, afin que tu le recouvres pour l'éternité, 16. non plus comme un esclave, mais comme étant fort au dessus d'un esclave, comme un frère bien aimé, tout particulièrement aimé de moi, et combien plus de toi, aussi bien dans la chair que dans le Seigneur! 17. Si donc tu me tiens pour ton ami, accueille-le comme *tu m'accueillerais* moi-même. 18. Et s'il t'a fait quelque tort, ou s'il te doit quelque chose, passe-le à mon compte. 19. Moi Paul, — je l'écris de ma propre main, — je te le rendrai, pour ne pas te dire que tu es mon débiteur, et même de ta pro-

tances et par quelles œuvres spéciales de charité? Paul ne l'explique pas. — 8. *Dans le Christ*, uni à lui comme son apôtre. — 11. *Inutile :* plus que cela, infidèle. Il y a ici un jeu de mots sur le nom même de l'esclave, *Onésime* signifiant *utile*. — 14. *Ton bienfait*, en général. Sens : J'ai abandonné cette idée (vers. 13), n'ayant pas ton assentiment; car tout bienfait, toute œuvre charitable doit être libre. — 15. *Séparé :* terme adouci : Onésime s'était enfui. — 16. *Dans la chair*, sous le rapport social, étant ton esclave; *dans le Seigneur*, en sa qualité de chrétien. — 19. *Je te le rendrai :* Paul plaisante. — *De ta propre personne :* après Dieu, c'est à Paul qu'Onésime devait le salut de son âme.

pre personne. 20. Oui, frère, que j'obtienne de toi cette satisfaction dans le Seigneur; tranquillise mon cœur dans le Christ. 21. C'est en comptant sur ton obéissance que je t'écris, sachant que tu feras même au delà de ce que je demande.

Avis et salutations.

22. En même temps, prépare-moi un logement, car j'espère vous être rendu, grâce à vos prières. 23. Epaphras, mon compagnon de captivité en Jésus Christ, te salue, 24. ainsi que Marc, Aristarque, Démas et Luc, mes auxiliaires. 25. Que la grâce de Notre Seigneur Jésus Christ soit avec votre esprit! Amen.

ÉPÎTRE AUX HÉBREUX.

Préambule.

✠ CH. 1.

APRÈS avoir, à plusieurs reprises et en diverses manières, parlé autrefois à nos pères par les Prophètes, 2. Dieu, dans ces derniers temps, nous a parlé par le Fils, qu'il a établi héritier de toutes choses, et par lequel il a aussi créé le monde. 3. Ce *Fils*, qui est le reflet de sa gloire, l'empreinte de sa substance, et qui soutient toutes choses par la parole de sa puissance, après avoir fait la purification des péchés, s'est assis à la droite de la Majesté divine dans les cieux, 4. devenu d'autant supérieur aux anges, qu'il a hérité d'un nom plus excellent que le leur.

20. *Tranquillise*, etc., en accueillant favorablement Onésime.

Chap. I. — 3. *Reflet*, image réfléchie; ou bien *rayonnement*. — *De sa gloire*, de sa splendeur, c'est à dire de ses infinies perfections. Comme la lumière ne peut exister sans son rayonnement, le Fils est donc co-éternel au Père. — *Empreinte de sa substance*, de son être. Comme l'empreinte d'un sceau montre jusque dans les moindres détails la nature du sceau qu'elle reproduit, ainsi Jésus Christ porte tous les traits de la nature du Père, il en est la *forme* parfaite (*Phil.* ii, 6); "celui qui le voit, dit S. Jean (xiv, 9), voit le Père." Le fils est donc consubstantiel au Père. — *Soutient*, conserve, *toutes choses par sa parole* toute puissante. — *S'est assis*, comme homme; comme Dieu, il "est dans le sein du Père" (*Jean*, i, 18). — 4. *Devenu*, en vertu de

PREMIÈRE PARTIE [DOGMATIQUE].

SUPÉRIORITÉ DE LA RELIGION CHRÉTIENNE SUR L'ALLIANCE ANCIENNE. (CH. 1, 5 — 10, 18).

Section I (1, 5 — 4, 13).

Supériorité de J. C., médiateur de la nouvelle alliance, sur les organes de l'ancienne alliance.

A. — *Supériorité de J. C. sur les Anges.* (1, 5 — 2, 18).

J. C. est le Fils de Dieu par origine et par nature. Il est Roi et Créateur, et les Anges ne sont que serviteurs.

5. Car auquel des anges Dieu a-t-il jamais dit : " Tu es mon Fils, je t'ai engendré aujourd'hui ? " Et encore : " Je serai pour lui un père, et il sera pour moi un fils ? " 6. Et lorsqu'il introduit de nouveau dans le monde le Premier-né, il dit : " Que tous les anges de Dieu l'adorent ! "

7. De plus, tandis qu'il dit des anges : " Celui qui fait de ses anges des vents, et de ses serviteurs une flamme de feu, " 8. il dit au Fils : " Ton trône, ô Dieu, est éternel ; le sceptre de ta royauté est un sceptre d'équité. 9. Tu as aimé la justice et haï l'iniquité ; c'est pourquoi, ô Dieu, ton Dieu t'a oint d'une huile d'allégresse au dessus de tous tes compagnons. " 10. Et encore : " C'est toi, Seigneur, qui as au commencement fondé la terre, et les cieux sont l'ouvrage de tes mains ; 11. ils périront, mais tu demeures ; ils vieilliront

---

l'union de la nature divine et de la nature humaine, *supérieur* en dignité, plus grand que les anges. — *Il a hérité*, reçu, pour sa nature humaine, *un nom*, le nom de *Fils* (vers. 5), qu'il avait éternellement comme Dieu. — 7. *Celui qui*, etc., *Ps.* ciii, 4. Sens : Les anges sont de condition si inférieure, que Dieu les fait servir au fonctionnement du monde physique; ce sont eux qui mettent en mouvement les forces naturelles (comp. *Jean*, v. 4); ils agissent comme le feraient *des vents*, une *flamme*, etc. — 9. *C'est pourquoi*, parce que tu as aimé la justice. — L'onction d'une *huile d'allégresse* avait lieu lors du festin royal des noces : image de la gloire suprême dont jouit le Sauveur, après ses humiliations et ses souffrances, éternellement assis avec ses rachetés au festin des noces célestes.

tous comme un vêtement, 12. tu les changeras comme un manteau, et ils seront changés; mais toi, tu es le même, et tes années ne s'épuiseront point. " ¶ 13. Et auquel des anges a-t-il jamais dit : " Assieds-toi à ma droite, jusqu'à ce que je fasse de tes ennemis l'escabeau de tes pieds? " 14. Ne sont-ils pas tous des esprits au service *de Dieu*, envoyés comme des serviteurs pour ceux qui doivent recevoir l'héritage du salut?

Si la parole des Anges exigeait l'obéissance, combien plus la parole de J. C. — CH. 2.

C'est pourquoi nous devons nous attacher d'autant plus aux choses que nous avons entendues, de peur que nous ne venions à les perdre. 2. Car, si la parole promulguée par des anges a eu son effet, et si toute transgression et toute désobéissance a reçu une juste rétribution, 3. comment échapperons-nous en négligeant un si grand salut, qui, annoncé d'abord par le Seigneur, nous a été sûrement transmis par ceux qui ont entendu sa voix, 4. Dieu confirmant leur témoignage par des signes, des prodiges et toutes sortes de miracles, ainsi que par les dons du Saint Esprit, distribués selon sa volonté?

Un peu au dessous des Anges par son humanité et sa croix, il est maintenant couronné de gloire.

5. En effet, ce n'est pas à des anges que Dieu a soumis le monde à venir dont nous parlons. 6. Mais quelqu'un a rendu quelque part ce témoignage : " Qu'est-ce que l'homme, pour que vous vous souveniez de lui; ou le fils de l'homme, pour que vous en preniez soin? 7. Vous l'avez abaissé pour un peu de temps au dessous des anges; vous l'avez couronné de gloire et d'honneur, vous l'avez établi sur les ouvrages de vos mains, 8. vous avez mis toutes choses sous ses pieds. " En effet, en lui

Chap. 2. — 2. *Transgression* de cette loi. — *Rétribution*, dans le mauvais sens : châtiment. — 3. *Par ceux*, les apôtres et les disciples immédiats de Jésus Christ.

soumettant toutes choses, Dieu n'a rien laissé en dehors de son empire. Cependant nous ne voyons pas encore maintenant que toutes choses lui soient soumises. 9. Mais celui qui " a été abaissé pour un peu de temps au dessous des anges, " Jésus, nous le voyons couronné de gloire et d'honneur à cause de la mort qu'il a soufferte, afin que, par la grâce de Dieu, il goûtât la mort pour tous.

Pourquoi il convenait qu'il souffrît.

10. En effet, puisque celui pour qui et par qui sont toutes choses, voulait conduire à la gloire un grand nombre de fils, il était convenable qu'il élevât par la souffrance au plus haut degré de perfection l'auteur de leur salut. 11. Car celui qui sanctifie et ceux qui sont sanctifiés sont tous *issus* d'un seul *père*. C'est pourquoi Jésus n'a pas honte de les appeler frères, lorsqu'il dit : 12. " J'annoncerai ton nom à mes frères, je te célébrerai au milieu de l'assemblée. " 13. Et encore : " Je mettrai ma confiance en lui." Et encore : " Me voici, moi et les enfants que Dieu m'a donnés." 14. Puis donc que les " enfants " ont en partage le sang et la chair, lui aussi y a participé également, afin que, par la mort, il anéantît celui qui a l'empire de la mort, c'est à dire le diable, 15. et qu'il délivrât ceux qui, par crainte de la mort, étaient toute leur vie retenus dans la servitude. 16. Car assurément ce n'est pas à des anges qu'il vient en aide, mais c'est à la postérité d'Abraham. 17. De là vient qu'il a dû être fait

10. Les souffrances et la mort de J. C. ne doivent pas être pour la foi des Hébreux un sujet de scandale ; *en effet*, etc. — *A la gloire*, à l'éternelle béatitude. — *Un grand nombre de fils*, d'hommes, ses fils adoptifs. — *Elevât à la perfection*, litt. *consommât :* il s'agit de la glorification de l'humanité sainte du Sauveur. — 12-13. *J'annoncerai*, etc. *Ps.* xxi, 23. David, qui parle dans ce Psaume, est la figure de J. C. — 14. *Le sang et la chair*, la nature humaine. — *Le diable* avait *l'empire de la mort*, parce qu'il est le premier auteur du péché. — J. C. *a anéanti* le diable en tant qu'ayant la puissance de la mort, c'est à dire qu'il a anéanti la mort, la mort spirituelle et la mort corporelle, en communiquant à l'humanité, dans le baptême et l'eucharistie, un principe de vie divine, qui conserve le corps lui-même pour la vie éternelle. — 17. *En tout*, sauf le péché (iv, 14).

semblable en tout à ses frères, afin qu'il fût, dans les rapports avec Dieu, un grand prêtre miséricordieux et fidèle pour faire l'expiation des péchés du peuple; 18. car, ayant été tenté lui-même dans ce qu'il a souffert, il peut secourir ceux qui sont tentés.

B. — *Supériorité de J. C. sur Moïse* (3 — 4, 13).

J. C. comme le fils dans sa maison surpasse le serviteur. — Ch. 3.

C'est pourquoi, frères saints, vous qui avez part à la vocation céleste, considérez l'apôtre et le grand prêtre de la foi que nous professons, Jésus, 2. qui est fidèle à celui qui l'a établi, comme Moïse lui a été "fidèle dans toute sa maison." 3. Il a été jugé digne d'une gloire d'autant plus grande que celle de Moïse, que celui qui a construit une maison a plus d'honneur que la maison même. — 4. Car toute maison est construite par quelqu'un, et c'est Dieu qui a construit toutes choses. — 5. Tandis que Moïse a été "fidèle dans toute la maison de Dieu" en qualité de serviteur, pour communiquer ce qui devait être dit *à cette maison*, 6. le Christ a été fidèle comme fils, à la tête de sa propre maison; et sa maison, c'est nous, pourvu que nous retenions fermes jusqu'à la fin notre confiance et l'espérance qui fait notre gloire.

Donc persévérer dans la foi de J. C. et éviter l'incrédulité des Juifs.

7. C'est pourquoi, — selon ce que dit le Saint Esprit : " Aujourd'hui, si

18. *Tenté*, éprouvé. J. C. a voulu, en se faisant homme, éprouver en lui-même, connaître pratiquement les souffrances de l'humanité.

Chap. 3. — 1. Jésus est *apôtre de notre foi*, c'est-à-dire envoyé de Dieu pour l'annoncer aux hommes, et *grand prêtre*, réconciliant sans cesse l'humanité avec Dieu. — 2. *Moïse*, appelé (*Nombr.* xii, 7) " fidèle dans toute la maison de Dieu, " dans sa mission de chef du peuple de Dieu. Ce point de ressemblance établi, Paul montre ensuite la supériorité de Jésus sur Moïse. — 4. Sens : Dieu sans doute est la cause première de tout ce qui existe, et par conséquent de la *maison d'Israël*, de l'ancienne alliance; le Christ, néanmoins, en doit être considéré comme l'architecte et l'ordonnateur, car c'est par son Fils, le Verbe éternel, que Dieu a fait toutes choses. — 5. *Ce qui devait être dit*, ce que Dieu voulait faire connaître à son peuple.

vous entendez sa voix, 8. n'endurcissez pas vos cœurs, comme il arriva au jour de la révolte, au jour de la tentation au désert, 9. où vos pères me tentèrent pour m'éprouver; et *pourtant* ils avaient vu mes œuvres 10. pendant quarante ans! Aussi je fus irrité contre cette génération, et je dis : Leur cœur s'égare sans cesse; ils n'ont pas connu mes voies. 11. Je jurai donc dans ma colère : Ils n'entreront pas dans mon repos : " — 12. Prenez garde, *mes* frères, qu'il n'y ait en quelqu'un de vous un cœur mauvais et incrédule, au point de se séparer du Dieu vivant; 13. mais exhortez-vous les uns les autres chaque jour, aussi longtemps qu'on peut dire : " Aujourd'hui!" afin qu'aucun de vous "ne s'endurcisse" par la séduction du péché. 14. Car nous sommes devenus participants du Christ, pourvu que nous retenions fermement jusqu'à la fin le commencement de sa substance, 15. pendant qu'il est dit encore: " Aujourd'hui, si vous entendez sa voix, n'endurcissez pas vos cœurs, comme au jour de la révolte. " 16. Plusieurs, en effet, après "avoir entendu la voix de Dieu, " se sont révoltés, mais non pas tous ceux qui étaient sortis de l'Egypte sous la conduite de Moïse. 17. Contre qui Dieu fut-il "irrité pendant quarante ans?" N'est-ce pas contre ceux qui avaient péché, et dont les cadavres jonchèrent le désert? 18. Et à qui "jura-t-il qu'ils n'entreraient pas dans son repos," sinon à ceux qui avaient désobéi? 19. Et nous voyons qu'ils ne purent y entrer à cause de leur incrédulité.

De peur que nous ne soyons exclus du repos de la terre promise. — CH. 4.

Craignons donc, tandis que la promesse "d'entrer dans son repos" *nous* est encore laissée, qu'aucun de vous ne soit trou-

13. *Aussi longtemps* qu'il y a pour nous un *aujourd'hui*, tout le temps de la vie, qui est aussi le temps de la grâce. — 14. *Le commencement de sa substance*, la foi, qui a été le commencement de la substance de J. C. en nous, puisque, par elle, nous lui avons été incorporés, nous avons été faits participants de la nature divine.

vé en retard. 2. Car le joyeux message nous a été adressé aussi bien qu'à eux; mais la parole qui leur fut annoncée ne leur servit de rien, n'étant pas unie à la foi, à cause de ce qu'ils entendirent. 3. Pour nous qui avons cru, nous entrerons dans le repos, selon ce qu'il a dit : " J'ai juré dans ma colère : Ils n'entreront pas dans mon repos!" Il parle ainsi, quoique ses œuvres eussent été achevées depuis le commencement du monde. 4. Car il est dit quelque part au sujet du septième jour : " Et Dieu se reposa de toutes ses œuvres le septième jour"; 5. et ici encore : " Ils n'entreront pas dans mon repos!" 6. Or, puisqu'il est encore donné à quelques-uns d'y entrer, et que ceux qui reçurent d'abord la promesse n'y sont pas entrés à cause de leur désobéissance, 7. Dieu fixe de nouveau un jour qu'il appelle "aujourd'hui," en disant dans David si longtemps après, comme on l'a vu plus haut: "Aujourd'hui, si vous entendez ma voix, n'endurcissez pas vos cœurs." 8. Car si Josué leur eût donné "le repos," David ne parlerait pas après cela d'un autre jour. 9. Il reste donc un jour de repos réservé au peuple de Dieu. 10. Car celui qui entre " dans le repos de Dieu" se repose aussi de ses œuvres, comme Dieu s'est reposé des siennes.

On y entre par la foi que produit la parole de Dieu.

11. Empressons-nous donc d'entrer dans ce repos, afin qu'aucun *de nous* ne tombe dans le même exemple de désobéissance. 12. Car la parole de Dieu est vivante

Chap. 4. — 2. *Le joyeux message*, la promesse d'entrer dans le repos de Dieu, dans le ciel, figuré par la terre de Chanaan. — *A cause de ce qu'ils entendirent*, des récits effrayants que leur firent les messagers en Chanaan. — 3. Paul prouve ensuite (vers. 3 et 4) que ce *repos* désigne, dans un sens supérieur, non la paisible possession du pays de Chanaan, mais le *repos de Dieu*, qui commença après la création du monde. — 8. *Le repos* véritable, supérieur, le *repos de Dieu*. — 9-10. *Un jour de repos*, semblable au repos de Dieu, après la création, où le chrétien se reposera *de ses œuvres*, c'est à dire de ses travaux, de ses combats et de ses souffrances. — 12. *Epée*. Le glaive est le symbole du pouvoir de juger et de punir; la parole et efficace, plus acérée qu'aucune épée à deux tranchants; elle pénètre jusqu'à la suture de l'âme et de l'esprit, jusque dans les jointures et dans les moelles; elle juge les sentiments et les pensées du cœur. 13. Nulle créature n'est cachée devant Dieu, mais tout est nu et à découvert aux yeux de celui à qui nous devons rendre compte.

Section II (4, 14 — 10, 18)

Supériorité du Sacerdoce chrétien sur le juif.

1° — *J. C. le Fils de Dieu est Pontife selon l'ordre de Melchisédech* (4, 14 — 6, 20).

Confiance en notre Pontife.

14. Ainsi, puisque nous avons en Jésus, le Fils de Dieu, un grand prêtre excellent qui a traversé les cieux, demeurons fermes dans la profession de notre foi. 15. Car nous n'avons pas un grand prêtre qui ne puisse pas compatir à nos faiblesses; au contraire, puisqu'il a été comme nous tenté en toutes choses, sans *commettre* le péché. 16. ✠ Approchons-nous donc avec assurance du trône de la grâce, afin d'obtenir miséricorde et de trouver grâce, pour être secourus en temps opportun.

J. C. est le vrai Pontife par sa vocation divine et sa ✠ *compassion.* — CH. 5.

En effet, tout grand prêtre, pris d'entre les hommes, est établi pour les hommes en vue de leurs rapports avec Dieu, afin d'offrir des oblations et des sacrifices pour les péchés. 2. Il peut être indulgent envers les ignorants et les égarés, puisqu'il est lui-même entouré de faiblesse. 3. Et c'est à cause de cette faiblesse qu'il doit offrir pour lui-même, comme pour le peuple, des sacrifices pour les péchés. 4. Et nul ne s'attribue à soi-

de Dieu est appelée un glaive, parce qu'elle juge et châtie les pécheurs, les transperce en quelque sorte. — *Les jointures*, etc. : image empruntée à la structure du corps, pour désigner les parties les plus intimes, les plus secrètes de l'âme et de l'esprit.

Chap. 5. — 1. *En effet* relie ce qui suit à iv, 15. — *Tout grand prêtre* doit appartenir à l'humanité, et en même temps être élevé au dessus d'elle, afin que, comme médiateur, il rétablisse l'union entre

même cette dignité; mais on y est appelé de Dieu, comme le fut Aaron. ¶ 5. Ainsi le Christ ne s'est pas non plus arrogé la gloire d'être grand prêtre, mais *l'a reçue de* celui qui lui a dit : " Tu es mon Fils, je t'ai engendré aujourd'hui ; " 6. comme il *lui* dit encore dans un autre endroit : " Tu es prêtre pour toujours selon l'ordre de Melchisédech. " ¶ 7. C'est lui qui, dans les jours de sa chair, ayant présenté avec de grands cris et avec larmes des prières et des supplications à celui qui pouvait le sauver de la mort, et ayant été exaucé pour sa piété, ¶ 8. a appris, tout Fils de Dieu qu'il est, l'obéissance par les choses qu'il a souffertes, 9. et qui, après avoir été élevé à la perfection, est devenu pour tous ceux qui lui obéissent l'auteur d'un salut éternel, 10. Dieu l'ayant déclaré " grand prêtre selon l'ordre de Melchisédech."

Reproches sur leur lenteur à comprendre.

11. Nous avons, à ce sujet, beaucoup de choses à *vous* dire, et des choses difficiles à expliquer, parce que vous êtes devenus lents à comprendre. 12. Vous, en effet, qui depuis longtemps devriez être des maîtres, vous avez encore besoin qu'on vous enseigne les premiers éléments de la parole de Dieu, et vous en êtes venus à avoir besoin de lait, plutôt que d'une nourriture solide. 13. Quiconque en est encore au lait, n'a pas l'expérience de la parole de justice; car c'est un enfant. 14. Mais la nourriture solide est pour les hommes faits, pour ceux dont le jugement est exercé par la pratique à discerner ce qui est bien de ce qui est mal.

Dieu et l'homme, brisée par le péché. — 7. *De sa chair*, de sa vie mortelle. *Des supplications*, etc. : allusion à la prière et à l'agonie de Jésus dans le jardin de Gethsémani. Comp. aussi *Ps.* xxi, 25. — *Le sauver* de l'empire, des liens *de la mort*, en le ressuscitant. — *Piété;* litt. *révérence*, soumission respectueuse à la volonté de Dieu. — 8. *Appris* pratiquement, pratiqué, *l'obéissance*. — 13. *La parole de justice*, c'est à dire les points les plus élevés de la doctrine chrétienne, par exemple, le sacerdoce de Jésus Christ selon l'ordre de Melchisédech. — 14. *Le bien du mal*, ici, le vrai du faux.

Craindre l'apostasie. — CH. 6.

C'est pourquoi, laissant les premiers éléments de la doctrine du Christ, élevons-nous à l'enseignement parfait, sans poser de nouveau les principes fondamentaux du renoncement aux œuvres mortes, de la foi en Dieu, 2. des baptêmes, de l'imposition des mains, de la résurrection des morts et du jugement éternel. 3. C'est ce que nous allons faire, si Dieu le permet. 4. Car il est impossible que ceux qui ont été une fois éclairés, qui ont goûté le don céleste, qui ont eu part au Saint Esprit, 5. qui ont goûté la bonne parole de Dieu et les œuvres merveilleuses du siècle à venir, 6. et qui sont tombés, soient renouvelés une seconde fois et amenés à la pénitence, eux qui crucifient de nouveau pour leur malheur le Fils de Dieu et le livrent à l'ignominie. 7. Lorsqu'une terre, abreuvée par la pluie qui tombe souvent sur elle, produit une herbe utile à ceux par qui elle est cultivée, elle a part à la bénédiction de Dieu; 8. mais, si elle ne produit que des épines et des chardons, elle est réprouvée, près d'être maudite, et l'on finit par y mettre le feu.

Exhortation à la persévérance par l'exemple d'Abraham.

9. Cependant, bien aimés frères, quoique nous parlions ainsi, nous sommes convaincu, pour ce qui vous concerne, que des choses meilleures, auxquelles est attaché le salut, *vous attendent.* 10. Car Dieu n'est pas injuste pour oublier vos œuvres et l'amour que vous avez montré pour son nom, ayant rendu et rendant encore des ser-

Chap. 6. — 1-2. *C'est pourquoi :* puisque, chrétiens depuis si longtemps, vous devez être, non des enfants, mais des maîtres, *élevons-nous*, vous et moi, *à l'enseignement parfait*, exposons ce qui convient aux parfaits, les points les plus élevés de la doctrine évangélique. — 4. *Impossible* moralement, très difficile. — 5. *La bonne parole*, l'Evangile avec ses promesses et ses consolations. — *Les œuvres merveilleuses* qu'ils ont vues ou opérées eux-mêmes par les dons extraordinaires du Saint Esprit, *du siècle à venir*, du temps du Messie, qui embrasse le présent et l'avenir. — 6. *Tombés* dans l'apostasie volontaire. — *A l'ignominie* du supplice de la croix. — 10. *Pour son nom*, pour Dieu lui-même, en secourant vos frères, les

vices aux saints. 11. Nous désirons que chacun de vous montre le même zèle à conserver son espérance pleine et entière jusqu'à la fin, 12. en sorte que vous ne vous relâchiez point, mais que vous imitiez ceux qui, par la foi et la persévérance, hériteront des promesses. 13. Lorsque Dieu fit la promesse à Abraham, ne pouvant jurer par un plus grand que lui, il jura par lui-même, 14. et dit : "Oui, je te bénirai et je multiplierai ta postérité." 15. Et ce fut ainsi que ce patriarche, ayant persévéré *dans la foi*, obtint l'effet de la promesse. 16. En effet, les hommes jurent par celui qui est plus grand qu'eux, et le serment, servant de garantie, met fin à tous leurs différends. 17. C'est pourquoi Dieu, voulant montrer avec plus d'évidence l'immutabilité de son dessein aux héritiers de la promesse, fit intervenir le serment, 18. afin que, par deux choses immuables, dans lesquelles il est impossible que Dieu nous trompe, nous soyons, nous qui avons cherché *en lui* un refuge, puissamment encouragés à tenir ferme l'espérance qui nous est proposée. 19. Nous la gardons comme une ancre de l'âme, sûre et solide, cette espérance qui pénètre jusqu'au delà du voile, 20. dans le sanctuaire où Jésus est entré pour nous comme précurseur, ayant été fait "grand prêtre pour toujours selon l'ordre de Melchisédech."

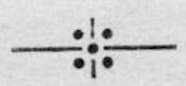

chrétiens, qui sont ses enfants. — 11. *Jusqu'à la fin*, jusqu'au terme où *l'espérance* fera place à la *possession*. — 16. *Par celui*, Dieu. — 17. *Son dessein* de bénir Abraham et de faire sortir de sa race le salut du monde, le Messie. — 18. *Deux choses immuables*, la promesse et le serment. — 19. *Une ancre*, symbole de l'espérance chez les anciens. — *Du voile* placé à l'entrée du saint des saints, qui était la figure du ciel. Ainsi l'ancre de l'espérance chrétienne, au lieu de descendre au fond de la mer, va se fixer en Dieu, dans le ciel même. — 20. *Pour nous* y introduire à sa suite.

2° — *Le Sacerdoce selon l'ordre de Melchisédech est supérieur à celui de Lévi* (7, 1 — 10, 18).

A. — Les personnes : Melchisédech et Jésus Christ.

Melchisédech est supérieur à Abraham et à Lévi. — Ch. 7.

Ce Melchisédech, roi de Salem, prêtre du Dieu très haut, — qui alla au-devant d'Abraham lorsqu'il revenait de la défaite des rois, qui le bénit, 2. et à qui Abraham donna la dîme de tout *le butin*, — qui est d'abord, selon la signification de son nom, roi de justice, ensuite roi de Salem, c'est à dire, roi de paix, — 3. qui est sans père, sans mère, sans aïeux, qui n'a ni commencement de jour, ni fin de vie, — mais qui est fait ainsi semblable au fils de Dieu : *ce Melchisédech* demeure prêtre à perpétuité. 4. Considérez combien est grand celui auquel Abraham, le patriarche, donna une dîme sur ce qu'il y avait de meilleur *dans le butin*. 5. Ceux des fils de Lévi qui obtiennent le sacerdoce ont, d'après la Loi, l'ordre de lever la dîme sur le peuple, c'est à dire, sur leurs frères, qui cependant sont issus des reins d'Abraham ; 6. et lui, qui ne tirait pas d'eux son origine, il a levé la dîme sur Abraham, et il a béni celui qui avait les promesses ! 7. Or, sans contredit, c'est l'inférieur qui

Chap. 7. — L'auteur suit pas à pas l'histoire de Melchisédech telle qu'elle est racontée *Gen.* xiv. Là, ce personnage entre brusquement en scène; le livre sacré ne nous dit pas quel est son père, quelle est sa mère, quels sont ses ancêtres; rien de sa naissance, rien non plus de sa mort : c'est un être mystérieux qui apparaît tout à coup dans l'histoire, et disparaît sans laisser de trace. Son nom même est significatif : il s'appelle Melchisédech, c'est à dire, *roi de justice;* il est *roi de Salem*, c'est à dire *de la paix;* de plus, il est prêtre, et prêtre du vrai Dieu, qu'Abraham adorait, dans un temps où l'idolâtrie régnait partout. — 1. *Salem*, plus tard Jérusalem. — 3. *Qui est fait*, présenté dans la sainte Ecriture, comme *semblable*, sous tous ces rapports, *au Fils de Dieu*, lequel est sans père, comme homme; sans mère, comme Dieu; sans généalogie, comme grand prêtre, ne descendant pas de la tribu de Lévi, encore moins d'Aaron ; roi de justice et de paix; sans commencement ni fin de vie, comme Dieu. — *A perpétuité*, l'Ecriture ne disant rien ni de sa mort, ni de son successeur.

est béni par le supérieur. 8. En outre, ici, ce sont des hommes mortels qui perçoivent les dîmes; mais là, c'est un homme dont il est attesté qu'il est vivant, 9. et Lévi même, qui perçoit la dîme, l'a payée, pour ainsi dire, par Abraham; 10. car il était encore dans son aïeul, lorsque Melchisédech alla au-devant de ce patriarche.

Le sacerdoce lévitique doit être abrogé, tandis que celui de J. C. est éternel.

11. Si donc la perfection avait pu être réalisée par le sacerdoce lévitique, — car c'est sur lui que repose la loi donnée au peuple, — qu'était-il encore besoin qu'il parût un autre prêtre "selon l'ordre de Melchisédech," et non selon l'ordre d'Aaron? 12. Car, le sacerdoce étant changé, la Loi l'est aussi nécessairement. 13. *Et le sacerdoce a été changé en effet;* car celui de qui ces paroles sont dites appartient à une autre tribu, dont aucun membre n'a fait le service de l'autel : 14. il est notoire que Notre Seigneur est sorti de Juda, tribu à laquelle Moïse n'a point attribué le sacerdoce. 15. Ce changement devient plus évident encore, quand on voit s'élever un autre prêtre à la ressemblance de Melchisédech, 16. institué, non d'après la loi d'une ordonnance charnelle, mais selon la puissance d'une vie qui ne finit point; 17. car voici le témoignage qui lui est rendu : "Tu es prêtre pour toujours selon l'ordre de Melchisédech." 18. ✠ Ainsi, il y a abrogation d'une ordonnance antérieure, à cause de son impuissance et de son inutilité,

---

11. *La perfection* intérieure de l'homme, savoir le pardon de ses péchés et son union avec Dieu, la *justification*. — 13-14. *Car :* ce changement de sacerdoce a eu lieu; *car* J. C., auquel se rapportent les paroles du Psalmiste, appartient, non à la tribu de Lévi, mais à celle de Juda. — 15-16. Que les paroles du Psalmiste annoncent un nouveau sacerdoce et une loi nouvelle, cela *devient plus évident encore*, si nous voyons que le nouveau prêtre selon l'ordre de Melchisédech est institué pour toujours, qu'il ne doit ni mourir ni avoir de successeur. — *D'après la loi d une ordonnance charnelle*, d'après la règle d'une ordonnance qui se rapporte à des hommes mortels, lesquels doivent se succéder de père en fils. — 18-19. Raison pour aquelle le sacerdoce lévitique et la Loi ancienne devaient être abrogés : ils étaient impuissants à justifier l'homme.

— 19. car la Loi n'a rien amené à la perfection, — et introduction d'une meilleure espérance, par laquelle nous nous approchons de Dieu.

Seul, Jésus a été établi prêtre avec serment, prêtre unique et parfait.

20. Et comme cela n'a pas eu lieu sans serment, — car, tandis que les fils de Lévi ont été établis prêtres sans serment, 21. Jésus l'a été avec serment par celui qui lui a dit : "Le Seigneur l'a juré, et il ne s'en repentira pas : Tu es prêtre pour toujours selon l'ordre de Melchisédech." — 22. Jésus est par cela même le garant d'une alliance supérieure *à la première*. 23. De plus, ✠ ils forment, eux, une longue série de prêtres, parce que la mort les empêchait de l'être toujours; 24. mais lui, parce qu'il demeure éternellement, il possède un sacerdoce qui ne se transmet point. 25. De là vient aussi qu'il peut sauver parfaitement ceux qui s'approchent de Dieu par lui, étant toujours vivant pour intercéder en leur faveur.

26. Tel est, en effet, le grand prêtre qu'il nous fallait, saint, innocent, sans tache, séparé des pécheurs, et élevé au dessus des cieux; 27. qui n'a pas besoin, comme les grands prêtres, d'offrir chaque jour des sacrifices d'abord pour ses propres péchés, ensuite pour ceux du peuple, — car ceci, il l'a fait une fois pour toutes en s'offrant lui-même. 28. La Loi, en effet, institue grands prêtres des hommes sujets à la faiblesse; mais la parole du serment, intervenue après la Loi, institue le Fils, qui est arrivé à la perfection pour l'éternité. ¶

23-24. Autre prérogative du sacerdoce de J. C. : il durera toujours. Les prêtres catholiques ne sont pas, à proprement parler, les successeurs de J. C., mais ses vicaires et ses ministres. — 27. *Ceci*, offrir un sacrifice pour les péchés du peuple. — *Une fois pour toutes* : par sa mort sur la croix.

B. — LES OFFRANDES ET LES SACRIFICES.

1° *J. C., ministre du vrai sanctuaire, médiateur d'une alliance plus parfaite, fondée sur de meilleures promesses.* — CH. 8.

Un point capital dans ce que nous disons, c'est que nous avons ainsi un grand prêtre qui s'est assis à la droite du trône de la majesté *divine* dans les cieux, 2. comme ministre du sanctuaire et du vrai tabernacle, qui a été dressé par le Seigneur, et non par un homme. 3. Car tout grand prêtre est établi pour offrir des oblations et des sacrifices; d'où il est nécessaire que lui aussi ait quelque chose à offrir. 4. S'il était sur la terre, il ne serait pas même prêtre, puisqu'il s'y trouve des prêtres chargés d'offrir les oblations selon la Loi, — 5. lesquels desservent un tabernacle qui n'est qu'une image et une ombre des choses célestes, comme Moïse en fut divinement averti lorsqu'il dut construire le tabernacle : " Aie soin, dit le Seigneur, de faire tout d'après le modèle qui t'a été montré sur la montagne." — 6. Mais notre grand prêtre a obtenu un ministère d'autant plus élevé, qu'il est médiateur d'une alliance supérieure *à l'ancienne* et fondée sur de meilleures promesses.

7. En effet, si la première alliance avait été sans défaut, il n'aurait pas été question de la remplacer par une seconde. 8. Car c'est bien un blâme que Dieu exprime, quand il dit *à Israël :* " Voici, dit le Seigneur, que les jours viennent où je contracterai une alliance nouvelle avec la maison d'Israël et la maison de Juda; 9. non pas une alliance comme celle que je fis avec leurs pères, le jour où je les pris par la main pour les faire sortir du pays d'Egypte.

Chap. 8. — 1-4. Jésus continue dans le ciel son sacerdoce (vers. 1); il est donc grand prêtre d'un sanctuaire et d'un tabernacle céleste (vers. 2); *car*, comme prêtre, il doit offrir (vers. 3), et pour pouvoir offrir, il doit avoir un lieu de culte; or, ce lieu de culte, il ne pouvait l'avoir sur la terre, puisqu'il s'y trouve d'autres prêtres, les prêtres lévitiques, à l'ordre desquels il n'appartient pas. (vers. 4). — 8-10. *Voici*, etc. : citation de *Jér.* XXXI, 31-34. — *Esprit... cœur :*

Puisqu'ils n'ont pas persévéré dans mon alliance, moi aussi je les ai délaissés, dit le Seigneur. 10. Mais voici l'alliance que je ferai avec la maison d'Israël après ces jours-là, dit le Seigneur : Je mettrai mes lois dans leur esprit et je les écrirai dans leur cœur; et je serai leur Dieu, et ils seront mon peuple. 11. Aucun d'eux n'enseignera plus son concitoyen, aucun n'enseignera son frère, disant : Connais le Seigneur ! car tous me connaîtront, depuis le plus petit d'entre eux, jusqu'au plus grand. 12. Je pardonnerai leurs iniquités, et je ne me souviendrai plus de leurs péchés." — 13. En disant : "Une alliance nouvelle," Dieu a déclaré la première ancienne; or, ce qui est devenu ancien, ce qui est vieilli, est près de disparaître.

2° *Les sacrifices Mosaïques inefficaces.* — CH. 9.

La première alliance avait aussi des ordonnances relatives au culte, et le sanctuaire terrestre. 2. ✠ En effet, on a construit un tabernacle, avec une partie antérieure, appelée le lieu saint, où sont le chandelier, la table et les pains de proposition. 3. Derrière le second voile, se trouve la partie du tabernacle appelée le saint des saints, 4. renfermant un encensoir d'or pour les parfums et l'arche de l'alliance toute recouverte d'or. Dans l'arche se trouve une urne d'or renfermant la manne, la verge d'Aaron, qui avait fleuri, et les tables de l'alliance. 5. Au-dessus sont des chérubins de gloire, couvrant de leur ombre le propitiatoire. Mais ce n'est pas le moment de parler sur ce sujet en dé-

---

à la différence des lois mosaïques, gravées sur la pierre.— 11. *Aucun n'enseignera :* il s'agit ici, non de l'enseignement extérieur et doctrinal de l'Eglise (*Rom.* x. 17), mais de la connaissance intime de Dieu et des choses divines que l'Esprit Saint donne aux âmes bien disposées.

Chap. 9. — 1. *Le sanctuaire terrestre*, le tabernacle des Hébreux. — 4. *La manne*, pour rappeler aux Israélites la nourriture miraculeuse du désert. — *Les tables* de pierre sur lesquelles était gravé le décalogue, charte *de l'alliance* entre Dieu et Israël. — 5. L'arche avait un couvercle d'or, *le propitiatoire*, surmonté de deux *chérubins* d'or, aux ailes étendues, qui formaient comme le trône de Dieu.

tail. 6. Or, ces choses étant ainsi disposées, les prêtres entrent en tout temps dans la partie antérieure du tabernacle, lorsqu'ils font le service du culte; 7. le grand prêtre seul, une seule fois l'année, entre dans la seconde partie, mais avec du sang qu'il offre pour lui-même et pour les péchés du peuple. 8. L'Esprit Saint montre par là que le chemin du saint des saints n'a pas encore été ouvert, tant que subsiste la partie antérieure du tabernacle. 9. C'est une figure pour le temps présent; elle signifie que les oblations et les sacrifices offerts ne peuvent amener à la perfection, sous le rapport de la conscience, celui qui rend ce culte. 10. Ces offrandes et ces sacrifices, avec *les prescriptions relatives aux* aliments, aux boissons et aux diverses ablutions, ne sont que des ordonnances charnelles, imposées seulement jusqu'à une époque de réformation.

Le Christ, hostie parfaite.

11. ✠ Mais le Christ ayant paru comme grand prêtre des biens à venir, il a traversé le tabernacle plus grand et plus parfait, qui n'est pas construit de main d'homme, c'est à dire, qui n'appartient pas à cette création *terrestre*, 12. et il est entré une fois pour toutes dans le saint des saints, non avec le sang des boucs et des taureaux, mais avec son propre sang, et il a obtenu une rédemption éternelle. ¶ 13. Car si le sang des boucs et des taureaux, si la cendre d'une vache, dont on asperge ceux qui sont souillés, sanctifient

8. *Du saint des saints* véritable, du ciel, figuré par la partie du tabernacle qui portait ce nom. — *La partie antérieure du tabernacle*, le saint, qui figurait le peuple d'Israël et l'ancienne alliance. Le ciel n'a été ouvert aux hommes que le jour où Jésus glorifié y fit son entrée (ascension). — 10. *Ordonnances charnelles* qui ne vont qu'à procurer la sainteté extérieure et légale. — *Jusqu'à une époque*, jusqu'à ce que le Messie substitue la nouvelle loi, la loi d'amour et de justice, à l'ancienne. — 11. *Le tabernacle*, les régions inférieures du ciel, qui forment comme un *avant-ciel* et répondent au saint du tabernacle mosaïque; ou bien : son corps, sa nature humaine, en l'immolant sur la croix. — 12. *Le saint des saints* véritable, le ciel. — *Une rédemption éternelle*, suffisante pour tous les hommes et pour tous les temps.

de manière à procurer la pureté de la chair, 14. combien plus le sang du Christ qui, par l'Esprit Saint, s'est offert lui-même sans tache à Dieu, purifiera-t-il notre conscience des œuvres mortes, pour que nous servions le Dieu vivant?

3° J. C., par sa mort, scelle son testament.

15. Et c'est pour cela qu'il est médiateur d'une nouvelle alliance, afin que, sa mort étant intervenue pour le pardon des transgressions commises sous la première alliance, ceux qui ont été appelés reçoivent l'héritage éternel qui leur a été promis. ¶ 16. Car, là où il y a un testament, il est nécessaire que la mort du testateur intervienne. 17. Un testament, en effet, n'est valable qu'en cas de mort, puisqu'il n'est jamais en vigueur lorsque le testateur est en vie.

Le sang dans l'ancienne alliance.

18. Voilà pourquoi c'est avec du sang que même la première alliance fut inaugurée. 19. Moïse, après avoir proclamé devant tout le peuple tous les commandements selon la teneur de la loi, prit le sang des taureaux et des boucs, avec de l'eau, de la laine écarlate et de l'hysope, et il fit l'aspersion sur le livre lui-même et sur tout le peuple, 20. en disant : " Ceci est le sang de l'alliance que Dieu a ordonnée pour vous. " 21. Il aspergea de même avec le sang le tabernacle et tous les ustensiles du culte. 22. Et presque tout, d'après la Loi, est purifié avec du sang, et sans effusion du sang il n'y a pas de pardon.

La mort, une seule fois, du Christ est un sacrifice efficace pour toujours.

23. Il était donc nécessaire, puisque les images

14. *Par l'Esprit Saint :* ici, comme *Rom.* I, 4; I *Tim.* iii, 16, ces mots expriment la nature divine du Christ, d'où son sacrifice tira une valeur infinie. — *Œuvres mortes*, péchés. — 16. *Testament :* le mot de S. Paul a le double sens d'*alliance* et de *testament*. Comme la seconde alliance renferme la promesse d'un *héritage* éternel, de la béatitude céleste, que Jésus Christ nous a méritée, elle prend, considérée de ce côté, le caractère de testament. — 22. *Presque tout :* quelques souillures légères s'expiaient avec des ablutions d'eau. — 23. *Les images :* le tabernacle mosaïque et ses ustensiles, images du sanctuaire du ciel. — *Les choses célestes*, le ciel. — *Par des sacrifices*, par le sacrifice

des choses qui sont dans les cieux sont purifiées de cette manière, que les choses célestes elles-mêmes fussent inaugurées par des sacrifices supérieurs à ceux-là. 24. Car ce n'est pas dans un sanctuaire fait de main d'homme, image du véritable, que le Christ est entré ; mais il est entré dans le ciel même, afin de se présenter maintenant pour nous devant la face de Dieu. 25. Et ce n'est pas pour s'offrir lui-même plusieurs fois *qu'il y est entré*, comme le grand prêtre entre chaque année dans le sanctuaire avec un sang qui n'est pas le sien : 26. autrement il aurait dû souffrir plusieurs fois depuis la création du monde ; mais il s'est montré une seule fois, à la fin des siècles, pour abolir le péché par son sacrifice. 27. Et comme c'est la destinée de l'homme de mourir une seule fois, et qu'après cela suit le jugement, 28. ainsi le Christ, après s'être offert une seule fois *en sacrifice* pour ôter les péchés de plusieurs, apparaîtra une seconde fois, sans péché, pour donner le salut à ceux qui l'attendent.

4° *Impuissance, d'où multiplicité des sacrifices de la loi ancienne.* — Ch. 10.

La Loi, en effet, ne possédant qu'une ombre des biens à venir, et non l'image même des choses, ne peut jamais, par ces mêmes sacrifices offerts chaque année perpétuellement, amener à la perfection ceux qui s'approchent *de l'autel*. 2. Autrement n'aurait-on pas cessé de les offrir, par la raison que ceux qui rendent ce culte, une fois purifiés, n'auraient plus eu aucune conscience de leurs péchés? 3. Mais

---

de Jésus Christ, sa mort sur la croix. —26. Jésus Christ s'étant offert *lui-même* en sacrifice, il ne pouvait le faire plusieurs fois, car on ne meurt qu'une fois.

Chap. 10. — 1. *Une ombre*, sans la réalité, *des biens à venir*, des grâces de salut en Jésus Christ. — *L'image même*, l'image vraie et substantielle, la réalité même de ces biens. — 2. L'auteur a en vue, moins les péchés individuels et distincts, que le péché pris à sa racine, dans son principe, en tant qu'il sépare l'homme de Dieu, en d'autres termes, l'état de chute. Il fallait que ce péché radical fût expié une fois pour toutes; alors seulement tous les péchés actuels pouvaient être pardonnés et détruits.

justement, par ces sacrifices, on rappelle chaque année le souvenir des péchés; 4. car il est impossible que le sang des taureaux et des boucs ôte les péchés.

C'est pourquoi J. C. s'est offert lui-même

5. C'est pourquoi le Christ, en entrant dans le monde, dit : " Vous n'avez voulu ni sacrifice ni offrande, mais vous m'avez formé un corps; 6. vous n'avez agréé ni holocaustes ni sacrifices pour le péché. 7. Alors j'ai dit : Voici que je viens (car il est question de moi dans le rouleau du livre), ô Dieu, pour faire votre volonté. " 8. Après avoir commencé par dire : " Vous n'avez voulu et vous n'avez agréé ni oblations, ni holocaustes, ni sacrifices pour le péché, " — toutes choses qu'on offre selon la Loi, 9. il dit ensuite : " Voici que je viens pour faire votre volonté. " Il abolit ainsi le premier point, pour établir le second. 10. C'est en vertu de cette volonté que nous sommes sanctifiés, par l'oblation du corps de Jésus Christ une fois pour toutes.

Comme la victime unique et parfaite.

11. Et tandis que tout prêtre se tient chaque jour debout, faisant le service, et offre plusieurs fois les mêmes victimes, qui ne peuvent jamais ôter les péchés, 12. lui, après avoir offert un seul sacrifice pour les péchés, " s'est assis " pour toujours " à la droite de Dieu, " 13. attendant désormais " que ses ennemis soient devenus son marchepied. " 14. Car, par une oblation unique, il a amené à la perfection pour toujours ceux qui sont sanctifiés. 15. C'est ce que l'Esprit Saint nous atteste aussi; car, après avoir dit : 16. " Voici l'alliance que je ferai avec eux après ces jours-là, " le Seigneur ajoute : " Je

9. *Le premier point*, les sacrifices de l'ancienne loi. — *Le second*, l'accomplissement de la volonté divine par le Christ. — 10. *Cette volonté* du Père, à laquelle Jésus s'est soumis en offrant son corps en sacrifice sur la croix. — 14. *Ceux qui sont sanctifiés* et qui le seront jusqu'à la fin du monde. C'est à chacun de nous de s'appliquer par la foi et l'amour, les fruits de cet unique sacrifice.

mettrai mes lois dans leurs cœurs, et je les écrirai dans leur esprit; 17. et je ne me souviendrai plus de leurs péchés ni de leurs iniquités. " 18. Or, là où il y a rémission des péchés, il n'est plus question d'oblation pour le péché.

DEUXIÈME PARTIE.

CONSÉQUENCES PRATIQUES DE CES ENSEIGNEMENTS. (10, 19 — 13, 21).

I. — *La persévérance dans la foi.* (10, 19 — 12, 13).

1° *Pratiquons notre foi, afin d'éviter le jugement de Dieu.*

19. Ainsi donc, *mes* frères, puisque nous avons, par le sang de Jésus, un libre accès dans le sanctuaire, 20. par la voie nouvelle et vivante qu'il a inaugurée pour nous à travers le voile, c'est à dire à travers sa chair, 21. et *puisque nous avons* un grand prêtre établi sur la maison de Dieu, 22. approchons-nous avec un cœur sincère, dans la plénitude de la foi, le cœur purifié *des souillures* d'une mauvaise conscience, et le corps lavé d'une eau pure. 23. Retenons fermement la confession de notre espérance; car celui qui a fait la promesse est fidèle. 24. Ayons l'œil ouvert les uns sur les autres pour nous exciter à la charité et aux bonnes œuvres. 25. N'abandonnons pas nos assemblées, comme quelques-uns ont coutume de le faire; mais exhortons-nous les uns les autres, et cela d'autant plus que vous voyez s'approcher le *grand* jour.

19-20. *Dans le sanctuaire* du ciel. — *Nouvelle*, récompense ouverte. — *Vivante :* c'est Jésus lui-même qui est cette voie (*Jean*, xiv, 6). — *A travers le voile :* A la mort de Jésus, le voile du temple se déchira, pour montrer que le voile tendu jusque-là devant le sanctuaire du ciel, savoir la chair du Sauveur, était en quelque sorte déchirée, et que l'entrée en était ouverte et à notre grand prêtre et à nous. — 23. *La confession*, ou *profession de notre espérance*, la ferme attente de la résurrection, de la vie éternelle.

26. Car si nous péchons volontairement après avoir reçu la connaissance de la vérité, il ne reste plus de sacrifice pour les péchés, 27. mais une attente terrible du jugement et l'ardeur d'un feu qui dévorera les rebelles. 28. Celui qui a violé la loi de Moïse meurt sans miséricorde, sur la déposition de deux ou trois témoins; 29. de quel châtiment plus sévère pensez-vous que sera jugé digne celui qui aura foulé aux pieds le Fils de Dieu, qui aura tenu pour profane le sang de l'alliance par lequel il avait été sanctifié, et qui aura outragé l'Esprit de la grâce? 30. Car nous connaissons celui qui a dit : " A moi la vengeance! c'est moi qui rétribuerai! " Et encore : " Le Seigneur jugera son peuple. " 31. C'est une chose terrible que de tomber entre les mains du Dieu vivant!

2° Persévérer dans leur précédente constance, dont la récompense ne tardera pas.

32. ✠ Rappelez en votre mémoire ces premiers jours où, après avoir été éclairés, vous avez soutenu un grand combat de souffrances, 33. tantôt exposés comme en spectacle aux opprobres et aux tribulations, tantôt prenant part aux maux de ceux qui étaient traités ainsi. 34. En effet, vous avez eu de la compassion pour les prisonniers, et vous avez accepté avec joie la perte de vos biens, sachant que vous avez une richesse meilleure et qui durera toujours. 35. N'abandonnez donc pas votre assurance; une grande récompense y est attachée. 36. Car vous avez besoin de persévérance, afin que, après avoir fait la volonté de Dieu, vous obteniez ce qui vous est promis.

26. *Si nous péchons volontairement :* il s'agit du péché d'apostasie volontaire, avec résistance à la vérité connue. — *Plus de sacrifice :* le seul sacrifice par les mérites duquel ils pourraient recevoir le pardon de leurs péchés est celui de Jésus Christ; or, par l'apostasie, ils rejettent ce bienfait. — 28-29. *Profane*, et par conséquent sans efficacité pour le salut. — *L'Esprit* Saint, dispensateur *de la grâce*, par laquelle nous nous approprions le sacrifice du Sauveur. — 32. *Premiers jours :* les persécutions (*Act.* VIII, 1) que vous avez si vaillamment souffertes dans les premiers temps de votre conversion. — 35. *Votre assurance*, votre joyeuse confiance en Dieu, qui la récompensera.

37. Encore un peu, bien peu de temps, et "celui qui doit venir viendra; il ne tardera pas. 38. Et mon juste vivra par la foi; ¶ mais, s'il se retire, mon âme ne mettra pas sa complaisance en lui. " 39. Pour nous, nous ne sommes pas de ceux qui se retirent pour se perdre, mais de ceux qui gardent la foi pour sauver leur âme.

3° Nature de la foi, et exemples tirés de l'histoire primitive. — CH. 11.

Or la foi est la substance des choses qu'on espère, une conviction de celles qu'on ne voit point. 2. C'est pour l'avoir possédée que les anciens ont obtenu un bon témoignage. 3. C'est par la foi que nous reconnaissons que le monde a été formé par la parole de Dieu, en sorte que ce qu'on voit n'a pas été fait de choses visibles. 4. C'est par la foi qu'Abel offrit à Dieu un sacrifice plus excellent que celui de Caïn; c'est par elle qu'il fut déclaré juste, Dieu approuvant ses offrandes, et c'est par elle que, mort, il parle encore. 5. C'est par la foi qu'Enoch fut enlevé pour qu'il ne vît point la mort : "on ne le trouva plus, parce que Dieu l'avait enlevé"; car avant cet enlèvement, on lui avait rendu le témoignage " qu'il avait plu à Dieu. " 6. Or, sans la foi, il est impossible de lui plaire; car il faut que celui qui s'approche de Dieu croie qu'il existe, et qu'il est le rémunérateur de ceux qui le cherchent. 7. C'est par la foi que Noé, divinement averti des choses qu'on ne voyait pas encore, construisit, avec une pieuse crainte, une arche pour sauver sa famille; c'est par elle qu'il condamna le monde, et devint héritier de la justice qui s'obtient par la foi.

37-38. *Celui qui doit venir*, le Messie. Citation d'Habacuc (ii, 3 sv.) — *Vivra*, aura la vie sauve, *par la foi* en moi. — *S'il se retire*, s'il se cache timidement ; dans l'application : s'il se décourage et se retire de la lutte par l'apostasie.

Chap. 11. — 1. *La substance*, la réalité ; la foi donne une réalité à ce qui n'est, par rapport à nous, qu'à venir : elle le saisit comme actuellement présent. Par elle, l'objet de notre espérance existe déjà en nous, comme l'arbre est dans sa semence (S. Thomas). — 4. *Il parle encore* ; allusion aux paroles de Dieu à Caïn : " Qu'as-tu fait ? La voix du sang de ton frère crie vers moi. " *Gen.* iv, 10.

De l'histoire des patriarches.

8. C'est par la foi qu'Abraham, obéissant à l'appel *de Dieu*, partit pour un pays qu'il devait recevoir en héritage, et cela sans savoir où il allait. 9. C'est par la foi qu'il séjourna dans la terre promise, comme dans une terre étrangère, habitant sous des tentes, ainsi qu'Isaac et Jacob, héritiers comme lui de la même promesse. 10. Car il attendait la cité aux *solides* fondements, dont Dieu est l'architecte et le constructeur. 11. C'est par la foi que Sara, elle aussi, quoique stérile et d'un âge *avancé*, fut rendue capable d'avoir une postérité, parce qu'elle estima fidèle celui qui *lui* en avait fait la promesse. 12. C'est pourquoi, d'un seul homme, et d'un homme décrépit, naquit une postérité aussi nombreuse que les étoiles du ciel, et que les grains de sable qui sont sur le bord de la mer, qu'on ne peut compter. 13. C'est dans la foi que ces patriarches sont tous morts, sans avoir obtenu l'objet des promesses; mais ils l'ont vu et salué de loin, confessant " qu'ils étaient étrangers et voyageurs sur la terre. " 14. Ceux qui parlent ainsi montrent bien qu'ils cherchent une patrie. 15. S'ils avaient entendu par là celle d'où ils étaient sortis, ils auraient eu le temps d'y retourner. 16. Mais c'est à une patrie meilleure qu'ils aspiraient, nous voulons dire une patrie céleste. C'est pourquoi Dieu n'a pas honte de s'appeler " leur Dieu, " car il leur a préparé une cité. 17. C'est par la foi qu'Abraham, étant mis à l'épreuve, offrit Isaac en sacrifice; ainsi celui qui avait reçu les promesses, 18. et à qui il avait été dit : " C'est la postérité d'Isaac qui sera dite ta postérité, " offrit son fils unique. 19. Il estimait que Dieu a le pouvoir même de ressusciter les morts; aussi le recou-

10. *La cité*, le ciel. — 13. *L'objet des promesses*, le royaume du Messie, la *cité aux solides fondements* (vers. 10), la Jérusalem céleste, dont la terre de Chanaan était la figure. — 15. *Celle d'où ils étaient sortis*, la Chaldée. — 16. *Leur Dieu*, "le Dieu d'Abraham, de Jacob,' etc. *Matth.* xxii, 32, al.

vra-t-il *comme* en figure. 20. C'est par la foi qu'Isaac bénit Jacob et Esaü, en vue des choses à venir. 21. C'est par la foi que Jacob mourant bénit chacun des fils de Joseph, et qu'il " se prosterna devant le sommet de son sceptre. " 22. C'est par la foi que Joseph, près de sa fin, fit mention de la sortie des fils d'Israël, et qu'il donna des ordres au sujet de ses restes.

De celle de Moïse.

23. C'est par la foi que Moïse, à sa naissance, fut caché pendant trois mois par ses parents, parce qu'ils virent que l'enfant était beau, et qu'ils ne craignirent pas l'ordre du roi. 24. C'est par la foi que Moïse, devenu grand, refusa d'être appelé fils d'une fille de Pharaon, 25. aimant mieux être maltraité avec le peuple de Dieu, que de goûter une jouissance passagère due au péché : 26. il considéra l'opprobre du Christ comme une richesse plus grande que les trésors de l'Egypte; car il avait les yeux fixés sur la récompense. 27. C'est par la foi qu'il quitta l'Egypte, sans craindre la colère du roi; car il tint ferme, comme s'il voyait celui qui est invisible. 28. C'est par la foi qu'il célébra la Pâque et fit l'aspersion du sang, afin que l'exterminateur des premiers-nés ne touchât pas à ceux des Israélites. 29. C'est par la foi qu'ils traversèrent la mer Rouge comme une terre sèche, tandis que les Egyptiens qui tentèrent le passage furent engloutis.

Dès l'entrée dans la Terre promise.

30. C'est par la foi que les murailles de Jéricho

20-22. *En vue*, prophétisant *des choses à venir*, avec la foi assurée que Dieu les réaliserait. — *Et que*, voyant dans Joseph, le sauveur de ses frères et le maître de l'Egypte, une figure du Christ, sauveur des hommes et souverain Seigneur du monde, il témoigna sa foi en rendant hommage au sceptre de son fils, symbole de la dignité royale. — 24-26. *Par la foi* aux promesses faites à ses pères. — *Que de goûter*, etc., que de mener une vie luxueuse à la cour des Pharaons, après avoir renoncé au vrai Dieu et renié son peuple. — *L'opprobre du Christ :* Paul appelle ainsi les opprobres que Moïse et le peuple de Dieu devaient avoir à souffrir, parce qu'ils étaient la figure de ceux de J. C. — *La récompense :* la possession de la terre de Chanaan, et surtout le salut promis en J. C.

tombèrent, après qu'on en eut fait le tour pendant sept jours. 31. C'est par la foi que Rahab la courtisane ne périt pas avec les rebelles, parce qu'elle avait accueilli les espions avec bienveillance. 32. Et que dirai-je encore? Le temps me manquerait pour parler de Gédéon, de Barac, de Samson, de Jephté, de David, de Samuel et des prophètes, 33. ✠ qui, par la foi, ont conquis des royaumes, exercé la justice, obtenu des promesses, fermé la gueule des lions, 34. éteint la violence du feu, échappé au tranchant de l'épée, triomphé de la maladie, déployé leur vaillance à la guerre, mis en fuite des armées ennemies. 35. Des femmes ont recouvré leurs morts par une résurrection. D'autres ont péri dans les tortures, refusant la délivrance, afin d'obtenir une meilleure résurrection; 36. d'autres ont souffert les moqueries et les verges; de plus, les chaînes et les cachots; 37. ils ont été lapidés, sciés, éprouvés; ils sont morts par le tranchant de l'épée; ils ont erré çà et là, couverts de peaux de brebis et de peaux de chèvres, dénués de tout, persécutés, maltraités, 38. — eux dont le monde n'était pas digne; — ils ont été errants dans les déserts et les montagnes, dans les cavernes et les antres de la terre.

Conclusion.

39. Tous ces héros, qui ont reçu pour leur foi un *bon* témoignage, n'ont pas obtenu l'objet de la promesse, ¶ 40. Dieu ayant eu en vue pour nous quelque chose de meilleur, afin qu'ils n'arrivassent pas sans nous à la glorification finale. ¶

31. *Les rebelles*, les habitants de Jéricho, qui refusaient d'ouvrir leurs portes au peuple de Dieu. — 33-34. *Des promesses* pour l'avenir : tels furent les Prophètes. *Des lions :* tels furent Samson, David, Daniel.— *Du feu :* les trois compagnons de Daniel. — *De la maladie :* Ezéchias. — *A la guerre :* les Machabées et le peuple juif à cette époque. — 35-38. *Des femmes*, par ex. la veuve de Sarepta. — *Tortures :* Eléazar, les 7 frères Machabées. — *Sciés :* Isaïe. — 39-40. *Ont reçu* dans l'Ecriture. — *Sans nous*, avant nous.

4° Persévérer dans les épreuves à leur exemple et à celui de J. C. — CH. 12.

Donc, nous aussi, puisque nous sommes environnés d'une si grande nuée de témoins, rejetons tout fardeau *inutile* et le péché qui nous enveloppe, et courons avec persévérance dans la carrière qui nous est ouverte, 2. les yeux fixés sur Jésus, l'auteur et le consommateur de la foi, lui qui, en vue de la joie qui lui était réservée, a souffert la croix, méprisant l'ignominie *de ce supplice*, et " s'est assis à la droite du trône de Dieu." 3. Considérez celui qui a supporté contre sa personne une telle contradiction de la part des pécheurs, afin que vous ne vous lassiez point, l'âme découragée. 4. Vous n'avez pas encore résisté jusqu'au sang dans votre lutte contre le péché; 5. et vous avez oublié l'exhortation de Dieu qui vous dit comme à des fils : "Mon fils, ne méprise pas le châtiment du Seigneur, et ne perds point courage lorsqu'il te reprend; 6. car le Seigneur châtie celui qu'il aime, et il frappe de la verge tout fils qu'il reconnaît pour sien."

Elles sont envoyées par Dieu pour notre bien.

7. Supportez avec patience la correction : Dieu vous traite comme des fils; car quel est le fils que son père ne châtie pas? 8. Si vous êtes exempts du châtiment auquel tous ont part, vous êtes donc des enfants illégitimes, et non de *vrais* fils. 9. D'ailleurs, puisque nos pères selon la chair nous ont châtiés et que nous les avons respectés, ne devons-nous pas, à bien plus forte raison, nous soumettre au Père des esprits, pour avoir la vie? 10. Nos pères nous châtiaient pour peu de jours, comme ils le trouvaient bon; mais Dieu le fait

Chap. 12. — 1. *Rejetons*, comme les athlètes qui doivent courir dans l'arène, ce qui pourrait retarder notre course, *tout fardeau* inutile, par ex. les soucis du siècle, etc. — 9-10. *Père des esprits*, Dieu, par opposition aux *pères selon la chair*, nos parents. — *Pour peu de jours :* leur correction se rapportait aux jours si courts de notre vie terrestre; celle de Dieu a pour but notre vie éternelle.

pour notre bien, pour que nous participions à sa sainteté. 11. Toute correction, il est vrai, semble d'abord un sujet de tristesse, et non de joie; mais elle produit plus tard, pour ceux qui ont été ainsi exercés, un fruit de justice et de paix.

Conclusion.

12. " Relevez donc vos mains languissantes et vos genoux affaiblis, 13. et faites suivre à vos pieds des voies droites," afin que ce qui est boiteux ne dévie pas, mais plutôt se raffermisse.

II. — *Avis divers sur les vertus* (12, 14 — 13, 17.)

Paix avec tous et sainteté de vie.

14. Recherchez la paix avec tous, et la sainteté, sans laquelle personne ne verra le Seigneur. 15. Veillez à ce que personne ne manque à la grâce de Dieu; à ce qu'aucune racine d'amertume, venant à pousser, ne cause du trouble, et que plusieurs n'en soient infectés. 16. Qu'il n'y ait parmi vous ni impudique, ni profane comme Esaü, qui pour un mets vendit son droit d'aînesse. 17. Vous savez que, plus tard, voulant obtenir la bénédiction *de son père*, il fut repoussé, quoiqu'il la sollicitât avec larmes, car il ne put le faire changer de sentiments. 18. Vous ne vous êtes pas approchés d'une montagne que la main puisse toucher, ni d'un feu ardent, ni de la nuée, ni des ténèbres, ni de la tempête, 19. ni de l'éclat de la trompette, ni d'une voix si retentissante, que ceux qui l'entendirent demandèrent qu'on ne leur adressât pas une parole de plus; 20. car ils ne pouvaient supporter cette défense : " Si même une bête touche la montagne, elle sera lapidée. " 21. Et ce spectacle était si terrible, que Moïse *lui-*

12-13. *Vos mains languissantes :* image empruntée aux combats des athlètes. — *Des voies droites*, quant à la foi. — *Ce qui est boiteux :* le chrétien faible et chancelant dans la foi. — 15. *Racine d'amertume :* haine, jalousie, etc. — 18. La *montagne* du Sinaï, environnée d'éclairs et de tonnerres. Sens : ce n'est point l'ancienne loi que vous avez reçue.

même dit : " Je suis épouvanté et tout tremblant!" — 22. Mais vous vous êtes approchés de la montagne de Sion, de la cité du Dieu vivant, *qui est* la Jérusalem céleste, des myriades qui forment le chœur des anges, 23. de l'assemblée des premiers-nés inscrits dans les cieux, du Juge qui est le Dieu de tous, des esprits des justes parvenus à la perfection, 24. de Jésus, le médiateur de la nouvelle alliance, et du sang de l'aspersion qui parle mieux que celui d'Abel. 25. Prenez garde de refuser d'écouter celui qui parle; car si les Israélites n'ont pas échappé *au châtiment*, pour avoir refusé d'écouter celui qui publiait ses oracles sur la terre, combien moins échapperons-nous, si nous le repoussons quand il nous parle du haut des cieux : 26. lui, dont la voix alors ébranla la terre, mais qui maintenant a fait cette promesse: "Une fois encore j'ébranlerai non seulement la terre, mais aussi le ciel." 27. Ces mots : " Une fois encore, " indiquent le changement des choses qui vont être ébranlées comme ayant été faites pour un temps, afin que celles qui ne doivent pas être ébranlées subsistent *à jamais*. 28. Ainsi, puisque nous recevons un royaume qui ne sera point ébranlé, tenons ferme à la grâce, *et* par elle rendons à Dieu un culte qui lui soit agréable, avec piété et avec crainte, 29. car notre Dieu est aussi un feu dévorant.

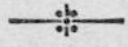

23. *Des premiers-nés*, des chrétiens fidèles qui vivent sur la terre : vous êtes entrés en communion avec eux, vous êtes devenus un des leurs. — *Des esprits*, des âmes *des justes* qui, *parvenues* à l'éternelle béatitude, forment l'Eglise triomphante. — 24. *Du sang de l'aspersion*, du sang de Jésus Christ avec lequel il est entré dans le sanctuaire du ciel. — 25. *Celui qui parle :* Jésus Christ, ou Dieu par la bouche de Jésus Christ. — 26. Dieu, par le prophète Aggée, annonce un second ébranlement, cette fois de la terre et du ciel même, pour signifier l'établissement d'une nouvelle alliance, supérieure à l'ancienne, et qui ne sera jamais abolie, puisqu'il n'est question nulle part d'un troisième ébranlement. — 28-29. *La grâce*, la foi chrétienne, le christianisme. —*Notre Dieu est un feu dévorant*, jaloux et terrible, qui punit sévèrement l'apostasie.

Charité, chasteté et modération. — CH. 13.

Persévérez dans l'amour fraternel. 2. N'oubliez pas l'hospitalité ; car par elle quelques-uns ont logé des anges, sans le savoir. 3. Souvenez-vous des prisonniers, comme si vous étiez aussi prisonniers ; de ceux qui sont maltraités, comme étant aussi vous-mêmes dans un corps. 4. Que le mariage soit honoré de tous, et le lit conjugal exempt de souillure, car Dieu jugera les impudiques et les adultères. 5. Que votre conduite soit exempte d'avarice, vous contentant de ce que vous avez ; car Dieu lui-même a dit : " Je ne te délaisserai point et ne t'abandonnerai point ; " 6. de sorte que nous pouvons dire en toute assurance : "Le Seigneur est mon aide, je ne craindrai rien ; que peut me faire un homme ? "

Persévérance dans la foi.

7. ✠ Souvenez-vous de vos conducteurs qui vous ont annoncé la parole de Dieu ; et considérant quelle a été l'issue de leur vie, imitez leur foi. 8. Jésus Christ est le même hier, aujourd'hui, éternellement. 9. Ne vous laissez pas entraîner par des doctrines diverses et étrangères, car il est bon que le cœur soit affermi par la grâce, et non par des aliments, qui n'ont servi de rien à ceux qui s'y attachent.

S'affranchir entièrement de la synagogue.

10. Nous avons un autel *et une victime* dont n'ont pas le droit de manger ceux qui font le service dans le tabernacle. 11. Car les corps des animaux dont le sang est porté dans le sanctuaire par le grand prêtre pour le péché, sont brûlés hors du camp. 12. C'est pour cela que Jésus aussi, afin

Chap. 13. — 2-3. *Quelques-uns :* Lot et Abraham. — *Dans un corps* fragile, exposé aux mêmes souffrances. — 7. *Conducteurs*, les chefs spirituels de l'Eglise de Jérusalem, évêques, prêtres, diacres, qui étaient déjà morts. — 8-9. Liaison : ces chefs spirituels avaient vu le Christ, et ils l'ont reconnu comme le véritable Messie ; or, ce Christ que vous ne voyez pas, est toujours le même ; *ne vous laissez donc pas entraîner*, etc. — *Par la grâce* sanctifiante, ou la sainte Eucharistie. — *Aliments*, repas sacrés où l'on mangeait la part de la victime qui revenait à celui qui l'avait fournie. — 10. *Un autel* où, sous les espèces du pain et du vin, s'offre une victime, Jésus Christ lui-même.

de sanctifier le peuple par son sang, a souffert hors de la porte *de Jérusalem.* 13. Sortons donc *du camp*, pour aller à lui, en portant son opprobre. 14. Car nous n'avons pas ici-bas de cité permanente, mais nous cherchons celle qui est à venir. 15. Que ce soit donc par lui que nous offrions sans cesse à Dieu "un sacrifice de louange," c'est à dire "le fruit de lèvres" qui confessent son nom.

Libéralité entre les frères et obéissance aux supérieurs.

16. Et n'oubliez pas la bienfaisance et la libéralité, car c'est à de tels sacrifices que Dieu prend plaisir. 17. Obéissez à vos conducteurs et déférez *à leurs avis*, car ils veillent pour vos âmes comme devant en rendre compte, ¶ — afin qu'ils le fassent avec joie, et non en gémissant, ce qui ne vous serait pas avantageux.

Epilogue.

Il demande leurs prières et prie pour eux. Dernières recommandations.

18. Priez pour nous; car nous sommes assuré d'avoir une bonne conscience, voulant en toutes choses nous bien conduire. 19. C'est avec instance que je vous demande de le faire, afin que je vous sois rendu plus tôt.

20. Que le Dieu de la paix, qui a ramené d'entre les morts celui qui est *devenu* le grand Pasteur des brebis, par le sang d'une alliance éternelle, Notre Seigneur Jésus, 21. vous rende capables de toute bonne œuvre par l'accomplissement de sa volonté, en opérant en vous ce qui lui est agréable, par Jésus Christ, auquel soit la gloire dans les siècles des siècles! Amen!

---

13. *Sortons du camp*, de Jérusalem et du judaïsme, si nous voulons avoir part aux mérites de son sacrifice. — *En portant* courageusement pour sa cause des *opprobres* semblables aux siens. — 14. *Celle qui est à venir*, la Jérusalem céleste. — 20-21. *Par le sang :* Dieu a ramené Jésus Christ d'entre les morts et l'a fait monter au ciel *par* ou *avec son sang*, que, grand prêtre éternel, il offre sans cesse pour nous. — *D'une alliance éternelle*, de la nouvelle alliance, qui ne sera jamais remplacée par une autre. — *En opérant en vous* par sa grâce, à laquelle l'homme doit coopérer.

22. Je vous prie, mes frères, de prendre en bonne part ces paroles d'exhortation, car je vous ai écrit brièvement. 23. Sachez que notre frère Timothée est relâché; s'il vient assez tôt, j'irai vous voir avec lui. 24. Saluez tous vos conducteurs et tous les saints. Les frères d'Italie vous saluent.

Que la grâce soit avec vous tous! Amen!

ÉPÎTRE CATHOLIQUE DE S. JACQUES.

AVIS SUR CERTAINS DEVOIRS DE LA VIE CHRÉTIENNE.

I. — *De la souffrance chrétienne.*

Adresse. — CH. 1.

JACQUES, serviteur de Dieu et du Seigneur Jésus Christ, aux douze tribus qui sont dans la dispersion, salut.

Souffrir avec joie.

2. ✠ Ne voyez qu'un sujet de joie, mes frères, dans les épreuves de toute sorte qui tombent sur vous; 3. sachant que l'épreuve de votre foi produit la patience. 4. Mais que la patience soit accompagnée d'œuvres saintes, afin que vous soyez parfaits et accomplis, ne laissant à désirer en rien.

La vraie sagesse qu'il faut demander à Dieu

5. Si la sagesse fait défaut à quelqu'un d'entre vous, qu'il la demande à Dieu, qui donne à tous largement, sans rien reprocher, et elle lui sera donnée. 6. Mais qu'il demande avec foi, sans hé-

Chap. 1. — 1. *Serviteur*, dans le sens spécial de sa fonction et de sa dignité d'apôtre. — *Aux douze tribus*, aux chrétiens sortis du judaïsme et dispersés parmi les nations païennes. — 3. *La patience*, une constance que rien ne peut plus ébranler. — 5. *La sagesse* pratique, qui envisage au point de vue chrétien les adversités et les fait servir au salut.

siter; car celui qui hésite est semblable au flot de la mer, agité et ballotté par le vent. 7. Que cet homme-là ne pense donc pas qu'il recevra quelque chose du Seigneur : 8. l'homme à deux âmes, inconstant dans toutes ses voies.

consiste à tout recevoir de sa main.

9. Que le frère qui est pauvre se glorifie de son élévation. 10. Et que celui qui est riche mette sa gloire à se faire *humble et* pauvre; car il passera comme la fleur de l'herbe : 11. le soleil s'est levé brûlant, et il a desséché l'herbe, et sa fleur est tombée, et la beauté de son aspect a disparu; de même aussi le riche se flétrira dans ses voies.

Le mal ne vient pas de Dieu, qui est l'auteur de tout bien.

12. ✠ Heureux l'homme qui supporte l'épreuve *avec constance!* Devenu un homme éprouvé, il recevra la couronne de vie que Dieu a promise à ceux qui l'aiment. ¶ 13. Que nul, lorsqu'il est tenté, ne dise : " C'est Dieu qui me tente "; car Dieu ne saurait être tenté de mal, et lui-même ne tente personne. 14. Mais chacun est tenté par sa propre convoitise, qui l'amorce et l'entraîne. 15. Ensuite la convoitise, lorsqu'elle a conçu, enfante le péché, et le péché, lorsqu'il est consommé *dans un acte extérieur*, engendre la mort. 16. Ne vous abusez pas, mes frères. 17. ✠ Tout don excellent, toute grâce parfaite, descend d'en haut, du Père des lumières, en qui n'existe aucune vicissitude, aucune mutation qui voile son éclat.

8. *Homme à deux âmes*, animé de sentiments contraires. — 9. *Elévation* future, qui l'attend dans l'autre vie ; ou bien : de son état, qui est, au point de vue de la foi, une divine *élévation*, un sujet de joie et de gloire. — 10. *Mette sa gloire à se faire humble;* ou bien : se *glorifie de son humiliation*, de ce qui l'humilie. Or le riche a deux sujets d'humiliation : il est pauvre vis-à-vis de Dieu, et sa richesse passera vite. — 13. Il s'agit ici de la tentation intérieure, dont le principal foyer est la concupiscence. — 14-15. Dans cette œuvre de la convoitise, ou concupiscence, d'où naît le péché, l'Apôtre distingue trois degrés, ou plutôt trois moments : la simple excitation au mal, le consentement intérieur et l'acte extérieur. C'est cet acte extérieur qui fait apparaître au dehors la *mort* spirituelle de l'âme. — 16. *Ne vous abusez* pas, en vous imaginant que Dieu est l'auteur du mal; il est, au contraire, la source suprême de tout bien.

18. De sa propre volonté, il nous a engendrés *à la vie de la grâce* par la parole de vérité, afin que nous soyons comme les prémices de ses créatures.

II. — *La foi qui opère par la charité.*

Mettre en pratique la parole entendue.

19. Mes frères bien aimés, vous connaissez *cette maxime* : Que l'homme soit prompt à écouter, lent à parler, lent à se mettre en colère. 20. Car la colère de l'homme n'opère point la justice de Dieu. 21. C'est pourquoi, rejetant toute souillure et toute excroissance de méchanceté, recevez avec douceur la parole *évangélique déjà* semée en vous, laquelle peut sauver vos âmes. ¶ 22. ✢ Mais mettez-la en pratique, et ne vous contentez pas de l'écouter, en vous trompant vous-mêmes par de faux raisonnements. 23. Car, si quelqu'un écoute la parole et ne l'observe pas, il est semblable à un homme qui regarde *en passant* son visage dans un miroir : 24. à peine s'est-il considéré, qu'il s'en va, oubliant aussitôt quel il est. 25. Celui, au contraire, qui plonge son regard sur la loi parfaite, la loi de liberté, et qui l'y tient attaché, non en auditeur oublieux, mais en observateur de l'œuvre, celui-là trouvera son bonheur en l'accomplissant.

Surtout en refrénant sa langue, et en pratiquant les œuvres de miséricorde.

26. Si quelqu'un s'imagine être religieux sans mettre un frein à sa langue, il s'abuse lui-même et sa religion est vaine. 27. La religion pure et sans tache devant Dieu, notre Père, consiste à prendre soin des orphelins et des veuves dans leur malheur, et à se préserver pur *des souillures* de ce monde. ¶

18. *Afin que nous*, chrétiens nés dans le judaïsme et appelés les premiers à l'Evangile, nous soyons les *prémices*, les premiers de ceux qui ont cru ; ou bien, *l'élite* de ses créatures en général. — 20. *N'opère pas*, etc., ne rend pas juste devant Dieu. — 25. *La loi de liberté*, l'Evangile, qui ne connaît que des *enfants* de Dieu, obéissant par amour. — *Son bonheur* en général : dans la vie présente et la vie future.

Ne pas faire acception de personnes. — CH. 2.

Mes frères, n'alliez aucune acception de personnes avec la foi en Notre Seigneur Jésus Christ, *Seigneur* de gloire. 2. Si, par exemple, il entre dans votre assemblée un homme ayant un anneau d'or et un vêtement magnifique, et qu'il y vienne aussi un pauvre avec un habit sordide; 3. et que, tournant vos regards vers celui qui porte le magnifique vêtement, vous *lui* disiez : " Vous, asseyez-vous ici, à cette place d'honneur, " et que vous disiez au pauvre : " Toi, tiens-toi là debout, ou assieds-toi ici, au bas de mon marchepied : " 4. ne faites-vous pas entre vous des différences, et ne devenez-vous pas des juges aux pensées perverses ?

5. Ecoutez, mes frères bien aimés : Dieu n'a-t-il pas choisi ceux qui sont pauvres aux yeux du monde, pour *qu'ils soient* riches dans la foi et héritiers du royaume qu'il a promis à ceux qui l'aiment? 6. Et vous, vous déshonorez le pauvre ! Ne sont-ce pas les riches qui vous oppriment et qui vous traînent devant les tribunaux? 7. Ne sont-ce pas eux qui outragent le beau nom que vous portez? 8. Si pourtant vous accomplissez la loi royale, selon ce passage de l'Ecriture : " Tu aimeras ton prochain comme toi-même, " vous faites bien. 9. Mais si vous faites acception des personnes, vous commettrez un péché, et la loi vous condamne comme transgresseurs.

Il faut observer toute la loi.

10. Car quiconque aura observé toute la loi, s'il vient à faillir en un seul point, est coupable de tous. 11. En effet, celui qui a dit : " Tu ne

Chap. 2. — 1. *Seigneur de gloire*, glorifié dans le ciel : lui seul est grand ; qu'il n'y ait donc pas entre vous de vaines distinctions. — 6. *Les riches*, même chrétiens : comp. I *Cor.* vi, 1 sv. — 7. *Qui outragent*, qui déshonorent par leur conduite le nom du Christ. — 8 sv. Sens : si pourtant vous agissez ainsi, non par mépris du pauvre, mais pour quelque motif honnête, et sans violer la première de toutes les lois, la charité, je ne vous condamne pas absolument. — 10. *Est coupable*, non pas *autant que*, mais *comme* s'il avait violé tous les préceptes.

commettras point d'adultère, " a dit aussi : " Tu ne tueras point. " Si donc tu tues, quoique tu ne commettes point d'adultère, tu es transgresseur de la loi. 12. Parlez et agissez comme devant être jugés par la loi de liberté. 13. Car le jugement sera sans miséricorde pour celui qui n'aura pas fait miséricorde; la miséricorde triomphe du jugement.

Inutilité de la foi sans les œuvres.

14. Que sert-il, mes frères, à un homme de dire qu'il a la foi, s'il n'a pas les œuvres? Est-ce que cette foi pourra le sauver? 15. Si un frère ou une sœur sont dans la nudité et manquent de la nourriture de chaque jour, 16. et que l'un de vous leur dise : " Allez en paix, chauffez-vous et vous rassasiez, " sans leur donner les choses nécessaires au corps, à quoi cela sert-il? 17. Il en est de même de la foi : si elle n'a pas les œuvres, elle est morte en elle-même. 18. Mais on pourrait même dire : " Tu as la foi, et moi, j'ai les œuvres. " Montre-moi ta foi sans les œuvres, et moi, je te montrerai ma foi par mes œuvres. 19. Tu crois qu'il y a un seul Dieu, tu fais bien; les démons le croient aussi,... et ils tremblent!

La foi d'Abraham et de Rahab.

20. Mais veux-tu te convaincre, ô homme vain, que la foi sans les œuvres est morte? 21. Abraham, notre père, ne fut-il pas justifié par les œuvres, lorsqu'il offrit son fils Isaac sur l'autel? 22. Tu vois que la foi coopérait à ses œuvres,

18. *On pourrait* établir la même vérité par ce raisonnement : *Tu as la foi*, dis-tu, *et moi j'ai les œuvres*. Eh bien, ta foi, tu ne peux même pas en prouver l'existence, tandis que mes œuvres attestent la mienne aux yeux de tous. La foi est donc inséparable des œuvres. — 19. *Et*, loin d'être sauvés, *ils tremblent* sous les coups de la justice divine. — 21. *Gen.* xxii, 9-18. S. Paul (*Rom.* iv, 2 sv.) semble affirmer exactement le contraire. Les deux apôtres se complètent sans se contredire. Quand S. Paul dit que la foi suffit pour justifier, il entend une foi pleine et parfaite, " produisant des bonnes œuvres par la charité." *Gal.* v, 69. Au contraire, la foi que S. Jacques regarde comme insuffisante, est la foi stérile et sans vie, qui s'allie avec toutes les souillures de l'âme, la froide adhésion de l'esprit à certaines vérités, sans y conformer sa conduite.

et que par les œuvres sa foi fut rendue parfaite. 23. Et *ainsi* s'accomplit la parole de l'Ecriture : " Abraham crut à Dieu, et cela lui fut imputé à justice, " et il fut appelé ami de Dieu. 24. Vous voyez que l'homme est justifié par les œuvres, et non par la foi seulement. 25. De même Rahab, la courtisane, ne fut-elle pas justifiée par les œuvres, quand elle reçut les envoyés de Josué et les fit partir par un autre chemin?

Conclusion.

26. De même que le corps sans âme est mort, ainsi la foi sans les œuvres est morte.

III. — *L'ambition de s'ériger en maître* (3, 1-18).

La langue et ses abus. — CH. 3.

Mes frères, qu'il n'y ait pas parmi vous tant de gens qui veulent être docteurs, sachant que nous aurons *par là* un jugement plus sévère. 2. Car nous péchons tous en beaucoup de choses. Si quelqu'un ne pèche pas en parole, c'est un homme parfait, capable de tenir aussi en bride son corps tout entier. 3. Si nous mettons aux chevaux un mors dans la bouche pour nous en faire obéir, nous gouvernons aussi leur corps tout entier. 4. Voyez encore les navires : tout grands qu'ils sont, et quoique poussés par des vents impétueux, ils sont conduits au gré du pilote par un petit gouvernail. 5. Ainsi la langue est un petit membre, et elle peut se vanter de grandes choses. Voyez quelle grande forêt une étincelle peut allumer! 6. La langue aussi est un feu, le monde de l'iniquité. La langue est placée entre nos membres *comme dans un cen-*

23. *Et ainsi :* par là même que la foi d'Abraham arriva à sa perfection par les œuvres, ce passage de l'Ecriture (*Gen.* XV, 6) reçut son plein accomplissement.

Chap. 3. — 1. *Sachant que nous*, qui sommes docteurs, qui enseignons les autres. Dans les premières assemblées chrétiennes, chacun pouvait se présenter pour adresser la parole aux fidèles. — 2. *Son corps tout entier* avec les convoitises et les passions dont le corps est comme le foyer. — 6. *Elle embrase*, etc. : elle nous fait pécher durant tout le cours de notre vie, elle-même étant excitée par l'esprit de mensonge, le démon.

tre d'où elle souille tout le corps; elle embrase la roue de notre vie, s'embrasant elle-même au feu de l'enfer. 7. Toutes les espèces de quadrupèdes, d'oiseaux, de reptiles et d'autres animaux peuvent se dompter, et ont été domptés par l'homme. 8. Mais la langue, aucun homme ne peut la dompter : c'est un fléau qu'on ne peut arrêter; elle est remplie d'un venin mortel. 9. Par elle nous bénissons Dieu notre Père, et par elle nous maudissons les hommes qui ont été faits à l'image de Dieu. 10. De la même bouche sortent la malédiction et la bénédiction! Il ne faut pas, mes frères, qu'il en soit ainsi. 11. Est-ce que, de la même ouverture, la source fait jaillir le doux et l'amer? 12. Est-ce qu'un figuier, mes frères, peut produire des raisins, ou la vigne des figues? Ainsi une source salée ne peut donner de l'eau douce.

La vraie et la fausse sagesse.

13. Qui est sage et intelligent parmi vous? Qu'il montre, par sa bonne conduite, qu'il agit avec de la *vraie* sagesse. 14. Mais si vous avez dans vos cœurs un zèle amer et un esprit de dispute, ne vous glorifiez point et ne mentez point contre la vérité. 15. Une pareille sagesse ne descend pas d'en haut; elle est terrestre, charnelle, diabolique. 16. Car là où il y a zèle et esprit de contention, là est le trouble et toute action mauvaise. 17. Mais la sagesse *qui vient* d'en haut est premièrement pure, ensuite pacifique, condescendante, traitable, accessible aux bons conseils, pleine de miséricorde et de bons fruits, sans partialité, sans hypocrisie. 18. Le fruit de justice se sème dans la paix par ceux qui pratiquent la paix.

13. Ce verset ramène à la pensée du vers. 1 : la vraie sagesse n'est pas dans la manie d'instruire les autres, mais dans l'esprit de douceur et de paix. — 14. *Ne vous glorifiez point* de votre prétendue sagesse, qui n'est que mensonge.

IV. — *La paix et la concorde entre les frères.*

La source des discordes : les passions, l'orgueil. — CH. 4.

D'où viennent les guerres et les luttes parmi vous? N'est-ce pas de vos passions qui combattent dans vos membres? 2. Vous convoitez, et vous n'obtenez pas; vous êtes meurtriers et jaloux, et vous n'arrivez pas à vous satisfaire; vous êtes dans un état de lutte et de guerre. Vous n'obtenez pas, parce que vous ne demandez pas; 3. vous demandez, et vous ne recevez pas, parce que vous demandez mal, dans le but de fournir un aliment à vos passions. 4. Adultères, ne savez-vous pas que l'amour du monde est haine contre Dieu? Celui donc qui veut être ami du monde se constitue ennemi de Dieu. 5. Ou bien pensez-vous que l'Ecriture dise en vain : " L'esprit qui habite en nous est porté à l'envie? " 6. Mais elle donne une grâce plus grande, lorsqu'elle dit : " Dieu résiste aux orgueilleux, et il accorde sa grâce aux humbles. " 7. Soumettez-vous donc à Dieu; résistez au diable, et il s'enfuira de vous. 8. Approchez-vous de Dieu, et il s'approchera de vous. Nettoyez vos mains, pécheurs; purifiez vos cœurs, hommes irrésolus. 9. Sentez votre misère; prenez le deuil, et pleurez : que votre rire se change en pleurs, et votre joie en tristesse. 10. Humiliez-vous devant le Seigneur, et il vous élèvera.

Ni détraction, ni présomption.

11. *Mes* frères, ne dites point de mal les uns des

Chap. 4. — 2. Vive peinture de l'agitation d'une âme qui ne sait pas mettre un frein à ses désirs : elle convoite mille choses, et ne les obtenant pas, elle devient *meurtrière* (dans son cœur, I *Jean*, iii, 15), c. à d. elle hait à mort ceux qui lui sont un obstacle, et *jalouse*, etc. — 4. *Adultères*, dans le sens de l'ancien Testament, où Dieu était considéré comme l'époux de la nation juive : lui préférer des idoles, ici le monde et ses grossières jouissances, c'est être adultère. — 6. *Elle donne*, elle inspire, *une grâce plus grande*, l'humilité, *lorsqu'elle dit*, etc. — 8. La *main* figure les œuvres extérieures; le *cœur*, les passions. — *Irrésolus*, partagés entre Dieu et le monde : comp. i, 8. — 11. *Tu t'en fais juge*; ou bien, *tu te fais juge* en général, juge suprême, au-dessus de Dieu.

autres. Celui qui parle mal de son frère ou qui juge son frère, parle mal de la loi et juge la loi. Or, si tu juges la loi, tu n'es plus un observateur de la loi, mais tu t'en fais juge. 12. Il n'y a qu'un seul législateur et qu'un seul juge : *c'est* celui qui a la puissance de sauver et de perdre. 13. Mais qui es-tu, toi qui juges le prochain?

Et vous maintenant qui dites : " Aujourd'hui ou demain nous irons dans cette ville, nous y passerons une année, nous trafiquerons, et nous ferons des profits, " — 14. vous qui ne savez pas ce qui arrivera demain; 15. car qu'est-ce que votre vie? Vous êtes une vapeur qui paraît un instant et s'évanouit ensuite : — au lieu de parler ainsi, vous devriez dire : " Si le Seigneur le veut, " ou : " Si nous sommes en vie, nous ferons ceci ou cela." 16. Mais maintenant vous vous glorifiez dans vos pensées orgueilleuses. Toute jactance de cette sorte est mauvaise.

Conclusion

17. Celui donc qui sait faire ce qui est bien et qui ne le fait pas, commet un péché.

V. — *Exhortations diverses.*

Pour les riches.

CH. 5.

A vous maintenant, riches! Pleurez et lamentez-vous à cause des malheurs qui vont fondre sur vous. 2. Vos richesses sont tombées en pourriture, et vos vêtements sont devenus la pâture des vers. 3. Votre or et votre argent se sont rouillés, et leur rouille témoignera contre vous, et comme un feu dévorera votre chair. Vous vous êtes amassé un trésor de colère dans les derniers jours! 4. Voici qu'il crie vers le ciel, le salaire dont vous avez frustré les ouvriers qui ont moissonné vos champs, et les cris des moissonneurs sont

17. *Qui sait* le bien qu'il doit faire pour être agréable à Dieu.

Chap. 5. — 3. *Dans les derniers jours*, à la veille de la ruine de Jérusalem et de la nation juive, ruine qui sera le prélude du dernier jugement ; ce *trésor* vous sera donc inutile.

parvenus aux oreilles du Seigneur des armées. 5. Vous avez vécu sur la terre dans les délices et les festins, vous avez repu vos cœurs, au jour du carnage! 6. Vous avez condamné, vous avez tué le juste : il ne vous résiste point.

Pour les affligés.

7. Prenez donc patience, *mes* frères, jusqu'à l'avènement du Seigneur. Voyez : le laboureur attend le précieux fruit de la terre, ayant patience jusqu'à ce qu'il reçoive la pluie de l'automne et celle du printemps. 8. Vous aussi, soyez patients, et affermissez vos cœurs, car l'avènement du Seigneur est proche. 9. *Mes* frères, ne vous répandez point en plaintes les uns contre les autres, de peur que vous ne soyez *sévèrement* jugés : voici que le juge est à la porte. 10. Prenez, *mes* frères, pour modèles de souffrance et de patience les prophètes qui ont parlé au nom du Seigneur. 11. Voici que nous proclamons bienheureux ceux qui ont souffert avec constance. Vous avez entendu parler de la patience de Job, et vous avez vu la fin *heureuse* que le Seigneur lui a ménagée; car le Seigneur est miséricordieux et compatissant.

Ne pas jurer.

12. Mais avant tout mes frères, ne jurez ni par le ciel, ni par la terre, ni par quelqu'autre *formule* de serment; mais que votre oui soit oui, et que votre non soit non, afin que vous ne tombiez pas sous le coup du jugement.

L'Onction des malades et la prière.

13. ✠ Quelqu'un parmi vous est-il dans la souffrance? qu'il prie. Quelqu'un est-il dans la joie? qu'il chante des cantiques. 14. Quelqu'un parmi vous est-il malade? qu'il appelle les prêtres de l'Eglise, et que ceux-ci

5. *Au jour du carnage*, au moment où vous allez être les victimes de la justice divine : quelle folie ! Même sens que *dans les derniers jours* (vers. 3). — 6. *Condamné* injustement. — *Tué*, par l'action lente de l'oppression, qui plonge le pauvre dans la misère, quelquefois dans la maladie, et enfin dans la mort. — 12. *Que votre oui*, votre affirmation, *soit* un simple *oui*, etc. (*Matth.* v, 34-36). — 14. Cette onction n'est autre que le sacrement de l'*extrême-onction*.

prient sur lui, après l'avoir oint d'huile au nom du Seigneur. 15. Et la prière de la foi sauvera le malade, et le Seigneur le soulagera, et s'il a commis des péchés, ils lui seront pardonnés. 16. ✠ Confessez-vous mutuellement vos fautes, et priez les uns pour les autres, afin que vous soyez guéris; car la prière fervente du juste a beaucoup de puissance. ¶ 17. Elie était un homme de la même nature que nous : il pria instamment qu'il ne tombât point de pluie, et la pluie ne tomba pas sur la terre pendant trois ans et six mois; 18. il pria de nouveau, et le ciel donna de la pluie, et la terre produisit son fruit.

Epilogue.

19. Si quelqu'un d'entre vous, mes frères, s'égare loin de la vérité, et qu'un autre l'y ramène, 20. que ce dernier sache que celui qui ramènera un pécheur de la voie où il s'égare, sauvera une âme de la mort et couvrira une multitude de péchés. ¶

PREMIÈRE ÉPÎTRE DE S. PIERRE.

Préambule.

✠ *Salutation.* — CH. 1.

PIERRE, apôtre de Jésus Christ, aux élus, étrangers *ici-bas*, dispersés dans le Pont, la Galatie, la Cappadoce, l'Asie et la Bithynie, 2. *élus* selon la prescience de Dieu le Père, par la sanctifica-

15. *Le soulagera* dans son corps, si cela est utile à son salut, et dans son âme. — 16. *Confessez-vous :* que le malade fasse devant ses frères l'humble aveu de ses fautes et de ses torts : il ne s'agit donc pas ici, au moins directement, de la confession sacramentelle. — *Guéris*, quant à vos fautes. — 20. *Une âme*, celle du pécheur. — *Et couvrira*, par le mérite de son acte de charité, *une multitude de péchés*, probablement encore les péchés du converti.

Chap. 1. — 1-2. Les chrétiens sont *élus* et choisis de Dieu par un décret éternel.

tion de l'Esprit, pour obéir *à la foi* et avoir part à l'aspersion du sang de Jésus Christ : la paix et la grâce vous soient données de plus en plus!

Salut assuré par la grâce de la régénération.

3. Béni soit Dieu, le Père de Notre Seigneur Jésus Christ, qui, selon sa grande miséricorde, nous a régénérés pour une vivante espérance par la résurrection de Jésus Christ d'entre les morts, 4. pour un héritage incorruptible, qui ne saurait ni se souiller ni se flétrir : héritage conservé dans le ciel pour vous, 5. que la puissance de Dieu garde par la foi pour le salut, qui est prêt à apparaître dans le dernier temps. 6. En ce jour-là vous tressaillirez de joie, bien que maintenant, s'il le faut, vous soyez pour un peu de temps affligés de diverses épreuves, 7. afin que votre foi ainsi éprouvée, plus précieuse que l'or périssable, bien qu'on l'éprouve par le feu, vous soit un sujet de louange, d'honneur et de gloire au *jour de* l'avènement de Jésus Christ, ¶ 8. *ce Sauveur* que vous aimez sans l'avoir vu, *et* en qui maintenant vous croyez sans le voir; mais, croyant en lui, vous tressaillirez d'une joie ineffable et glorieuse, 9. lorsque vous remporterez le prix de votre foi, le salut de vos âmes. ¶

Grandeur et prix de ce bienfait.

10. Ce salut a été l'objet des recherches et des méditations des prophètes, qui ont parlé de la grâce qui vous était destinée; 11. ils cherchaient à découvrir quel temps et quelles circonstances indiquait l'Esprit du Christ qui était en eux, et qui annonçait d'avance les souffrances réservées au Christ et la gloire qui devait les suivre. 12. Il leur fut révélé que c'était, non

4. *Incorruptible*, hors des atteintes de la corruptibilité qui, par suite du péché, dévore toutes les choses terrestres. — *Se souiller* par le péché : où le mal ne saurait pénétrer. — *Se flétrir*, comme les fleurs de la terre. — 5. *Le salut* dans son plein épanouissement, tel qu'il doit se manifester dans les derniers jours du monde par le second avènement de Jésus Christ; il *est prêt*, chaque instant peut le faire paraître (IV, 7). — 12. Sens : ce qu'ils annonçaient touchant le Messie ne devait s'accomplir que plus tard, de nos jours : ils n'es

pour eux-mêmes, mais pour vous, qu'ils dispensaient ces choses, que vous ont aujourd'hui annoncées ceux qui, par le Saint Esprit envoyé du ciel, vous ont prêché l'Evangile : *mystère profond*, où les anges désirent plonger leurs regards.

EXHORTATIONS DIVERSES.

I. — *Mener une vie sainte.*

Motif de la sainteté : *Ressembler à Dieu qui nous a préparé l'héritage du salut et sera notre juge.*

13. C'est pourquoi, ayant ceint les reins de votre esprit, étant sobres, tournez toute votre espérance vers cette grâce qui vous sera apportée le jour où Jésus Christ paraîtra. 14. Comme des enfants obéissants, ne vous laissez point aller aux convoitises que vous aviez autrefois, quand vous étiez dans l'ignorance ; 15. mais, à l'image du Saint qui vous a appelés, vous-mêmes aussi soyez saints dans toute votre conduite, 16. car il est écrit : " Soyez saints, parce que je suis saint." 17. Et si vous donnez le nom de Père à celui qui, sans faire acception des personnes, juge chacun selon ses œuvres, vivez dans la crainte pendant le temps de votre pèlerinage :

Le grand prix auquel nous avons été rachetés.

18. Sachant que vous avez été affranchis de la vaine manière de vivre que vous teniez de vos pères, non par des choses périssables, de l'argent ou de l'or, 19. mais par un sang précieux, comme celui d'un agneau sans défaut et sans tache, *par le sang* du Christ, 20. qui a été désigné dès avant

jouirent que par la foi. — *Du ciel*, le jour de la Pentecôte. — *Les anges* connaissaient le mystère de la rédemption de l'homme par le Verbe incarné. Mais ils avaient encore beaucoup à apprendre à ce sujet. — 13. *Ayant ceint les reins* : voy. *Luc*, xii, 25. — *Cette grâce* : la souveraine béatitude, *qui vous* sera bientôt *apportée*. — 14. *Autrefois*, alors que vous étiez encore païens. — 15. *Du Saint*, de Dieu. — 16. *Ecrit*. Lév. xi, 14. — 17. *Si*, puisque. — *Le nom de Père :* l'Oraison dominicale était sans doute en usage parmi les premiers fidèles. — *La crainte* filiale d'offenser un père, qui sera aussi un juge. — 19. *D'un agneau :* comp. *Jean*, i, 29.

la création du monde, et manifesté dans les derniers temps à cause de vous. 21. C'est par lui que vous croyez en Dieu, qui l'a ressuscité des morts et qui lui a donné la gloire, afin que votre foi fût en même temps votre espérance en Dieu.

Progrès de la sainteté :
Par la charité fraternelle.

22. Ayant donc, en obéissant à la vérité, purifié vos âmes [par le moyen de l'Esprit], pour *avoir* un amour fraternel sincère, aimez-vous ardemment les uns les autres, du fond du cœur, 23. vous qui avez reçu une vie nouvelle, non d'une semence corruptible, mais d'une semence incorruptible, de la parole de Dieu vivante et éternelle. 24. Car " toute chair est comme l'herbe, et toute sa gloire comme la fleur de l'herbe : l'herbe sèche et sa fleur tombe; 25. mais la parole du Seigneur demeure éternellement. " C'est cette parole dont la bonne nouvelle vous a été apportée.

CH. 2.

✠ Ayant donc dépouillé toute malice et toute fraude, l'hypocrisie, l'envie et toute sorte de médisance,

Par l'union avec J. C.

2. Comme des enfants nouvellement nés, désirez ardemment le pur lait spirituel, afin qu'il vous fasse grandir pour le salut, 3. si " vous avez goûté que le Seigneur est bon. " 4. Approchez-vous de lui, pierre vivante, rejetée des hommes, il est vrai, mais choisie et précieuse devant Dieu, 5. et, comme des pierres vivantes, formez vous-

---

21. Notre *foi* en la résurrection de Jésus Christ, gage de la nôtre, porte avec elle la joyeuse *espérance* que nous serons un jour associés à sa gloire. — 22. *A la vérité*, à la doctrine évangélique. — 24. Preuve par l'Ecriture (*Is.* xl, 6 sv.) que les chrétiens sont nés d'une semence incorruptible, à la différence de l'homme naturel, appelé ici *chair*.

Chap. 2. — 2. *Le lait*, la parole de Dieu. — *Spirituel*, nourriture des âmes. — *Pur*, sans mélange d'erreur. — 3. Allusion à *Ps.* xxiv, 9. — *Si*, puisque. — *Le Seigneur*, Jésus Christ, ici tous les biens spirituels qu'il vous a apportés : la doctrine évangélique, les sacrements, l'eucharistie, etc. — 4. *Approchez-vous de lui* de plus en plus par la foi et l'amour. — *Rejetée*, etc. Comp. *Matth.* xxi, 42. — 5. *Un sacerdoce saint* : tout chrétien, consacré par le baptême, participe à la dignité et à l'office du seul Pontife suprême (*Hébr.* ix, 11-14). Mais il y a dans l'Eglise des prêtres proprement dits, qu'une consécration

mêmes un édifice, un temple spirituel, un sacerdoce saint, pour offrir des sacrifices spirituels, agréables à Dieu, par Jésus Christ. 6. Car il est dit dans l'Ecriture :"Voici que je pose en Sion une pierre angulaire, choisie, précieuse, et celui qui met en elle sa confiance ne sera pas confondu. " 7. A vous donc l'honneur, vous qui croyez; mais, pour les incrédules, " la pierre qu'ont rejetée ceux qui bâtissaient est devenue une pierre angulaire, 8. une pierre d'achoppement et une pierre de scandale : " eux qui, en désobéissant, vont se heurter contre la parole; comme aussi ils y sont destinés. 9. Mais vous, vous êtes une race choisie, un sacerdoce royal, une nation sainte, un peuple acquis pour annoncer les perfections de celui qui vous a appelés à son admirable lumière; 10. " vous qui autrefois n'étiez pas son peuple, et qui êtes maintenant un peuple de Dieu; vous qui n'aviez pas obtenu miséricorde, et qui maintenant avez obtenu miséricorde. " ¶

II. — *Conduite à tenir dans les circonstances présentes.*

Manière de vivre *parmi les païens.*

11. ✠ Bien aimés, je vous exhorte, comme des étrangers et des voyageurs *ici-bas*, à vous abstenir des convoitises de la chair qui font la guerre à l'âme. 12. Ayez une conduite honnête au mi-

spéciale élève au dessus des simples fidèles et associe plus intimement au sacerdoce de Jésus Christ. — *Sacrifices spirituels* : adoration, actions de grâces, sentiments de componction, etc. — 6. *L'Ecriture*, Is. xxviii, 16. — *Ne sera pas confondu*, obtiendra le salut espéré. — 7. *L'honneur* correspond à *ne sera pas confondu* (vers. 6). — *Angulaire :* Jésus Christ est pierre angulaire pour les croyants; il l'est aussi pour les incrédules, mais en même temps *pierre de scandale*, où ils se heurtent, se blessent ou se brisent. — 8. *Destinés :* à se heurter, en punition de leur incrédulité volontaire. — 9. *Race choisie* de Dieu, comme l'avait été le premier Israël. — *Sacerdoce royal :* tout chrétien participe à la royauté de Jésus Christ, comme à son sacerdoce. — *Nation sainte*, consacrée à Dieu. — *Peuple acquis*, propriété spéciale de Dieu. — *Perfections*, qui se sont manifestées dans l'œuvre de la rédemption : sagesse, amour, puissance. — *Lumière :* le christianisme. — 10. D'après *Osée*, ii, 25. — 12. *Sur le point même*,

lieu des gentils, afin que, sur le point même où ils vous calomnient comme si vous étiez des malfaiteurs, ils arrivent, en y regardant bien, à glorifier Dieu pour vos bonnes œuvres au jour de sa visite.

Pour les sujets

13. Soyez donc soumis à toute institution humaine à cause du Seigneur, soit au roi, comme souverain, 14. soit aux gouverneurs, comme envoyés par lui pour faire justice des malfaiteurs et approuver les gens de bien : — 15. car c'est la volonté de Dieu que, en faisant le bien, vous fermiez la bouche aux insensés qui vous méconnaissent. — 16. Soyez soumis comme des *hommes* libres : non pas comme des hommes qui se font de la liberté un manteau pour couvrir leur malice, mais comme des serviteurs de Dieu. 17. Rendez honneur à tous; aimez tous les frères; craignez Dieu; honorez le roi.

Pour les serviteurs.

18. Vous, serviteurs, soyez soumis en toute crainte à vos maîtres, non seulement à ceux qui sont bons et doux, mais encore à ceux qui sont difficiles. 19. Car c'est une chose agréable à Dieu quand, par la pensée de Dieu, on endure des afflictions, en souffrant injustement. ¶ 20. Quelle gloire y a-t-il *pour vous* si, battus pour une faute, vous le supportez patiemment? Mais si, quand vous faites le bien, vous souffrez avec patience les mauvais traitements, voilà qui est agréable à Dieu. 21. C'est à cela, en effet, que vous avez été appelés, puisque ✠ le Christ aussi a souffert pour nous, vous laissant un modèle, afin que vous suiviez ses traces : 22. lui qui " n'a point commis de péché, et dans la bouche duquel il ne s'est point trouvé de fraude; " 23. lui qui, outragé, ne rendait point d'outrage; qui, maltraité, ne faisait point de menaces,

etc.; en voyant les chrétiens fuir les fêtes et les plaisirs du monde, les païens les soupçonnaient de vices cachés ou de desseins hostiles à l'empire. — *Au jour* où, les visitant par sa grâce, il les appellera au christianisme. — 16. J. C. nous a faits libres; mais il ne faut pas abuser de ce mot pour manquer à des devoirs essentiels. — 22. *Is.* liii, 8.

mais s'en remettait à celui qui juge avec justice; 24. lui qui a lui-même porté nos péchés en son corps sur le bois, afin que, morts au péché, nous vivions selon la justice; lui " par les meurtrissures duquel vous avez été guéris. " 25. Car " vous étiez comme des brebis errantes, " mais maintenant vous êtes revenus à celui qui est le pasteur et l'évêque de vos âmes. ¶

Pour les époux. — CH. 3.

Femmes, soyez de même soumises à vos maris, afin que, s'il y a des maris qui n'obéissent pas à la parole, ils soient gagnés *à Jésus Christ*, sans la parole, par la conduite de leurs femmes, 2. lorsqu'ils verront votre vie chaste et respectueuse. 3. Que votre parure ne soit pas celle qui est au dehors : les cheveux tressés avec art, les ornements d'or ou l'ajustement des habits; 4. mais parez l'homme caché du cœur par la pureté incomparable d'un esprit doux et paisible; telle est la vraie richesse devant Dieu. 5. C'est ainsi qu'autrefois se paraient les saintes femmes qui espéraient en Dieu, étant soumises à leurs maris. 6. Ainsi Sara obéissait à Abraham, l'appelant *son* seigneur; et vous êtes devenues ses filles, si vous faites le bien sans craindre aucune menace. 7. Vous de même, maris, vivez sagement avec vos femmes, comme avec des êtres plus faibles, les traitant avec honneur, puisqu'elles sont avec vous héritières de la grâce de la vie, afin que rien n'arrête vos prières.

Pour tous.

8. ✠ Enfin soyez tous animés des mêmes pensées et des mêmes sentiments, vous aimant com-

24. *Sur le bois* de la croix, autel où J. C. a offert son sacrifice. — *Guéris :* voy. *Is.* liii, 11.

Chap. 3. — 1. *N'obéissent pas*, résistent à la prédication de l'Evangile, refusent d'embrasser la religion chrétienne. — 4. *Respectueuse* de l'autorité de leur mari (*Eph.* v, 33). — 6. *Ses filles*, en devenant chrétiennes, quoique vous soyez d'origine païenne. — *Menace* de vos maris. — 7. *De la grâce* qui donne *la vie* de l'âme, du christianisme. — *Afin que rien ...* comme cela arrive quand le mépris mutuel et la division règnent parmi les époux. — 8. L'Apôtre s'adresse maintenant aux fidèles en général.

me des frères, miséricordieux, humbles, 9. ne rendant point le mal pour le mal, ni l'injure pour l'injure; bénissez, au contraire, car c'est à cela que vous avez été appelés, afin de recevoir en héritage la bénédiction. 10. " Celui qui veut aimer la vie et avoir d'heureux jours, qu'il garde sa langue du mal, et ses lèvres des paroles trompeuses; 11. qu'il se détourne du mal, et fasse le bien; qu'il cherche la paix et la poursuive. 12. Car les yeux du Seigneur sont sur les justes, et ses oreilles sont attentives à leurs prières; mais la face du Seigneur est contre ceux qui font le mal."

Dans la persécution :
Avoir une bonne conscience.

13. Et qui est-ce qui vous fera du mal, si vous êtes attachés au bien? 14. Mais si même vous souffrez pour la justice, heureux êtes-vous ! " Ne craignez point leurs menaces, et ne vous laissez point troubler; 15. mais révérez dans vos cœurs la sainteté du Seigneur" Jésus Christ; ¶ étant toujours prêts à répondre, mais avec douceur et respect, à quiconque vous demande raison de l'espérance qui est en vous ; 16. ayant une bonne conscience, afin que, sur le point même où l'on vous calomnie, vous couvriez de confusion ceux qui diffament votre bonne conduite en Jésus Christ.

Souffrir à l'exemple du Christ.

17. Car il vaut mieux souffrir, si c'est la volonté de Dieu, en faisant le bien, qu'en faisant le

9. Le bonheur du ciel est une grâce : à l'homme coupable, racheté par J. C., Dieu rend le bien pour le mal; pratiquons envers nos frères une miséricorde semblable. — 10. Le Psalmiste (*Ps.* xxxiv, 13-17) a surtout en vue la vie présente. — 13. *Du mal*, dans le vrai sens de ce mot. S. Justin : " Vous pouvez nous tuer, mais non pas nous nuire. " — 14. Comp. *Matth.* v, 10 sv. — 15. *Révérer*, Is. viii, 12 : redoutez, adorez J. C. comme étant le *Saint*, et ne l'associez dans votre cœur à aucune pensée, à aucun sentiment mauvais. — *Avec respect*, avec modestie, sans arrogance, soit à cause de Dieu, qui vous a tout donné par grâce; soit à cause des hommes. — *De l'espérance :* tous ne sont pas appelés à prêcher, mais tous doivent pouvoir dire en quelques mots ce qu'ils croient ou espèrent, et pourquoi. — 16. *Sur le point même :* Voy. ii, 12.

mal. 18. ✠ Car le Christ aussi a souffert une fois pour *nos* péchés, lui juste pour des injustes, afin de nous offrir à Dieu, ayant été mis à mort selon la chair, mais rendu à la vie selon l'esprit. 19. Dans cet esprit aussi il est allé prêcher aux esprits en prison, 20. qui autrefois avaient été désobéissants, lorsque, aux jours de Noé, ils attendaient la longanimité de Dieu, pendant que se construisait l'arche, dans laquelle un petit nombre, savoir huit personnes, furent sauvés au travers de l'eau. 21. Cette eau, figure du baptême (non pas ce baptême qui ôte les souillures du corps, mais celui qui est l'engagement d'une bonne conscience envers Dieu), nous sauve maintenant, nous aussi, par la résurrection de Jésus Christ, 22. qui, ayant englouti la mort pour nous faire héritiers de la vie éternelle, est à la droite de Dieu, après être monté au ciel, ¶ et à qui sont soumis les anges, les principautés et les puissances.

Devenus semblables au Christ, *fuyons le péché*,
CH. 4.

Le Christ ayant donc souffert [pour nous] en la chair, armez-vous,

18. *La chair*, la nature humaine; *l'esprit*, la puissance divine qui le ressuscita et le glorifia dans le ciel. — 19. *Dans cet esprit :* dans son âme séparée de son corps, mais unie à la divinité, Notre Seigneur *est descendu aux enfers*, dans le séjour des âmes, où les âmes des justes attendaient, avec sa venue, leur délivrance, c'est à dire leur entrée au ciel. — *Prêcher*, annoncer l'Evangile, le salut du monde par le Messie. — 20. *Ils attendaient*, pendant 120 ans, *la longanimité de Dieu*, combien durerait encore la patience de Dieu à leur égard, ce qui était de leur part une confiance présomptueuse. Aux yeux de l'Apôtre, *les jours de Noé* étaient une image du présent : un autre acte solennel de la justice de Dieu, la ruine de Jérusalem, allait se produire; le petit nombre des personnes sauvées du déluge figurait le petit nombre des Juifs qui trouvèrent le salut dans les eaux du baptême. — 21. *Ce baptême* qui, comme les ablutions juives, etc. — *L'engagement :* les promesses ou les vœux du baptême, par exemple, de renoncer à Satan, de croire en Jésus Christ.

Chap. 4. — 1. *Avec le péché :* le péché a donné la mort à Notre Seigneur; mais, après la passion, il n'eut plus sur lui aucun pouvoir : Jésus ressuscité règne dans la gloire. Ainsi du chrétien, membre de J. C. : par son renoncement, sa constance au milieu des persécutions, il montre qu'il a rompu avec le péché et s'est en quelque sorte soustrait à son empire.

vous aussi, de la même pensée, *savoir*, que celui qui a souffert dans la chair a rompu avec le péché, 2. pour vivre, pendant le temps qu'il lui reste à passer dans la chair, non plus selon les convoitises des hommes, mais selon la volonté de Dieu.

3. C'est bien assez d'avoir accompli autrefois la volonté des gentils, en vivant dans le désordre, les convoitises, l'ivrognerie, les excès du boire et du manger et le culte criminel des idoles. 4. A ce sujet, ils trouvent étrange que vous ne couriez pas avec eux dans les mêmes excès de dissolution, et ils se répandent en injures. 5. *Mais* ils rendront compte à celui qui est prêt à juger les vivants et les morts. 6. Car c'est en vue de ce jugement que l'Evangile a été aussi annoncé aux morts, afin que, condamnés il est vrai selon les hommes dans la chair, ils vivent selon Dieu dans l'Esprit.

Et pratiquons les vertus.

7. Or la fin de toutes choses est proche. ✠ Soyez donc prudents et sobres pour vaquer à la prière. 8. Mais surtout ayez un ardent amour les uns pour les autres; car l'amour couvre une multitude de péchés. 9. Exercez entre vous l'hospitalité, sans murmurer. 10. Que chacun mette le don spirituel qu'il a reçu au service des autres, comme de bons dispensateurs de la grâce de Dieu, laquelle est variée *dans ses dons*. 11. Si quelqu'un parle,

3. *La volonté des gentils par* opposition à la *volonté de Dieu.* — 6. *Aux morts*, lorsque J. C. descendit aux enfers (iii, 19 sv.), et cela pour que, frappés comme hommes par la mort, ils obtiennent *selon Dieu* l'éternelle félicité *dans l'esprit*, quant à l'âme. — 7. La dernière période du monde est commencée. Toutes les prophéties sont accomplies; l'Homme Dieu, vainqueur du péché et de la mort, est assis à la droite de son Père jusqu'à ce qu'il ait mis tous ses ennemis sous ses pieds. Combien durera cette période? Les Apôtres eux-mêmes l'ignoraient. — 10. Sur ces sortes de dons et leurs diversités, voy. I *Cor.* xii, 1 sv. — 11. *Parle :* a reçu le don de prophétie, ou d'enseignement, ou d'exhortation. *De Dieu*, et non pas selon les opinions humaines. — *Un ministère*, par ex. la distribution des aumônes. — *Une force que Dieu dispense :* s'abandonnant à Dieu, qui donne sa force aux faibles.

qu'il parle selon les oracles de Dieu; si quelqu'un exerce un ministère, qu'il le fasse comme usant d'une force que Dieu dispense, afin qu'en toutes choses Dieu soit glorifié par Jésus Christ, ¶ *Dieu* à qui appartiennent la gloire et la puissance aux siècles des siècles. Amen!

Ayons part aux souffrances du Christ.

12. ✠ Bien aimés, ne soyez point surpris que le feu *de la souffrance* soit allumé en vous pour vous éprouver, comme s'il vous arrivait quelque chose d'extraordinaire. 13. Mais réjouissez-vous dans la mesure où vous avez part aux souffrances du Christ, afin que, lorsque sa joie sera manifestée, vous soyez aussi dans la joie et l'allégresse. 14. Si vous êtes outragés pour le nom du Christ, heureux êtes-vous, parce que l'Esprit de gloire et de puissance, l'Esprit de Dieu repose sur vous. 15. Que nul de vous ne souffre comme meurtrier, comme voleur ou malfaiteur, ou comme avide du bien d'autrui. 16. Mais s'il souffre comme chrétien, qu'il n'en ait pas honte, mais qu'il glorifie Dieu pour ce nom même.

Par lesquelles nous obtiendrons la vie éternelle.

17. Car voici le temps où le jugement va commencer par la maison de Dieu. Et s'il commence par nous, quelle sera la fin de ceux qui n'obéissent pas à l'Evangile de Dieu? 18. Et "si le juste est sauvé avec peine, que deviendra l'impie et le pécheur?" 19. Que ceux qui souffrent selon la volonté de Dieu, lui confient leurs âmes comme au Créateur fidèle, en pratiquant le bien.

---

14. *Pour le nom du Christ:* " à cause de moi " (*Matth.* v, 11.) — *Sur vous* (*Is.* xi, 12), pour vous consoler et vous fortifier. — 17. Le dernier jugement a commencé avec la vie publique de Jésus (*Jean*, iii, 18-19), et il se continue à travers les siècles jusqu'à la scène finale, pleine d'éclat et de terreur. Il apparaît tout d'abord dans les épreuves de la jeune Eglise chrétienne, la véritable *maison de Dieu* (I *Tim.* iii, 15), destinées à la purifier; bientôt il se montrera dans la ruine de Jérusalem à l'égard des Juifs infidèles (*Luc*, xxi, 12). — 18. *Prov.* xi, 31.

III. — *Vie chrétienne.*

Devoirs des prêtres et des fidèles. — CH. 5

J'exhorte les prêtres qui sont parmi vous, moi prêtre avec eux, témoin des souffrances du Christ, et qui ai part aussi à la gloire qui doit être révélée : 2. Paissez le troupeau de Dieu qui vous est confié, veillant sur lui, non par contrainte, mais de bon gré, non dans un intérêt sordide, mais par dévouement, 3. non en dominateurs des Eglises, mais en étant les modèles du troupeau. 4. Et quand le Prince des pasteurs paraîtra, vous recevrez la couronne incorruptible de gloire. ¶ 5. De même, laïques, soyez soumis aux prêtres;

Humilité, vigilance, confiance en Dieu.

Tous, les uns à l'égard des autres, revêtez-vous d'humilité, car " Dieu résiste aux orgueilleux et donne sa grâce aux humbles." 6. ✠ Humiliez-vous donc sous la puissante main de Dieu, afin qu'il vous élève au temps de sa visite. 7. Déchargez-vous sur lui de toutes vos sollicitudes, car lui-même prend soin de vous.

8. Soyez sobres, veillez; votre adversaire, le diable, rôde autour *de vous* comme un lion rugissant, cherchant qui il pourra dévorer. 9. Résistez-lui, fermes dans la foi, sachant que les mêmes souffrances sont endurées par vos frères dispersés dans le monde.

10. Le Dieu de toute grâce, qui vous a appelés à sa gloire éternelle en Jésus Christ, après quelques souffrances, achèvera lui-même son œuvre, vous affermira, vous fortifiera, vous rendra inébranlables. 11. A lui soient la gloire et la puissance aux siècles des siècles! Amen! ¶

Epilogue.

12. Je vous écris ce peu de mots par Silvain, que je regarde comme un

Chap. 5. — 1. *Prêtres*, litt. *anciens :* ce mot désignait alors les chefs des diverses communautés, prêtres ou évêques. — *Avec eux :* c'est par humilité que le prince des Apôtres et le chef de l'Eglise s'exprime ainsi. — 5. *Dieu résiste*, Prov. iii, 43. — 12. *Silvain*, ou

frère fidèle, pour vous exhorter *à la constance* et vous assurer que c'est bien dans la vraie grâce de Dieu que vous êtes établis. 13. L'Eglise de Babylone, élue avec vous, et Marc, mon fils, vous saluent. 14. Saluez-vous les uns les autres par un baiser d'amour. La paix soit avec vous tous qui êtes en Jésus Christ ! Amen !

DEUXIÈME ÉPÎTRE DE S. PIERRE.

I. — *La pratique des vertus chrétiennes.*

Adresse. — CH. 1.

IMON Pierre, serviteur et apôtre de Jésus Christ, à ceux qui ont reçu avec nous une foi de même prix dans la justice de notre Dieu et de *notre* Sauveur Jésus Christ : 2. que la grâce et la paix vous soient données de plus en plus par la connaissance de Dieu et de Jésus Christ Notre Seigneur !

1er motif de ferveur : *Magnificence du Christ dans ses dons.*

3. Puisque la divine puissance de Jésus nous a donné tout ce qui contribue à la vie et à la piété, en nous faisant connaître celui qui nous a appelés par sa propre gloire et par sa vertu, 4. par lesquelles ont été réalisées pour nous les grandes et précieuses promesses *faites à nos*

Silas, le porteur de cette lettre, était un compagnon de S. Paul (*Act.* xv, 27; II *Cor.* i, 19). — 13. *Babylone*, Rome. — *Marc*, l'auteur du deuxième évangile. — *Mon fils*, mon disciple, et probablement amené par Pierre à la foi.

Chap. 1. — 1. *De même prix*, lequel consiste *dans la justice*, la justification, que *Dieu* donne à tous, sans distinction, par *Jésus Christ.* — 3. *A la vie* spirituelle et aux pratiques de *piété* qui en sont la manifestation. — *Celui :* Dieu le Père. — *Sa propre gloire et sa vertu*, l'ensemble de ses attributs ou perfections (bonté, puissance, etc.).

pères, afin que, par leur accomplissement, vous devinssiez participants de la nature divine, en fuyant la corruption de la concupiscence qui est dans le monde : — 5. à cause de cela, faites de votre côté tous vos efforts pour joindre à votre foi la vertu, à la vertu la science, 6. à la science la tempérance, à la tempérance la patience, à la patience la piété, 7. à la piété l'amour fraternel, à l'amour fraternel la charité.

Nécessité de pratiquer les vertus.

8. Si ces vertus sont en vous et y abondent, elles ne vous laisseront ni oisifs ni stériles pour la connaissance de Notre Seigneur Jésus Christ. 9. Car celui à qui elles font défaut est un homme qui a la vue courte, un aveugle; il a mis en oubli la purification de ses anciens péchés. 10. C'est pourquoi, mes frères, appliquez-vous d'autant plus à assurer *par vos bonnes œuvres* votre vocation et votre élection; car, en agissant ainsi, vous ne ferez jamais de faux pas. 11. Et ainsi vous sera largement donnée l'entrée dans le royaume de Notre Seigneur et Sauveur Jésus Christ.

Pourquoi il leur écrit.

12. Voilà pourquoi j'aurai à cœur de vous rappeler constamment ces choses, bien que vous les connaissiez et que vous soyez affermis dans la vérité présente. 13. Je crois de mon devoir, aussi longtemps que je suis dans cette tente, de vous tenir en éveil par mes avertissements; 14. car je sais que je la quitterai bientôt, ainsi que Notre Seigneur Jésus Christ me l'a fait connaître. 15. Je veux aussi faire en sorte que vous puissiez, après mon départ, conserver toujours le souvenir de ces choses.

9. *Mis en oubli* la grâce de son baptême, où il a reçu la *purification, etc.* — 10. *Election*, séparation du monde pour entrer dans l'Eglise chrétienne. — *Vous ne ferez jamais*, etc. : votre salut est assuré ; comp. pourtant *Phil.* ii, 12, 13. — 12. *Vérité présente*, que vous possédez déjà, qui est notre bien commun. — 13. La *tente* de mon corps. — 15. Cette lettre sera pour vous un mémorial.

2e motif : *l'avènement du Christ, garanti par sa transfiguration et les prophètes.*

16. ✠ Ce n'est pas, en effet, en suivant des fables habilement composées que nous vous avons fait connaître la puissance et l'avènement de Notre Seigneur Jésus Christ, mais c'est pour avoir vu de nos propres yeux sa majesté. 17. Car il reçut de Dieu le Père honneur et gloire, quand la gloire de majesté lui fit entendre une voix qui disait : " Celui-ci est mon Fils bien aimé en qui j'ai mis toutes mes complaisances; écoutez-le." 18. Et nous avons entendu nous-même cette voix qui venait du ciel, lorsque nous étions avec lui sur la sainte montagne.

19. Nous avons d'ailleurs les oracles des prophètes *aujourd'hui* confirmés *par leur accomplissement;* vous faites bien d'y prêter attention, comme à une lampe qui brille dans un lieu obscur, jusqu'à ce que le jour vienne à paraître et que l'étoile du matin se lève dans vos cœurs. ¶ 20. Mais sachez avant tout qu'aucune prophétie de l'Ecriture n'a sa propre interprétation; 21. car ce n'est pas par une volonté d'homme qu'une prophétie a jamais été apportée, mais c'est inspirés par le Saint Esprit que de saints hommes de Dieu ont parlé.

II. — *Contre les faux docteurs.*

Il y aura de faux docteurs.

CH. 2.

Mais, *comme* il y a eu de faux prophètes parmi le peuple *d'Israël*, il y aura de même parmi vous de faux docteurs, qui introduiront sourdement des sectes pernicieuses, et qui, reniant le Seigneur qui les a rachetés, attireront sur eux une

17. *Honneur et gloire :* le témoignage qui suit. — *Gloire de majesté*, la Majesté suprême, Dieu. — 19. *Nous avons :* nous, l'Apôtre et ses lecteurs. — *Les oracles des prophètes* touchant le Messie. — *Le jour*, *l'étoile du matin :* image du second avènement du Sauveur, de la claire vision remplaçant la foi. — 20. Si la prophétie était l'œuvre de l'esprit humain, elle porterait avec elle son interprétation; mais, comme c'est Dieu qui la donne, lui seul aussi en pénètre parfaitement le sens et la portée.

prompte ruine. 2. Plusieurs les suivront dans leurs désordres, et la voie de la vérité sera calomniée à cause d'eux. 3. Par cupidité, ils trafiqueront de vous avec des paroles artificieuses; mais leur condamnation depuis longtemps ne se repose point, et leur ruine ne s'endort point.

Leur perte.

4. Si Dieu, en effet, n'a pas épargné les anges qui avaient péché, mais les a précipités dans le Tartare et les a livrés aux abîmes des ténèbres, où il les garde pour le jugement; 5. s'il n'a pas épargné l'ancien monde et *n*'a préservé *que* Noé, *lui* huitième, comme prédicateur de la justice, lorsqu'il fit venir le déluge sur un monde d'impies; 6. s'il a condamné à une totale destruction et réduit en cendres les villes de Sodome et de Gomorrhe, pour servir d'exemple aux impies à venir; 7. et a délivré le juste Lot, qui était profondément attristé de la conduite de ces hommes sans frein dans leur dissolution, 8. (car, par ce qu'il voyait et entendait, ce juste, qui habitait au milieu d'eux, avait chaque jour son âme vertueuse tourmentée de leurs œuvres criminelles): — 9. *c'est que* le Seigneur sait délivrer de l'épreuve les hommes pieux, et réserver les injustes, pour les châtier au jour du jugement, 10. mais surtout ceux qui s'adonnent aux impures convoitises de la chair, et méprisent la souveraineté *de Jésus Christ.*

Leurs mœurs.

Audacieux et arrogants, ils ne craignent pas d'introduire des sectes, en blasphémant, 11. quand les anges, supérieurs en force et en puissance, ne portent pas

Chap. 2. — 4. *Le Tartare*, l'enfer. Enfermés dans une prison de ce genre, les anges rebelles, après le péché de nos premiers parents, eurent permission d'en sortir (*Eph.* ii, 2), pour prendre possession du monde physique, livré à leur influence (*Rom.* viii, 19 sv.). Au second avènement de Jésus Christ, ils seront de nouveau, et pour toujours, confinés en enfer avec les réprouvés. — 10. *La souveraineté* de Jésus Christ. D'autres, *l'autorité* en général. — 11. *Les anges*, en général, les bons et les mauvais, *supérieurs* aux hommes. — *Les uns contre les autres*, les bons contre les mauvais, etc.

les uns contre les autres de jugement injurieux. 12. Mais eux, semblables à des animaux stupides, nés pour être pris et périr, ils se répandent en injures contre ce qu'ils ignorent, et ils périront aussi par leur propre corruption : 13. ce sera le salaire de leur iniquité ; — gens qui trouvent leur plaisir dans les voluptés du jour, qui sont une tache, une honte, et qui se gorgent *du fruit* de leurs tromperies, en faisant bonne chère avec vous. 14. Ils ont les yeux pleins d'adultère et d'un péché incessant; ils prennent à leurs amorces les âmes mal affermies ; ils ont le cœur exercé *aux ruses* de la cupidité : ce sont des enfants de malédiction. 15. Après avoir quitté le droit chemin, ils se sont égarés en suivant la voie de Balaam, de Bosor, qui aima le salaire de l'iniquité ; 16. mais qui fut repris de sa transgression : une ânesse muette, parlant d'une voix humaine, arrêta la démence du prophète.

17. Ce sont des fontaines sans eau, des nuées que chasse un tourbillon : l'obscurité des ténèbres leur est réservée. 18. Avec leurs théories pompeuses et vides, ils attirent dans les convoitises de la chair, dans le libertinage, ceux qui s'étaient à peine retirés des hommes qui vivent dans l'égarement. 19. Ils leur promettent la liberté, quand eux-mêmes sont esclaves de la corruption; car on est esclave de celui par qui l'on est vaincu. 20. Si, en effet, après s'être retirés des souillures du monde par la connaissance du Seigneur et Sauveur Jésus Christ, ils se laissent vaincre en s'y engageant de nouveau, leur dernière condition devient

13. *Le salaire :* la damnation éternelle. — *Voluptés du jour*, selon que chaque jour leur en offre. — *Ils se gorgent*, font des festins avec l'argent de leurs dupes. — *Avec vous :* reproche à l'adresse de quelques chrétiens. — 15. Gagné par les présents du roi de Moab, Balaam s'avançait pour maudire Israël lorsque l'ânesse qu'il montait lui adressa la parole et l'arrêta. — 18. *Qui s'étaient à peine*, depuis peu de temps, *retirés* du paganisme, pour se faire chrétiens. — 19. *La liberté* de tout faire sous le prétexte que Jésus Christ nous a affranchis.

pire que la première. 21. Car mieux valait pour eux n'avoir pas connu la voix de la justice, que de se détourner, après l'avoir connue, du saint commandement qui leur avait été enseigné. 22. Il leur est arrivé ce que dit un proverbe *si* vrai : " Le chien est retourné à ce qu'il avait vomi ; " et : " La truie lavée s'est vautrée dans le bourbier."

Second avènement de Jésus Christ. — CH. 3.

Mes bien aimés, voici déjà la seconde lettre que je vous écris : dans l'une et dans l'autre, je m'adresse à vos souvenirs, pour exciter votre saine intelligence 2. à se rappeler les paroles des saints prophètes que j'ai déjà dites, celles de vos apôtres, ainsi que les commandements du Seigneur et Sauveur. 3. Sachez avant tout que, dans les derniers temps, il viendra des moqueurs pleins d'ironie, vivant au gré de leurs convoitises, 4. et disant : " Où est la promesse de son avènement ? Car depuis que nos pères sont morts, tout continue à subsister *comme* depuis le commencement de la création. " 5. Ils veulent ignorer que, au commencement, des cieux existaient, ainsi qu'une terre que la parole de Dieu avait fait surgir du sein de l'eau, au moyen de l'eau, 6. et que par ces choses mêmes le monde d'alors périt submergé *dans un déluge.* 7. Quant aux cieux et à la terre d'à présent, la même parole de Dieu les tient en réserve et les garde pour le feu, au jour du jugement et de la ruine des hommes impies. 8. Mais il est une chose, *mes* bien aimés, que vous ne devez pas ignorer, c'est que, pour le Seigneur, un jour est comme

21. *Le saint commandement*, la loi morale chrétienne.

Chap. 3. — 3. Les *derniers temps* ont commencé avec la prédication de l'Evangile et se continueront jusqu'à la fin du monde. — 5. *Du sein de l'eau*, qui la recouvrait auparavant; *au moyen de l'eau*, qui lui donna en quelque sorte sa forme. — 6. *Par ces choses mêmes*, par la parole de Dieu et par l'eau. — 7. *La même parole*, la même volonté, le même commandement *de Dieu*, qui, au jour du jugement final, détruira par le feu le ciel et la terre.

mille ans, et " mille ans sont comme un jour. " 9. Le Seigneur ne tarde pas dans l'accomplissement de sa promesse, comme quelques-uns le croient; mais il use de patience à cause de vous, ne voulant pas qu'aucun périsse, mais *voulant* que tous arrivent à la pénitence. 10. Le jour du Seigneur viendra comme un voleur; en ce jour, les cieux passeront avec fracas, les éléments embrasés se dissoudront, et la terre sera consumée avec les ouvrages qu'elle renferme.

Donc vivons saintement dans son attente.

11. Puis donc que toutes choses doivent se dissoudre, quels ne devez-vous pas être par une conduite sainte et pieuse, 12. attendant et hâtant l'avènement du jour de Dieu, jour où les cieux enflammés se dissoudront, et les éléments embrasés se fondront? 13. Mais nous attendons, selon sa promesse, " de nouveaux cieux et une nouvelle terre, " où la justice habitera. 14. Dans cette attente, *mes* bien aimés, faites tous vos efforts afin d'être trouvés par lui sans tache et irréprochables dans la paix. 15. Croyez que la longanimité de Notre Seigneur est *votre* salut, ainsi que Paul, notre bien aimé frère, vous l'a aussi écrit, selon la sagesse qui lui a été donnée. 16. C'est ce qu'il fait dans toutes les lettres où il aborde ces sujets, lettres dans lesquelles il y a des points difficiles à entendre, et que des personnes ignorantes et mal affermies tordent, comme elles font les autres Ecritures, pour leur propre perdition.

Epilogue.

17. Vous donc, bien aimés, qui êtes prévenus, mettez-vous sur vos gar-

12. *Hâtant*, par une vie sainte et pénitente, le retour de J. C.; car ce retour aura lieu lorsque l'œuvre de la rédemption sera réalisée, et le nombre des élus complet. — 13. *Nouveaux cieux :* le monde ne sera pas anéanti, mais purifié par le feu et renouvelé. — *La justice*, les justes. — 14. *Dans la paix* en J. C. et la grâce avec Dieu. — 15. *Votre salut*, une occasion de salut pour vous et pour tous ceux qui profitent de ce délai pour se convertir. — 16. *Ces sujets :* le retour glorieux de J. C. et l'établissement final de son règne.

des, de peur qu'entraînés par l'égarement de ces impies, vous ne veniez à perdre votre propre fermeté. 18. Mais croissez dans la grâce et dans la connaissance de Notre Seigneur et Sauveur Jésus Christ. A lui soit la gloire, maintenant et jusqu'au jour de l'éternité! Amen.

PREMIÈRE ÉPÎTRE DE S. JEAN.

Exorde. — CH. I.

E qui était dès le commencement, ce que nous avons entendu, ce que nous avons vu de nos yeux, ce que nous avons contemplé et ce que nos mains ont touché, concernant le Verbe de la vie, — 2. car la Vie a été manifestée, et nous l'avons vue, et nous lui rendons témoignage, et nous vous annonçons la Vie éternelle, qui était dans le *sein du* Père et qui nous a été manifestée, — 3. ce que nous avons vu et entendu, nous vous l'annonçons, afin que vous aussi vous soyez en communion avec nous, et que notre communion soit avec le Père et avec son Fils Jésus Christ. 4. Et nous vous écrivons ces choses, afin que votre joie soit parfaite.

I. — *Dieu est lumière; marchons dans la lumière.*

Enoncé de la proposition.

5. La nouvelle que nous avons apprise de lui, et que nous vous annonçons à notre tour, c'est que Dieu est lumière, et qu'il n'y a point en lui de ténèbres. 6. Si nous disons

18. *L'éternité* est comme un *jour* qui ne finit point.

Chap. 1. — 1. *Ce qui était dès le commencement*, de toute éternité dans le sein du Père, savoir le Fils de Dieu. — *Du Verbe de la vie*, c'est à dire qui est la Vie substantielle, et la source pour nous de la vie spirituelle et divine (*Jean*, i, 4). — 2. *La Vie*, et un peu plus loin *la Vie éternelle* désignent le Fils de Dieu, le Verbe. — 3. *En communion* de foi, de grâce, de biens spirituels, en un mot, de vie divine. — 5. *De lui*, de J. C. — *Dieu est lumière*, c'est à dire sainteté, vérité, perfection absolue, et la source de tous ces biens pour ses créatures. — 6. L'homme en communion avec Dieu est éclairé de

que nous sommes en communion avec lui, et que nous marchions dans les ténèbres, nous mentons, et nous ne pratiquons pas la vérité. 7. Mais si nous marchons dans la lumière, comme il est lui-même dans la lumière, nous sommes en communion les uns avec les autres, et le sang de Jésus Christ, son Fils, nous purifie de tout péché.

Devoirs positifs : *Confesser ses péchés et s'en purifier.*

8. Si nous disons que nous sommes sans péché, nous nous séduisons nous-mêmes, et la vérité n'est pas en nous. 9. Si nous confessons nos péchés, Dieu est fidèle et juste pour nous les pardonner, et pour nous purifier de toute iniquité. 10. Si nous disons que nous sommes sans péché, nous le faisons menteur, et sa parole n'est point en nous.

CH. 2.

Mes petits enfants, je vous écris ces choses, afin que vous ne péchiez point. Et si quelqu'un a péché, nous avons un avocat auprès du Père, Jésus Christ, *le* juste. 2. Il est lui-même une victime de propitiation pour nos péchés, non seulement pour les nôtres, mais pour ceux du monde entier.

Observer les commandements.

3. Et à cette marque nous connaissons que nous avons connu Dieu : si nous gardons ses commandements. 4. Celui qui dit : "Je l'ai connu," et ne garde pas ses commandements, est un menteur, et la vérité n'est point en lui. 5. Mais celui qui garde sa parole, c'est en lui véritablement que l'amour de Dieu est parfait: par là nous connaissons que nous sommes en lui.

sa lumière; il ne marche donc plus dans les ténèbres du péché, ce qui veut dire, non qu'il soit exempt de toute faute et de tout défaut, mais qu'il ne reste pas sciemment et volontairement dans l'état de péché. — 8. *Sans péché* actuel. L'Eglise catholique enseigne, d'une part, que l'homme justifié ne peut, sans un privilège spécial, qui n'a été accordé qu'à la sainte Vierge, éviter durant sa vie entière tout péché, même véniel; mais qu'il peut, d'autre part, dans chaque cas particulier, avec le secours de la grâce, vaincre la tentation et éviter le péché (ii, 1).

Chap. 2. — 3. *Connaître Dieu*, dans S. Jean, se dit d'une connaissance vivante et pratique, qui fait, en quelque sorte, entrer Dieu dans notre vie morale, et le prend pour règle de nos sentiments et de nos actions.

6. Celui qui dit demeurer en lui, doit, lui aussi, marcher comme Jésus Christ a marché lui-même.

Surtout la charité.

7. ✠ Bien aimés, ce n'est pas un commandement nouveau que je vous écris, c'est un commandement ancien, que vous avez reçu dès le commencement; ce commandement ancien, c'est la parole que vous avez entendue. 8. D'un autre côté, c'est un commandement nouveau que je vous écris, lequel s'est vérifié en Jésus Christ et en vous, car les ténèbres se dissipent et déjà brille la véritable lumière. 9. Celui qui dit être dans la lumière et qui hait son frère, est encore dans les ténèbres. 10. Celui qui aime son frère, demeure dans la lumière, et il n'y a en lui aucun sujet de chute. 11. Mais celui qui hait son frère est dans les ténèbres; il marche dans les ténèbres, sans savoir où il va, parce que les ténèbres ont aveuglé ses yeux.

Préceptes négatifs :
Fuir le monde.

12. Je vous écris, petits enfants, parce que vos péchés vous sont pardonnés à cause de son nom. ¶ 13. Je vous écris, pères, parce que vous avez connu celui qui est dès le commencement. Je vous écris, jeunes gens, parce que vous avez vaincu le Malin. 14. Je vous écris, petits enfants, parce que vous avez connu le Père. Je vous écris, jeunes gens, parce que vous êtes forts et que la parole de Dieu demeure en vous, et que vous avez vaincu le Malin. 15. N'aimez point le monde, ni les choses qui sont dans le monde. Si quelqu'un aime le monde, l'amour du Père n'est point en lui. 16. Car tout ce qui est dans le monde

7. Le commandement dont parle ici S. Jean est le grand précepte de la charité (*Jean*, xiii, 34). — 8. Jésus, la vraie lumière, opère dans les âmes une transformation, et comme une nouvelle création, dont la charité est le principe. — 12-14. Les *petits enfants* sont les fidèles en général : les *pères*, les vieillards peut-être les prêtres; les *jeunes gens*, les plus jeunes de la communauté, peut-être les laïques. Ce qu'il dit à chacun de ces groupes convient à leur situation respective. — 16. *Convoitise de la chair*, ce que convoite la nature sensible de l'homme déchu, savoir les plaisirs des sens, les jouissances matérielles. — *Convoitise des yeux :* la richesse, le luxe. — *Orgueil de la*

est convoitise de la chair, convoitise des yeux, et orgueil de la vie : cela ne vient point du Père, mais *vient* du monde. 17. Le monde passe, et sa convoitise aussi; mais celui qui fait la volonté de Dieu demeure éternellement.

Se garder des séducteurs.

18. *Mes* petits enfants, c'est la dernière heure. Comme vous avez appris qu'un antéchrist doit venir, aussi y a-t-il maintenant plusieurs antéchrists : par là nous connaissons que c'est la dernière heure. 19. Ils sont sortis du milieu de nous, mais ils n'étaient pas des nôtres; car s'ils eussent été des nôtres, ils seraient demeurés avec nous; mais *ils en sont sortis*, afin qu'il soit manifeste que tous ne sont pas des nôtres. 20. Pour vous, c'est du Saint que vous avez reçu l'onction, et vous savez toutes choses. 21. Je vous ai écrit, non que vous ne connaissiez pas la vérité, mais parce que vous la connaissez, et *que vous savez* qu'aucun mensonge ne vient de la vérité. 22. Qui est le menteur, sinon celui qui nie que Jésus est le Christ? Celui-là est l'antéchrist, qui nie le Père et le Fils. 23. Quiconque nie le Fils, n'a pas non plus le Père; celui qui confesse le Fils, a aussi le Père. 24. Pour vous, que ce que vous avez entendu dès le commencement demeure en vous. Si ce que vous avez entendu dès le commencement demeure en vous, vous demeurerez aussi dans le Fils et dans le

---

vie, l'appétit désordonné de la domination et des dignités. Ces trois convoitises sont les sources principales de tous les péchés. — 17. *Le monde* et les mondains avec (les objets de) leurs convoitises *passent*, à l'éternel malheur, à la damnation. — 18. *La dernière heure*, la dernière période du monde. Combien devait-elle durer? Les Apôtres n'en savaient rien. Déjà, dit S. Jean, apparaissent les signes annonçés par le Sauveur. — *Plusieurs antéchrists*, faux docteurs, qui sont comme les avant-coureurs du véritable antéchrist. — 19. *Ils n'étaient point des nôtres :* chrétiens seulement par le baptême, infidèles par la perversité de leur doctrine et de leur conduite. — 20. *Du Saint*, de J. C. — *L'onction*, symbole de l'Esprit Saint : vous êtes remplis de l'Esprit de Dieu. — *Vous savez toutes* les vérités chrétiennes que vous avez besoin de savoir. — 24. *Ce que vous avez entendu :* l'Evangile, et spécialement ceci, que Jésus est le Fils unique de Dieu, le Verbe incarné.

Père. 25. Et la promesse que lui-même nous a faite, c'est la vie éternelle. 26. Je vous ai écrit ces choses au sujet de ceux qui vous égarent.

Et rester fidèles.

27. Pour vous, l'onction que vous avez reçue de lui demeure en vous, et vous n'avez pas besoin que personne vous enseigne; mais comme son onction vous enseigne sur toute chose, cet enseignement est véritable et n'est point un mensonge; et selon qu'elle vous a enseignés, demeurez en lui. 28. Et maintenant, mes petits enfants, demeurez en lui, afin que, lorsqu'il paraîtra, nous ayons de l'assurance, et que nous ne soyons pas confus, loin de lui, à son avènement. 29. Si vous savez qu'il est juste, reconnaissez que quiconque pratique la justice est né de lui.

II. — *Dieu est Père : se conduire en enfants de Dieu.*

La sainteté, caractéristique des enfants de Dieu. — CH. 3.

Voyez quel amour le Père nous a témoigné, que nous soyons appelés enfants de Dieu, et que nous le soyons *en effet!* Si le monde ne nous connaît pas, c'est qu'il ne l'a pas connu. 2. Bien aimés, nous sommes maintenant enfants de Dieu, et ce que nous serons *un jour* n'a pas encore été manifesté; mais nous savons que, lorsque cela sera manifesté, nous lui serons semblables, parce que nous le verrons tel qu'il est. 3. Quiconque a cette espérance en lui, se sanctifie, comme lui-même est saint. 4. Quiconque fait le péché transgresse la loi, et le péché est la transgression de la loi. 5. Or vous savez que Jésus a paru pour ôter nos péchés, et que le péché n'est point en lui. 6. Qui-

27. *L'onction*, l'Esprit Saint qui conserve la foi dans vos cœurs (vers. 20). — 20. *Si*, puisque. — *Qu'il*, Dieu : le Père et le Fils étant *un*, S. Jean passe facilement de l'un à l'autre.

Chap. 3. — 1. *Ne nous connaît pas* comme enfants de Dieu : n'ayant point connu Dieu et sa merveilleuse charité pour les hommes, le monde ne saurait connaître ses enfants qui, nés de lui, portent son image. — 6. *Quiconque pèche*, fait le péché comme un fruit de sa volonté perverse, *ne l'a pas vu* des yeux de l'esprit et de la foi comme son Sauveur, etc

conque demeure en lui ne pèche point; quiconque pèche. ne l'a pas vu et ne l'a pas connu. 7. Petits enfants que personne ne vous séduise. Celui qui pratique la justice est juste, comme lui-même est juste.

Le péché, caractéristique des enfants du diable.

8. Celui qui fait le péché est du diable, car le diable pèche dès le commencement. C'est pour détruire les œuvres du diable que le Fils de Dieu a paru. 9. Quiconque est né de Dieu ne commet point le péché, parce que la semence de Dieu demeure en lui; et il ne peut pécher, parce qu'il est né de Dieu. 10. C'est à cela que l'on reconnaît les enfants de Dieu et les enfants du diable. ✠ Quiconque ne pratique pas la justice n'est pas de Dieu, non plus que celui qui n'aime pas son frère.

Les enfants de Dieu aiment leurs frères.

11. Car le message que vous avez entendu dès le commencement, c'est que nous nous aimions les uns les autres; 12. non point comme Caïn, qui était du malin et qui tua son frère. Et pourquoi le tua-t-il? Parce que ses œuvres étaient mauvaises, tandis que celles de son frère étaient justes. 13. ✠ Ne vous étonnez pas, *mes* frères, si le monde vous hait. 14. Nous, nous savons que nous sommes passés de la mort à la vie, parce que nous aimons nos frères. Celui qui n'aime pas demeure dans la mort. 15. Quiconque hait son frère est un meurtrier, et vous savez qu'aucun meurtrier n'a la vie éternelle demeurant en lui.

La charité se reconnaît aux œuvres.

16. A ceci nous avons connu l'amour de Dieu, c'est que Jésus a donné sa vie pour nous. Nous aussi, nous devons donner notre vie pour nos frères. ¶ 17. Si quelqu'un

---

8. *Est* un enfant *du diable*, animé de son esprit. — 9. *La semence de Dieu*, la grâce sanctifiante. — 10. *A cela*, à ce qui est dit vers. 8 et 9. Ou bien, *à ceci*, savoir : quiconque ne *pratique pas*. — 11. *Dès le commencement* de la prédication de Jésus Christ. — Vulg., *vous vous aimiez*, etc. — 13. *Le monde*, dont Caïn jaloux est la figure. — *Vous hait*, vous, les enfants de Dieu, figurés par Abel. — 14. *A la vie* spirituelle. — 15. *Un meurtrier* dans son cœur (*Matth.* v, 21 sv.).

possède les biens de ce monde et que, voyant son frère dans le besoin, il lui ferme ses entrailles, comment l'amour de Dieu demeure-t-il en lui? 18. Mes petits enfants, n'aimons pas en parole et avec la langue, mais en action et en vérité. ¶

Et elle a pour fruit la confiance envers Dieu.

19. Par là nous connaissons que nous sommes de la vérité, et nous pourrons rassurer nos cœurs devant Dieu; 20. car si notre cœur nous condamne, Dieu est plus grand que notre cœur, et il connaît toutes choses. 21. Bien aimés, si notre cœur ne nous condamne pas, nous pouvons nous adresser à Dieu avec assurance. 22. Quoi que ce soit que nous demandions, nous le recevons de lui, parce que nous gardons ses commandements, et que nous faisons ce qui est agréable devant lui. 23. Et son commandement est que nous croyions au nom de son Fils, Jésus Christ, et que nous nous aimions les uns les autres, comme il nous en a donné le commandement. 24. Celui qui garde ses commandements, demeure en Dieu et Dieu en lui, et nous connaissons qu'il demeure en nous par l'Esprit qu'il nous a donné.

Les enfants de Dieu sont dociles aux enseignements de l'Eglise. — CH. 4.

Bien aimés, ne croyez pas à tout esprit; mais éprouvez les esprits, *pour savoir* s'ils sont de Dieu, car plusieurs faux prophètes sont venus dans le monde. 2. Vous reconnaîtrez à ceci l'esprit de Dieu : tout Esprit qui confesse Jésus Christ venu en chair est de Dieu; 3. et tout esprit qui divise Jésus n'est pas de Dieu : c'est l'antéchrist, dont on vous a annoncé la venue, et qui maintenant est déjà dans le monde.

20. *Nous condamne* pour quelque défaut ou manquement. — *Plus grand*, sous le rapport du pardon et de la miséricorde. — *Connaît toutes choses :* il sait que nous aimons véritablement nos frères, et que cet amour a sa source dans l'amour que nous avons pour lui. — 24. *Par l'Esprit* Saint, qui opère en nous le bien, et en particulier répand la charité dans nos cœurs.

Chap. 4. — 3. *Qui divise Jésus*, en mettant en lui deux personnes, *c'est l'antéchrist.*

4. Vous, mes petits enfants, vous êtes de Dieu, et vous l'avez vaincu, parce que celui qui est en vous est plus grand que celui qui est dans le monde. 5. Eux, ils sont du monde; c'est pourquoi ils parlent le langage du monde, et le monde les écoute. 6. Nous, nous sommes de Dieu; celui qui connaît Dieu nous écoute; celui qui n'est pas de Dieu ne nous écoute pas : c'est par là que nous connaissons l'esprit de la vérité et l'esprit de l'erreur.

III. — *Dieu est charité : aimer Dieu et le prochain.*

Motif :
Dieu nous a aimés le premier.

7. Bien aimés, aimons-nous les uns les autres, car l'amour est de Dieu, et quiconque aime est né de Dieu et connaît Dieu. 8. Celui qui n'aime pas n'a pas connu Dieu, car ✠ Dieu est amour. 9. Il a manifesté son amour pour nous en envoyant son Fils unique dans le monde, afin que nous vivions par lui. 10. Et cet amour consiste en ce que ce n'est pas nous qui avons aimé Dieu, mais lui qui nous a aimés et qui a envoyé son Fils comme victime de propitiation pour nos péchés. 11. Bien aimés, si Dieu nous a ainsi aimés, nous devons aussi nous aimer les uns les autres.

Fruits :
Dieu demeure en nous.

12. Personne n'a jamais vu Dieu; si nous nous aimons les uns les autres, Dieu demeure en nous, et son amour est parfait en nous. 13. Nous connaissons que nous demeurons en lui et qu'il demeure en nous, en ce qu'il nous a donné de son Esprit. 14. Et nous, nous avons vu et nous attestons que le Père a envoyé le Fils comme Sauveur du monde. 15. Celui qui confessera que Jésus est le Fils de Dieu, Dieu demeure en lui et lui en Dieu. 16. Et nous, nous avons connu l'amour que

---

4. *Vous avez vaincu* l'antéchrist. — *Parce que* Dieu est plus grand que le prince du monde, Satan. — 7. *L'amour* a sa source en Dieu : c'est l'Esprit Saint qui le répand dans les âmes. — 10. *Qui avons aimé Dieu* les premiers. — 13. Jésus Christ avait reçu la plénitude de l'Esprit Saint (*Jean*, iii, 34); ses disciples reçoivent une part, une certaine mesure de ses dons.

Dieu a pour nous, et nous y avons cru. ¶ Dieu est amour; et celui qui demeure dans l'amour demeure en Dieu, et Dieu demeure en lui.

Plus aucune crainte.

17. La perfection de l'amour en nous, c'est que nous ayons confiance au jour du jugement; car tel est Jésus Christ, tels nous sommes aussi dans ce monde. 18. Il n'y a point de crainte dans l'amour; mais l'amour parfait bannit la crainte, car la crainte suppose un châtiment; celui qui craint n'est pas parfait dans l'amour. 19. Nous donc, aimons Dieu, puisque Dieu nous a aimés le premier.

Signe : *l'amour de nos frères.*

20. Si quelqu'un dit : " J'aime Dieu, " et qu'il haïsse son frère, c'est un menteur; comment celui qui n'aime pas son frère qu'il voit, peut-il aimer Dieu qu'il ne voit pas? 21. Et nous avons reçu de lui ce commandement : " Que celui qui aime Dieu aime aussi son frère." ¶

La foi en J. C., condition de l'adoption. — CH. 5.

✠ Quiconque croit que Jésus est le Christ, est né de Dieu, et quiconque aime celui qui l'a engendré, aime aussi celui qui est né de lui. 2. A cette marque nous connaissons que nous aimons les enfants de Dieu, si nous aimons Dieu, et si nous pratiquons ses commandements. 3. Car c'est aimer Dieu que de garder ses commandements. Et ses commandements ne sont pas pénibles, 4. ✠ parce que tout ce qui est né de Dieu remporte la victoire sur le monde; et la victoire qui a vaincu le monde, c'est notre foi. 5. Qui est celui qui est vainqueur du monde, sinon celui qui

17. Notre assurance en face du jugement à venir a sa source dans ce témoignage de la conscience, que la même charité qui remplit Jésus Christ vit aussi dans nos cœurs, et qu'elle produit une ressemblance morale entre lui et nous. — 18. La *crainte* servile qui se résout dans l'égoïsme ou amour de soi, n'a rien de commun avec la charité; à mesure que l'une s'accroît, dit S. Augustin, l'autre diminue, et quand l'amour est arrivé à sa perfection, il n'y a plus, dans l'âme où il règne, de place pour la crainte servile.

Chap. 5. — 1. *Qui l'a engendré :* Dieu le Père. — *Celui qui est né de lui*, de Dieu, tous les chrétiens. L'amour que l'on a pour un père s'étend à tous ses enfants.

croit que Jésus est le Fils de Dieu?

Jésus est vraiment le Christ.

6. Ce *Jésus* est celui qui est venu par l'eau et par le sang, Jésus le Christ; non par l'eau seulement, mais par l'eau et par le sang. Et l'Esprit est celui qui rend témoignage, que le Christ est la vérité. 7. Car il y en a trois qui rendent témoignage dans le ciel : le Père, le Verbe et l'Esprit; et ces trois sont un. 8. Et il y en a trois qui rendent témoignage sur la terre : l'Esprit, l'eau et le sang; et ces trois sont d'accord. 9. Si nous recevons le témoignage des hommes, le témoignage de Dieu est plus grand; et c'est bien là le témoignage de Dieu, qui a rendu témoignage à son Fils. 10. Celui qui croit au Fils de Dieu a ce témoignage de Dieu en lui-même; ¶ celui qui ne croit pas Dieu, le fait menteur, puisqu'il n'a pas cru au témoignage que Dieu a rendu à son Fils. 11. Et voici ce témoignage, c'est que Dieu nous a donné la vie éternelle, et que cette vie est dans son Fils. 12. Celui qui a le Fils a la vie; celui qui n'a pas le Fils de Dieu n'a pas la vie.

Epilogue.

Ceux qui aiment Dieu, obtiennent tout de lui, surtout la conversion des pécheurs.

13. Je vous ai écrit ces choses afin que vous sachiez que vous avez la vie éternelle, vous qui croyez au nom du Fils de Dieu. 14. Et nous avons auprès de Dieu cette pleine confiance, que, si nous demandons quelque cho-

6-12. Pensée : que Jésus soit le Fils de Dieu fait homme, trois témoins du ciel et trois témoins de la terre l'attestent. — 6. Allusion à l'eau et au sang que la lance d'un soldat fit jaillir du côté de Jésus sur la croix (*Jean*, xix, 34 sv.). L'eau sans laquelle rien ne germe ni ne croît dans la nature, est le symbole de notre régénération en Jésus Christ par le baptême; et le sang, sans lequel aucun péché n'est remis devant Dieu, celui de l'expiation. — 7. Trois témoins proclament du ciel que Jésus est le Messie : *le Père*, au baptême de Jésus et à sa transfiguration; *le Verbe*, par les miracles de Jésus; *l'Esprit Saint*, au jour de la Pentecôte. — 8. *L'Esprit* Saint, au baptême de Jésus; *l'eau* et *le sang* sortis de son côté sur la croix. — 10. *Le fait*, déclare, en quelque sorte, *Dieu menteur*. — 11. Le fond, le résumé de ce que disent les trois témoins, *c'est que Dieu*, etc. — 14. *Selon sa volonté*, de la manière qu'il veut, c'est à dire au nom de Jésus Christ.

se selon sa volonté, il nous écoute. 15. Et si nous savons qu'il nous écoute, quelque chose que nous lui demandions, nous savons que nous obtenons ce que nous lui avons demandé. 16. Si quelqu'un voit son frère commettre un péché qui ne va pas à la mort, qu'il prie, et Dieu donnera la vie à ce frère, à tous ceux dont le péché ne va pas à la mort. Il y a tel péché qui va à la mort; ce n'est point pour ce péché-là que je dis de prier. 17. Toute iniquité est un péché, et il y a tel péché qui va à la mort.

Dernières recommandations.

18. Nous savons que quiconque est né de Dieu ne pèche point; mais la naissance qu'il a reçue de Dieu le garde, et le Malin ne le touche pas. 19. Nous savons que nous sommes de Dieu et que le monde entier est plongé dans le mal. 20. Mais nous savons que le Fils de Dieu est venu, et qu'il nous a donné l'intelligence pour connaître le vrai *Dieu*, afin que nous soyons en son vrai Fils. C'est lui qui est le Dieu véritable et la vie éternelle. 21. *Mes* petits enfants, gardez-vous des idoles.

DEUXIÈME ÉPÎTRE DE S. JEAN.

Adresse.

MOI, l'Ancien, à la dame Electe et à ses enfants, que j'aime dans la vérité, — et ce n'est pas seulement moi *qui les aime*, mais aussi tous ceux qui ont connu la vérité, — 2. à cause de la vérité qui de-

15. Pensée : puisque Dieu écoute, il donne. — 16. *Le péché qui va à la mort*, qui entraîne la mort spirituelle, qui rompt toute communion de vie avec le Fils de Dieu, c'est l'apostasie ou l'endurcissement. — 18. *Ne pèche point.* Sens : entre le chrétien régénéré, vivant de la vie divine, et le péché, il existe une sorte de répugnance et de contradiction. — *La naissance*, etc. : l'Esprit Saint que le chrétien a reçu au baptême, *le garde*, si lui-même est docile à ses inspirations. — *Ne le touche pas :* le juste, revêtu d'une armure divine (*Ephés.* vi, 11 sv.) se défend si bien. que le démon ne peut lui faire la moindre blessure. — 21. *Des idoles*, des fausses doctrines.

Chap. I. — 1. *L'Ancien :* ce mot indique surtout la fonction ou la dignité. Au premier siècle, il désignait un *prêtre* ou un *évêque*.

meure en nous, et qui sera éternellement avec nous : 3. la grâce, la miséricorde et la paix soient avec vous de la part de Dieu le Père et de la part de Jésus Christ, le Fils du Père, dans la vérité et la charité !

Amour fraternel.

4. J'ai eu bien de la joie de rencontrer quelques-uns de tes enfants qui marchent dans la vérité, selon le commandement que nous avons reçu du Père. 5. Et maintenant je te *le* demande, Electe, — non comme te prescrivant un commandement nouveau : c'est celui que nous avons reçu dès le commencement, — aimons-nous les uns les autres. 6. L'amour consiste à marcher selon les commandements de Dieu, et voici son commandement, comme vous l'avez appris dès le commencement, c'est que vous marchiez dans la charité.

Les faux docteurs.

7. Car plusieurs séducteurs ont paru dans le monde; ils ne confessent point Jésus *comme* Christ venu en chair : c'est là le séducteur et l'antéchrist. 8. Prenez garde à vous-mêmes, afin que vous ne perdiez pas le fruit de votre travail, mais que vous receviez une pleine récompense. 9. Quiconque s'éloigne et ne demeure pas dans la doctrine du Christ, n'a point Dieu; celui qui demeure dans cette doctrine a le Père et le Fils. 10. Si quelqu'un vient à vous et n'apporte point cette doctrine, ne le recevez pas dans votre maison, et ne lui dites pas : Salut! 11. Car celui qui *lui* dit : Salut! participe à ses œuvres mauvaises.

Conclusion.

12. Quoique j'eusse beaucoup de choses à vous écrire, je n'ai pas voulu le faire avec le papier et l'encre; mais

3. *La grâce*, etc., doivent s'épanouir, se montrer au dehors *dans la vérité et la charité.* — 4. *De rencontrer*, dans quelque visite épiscopale. — 8. *Votre travail* moral, vos bonnes œuvres. — 9. *A le Père*, etc. : demeure en communion avec *le Fils*, et par lui avec le Père. — 12. *Salut!* sois le bienvenu : ce serait faire un acte d'hypocrisie. Ce précepte trouve dans tous les temps son application, plus ou moins rigoureuse selon les circonstances.

j'espère aller chez vous et vous parler bouche à bouche, afin que votre joie soit parfaite. 13. Les enfants de ta sœur Electe te saluent.

TROISIÈME ÉPÎTRE DE S. JEAN.

Exhortation à la persévérance.

MOI, l'Ancien, à Gaius le bien aimé, que j'aime dans la vérité. 2. Bien aimé, je souhaite que l'état de tes affaires et de ta santé soit, à tous égards, aussi prospère que celui de ton âme. 3. J'ai eu bien de la joie, lorsque des frères sont arrivés et ont rendu témoignage de ta vérité, *je veux dire* de la manière dont tu marches dans la vérité. 4. Je n'ai pas de plus grande joie que d'apprendre que mes enfants marchent dans la vérité. 5. Bien aimé, tu agis fidèlement dans tout ce que tu fais pour les frères, et encore pour des *frères* étrangers; 6. aussi ont-ils rendu témoignage de ta charité en présence de l'Eglise. Tu feras bien de pourvoir à leur voyage d'une manière digne de Dieu; 7. car c'est pour son nom qu'ils sont partis, sans rien recevoir des païens. 8. Nous devons soutenir de tels hommes, afin de travailler avec eux pour la vérité.

Il blâme Diotréphès et loue Démétrius.

9. J'aurais écrit à l'Eglise; mais Diotréphès, qui aime à être le premier parmi eux, ne nous reçoit pas. 10. C'est pourquoi, si je vais *chez vous*, je rappellerai les actes qu'il fait, lui qui tient contre nous de méchants propos; et non content de cela, il ne reçoit pas

13. Les fidèles de l'Eglise élue de Dieu, d'où je t'écris, *te saluent.*
Chap. 1. — 1. *L'Ancien :* voyez II *Jean*, 1. — 5. *Etrangers*, missionnaires de passage. — 7. *Pour le nom* de J. C., pour prêcher l'Evangile. — 9. *Ne reçoit pas* nos lettres; ou bien, n'a aucun égard pour nous, pour nos avis. — 10. *Les frères* recommandés par S. Jean. — *De l'église*, ici, probablement, du lieu où s'assemblaient les fidèles.

lui-même les frères, et il empêche ceux qui voudraient *les recevoir*, et les chasse de l'église. 11. Bien aimé, n'imite pas le mal, mais imite le bien. Celui qui fait le bien est de Dieu ; celui qui fait le mal n'a point vu Dieu. 12. Tout le monde, et la vérité elle-même rendent un bon témoignage à Démétrius ; nous le lui rendons aussi, et tu sais que notre témoignage est vrai.

Conclusion.

13. J'aurais beaucoup de choses à t'écrire, mais je ne veux pas le faire avec l'encre et la plume ; 14. j'espère te voir bientôt, et nous parlerons bouche à bouche. La paix soit avec toi ! Nos amis te saluent. Salue nos amis, chacun en particulier.

ÉPÎTRE CATHOLIQUE DE SAINT JUDE.

Préambule.

Adresse, salutation, but de la lettre.

JUDE, serviteur de Jésus Christ et frère de Jacques, à ceux qui ont été appelés, qui sont aimés en Dieu le Père et gardés pour Jésus Christ : 2. la miséricorde, la paix et l'amour vous soient donnés de plus en plus ! 3. Bien aimés, comme je mettais tout mon zèle à vous écrire au sujet de notre salut commun, je me vois obligé de vous adresser une lettre, afin de vous exhorter à combattre pour la foi qui a été trans-

11. Comp. I *Jean*, iii, 6. — 12. *Tout le monde*, tous les fidèles de l'Eglise dont faisait partie *Démétrius*, probablement le porteur de l'épître. — *La vérité elle-même* des faits, sa conduite.

Chap. 1. — 3. J'avais commencé pour vous une lettre doctrinale sur le salut des hommes par J. C.; mais la présence de faux docteurs parmi vous me force à l'interrompre, pour vous adresser une courte exhortation, etc. — *Transmise* par les Apôtres *aux saints*, aux fidèles, *une fois pour toutes*, de manière à n'admettre plus aucun changement, ni addition ni suppression.

mise aux saints une fois pour toutes. 4. Car il s'est glissé *parmi vous* certains hommes, depuis longtemps désignés à la condamnation, hommes impies, qui changent la grâce de notre Dieu en licence, et qui renient notre seul Maître et Jésus Christ notre Seigneur.

I. — *Des faux docteurs.*

Trois exemples des jugements divins.

5. Je veux vous rappeler, quoique vous sachiez fort bien toutes choses, que Jésus, après avoir sauvé *son* peuple de la terre d'Egypte, fit périr ensuite ceux qui furent incrédules; 6. et qu'il garde pour le jugement du grand jour, enchaînés de liens indestructibles au sein des ténèbres, les anges qui n'ont pas conservé leur principauté, mais qui ont abandonné leur propre demeure. 7. De même Sodome et Gomorrhe, et les villes voisines qui se livrèrent comme elles à l'impudicité et à des unions contre nature, gisent en exemple, subissant la peine d'un feu éternel.

Mœurs des faux docteurs. Leur châtiment,

8. Malgré cela, ces hommes aussi, dans leur délire, souillent pareillement leur chair, méprisent la souveraineté *du Christ* et injurient les Gloires. 9. L'archange Michel, au contraire, lorsqu'il contestait avec le diable et lui disputait

4. *La grâce*, en nous affranchissant de la loi (ancienne), du péché et de la mort, conduit les enfants de Dieu à la vraie liberté; les faux docteurs, rejetant toute loi morale sous prétexte de liberté évangélique, *changent la grâce en licence*, en font un motif de désordres. — 5. *Jésus*, le Christ, le Fils de Dieu avant son incarnation, appelé souvent *l'ange de l'*ancienne *alliance*. — 6. *Pour le jugement* général, qui aura lieu *au grand jour* du second avènement de J. C. — 7. *Subissant*, etc. : le supplice des villes coupables est conçu comme durant toujours, le feu qui les dévore continuant de brûler au sein même des eaux. — 9. D'après une ancienne tradition juive, lorsque Moïse fut mort, l'archange saint Michel voulut soustraire son corps à la corruption du tombeau; Satan, de son côté, réclama le cadavre pour lui faire subir la loi commune à tous les hommes pécheurs. Quoi qu'il en soit de cette tradition, le raisonnement de S. Jude porte uniquement sur ce détail, que S. Michel confond le diable, non par des injures, mais par une froide et calme menace.

le corps de Moïse, n'osa pas porter contre lui un jugement injurieux, mais il dit "Que le Seigneur te punisse!" 10. Pour eux, ils lancent l'injure à toutes les choses qu'ils ignorent, et quant à celles qu'ils connaissent naturellement, comme savent les brutes, ils s'y corrompent. 11. Malheur à eux! car ils sont entrés dans la voie de Caïn, ils se sont jetés pour un salaire dans l'égarement de Balaam, ils se sont perdus par la révolte de Coré! 12. Ils sont des souillures dans leurs agapes, où ils font impudemment bonne chère, ne songeant qu'à se repaître eux-mêmes; nuées sans eau, emportées par les vents: arbres d'automne, sans fruits, deux fois morts, déracinés; 13. vagues furieuses de la mer, jetant l'écume de leurs impuretés; astres errants, auxquels l'obscurité des ténèbres est réservée pour l'éternité.

Annoncé par Enoch.

14. C'est à eux aussi que s'adresse la prophétie d'Enoch, le septième *patriarche* depuis Adam, quand il dit : "Voici que le Seigneur est venu avec ses saintes myriades, 15. pour juger tous les hommes, et convaincre tous les impies de toutes les œuvres d'impiété qu'ils ont commises, et de toutes les paroles criminelles qu'eux, pécheurs impies, ont proférées contre lui." 16. Ce sont des gens qui murmurent, qui se plaignent de leur sort, qui vivent au gré de leurs convoitises, qui ont à la bouche des paroles hautaines, qui se font, pour leur profit, les admirateurs des autres.

12. *Dans leurs agapes*, repas accompagnés de la célébration de l'Eucharistie, que faisaient entre eux les premiers chrétiens : les faux docteurs les déshonoraient par leur indigne conduite. — *Arbres d'automne*, qui n'ont plus qu'un pâle feuillage. — *Deux fois*, tout à fait *morts*. — *Déracinés :* image des faux docteurs, séparés de Dieu et de son Eglise. — 13. *La vague* ramène du fond à la surface toutes les impuretés de la mer : ainsi, etc. — *Astres* vagabonds, qui jettent un éclat fugitif, suivi d'éternelles ténèbres. — 14. *Myriades* d'anges.

II. — *Exhortations aux fidèles.*

Constance; conduite vis-à-vis des hérétiques.

17. ✠ Mais vous, bien aimés, souvenez-vous des choses annoncées d'avance par les Apôtres de Notre Seigneur Jésus Christ. 18. Ils vous disaient qu'au dernier temps il y aurait des moqueurs, vivant au gré de leurs convoitises impies. 19. Voilà ceux qui provoquent des divisions, hommes sensuels, n'ayant pas l'esprit *de Dieu.* 20. Pour vous, bien aimés, élevant l'édifice de votre perfection sur *le fondement de* votre très sainte foi, et priant dans le Saint Esprit, 21. conservez-vous dans l'amour de Dieu, attendant la miséricorde de Notre Seigneur Jésus Christ, pour *avoir* la vie éternelle.

22. Confondez les uns *comme déjà* jugés; 23. sauvez les autres, en les arrachant au feu; pour les autres, ayez-en pitié, *mais* avec crainte, haïssant jusqu'à la tunique souillée par la chair.

Doxologie.

24. A celui qui peut vous préserver de toute chute et vous faire paraître devant sa gloire, irrépréhensibles et pleins d'allégresse, à l'avènement de Notre Seigneur Jésus Christ; 25. au seul Dieu notre Sauveur, par Jésus Christ Notre Seigneur, soit gloire, majesté, force et puissance dès avant tous les temps, et maintenant, et dans tous les siècles! Amen! ¶

22. S. Jude distingue trois sortes de chrétiens égarés. Les premiers sont tout à fait pervertis : *confondez-les*, n'ayez avec eux aucun commerce. Les seconds sont dans un extrême danger : hâtez-vous de *les sauver*, comme *on arrache aux flammes* un homme tombé au milieu d'un incendie. Les troisièmes enfin, bien qu'infectés par l'erreur, sont moins avancés dans le mal : *ayez-en pitié*, et cherchez à les convertir, mais *avec crainte* et précaution, de peur de vous laisser vous-mêmes séduire par eux, *haïssant jusqu'à la tunique souillée par la chair*, gardant dans votre cœur une grande horreur pour leurs désordres.

APOCALYPSE DE S. JEAN.

Prologue.

Titre et dédicace du livre.

✠ CH. 1.

RÉVÉLATION de Jésus Christ, que Dieu lui a donnée pour faire connaître à ses serviteurs les événements qui doivent arriver bientôt; et *Jésus* ayant envoyé son ange les montrer par des signes à Jean, son serviteur, 2. celui-ci a rapporté la parole de Dieu et le témoignage de Jésus Christ, toutes choses dont il a eu la vision. — 3. Heureux celui qui lit et ceux qui entendent les paroles de cette prophétie, et qui gardent les choses qui y sont écrites, car le temps est proche!

Salut aux sept Eglises.

4. Jean aux sept Eglises qui sont en Asie : que

Chap. 1. — 1-2. *Révélation de J. C.*, manifestation d'événements futurs, cachés jusqu'alors dans les profondeurs des décrets divins, faite par Jésus Christ à son disciple : c'est le titre du livre. — *Que Dieu a donnée* à Jésus Christ : en tant que Fils de Dieu, le Christ tient tout de son Père. — *Bientôt :* la réalisation des événements annoncés commencera dès la fin du siècle apostolique, pour se continuer dans la suite des âges, jusqu'à ce que le royaume de Dieu ait atteint sa perfection, obtenu son dernier triomphe, au second avènement de Jésus Christ. — *Son ange*, en général, des anges. — 3. *Gardent les choses*, les leçons, les avertissements, etc. — *Le temps* où ces événements commenceront à s'accomplir *est proche :* comp. *bientôt* au vers. 1. — 4. *Sept Eglises :* voyez vers. 11. — *Sept esprits de Dieu*, l'Esprit Saint, dont les dons sont au nombre de sept.

la grâce et la paix vous soient données de la part de Celui qui est, qui était et qui vient, et de la part des sept esprits qui sont devant son trône, 5. et de la part de Jésus Christ, le témoin fidèle, le premier-né d'entre les morts et le prince des rois de la terre.

Louange à J. C.
et annonce de sa venue.

A celui qui nous a aimés, qui nous a lavés de nos péchés par son sang, ¶ 6. et qui nous a faits rois et prêtres de Dieu son Père, à lui soient la gloire et la puissance aux siècles des siècles! Amen! 7. Le voici qui vient sur les nuées. Tout œil le verra, et ceux même qui l'ont percé; et toutes les tribus de la terre se frapperont la poitrine en le voyant. Oui. Amen! 8. " Je suis l'alpha et l'oméga, " le commencement et la fin, dit le Seigneur Dieu, celui qui est, qui était et qui vient, le Tout Puissant.

PREMIÈRE PARTIE.

LETTRES AUX SEPT ÉGLISES. (1, 9 — 3).

Vision préparatoire : *J. C. apparaissant à S. Jean lui ordonne d'écrire sa vision aux sept Eglises.*

9. Moi Jean, votre frère, qui ai part avec vous à l'affliction, à la royauté et à la patience en Jésus Christ, j'étais dans l'île appelée Patmos, à cause de la parole de Dieu et du témoignage de Jésus. 10. Je fus *ravi* en esprit le jour du Seigneur, et j'entendis derrière moi une voix forte, comme

---

6. *Rois*, destinés à régner avec lui sur le monde et sur le péché, *et prêtres*, nous offrant à Dieu en sacrifice comme lui et avec lui, le prêtre éternel. — 8. L'*alpha* et l'*oméga* sont la première et la dernière lettre de l'alphabet grec. Sens : Je suis *le commencement et la fin*, le premier et le dernier (*Is.* xliv, 6), " celui par qui tout commence et par qui tout se termine " (Bossuet). — 9. *Patmos*, petite île rocailleuse de la mer Egée. Jean y avait été relégué *à cause de la parole*, c'est à dire pour avoir prêché l'Evangile. On y montre encore la grotte où il reçut ses révélations. — 10. *Le jour du Seigneur*, le dimanche.

le son d'une trompette, 11. qui disait : Ce que tu vois, écris-le dans un livre, et envoie-le aux sept Eglises : à Ephèse, à Smyrne, à Pergame, à Thyatire, à Sardes, à Philadelphie et à Laodicée. 12. Alors je me retournai pour voir quelle était la voix qui me parlait; et quand je me fus retourné, je vis sept chandeliers d'or, 13. et, au milieu des sept chandeliers, quelqu'un qui ressemblait à un fils d'homme : il était vêtu d'une longue robe, et ceint, à la hauteur de la mamelle, d'une ceinture d'or; 14. sa tête et ses cheveux étaient blancs comme de la laine blanche, comme de la neige, et ses yeux étaient comme une flamme de feu; 15. ses pieds étaient semblables à de l'airain qu'on aurait embrasé dans une fournaise, et sa voix était comme la voix des grandes eaux. 16. Il avait dans sa main droite sept étoiles; de sa bouche sortait une épée aiguë, à deux tranchants, et son visage était comme le soleil quand il brille dans sa force.

17. Quand je le vis, je tombai à ses pieds comme mort; et il posa sur moi sa main droite, en disant : " Ne crains point; je suis le premier et le dernier, 18. et le vivant; j'ai été mort, et voici que je suis vivant aux siècles des siècles; je tiens les clefs de la mort et de l'enfer. 19. Ecris donc les choses que tu as vues, et celles qui sont, et celles qui doivent arriver ensuite. 20. Voici le mystère des sept étoiles que tu as vues dans ma main

12. *Sept chandeliers*, symboles des sept Eglises (vers. 20) : toute Eglise, comme tout chrétien, doit être " la lumière du monde. " — 13. *Qui ressemblait à un fils d'homme*, désignation du Messie. — 14. *Blancs :* image de la gloire céleste. — *Comme une flamme de feu :* emblème de la toute science qui pénètre jusqu'au fond des cœurs, et de la sainteté qui y consume toute souillure. — 15. *Ses pieds*, etc. : symbole de la démarche irrésistible. — *Comme la voix* majestueuse de l'océan. — 16. *Etoiles :* voy. vers. 20. — *Epée à deux tranchants*, symbole de la puissance de la parole de Dieu, qui juge et tue, guérit et vivifie. — 18. *Les clefs*, symbole de la puissance. — *L'enfer*, le séjour des âmes. — 20. *Les anges des sept églises*, les évêques de ces Eglises, considérés comme représentant la communauté qu'ils dirigent. Les reproches, comme les louanges, atteignent donc l'Eglise, non l'évêque lui-même

droite, et des sept chandeliers d'or : les sept étoiles sont les anges des sept Eglises, et les sept chandeliers sont les sept Eglises.

Les sept Lettres : *à l'ange d'Ephèse, avis et promesse.*

CH. 2.

Ecris à l'ange de l'Eglise d'Ephèse : Voici ce que dit Celui qui tient les sept étoiles dans sa main droite, Celui qui marche au milieu des sept chandeliers d'or : 2. Je connais tes œuvres, ton labeur et ta constance. Je sais que tu ne peux souffrir les méchants; que tu as éprouvé ceux qui se disent apôtres et ne le sont pas, et que tu les as trouvés menteurs; 3. que tu as de la constance, que tu as eu à souffrir pour mon nom, et que tu ne t'es point lassé. 4. Mais j'ai un reproche à te faire, c'est que tu t'es relâché de ton premier amour. 5. Souviens-toi donc d'où tu es tombé, repens-toi et reviens à tes premières œuvres; sinon, je viendrai à toi, et j'ôterai ton chandelier de sa place, à moins que tu ne te repentes. 6. Pourtant tu as en ta faveur que tu hais les œuvres des Nicolaïtes, œuvres que moi aussi je hais. — 7. Que celui qui a des oreilles entende ce que l'Esprit dit aux Eglises : " A celui qui vaincra, je lui donnerai à manger de l'arbre de vie, qui est dans le paradis de mon Dieu. "

A l'ange de Smyrne.

8. Ecris à l'ange de l'Eglise de Smyrne : Voici ce que dit le Premier et le Dernier, Celui qui était mort et qui est revenu à la vie : 9. Je connais ta tribulation et ta pauvreté, — bien que tu sois riche, — et les insultes *que tu endures* de la part de ceux qui se disent

Chap. 2. — 1. *Qui tient*, etc. : Jésus Christ a pris sous sa garde les chefs des sept Eglises; *qui marche*, etc. : Jésus Christ est constamment présent au milieu des communautés chrétiennes. — 4. *Ton premier amour*, soit envers Dieu, soit envers le prochain. — 6. *Nicolaïtes*, faux docteurs qui, au nom de la liberté chrétienne, permettaient les voluptés sensuelles sous prétexte qu'elles ne souillaient pas l'esprit : voy. *Jude*, 4. — 7. *L'arbre de vie*, planté au milieu du paradis terrestre, et dont les fruits devaient communiquer l'immortalité à nos premiers parents, est le symbole de la vie divine, accordée aux élus. — 9. *Riche* en biens spirituels.

Juifs et ne le sont pas, mais qui sont une synagogue de Satan. 10. Ne t'effraie pas des choses que tu auras à souffrir. Voici que le diable va jeter quelques-uns de vous en prison, afin que vous soyez mis à l'épreuve, et vous aurez une persécution de dix jours. Sois fidèle jusqu'à la mort, et je te donnerai la couronne de la vie. — 11. Que celui qui a des oreilles entende ce que l'Esprit dit aux Eglises : " Celui qui vaincra ne recevra aucun dommage de la seconde mort. "

A l'ange de Pergame.

12. Ecris à l'ange de l'Eglise de Pergame : Voici ce que dit Celui qui a l'épée aiguë à deux tranchants : 13. Je sais où tu habites : c'est là qu'est le trône de Satan; je *sais* que tu es fermement attaché à mon nom, et que tu n'as point renié ma foi, même en ces jours où Antipas, mon témoin fidèle, a été mis à mort chez vous, où Satan habite. 14. Mais j'ai un reproche à te faire, c'est que tu as là des gens attachés à la doctrine de Balaam, lequel enseignait à Balac à mettre une pierre d'achoppement devant les fils d'Israël, *en les induisant* à manger des viandes immolées aux idoles et à se livrer à la fornication. 15. De même, toi aussi, tu as des gens attachés pareillement à la doctrine des Nicolaïtes. 16. Repens-toi donc; sinon, je viendrai à toi promptement, et je leur ferai la guerre avec l'épée de ma bouche. — 17. Que celui qui a des oreilles

10. *De dix jours* c'est à dire d'une courte durée. — *La couronne* qui est *la vie* éternelle. — 11. *La seconde mort*, la séparation complète, éternelle, d'avec Dieu, qui est seul la source de la vie, en un mot, la damnation; la première mort est la séparation de l'âme d'avec le corps. — 13. *Trône de Satan*, c'est à dire un des centres principaux de l'idolâtrie. — 14. *Balaam* donna à *Balac*, roi des Moabites, le conseil d'attirer les Israélites à des fêtes, accompagnées de honteuses débauches, afin que Dieu leur retirât sa protection. De même les imposteurs de Pergame, comme les Nicolaïtes (ii, 6), soutenaient qu'on pouvait prendre part aux sacrifices offerts aux idoles et aux festins qui les suivaient. — 17. *Un caillou blanc* ou *brillant*, symbole d'innocence et de victoire. — *Un nouveau nom*, symbole d'une existence nouvelle, dont la félicité ne peut être connue que de celui qui la goûte.

entende ce que l'Esprit dit aux Eglises : "A celui qui vaincra, je donnerai de la manne cachée; je lui donnerai une pierre blanche, et sur cette pierre est écrit un nom nouveau, que personne ne connaît, si ce n'est celui qui le reçoit. "

A l'ange de Thyatire.

18. Ecris à l'ange de l'Eglise de Thyatire : Voici ce que dit le Fils de Dieu, celui qui a les yeux comme une flamme de feu, et dont les pieds sont semblables à de l'airain : 19. Je connais tes œuvres, ton amour, ta foi, le soin que tu prends des pauvres, et tes dernières œuvres plus nombreuses que les premières. 20. Mais j'ai un reproche à t'adresser, c'est que tu laisses faire la femme Jézabel qui, se disant prophétesse, enseigne et séduit mes serviteurs, pour qu'ils se livrent à l'impudicité et qu'ils mangent des viandes immolées aux idoles. 21. Je lui ai donné du temps pour faire pénitence, et elle ne veut pas se repentir de son impudicité. 22. Voici que je vais la jeter sur un lit *de douleur*, et *plonger* dans une grande détresse ses compagnons d'adultère, s'ils ne se repentent de leurs œuvres. 23. Je détruirai ses enfants par la mort, et toutes les Eglises connaîtront que je suis celui qui sonde les reins et les cœurs; et je rendrai à chacun de vous selon ses œuvres. 24. Mais à vous, *c'est à dire* aux autres fidèles de Thyatire, qui ne reçoivent pas cette doctrine, qui n'ont pas connu les profondeurs de Satan (comme ils les appellent), je vous dis : " Je ne vous impose pas d'autre fardeau; 25. seulement, tenez ferme ce que vous avez, jusqu'à ce que je vienne."

20. *La femme Jézabel :* une secte ou un faux docteur, dont le nom est emprunté à la fameuse reine d'Israël, si ardente à propager l'idolâtrie et à persécuter les serviteurs de Dieu. — 22. *Ses compagnons d'adultère* (et plus loin *ses enfants*), ceux qui suivent ses erreurs et ses dérèglements. — 24-25. *Les profondeurs.* Ces hérétiques se vantaient de connaître ce qu'ils appelaient les *profondeurs*, soit de la science, soit de Dieu. Mais le Seigneur retourne ironiquement leurs paroles, et ne leur reconnaît qu'une *profondeur de Satan.* — *Fardeau*, épreuve, affliction. — *Ce que vous avez :* les vertus indiquées au vers. 19.

26. Et à celui qui vaincra et qui gardera jusqu'à la fin mes œuvres, je lui donnerai pouvoir sur les nations. 27. Il les gouvernera avec un sceptre de fer, *les brisant* comme on brise les vases d'argile, 28. ainsi que moi-même j'en ai reçu le pouvoir de mon Père, et je lui donnerai l'étoile du matin. 29. Que celui qui a des oreilles entende ce que l'Esprit dit aux Eglises.

A l'ange de Sarde. — CH. 3.

Ecris à l'ange de l'Eglise de Sardes : Voici ce que dit Celui qui a les sept Esprits de Dieu et les sept étoiles : Je connais tes œuvres : tu as le nom de vivant, mais tu es mort. 2. Sois vigilant, et affermis le reste qui est près de mourir; car je n'ai pas trouvé tes œuvres parfaites devant mon Dieu. 3. Souviens-toi donc comment tu as reçu et entendu *la parole;* garde-*la* et fais pénitence. Si tu ne veilles pas, je viendrai comme un voleur, et tu ne sais pas à quelle heure je viendrai te surprendre. 4. Pourtant tu as à Sardes quelques hommes qui n'ont pas souillé leurs vêtements; ils marcheront avec moi en vêtements blancs, parce qu'ils en sont dignes. 5. Celui qui vaincra sera ainsi revêtu de vêtements blancs; je n'effacerai point son nom du livre de la vie, et je confesserai son nom devant mon Père et devant ses anges. 6. Que celui qui a des oreilles entende ce que l'Esprit dit aux Eglises.

A l'ange de Philadelphie.

7. Ecris à l'ange de l'Eglise de Philadelphie : Voici ce que dit le Saint, le Véritable, celui qui a la clef de David, celui qui ouvre et personne ne ferme, qui ferme et per-

26-27. Sens : quand le Seigneur reviendra, il associera à sa royauté tous ses fidèles serviteurs : les persécutés, les opprimés d'aujourd'hui, seront alors des rois. — 28. *L'étoile du matin :* J. C. porte lui-même ce beau nom (xxii, 86). Sens : Le vainqueur sera revêtu de la gloire du ciel, gloire qui n'est autre que la lumière divine, la splendeur même du Messie glorifié.

Chap. 3. — 4. *Leurs vêtements :* image de la justice et de la sainteté dont Dieu les avait revêtus en J. C. — *Vêtements blancs :* image de la robe nuptiale qui donne droit de prendre part aux noces de l'Agneau. — 5. *Livre de la vie*, où sont inscrits les citoyens du ciel. — *Je confesserai son nom*, je le reconnaîtrai comme un des miens.

sonne n'ouvre : 8. Je connais tes œuvres. Voici que j'ai ouvert devant toi une porte, que personne ne peut fermer, parce que tu as peu de puissance, que tu as gardé ma parole et que tu n'as point renié mon nom. 9. Voici, je te donne quelques-uns de la synagogue de Satan, qui se disent Juifs : ils ne le sont point, mais ils mentent; je ferai qu'ils viennent eux-mêmes et se prosternent à tes pieds, et qu'ils sachent que je t'aime. 10. Parce que tu as gardé ma parole de constance, moi aussi je te garderai de l'heure de l'épreuve qui va venir sur le monde entier, pour éprouver les habitants de la terre. 11. Je viens bientôt : tiens ferme ce que tu as, afin que personne ne prenne ta couronne. — 12. Celui qui vaincra, je ferai de lui une colonne dans le temple de mon Dieu, et il n'en sortira plus; et j'écrirai sur lui le nom de mon Dieu, et le nom de la ville de mon Dieu, de la nouvelle Jérusalem, qui va descendre du ciel d'auprès de mon Dieu, et mon nom nouveau. 13. Que celui qui a des oreilles entende ce que l'Esprit dit aux Eglises.

A l'ange de Laodicée.

14. Ecris à l'ange de l'Eglise de Laodicée : Voici ce que dit l'Amen, le témoin fidèle et véritable, le principe de la création de Dieu : 15. Je connais tes œuvres : tu n'es ni froid ni bouillant. Plût à Dieu que tu fusses froid ou bouillant! 16. Aussi, parce que tu es tiède, et que tu n'es ni froid ni bouillant, je te vomirai de ma bouche. 17. Tu dis : Je suis riche, j'ai acquis de grands biens, je n'ai besoin de rien; tu ne sais *donc* pas que tu es mal-

8. Pensée : Parce que cette Eglise était restée fidèle, le Seigneur *a ouvert devant elle une porte*, c'est à dire l'occasion de répandre l'Evangile, de convertir beaucoup de Juifs encore incroyants. — 9. *Que je t'aime.* Sens : ces Juifs, vaincus enfin par la fidélité de l'Eglise, viendront adorer le Sauveur, reconnaissant que les chrétiens, loin d'être les ennemis de Dieu, sont les objets de son amour. — 12. *Une colonne :* image de l'immuable félicité du ciel. — 14. *Amen* signifie *vérité*, *fidélité*. J. C. est *l'Amen*, le *oui* de sa parole, promesse ou menace. — 15. *Froid*, *bouillant*, *tiède*, au service de Dieu. — 17. *Riche* de biens spirituels.

heureux, misérable, pauvre, aveugle et nu! 18. Je te conseille d'acheter de moi de l'or éprouvé par le feu, afin que tu deviennes riche; des vêtements blancs pour te vêtir et ne pas laisser paraître la honte de ta nudité; et un collyre pour oindre tes yeux, afin que tu voies. 19. Moi, je reprends et je châtie tous ceux que j'aime; aie donc du zèle et fais pénitence. 20. Voici que je me tiens à la porte et que je frappe : si quelqu'un entend ma voix et *m*'ouvre la porte, j'entrerai chez lui, je souperai avec lui et lui avec moi. — 21. Celui qui vaincra, je le ferai asseoir avec moi sur mon trône, comme moi aussi j'ai vaincu et me suis assis avec mon Père sur son trône. 22. Que celui qui a des oreilles entende ce que l'Esprit dit aux Eglises. "

DEUXIÈME PARTIE

VISIONS SYMBOLIQUES DES LUTTES DE L'ÉGLISE. (4 — 19, 10).

A. — *Les sept sceaux.*

Vision préparatoire : *Le trône de Dieu et la cour céleste.*

CH. 4.

Après cela, je regardai, et voici qu'une porte était ouverte dans le ciel, et la première voix que j'avais entendue, comme le son d'une trompette, et qui me parlait, dit : " Monte ici, et je te montrerai les choses qui doivent arriver dans la suite." 2. Aussitôt je fus *ravi* en esprit; et voici qu'un trône était dressé dans le

18. Le Seigneur offre trois choses : *l'or* pur d'une foi ferme et éprouvée, les *vêtements blancs* de la justice et de la sainteté, le *collyre* qui rend la vue aux aveugles, c'est à dire l'onction du Saint Esprit qui enseigne toutes choses. — 20. Dieu *se tient à la porte* du cœur, y *frappe* par les mouvements de son Esprit, y fait *entendre sa voix* par sa parole. — *Je souperai avec lui*, etc. : image du banquet de l'éternelle félicité. — 21. *Je le ferai asseoir*, etc. : image de l'union la plus intime avec Dieu en J. C.

Chap. 4. — 2. *Quelqu'un :* Dieu; Jean ne le désigne pas autrement, sans doute par une sainte vénération.

ciel, et sur ce trône quelqu'un était assis. 3. Celui qui était assis avait l'aspect d'une pierre de jaspe et de sardoine; et le trône était entouré d'un arc-en-ciel de la couleur de l'émeraude. 4. Autour du trône étaient vingt-quatre trônes, et *je vis* sur ces trônes vingt-quatre vieillards assis, revêtus de vêtements blancs, et sur leurs têtes des couronnes d'or. 5. Du trône sortent des éclairs, des voix et des tonnerres; et sept lampes ardentes brûlent devant le trône : ce sont les sept Esprits de Dieu. 6. Devant le trône *s'étend* comme une mer de verre semblable à du cristal; et devant le trône et autour du trône *se tiennent* quatre animaux couverts d'yeux devant et derrière. 7. Le premier animal ressemble à un lion, le second à un jeune taureau, le troisième a la face d'un homme, et le quatrième ressemble à un aigle qui vole. 8. Ces quatre animaux ont chacun six ailes; ils sont couverts d'yeux tout à l'entour et au dedans, et ils ne cessent jour et nuit de dire : " Saint, saint, saint est le Seigneur Dieu, le Tout Puissant, qui était, qui est et qui vient ! " 9. Quand les animaux rendent gloire, honneur et actions de grâces à Celui qui est assis sur le trône, à Celui qui vit aux siècles des siècles, 10. les vingt-quatre vieillards se prosternent devant Celui qui est assis sur le trône, et adorent Celui qui vit aux siècles des siècles, et ils jettent leur couronne devant le trône, en disant :

4. *Vingt-quatre vieillards :* c'est, dit Bossuet, l'universalité des saints de l'ancien et du nouveau Testament, représentés par les 12 patriarches ou chefs des 12 tribus d'Israël, et les 12 apôtres. — 5. *Eclairs*, etc. : image de l'action continuelle de Dieu dans la nature; *sept lampes :* image de l'action de Dieu dans l'ordre de la grâce, de l'Esprit Saint éclairant et échauffant les âmes par ses dons multiples (i, 4). — 6. *Mer de verre :* autour de Dieu, tout est lumière et transparence; son œil pénètre la nature entière et y plonge comme dans un pur cristal. — *Quatre animaux*, litt. *êtres animés*, dans le sens le plus large de ce mot. — 7. Les *quatre animaux* sont la représentation idéale de toute la création vivante. Ils offrent comme un composé des 4 créatures terrestres qui, disent les rabbins, occupent le premier rang en ce monde : du lion, robuste et puissant; du taureau, fécond et utile; de l'aigle, au vol élevé, à l'œil perçant, qui fixe le soleil; de l'homme enfin, doué de raison et d'intelligence.

11. " Vous êtes digne, notre Seigneur et notre Dieu, de recevoir l'honneur, la gloire et la puissance, car c'est vous qui avez créé toutes choses, et c'est à cause de votre volonté qu'elles ont eu l'existence et qu'elles ont été créées."

Le livre scellé est remis à l'Agneau pour être ouvert.
CH. 5.

Puis je vis dans la main droite de Celui qui était assis sur le trône un livre écrit en dedans et en dehors, scellé de sept sceaux. 2. Et je vis un ange puissant qui criait d'une voix forte : " Qui est digne d'ouvrir le livre et d'en rompre les sceaux?" 3. Et personne ni dans le ciel, ni sur la terre, ne pouvait ouvrir le livre ni voir ce qu'il contenait. 4. Et moi je pleurais beaucoup de ce qu'il ne se trouvait personne qui fût digne d'ouvrir le livre, ni de voir ce qu'il contenait. 5. Alors un des vieillards me dit : " Ne pleure point; voici que le lion de la tribu de Juda, le rejeton de David, a vaincu, de manière à ouvrir le livre et ses sept sceaux." 6. ✠ Et je vis, au milieu du trône et des quatre animaux, et au milieu des vieillards, un Agneau qu'on aurait dit avoir été immolé; il avait sept cornes et sept yeux, qui sont les sept Esprits de Dieu envoyés par toute la terre. 7. Il vint, et prit le livre de la main droite de Celui qui était assis sur le trône. 8. Quand il eut pris le livre, les quatre animaux et les vingt-quatre vieillards se prosternèrent devant l'Agneau, tenant chacun une harpe et des coupes d'or pleines de parfums, qui sont les prières des saints. 9. Et ils chantaient un cantique nouveau di-

Chap. 5. — 5. *Le lion de la tribu de Juda*, le Messie : allusion à la prophétie de Jacob (*Gen.* xlix, 9). — *A vaincu* le péché, la mort, le démon, et par cette victoire, il s'est rendu digne d'ouvrir le livre des destinées de l'Eglise. — 6. *Un agneau*, image biblique du Sauveur. — *Sept cornes*, symbole de sa force; sept yeux, symbole de sa toute science, *qui sont* les cornes aussi bien que les yeux, *les sept Esprits*, etc. Sens : la puissance et la science du Christ opèrent par l'Esprit Saint, dans la multiplicité de ses dons et de ses grâces (1, 4). — 8. *Les prières des Saints*, qui s'élèvent vers le ciel comme un parfum d'agréable odeur. — 9 sv. Cantique en l'honneur de la rédemption.

sant : " Vous êtes digne de prendre le livre et d'en ouvrir les sceaux; car vous avez été immolé, et vous nous avez rachetés pour Dieu, par votre sang, de toute tribu, de toute langue, de tout peuple et de toute nation; 10. et vous nous avez faits rois et prêtres, et nous régnerons sur la terre."

11. ✠ Je vis, et j'entendis autour du trône, autour des animaux et des vieillards, la voix d'une multitude d'anges, et leur nombre était des myriades de myriades et des milliers de milliers. 12. Ils disaient d'une voix forte : " L'Agneau qui a été immolé est digne de recevoir la puissance, la richesse, la sagesse, la force, l'honneur, la gloire et la louange." ¶ 13. Et toutes les créatures qui sont dans le ciel, sur la terre, sous la terre et dans la mer, et toutes les choses qui s'y trouvent, je les entendis qui disaient : " A Celui qui est assis sur le trône et à l'Agneau soient la louange, l'honneur, la gloire et la force aux siècles des siècles!" 14. Et les quatre animaux disaient : " Amen!" Et les vieillards se prosternèrent et adorèrent Celui qui vit aux siècles des siècles. ¶

Les six premiers sceaux :
1. *Le cheval blanc.* — Ch. 6.

Je vis, quand l'Agneau eut ouvert un des sept sceaux, et j'entendis l'un des quatre animaux qui disait comme d'une voix de tonnerre : " Viens et vois!" 2. Et je vis paraître un cheval blanc. Celui qui le montait avait un arc; on lui donna une couronne, et il partit en vainqueur et pour vaincre.

2. *Le cheval roux.*

3. Quand l'Agneau eut ouvert le deuxième sceau, j'entendis le second animal qui disait : " Viens

12. *De recevoir* de la part des rachetés, avec leur adoration, les sept attributs divins qui suivent, et dont l'ensemble marque la plénitude de la perfection.

Chap. 6. — 1. *Un des quatre animaux :* les quatre premiers sceaux se rapportant au monde visible dont ils sont les représentants, ce sont eux qui invitent Jean à considérer les images symboliques. — 2. Tous ces symboles indiquent un *vainqueur :* il est monté sur le *cheval blanc* des triomphateurs romains; dans sa main est l'*arc* des guerriers orientaux; il porte déjà la couronne de la victoire, et il s'élance à de nouveaux triomphes.

et vois!" 4. Et il sortit un autre cheval qui était roux. Celui qui le montait reçut le pouvoir d'ôter la paix de la terre, afin que les hommes s'égorgeassent les uns les autres, et on lui donna une grande épée.

3. *Le cheval noir.*

5. Quand l'Agneau eut ouvert le troisième sceau, j'entendis le troisième animal qui disait: "Viens et vois!" Et je vis paraître un cheval noir. Celui qui le montait tenait à la main une balance; 6. et j'entendis au milieu des quatre animaux comme une voix qui disait: "Une mesure de blé pour un denier! Trois mesures d'orge pour un denier!" Et: "Ne gâte pas l'huile et le vin!"

4. *Le cheval pâle.*

7. Quand l'Agneau eut ouvert le quatrième sceau, j'entendis la voix du quatrième animal qui disait: "Viens et vois!" 8. Et je vis paraître un cheval de couleur pâle. Celui qui le montait se nommait la Mort, et l'Enfer le suivait. On leur donna pouvoir sur la quatrième partie de la terre, pour faire périr *les hommes* par l'épée, par la famine, par la mortalité et par les bêtes féroces de la terre.

5. *Les âmes des tués.*

9. Quand l'Agneau eut ouvert le cinquième sceau, je vis sous l'autel les âmes de ceux qui avaient été immolés à cause de la parole de Dieu et à cause du témoignage qu'ils avaient rendu. 10. Ils

4. Le cavalier monté sur un cheval roux personnifie la guerre. — 5-6. Le troisième cavalier personnifie la famine. Son *cheval* est *noir :* c'est la couleur du deuil; il tient une *balance* pour peser rigoureusement le pain. — *Une mesure pour un denier* (un peu moins d'un franc : c'était le salaire ordinaire pour une journée de travail) : la voix qui tarifie au ciel le prix des denrées pour les pauvres mortels imite la manière de parler du crieur public. — *L'orge* était la nourriture des pauvres. — *Ne gâte pas*, ménage *l'huile et le vin*, afin qu'il en reste assez pour panser au moins les blessures. — 8. Le quatrième cavalier figure la mort et les suites funestes de la guerre. — *L'Enfer*, séjour des âmes, personnifié comme le serviteur de la Mort, et recevant pour les engloutir dans ses vastes flancs, tous ceux qu'elle a moissonnés. — 9. Le cinquième sceau se rapporte aux persécutions contre les chrétiens, tout d'abord à celles des trois premiers siècles, mais sans doute aussi aux martyrs de tous les temps. — *Sous l'autel :* l'image d'un temple et d'un autel dans le ciel se trouve en plusieurs endroits de l'Apocalypse (viii, 3; ix, 13; xi, 19 al.). — 10. *Ils*, les martyrs. — *Jusques à quand :* les martyrs, quoique leur

crièrent d'une voix forte, en disant : " Jusques à quand, ô Maître, le Saint et le Véritable, ne ferez-vous pas justice et ne redemanderez-vous pas notre sang à ceux qui habitent sur la terre? " 11. Alors on leur donna à chacun une robe blanche, et on leur dit de se tenir en repos quelque temps encore, jusqu'à ce que fût complet le nombre de leurs compagnons de service et de leurs frères qui devaient être mis à mort comme eux.

6. *Les signes dans le ciel.*

12. Je vis, quand l'Agneau eut ouvert le sixième sceau, et il se fit un grand tremblement de terre, et le soleil devint noir comme un sac de crin, la lune entière parut comme du sang, 13. et les étoiles du ciel tombèrent sur la terre, comme les figues vertes tombent d'un figuier secoué par un gros vent. 14. Le ciel se retira comme un livre qu'on roule, et toutes les montagnes et les îles furent remuées de leur place. 15. Et les rois de la terre, les grands, les généraux, les riches, les hommes forts, tout esclave et *tout* homme libre se cachèrent dans les cavernes et les rochers des montagnes; 16. et ils disaient aux montagnes et aux rochers : " Tombez sur nous et dérobez-nous à la face de Celui qui est assis sur le trône et à la colère de l'Agneau; 17. car il est venu le grand jour de sa colère, et qui peut subsister? "

Intermède consolant : *La marque des élus sur la terre.* — Ch. 7.

Après cela, je vis quatre anges qui étaient debout aux quatre coins de la terre; ils retenaient les

âme soit heureuse dans le ciel, n'ont pas encore reçu leur pleine récompense; ils soupirent après le triomphe final du règne de Jésus Christ. Mais il convient, dit S. Paul, que la consommation vienne à la même heure pour tous les élus (*Hébr.* xi, 40). De là la réponse qui leur est faite au verset 11. — 13. *Les étoiles*, sous leur grandeur apparente, semblaient se détacher du ciel et *tomber sur la terre.* — 15. *Se cachèrent ;* passé prophétique, ayant le sens du futur. — Les images du sixième sceau offrent une ressemblance frappante avec le discours du Sauveur annonçant les grands événements qui doivent précéder son retour.

Chap. 7. — L'ouverture du septième et dernier sceau est précédée de deux visions qui remplissent le chap. vii. Dans la première

quatre vents de la terre, afin qu'aucun vent ne soufflât, ni sur la terre, ni sur la mer, ni sur aucun arbre. 2. ✠ Et je vis un autre ange qui montait du côté où le soleil se lève, tenant le sceau du Dieu vivant, et il cria d'une voix forte aux quatre anges à qui il avait été donné de nuire à la terre et à la mer, 3. disant : " Ne faites point de mal à la terre, ni à la mer, ni aux arbres, jusqu'à ce que nous ayons marqué au front les serviteurs de notre Dieu. " 4. Et j'entendis le nombre de ceux qui avaient été marqués du sceau, *savoir*, cent quarante-quatre mille de toutes les tribus d'Israël : 5. de la tribu de Juda, douze mille marqués du sceau; de la tribu de Ruben, douze mille marqués; de la tribu de Gad, douze mille; 6. de la tribu d'Aser, douze mille; de la tribu de Nephtali, douze mille; de la tribu de Manassé, douze mille; 7. de la tribu de Siméon, douze mille; de la tribu de Lévi, douze mille; de la tribu d'Issachar, douze mille; 8. de la tribu de Zabulon, douze mille; de la tribu de Joseph, douze mille; de la tribu de Benjamin, douze mille marqués du sceau.

La trompette dans le ciel.

9. Après cela, je vis une foule immense, que personne ne pouvait compter, de toute nation, de toute tribu, de tout peuple et de toute langue. Ils étaient debout devant le trône et devant l'Agneau, vêtus de robes blanches et tenant des palmes à la main, 10. ils

(verset 1-8), Jean voit sur la terre les élus de Dieu marqués du sceau divin, pour être préservés des châtiments qui vont fondre sur le monde ; dans la seconde, il aperçoit la troupe innombrable de ceux qui sont déjà en possession de la félicité céleste. Toutes deux sont une réponse pleine de consolation et d'espérance au cri d'épouvante qui termine le chap. vi : " Et qui pourra subsister? " — 2. *Le sceau de Dieu :* Dieu est conçu comme un roi portant un sceau sur lequel, d'après la coutume des rois d'Orient, est gravé son nom : ceux qui en sont marqués lui appartiennent. — 4-8. Tous ces nombres sont symboliques; ils indiquent surtout que Dieu connaît exactement tous les siens. — *De toutes les tribus d'Israël*, Israël étant considéré comme le type du peuple de Dieu, à quelque nation qu'appartiennent ceux qui le composent. — 10. *Le salut* qui nous est donné, la délivrance des tribulations, du péché et de la mort éternelle, appartient à Dieu, vient de Dieu, qui en est la source première, et au divin médiateur Jésus Christ.

criaient d'une voix forte, disant: "Le salut est à notre Dieu, qui est assis sur le trône, et à l'Agneau." 11. Tous les anges se tenaient autour du trône, autour des vieillards et des quatre animaux; et ils se prosternèrent sur leurs faces devant le trône, 12. en disant : "Amen! La louange, la gloire, la sagesse, l'action de grâces, l'honneur, la puissance et la force soient à notre Dieu, aux siècles des siècles!" ¶ 13. ✠ Alors un des vieillards, prenant la parole, me dit : "Ceux qui sont revêtus de robes blanches, qui sont-ils, et d'où viennent-ils?" 14. Je lui dis : "Mon Seigneur, tu le sais." Et il me dit : "Ce sont ceux qui viennent de la grande tribulation; ils ont lavé leurs robes et les ont blanchies dans le sang de l'Agneau. 15. C'est pour cela qu'ils sont devant le trône de Dieu et le servent jour et nuit dans son sanctuaire. Et Celui qui est assis sur le trône les abritera sous sa tente; 16. ils n'auront plus faim, ils n'auront plus soif; le soleil ne les frappera plus de ses feux, ni aucune chaleur brûlante. 17. Car l'Agneau qui est au milieu du trône les paîtra et les conduira aux sources des eaux de la vie, et Dieu essuiera toute larme de leurs yeux." ¶

Le 7e sceau. — CH. 8.

Quand l'Agneau eut ouvert le septième sceau, il se fit dans le ciel un silence d'environ une demi-heure.

B. — *Les sept trompettes.*

Vision préparatoire : *Sept anges avec trompettes. Un ange brûle de l'encens.*

2. Et je vis les sept anges qui se tiennent devant Dieu, et sept trompettes leur furent données. 3. Puis il vint un autre

13-17. *La grande tribulation :* elle se continue dans le cours des âges et tout chrétien y en a une part, plus ou moins large. — *Dans le sang de l'Agneau,* en s'en appropriant les mérites par la foi et l'amour. — *Les abritera sous sa tente,* leur fera goûter les délices de sa présence, de la "vision face à face." — *Aux sources des eaux de la vie :* image de la félicité, dont on ne sent bien la force que sous le ciel brûlant de l'Orient, dans les sables du désert.

Chap. 8. — 2. *Sept trompettes :* le son des trompettes annonce, dans la Bible, toutes les grandes catastrophes, surtout celles où se montre la main de Dieu. — 3. *Pour les offrir avec les prières des*

ange, et il se tint sur l'autel, un encensoir d'or à la main ; on lui donna beaucoup de parfums pour les offrir, avec les prières de tous les saints, sur l'autel d'or qui est devant le trône; 4. et la fumée des parfums, *mêlée* aux prières des saints, monta de la main de l'ange devant Dieu. 5. Et l'ange prit l'encensoir, le remplit du feu de l'autel, et le jeta sur la terre ; et il y eut des voix, des tonnerres, des éclairs, et la terre trembla. 6. Et les sept anges qui avaient les sept trompettes se préparèrent à en sonner.

Les six premières trompettes *annoncent des fléaux :*

1. *Grêle, feu, sang.*

7. Le premier sonna de la trompette, et il y eut de la grêle et du feu mêlés de sang, qui furent jetés sur la terre; et le tiers de la terre fut brûlé, et le tiers des arbres fut brûlé, et toute herbe verte fut brûlée.

2. *Montagne de feu.*

8. Le deuxième ange sonna de la trompette, et *une masse*, comme une grande montagne tout en feu, fut jetée dans la mer; et le tiers de la mer devint du sang, 9. et le tiers des créatures marines qui ont vie périt, et le tiers des navires fut détruit.

3. *Etoile de feu.*

10. Le troisième ange sonna de la trompette; et il tomba du ciel une grande étoile, ardente comme une torche, et elle tomba sur le tiers des fleuves et sur les sources des eaux : 11. le nom de cette étoile est Absinthe; et le tiers des eaux fut changé en absinthe, et beaucoup d'hommes moururent de ces eaux, parce qu'elles avaient été rendues amères.

4. *Obscurité partielle.*

12. Le quatrième ange sonna de la trompette; et le tiers du soleil fut frappé, ainsi que le tiers de la lune et le tiers des étoiles, afin que le tiers de ces astres fût obscurci, et que le jour perdît un tiers de

---

saints, litt. *pour les donner aux prières des saints*, c'est à dire pour accompagner ces prières, les imprégner en quelque sorte d'un parfum d'agréable odeur. Par là, l'ange augmente l'élan et la ferveur des fidèles pour la prière, grâce précieuse dans ce temps de suprême épreuve. — 5. *Des voix*, *des tonnerres*, etc., signes avant-coureurs des jugements de Dieu.

sa clarté, et la nuit de même.

Les trois " malheur !" de l'aigle.

13. Je vis, et j'entendis un aigle qui volait par le milieu du ciel, disant d'une voix forte : " Malheur ! Malheur ! Malheur à ceux qui habitent sur la terre, à cause du son des autres trompettes dont les trois anges vont sonner ! "

5. *Les sauterelles.* — CH. 9

Le cinquième ange sonna de la trompette; et je vis une étoile qui était tombée du ciel sur la terre, et on lui donna la clef du puits de l'abîme. 2. Elle ouvrit le puits de l'abîme, et il s'éleva du puits une fumée comme celle d'une grande fournaise; et le soleil et l'air furent obscurcis par la fumée du puits. 3. De cette fumée sortirent des sauterelles *qui se répandirent* sur la terre, et il leur fut donné un pouvoir semblable à celui des scorpions de la terre; 4. et on leur ordonna de ne point faire de mal à l'herbe de la terre, ni à la verdure, ni à aucun arbre mais seulement aux hommes qui n'ont pas le sceau de Dieu sur le front. 5. Il leur fut donné, non de les tuer, mais de les tourmenter pendant cinq mois; et le tourment qu'elles faisaient éprouver était semblable à celui que cause à un homme la piqûre du scorpion. 6. En ces jours-là, les hommes chercheront la mort, et ils ne la trouveront pas; ils désireront de mourir, et la mort fuira loin d'eux. 7. Ces sauterelles ressemblaient à des chevaux préparés pour le combat; elles avaient sur la tête comme des diadèmes d'or; leurs visages étaient comme des visa-

13. *Qui habitent sur la terre*, les impies, les ennemis du Christ : comp. ix. 4.

Chap. 9. — 1. *Une étoile*, probablement un mauvais ange. — 3. *Les sauterelles* sont un des fléaux les plus redoutables de l'Orient ; celles dont il est ici question ont, au lieu de pinces, le dard des scorpions, dont la piqûre cause d'affreuses douleurs ; elles sont donc, avant tout, l'image d'un terrible châtiment de Dieu. — 5. *Cinq mois :* les sauterelles font leur apparition, à partir du mois de mai, pendant les cinq mois que dure l'été. — 7 sv. La description qui suit emprunte ses traits aux sauterelles naturelles, mais en les transformant et les agrandissant d'une façon merveilleuse.

ges d'hommes, 8. leurs cheveux comme des cheveux de femmes, et leurs dents comme des dents de lions. 9. Elles avaient des cuirasses comme des cuirasses de fer, et le bruit de leurs ailes était comme un bruit de chars à plusieurs chevaux qui courent au combat. 10. Elles avaient des queues semblables à celles des scorpions, et il y avait des aiguillons dans leurs queues, et leur pouvoir de faire du mal aux hommes dura cinq mois. 11. Elles avaient à leur tête, comme roi, l'ange de l'abîme, qui se nomme en hébreu Abaddon, et en grec Apollyon, c'est à dire exterminateur. 12. Le premier " malheur " est passé; voici qu'il en vient encore deux autres après lui.

6. *La guerre.*

13. Le sixième ange sonna de la trompette; et j'entendis une voix sortir des quatre cornes de l'autel d'or qui est devant Dieu; 14. elle disait au sixième ange qui avait la trompette : " Délie les quatre anges qui sont liés sur le grand fleuve de l'Euphrate. " 15. Alors furent déliés les quatre anges qui se tenaient prêts pour l'heure, le jour, le mois et l'année où ils devaient tuer la troisième partie des hommes. 16. Les troupes de cavalerie étaient deux myriades de myriades, j'en entendis le nombre. 17. Et voici comment les chevaux me parurent dans la vision, ainsi que ceux qui les montaient : ils avaient des cuirasses couleur de feu, d'hyacinthe et de soufre; les têtes des chevaux étaient comme des têtes de lions, et leur bouche jetait du feu, de la fumée et du soufre. 18. La troisième partie des hommes fut tuée par ces trois fléaux, par le feu, par la fumée et par le soufre qui sortaient de

---

11. *L'ange de l'abîme*, Satan, nommé exterminateur par opposition au Christ *Sauveur*. — 14. *Les quatre anges*, probablement de bons anges, quoiqu'ils soient présentés comme *liés;* ce qui lie les anges, dit Bossuet, ce sont les ordres suprêmes de Dieu. — *L'Euphrate* est mis ici par figure : c'est de là que, dans l'ancien Testament, partaient les armées ennemies pour ravager les Juifs infidèles. — 17. *Ils avaient : ils*, les cavaliers, peut-être chevaux et cavaliers.

leur bouche. 19. Car le pouvoir de ces chevaux est dans leur bouche et dans leur queue : car leurs queues, semblables à des serpents, ont des têtes, et c'est avec ces queues qu'ils blessent. 20. Les autres hommes qui ne furent pas tués par ces fléaux, ne se repentirent pas des œuvres de leurs mains; ils ne cessèrent pas d'adorer les démons et les idoles d'or, d'argent, d'airain, de pierre et de bois, qui ne peuvent ni voir, ni entendre, ni marcher; 21. ils ne se repentirent ni de leurs meurtres, ni de leurs enchantements, ni de leur impudicité, ni de leurs vols.

Intermède consolant : *Un ange donne à Jean un petit livre à manger.* — CH. 10.

Je vis un autre ange puissant qui descendait du ciel, enveloppé d'un nuage; au dessus de sa tête brillait l'arc-en-ciel; son visage était comme le soleil, et ses pieds comme des colonnes de feu; 2. il tenait à la main un petit livre ouvert. Il posa le pied droit sur la mer et le pied gauche sur la terre; 3. puis il cria d'une voix forte, comme rugit un lion, et quand il eut poussé ce cri, les sept tonnerres firent entendre leurs voix. 4. Après que les tonnerres eurent parlé, je me disposais à écrire, mais j'entendis du ciel une voix qui me disait : " Scelle ce qu'ont dit les sept tonnerres, ne l'écris point. " 5. Alors l'ange que j'avais vu debout sur la mer et sur la terre, leva sa main droite vers le ciel, 6. et jura par Celui qui vit aux siècles des siècles, qui a créé le ciel et les choses qui y sont, la terre et les choses qui y sont, la mer et les choses qui y sont, qu'il n'y aurait plus de temps, 7. mais qu'aux jours où le septième ange

20. *Des œuvres de leurs mains*, de leurs idoles; ou bien : de leurs actions mauvaises.

Chap. 10. — 4. *A écrire* ce que j'avais entendu. car la voix des tonnerres avait pour Jean un sens précis. — *Scelle*, tiens secret. — 6. *De temps*, de sursis pour le repentir, de délai dans l'accomplissement des décrets divins. — 7. *Le mystère de Dieu*, ses desseins éternels pour l'établissement final de son règne (comp. xi, 17 sv.), et par suite les fléaux avant-coureurs de la fin du monde, et la fin du monde

ferait entendre sa voix en sonnant de la trompette, le mystère de Dieu s'accomplirait, comme il l'a annoncé à ses serviteurs, les prophètes. 8. Et la voix que j'avais entendue du ciel, me parla de nouveau et dit : " Va, prends le petit livre ouvert dans la main de l'ange qui se tient debout sur la mer et sur la terre. " 9. Et j'allai vers l'ange, et je lui demandai le petit livre. Il me dit : " Prends-le et le dévore; il sera amer à tes entrailles, mais dans ta bouche il sera doux comme du miel. " 10. Je pris le petit livre de la main de l'ange et je le dévorai; et il fut doux dans ma bouche comme du miel; mais quand je l'eus dévoré, mes entrailles furent remplies d'amertume. 11. Puis on me dit : " Il faut que tu prophétises encore sur beaucoup de peuples, de nations, de langues et de rois. "

Le sanctuaire est mesuré. Les deux Témoins sont tués, mais ressuscitent. — CH. 11.

On me donna un roseau semblable à une verge, en disant : " Lève-toi et mesure le sanctuaire de Dieu, l'autel et ceux qui y adorent. 2. Mais le parvis exté-

elle-même, dernier châtiment de cette terre, destinée à être purifiée par le feu de la justice divine. — *Ses prophètes* de l'ancienne alliance. — 9. *Et le dévore.* Sens : Jean doit recevoir dans son cœur le contenu du livre, se l'approprier entièrement, afin de pouvoir ensuite annoncer les jugements de Dieu (vers. 11.) — *Doux et amer :* images de la joie et de la douleur; *doux :* c'est la première impression que fait éprouver la révélation prophétique; *amer*, dans la prévision de tant de malheurs. — 11. *Que tu prophétises encore*, que tu reçoives et consignes par écrit de nouvelles visions concernant l'avenir *de beaucoup de peuples*, etc.

Chap. 11. — 1-2. *On*, peut-être le Christ lui-même (vers. 3). — *Une verge*, un bâton dont on se servait pour mesurer. — *Mesure*, tire une ligne de démarcation entre le sanctuaire (la partie du temple comprenant le saint et le saint des saints), et tout ce qu'il renferme (l'autel et les adorateurs), et le parvis extérieur. Tandis que cette dernière partie sera foulée aux pieds par les nations, la première sera préservée, les chrétiens fidèles ayant trouvé auprès de leur Dieu un refuge inaccessible aux adversaires. — *La ville sainte*, l'Eglise. — *Quarante-deux mois*, durée égale aux 1260 jours de la prédication des deux témoins (v. 3) aux *trois temps* (ans) *et demi* de la retraite de la femme au désert (xii, 14 comp. v. 6), — et de la persécution des Saints par le roi impie, issu de la Bête aux dix cornes (Dan. vii, 25, Apoc. xiii, 5). Symbole de toute la durée de l'Eglise sur la terre; depuis l'ascension du Sauveur jusqu'à son retour.

rieur du sanctuaire, laisse-le en dehors et ne le mesure pas, car il a été abandonné aux nations, et elles fouleront aux pieds la ville sainte pendant quarante-deux mois.

3. Et je donnerai à mes deux témoins *de prophétiser*, et ils prophétiseront, revêtus de sacs, pendant douze cent soixante jours. 4. *Ces deux témoins* sont les deux oliviers et les deux candélabres qui se tiennent devant le Seigneur de la terre. 5. Si quelqu'un veut leur faire du mal, un feu sort de leur bouche et dévore leurs ennemis : c'est ainsi que doit périr quiconque voudra leur faire du mal. 6. Ils ont le pouvoir de fermer le ciel, afin qu'il ne tombe point de pluie durant les jours de leur prédication; et ils ont le pouvoir de changer les eaux en sang et de frapper la terre de toute espèce de plaies, autant de fois qu'ils le voudront.

7. Quand ils auront achevé *de rendre* leur témoignage, la bête qui monte dans l'abîme leur fera la guerre, les vaincra et les tuera; 8. et leurs cadavres resteront gisants dans la place de la grande ville, qui est appelée en figure Sodome et Egypte, là même où leur Seigneur a été crucifié.

9. Des hommes de tout peuple, de toute tribu, de toute langue et de toute nation regarderont leurs cadavres pendant trois jours et demi, et ils ne permettront pas qu'on leur donne la sépulture. 10. Les habitants de la terre se réjouiront à leur sujet; ils se livreront à l'allégresse et s'enverront des présents les uns aux

3. *Prophétiser*. dans le sens large : parler au nom de Dieu, prêcher la pénitence. — *Vêtus de sacs*, comme les anciens prophètes, en signe de pénitence et de deuil. — 5. *Un feu... dévore leurs ennemis :* allusion à divers faits de la vie d'Elie. — 6. La première partie de ce verset rappelle clairement Elie, le second Moïse. — Pour la plupart des Pères, les *deux témoins* sont Hénoch (*Gen*. v, 22) et Elie, qui doivent revenir à la fin des siècles prêcher aux hommes la pénitence. — 7. *Quand ils auront achevé*, etc. : après les 1260 jours du vers. 3. — *La bête :* comp. xiii, 1; xvii, 8. — 8. *Grande ville*, etc. Ce nom signifie toute ville, toute contrée de la terre, corrompue comme *Sodome*, rebelle aux ordres de Dieu comme l'*Egypte*, crucifiant de nouveau J. C. dans ses membres comme *Jérusalem*. — 10. *Ont fait le tourment :* par leurs prodiges, leur prédication et la sainteté de leur vie.

autres, parce que ces deux prophètes ont fait le tourment des habitants de la terre. " 11. Après les trois jours et demi, un esprit de vie venant de Dieu pénétra dans ces cadavres; ils se dressèrent sur leurs pieds, et une grande crainte s'empara de ceux qui les regardaient. 12. Et l'on entendit une grande voix venant du ciel, qui disait aux prophètes : " Montez ici. " Et ils montèrent au ciel dans la nuée, et leurs ennemis les virent.

13. A cette même heure, il se fit un grand tremblement de terre; la dixième partie de la ville s'écroula, et sept mille hommes périrent dans ce tremblement de terre; les autres, saisis d'effroi, rendirent gloire au Dieu du ciel. 14. Le second " malheur " est passé ; voici que le troisième " malheur " vient bientôt.

La 7e trompette. *Le royaume de Dieu et le jugement.*

15. Le septième ange sonna de la trompette, et l'on entendit dans le ciel des voix fortes qui disaient : " L'empire du monde est remis à Notre Seigneur et à son Christ, et il régnera aux siècles des siècles. " 16. Et les vingt-quatre vieillards qui sont assis devant Dieu sur leurs trônes, se prosternèrent sur leurs faces et adorèrent Dieu, en disant : 17. " Nous te rendons grâces, Seigneur Dieu tout puissant, qui es et qui étais, de ce que tu as saisi ta grande puissance et que tu es entré dans ton règne. 18. Les nations se sont irritées, et ta colère est venue; *il est venu* le moment de juger les morts, de donner la récompense à tes

12. Sens : le témoignage rendu à J. C. par la parole et la sainteté de la vie, que les persécuteurs croyaient avoir anéanti pour toujours, se relèvera dans l'Eglise, et la vérité chrétienne apparaîtra de nouveau dans toute sa force et sa splendeur. — 13. Ces terribles jugements atteignent tôt ou tard les peuples qui rejettent ou veulent étouffer le témoignage rendu à J. C. — 16. *Les vingt-quatre vieillards*, représentants du peuple de Dieu, après avoir demandé le triomphe de son règne (v. 8), rendent grâces pour le triomphe obtenu. Seulement ce chant de victoire est anticipé; bien des combats seront livrés encore avant que se fasse entendre le cantique définitif des bienheureux (xix et suiv.). — 18. Toutes ces images conviennent au jugement final du monde.

serviteurs, aux prophètes, aux saints, à ceux qui craignent ton nom, petits et grands, et de perdre ceux qui perdent la terre. " 19. ✠ Et le sanctuaire de Dieu dans le ciel fut ouvert, et l'arche de son alliance apparut dans son sanctuaire. Et il y eut des éclairs, des voix, des tonnerres, un tremblement de terre et une forte grêle.

C. — *Les sept signes.*

1. La femme et le dragon.
Leur apparition. — CH. 12.

Il parut dans le ciel un grand signe : une femme enveloppée du soleil, ayant la lune sous ses pieds, et une couronne de douze étoiles sur sa tête. ¶ 2. Elle était enceinte, et elle criait, dans le travail et les douleurs de l'enfantement. 3. Un autre signe parut encore dans le ciel : tout à coup on vit un grand dragon rouge; il avait sept têtes et dix cornes, et sur ses têtes, sept diadèmes; 4. de sa queue, il entraînait le tiers des étoiles du ciel, et il les jeta sur la terre; et il se dressa devant la femme qui allait enfanter, afin de dévorer son enfant, dès qu'elle l'aurait mis au monde 5. La femme donna le jour à un fils, *un enfant* mâle, qui devait gouverner toutes les nations avec une verge de fer; et l'enfant fut enlevé auprès de Dieu et auprès de son trône, 6. et la femme s'enfuit au désert, où Dieu lui avait préparé une retraite, afin qu'elle y fût nourrie pendant douze cent soixante jours.

Victoire de S. Michel sur le Dragon

7. ✠ Il y eut alors un combat dans le ciel :

Chap. 12. — 1-2. *Une femme*, l'Eglise chrétienne : elle est revêtue de J. C., soleil de justice; elle porte au front les 12 étoiles du nouveau Testament, c. à d. les 12 apôtres; elle foule à ses pieds l'emblème de la nuit et des ténèbres; elle enfante le Sauveur dans les âmes. — 3-4. *Un grand dragon :* Satan. — *Des étoiles du ciel*, des anges qu'il a entraînés dans sa révolte. — 5. *Un fils*, le Sauveur. — 6. *S'enfuit au désert :* allusion au séjour du peuple de Dieu dans le désert. L'Eglise traverse ce monde, un désert pour elle, où Dieu lui a préparé une place et la nourrit d'une manne céleste, du pain eucharistique. Elle y reste 1260 *jours*, symbole de la durée de son pèlerinage ici-bas. — 7-9. Cette vision symbolique, qui rappelle l'histoire de la

Michel et ses anges s'avancèrent pour combattre le dragon; et le dragon et ses anges combattirent; 8. mais ils ne purent vaincre, et leur place *même* ne fut plus trouvée dans le ciel. 9. Il fut précipité, le grand dragon, le serpent ancien, celui qui est appelé le diable et Satan, le séducteur de toute la terre, il fut précipité sur la terre, et ses anges avec lui. 10. Et j'entendis dans le ciel une voix forte qui disait : " Maintenant le salut, la puissance et l'empire sont à notre Dieu, et l'autorité à son Christ; car il a été précipité, l'accusateur de nos frères, celui qui les accusait jour et nuit devant notre Dieu. ¶ 11. Eux aussi l'ont vaincu par la vertu du sang de l'Agneau et par la parole de leur témoignage, ayant renoncé à l'amour de la vie, jusqu'à *souffrir* la mort. 12. C'est pourquoi réjouissez-vous, cieux, et vous qui habitez dans les cieux! Malheur à la terre et à la mer! car le diable est descendu vers vous, avec une grande fureur, sachant qu'il ne lui reste que peu de temps. "

Qui persécute la femme et sa race.

13. Quand le dragon se vit précipité sur la terre, il poursuivit la femme qui avait mis au monde l'enfant mâle. 14. Et les deux ailes du grand aigle furent données à la femme pour s'envoler au désert, en sa retraite, où elle est nourrie un temps, des temps et la moitié d'un temps, loin de la vue du serpent. 15. Alors le serpent lança de sa bouche, après la femme, de l'eau comme un fleuve, afin de l'entraîner dans le fleuve. 16. Mais la terre vint au secours de la femme; elle ouvrit son sein et engloutit le fleuve que le dragon avait jeté de sa bou-

première chute des anges, signifie que Satan, dans la lutte qu'il soutiendra jusqu'à la fin du monde contre Jésus Christ et les siens, ne sera jamais vainqueur. — 10. *Maintenant* : après cette victoire, l'empire de Satan sur le peuple de Dieu cessera tout à fait, et celui de Jésus Christ sera pleinement réalisé. — 14. *Les deux ailes*, etc. : symbole de la protection divine sur l'Eglise. — *Un temps*, etc., trois ans et demi, ou 1260 jours (vers. 6). — *Du serpent*, du dragon. — 15. Nouveau danger dont Dieu délivre l'Eglise.

che. 17. Et le dragon fut rempli de fureur contre la femme, et il alla faire la guerre au reste de ses enfants, à ceux qui observent les commandements de Dieu et qui gardent le témoignage de Jésus Christ. 18. Et il s'arrêta sur le sable de la mer.

2. La Bête de la mer.
CH. 13.

Puis je vis monter de la mer une bête qui avait dix cornes et sept têtes, et sur ses cornes dix diadèmes, et sur ses têtes des noms de blasphème. 2. La bête que je vis ressemblait à un léopard ; ses pieds étaient comme ceux d'un ours, et sa gueule comme une gueule de lion. Le dragon lui donna sa puissance, son trône et une grande autorité. 3. Une de ses têtes paraissait avoir été blessée à mort ; mais sa blessure mortelle était guérie. Tous *les habitants de* la terre, saisis d'admiration, suivaient la bête. 4. Ils adorèrent le dragon, parce qu'il avait donné l'autorité à la bête, et ils adorèrent la bête, en disant : "Qui est semblable à la bête, et qui peut combattre contre elle ? " 5. Et il lui fut donné une bouche proférant des paroles arrogantes et des blasphèmes, et elle reçut le pouvoir d'agir pendant quarante-deux mois. 6. Et elle ouvrit sa bouche pour proférer des blasphèmes contre Dieu, pour blasphémer son nom, son tabernacle et ceux qui habitent dans le ciel. 7. Et il lui fut donné de faire la guerre aux saints, et de les vaincre ; et il lui fut donné autorité sur toute tribu, tout peuple, toute langue et toute na-

17. *Au reste de ses enfants*, aux membres individuels de l'Eglise, n'ayant pu détruire l'Eglise entière.

Chap. 13. — 1. *Une bête :* une puissance de ce monde, un empire dominateur, opposé à Dieu et à son Christ. — *Dix cornes*, probablement placées sur la principale des *sept têtes*. Les *sept têtes* sont des rois ou royaumes : Egypte, Assyrie, Babylone, Médo-Perses, Macédoine, Rome, puis celui de l'Antéchrist, dont la puissance est figurée par les dix cornes. — 3. *Une de ses têtes*, etc. : probablement l'empire romain idolâtre, *blessé* par la conversion du monde au christianisme, et *guéri* dans la suite par le retour des hommes à l'impiété et à l'idolâtrie. — *Tous les habitants de la terre*, à l'exception du petit troupeau des vrais fidèles. — 5. *Quarante-deux mois*, même durée que les 1260 jours ou les trois temps et demi de plus haut.

tion. 8. Et tous les habitants de la terre l'adorèrent, ceux *du moins* dont le nom n'a pas été écrit dans le livre de vie de l'Agneau qui a été immolé dès la fondation du monde. 9. Que celui qui a des oreilles entende! 10. Si quelqu'un mène en captivité, il sera mené en captivité; si quelqu'un tue par l'épée, il faut qu'il soit tué par l'épée. C'est ici que la patience et la foi des saints doivent se montrer.

3. La Bête de la terre.

11. Je vis ensuite monter de la terre une autre bête, qui avait deux cornes semblables à celles d'un agneau, et qui parlait comme un dragon. 12. Elle exerçait toute l'autorité de la première bête en sa présence, et elle amenait la terre et ses habitants à adorer la première bête, dont la blessure mortelle avait été guérie. 13. Elle opérait aussi de grands prodiges, jusqu'à faire descendre du ciel du feu sur la terre, à la vue des hommes. 14. Elle séduisait les habitants de la terre par les prodiges qu'il lui était donné d'opérer sous les yeux de la bête, persuadant aux habitants de la terre de faire une image de la bête qui porte la blessure de l'épée et qui a repris vie. 15. Et il lui fut donné d'animer l'image de la bête, afin que cette image aussi parlât et qu'elle fît mettre à mort tous ceux qui n'adoreraient pas l'image de la bête. 16. Elle fit que tous, petits et grands, riches et pauvres, libres et esclaves, reçussent une marque sur la main droite ou sur le front, 17. et

8. *L'adorèrent :* parfait prophétique. — *Immolé*, non en fait, mais en ce sens que cette immolation était prédestinée dans les décrets éternels de Dieu. — 10. *Si quelqu'un*, etc. : avertissement pour les persécuteurs, mais aussi pour les persécutés : que ceux-ci se souviennent qu'ils ne doivent se défendre que par la *patience* et la *foi* (*Matth.* xxvi, 52). — 11. *Une autre bête :* symbole de la fausse science, au service de l'impiété. — *Ses cornes sont semblables* à celles d'un agneau : elle n'a pas recours à la force matérielle; ses armes sont la ruse et la séduction. — 15. *D'animer* par des enchantements et des prestiges. *L'image de la bête* rappelle le trait de Nabuchodonosor (*Dan.* iii), et les images des empereurs romains proposés à l'adoration. — 17. *Acheter ou vendre*, exercer les droits de citoyen.

que nul ne pût acheter ou vendre, s'il n'avait pas la marque, *savoir* le nom de la bête ou le nombre de son nom. 18. C'est ici que doit se montrer la sagesse. Que celui qui a de l'intelligence calcule le nombre de la bête; car c'est un nombre d'homme, et ce nombre est six cent soixante-six.

4. L'Agneau et les Vierges. Ch. 14.

Je vis, et ✠ voici que l'Agneau était sur la montagne de Sion, et avec lui cent quarante-quatre mille personnes, qui avaient son nom et le nom de son Père écrits sur leurs fronts. 2. Et j'entendis une voix qui venait du ciel, *forte* comme le bruit des grandes eaux et comme celui d'un puissant tonnerre, et *harmonieuse* comme le sont les harpes jouées par des musiciens. 3. Et ils chantaient un cantique nouveau devant le trône, et devant les quatre animaux et les vieillards; nul ne pouvait apprendre ce cantique, si ce n'est les cent quarante-quatre mille qui avaient été rachetés de la terre. 4. Ce sont ceux qui ne se sont pas souillés avec des femmes, car ils sont vierges; ils accompagnent l'Agneau partout où il va. Ils ont été rachetés d'entre les hommes, comme des prémices pour Dieu et pour l'Agneau; 5. et il ne s'est point trouvé de mensonge dans leur bouche, car ils sont irréprochables. ¶

5. *Les trois Anges.*

6. Puis je vis un autre ange qui volait par le milieu du ciel, tenant l'Evangile éternel, pour l'annoncer aux habitants de la terre, à toute nation, à toute tribu, à toute langue et à tout peuple. 7. Il disait d'une voix

18. Les anciens se servaient, pour compter, non de chiffres, mais de lettres. S. Irénée indique *Lateinos*, c'est à dire *Latin*, ici l'empire romain, idolâtre et persécuteur. En effet les lettres de ce nom, additionnées ensemble, donnent 666.

Chap. 14. — 1. *La montagne de Sion*, la céleste Sion. — 144 *mille personnes*, tous les chrétiens qui seront restés fidèles. — 2. *Une voix*, le cantique même des rachetés. — 6. *L'Evangile éternel*, un livre renfermant le décret éternel de Dieu touchant le salut des hommes par Jésus Christ.

forte : " Craignez Dieu et lui donnez gloire, car l'heure de son jugement est venue ; adorez Celui qui a fait le ciel et la terre, la mer et les sources des eaux. " 8. Et un autre, un second ange suivit, en disant : " Elle est tombée, elle est tombée, Babylone la grande, qui a abreuvé toutes les nations du vin de la fureur de sa fornication ! " 9. Et un autre ange, un troisième, les suivit, en disant d'une voix forte ; " Si quelqu'un adore la bête et son image, et en prend la marque sur son front ou sur sa main, 10. il boira, lui aussi, du vin de la fureur de Dieu, du vin pur versé dans la coupe de sa colère, et il sera tourmenté dans le feu et le soufre, sous les yeux des saints anges et de l'Agneau. 11. Et la fumée de leur supplice s'élèvera aux siècles des siècles, et il n'y aura de repos, ni jour ni nuit, pour ceux qui adorent la bête et son image, ni pour quiconque aura reçu la marque de son nom. " 12. C'est ici que doit se montrer la patience des saints, qui gardent les commandements de Dieu et la foi en Jésus. 13. ✠ Et j'entendis une voix venant du ciel, qui disait : " Ecris : Heureux ceux qui meurent dans le Seigneur ! " — " Oui, dit l'Esprit, qu'ils se reposent maintenant de leurs travaux, car leurs œuvres les suivent. " ¶

6. Le Fils de l'homme.

14. Je vis, et voici que parut une nuée blanche, et sur la nuée quelqu'un était assis qui ressemblait à un fils d'homme; il avait sur sa tête une couronne d'or, et dans sa main une faucille tranchante. 15. Et un autre ange sortit du sanctuaire, criant d'une voix forte à Celui qui était assis sur la nuée :

---

8. *Est tombée :* parfait prophétique, pour le futur. — *Babylone*, symbole de la capitale de l'empire anti-chrétien, de la bête sortie des eaux. — *Du vin de la fureur* de Dieu, fruit de sa fornication, de son idolâtrie. Sens : en amenant toutes les nations à l'idolâtrie, elle leur a fait boire le vin de la colère divine, elle a attiré sur elles cette colère. — 10. *Du vin pur*, non mêlé d'eau : le châtiment ne sera pas adouci par la miséricorde. — 14. *Un fils d'homme :* c'est donc Jésus Christ lui-même, portant la *couronne* de sa royauté et venant sur une *nuée* pour le jugement.

" Lance ta faucille et moissonne ; car le moment de moissonner est venu, parce que la moisson de la terre est mûre. " 16. Alors Celui qui était assis sur la nuée jeta sa faucille sur la terre, et la terre fut moissonnée. 17. Un autre ange sortit du sanctuaire qui est dans le ciel, portant, lui aussi, une faucille tranchante. 18. Et un autre ange, celui qui a pouvoir sur le feu, sortit de l'autel, et s'adressa d'une voix forte à celui qui avait la faucille tranchante, disant : " Lance ta faucille tranchante, et coupe les grappes de la vigne de la terre, car les raisins en sont mûrs. " 19. Et l'ange jeta sa faucille sur la terre et vendangea la vigne de la terre, et il en jeta les grappes dans la grande cuve de la colère de Dieu. 20. La cuve fut foulée hors de la ville, et il en sortit du sang jusqu'à la hauteur des mors des chevaux, sur un espace de mille six cents stades.

7. Les Anges aux sept plaies.
CH. 15.

Et je vis dans le ciel un autre prodige, grand et étonnant : sept anges qui tenaient en main sept fléaux, les sept derniers, car c'est par eux que doit se consommer la colère de Dieu. 2. Et je vis comme une mer de verre, mêlée de feu, et au bord de cette mer étaient debout les vainqueurs de la bête, de son image et du nombre de son nom, tenant les harpes sacrées. 3. Ils chantaient le cantique de Moïse, le serviteur de Dieu, et le cantique de l'Agneau, disant : " Vos œuvres sont grandes et admirables, Seigneur Dieu, Tout Puissant! Vos voies sont justes et véritables, ô Roi des nations! 4. Qui ne craindrait, Seigneur, et ne glorifierait votre nom? Car vous seul êtes saint.

18. *Pouvoir sur le feu* de l'autel des holocaustes (vi, 10; viii, 5), feu qui est le symbole de la justice et de la sainteté de Dieu, consumant toute impureté. — 20. *La cuve fut foulée :* image biblique des tourments réservés aux impies sous les jugements de Dieu.

Chap. 15. — 2. *Une mer :* la mer Rouge prise symboliquement, en tant qu'elle a ouvert un passage aux Hébreux et englouti les impies, comme le montre le vers. 3, et l'analogie des fléaux qui vont suivre avec les plaies d'Egypte. — *Du nombre de son nom :* voy. xiii, 17.

Et toutes les nations viendront se prosterner devant vous, parce que vos jugements ont éclaté."

D. — *Les sept coupes.*

Vision préparatoire. *Sept anges reçoivent des coupes.*

5. Après cela, je vis s'ouvrir le sanctuaire du ciel qui renferme le tabernacle du témoignage. 6. Et les sept anges qui ont en main les sept fléaux sortirent du sanctuaire; ils étaient vêtus d'un lin pur et éclatant, et portaient des ceintures d'or autour de la poitrine. 7. Alors l'un des quatre animaux donna aux sept anges sept coupes d'or, pleines de la colère du Dieu qui vit aux siècles des siècles. 8. Et le temple fut rempli de la fumée de la gloire de Dieu et de sa puissance, et personne ne pouvait entrer dans le sanctuaire, jusqu'à ce que les sept fléaux des sept anges fussent consommés.

Les six premières coupes *produisent : 1. Un ulcère sur les impies.* — CH. 16.

Et j'entendis une grande voix qui sortait du sanctuaire, et qui disait aux sept anges : " Allez et versez sur la terre les sept coupes de la colère de Dieu. " 2. Le premier *ange* partit et répandit sa coupe sur la terre; et un ulcère malin et douloureux frappa les hommes qui avaient la marque de la bête et ceux qui adoraient son image.

2. 3. *Du sang dans les eaux.*

3. Le second répandit sa coupe dans la mer; et elle devint comme le sang d'un mort, et tout être vivant qui était dans la mer mourut. 4. Le troisième répandit sa coupe dans les fleuves et les sources d'eau; et les eaux

5-6. Sens : les anges annoncés vers. 1, revêtus d'habits sacerdotaux, sortent tour à tour de la partie la plus sainte et la plus secrète du temple du ciel, où sont gardés les décrets divins relatifs à l'humanité, décrets qui vont s'accomplir et attester la souveraine puissance de Dieu. — 7. *L'un des quatre animaux* représentant les forces de la nature qui vont servir à exécuter les desseins de Dieu (iv, 6-8). — 8. *La fumée* est toujours le signe de la présence de la majesté divine (*Ex.* xl, 32).

Chap. 16. — 2. Sur la *bête*, sa *marque* et son *image*, voyez xiii, 1, 14, 15, 17. — 3. *Comme le sang* décomposé, infect, *d'un mort.*

devinrent du sang. 5. Et j'entendis l'ange des eaux qui disait : " Vous êtes juste, vous qui êtes et qui étiez, *et vous êtes* saint, d'avoir exercé ce jugement. 6. Ils ont versé le sang des justes et des prophètes, et vous leur avez donné du sang à boire : ils en sont dignes ! " 7. Et j'entendis un autre ange du côté de l'autel qui disait : " Oui, Seigneur, Dieu tout puissant, vos jugements sont vrais et justes. "

4. *Une chaleur brûlante.*

8. Le quatrième répandit sa coupe sur le soleil, et il lui fut donné de brûler les hommes par le feu ; 9. et les hommes furent frappés d'une chaleur brûlante, et ils blasphémèrent le nom de Dieu qui est le maître de ces fléaux, et ils ne se repentirent point pour lui rendre gloire.

5. *Les ténèbres*

10. Le cinquième *ange* répandit sa coupe sur le trône de la bête ; et le royaume de la bête fut plongé dans les ténèbres ; les hommes se mordaient la langue de douleur, 11. et ils blasphémèrent le Dieu du ciel à cause de leurs douleurs et de leurs ulcères, et ils ne se repentirent point de leurs œuvres.

6. *Les rois assemblés.*

12. Le sixième répandit sa coupe sur le grand fleuve de l'Euphrate, et les eaux en furent desséchées, afin de livrer passage aux rois venant de l'Orient. 13. Et je vis sortir de la bouche du dragon, et de la bouche de la bête, et de la bouche du faux prophète, trois esprits impurs, semblables à des grenouilles. 14. Car ce sont des esprits de démons, qui font des prodiges et qui vont vers les rois de la terre, afin de les rassembler pour la bataille du grand jour du Dieu tout puissant. — 15. Voici que je

5. *L'ange des eaux*, préposé aux eaux : comp. vii, 1. — 12. *Desséchées :* allusion au dessèchement de l'Euphrate qui permit à Cyrus de s'emparer de Babylone. — 13. *Trois esprits impurs*, sortis, l'un de la gueule du dragon, le second de la gueule de la bête à laquelle Satan a donné son pouvoir (xiii, 12), le troisième de la bouche du faux prophète, c'est à dire de la bête montant de la terre (xiii, 11 sv.). — 14. *La bataille du grand jour*, le suprême combat contre J. C. et les siens.

viens comme un voleur. Heureux celui qui veille et qui garde ses vêtements, pour ne pas aller nu et ne pas laisser voir sa honte! — 16. Et *ces esprits* rassemblèrent les rois dans le lieu appelé en hébreu Armagédon.

7. Eclairs, tonnerres, tremblements de terre.

17. Le septième *ange* répandit sa coupe sur l'atmosphère; et il sortit du sanctuaire, du trône *même*, une grande voix qui disait : " C'en est fait! " 18. Et il y eut des éclairs, des voix, des tonnerres, et un si grand tremblement, qu'il n'y en a jamais eu de semblable depuis que l'homme est sur la terre. 19. La grande ville fut divisée en trois parties, et les villes des nations s'écroulèrent, et Dieu se souvint de Babylone la grande, pour lui faire boire la coupe du vin de son ardente colère. 20. Toutes les îles s'enfuirent, et l'on ne trouva plus de montagnes. 21. Une forte grêle, dont les grêlons pouvaient peser un talent, tomba du ciel sur les hommes; et les hommes blasphémèrent Dieu à cause du fléau de la grêle, parce que ce fléau était très grand.

E. — *La grande Babylone.*

Babylone assise sur la bête.

CH. 17.

L'un des sept anges qui tenaient les sept coupes vint, et il me dit : " Viens, je te montrerai le jugement de la grande prostituée qui est assise sur les grandes eaux, 2. avec laquelle les rois

16. *Armagédon*, c'est à dire, *ville de Mageddo*, où furent livrées deux grandes batailles. Le lieu où les rois antichrétiens se rassembleront pour livrer leur dernier combat sera pour eux un *Armagédon* (nous dirions aujourd'hui un *Waterloo*), le théâtre d'une irrémédiable défaite.— 17. *Du trône* de Dieu.— *C'en est fait*, dans le sens où notre Seigneur dit sur la croix : "Tout est consommé. " Les jugements de Dieu sont accomplis, et celui-ci est le dernier. — 21. Les événements de la septième coupe, annoncés ici, se réalisent et se continuent dans les chap. xvii-xx, comme une suite de jugements sur tous les ennemis du règne de Dieu : Babylone, la bête, le faux prophète et enfin Satan, leur inspirateur à tous.

Chap. 17. — 1. Sous les noms symboliques de *prostituée*, et de *Babylone*, c'est bien la Rome païenne, la Rome des Césars, la *ville aux sept collines*, représentant l'empire romain tout entier, qui est ici décrite. — 2. *Les rois de la terre* se sont laissé entraîner dans son idolâtrie et ses désordres.

de la terre se sont souillés, et qui a enivré les habitants de la terre du vin de son impudicité. " 3. Et il me transporta en esprit dans un désert. Et je vis une femme assise sur une bête écarlate, pleine de noms de blasphème, et qui avait sept têtes et dix cornes. 4. Cette femme était vêtue de pourpre et d'écarlate; elle était couverte d'or, de pierres précieuses et de perles; elle tenait à la main une coupe d'or, remplie d'abominations et des souillures de sa prostitution. 5. Sur son front était écrit un nom, nom mystérieux : " Babylone la grande, la mère des prostituées et des abominations de la terre. " 6. Je vis cette femme ivre du sang des saints et du sang des martyrs de Jésus; et, en la voyant, je fus saisi d'un grand étonnement.

Explication de la vision.

7. Et l'ange me dit : " Pourquoi t'étonnes-tu? Je te dirai le mystère de la femme et de la bête qui la porte, *et* qui a les sept têtes et les dix cornes. 8. La bête que tu vois était et n'est plus; elle doit remonter de l'abîme, puis aller à la perdition. Et les habitants de la terre dont le nom n'est pas écrit dès la fondation du monde dans le livre de la vie, seront dans l'étonnement en voyant la bête, parce qu'elle était, et qu'elle n'est plus, et qu'elle reparaîtra. — 9. C'est ici qu'il faut un esprit doué de sagesse. — Les sept têtes sont sept montagnes, sur lesquelles la femme est assise. Ce sont aussi sept rois : 10. Les cinq *premiers* sont tombés, l'un subsiste, l'autre n'est point encore venu, il *ne* doit demeurer *que* peu de temps. 11. Et la bête

3. *Une bête écarlate :* était-ce la couleur de la bête, ou celle de ses vêtements (vers. 4)? Cette *bête* est la même que celle du chap. xiii; elle figure la puissance antichrétienne arrivée à son plus haut degré d'impiété; *Babylone* est sa capitale. — 4. *Abomination* a toujours dans l'Ecriture le sens d'idolâtrie, avec les *souillures* morales qu'entraîne le culte des idoles, — 8. L'*abîme*, dans l'Apocalypse, est le séjour, non des morts, mais des démons. — 10. *Sept rois :* les empereurs romains qui ont persécuté les chrétiens. — *L'un subsiste :* peut-être Maximin, qui régna encore un an en Orient après la conversion de Constantin. — *L'autre n'est pas encore venu :* Julien l'Apostat.

qui était et qui n'est plus, est elle-même un huitième *roi* et *en même temps* l'un des sept, et elle s'en va à la perdition. 12. Les dix cornes que tu as vues sont dix rois qui n'ont pas encore reçu de royaumes, mais qui recevront un pouvoir de roi pour une heure. 13. Ils n'ont qu'un seul et même dessein, et ils mettent au service de la bête leur puissance et leur autorité. 14. Ils feront la guerre à l'Agneau, mais l'Agneau les vaincra, parce qu'il est Seigneur des seigneurs et Roi des rois, et ceux qui l'accompagnent, les appelés, les élus et les fidèles, *vaincront* avec lui. " 15. Et il me dit : " Les eaux que tu as vues, sur lesquelles la prostituée est assise, ce sont des peuples, des foules, des nations et des langues. 16. Et les dix cornes que tu as vues et la bête haïront elles-mêmes la prostituée; elles la rendront désolée et nue; elles mangeront ses chairs et la consumeront par le feu. 17. Car Dieu leur a permis d'exécuter le dessein de la bête, et de mettre leur royauté à son service, jusqu'à ce que les paroles de Dieu soient accomplies. 18. Et la femme que tu as vue, c'est la grande ville qui a la royauté de la terre. "

Chute de Babylone. — CH. 18.

Après cela, je vis descendre du ciel un autre ange, qui avait une grande autorité; et la terre fut illuminée de sa gloire. 2. Il cria d'une voix forte, disant : " Elle est tombée, elle est tombée, Babylone la grande! Elle est devenue une habitation de démons, un séjour de tout esprit impur, un repaire de tout oiseau immonde et odieux, 3. parce que toutes les nations ont bu du vin de

12. *Dix rois :* les chefs des barbares qui, tantôt alliés, tantôt ennemis de l'empire, ont fini par s'en partager les dépouilles. — 17. Dieu, qui tient le cœur des hommes dans sa main, leur a inspiré le dessein de détruire la prostituée et de mettre leur puissance au service de la bête, mais cela jusqu'à ce que les promesses divines, les prophéties, *soient accomplies.* — 18. *La grande ville qui a la royauté,* etc. : la Rome des Césars, ou une nouvelle Rome de la fin des temps, comme la Rome des Césars était une autre Babylone.

Chap. 18. — 2. *Habitation des démons,* etc. : image d'une désolation totale et de la dernière ignominie.

la fureur de sa fornication, que les rois de la terre se sont souillés avec elle, et que les marchands de la terre se sont enrichis par l'excès de son luxe. "

A cause de son iniquité.

4. Et j'entendis du ciel une autre voix qui disait : " Sortez du milieu d'elle, *vous qui êtes* mon peuple, afin de ne point participer à ses péchés, et de n'avoir point de part à ses calamités; 5. car ses péchés se sont accumulés jusqu'au ciel, et Dieu s'est souvenu de ses iniquités. 6. Faites-lui comme elle a fait elle-même, et rendez-lui au double selon ses œuvres; dans la coupe où elle vous a fait boire, versez-lui le double; 7. autant elle s'est glorifiée et plongée dans le luxe, autant donnez-lui de tourment et de deuil. Parce qu'elle dit en son cœur : Je suis une reine sur son trône, je ne suis point veuve et je ne connaîtrai point le deuil! 8. A cause de cela, en un même jour, les calamités fondront sur elle, la mort, le deuil et la famine, et elle sera consumée par le feu; car il est puissant le Dieu qui la jugera. "

Lamentations des mondains. Joie du ciel.

9. Les rois de la terre qui se sont livrés avec elle à la fornication et au luxe, pleureront et se lamenteront sur son sort, quand ils verront la fumée de son embrasement. 10. Se tenant à distance, dans la crainte de partager ses tourments, ils diront : " Malheur! Malheur! *Toi*, la grande ville, Babylone, la puissante cité, en une heure est venu ton jugement! " 11. Et les marchands de la terre pleurent et sont dans le deuil à son sujet, parce que personne n'achète plus leur cargaison : 12. cargaison d'or, d'argent, de pierres précieuses, de perles, de fin lin, de pourpre, de soie et d'écarlate, de bois de senteur de toute espèce, de toute sorte d'ob-

6. *Faites-lui :* cet ordre s'adresse, non au peuple de Dieu, mais à l'antéchrist et aux dix rois (xvii, 16 sv.). — 7. *Point veuve :* elle a pour époux la bête. — *Le deuil*, pour la mort de ses enfants. — 12-13. Cette longue énumération des choses précieuses que de nombreux navires apportaient à Rome de toutes les parties de l'univers, a pour but de faire ressortir le luxe et les délices de la grande ville.

jets d'ivoire, de bois très précieux, d'airain, de fer et de marbre, 13. de cannelle, d'essences, de parfums, de myrrhe, d'encens, de vin, d'huile, de fleur de farine, de blé, de bœufs, de brebis, de chevaux, de chars, de cochers et d'esclaves. 14. " Les fruits dont tu faisais tes délices s'en sont allés loin de toi; toutes les choses délicates et magnifiques sont perdues pour toi, et tu ne les retrouveras plus. " 15. Ces marchands qui se sont enrichis avec elle, se tiendront à distance, dans la crainte de partager ses tourments; ils pleureront et se désoleront, 16. disant : " Malheur! Malheur! *Qu'est devenue* la grande ville, celle qui était vêtue de fin lin, de pourpre et d'écarlate, qui était couverte d'or, de pierres précieuses et de perles? En une heure ont été détruites tant de richesses! " 17. Et tous les pilotes, et tous ceux qui naviguent vers la grande ville, les matelots et tous ceux qui trafiquent sur la mer, se tenaient à distance, 18. et ils s'écriaient en voyant la fumée de son embrasement : "Quelle ville était semblable à la grande ville? " 19. Ils jetaient de la poussière sur leur tête, et ils criaient en pleurant et en se désolant : " Malheur! Malheur! La grande ville dont l'opulence a enrichi tous ceux qui avaient des vaisseaux sur la mer, en une heure elle a été détruite! " 20. Réjouis-toi sur elle, ô ciel, et vous aussi, les saints, les apôtres, et les prophètes; car, en la jugeant, Dieu vous a fait justice.

Un ange symbolise la chute de Babylone.

21. Alors un ange puissant prit une pierre semblable à une grande meule, et la lança dans la mer, en disant : " Ainsi sera précipitée avec violence Babylone, la grande ville, et on ne la retrouvera plus. 22. On n'entendra plus chez toi les sons des joueurs de harpe, des musiciens, des joueurs de flûte et de

19. *Poussière sur leur tête*, en signe de douleur. — 22. Le bruit du travail nécessaire à la vie cessera dans ses murs, aussi bien que les accents joyeux des fêtes.

trompette; on ne trouvera plus chez toi d'artisan d'aucun métier, et le bruit de la meule ne s'y fera plus entendre; 23. on n'y verra plus briller la lumière de la lampe; on n'y entendra plus la voix de l'époux et de l'épouse : parce que tes marchands étaient les grands de la terre, parce que toutes les nations ont été égarées par tes enchantements, 24. et qu'on a trouvé chez toi le sang des prophètes et des saints, et de tous ceux qui ont été égorgés sur la terre. "

✠ *Chants du ciel.* — CH. 19.

Après cela, j'entendis dans le ciel comme la grande voix d'une foule immense qui disait : " Alleluia! Le salut, la gloire et la puissance appartiennent à notre Dieu, 2. parce que ses jugements sont vrais et justes. Il a jugé la grande prostituée qui corrompait la terre par son impudicité, et il a vengé sur elle le sang de ses serviteurs. " 3. Et ils dirent une seconde fois : " Alleluia! " Et la fumée de la grande ville monte aux siècles des siècles. 4. Et les vingt-quatre vieillards et les quatre animaux se prosternèrent et adorèrent Dieu assis sur le trône, en disant : " Amen! Alleluia! "

Les noces de l'Agneau.

5. Et il sortit du trône une voix qui disait : " Louez notre Dieu, vous tous ses serviteurs, vous qui le craignez, petits et grands! " 6. Et j'entendis comme la voix d'une foule immense, comme le bruit de grosses eaux, comme le fracas de forts tonnerres, disant : " Alleluia! car il règne, le Seigneur notre Dieu, le Dieu Tout Puissant! 7. Réjouissons-nous, tressaillons d'allégresse et rendons-lui gloire; car les noces de l'Agneau sont venues, et son épouse s'est préparée, 8. et il lui a été donné de se vê-

Chap. 19. — 1. *Alleluia*, c'est à dire *louez Jéhovah :* ce cri de louange de l'ancien Testament ne se rencontre dans le nouveau, que dans ce chapitre. — 3. *La fumée*, etc., *monte* à jamais vers le ciel : image d'une irrémédiable destruction. — 7. *Les noces de l'Agneau* avec l'Eglise de la terre (*Matth.* xxv, 1 sv.; *Eph.* v, 22) *sont venues*, vont s'accomplir (xxi, 1 sv.). — *Son épouse*, persécutée jusqu'ici (xii, 1 sv.).

tir de fin lin, éclatant et pur. " — Ce fin lin, ce sont les vertus des saints.

Ceux qui y sont appelés.

9. Et l'ange me dit : " Écris : Heureux ceux qui sont invités au festin des noces de l'Agneau!" ¶ Et il ajouta : " Ces paroles sont les véritables paroles de Dieu. " 10. Je tombai à ses pieds pour l'adorer; mais il me dit : " Garde-toi de le faire! Je suis ton compagnon de service, et un de tes frères qui gardent le témoignage de Jésus. Adore Dieu. " — Car le témoignage de Jésus est l'esprit de la prophétie.

TROISIÈME PARTIE.

TRIOMPHE DU CHRIST ET DE L'EGLISE.

(19, 11 — 22, 5).

Victoires du Christ.

Le vainqueur et son armée.

11. Et je vis le ciel ouvert, et il parut un cheval blanc; celui qui le montait s'appelle Fidèle et Véritable; il juge et combat avec justice. 12. Ses yeux étaient comme une flamme ardente; il avait sur sa tête plusieurs diadèmes, et portait un nom écrit que nul ne connaît que lui-même; 13. il était revêtu d'un vêtement teint de sang : son nom est la Parole de Dieu. 14. Les armées du ciel le suivaient sur des chevaux blancs, vêtues de fin lin, blanc et pur. 15. De sa bouche sortait une épée à double tranchant, pour frapper les nations; c'est lui qui les gouvernera avec une verge de fer, et c'est lui qui foulera la

---

10. *Pour l'adorer :* l'apparition de l'ange n'était pas pour S. Jean clairement distincte de celle du Seigneur. — 11. *Fidèle et Véritable :* en lui s'accomplissent les promesses et les menaces divines. — 12. *Plusieurs diadèmes :* il est le Roi des rois et le Seigneur des seigneurs; quel contraste avec la couronne d'épines! — 14. *Les armées du ciel,* les anges, *le suivaient,* non pour l'aider à vaincre, mais pour être témoins de sa victoire. Les *chevaux blancs* figurent le triomphe, le *fin lin, blanc et pur,* la sainteté. — 15. *Foulera la cuve :* de la cuve foulée par le Seigneur sort le vin de la colère de Dieu, dont il enivrera ses ennemis.

cuve du vin de l'ardente colère du Dieu tout puissant. 16. Sur son vêtement et sur sa cuisse, il portait écrit ce nom : Roi des rois et Seigneur des seigneurs.

Défaite de la bête et des rois.

17. Et je vis un ange qui était debout dans le soleil; et il cria d'une voix forte à tous les oiseaux qui volaient par le milieu du ciel : "Venez, rassemblez-vous pour le grand festin de Dieu, 18. pour manger la chair des rois, la chair des généraux, la chair des puissants, la chair des chevaux et de ceux qui les montent, la chair de tous les hommes, libres et esclaves, petits et grands." 19. Et je vis la bête et les rois de la terre, avec leurs armées rassemblées pour faire la guerre à Celui qui était monté sur le cheval *blanc*, et à son armée. 20. Et la bête fut prise, ainsi que le faux prophète qui l'accompagnait et qui, par ses prodiges faits devant elle, avait séduit ceux qui avaient pris la marque de la bête et ceux qui adoraient son image. Tous les deux furent jetés vivants dans l'étang de feu où brûle le soufre; 21. le reste fut tué par l'épée qui sortait de la bouche de celui qui était monté sur le cheval; et tous les oiseaux se rassasièrent de leurs chairs.

Satan lié pour mille ans.

CH. 20.

Et je vis descendre du ciel un ange qui tenait dans sa main la clef de l'abîme et une grosse chaîne; 2. il saisit le dragon, le serpent ancien, qui est le diable et Satan, et il l'enchaîna pour mille ans. 3. Et il le jeta dans l'abîme, qu'il ferma à clef et scella sur lui, afin qu'il ne séduisît plus les nations, jusqu'à ce que les mille ans fussent écoulés.

16. *Sur son vêtement et sur*, à l'endroit de, *sa cuisse.* — 17. *Festin de Dieu*, que Dieu donne. Quelle différence entre ce festin et celui de l'Agneau (vers. 9)! — 19. *La bête*, qui était montée de l'abîme (xvii, 3, 8), l'Antéchrist, avec les dix rois (xvii, 12 sv.) et leurs armées. — 20. *Le faux prophète*, la bête à deux cornes (xiii, 11 sv.). — 21. *Le reste*, les partisans de l'Antéchrist.

Chap. 20. — 2. *Le dragon ;* Satan étant un esprit, il faut prendre les expressions *chaîne*, *enchaîner*, etc., comme des images : une puissance supérieure empêchera le diable de nuire aux hommes sur la terre. — *Pour mille ans :* ce nombre désigne une longue durée.

Après cela il doit être délié pour un peu de temps.

Première résurrection.

4. Puis je vis des trônes, et ils s'y assirent, et le pouvoir de juger leur fut donné. Je vis aussi les âmes de ceux qui avaient été décapités à cause du témoignage de Jésus et à cause de la parole de Dieu, *et les âmes* de ceux qui n'avaient point adoré la bête ni son image, et qui n'avaient pas reçu sa marque sur leur front et sur leur main : ils revinrent à la vie, et régnèrent avec le Christ pendant mille ans. 5. Mais les autres morts ne revinrent point à la vie, jusqu'à ce que les mille ans fussent écoulés. — C'est la première résurrection. — 6. Heureux et saints ceux qui ont part à la première résurrection! La seconde mort n'a point de pouvoir sur eux; ils seront prêtres de Dieu et du Christ, et ils régneront avec lui pendant mille ans.

Dernier combat.

7. Quand les mille ans seront accomplis, Satan sera relâché de sa prison, et il en sortira pour séduire les nations qui sont aux quatre extrémités de la terre, Gog et Magog, afin de les rassembler pour le combat : leur nombre est comme le sable de la mer. 8. Elles montèrent sur la surface de la terre, et elles cernèrent le camp des saints et la ville bien aimée; 9. mais un feu divin tom-

4. *Décapités :* tous les martyrs. — Ceux *qui n'ont pas adoré la bête*, la puissance de ce monde avec ses honneurs et ses biens passagers, c'est à dire tous les chrétiens fidèles, et *qui n'ont pas reçu* ou *pris sa marque :* image empruntée à l'usage des anciens de marquer d'une empreinte les soldats et les esclaves pour les faire reconnaître. — *Et régnèrent :* etc. : après leur mort, leur âme fut glorifiée dans le ciel. — 5. *Les autres morts*, les méchants, ne vivent pas dans le ciel, après leur mort, de la vie glorieuse des élus. — *La première résurrection* doit donc s'entendre de la vie bienheureuse *des saints dans le ciel* après la vie présente. — 6. *Ils régneront avec J. C. pendant mille ans.* S. Augustin voit dans ce règne de mille ans toute la durée de l'existence terrestre de l'Eglise. — 7-10. Après les jours heureux et bénis promis dans les versets qui précèdent, aura lieu une dernière et redoutable lutte. *Gog* et *Magog*, peuples au nord du Caucase, figurent les nations qui doivent livrer leur dernier combat contre le peuple de Dieu. — Dans le vers. 7, les verbes sont au futur : c'est le langage de la prophétie; dans les vers. 8-10, ils sont au passé : c'est le langage de la vision.

ba du ciel et les dévora. Et le diable, leur séducteur, fut jeté dans l'étang de feu et de soufre, où sont plongés la bête 10. et le faux prophète; et ils seront tourmentés jour et nuit aux siècles des siècles.

Dernier jugement.

11. Et je vis un grand trône blanc et Celui qui était assis dessus. La terre et le ciel s'enfuirent de devant sa face, de sorte qu'il ne fut plus trouvé de place pour eux. 12. Et je vis les morts, les grands et les petits, debout devant le trône. Des livres furent ouverts; on ouvrit encore un autre livre, qui est le livre de la vie; et les morts furent jugés selon leurs œuvres, d'après ce qui était écrit dans ces livres. 13. La mer rendit ses morts; la Mort et l'Enfer rendirent les leurs; et ces morts furent jugés chacun selon ses œuvres. 14. Après quoi la Mort et l'Enfer furent jetés dans l'étang de feu : — c'est la seconde mort, l'étang de feu. — 15. Quiconque ne fut pas trouvé inscrit dans le livre de la vie fut jeté dans l'étang de feu.

Le triomphe de l'Eglise.
Apparition du monde nouveau et de la nouvelle Jérusalem. — Ch. 21.

Et je vis un nouveau ciel et une nouvelle terre; car le premier ciel et la première terre avaient disparu, et il n'y avait plus de mer. 2. Et moi, Jean, ✠ je vis descendre du ciel, d'auprès de Dieu, la ville sainte, une Jérusalem nouvelle, prête comme une épouse qui s'est parée pour son époux. 3. Et j'entendis une voix forte qui venait du trône et qui disait : " Voici le tabernacle de Dieu avec les hommes : il habitera avec eux, et

11. *Celui* : Dieu le Père. — *S'enfuirent*, s'affaissèrent dans les flammes (II *Pierre*, iii, 10), pour faire place au nouveau ciel et à la nouvelle terre (xxi, 1). — 12. *Debout*, par conséquent ressuscités : cette *seconde* résurrection (comp. vers. 5) n'est décrite qu'au verset 13. — 14. *La Mort et l'Enfer* : tous les maux disparaissent un à un pour ne laisser subsister à la fin que la vie bienheureuse. — *La seconde mort*, l'éternelle damnation.

Chap. 21. — 2. L'Eglise du Sauveur est représentée sous une double image : comme une *Jérusalem nouvelle* et comme une *épouse parée pour son époux*. — 3. *Il habitera avec eux* : l'essence de l'éternelle félicité, c'est la possession et la jouissance de Dieu lui-même.

ils seront son peuple, et Dieu même sera avec eux *comme* leur Dieu. 4. Il essuiera toute larme de leurs yeux, et la mort ne sera plus, et il n'y aura plus ni deuil, ni cri, ni douleur, car les premières choses ont disparu. " 5. Et Celui qui était assis sur le trône dit : " Voici que je fais toutes choses nouvelles. " ¶ Et il ajouta : " Ecris, car cette parole est sûre et véritable. " 6. Puis il me dit : " C'est fait ! Je suis l'alpha et l'oméga, le commencement et la fin. A celui qui a soif, je donnerai gratuitement de la source de l'eau de la vie. 7. Celui qui vaincra possédera ces choses; je serai son Dieu et il sera mon fils. 8. Mais pour les lâches, les incrédules, les abominables, les meurtriers, les impudiques, les magiciens, les idolâtres et tous les menteurs, leur part est dans l'étang ardent de feu et de soufre : c'est la seconde mort. "

9. Alors l'un des sept anges qui tenaient les sept coupes pleines des sept derniers fléaux, vint me parler et me dit : " Viens, je te montrerai l'Epouse, la femme de l'Agneau. " 10. Et il me transporta en esprit sur une grande et haute montagne, et il me montra la ville sainte, Jérusalem, qui descendait du ciel d'auprès de Dieu, 11. brillante de la gloire de Dieu. L'astre qui l'éclaire est semblable à une pierre très précieuse, à une pierre de jaspe transparente comme le cristal.

Splendeur de la ville sainte.

12. Elle a une grande et haute muraille, avec douze portes; à ces por-

4. *Les premières choses*, le premier état du monde, où régnait le péché et la mort. — 5. *Cette parole*, savoir que Dieu *fait toutes choses nouvelles*. — 6. *C'est fait* : toutes choses nouvelles. — *Alpha* : voyez i, 8. — *L'eau de la vie*, ici, image de l'éternelle félicité. — 8. *Les lâches*, opposés à *celui qui vaincra* (vers. 7). — *Les abominables*, les hommes souillés des péchés qui accompagnent l'idolâtrie. — *Les menteurs*, ceux qui enseignent de fausses doctrines sur J. C. — *La seconde mort*, la mort définitive, l'éternelle damnation. — 12. *Muraille* : image signifiant que la ville sainte n'a rien à craindre d'aucun ennemi. — *Douze anges*, gardes chargés d'interdire l'entrée aux indignes. — *Israël* est toujours le nom du peuple de Dieu.

tes sont douze anges, et des noms écrits, ceux des douze tribus d'Israël. 13. Il y a trois portes à l'orient, trois portes au nord, trois portes au midl et trois portes à l'occident. 14. La muraille de la ville a pour fondement douze *pierres*, sur lesquelles sont douze noms, ceux des douze apôtres de l'Agneau. 15. L'ange qui me parlait tenait une mesure, un roseau d'or, pour mesurer la ville, ses portes et sa muraille. 16. La ville est quadrangulaire, et sa longueur est égale à sa largeur. Il mesura la ville avec son roseau, et *trouva* douze mille stades; la longueur, la largeur et la hauteur en sont égales. 17. Il en mesura aussi la muraille, et *trouva* cent quarante-quatre coudées, mesure d'homme, qui est aussi mesure d'ange. 18. La muraille est construite en jaspe, et la ville est d'un or pur, semblable à un pur cristal. 19. Les bases de la muraille de la ville sont ornées de toutes sortes de pierres précieuses : la première base est du jaspe ; la deuxième, du saphir; la troisième, de la calcédoine ; la quatrième, de l'émeraude; 20. la cinquième, du sardonix; la sixième, de la sardoine; la septième, de la chrysolithe; la huitiètième, du béryl; la neuvième, de la topaze; la dixième, de la chrysoprase; la onzième, de l'hyacinthe; la douzième, de l'améthyste. 21. Les douze portes sont douze perles, chaque porte est d'une seule perle; la rue de la ville est d'un or pur, comme du verre transparent. 22. Je n'y vis point de temple, car le Seigneur tout puissant, ainsi que l'Agneau, en est le temple. 23. La ville n'a besoin ni du soleil ni de la lune pour l'éclairer, car la gloire de Dieu l'illumine et l'Agneau est son flambeau; 24. les nations marcheront à sa lumière, et les rois de la terre y apporteront leur

17. *Mesure d'homme :* quoique ce soit un ange qui mesure, il s'agit ici de la mesure dont se servent les hommes, de la coudée ordinaire. — 19. *Les bases de la muraille de la ville*, chaque base d'une porte à l'autre. — 21. *La rue*, pour *les rues;* d'autres, *la place.* — 23. *Du soleil.* Voy. vers. 11. — 24. *Leur magnificence*, leurs trésors.

magnificence. 25. Les portes ne seront point fermées chaque jour, car il n'y aura point de nuit, 26. on y apportera ce que les nations ont de plus magnifique et de plus précieux; 27. et il n'y entrera rien de souillé, ni personne qui se livre à l'abomination et au mensonge, mais ceux-là seulement qui sont inscrits dans le livre de vie de l'Agneau.

Epilogue.

Attestation de l'ange.

CH. 22.

Et l'ange me montra le fleuve d'eau de la vie, clair comme le cristal; il sortait du trône de Dieu et de l'Agneau, 2. pour couler au milieu de la rue de la ville. Et sur les deux bords du fleuve, se trouvent des arbres de vie qui donnent douze fois leurs fruits, les rendant une fois par mois, et dont les feuilles servent à la guérison des nations. 3. Il n'y aura plus d'anathème. Le trône de Dieu et de l'Agneau sera dans la ville; ses serviteurs le serviront. 4. Ils verront sa face, et son nom sera sur leurs fronts. 5. Il n'y aura plus de nuit, et ils n'auront besoin ni de lampe ni de lumière, parce que le Seigneur Dieu les illuminera; et ils régneront aux siècles des siècles. 6. Et *l'ange* me dit : "Ces paroles sont très sûres et véritables; et le Seigneur, le Dieu des esprits des prophètes, a envoyé son ange pour montrer à ses serviteurs les choses qui doivent arriver bientôt. — 7. Voici que je viens bientôt. Heureux celui qui garde les paroles de

25. Allusion à l'ancien usage de fermer le soir les portes des villes. — 26. *La magnificence*, etc. : ce qu'il y a eu de vrai, de grand, de bon dans les nations; les vertus individuelles, forces, talents, richesses, mises au service de l'Eglise et des âmes, tout se retrouvera là sanctifié et glorifié.

Chap. 22. — 2. *A la guérison des nations :* là les justes seront guéris de tous les maux, consolés de toutes les douleurs de la terre : tous les ravages du péché seront réparés. — 3. *Plus d'anathème*, parce qu'il n'y aura plus de péchés. — *Le serviront*, à la manière des prêtres. — 6. *L'ange :* soit celui de xxi, 9; soit, en général, un ange organe de Dieu auprès du Voyant. — *Ces paroles*, toutes les révélations qui précèdent. — *Le Dieu des esprits*, etc. : qui, par son Esprit, agit sur l'esprit des prophètes, leur dévoile l'avenir. — 7. *Je viens :* l'ange parle au nom de celui qui l'envoie.

la prophétie de ce livre! " 8. C'est moi, Jean, qui ai entendu et vu ces choses. Et après les avoir entendues et vues, je tombai aux pieds de l'ange qui me les montrait, pour l'adorer. 9. Mais il me dit : " Garde-toi de le faire! Je suis ton compagnon de service, celui de tes frères, les prophètes, et de ceux qui gardent les paroles de ce livre. Adore Dieu. »

Attestation de Jean.

10. Et il me dit : " Ne scelle point les paroles de la prophétie de ce livre; car le moment est proche. 11. Que celui qui est injuste fasse encore le mal; que l'impur se souille encore; que le juste pratique encore la justice, et que le saint se sanctifie encore. — 12. Voici que je viens bientôt, et ma rétribution est avec moi, pour rendre à chacun selon ses œuvres. 13. Je suis donc l'alpha et l'oméga, le premier et le dernier, le commencement et la fin. 14. Heureux ceux qui lavent leurs robes dans le sang de l'Agneau, afin d'avoir droit à l'arbre de la vie, et afin d'entrer dans la ville par la porte! 15. Dehors les chiens, les magiciens, les impudiques, les meurtriers, les idolâtres, et quiconque aime le mensonge et s'y adonne!

Jésus ordonne de respecter ce livre.

16. C'est moi, Jésus, qui ai envoyé mon ange pour annoncer ces choses dans les Eglises. C'est moi qui suis le rejeton et le fils de David, l'étoile du matin. " 17. Et l'Esprit et l'Epouse disent : " Venez! " Que celui qui entend dise : " Venez! " Que celui qui a soif vien-

10. *Ne scelle point*, ne tiens pas secrètes, *les paroles*, etc. Il convient que l'Eglise ait entre ses mains l'Apocalypse pour connaître ses destinées, et vivre sous la sérieuse et salutaire pensée que *le moment est proche*. — 11. Après les terribles menaces et les douces promesses qui précèdent, si quelqu'un veut rester injuste et impur, qu'il le fasse à ses risques et périls! — 14. *Lavent leurs robes dans le sang de l'Agneau*, sanctifient leur vie. — 15. *Les chiens*, les impurs. — 16. *Etoile du matin*, annonçant le lever du soleil éternel, auquel aucune nuit ne succède. — 17. *L'Esprit* de Dieu dans le cœur des fidèles, *et l'Epouse*, c'est à dire l'Eglise du Sauveur (xxi, 2, 9), lui répondent en soupirant après son glorieux retour : *Venez*. — *Eau de la vie* : comp. xxi, 6; xxii, 1; *Jean*, iv, 14; vii, 37.

ne ! Que celui qui le désire, prenne de l'eau de la vie gratuitement ! 18. Je déclare à quiconque entend les paroles de la prophétie de ce livre que, si quelqu'un y ajoute, Dieu le frappera des fléaux décrits dans ce livre. 19. Et que, si quelqu'un retranche des paroles de ce livre prophétique, Dieu lui retranchera sa part de l'arbre de la vie, de la cité sainte, et des choses qui sont décrites dans ce livre. 20. Celui qui atteste ces choses, dit : " Oui, je viens bientôt. " Amen !

S. Jean appelle le Sauveur et salue les fidèles.

Venez, Seigneur Jésus ! 21. Que la grâce du Seigneur soit avec vous tous ! Amen !

20. *Celui :* J. C., avant de prendre congé du Voyant, confirme l'espérance de l'Eglise par ces mots : *Oui, je viens bientôt ;* à quoi Jean répond au nom de l'Eglise : *Venez,* etc.

LE PETIT OFFICE

DE LA

SAINTE VIERGE MARIE

SELON LE BRÉVIAIRE ROMAIN

N° 548D

IMPRIMATUR.

Tornaci, die 10 Augusti 1949.

J. LECOUVET, Vic. Gen.

NOTIONS PRÉLIMINAIRES

I — Origine du Petit Office

Le mot *Office* signifie *charge*, *fonction*, *devoir*.

L'*Office divin* est l'ensemble des chants, rites, prières, lectures et cérémonies, au moyen desquels l'Eglise manifeste sa religion et s'acquitte de ses devoirs envers Dieu. Cette prière est essentiellement publique, car elle se fait par les ministres sacrés, dont c'est la *charge* ou *fonction* principale, au nom de tout le peuple chrétien qui y est convoqué. De bonne heure, dans les monastères et les chapitres, l'usage s'introduisit d'y joindre le *Petit Office*, ainsi appelé à cause de sa brièveté, en l'honneur de la Mère de Dieu : au chœur, chaque Heure du *Petit Office* précédait ou suivait celle du Grand Office. En 1095, au concile de Clermont, le B. Urbain II en imposa même la récitation à tout le clergé, afin d'attirer la protection spéciale de la sainte Vierge sur la première croisade. S. Pie V, après plus de cinq siècles, enleva cette obligation, mais maintint le *Petit Office* dans le corps du Bréviaire Romain, et la récente réforme de Pie X a eu soin de maintenir cet ancien usage.

Le *Petit Office* est donc une prière officielle de l'Eglise et la plus vénérable des dévotions en l'honneur de Marie. C'est pourquoi de nombreuses sociétés religieuses l'ont adopté comme un tribut de louanges à la Reine du ciel, et comme un lien qui les unit à la grande voix de la liturgie catholique, dont les accents s'élèvent jour et nuit vers le ciel.

De plus les Souverains Pontifes ont voulu en encourager la récitation par la concession de nombreuses indulgences, dont nous donnons l'énumération d'après le *recueil authentique*.

II — Indulgences

Aux Fidèles, qui réciteront pieusement le Petit Office de la sainte Vierge, même s'ils sont tenus de le dire, il est accordé :

Une Indulgence de cinq cents jours pour chaque heure de ce même Office;

Une Indulgence de dix ans pour l'Office en entier;

Une indulgence plénière, aux conditions ordinaires, (c'est à dire Confession, Communion et prière à l'intention du Souverain Pontife), pour ceux qui l'auront récité en entier, chaque jour, pendant un mois.

(S. Congr. des Indulg., 17 Nov. 1887 et 8 Déc. 1897; S. Pénit. Apost., 28 Mars 1935).

III — But et Composition

La disposition du *Petit Office* est la même que celle des Heures canoniales. Il se compose de Psaumes, Antiennes, Cantiques, Hymnes, Lectures, Répons, Capitules, Versets et Oraisons, qui nous invitent tour à tour à glorifier Dieu et à le remercier de nous avoir donné Jésus par Marie. Nous ne rendons qu'à Dieu seul le culte de *latrie* ou d'adoration suprême. Mais nous honorons la très Sainte Vierge d'un culte spécial, appelé *hyperdulie*, à cause de sa dignité ineffable de Mère de Dieu et des hommes. En chantant les louanges de Marie et en l'invoquant, nous reconnaissons *que le Tout Puissant a fait en elle de grandes choses*, quand il l'a associée si intimement au mystère de notre salut.

1 — *Petit Office durant l'Avent.*

Toutes les parties propres de cet Office sont tirées ou s'inspirent de l'Evangile de l'Annonciation, qui renferme la raison profonde de notre piété filiale envers la Sainte Vierge. L'Archange Gabriel venant du ciel lui *annonce* qu'elle est choisie pour être la Mère de Dieu. Son consentement donné, la célèbre prophétie d'Isaïe s'accomplit : « Voici que la Vierge concevra et enfantera un Fils, et son nom sera Emmanuel. » Le Saint Esprit opérera lui-même dans le sein virginal de Marie la miraculeuse incarnation du Verbe. Ainsi Jésus n'aura d'autre Père que Dieu, mais sur la terre, il aura une Mère Vierge, — Chaque fois que nous disons l'*Ave Maria*, pensons à cet instant béni où le « Verbe prit chair du sein de la B. Vierge Marie à la parole de l'Ange. » *Oraison de l'Avent.*

2 — *Après la Nativité*

Les quelques Antiennes et Oraisons propres à ce temps exaltent à l'envi la Virginité féconde de Marie, qui seule a eu le bonheur de joindre les joies de la maternité à la gloire de l'intégrité virginale. Elle est vierge avant, pendant et après son enfantement miraculeux.

Le Dieu de toute sainteté ne s'est point souillé en s'incarnant en elle; il a revêtu notre nature en son sein sans le concours de l'homme, comme la rosée descendit du ciel sur la toison de Gédéon, comme la flamme mystérieuse qui brûlait sans le consumer le buisson que vit Moïse.

Marie est la tige qui produit la fleur de Jessé (son ancêtre), c'est à dire, Jésus sur lequel reposera l'Esprit de Dieu. — Sa maternité divine fera d'elle la mère de tous les rachetés par le sang de son Fils, de celui qui ôte les péchés du monde.

3 — *Pendant l'année*

Le but spécial du *Petit Office* pendant l'année est de glorifier Marie, Souveraine du ciel et de la terre. Les Antiennes des Laudes et des Petites Heures, et certains Capitules, Répons etc. sont empruntés à l'Office de l'Assomption, mystère qui nous rappelle son entrée triomphale en corps et en âme dans les cieux, où les Anges et les Saints l'accueillent avec des transports de joie comme leur Reine bien aimée.

Le reste de cet Office est tiré du Commun des Fêtes de la Sainte Vierge. Notre piété filiale y trouvera une mine inépuisable de consolations, en nous invitant à méditer sa prédestination éternelle, ses perfections, sa puissance invincible sur le démon et l'hérésie, son rôle de Mère des chrétiens etc., etc. Surtout ne perdons jamais de vue cet article de foi : *Je crois... en Jésus Christ, conçu du Saint Esprit et né de la Vierge Marie.* Telle doit être la base, et combien solide, de notre dévotion envers elle!

Composition

Comme l'Office canonial. le Petit Office de la Sainte Vierge se compose de sept Heures : Matines et Laudes, — Prime, — Tierce, — Sexte, — None, — Vêpres, — et Complies.

1) *Matines* et *Laudes* (ou *Louanges*) sont vraiment la prière de la nuit, selon l'ancien usage de les réciter après minuit. — Nous pouvons y méditer sur la naissance du Sauveur, — ou sur les nombreuses nuits que Jésus passa en oraison.

2) *Prime* se disait à la première heure du jour, au moment où le divin Soleil de Justice sortit glorieux du tombeau.

3) *Tierce* ou troisième heure, (9 h. du matin), est l'heure à laquelle le Saint Esprit descendit sur la Sainte

Vierge et les apôtres réunis dans le Cénacle.

4) *Sexte* ou sixième heure correspond à midi, moment auquel Jésus monta au ciel.

5) *None* ou neuvième heure, nous rappelle l'instant où le Sauveur rendit le dernier soupir sur la Croix.

6) *Vêpres* (du latin *Vesper*) se chantaient autrefois solennellement à la tombée du jour. Les fidèles y étaient spécialement invités.

7) *Complies* est la prière du soir, l'Heure canoniale qui *complète* et termine la journée chrétienne.

IV — Division du Petit Office

Le Petit Office de la Sainte Vierge est essentiellement le même pendant toute l'Année. Cependant, comme, durant l'Avent, le temps de Noël et le temps pascal, on y trouve quelques parties propres, le Bréviaire Romain distingue quatre Offices selon les Temps de l'Année.

1 — *Pendant l'année*

Cet Office se récite depuis les Matines du 3 Février jusqu'à None du Samedi avant le premier Dimanche de l'Avent inclusivement. — Au Temps pascal il y a une Antienne propre *Regína cœli* aux Cantiques, comme il est dit ci-dessous.

2 — *Durant l'Avent*

Il se dit depuis les Vêpres du Samedi avant le premier Dimanche de l'Avent jusqu'à None du 24 Décembre, veille de Noël, inclusivement et à la fête de l'Annonciation.

Cet Office de l'Annonciation s'étend depuis les premières Vêpres qui se disent la veille jusqu'à la fin des Complies de la fête. A moins que la solennité ne soit transférée après Pâques, il faut omettre les *Allelúia* aux Antiennes; l'Antienne finale sera *Ave Regína* ou *Regína cœli* selon le temps.

3 — *Après Noël*

Le troisième Office se récite depuis les Vêpres du 24 Décembre jusqu'aux Complies du 2 Février inclusivement.

4 — *Au Temps Pascal*

Ce quatrième Office se dit depuis les Vêpres du Samedi saint jusqu'à None du Samedi avant le Dimanche de la Sainte Trinité inclusivement. — Il n'a de propre que la seule Antienne *Regína cœli* aux Cantiques *Benedíctus*, *Magníficat*, et *Nunc dimíttis*. C'est pourquoi il suffit d'indiquer cette Antienne avant et après ces trois Cantiques, afin d'éviter toute confusion avec l'Office pendant l'année, dont on ne le sépare pas dans la pratique. Au temps pascal on n'ajoute aucun *Allelúia* à l'Invitatoire, aux Antiennes, Versets ou Répons.

V — Rubriques générales

1 — Chacune des Heures constituant une partie spéciale de l'Office, il est permis de la réciter séparément. On ne peut cependant intervertir leur ordre respectif, ni en interrompre la récitation sans motif. Toutefois il est permis de séparer les Laudes de l'Office de Matines dans la récitation privée.

2 — Pour le temps de la récitation du Petit Office de la Sainte Vierge, les fidèles feront bien de se rapprocher autant que possible des règles établies pour l'Office canonial. Les Vêpres et les Complies se disent dans l'après-midi. Cependant, depuis le premier Samedi de Carême jusqu'à Pâques, les Dimanches exceptés, on récite les Vêpres avant midi. On peut commencer Matines et Laudes pour le lendemain, à partir de deux heures de l'après-midi. Les petites Heures, Prime, Tierce, Sexte et None, se récitent dans la matinée. On peut, pour un motif raisonnable, réciter le Petit Office au moment le plus convenable de la journée. Le temps pour satisfaire à cette récitation s'étend de minuit à minuit.

3 — Au temps de la Passion, et même pendant les trois derniers jours de la Semaine sainte, on continue à dire *Glória Patri* après l'Invitatoire, les Psaumes et les Cantiques, ainsi qu'au commencement des Heures.

Depuis les Matines du Jeudi saint jusqu'à None du Samedi saint inclusivement, il est défendu de réciter publiquement le Petit Office : on le dit en particulier.

4 — Les Prêtres et les Diacres seuls ayant le droit de dire le ℣. *Dóminus vobíscum*, on l'a remplacé dans le cours de cet Office par le ℣. *Dómine exáudi oratiónem meam.*

5 — On fait le signe de croix ordinaire à chaque Heure, en prononçant le ℣. *Deus in adjutórium*, au commencement des Cantiques *Benedíctus Magníficat* et *Nunc dimíttis* et à Complies en prononçant les paroles *Benedícat et custódiat.*

A Matines, en disant le Verset, *Dómine, lábia mea apéries*, on fait le signe de la croix sur les lèvres avec le pouce, et à Complies en disant le Verset *Converte nos Deus*, on le fait de la même manière sur la poitrine.

6 — L'Antienne finale se dit à genoux, excepté après complies du samedi et du dimanche, et pendant tout le temps pascal.

7 — On ne peut, à moins d'un indult du St-Siège, insérer dans le Petit Office, à Laudes et à Vêpres, la Commémoraison d'un Saint. A plus forte raison est-il défendu d'y mêler des prières de dévotion.

8 — Le Petit Office de la Sainte Vierge se dit toujours en latin dans la récitation publique; dans la récitation privée, les fidèles et les membres des Congrégations religieuses de l'un et l'autre sexe peuvent se servir d'une traduction en langue vulgaire, pourvu qu'elle soit approuvée par l'Ordinaire. [1]

VI — Cérémonial

On peut considérer comme récitation *publique* du Petit Office, celle que font *en commun* les personnes d'une congrégation ou d'une association religieuse, en vertu de leurs règles, statuts ou pieux usages.

Les Rubriques, pour la récitation publique du Petit Office de la Sainte Vierge, sont les mêmes que pour la récitation privée ou particulière, sauf les modifications suivantes :

A) On se divise en deux chœurs : le premier est du côté de l'hebdomadier, le second du côté opposé.

B) Le Supérieur (ou à son défaut l'hebdomadier) donne le signal et commence le *Dómine lábia*, *Deus in adjutórium*, *Convérte nos*, etc. Il dit encore *Pater noster* à la fin du Nocturne, l'Absolution et les Bénédictions avant les deux premières Leçons, et lit la troisième Leçon.

C) L'hebdomadier commence l'Hymne aux Matines, Laudes et Vêpres, l'Antienne au premier Psaume du Nocturne, à *Benedictus* et à *Magníficat*, et le *Te Deum*. Il dit les Capitules et les Oraisons, ainsi que le Verset et l'Oraison de l'Antienne finale de la Sainte Vierge.

D) Les deux choristes récitent ensemble l'invitatoire et le Psaume *Veníte exsultémus*. Ils disent de même tous les Versets qui suivent les Psaumes des petites Heures et l'hymne de Laudes, de Vêpres et de Complies.

E) Le premier choriste demande la bénédiction, et récite la première Leçon à Matines, le second choriste la deuxième Leçon. Le premier choriste commence

[1] S. Congrégation des Rites 24 Avril 1896 in Boscoducens.; S. Congrégation des Indulgences 14 Juin 1901.

toutes les Antiennes et toutes les Hymnes dont l'intonation n'est pas réservée à l'hebdomadier.

F) Les Psaumes et les Hymnes se disent en deux chœurs. Le chœur entier récite, alternativement avec le choriste, les Répons après les Leçons. Tout le chœur récite également les Antiennes après les Psaumes ou les Cantiques.

G) Au *Glória Patri*, à la doxologie *Jesu tibi sit glória*, et aux Oraisons qui ont la grande conclusion, tous s'inclinent profondément. On incline la tête aux noms de Jésus et de Marie.

Il est permis de s'asseoir pendant la récitation des Leçons; le reste de l'Office se récite debout, sauf l'Antienne finale en dehors du Dimanche et du Temps Pascal.

Assumpta est Maria in coelum : gaudent Angeli, collaudantes benedicunt Dominum.

PETIT OFFICE

DE LA

SAINTE VIERGE MARIE

A MATINES

℣. Dómine, ✠ lábia mea apéries. ℟. Et os meum annuntiábit laudem tuam.

℣. Deus, ✠ in adjutórium meum inténde. ℟. Dómine, ad adjuvándum me festína.

Glória Patri, et Fílio, * et Spirítui sancto.

Sicut erat in princípio et nunc, et semper : * et in sæcula sæculórum. Amen. Allelúia.

℣. Seigneur, ✠ vous ouvrirez mes lèvres. ℟. Et ma bouche chantera vos louanges.

℣. O Dieu, ✠ venez à mon aide. ℟. Seigneur, hâtez-vous de me secourir.

Gloire au Père, et au Fils, et au Saint Esprit.

Comme au commencement, maintenant et toujours, et dans les siècles des siècles. Ainsi soit-il.

On dit ainsi Allelúia. *à toutes les heures, excepté depuis les Complies du samedi avant la Septuagésime jusqu'à None du Samedi saint inclusivement. On dit alors*

Louange à vous, Seigneur, Roi d'éternelle gloire.

Laus tibi Dómine, Rex ætérnæ glóriæ.

INVITATOIRE

Je vous salue, Marie, pleine de grâce : * le Seigneur est avec vous.

Ave, María, grátia plena : * Dóminus tecum.

On répète :

Je vous salue, Marie, pleine de grâce : le Seigneur est avec vous.

Ave, María, grátia plena : Dóminus tecum.

PSAUME 94

Invitation à louer Dieu et Marie

Venez, réjouissons-nous dans le Seigneur : faisons éclater notre joie devant Dieu notre sauveur : présentons-nous à lui avec des chants d'allégresse, et célébrons sa grandeur.

Veníte, exsultémus Dómino, jubilémus Deo salutári nostro : præoccupémus fáciem ejus in confessióne, et in psalmis jubilémus ei.

Je vous salue, Marie, pleine de grâce : le Seigneur est avec vous.

Ave, María, grátia plena : Dóminus tecum.

Car le Seigneur est le grand Dieu, le grand Roi élevé au-dessus de toute puissance ; le Seigneur n'a point rejeté son peuple : lui qui tient dans sa main toute l'étendue de l'univers, et qui voit les fondements cachés des montagnes.

Quóniam Deus magnus Dóminus, et Rex magnus super omnes deos : quóniam non repéllet Dóminus plebem suam, quia in manu ejus sunt omnes fines terræ, et altitúdines móntium ipse cónspicit.

Le Seigneur est avec vous.

Dóminus tecum.

Quóniam ipsíus est mare, et ipse fecit illud, et áridam fundavérunt manus ejus : veníte adorémus, et procidámus ante Deum : plorémus coram Dómino, qui fecit nos, quia ipse est Dóminus Deus noster : nos autem pópulus ejus, et oves páscuæ ejus.

La mer est à lui, c'est lui qui l'a faite, et ses mains ont fondé la terre : venez, adorons-le, prosternons-nous à ses pieds : pleurons devant le Seigneur : c'est lui qui nous a créés ; il est le Seigneur notre Dieu : nous sommes son peuple et son troupeau qu'il nourrit dans ses pâturages.

Ave, María, grátia plena : Dóminus tecum.

Je vous salue, Marie, pleine de grâce : le Seigneur est avec vous.

Hódie si vocem ejus audiéritis, nolíte obduráre corda vestra, sicut in exacerbatióne secúndum diem tentatiónis in desérto : ubi tentavérunt me patres vestri, probavérunt, et vidérunt ópera mea.

Si vous entendez aujourd'hui sa voix, gardez-vous bien d'endurcir vos cœurs, comme au jour où le peuple le tenta dans le désert ; c'est là, dit-il, que vos pères m'ont tenté pour m'éprouver : et ils virent mes œuvres.

Dóminus tecum.

Le Seigneur est avec vous

Quadragínta annis próximus fui generatióni huic, et dixi : Semper hi errant corde : ipsi vero non cognovérunt vias meas, quibus jurávi in ira mea, si introíbunt in réquiem meam.

Pendant quarante ans je me suis tenu auprès de ce peuple, et j'ai dit : Leurs cœurs sont toujours égarés ; ils n'ont pas connu mes voies : et j'ai juré dans ma colère, qu'ils n'entreraient pas dans le lieu de mon repos.

Ave, María, grátia plena : Dóminus tecum.

Je vous salue, Marie, pleine de grâce : le Seigneur est avec vous.

Glória Patri, et Fílio, et Spirítui sancto. Sicut erat in princípio, et

Gloire au Père, au Fils et au Saint Esprit. Comme il était au commencement et maintenant, et toujours, et dans les siècles des siècles. Ainsi soit-il.

Le Seigneur est avec vous.

Je vous salue, Marie, pleine de grâce : le Seigneur est avec vous.

nunc, et semper : et in sæcula sæculórum. Amen.

Dóminus tecum.

Ave, María, grátia plena : Dóminus tecum.

HYMME

Dieu que le ciel, la mer, la terre,
Adorent, servent et proclament,
Qui seul régit tout l'univers,
Marie le porte en son sein.

Le soleil, la lune et le monde.
Lui obéissent en tout temps ; [Vierge
Il est dans le sein d'une
Pleine de la grâce du ciel.

Par la grâce, l'heureuse Mère [trailles
Tient enfermé en ses en-
Le Très-Haut, Créateur du monde [puissante.
Qu'il soutient de sa main

Le message du ciel t'agrée : [féconde,
Le Saint Esprit te rend
Le Désiré des Nations
Est le fruit béni de ton sein.

Jésus, qui es né de la Vierge,
Gloire éternelle soit à toi,
Avec le Père et l'Esprit Saint [Ainsi soit-il.
Durant toute l'éternité.

Quem terra, pontus, sídera [dicant,
Colunt adórant, præ-
Trinam regéntem máchinam
Claustrum Maríæ bájulat.

Cui luna, sol, et ómnia
Desérviunt per témpora,
Perfúsa cæli grátia
Gestant puéllæ víscera.

Beáta Mater múnere,
Cujus supérnus, Artifex
Mundum pugíllo cóntinens,
[sus est.
Ventris sub arca clau-

Beáta cæli núntio,
Fecúnda sancto Spíritu,
Desiderátus géntibus
Cujus per alvum fusus est.

Jesu, tibi sit glória,
Qui natus es de Vírgine,
Cum Patre, et almo Spíritu
In sempitérna sæcula.
Amen.

NOCTURNE

Dimanche, Lundi et Jeudi

Ant. Benedícta tu. | *Ant.* Vous êtes bénie.

On ne double pas les Antiennes dans tout le Petit Office.

PSAUME 8

Grandeur de l'humanité dans le Fils de Marie

Domine Dóminus noster, * quam admirábile est nomen tuum in univérsa terra !

Seigneur, notre Maître, que votre nom est admirable dans toute la terre!

Quóniam eleváta est magnificéntia tua, * super cælos.

Car votre gloire resplendit dans les hauteurs des cieux.

Ex ore infántium et lacténtium perfecísti laudem propter inimícos tuos, * ut déstruas inimícum et ultórem.

De la bouche des enfants et de ceux qui sont à la mamelle, vous vous êtes préparé une louange pour confondre vos ennemis, pour réduire au silence l'impie et le blasphémateur.

Quóniam vidébo cælos tuos, ópera digitórum tuórum : * lunam et stellas, quæ tu fundásti.

Quand je contemple vos cieux, ouvrages de vos mains, la lune et les étoiles que vous avez créées.

Quid est homo, quod memor es ejus? * aut fílius hóminis, quóniam vísitas eum?

Qu'est-ce que l'homme, pour que vous vous souveniez de lui, et le fils de l'homme, pour que vous le visitiez?

Minuísti eum paulo minus ab Angelis, glória et honóre coronásti eum : * et constituísti eum super ópera mánuum tuárum.

Vous l'avez fait de peu inférieur aux Anges, vous l'avez couronné de gloire et d'honneur : et vous lui avez donné l'empire sur les œuvres de vos mains.

Vous avez mis toutes choses sous ses pieds, toutes les brebis et tous les bœufs et même les bêtes des champs :

Les oiseaux du ciel, et les poissons de la mer, qui parcourent les sentiers de l'Océan.

Seigneur, notre Maître, que votre nom est admirable dans toute la terre !

Gloire au Père, *etc.*

Ant. Vous êtes bénie entre les femmes, et le fruit de votre sein est béni.

Ant. Comme la myrrhe.

Omnia subjecísti sub pédibus ejus, * oves et boves univérsas : ínsuper et pecóra campi.

Vólucres cæli, et pisces maris, * qui perámbulant sémitas maris.

Dómine Dóminus noster, * quam admirábile est nomen tuum in univérsa terra !

Glória Patri, *etc.*

Ant. Benedícta tu in muliéribus, et benedíctus fructus ventris tui.

Ant. Sicut myrrha.

PSAUME 18

Le Soleil de justice sortant radieux du sein de Marie pour éclairer le monde.

Les cieux racontent la gloire de Dieu, et le firmament annonce l'œuvre de ses mains.

Cette louange, le jour la redit au jour, et la nuit l'apprend à la nuit.

Ce n'est pas un langage, ce ne sont pas des paroles dont la voix ne soit pas entendue.

Leur son se répand par toute la terre; leurs accents vont jusqu'aux extrémités du monde.

Dans le soleil Dieu a disposé sa tente. Cet astre, semblable à l'époux qui

Cæli enárrant glóriam Dei, * et ópera mánuum ejus annúntiat firmaméntum.

Dies diéi erúctat verbum, * et nox nocti índicat sciéntiam.

Non sunt loquélæ, neque sermónes, * quorum non audiántur voces eórum.

In omnem terram exívit sonus eórum : * et in fines orbis terræ verba eórum.

In sole pósuit tabernáculum suum : * et ipse tamquam sponsus procédens de thálamo suo :

Exsultávit ut gigas ad curréndam viam, * a summo cælo egréssio ejus :

Et occúrsus ejus usque ad summum ejus : * nec est qui se abscóndat a calóre ejus.

Lex Dómini immaculáta, convértens ánimas : * testimónium Dómini fidéle, sapiéntiam præstans párvulis.

Justítiæ Dómini rectæ, lætificántes corda : * præcéptum Dómini lúcidum, illúminans óculos.

Timor Dómini sanctus, pérmanens in sæculum sæculi : * judícia Dómini vera, justificáta in semetípsa.

Desiderabília super aurum et lápidem pretiósum multum : * et dulcióra super mel et favum.

Etenim servus tuus custódit ea, * in custodiéndis illis retribútio multa.

Delícta quis intélligit? ab occúltis meis munda

sort de la chambre nuptiale,

S'élance joyeusement, comme un géant, pour parcourir sa carrière. Il part d'une extrémité du ciel,

Et sa course s'achève à l'autre extrémité : rien ne se dérobe à sa chaleur.

La loi du Seigneur est sans tache : elle restaure les âmes; le commandement du Seigneur est fidèle : il donne la sagesse aux simples;

Les ordonnances du Seigneur sont droites : elles réjouissent les cœurs; le précepte du Seigneur est lumineux : il éclaire les yeux;

La crainte du Seigneur est sainte : elle subsiste à jamais; les décrets du Seigneur sont vrais : ils se justifient par eux-mêmes.

Sa loi est plus désirable que l'or et les pierres précieuses, plus douce que le miel qui coule des rayons.

Aussi votre serviteur la garde-t-il fidèlement; à ceux qui l'observent est réservée une magnifique récompense.

Mais qui connaît ses égarements? pardonnez-moi ceux que j'ignore! Préservez aussi votre serviteur de la corruption de ceux qui vous sont étrangers.

me : * et ab aliénis parce servo tuo.

S'ils ne dominent pas sur moi, je serai sans tache et pur de grands péchés.

Si mei non fúerint domináti, tunc immaculátus ero : * et emundábor a delícto máximo.

Alors vous accueillerez favorablement les paroles de ma bouche, et les sentiments de mon cœur seront sans cesse sous votre regard.

Et erunt ut compláceant elóquia oris mei : * et meditátio cordis mei in conspéctu tuo semper.

O Seigneur qui êtes mon soutien et mon libérateur!

Dómine, adjútor meus, * et redémptor meus.

Gloire au Père, *etc.*

Glória Patri, *etc.*

Ant. Comme la myrrhe choisie, vous avez exhalé un parfum suave, ô sainte Mère de Dieu.

Ant. Sicut myrrha elécta odórem dedísti suavitátis, sancta Dei Génitrix.

Ant. Devant cette Epouse.

Ant. Ante torum.

PSAUME 23

Le Roi de gloire vient en Marie, son sanctuaire virginal

La terre est au Seigneur, avec tout ce qu'elle contient, le monde est à lui, et tous ceux qui l'habitent.

Domini est terra, et plenitúdo ejus : * orbis terrárum, et univérsi qui hábitant in eo.

Car c'est lui qui l'a fondée sur les mers et affermie sur les fleuves.

Quia ipse super mária fundávit eum : * et super flúmina præpa rávit eum.

Qui montera à la montagne du Seigneur, et qui se tiendra dans son sanctuaire?

Quis ascéndet in montem Dómini? * aut quis stabit in loco sancto ejus?

Celui qui a les mains innocentes et le cœur pur;

Innocens mánibus et mundo corde, * qui non

accépit in vano ánimam suam, nec jurávit in dolo próximo suo.

celui qui n'a pas livré son âme au mensonge et ne fait pas de serment pour tromper son prochain.

Hic accípiet benedictiónem a Dómino : * et misericórdiam a Deo salutári suo.

Celui-là recevra du Seigneur la bénédiction, et de Dieu son Sauveur, la miséricorde.

Hæc est generátio quæréntium eum, * quæréntium fáciem Dei Jacob.

Telle est la race de ceux qui le cherchent; de ceux qui cherchent la face du Dieu de Jacob.

Attóllite portas príncipes vestras. et elevámini portæ æternáles :* et introíbit rex glóriæ.

Princes, levez vos portes, et élevez-vous, portes éternelles; et le Roi de gloire fera son entrée.

Quis est iste rex glóriæ? * Dóminus fortis et potens : Dóminus potens in prœlio.

Quel est ce Roi de gloire? C'est le Seigneur fort et puissant, le Seigneur puissant dans les combats.

Attóllite portas príncipes vestras, et elevámini portæ æternáles : * et introíbit rex glóriæ.

Princes, levez vos portes, et élevez-vous, portes éternelles, et le Roi de gloire fera son entrée.

Quis est iste rex glóriæ? * Dóminus virtútum ipse est rex glóriæ.

Quel est ce Roi de gloire? C'est le Seigneur des armées, c'est lui qui est le Roi de gloire !

Glória Patri, *etc.*

Gloire au Père, *etc.*

Ant. Ante torum hujus Vírginis frequentáte nobis dúlcia cántica drámatis.

Ant. Devant cette Epouse virginale, venez nous apporter vos plus doux chants.

℣. Diffúsa est grátia in lábiis tuis. ℟. Proptérea benedíxit te Deus in ætérnum.

℣. La grâce est répandue sur vos lèvres. ℟. C'est pourquoi Dieu vous a bénie pour l'éternité.

Pater noster, *le reste à voix basse jusqu'à :*

Notre Père, *le reste à voix basse jusqu'à :*

℣. Et ne nous laissez pas succomber à la tentation. ℟. Mais délivrez-nous du mal.

℣. Et ne nos indúcas in tentatiónem. ℟. Sed líbera nos a malo.

L'absolution Précibus, *les trois Leçons et les Répons sont à la p.* 20 *ou* 26 *selon le temps.*

NOCTURNE.

Mardi et Vendredi.

Ant. Dans votre éclat.

Ant. Spécie tua.

PSAUME 44

Union de Jésus avec Marie, figure de l'Eglise.

De mon cœur jaillit un beau chant ; je dis : Mon œuvre est pour le Roi.

Eructávit cor meum verbum bonum : * dico ego ópera mea regi.

Ma langue est comme le roseau agile entre les doigts de l'écrivain.

Lingua mea cálamus scribæ, * velóciter scribéntis.

O Roi, vous surpassez en beauté tous les enfants des hommes ; la grâce est répandue sur vos lèvres ; c'est pourquoi Dieu vous a béni pour toujours.

Speciósus forma præ fíliis hóminum, diffúsa est grátia in lábiis tuis : * proptérea benedíxit te Deus in ætérnum.

Ceignez-vous de votre épée, héros invincible ;

Accíngere gládio tuo super femur tuum, * potentíssime,

Revêtu de splendeur et de majesté, avancez, marchez à la victoire et régnez

Spécie tua et pulchritúdine tua * inténde, próspere procéde, et regna,

Pour la vérité, la douceur et la justice : votre droite se signalera par des prodiges.

Propter veritátem, et mansuetúdinem, et justítiam : * et dedúcet te mirabíliter déxtera tua.

Vos flèches sont aiguës ; les peuples tomberont à

Sagíttæ tuæ acútæ, pópuli sub te cadent, *

in corda inimicórum regis.

vos pieds; elles perceront le cœur des ennemis du Roi.

Sedes tua Deus in sæculum sæculi : * virga directiónis virga regni tui.

Votre trône, ô Dieu, est établi pour toujours; le sceptre de votre royauté est un sceptre de droiture.

Dilexísti justítiam, et odísti iniquitátem : * proptérea unxit te Deus Deus tuus óleo lætítiæ præ consórtibus tuis.

Vous aimez la justice et vous haïssez l'iniquité : c'est pourquoi, ô Dieu, votre Dieu a versé sur vous, de préférence à vos compagnons, une huile d'allégresse.

Myrrha, et gutta et cásia a vestiméntis tuis, a dómibus ebúrneis : * ex quibus delectavérunt te fíliæ regum in honóre tuo.

La myrrhe, l'aloès et la casse s'exhalent de vos vêtements et des palais d'ivoire que les filles des rois ont ornés en votre honneur.

Astitit regína a dextris tuis in vestítu deauráto : * circúmdata varietáte.

La reine est à votre droite, en vêtements tissus d'or, aux couleurs variées.

Audi fília, et vide, et inclína aurem tuam : * et oblivíscere pópulum tuum, et domum patris tui.

Ecoute, ma fille, vois et prête l'oreille : oublie ton peuple et la maison de ton père.

Et concupíscet rex decórem tuum : * quóniam ipse est Dóminus Deus tuus, et adorábunt eum.

Et le Roi sera épris de ta beauté; car il est le Seigneur ton Dieu, et tous l'adoreront.

Et fíliæ Tyri in munéribus * vultum tuum deprecabúntur : omnes dívites plebis.

Les filles de Tyr, avec des présents, et les plus riches du peuple rechercheront ta faveur.

Omnis glória ejus fíliæ regis ab intus, * in

Toute la gloire de la fille du Roi est au dedans, et

cependant elle resplendit de vêtements aux franges d'or, aux couleurs variées.

fímbriis áureis circumamícta varietátibus.

Après elle, des jeunes filles, ses compagnes, sont amenées au Roi et lui sont présentées.

Adducéntur regi vírgines post eam : * próximæ ejus afferéntur tibi.

On les introduit au milieu de la joie et de l'allégresse; elles entrent dans le palais du Roi.

Afferéntur in lætítia et exsultatióne :* adducéntur in templum regis.

Des fils vous naîtront pour remplacer vos pères; vous les établirez princes sur toute la terre.

Pro pátribus tuis nati sunt tibi fílii : * constítues eos príncipes super omnem terram.

Ils perpétueront d'âge en âge la gloire de votre nom.

Mémores erunt nóminis tui * in omni generatióne et generatiónem.

Et les peuples vous loueront éternellement et à jamais.

Proptérea pópuli confitebúntur tibi in ætérnum : * et in sæculum sæculi.

Gloire au Père, *etc.*

Glória Patri, *etc.*

Ant. Dans votre éclat et votre beauté, avancez, triomphez et régnez.

Ant. Spécie tua, et pulchritúdine tua inténde, próspere procéde, et regna.

Ant. Dieu la protégera.

Ant. Adjuvábit eam.

PSAUME 45

Dieu est avec Marie et l'âme fidèle pour les protéger

Dieu est notre refuge et notre force; notre secours dans les graves calamités qui sont tombées sur nous.

Deus noster refúgium et virtus : * adjútor in tribulatiónibus, quæ invenérunt nos nimis.

C'est pourquoi nous ne craindrions pas, lors même que la terre serait boulever-

Proptérea non timébimus dum turbábitur terra : * et transferéntur montes in cor maris.

Sonuérunt, et turbátæ sunt aquæ eórum : * conturbáti sunt montes in fortitúdine ejus.

Flúminis ímpetus lætíficat civitátem Dei : * sanctificávit tabernáculum suum Altíssimus.

Deus, in médio ejus, non commovébitur : * adjuvábit eam Deus mane dilúculo.

Conturbátæ sunt gentes, et inclináta sunt regna : * dedit vocem suam, mota est terra.

Dóminus virtútum nobíscum : * suscéptor noster Deus Jacob.

Veníte, et vidéte ópera Dómini, quæ pósuit prodígia super terram : * áuferens bella usque ad finem terræ.

Arcum cónteret, et confrínget arma : * et scuta combúret igni :

Vacáte, et vidéte quóniam ego sum Deus : * exaltábor in terra.

Dóminus virtútum nobíscum : * suscéptor noster Deus Jacob.

Glória Patri, *etc.*

sée ; et que les montagnes seraient précipitées au fond de la mer.

Que les flots de la mer se soulèveraient avec fracas, et que leur violence ébranlerait les montagnes.

Un fleuve par son cours impétueux réjouit la cité de Dieu : le Très Haut a sanctifié son tabernacle.

Dieu est au milieu d'elle, elle ne sera point ébranlée : au lever de l'aurore, Dieu viendra à son secours.

Les nations ont été remplies de troubles et les royaumes ont été ébranlés : il a fait entendre sa voix et la terre a tremblé.

Le Seigneur des armées est avec nous : le Dieu de Jacob est notre défenseur.

Venez et voyez les œuvres du Seigneur, les prodiges qu'il a opérés sur la terre, en faisant cesser les guerres jusqu'aux extrémités de la terre.

Il brisera l'arc et il mettra les armes en pièces : et il consumera les boucliers par le feu.

Arrêtez et reconnaissez que je suis Dieu : je dominerai sur les nations, je dominerai sur la terre.

Le Seigneur des armées est notre défenseur.

Gloire au Père, *etc.*

Ant. Dieu la protégera de son regard; Dieu est au milieu d'elle, elle ne sera point ébranlée.

Ant. Nous tous qui habitons.

Ant. Adjuvábit eam Deus vultu suo : Deus in médio ejus, non commovébitur.

Ant. Sicut lætántium.

PSAUME 86

Marie est la Cité de Dieu, où il est doux d'habiter.

Elle a ses fondements sur les saintes montagnes! Le Seigneur aime les portes de Sion plus que toutes les demeures de Jacob.

Des choses glorieuses ont été dites de toi, ô cité de Dieu.

Je nommerai Rahab et Babylone parmi ceux qui me connaissent.

Voici les étrangers et ceux de Tyr, et le peuple d'Ethiopie : ils sont en elle.

Et l'on dira de Sion : une multitude d'hommes est née dans sein; c'est le Très Haut qui l'a fondée.

Le Seigneur inscrira dans la liste des peuples et des princes, ceux qui sont nés en elle.

Tous ceux qui habitent en toi sont dans la joie.

Gloire au Père, *etc.*

Ant. Nous tous qui habitons en vous, nous sommes dans la joie, ô sainte Mère de Dieu.

Fundaménta ejus in móntibus sanctis : * díligit Dóminus portas Sion super ómnia tabernácula Jacob.

Glorióѕa dicta sunt de te, * cívitas Dei.

Memor ero Rahab, et Babylónis * sciéntium me.

Ecce alienígenæ, et Tyrus, et pópulus Æthíopum, * hi fuérunt illic.

Numquid Sion dicet : Homo, et homo natus est in ea : * et ipse fundávit eam Altíssimus?

Dóminus narrábit in scriptúris populórum, et príncipum : * horum, qui fúerunt in ea.

Sicut lætántium ómnium * habitátio est in te.

Glória Patri, *etc.*

Ant. Sicut lætántium ómnium nostrum habitátio est in te, sancta Dei Génitrix.

℣. Diffúsa est grátia in lábiis tuis. ℟. Proptérea benedíxit te Deus in ætérnum.

℣. La grâce est répandue sur vos lèvres. ℟. C'est pourquoi Dieu vous a bénie pour l'éternité.

Pater noster, *le reste à voix basse jusqu'à* :

Notre Père, *le reste à voix basse jusqu'à* :

℣. Et ne nos indúcas in tentatiónem. ℟. Sed líbera nos a malo.

℣. Et ne nous laissez pas succomber à la tentation. ℟. Mais délivrez-nous du mal.

L'Absolution Précibus, *les trois Leçons et les Répons sont à la p.* 20 *ou* 26 *selon le temps.*

NOCTURNE

Mercredi et Samedi

Ant. Gaude, María Virgo.

Ant. Réjouissez-vous, ô Vierge Marie.

PSAUME 95.

Que tous les peuples chantent l'avènement du Sauveur.

Cantáte Dómino cánticum novum : * cantáte Dómino omnis terra.

Cantáte Dómino, et benedícite nómini ejus:* annuntiáte de die in diem salutáre ejus.

Annuntiáte inter gentes glóriam ejus, * in ómnibus pópulis mirabília ejus.

Quóniam magnus Dóminus, et laudábilis nimis : * terríbilis est super omnes deos.

Quóniam omnes dii géntium dæmónia ; *

Chantez au Seigneur un cantique nouveau; chantez au Seigneur, vous tous, habitants de la terre.

Chantez au Seigneur et bénissez son nom; annoncez de jour en jour son salut.

Racontez sa gloire parmi les nations, ses merveilles parmi tous les peuples.

Car le Seigneur est grand et digne de toute louange; il est redoutable par dessus tous les dieux.

Car tous les dieux des peuples sont des démons;

mais le Seigneur a fait les cieux.

La louange et la splendeur sont devant lui; la sainteté et la majesté sont dans son sanctuaire.

Rendez au Seigneur, familles des peuples, rendez au Seigneur honneur et gloire; rendez au Seigneur la gloire due à son nom.

Apportez les offrandes et venez dans ses parvis. Adorez le Seigneur dans ses saints parvis.

Que devant lui tremble la terre entière! Dites parmi les nations : le Seigneur est roi;

Il a établi la terre sur des bases inébranlables; il jugera les peuples avec droiture.

Que les cieux se réjouissent, et que la terre tressaille; que la mer s'agite avec tout ce qu'elle renferme. Que la campagne soit dans l'allégresse avec tout ce qu'elle contient.

Que les arbres des forêts poussent des cris de joie devant le Seigneur, car il vient, car il vient pour juger la terre.

Il jugera le monde avec justice et les peuples selon sa fidélité.

Gloire au Père, *etc.*

Dóminus autem cælos fecit.

Conféssio, et pulchritúdo in conspéctu ejus:* sanctimónia, et magnificéntia in sanctificatióne ejus.

Afférte Dómino pátriæ géntium, afférte Dómino glóriam et honórem :* afférte Dómino glóriam nómini ejus.

Tóllite hóstias, et introíte in átria ejus :* adoráte Dóminum in átrio sancto ejus.

Commoveátur a fácie ejus univérsa terra : * dícite in géntibus quia Dóminus regnávit.

Etenim corréxit orbem terræ qui non commovébitur : * judicábit pópulos in æquitáte.

Lætentur cæli, et exsúltet terra, commoveátur mare, et plenitúdo ejus : * gaudébunt campi, et ómnia, quæ in eis sunt.

Tunc exsultábunt ómnia ligna silvárum a fácie Dómini, quia venit : * quóniam venit judicáre terram.

Judicábit orbem terræ in æquitáte, * et pópulos in veritáte sua.

Glória Patri, *etc.*

Ant. Gaude, María Virgo, cunctas hæreses sola interemísti in univérso mundo,

Ant. Dignáre me.

Ant. Réjouissez-vous, ô Vierge Marie, vous seule avez détruit toutes les hérésies dans le monde entier.

Ant. Daignez agréer.

PSAUME 96.

Triomphe et règne de Dieu par Jésus Christ.

Dominus regnávit, exsúltet terra ; * lætentur ínsulæ multæ.

Nubes, et calígo in ci cúitu ejus : * justítia, et judícium corréctio sedis ejus.

Ignis ante ipsum præcédet, * et inflammábit in circúitu inimícos ejus.

Illuxérunt fúlgura ejus orbi terræ : * vidit, et commóta est terra.

Montes, sicut cera fluxérunt a fácie Dómini : * a fácie Dómini omnis terra.

Annuntiavérunt cæli justítiam ejus : * et vidérunt omnes pópuli glóriam ejus.

Confundántur omnes qui adórant sculptília : * et qui gloriántur in simulácris suis.

Adoráte eum omnes Angeli ejus : * audívit, et lætáta est Sion.

Et exsultavérunt fíliæ Judæ, * propter judícia tua Dómine.

Le Seigneur règne : que la terre soit dans l'allégresse, que les îles nombreuses se réjouissent.

La nuée et l'ombre l'environnent; la justice et l'équité sont la base de son trône.

Le feu s'avance devant lui et dévore autour de lui ses ennemis.

Les éclairs illuminent le monde : la terre le voit et tremble.

Les montagnes se fondent comme la cire devant le Seigneur; devant le Seigneur toute la terre se fond.

Les cieux proclament sa justice, et tous les peuples contemplent sa gloire.

Ils seront confondus, tous les adorateurs de statues, qui sont fiers de leurs idoles.

Adorez-le, vous tous, ses Anges, Sion a entendu et s'est réjouie.

Les filles de Juda sont dans l'allégresse, à cause de vos jugements, Seigneur.

Car vous êtes le Seigneur le Très Haut sur toute la terre, infiniment élevé au-dessus de tous les dieux.

Quóniam tu Dóminus altíssimus super omnem terram : * nimis exaltátus es super omnes deos.

Vous qui aimez le Seigneur, haïssez le mal ; le Seigneur garde les âmes de ses saints, il les délivre de la main des méchants.

Qui dilígitis Dóminum, odíte malum : * custódit Dóminus ánimas sanctórum suórum, de manu peccatóris liberábit eos.

La lumière s'est levée pour le juste, et la joie pour ceux qui ont le cœur droit.

Lux orta est justo, * et rectis corde lætítia.

Justes, réjouissez-vous dans le Seigneur et rendez gloire à son saint nom.

Lætámini justi in Dómino : * et confitémini memóriæ sanctificatiónis ejus.

Gloire au Père, *etc.*

Glória Patri, *etc.*

Ant. Daignez agréer mes louanges, ô Vierge sainte : donnez-moi la force contre vos ennemis.

Ant. Dignáre me laudáre te, Virgo sacráta : da mihi virtútem contra hostes tuos.

Ant. Après l'enfantement.

Ant. Post partum.

Durant l'Avent et à la fête de l'Annonciation.

Ant. L'Ange du Seigneur.

Ant. Angelus Dómini.

PSAUME 97.

Cantique à Jésus qui nous a sauvés.

Chantez au Seigneur un cantique nouveau, car il a fait des prodiges ;

Cantáte Dómino cánticum novum : * quia mirabília fecit.

Sa droite et son bras saint lui ont donné la victoire.

Salvávit sibi déxtera ejus : * et bráchium sanctum ejus.

Notum fecit Dóminus salutáre suum : * in conspéctu géntium revelávit justítiam suam.

Recordátus est misericórdiæ suæ, * et veritátis suæ dómui Israel.

Vidérunt omnes términi terræ * salutáre Dei nostri.

Jubiláte Deo omnis terra : * cantáte, et exsultáte, et psállite.

Psállite Dómino in cíthara, in cíthara et voce psalmi : * in tubis ductílibus, et voce tubæ córneæ.

Jubiláte in conspéctu regis Dómini : * moveátur mare, et plenitúdo ejus : orbis terrárum, et qui hábitant in eo.

Flúmina plaudent manu, simul montes exsultábunt a conspéctu Dómini : * quóniam venit judicáre terram.

Judicábit orbem terrárum in justítia, * et pópulos in æquitáte.

Glória Patri, *etc.*

Ant. Post partum, Virgo, invioláta per-

Le Seigneur a fait connaître son salut, il a révélé sa justice aux yeux des nations.

Il s'est souvenu de sa miséricorde et de sa fidélité envers la maison d'Israël ;

Toutes les extrémités de la terre ont vu le salut de notre Dieu.

Poussez des cris de joie vers le Seigneur, vous tous, habitants de la terre ; chantez avec allégresse au son des instruments.

Célébrez le Seigneur avec la harpe, avec la harpe et le chant des saints cantiques, avec les trompettes d'argent et le son du cor.

Poussez des cris de joie devant le Roi, le Seigneur. Que la mer s'agite avec tout ce qu'elle renferme ; que la terre et ses habitants fassent éclater leurs transports ;

Que les fleuves applaudissent ; que toutes les montagnes tressaillent devant le Seigneur ; car il vient pour juger la terre ;

Il va juger le monde avec justice, et les peuples avec équité.

Gloire au Père, *etc.*

Ant. Après l'enfantement, ô Vierge, vous avez

conservé votre virginité : Mère de Dieu, intercédez pour nous.

mansísti, Dei Génitrix, intercéde pro nobis.

Durant l'Avent et à la fête de l'Annonciation.

Ant. L'Ange du Seigneur annonça à Marie, et elle conçut du Saint Esprit, (alléluia).

℣. La grâce est répandue sur vos lèvres. ℟. C'est pourquoi Dieu vous a bénie pour l'éternité.

Notre Père.

Ant. Angelus Dómini nuntiávit Maríæ et concépit de Spíritu Sancto, (allelúia).

℣. Diffúsa est grátia in lábiis tuis. ℟. Proptérea benedíxit te Deus in ætérnum.

Pater noster.

Le reste à voix basse jusqu'à :

℣. Et ne nous laissez pas succomber à la tentation. ℟. Mais délivrez-nous du mal.

℣. Et ne nos indúcas in tentatiónem. ℟. Sed líbera nos a malo.

ABSOLUTION.

Que par les prières et les mérites de la bienheureuse Marie toujours vierge, et de tous les Saints, le Seigneur nous conduise au royaume des cieux.

℟. Ainsi soit-il.

℣. Donnez-moi votre bénédiction.

Précibus et méritis beátæ Maríæ semper Vírginis, et ómnium Sanctórum, perdúcat nos Dóminus ad regna cælórum.

℟. Amen.

℣. Jube, domne, benedícere.

Si on récite seul l'Office, on dit :

℣. Donnez-moi, Seigneur, votre bénédiction.

Bénédiction. Que la Vierge Marie avec son doux enfant nous bénisse.

℟. Ainsi soit-il.

Jube, Dómine, benedícere.

Bénédiction. Nos cum prole pia benedícat Virgo María.

℟. Amen.

Les leçons de l'Avent se trouvent à la page 26.

LEÇON I *Eccli. 24, 11-20*

In ómnibus réquiem quæsívi, et in hereditáte Dómini morábor. Tunc præcépit, et dixit mihi Creátor ómnium : et qui creávit me, requiévit in tabernáculo meo, et dixit mihi : In Jacob inhábita, et in Israël hereditáre, et in eléctis meis mitte radíces. Tu autem, Dómine, miserére nobis.

J'ai cherché partout le repos, et c'est dans l'héritage du Seigneur que je demeurerai. Alors le Créateur de toutes choses me donna ses ordres et me parla. Celui qui m'a créée, a reposé dans mon sein, et il m'a dit : Habitez en Jacob, qu'Israël soit votre héritage, et au milieu de mes élus étendez vos racines. Mais vous, Seigneur, ayez pitié de nous.

℟. Deo grátias.

℟. Grâces à Dieu.

℟. Sancta et immaculáta virgínitas, quibus te láudibus ésferam, néscio:*Quia quem cæli cápere non póterant, tuo grémio contulísti.

℟. O virginité sainte et immaculée, je ne sais par quelles louanges vous exalter:*Car celui que les cieux ne peuvent contenir, vous l'avez porté dans votre sein.

℣. Benedícta tu in muliéribus, et benedíctus fructus ventris tui. — Quia quem cæli cápere non póterant, tuo grémio contulísti.

℣. Vous êtes bénie entre les femmes, et le fruit de votre sein est béni. — Car celui que les cieux ne peuvent contenir, vous l'avez porté dans votre sein.

℣. Jube, domne, benedícere.

℣. Donnez-moi votre bénédiction.

Bénédiction. Ipsa Virgo vírginum intercédat pro nobis ad Dóminum.

Bénédiction. Que la Vierge des vierges intercède elle-même pour nous auprès du Seigneur.

℟. Amen.

℟. Ainsi soit-il.

LEÇON II

Et sic in Sion firmáta sum et in civitáte sanctificáta simíliter re-

Et ainsi j'ai eu une demeure fixe dans Sion, et j'ai trouvé le repos dans la cité sainte, et Jérusalem est le siège de mon empire. J'ai poussé mes racines dans le peuple glorifié, dans le peuple qui est l'héritage de mon Dieu, et dans l'assemblée entière des saints est ma demeure. Mais vous, Seigneur, ayez pitié de nous.

℟. Grâces à Dieu.

℟. Vous êtes bienheureuse, ô Vierge Marie qui avez porté le Seigneur créateur du monde: * Vous avez mis au monde celui qui vous a faite, et vous demeurez vierge à jamais.

℣. Je vous salue, Marie, pleine de grâce : le Seigneur est avec vous. — Vous avez mis au monde celui qui vous a faite, et vous demeurez vierge à jamais.

quiévi, et in Jerúsalem potéstas mea. Et radicávi in pópulo honorificáto, et in parte Dei mei heréditas illíus, et in plenitúdine sanctórum deténtio mea. Tu autem, Dómine, miserére nobis.

℟. Deo grátias.

℟. Beáta es, Virgo María, quæ Dóminum portásti Creatórem mundi. * Genuísti qui te fecit, et in ætérnum pérmanes virgo.

℣. Ave, María, grátia plena : Dóminus tecum. — Genuísti qui te fecit et in ætérnum pérmanes virgo.

Quand on dit le Te Deum, *il faut ajouter ici :*

Gloire au Père, et au Fils, et au Saint Esprit. Vous avez mis au monde celui qui vous a faite, et vous demeurez vierge à jamais.

℣. Donnez-moi votre bénédiction.

Bénédiction. Que par la Vierge Mère, le Seigneur nous accorde le salut et la paix.

℟. Ainsi soit-il.

Glória Patri, et Fílio, et Spirítui Sancto. * Genuísti qui te fecit, et in ætérnum pérmanes virgo.

℣. Jube, domne, benedícere.

Bénédiction. Per Vírginem Matrem concédat nobis Dóminus salútem et pacem.

℟. Amen.

LEÇON III

Quasi cedrus exaltáta sum in Líbano, et quasi cypréssus in monte Sion : quasi palma exaltáta sum in Cades, et quasi plantátio rosæ in Jéricho. Quasi olíva speciósa in campis, et quasi plátanus exaltáta sum juxta aquam in platéis. Sicut cinnamómum, et bálsamum aromatízans odórem dedi : quasi myrrha elécta dedi suavitátem odóris. Tu autem, Dómine, miserére nobis.

℞. Deo grátias.

Je me suis élevée comme le cèdre sur le Liban, et comme le cyprès sur la montagne de Sion : Je me suis élevée comme le palmier à Cadès, et comme les plants de rosiers à Jéricho. Comme un bel olivier dans la plaine, et comme un platane j'ai grandi au bord de l'eau, sur le chemin. Comme la cannelle et le baume odorant j'ai exhalé mon parfum, et comme la myrrhe choisie j'ai répandu une odeur suave. — Mais vous, Seigneur, ayez pitié de nous.

℞. Grâces à Dieu.

On omet le Répons suivant, quand on dit le Te Deum.

℞. Felix namque es, sacra Virgo María, et omni laude digníssima : * Quia ex te ortus est sol justítiæ, * Christus Deus noster.

℣. Ora pro pópulo, intérveni pro clero, intercéde pro devóto femíneo sexu : séntiant omnes tuum juvámen, quicúmque célebrant tuam sanctam commemoratiónem. * Quia ex te ortus est sol justítiæ. — Glória Patri, et Fílio, et Spirítui Sancto. * Christus Deus noster.

℞. Que vous êtes heureuse, sainte Vierge Marie, et bien digne de toute louange : * Car de vous est sorti le soleil de justice, * le Christ notre Dieu.

℣. Priez pour le peuple, intervenez pour le clergé, intercédez pour les femmes consacrées à Dieu : qu'ils éprouvent votre assistance, tous ceux qui célèbrent votre sainte mémoire. * Car de vous est sorti le soleil de justice. Gloire au Père, et au Fils, et au Saint Esprit. * Le Christ notre Dieu.

Le Te Deum *se récite chaque jour, sauf durant l'Avent et depuis la Septuagésime jusqu'à Pâques; mais même alors on le dit aux fêtes de la Sainte Vierge et à la fête de S. Joseph.*

HYMNE AMBROSIENNE

Louange à la Trinité et au Verbe incarné

O Dieu, nous vous louons : ô Seigneur, nous vous glorifions.

Père éternel, la terre entière vous révère.

Tous les Anges, les cieux, et toutes les puissances,

Les Chérubins et les Séraphins, ne cessent de redire à votre louange :

Saint, Saint, Saint est le Seigneur, le Dieu des armées.

Les cieux et la terre sont pleins de la majesté de votre gloire.

Le chœur glorieux des Apôtres,

La troupe vénérable des Prophètes,

La blanche armée des Martyrs, publie de concert vos louanges.

Par toute la terre, la sainte Eglise confesse votre nom.

Elle vous confesse, Père d'une infinie majesté ;

Et votre véritable et

Te Deum laudámus : * te Dóminum confitémur.

Te ætérnum Patrem : * omnis terra venerátur.

Tibi omnes Angeli : * tibi Cæli, et univérsæ Potestátes.

Tibi Chérubim et Séraphim : * incessábili voce proclámant :

Sanctus, Sanctus, Sanctus : * Dóminus Deus Sábaoth.

Pleni sunt cæli et terra : * majestátis glóriæ tuæ.

Te gloriósus, * Apostolórum chorus,

Te Prophetárum * laudábilis númerus,

Te Mártyrum candidátus * laudat exércitus.

Te per orbem terrárum, * sancta confitétur Ecclésia.

Patrem * imménsæ majestátis,

Venerándum tuum

verum, * et únicum Fílium,
Sanctum quoque * Paráclitum Spíritum.
Tu Rex glóriæ, * Christe.
Tu Patris * sempitérnus es Fílius.
Tu ad liberándum susceptúrus hóminem :* non horruísti Vírginis úterum.

Tu devícto mortis acúleo : * aperuísti credéntibus regna cælórum.
Tu ad déxteram Dei sedes :* in glória Patris.

Judex créderis * esse ventúrus.
Te ergo quæsumus, tuis fámulis súbveni : * quos pretióso sánguine redemísti.
Ætérna fac cum Sanctis tuis : * in glória numerári.
Salvum fac pópulum tuum Dómine : * et bénedic hereditáti tuæ.
Et rege eos : * et extólle illos usque in ætérnum.
Per síngulos dies, * benedícimus te.
Et laudámus nomen tuum in sæculum : * et in sæculum sæculi.

unique Fils, digne de tous les hommages;
Et l'Esprit Saint, le Consolateur.
Vous êtes le Roi de gloire, ô Christ!
Vous êtes le Fils éternel du Père.
Prenant la nature de l'homme pour le délivrer, vous n'avez pas hésité à descendre dans le sein de la Vierge.
Brisant l'aiguillon de la mort, vous avez ouvert aux croyants le royaume des cieux.
Vous êtes assis à la droite de Dieu, dans la gloire du Père.
La foi nous montre en vous le juge à venir.
Aussi nous vous en supplions, secourez vos serviteurs, que vous avez rachetés de votre précieux sang.
Faites qu'ils soient mis au nombre de vos saints, dans la gloire éternelle.
Sauvez votre peuple, Seigneur, et bénissez votre héritage.
Dirigez-les, faites-les grandir jusqu'à l'éternité.

Chaque jour nous vous bénissons,
Et nous louons votre nom à jamais dans les siècles des siècles.

Daignez, Seigneur, en ce jour, nous garder purs de tout péché.

Ayez pitié de nous, Seigneur ! ayez pitié de nous.

Que votre miséricorde soit sur nous, Seigneur, selon l'espérance que nous avons mise en vous.

En vous, Seigneur, j'ai espéré : que je ne sois point à jamais confondu.

Dignáre Dómine die isto : * sine peccáto nos custodíre.

Miserére nostri Dómine : * miserére nostri.

Fiat misericórdia tua Dómine super nos : * quemádmodum sperávimus in te.

In te Dómine sperávi : * non confúndar in ætérnum.

Durant l'Avent et à la fête de l'Annonciation.

LEÇON I *Luc. 1, 26-38*

L'Ange Gabriel fut envoyé de Dieu dans une ville de Galilée appelée Nazareth, auprès d'une Vierge qui était fiancée à un homme de la maison de David, nommé Joseph, et le nom de la Vierge était Marie. L'Ange étant entré où elle était, lui dit : Je vous salue, pleine de grâce, le Seigneur est avec vous : vous êtes bénie entre les femmes. — Mais vous, Seigneur, ayez pitié de nous.

℟. Grâces à Dieu.

℟. L'Ange Gabriel fut envoyé à la Vierge Marie, qui était fiancée à Joseph pour lui porter un message; et la Vierge est effrayée par la lumière. Ne craignez

Missus est Angelus Gábriel a Deo in civitátem Galilææ, cui nomen Názareth, ad Vírginem desponsátam viro, cui nomen erat Joseph, de domo David, et nomen Vírginis María. Et ingréssus Angelus ad eam dixit : Ave, grátia plena : Dóminus tecum : Benedícta tu in muliéribus. Tu autem, Dómine, miserére nobis.

℟. Deo grátias.

℟. Missus est Gábriel Angelus ad Maríam Vírginem desponsátam Joseph, núntians ei verbum : et expavéscit Virgo de lúmine. Ne tímeas, María, invenísti grátiam apud Dóminum : * Ecce concípies, et páries, et vocábitur Altíssimi Fílius.

℣. Dabit ei Dóminus Deus sedem David patris ejus, et regnábit in domo Jacob in ætérnum. — Ecce concípies, et páries, et vocábitur Altíssimi Fílius.

℣. Jube, domne, benedícere.

Bénédiction. Ipsa Virgo vírginum intercédat pro nobis ad Dóminum.

℟. Amen.

point, Marie : vous avez trouvé grâce devant le Seigneur. * Voici que vous concevrez et enfanterez un fils, et il sera appelé le Fils du Très Haut.

℣. Le Seigneur Dieu lui donnera le trône de David son Père, et il règnera éternellement sur la maison de Jacob. — Voici que vous concevrez et enfanterez un fils, et il sera appelé le Fils du Très Haut.

℣. Donnez-moi votre bénédiction.

Bénédiction. Que la Vierge des vierges intercède elle-même pour nous auprès du Seigneur.

℟. Ainsi soit-il.

LEÇON II

Quæ cum audísset, turbáta est in sermóne ejus, et cogitábat qualis esset ista salutátio. Et ait Angelus ei : Ne tímeas María, invenísti enim grátiam apud Deum : ecce concípies in útero, et páries Fílium, et vocábis nomen ejus Jesum. Hic erit magnus, et Fílius Altíssimi vocábitur, et dabit illi Dóminus Deus sedem David patris ejus : et regnábit in domo Jacob in ætérnum, et regni

Marie l'ayant entendu, fut troublée de ses paroles, et elle se demandait ce que pouvait signifier cette salutation. Et l'Ange lui dit : Ne craignez point, Marie, car vous avez trouvé grâce devant Dieu : Voici que vous concevrez en votre sein, et vous enfanterez un Fils, et vous lui donnerez le nom de Jésus. Il sera grand : on l'appellera le Fils du Très Haut : le Seigneur Dieu lui donnera le trône de David son père : il règnera éternellement sur la maison de Jacob, et son règne n'aura point de fin. — Mais vous, Seigneur, ayez pitié de nous.

℟. Grâces à Dieu.

℟. Je vous salue, Marie, pleine de grâce : le Seigneur est avec vous : * Le Saint Esprit surviendra en vous, et la vertu du Très Haut vous couvrira de son ombre : Car l'être saint qui naîtra de vous, sera appelé Fils de Dieu.

℣. Comment cela se fera-t-il, car je ne connais point d'homme? Et l'Ange lui répondit : Le Saint Esprit surviendra en vous, et la vertu du Très Haut vous couvrira de son ombre : Car l'être saint qui naîtra de vous sera appelé Fils de Dieu.

ejus non erit finis. Tu autem, Dómine, miserére nobis.

℟. Deo grátias.

℟. Ave, María, grátia plena : Dóminus tecum : * Spíritus sanctus supervéniet in te, et virtus Altíssimi obumbrábit tibi : quod enim ex te nascétur Sanctum, vocábitur Fílius Dei.

℣. Quómodo fiet istud, quóniam virum non cognósco? Et respóndens Angelus, dixit ei. — Spíritus sanctus supervéniet in te, et virtus Altíssimi obumbrábit tibi : quod enim ex te nascétur Sanctum, vocábitur Fílius Dei.

Quand on dit le Te Deum, *on ajoute :* Glória Patri, *etc.* * Spíritus sanctus.

℣. Donnez-moi votre bénédiction.

Bénédiction. Que par la Vierge Mère le Seigneur nous accorde le salut et la paix.

℟. Ainsi soit-il.

℣. Jube, domne, benedícere.

Bénédiction. Per Vírginem Matrem concédat nobis Dóminus salútem et pacem.

℟. Amen.

LEÇON III

Alors Marie dit à l'Ange : Comment cela se fera-t-il, puisque je ne connais

Dixit autem María ad Angelum : Quómodo fiet istud, quóniam

virum non cognósco? Et respóndens Angelus dixit ei : Spíritus sanctus supervéniet in te, et virtus Altíssimi obumbrábit tibi. Ideóque et quod nascétur ex te Sanctum, vocábitur Fílius Dei. Et ecce Elísabeth cognáta tua, et ipsa concépit fílium in senectúte sua : et hic mensis sextus est illi, quæ vocátur stérilis : quia non erit impossíbile apud Deum omne verbum. Dixit autem María : Ecce ancílla Dómini, fiat mihi secúndum verbum tuum. Tu autem, Dómine, miserére nobis.

℟. Deo grátias.

point d'homme? L'Ange lui répondit : Le Saint Esprit surviendra en vous, et la vertu du Très Haut vous couvrira de son ombre. C'est pourquoi l'être saint qui naîtra de vous sera appelé Fils de Dieu. Déjà Elisabeth votre parente a conçu elle aussi un fils dans sa vieillesse; et c'est actuellement son sixième mois à elle qu'on appelle stérile, car rien ne sera impossible à Dieu. Marie dit alors : Voici la servante du Seigneur, qu'il me soit fait selon votre parole. — Mais vous, Seigneur, ayez pitié de nous.

℟. Grâces à Dieu.

Quand on dit le Te Deum, *p.* (24) *on omet le Répons suivant.*

℟. Súscipe verbum, Virgo María, quod tibi a Dómino per Angelum transmíssum est : concípies, et páries Deum páriter et hóminem : * Ut benedícta dicáris inter omnes mulíeres.

℟. Recevez, ô Vierge Marie, la parole que le Seigneur vous a dite par le message de l'Ange : vous concevrez et vous enfanterez un fils, Dieu et homme tout ensemble : * En sorte que vous serez appelée bénie entre toutes les femmes.

℣. Páries quidem Fílium, et virginitátis non patiéris detriméntum : efficiéris grávida, et eris

℣. Vous enfanterez un fils, et votre virginité n'en souffrira point : vous concevrez, et vous serez mère, demeurant toujours Vierge. — En sorte que vous serez appelée bénie entre toutes les femmes. Gloire au Père, et au Fils, et au Saint Esprit. — En sorte que vous serez appelée bénie entre toutes les femmes.

mater semper intácta. — Ut benedícta dicáris inter omnes mulíeres. — Glória Patri, et Fílio, et Spirítui Sancto. — Ut benedícta dicáris inter omnes mulíeres.

Dans la récitation privée, on peut séparer les Laudes des Matines. Dans ce cas, après le Te Deum, *ou après le dernier Répons, on dit :*

℣. Seigneur, écoutez ma prière. ℟. Et que mes cris arrivent jusqu'à vous.

℣. Dómine, exáudi oratiónem meam. ℟. Et clamor meus ad te véniat.

Puis on dit la première Oraison de Laudes selon le Temps, et on termine par

℣. Seigneur, exaucez ma prière. ℟. Et que mes cris arrivent jusqu'à vous.

℣. Dómine, exáudi oratiónem meam. ℟. Et clamor meus ad te véniat.

℣. Bénissons le Seigneur. ℟. Grâces à Dieu.

℣. Benedicámus Dómino. ℟. Deo grátias.

℣. Que les âmes des fidèles, par la miséricorde de Dieu, reposent en paix. ℟. Ainsi soit-il.

℣. Fidélium ánimæ per misericórdiam Dei requiéscant in pace. ℟. Amen.

A LAUDES

Deus, ✠ in adjutórium meum inténde.

℟. Dómine, ad adjuvándum me festína.

Glória Patri, et Fílio, et Spirítui sancto.

℟. Sicut erat in princípio, et nunc, et semper : et in sǽcula sæculórum. Amen.

Allelúia, *ou* Laus tibi, Dómine, Rex ætérnæ glóriæ.

O Dieu, ✠ venez à mon aide.

℟. Seigneur, hâtez-vous de me secourir.

Gloire au Père, et au Fils, et au Saint-Esprit.

℟. Comme au commencement, maintenant et toujours et dans tous les siècles des siècles. Ainsi soit-il.

Alléluia, *ou* Louange à vous, Seigneur, Roi d'éternelle gloire.

Pendant l'année.

Ant. Assúmpta est.

Ant. Marie a été élevée.

Durant l'Avent.

Ant. Missus est.

Ant. L'ange Gabriel.

Après Noël.

Ant. O admirábile commércium !

Ant. O merveilleux échange !

PSAUME 92

Jésus Christ est Roi

Dominus regnávit, decórem indútus est : * indútus est Dóminus fortitúdinem, et præcínxit se.

Etenim firmávit orbem terræ, * qui non commovébitur.

Le Seigneur règne, il s'est revêtu de gloire : le Seigneur s'est revêtu de force, et il s'est armé.

Il a fixé la terre sur ses bases : elle ne sera pas ébranlée.

Votre trône est établi avant tous les temps ; vous êtes de toute éternité.	Paráta sedes tua ex tunc, * a sæculo tu es.
Les fleuves élèvent, Seigneur, les fleuves élèvent leur grande voix ;	Elevavérunt flúmina Dómine : * elevavérunt flúmina vocem suam.
Les fleuves ont élevé leurs vagues, avec la voix des grandes eaux.	Elevavérunt flúmina fluctus suos, * a vócibus aquárum multárum.
Les flots de la mer agitée sont admirables ; le Seigneur dans les cieux est plus admirable encore.	Mirábiles elatiónes maris, * mirábilis in altis Dóminus.
Vos oracles, Seigneur, sont dignes de toute notre foi ; votre temple saint mérite qu'on l'honore, Seigneur, dans toute la suite des jours.	Testimónia tua credibília facta sunt nimis : * domum tuam decet sanctitúdo Dómine in longitúdinem diérum.
Gloire au Père, *etc.*	Glória Patri, *etc.*

Pendant l'Année.

Ant. Marie a été élevée au ciel, les Anges se réjouissent, ils louent et bénissent le Seigneur.	*Ant.* Assúmpta est María in cælum, gaudent Angeli, laudántes benedícunt Dóminum.
Ant. La Vierge Marie.	*Ant.* María Virgo.

Durant l'Avent

Ant. L'Ange Gabriel fut envoyé auprès de la Vierge Marie, fiancée à Joseph.	*Ant.* Missus est Gábriel Angelus ad Maríam Vírginem desponsátam Joseph.
Ant. Je vous salue, Marie.	*Ant.* Ave, María.

Après Noël

Ant. O merveilleux échange ! le Créateur du genre humain, prenant un corps et une âme, a daigné naître de la Vierge : et homme, sans le	*Ant.* O admirábile commércium : Creátor géneris humáni, animátum corpus sumens de Vírgine nasci dignátus est : et procédens

homo sine sémine, largítus est nobis suam deitátem.

Ant. Quando natus es.

concours de l'homme, il nous a fait part de sa divinité.

Ant. Quand vous naquîtes.

PSAUME 99

Louange à Jésus, notre Dieu doux et miséricordieux.

Jubiláte Deo omnis terra : * servíte Dómino in lætítia.

Acclamez votre Dieu, habitants de la terre : servez le Seigneur dans l'allégresse.

Introíte in conspéctu ejus, * in exsultatióne.

Venez en sa présence, avec des transports de joie.

Scitóte quóniam Dóminus ipse est Deus : * ipse fecit nos, et non ipsi nos :

Sachez que le Seigneur est le seul Dieu : c'est lui qui nous a faits, et non pas nous.

Pópulus ejus, et oves páscuæ ejus : * introíte portas ejus in confessióne, átria ejus in hymnis: confitémini illi.

Vous, son peuple, vous, les brebis de ses pâturages, entrez sous ses portiques avec des chants de louange; dans ses parvis, rendez-lui vos hommages; louez-le.

Laudáte nomen ejus : quóniam suávis est Dóminus, in ætérnum misericórdia ejus, * et usque in generatiónem et generatiónem véritas ejus.

Bénissez-son nom, car il est doux, le Seigneur; sa miséricorde est éternelle, et sa fidélité s'étend à tous les âges.

Glória Patri, *etc.*

Gloire au Père, *etc.*

Pendant l'Année.

Ant. María Virgo assúmpta est ad æthéreum thálamum, in quo Rex regum stelláto sedet sólio.

Ant. La Vierge Marie a été élevée au céleste séjour, où le Roi des rois est assis sur un trône étincelant.

Ant. In odórem.

Ant. Nous courons à l'odeur.

Durant l'Avent.

Ant. Je vous salue, Marie, pleine de grâce : le Seigneur est avec vous : vous êtes bénie entre les femmes, alléluia.

Ant. Ne craignez point, Marie.

Ant. Ave, María, grátia plena : Dóminus tecum : Benedícta tu in muliéribus, allelúia.

Ant. Ne tímeas, María.

Après Noël

Ant. Quand vous naquîtes ineffablement d'une Vierge; alors s'accomplirent les Ecritures. Comme la rosée sur la toison, vous descendîtes pour sauver le genre humain. Nous vous louons, ô notre Dieu !

Ant. Le buisson enflammé.

Ant. Quando natus es ineffabíliter ex Vírgine, tunc implétæ sunt Scriptúræ : sicut plúvia in vellus descendísti, ut salvum fáceres genus humánum; te laudámus Deus noster.

Ant. Rubum quem víderat.

PSAUME 62

Dès l'aurore, l'âme soupire après Jésus.

O Dieu, ô mon Dieu, dès le point du jour, je soupire après vous.

Mon âme a soif de vous, ma chair est altérée de votre présence,

Comme le sol du désert sans chemin et sans eau. Je voudrais me présenter devant vous, dans votre sanctuaire, pour y contempler votre puissance et votre gloire.

Car votre miséricorde vaut mieux que la vie; aussi mes lèvres ne cesseront de vous bénir.

Tant que je vivrai, mon désir sera de vous bénir;

Deus, Deus meus * ad te de luce vígilo.

Sitívit in te ánima mea, * quam multiplíciter tibi caro mea.

In terra desérta, et ínvia et inaquósa : * sic in sancto appárui tibi, ut vidérem virtútem tuam, et glóriam tuam.

Quóniam mélior est misericórdia tua super vitas : * lábia mea laudábunt te.

Sic benedícam te in vita mea : * et in nómine tuo levábo manus meas.

Sicut ádipe et pinguédine repleátur ánima mea : * et lábiis exsultatiónis laudábit os meum.

Si memor fui tui super stratum meum, in matutínis meditábor in te : * quia fuísti adjútor meus.

Et in velaménto alárum tuárum exsultábo, adhæsit ánima mea post te : * me suscépit déxtera tua.

Ipsi vero in vanum quæsiérunt ánimam meam, introíbunt in inferióra terræ : * tradéntur in manus gládii, partes vúlpium erunt.

Rex vero lætábitur in Deo, laudabúntur omnes qui jurant in eo : * quia obstrúctum est os loquéntium iníqua.

Glória Patri, *etc.*

j'élèverai mes mains vers vous en invoquant votre nom.

Mon âme sera rassasiée, comme de l'abondance d'un festin délicieux, et fera entendre des chants d'allégresse.

Si je pense à vous sur ma couche, jusqu'au matin, votre souvenir occupe mon esprit. Car vous êtes mon secours.

C'est à l'ombre de vos ailes que je tressaille de joie ; c'est à vous que mon âme s'est attachée ; c'est votre droite qui me soutient.

Mes ennemis en vain cherchent ma ruine ; ils descendront au fond des abîmes : ils seront livrés au glaive, et deviendront la proie des chacals.

Et le Roi se réjouira en Dieu : tous ceux qui jurent par son nom, se réjouiront de voir fermée la bouche qui proférait l'iniquité.

Gloire au Père, *etc.*

Pendant l'Année

Ant. In odórem unguentórum tuórum cúrrimus, adolescéntulæ dilexérunt te nimis.

Ant. Benedícta fília.

Ant. Nous courons attirés par l'odeur de vos parfums : les jeunes filles vous ont tendrement aimée.

Ant. Vous êtes la fille bénie.

Durant l'Avent

Ant. Ne craignez point, Marie, vous avez trouvé grâce devant le Seigneur : voici que vous concevrez et enfanterez un Fils, alléluia.

Ant. Le Seigneur lui donnera.

Ant. Ne tímeas, María, invenísti grátiam apud Dóminum : ecce concípies, et páries fílium, allelúia.

Ant. Dabit ei Dóminus.

Après Noël

Ant. Le buisson enflammé, mais non consumé, qui apparut à Moïse, nous l'avons reconnu dans votre virginité admirablement conservée : Mère de Dieu, intercédez pour nous.

Ant. La tige de Jessé a fleuri.

Ant. Rubum quem víderat Móyses incombústum, conservátam agnóvimus tuam laudábilem virginitátem : Dei Génitrix, intercéde pro nobis.

Ant. Germinávit radix Jesse.

CANTIQUE DES TROIS ENFANTS *Daniel 3, 57-88 et 56*

Invitons toutes les créatures à bénir Dieu de nous avoir donné Jésus.

Œuvres du Seigneur, bénissez le Seigneur : louez-le et exaltez-le à jamais.

Anges du Seigneur, bénissez le Seigneur; cieux, bénissez le Seigneur.

Eaux qui êtes au-dessus des airs, bénissez toutes le Seigneur; puissances du Seigneur, bénissez toutes le Seigneur.

Soleil et lune, bénissez le Seigneur; étoiles du ciel, bénissez le Seigneur.

Pluies et rosées, bénissez toutes le Seigneur; vents

Benedícite ómnia ópera Dómini Dómino : laudáte et super exaltáte eum in sæcula.

Benedícite Angeli Dómini Dómino : * benedícite cæli Dómino.

Benedícite aquæ omnes, quæ super cælos sunt, Dómino : * benedícite omnes virtútes Dómini Dómino.

Benedícite sol et luna Dómino : * benedícite stellæ cæli Dómino.

Benedícite omnis imber, et ros Dómino : *

benedícite omnes spíritus Dei Dómino.

Benedícite ignis, et æstus Dómino : * benedícite frigus, et æstus Dómino.

Benedícite rores, et pruína Dómino : * benedícite gelu, et frigus Dómino.

Benedícite glácies, et nives Dómino : * benedícite noctes, et dies Dómino.

Benedícite lux, et ténebræ Dómino : * benedícite fúlgura, et nubes Dómino.

Benedícat terra Dóminum : * laudet, et superexáltet eum in sæcula.

Benedícite montes, et colles Dómino : * benedícite univérsa germinántia in terra Dómino.

Benedícite fontes Dómino : * benedícite mária, et flúmina Dómino.

Benedícite cete, et ómnia, quæ movéntur in aquis, Dómino : * benedícite omnes vólucres cæli Dómino.

Benedícite omnes béstiæ et pécora Dómino : * benedícite fílii hóminum Dómino.

Benedícat Israël Dóminum : * laudet et

impétueux, bénissez tous le Seigneur.

Feux et chaleurs de l'été, bénissez le Seigneur; froidures et rigueurs de l'hiver, bénissez le Seigneur.

Brouillards, givres, bénissez le Seigneur; gelées et frimas, bénissez le Seigneur.

Glaces et neiges, bénissez le Seigneur; nuits et jours, bénissez le Seigneur.

Lumière et ténèbres, bénissez le Seigneur; éclairs et nuages, bénissez le Seigneur.

Que la terre bénisse le Seigneur; qu'elle célèbre ses louanges et sa gloire éternellement.

Montagnes et collines, bénissez le Seigneur; herbes et plantes qui germez de la terre, bénissez le Seigneur.

Fontaines, bénissez le Seigneur; mers et fleuves, bénissez le Seigneur.

Baleines et tous les habitants des eaux, bénissez le Seigneur; oiseaux du ciel, bénissez tous le Seigneur.

Bêtes et troupeaux, bénissez tous le Seigneur; enfants des hommes, bénissez le Seigneur.

Qu'Israël bénisse le Seigneur, qu'il célèbre ses

louanges et sa gloire éternellement.

Prêtres du Seigneur, bénissez le Seigneur; serviteurs du Seigneur, bénissez le Seigneur.

Esprits et âmes des justes, bénissez le Seigneur; saints et humbles de cœur, bénissez sa majesté.

Ananie, Azarie et Misaël, bénissez le Seigneur; célébrez ses louanges et sa gloire éternellement.

Bénissons le Père et le Fils avec le Saint Esprit; célébrons les louanges et la gloire de Dieu éternellement.

Vous êtes béni, Seigneur, au firmament du ciel : digne de louange, d'honneur et de gloire à jamais.

superexáltet eum in sæcula.

Benedícite sacerdótes Dómini Dómino : * benedícite servi Dómini Dómino.

Benedícite spíritus, et ánimæ justórum Dómino : * benedícite sancti, et húmiles corde Dómino.

Benedícite Ananía, Azaría, Mísaël Dómino ; * laudáte et superexaltáte eum in sæcula.

Benedicámus Patrem et Fílium cum Sancto Spíritu : * laudémus, et superexaltémus eum in sæcula.

Benedíctus es Dómine in firmaménto cæli : * et laudábilis, et gloriósus, et superexaltátus in sæcula.

On ne dit pas Glória Patri.

Pendant l'Année

Ant. Vous êtes la femme bénie du Seigneur, car c'est vous qui nous avez fait part du fruit de vie.

Ant. Vous êtes belle.

Ant. Benedícta fília tu a Dómino : quia per te fructum vitæ communicávimus.

Ant. Pulchra es.

Durant l'Avent

Ant. Le Seigneur lui donnera le trône de David, son père, et il règnera éternellement.

Ant. Voici la servante du Seigneur.

Ant. Dabit ei Dóminus sedem David patris ejus, et regnábit in ætérnum.

Ant. Ecce ancílla Dómini.

Après Noël

Ant. Germinávit radix Jesse, orta est stella ex Jacob : Virgo péperit Salvatórem : te laudámus Deus noster.

Ant. Ecce María.

Ant. La tige de Jessé a fleuri : l'étoile est sortie de Jacob : la Vierge a enfanté le Sauveur. Nous vous louons, ô notre Dieu.

Ant. Voici que Marie.

PSAUME 148

Invitons toutes les créatures à bénir Dieu de nous avoir donné Marie

Laudáte Dóminum de cælis : * laudáte eum in excélsis.

Laudáte eum omnes Angeli ejus : * laudáte eum omnes virtútes ejus.

Laudáte eum sol et luna : * laudáte eum omnes stellæ, et lumen.

Laudáte eum cæli cælórum : * et aquæ omnes, quæ super cælos sunt, laudent nomen Dómini.

Quia ipse dixit, et facta sunt : * ipse mandávit, et creáta sunt.

Státuit ea in ætérnum, et in sæculum sæculi : * præcéptum pósuit, et non præteríbit.

Laudáte Dóminum de terra, * dracónes, et omnes abyssi.

Louez le Seigneur, ô vous qui êtes dans les cieux : louez-le des hauteurs célestes.

Louez-le, vous tous qui êtes ses Anges, louez-le, vous qui êtes ses armées et ses puissances.

Soleil et lune, louez le Seigneur; étoiles et lumière, louez-le toutes ensemble.

Louez-le, cieux des cieux, et que toutes les eaux qui sont au-dessus des cieux, louent le nom du Seigneur.

Car il a parlé et tout a été fait, il a commandé et tout a été créé.

Il a tout établi pour subsister éternellement; ses ordres ne manqueront pas de s'accomplir.

Louez le Seigneur, ô vous qui êtes sur la terre; louez-le, vous, monstres des mers, profonds abîmes.

Feu, grêle, neige, glace, souffle des tempêtes, qui obéissez à sa parole;

Ignis, grando, nix, glácies, spíritus procellárum : * quæ fáciunt verbum ejus :

Montagnes et collines; arbres fruitiers et cèdres;

Montes, et omnes colles : * ligna fructífera, et omnes cedri.

Animaux sauvages et troupeaux de tout genre, serpents et volatiles;

Béstiæ, et univérsa pécora : * serpéntes, et vólucres pennátæ :

Rois de la terre et tous les peuples; princes et juges de la terre;

Reges terræ, et omnes pópuli : * príncipes, et omnes júdices terræ.

Jeunes hommes et jeunes filles, vieillards et enfants, louez le nom du Seigneur; parce qu'il est le seul dont le nom soit grand.

Júvenes, et vírgines : senes cum junióribus laudent nomen Dómini : * quia exaltátum est nomen ejus solíus.

Sa gloire éclate dans le ciel et sur la terre, et il a relevé la puissance de son peuple.

Conféssio ejus super cælum, et terram : * et exaltávit cornu pópuli sui.

Que sa louange soit dans la bouche de tous ses saints, des enfants d'Israël, de ce peuple qui est consacré à son service.

Hymnus ómnibus sanctis ejus : * fíliis Israël, pópulo appropinquánti sibi.

Gloire au Père, *etc.*

Glória Patri, *etc.*

Pendant l'Année

Ant. Vous êtes belle et ravissante, ô fille de Jérusalem, terrible comme une armée rangée en bataille.

Ant. Pulchra es et decóra, fília Jerúsalem : terríbilis ut castrórum ácies ordináta.

Durant l'Avent

Ant. Voici la servante du Seigneur, qu'il me soit fait selon votre parole.

Ant. Ecce ancílla Dómini, fiat mihi secúndum verbum tuum.

Après Noël

Ant. Ecce María génuit nobis Salvatórem; quem Joánnes videns exclamávit, dicens : Ecce Agnus Dei, ecce qui tollit peccáta mundi, allelúia.

Ant. Voici que Marie nous a enfanté le Sauveur, à la voix duquel Jean s'est écrié : Voici l'Agneau de Dieu, voici celui qui ôte les péchés du monde, alléluia.

Pendant l'Année et après Noël

Cant. 6, 8

Vidérunt eam fíliæ Sion, et beatíssimam prædicavérunt : et regínæ laudavérunt eam.
℟. Deo grátias.

CAPITULE

Les filles de Sion l'ont vue et l'ont proclamée bienheureuse, et les reines l'ont louée.
℟. Grâces à Dieu.

Durant l'Avent

Isaïe 11, 1-2

Egrediétur virga de radíce Jesse, et flos de radíce ejus ascéndet. Et requiéscet super eum spíritus Dómini.
℟. Deo grátias.

CAPITULE

Il sortira un rejeton de la tige de Jessé, et une fleur s'élèvera de sa souche, et l'Esprit du Seigneur reposera sur lui.
℟. Grâces à Dieu.

HYMNE

O Gloriósa Vírginum,
Sublímis inter sídera,
Qui te creávit párvulum,
Lacténte nutris úbere.

Quod Heva tristis ábstulit,
Tu reddis almo gérmine :

O la plus glorieuse des Vierges,
Elevée au-dessus des astres,
Tu nourris du lait de ton sein
Ton tendre enfant, qui t'a créée.

Ce que la pauvre Eve a perdu,
Tu le rends par ton divin Fils;

Offrant la gloire aux affligés,
Tu rouvres les portes du ciel.

Tu es la porte du Grand Roi,
Son palais brillant de clarté :
Peuples rachetés, acclamez
La Vierge nous donnant la vie.

Jésus, qui es né de la Vierge,
Gloire éternelle soit à toi,
Avec le Père et l'Esprit Saint
Durant toute l'éternité.
Ainsi soit-il.

℣. Vous êtes bénie entre les femmes.

℟. Et le fruit de votre sein est béni.

Intrent ut astra flébiles,
Cæli reclúdis cárdines.

Tu Regis alti jánua,
Et aula lucis fúlgida :
Vitam datam per Vírginem
Gentes redémptæ pláudite.

Jesu, tibi sit glória,
Qui natus es de Vírgine,
Cum Patre, et almo Spíritu,
In sempitérna sæcula.
Amen.

℣. Benedícta tu in muliébus.

℟. Et benedíctus fructus ventris tui.

Pendant l'Année

Ant. Heureuse Mère de Dieu.

Ant. Beáta Dei Génitrix.

Au Temps Pascal

Ant. Reine du ciel.

Ant. Regína cæli.

Durant l'Avent

Ant. Le Saint Esprit.

Ant. Spíritus sanctus.

Après Noël

Ant. Un mystère admirable.

Ant. Mirábile mystérium.

CANTIQUE DE ZACHARIE *Luc. 1, 68-79*

Le Précurseur, l'aurore du Salut.

Béni soit le Seigneur, le Dieu d'Israël; car il a visité et racheté son peuple ;

Benedíctus ✠ Dóminus Deus Israël, * quia visitávit, et fecit redemptiónem plebis suæ:

Et eréxit cornu salútis nobis : * in domo David púeri sui.	Et il nous a suscité un puissant Sauveur dans la maison de David, son serviteur.
Sicut locútus est per os sanctórum, * qui a sæculo sunt prophetárum ejus :	Comme il l'avait promis par la bouche de ses saints Prophètes, dans tous les siècles passés,
Salútem ex inimícis nostris, * et de manu ómnium, qui odérunt nos :	Un Sauveur qui nous délivrerait de nos ennemis et des mains de tous ceux qui nous haïssent;
Ad faciéndam misericórdiam cum pátribus nostris : * et memorári testaménti sui sancti.	Il a ainsi accompli la miséricorde promise à nos pères, et s'est souvenu de son alliance sainte.
Jusjurándum, quod jurávit ad Abraham patrem nostrum, * datúrum se nobis :	Selon le serment par lequel il a juré à notre père Abraham, de faire dans sa bonté,
Ut sine timóre de manu inimicórum nostrórum liberáti, * serviámus illi.	Que, délivrés de la puissance de nos ennemis, nous puissions le servir sans crainte,
In sanctitáte, et justítia coram ipso, * ómnibus diébus nostris.	Dans la sainteté et dans la justice, marchant en sa présence tous les jours de notre vie.
Et tu puer, prophéta Altíssimi vocáberis : * præíbis enim ante fáciem Dómini paráre vias ejus :	Quant à vous, petit enfant, vous serez appelé Prophète du Très Haut; car vous marcherez devant le Seigneur pour préparer ses voies,
Ad dandam sciéntiam salútis plebi ejus : * in remissiónem peccatórum eórum :	Et pour donner connaissance à son peuple du salut qu'il lui apportera en lui accordant la rémission de ses péchés,

Par les entrailles de la miséricorde de notre Dieu, par lesquelles le Soleil levant nous a visités d'en haut,

Afin d'éclairer ceux qui sont dans les ténèbres et dans l'ombre de la mort, et diriger nos pas dans le chemin du salut.

Gloire au Père, *etc.*

Per víscera misericórdiæ Dei nostri : * in quibus visitávit nos, óriens ex alto :

Illumináre his, qui in ténebris, et in umbra mortis sedent : * ad dirigéndos pedes nostros in viam pacis.

Glória Patri, *etc.*

Pendant l'année.

Ant. Heureuse Mère de Dieu, Marie, toujours vierge, temple du Seigneur, sanctuaire du Saint Esprit : seule, plus que toute autre, vous avez plu à Notre Seigneur Jésus Christ : priez pour le peuple, intervenez pour le clergé, intercédez pour les femmes consacrées à Dieu.

Ant. Beáta Dei Génitrix María, Virgo perpétua, templum Dómini, sacrárium Spíritus sancti : sola sine exémplo placuísti Dómino nostro Jesu Christo : ora pro pópulo, intérveni pro clero, intercéde pro devóto femíneo sexu.

Au Temps Pascal.

Ant. Reine du ciel, réjouissez-vous, alléluia, car celui que vous avez mérité de porter, alléluia, est ressuscité comme il l'a dit, alléluia. Priez Dieu pour nous, alléluia.

Ant. Regína cæli lætáre, allelúia : quia quem meruísti portáre, allelúia : resurréxit sicut dixit, allelúia : ora pro nobis Deum, allelúia.

Seigneur, ayez pitié ! Jésus Christ, ayez pitié ! Seigneur, ayez pitié !

℣. Seigneur, exaucez ma prière.

℟. Et que mes cris arrivent jusqu'à vous.

Kyrie, eléison. Christe, eléison. Kyrie, eléison.

℣. Dómine, exáudi oratiónem meam.

℟. Et clamor meus ad te véniat.

Orémus.

Deus, qui de beátæ Maríæ Vírginis útero Verbum tuum, Angelo nuntiánte, carnem suscípere voluísti : præsta supplícibus tuis, ut qui vere eam Genitrícem Dei crédimus, ejus apud te intercessiónibus adjuvémur. Per eúmdem Dóminum nostrum Jesum Christum Fílium tuum : qui tecum vivit et regnat in unitáte Spíritus Sancti Deus, per ómnia sǽcula sæculórum. ℟. Amen.

℣. Dómine, exáudi oratiónem meam.

℟. Et clamor meus ad te véniat.

℣. Benedicámus Dómino.

℟. Deo grátias.

℣. Fidélium ánimæ per misericórdiam Dei requiéscant in pace.

℟. Amen.

Prions.

O Dieu, qui avez voulu que votre Verbe prît chair du sein de la bienheureuse Vierge Marie à la parole de l'Ange, faites, nous vous en supplions, que la croyant véritablement Mère de Dieu, nous soyons secourus auprès de vous par son intercession. Par le même Notre Seigneur Jésus Christ, qui, étant Dieu, vit et règne avec vous en l'unité du Saint Esprit dans tous les siècles des siècles.

℟. Ainsi soit-il.

℣. Seigneur, exaucez ma prière.

℟. Et que mes cris arrivent jusqu'à vous.

℣. Bénissons le Seigneur.

℟. Grâces à Dieu.

℣. Que les âmes des fidèles, par la miséricorde de Dieu, reposent en paix.

℟. Ainsi soit-il.

Durant l'Avent

Ant. Spíritus Sanctus in te descéndet, María : ne tímeas, habébis in útero Fílium Dei, allelúia.

Ant. Le Saint Esprit surviendra en vous, ô Marie, ne craignez point, vous aurez dans votre sein le Fils de Dieu, alléluia.

Kýrie eléison, ℣. Dómine, exáudi, Oraison Deus, qui de beátæ, *et le reste comme ci-dessus*, p. 44* — 45*.

Après Noël

Ant. Un mystère admirable se manifeste aujourd'hui : les deux natures s'unissent, Dieu se fait homme : il reste ce qu'il était, et il prend ce qu'il n'était pas, sans souffrir ni mélange, ni division.

Ant. Mirábile mystérium declarátur hódie : innovántur natúræ, Deus homo factus est : id quod fuit permánsit, et quod non erat assúmpsit : non commixtiónem passus, neque divisiónem.

SEigneur, ayez pitié ! Christ, ayez pitié ! Seigneur, ayez pitié !

KYrie, eléison. Christe, eléison. Kýrie, eléison.

℣. Seigneur, exaucez ma prière. ℟. Et que mes cris parviennent jusqu'à vous.

℣. Dómine, exáudi oratiónem meam. ℟. Et clamor meus ad te véniat.

Prions

O Dieu, qui, par la virginité féconde de la bienheureuse Vierge Marie, avez procuré au genre humain le prix du salut éternel, nous vous en prions, accordez-nous de ressentir les effets de l'intercession de celle par qui nous avons mérité de recevoir l'auteur de la vie, Notre Seigneur Jésus Christ, votre Fils, qui, étant Dieu, vit et règne avec vous en l'unité du Saint Esprit dans tous les siècles des siècles. ℟. Ainsi soit-il.

Orémus

DEus, qui salútis ætérnæ, beátæ Maríæ virginitáte fecúnda, humáno géneri præmia præstitísti : tríbue, quæsumus, ut ipsam pro nobis intercédere sentiámus, per quam merúimus Auctórem vitæ suscípere, Dóminum nostrum Jesum Christum Fílium tuum : Qui tecum vivit et regnat in unitáte Spíritus Sancti, Deus, per ómnia sæcula sæculórum. ℟. Amen.

℣. Seigneur, exaucez ma prière. ℟. Et que mes cris arrivent jusqu'à vous.

℣. Bénissons le Seigneur.

℟. Grâces à Dieu.

℣. Que les âmes des fidèles, par la miséricorde de Dieu, reposent en paix.

℟. Ainsi soit-il.

℣. Dómine, exáudi oratiónem meam. ℟. Et clamor meus ad te véniat.

℣. Benedicámus Dómino.

℟. Deo grátias.

℣. Fidélium ánimæ per misericórdiam Dei requiéscant in pace.

℟. Amen.

A PRIME

Deus, ✠ in adjutórium meum inténde.

℟. Dómine, ad adjuvándum me festína.

Glória Patri, *etc.* Allelúia, *ou* Laus tibi, Dómine, Rex ætérnæ glóriæ.

O Dieu, ✠ venez à mon aide.

℟. Seigneur, hâtez-vous de me secourir.

Gloire au Père, *etc.* Alléluia, *ou* Louange à vous, Seigneur, Roi d'éternelle gloire.

HYMNE

Meménto, rerum Cónditor, [poris,
Nostri quod olim cór-
Sacráta ab alvo Vírginis
Nascéndo, forman súmperis.

María Mater grátiæ,
Dulcis parens cleméntiæ,
Tu nos ab hoste prótege,
Et mortis hora súscipe.

Jesu tibi sit glória,
Qui natus es de Vírgine,
Cum Patre, et almo Spíritu,
In sempitérna sæcula.
Amen.

Souviens-toi, Créateur du monde, [as pris,
Qu'un jour en naissant tu
Dans le sein béni de la Vierge [semblable.
Un corps au nôtre tout

O Marie, Mère de grâce,
Mère si douce et si clémente, [nous,
Contre l'ennemi défends-
Et à notre mort reçois-nous.

Jésus, qui es né de la Vierge,
Gloire éternelle soit à toi
Avec le Père et l'Esprit Saint [Ainsi soit-il.
Durant toute l'éternité.

Pendant l'Année

Ant. Assúmpta est. | *Ant.* Marie a été élevée

Durant l'Avent

Ant. Missus est. | *Ant.* Il fut envoyé.

Après Noël

Ant. O admirábile commércium ! | *Ant.* O merveilleux échange.

PSAUME 53

Confiance en Dieu, notre Sauveur

O Dieu sauvez-moi par votre nom, et rendez-moi justice par votre puissance.

Deus, in nómine tuo salvum me fac : * et in virtúte tua júdica me.

O Dieu, exaucez ma prière ; prêtez l'oreille aux paroles de ma bouche.

Deus exáudi oratiónem meam : * áuribus pércipe verba oris mei.

Car des étrangers se sont levés contre moi, et des ennemis violents en veulent à ma vie : et ils ne mettent pas Dieu devant leurs yeux.

Quóniam aliéni insurrexérunt advérsum me, et fortes quæsiérunt ánimam meam : * et non proposuérunt Deum ante conspéctum suum.

Voici que Dieu prend ma défense, le Seigneur est le soutien de ma vie.

Ecce enim Deus ádjuvat me : * et Dóminus suscéptor est ánimæ meæ.

Faites retomber le mal sur mes adversaires et, dans votre vérité, anéantissez-les.

Avérte mala inimícis meis : * et in veritáte tua dispérde illos.

De tout cœur je vous offrirai un sacrifice, et je louerai votre nom, Seigneur, car il est bon.

Voluntárie sacrificábo tibi * et confitébor nómini tuo Dómine quóniam bonum est :

Vous m'avez délivré de toutes mes afflictions, et mon œil a jeté sur mes ennemis un regard de mépris.

Quóniam ex omni tribulatióne eripuísti me : * et super inímicos meos despéxit óculus meus.

Gloire au Père, *etc.*

Glória Patri, *etc.*

PSAUME 84

Jésus nous a rachetés de la mort et du péché

Vous avez, Seigneur, béni votre terre, vous y avez ramené les captifs de Jacob.

Benedixísti, Dómine, terram tuam : * avertísti captivitátem Jacob.

Remisísti iniquitátem plebis tuæ : * operuísti ómnia peccáta eórum.

Vous avez pardonné l'iniquité de votre peuple, vous avez couvert tous ses péchés.

Mitigásti omnem iram tuam : * avertísti ab ira indignatiónis tuæ.

Vous avez apaisé toute votre indignation, vous êtes revenu de l'ardeur de votre colère.

Convérte nos, Deus salutáris noster : * et avérte iram tuam a nobis.

Rétablissez-nous, ô Dieu, notre sauveur, détournez de nous votre colère.

Numquid in ætérnum irascéris nobis? * aut exténdes iram tuam a generatióne in generatiónem?

Serez-vous éternellement irrité contre nous? ou prolongez-vous d'âge en âge votre ressentiment?

Deus tu convérsus vivificábis nos : * et plebs tua lætábitur in te.

O Dieu, vous nous ferez revenir à la vie : et votre peuple se réjouira en vous.

Osténde nobis, Dómine, misericórdiam tuam : * et salutáre tuum da nobis.

Seigneur, faites-nous voir votre bonté, et accordez-nous votre salut.

Audiam quid loquátur in me Dóminus Deus : * quóniam loquétur pacem in plebem suam.

Je veux écouter ce que dira au dedans de moi le Seigneur Dieu : il a des paroles de paix pour son peuple,

Et super sanctos suos : * et in eos, qui convertúntur ad cor.

Pour ses Saints, et pour ceux qui rentrent au fond de leur cœur.

Verúmtamem prope timéntes eum salutáre ipsíus : * ut inhábitet glória in terra nostra.

Oui, son salut est proche de ceux qui le craignent, et la gloire habitera de nouveau la terre.

Misericórdia et véritas obviavérunt sibi : * justítia, et pax osculátæ sunt.

La miséricorde et la vérité vont se rencontrer : la justice et la paix s'embrasseront.

La vérité germera de la terre : et la justice regardera du haut du ciel.

Car le Seigneur répandra sa bénédiction : et notre terre donnera son fruit.

La justice marchera devant lui : et il tracera le chemin à ses pas.

Gloire au Père, *etc.*

Véritas de terra orta est : * et justítia de cælo prospéxit.

Etenim Dóminus dabit benignitátem : * et terra nostra dabit fructum suum.

Justítia ante eum ambulábit : * et ponet in via gressus suos.

Glória Patri, *etc.*

PSAUME 116

Tous les peuples rachetés doivent louer Dieu

Nations, louez toutes le Seigneur; peuples, louez-le tous.

Car sa miséricorde s'est signalée sur nous, et la vérité du Seigneur subsiste à jamais.

Gloire au Père, *etc.*

Laudáte Dóminum omnes gentes : * laudáte eum omnes pópuli.

Quóniam confirmáta est super nos misericórdia ejus: * et véritas Dómini manet in ætérnum.

Glória Patri, *etc.*

Pendant l'année

Ant. Marie a été élevée au ciel, les Anges se réjouissent, ils louent et bénissent le Seigneur.

Ant. Assúmpta est María in cælum, gaudent Angeli, laudántes benedícunt Dóminum.

CAPITULE — *Cant. 6, 9*

Quelle est celle-ci, qui apparaît comme l'aurore, belle comme la lune, pure comme le soleil, terrible comme une armée rangée en bataille?

℟. Grâces à Dieu.

℣. Daignez agréer mes louanges, ô Vierge sacrée.

℟. Donnez-moi la force contre vos ennemis.

Quæ est ista, quæ progréditur quasi auróra consúrgens, pulchra ut luna, elécta ut sol, terríbilis ut castrórum ácies ordináta ?

℟. Deo grátias.

℣. Dignáre me laudáre te, Virgo sacráta.

℟. Da mihi virtútem contra hostes tuos.

Kyrie, eléison. Christe, eléison. Kyrie eléison.

℣. Dñe, exáudi oratiónem meam. ℟. Et clamor meus ad te véniat.

Orémus

Deus, qui virginálem aulam beátæ Maríæ, in qua habitáres, elígere dignátus es : da quæsumus, ut sua nos defensióne munítos, jucúndos fácias suæ interésse commemoratióni : Qui vivis et regnas cum Deo Patre, in unitáte Spíritus Sancti Deus : per ómnia sæcula sæculórum. ℟. Amen.

℣. Dñe, exáudi oratiónem meam. ℟. Et clamor meus ad te véniat.

℣. Benedicámus Dómino. ℟. Deo grátias.

℣. Fidélium ánimæ per misericórdiam Dei requiéscant in pace.

℟. Amen.

Seigneur, ayez pitié! Christ, ayez pitié! Seigneur, ayez pitié !

℣. Seigneur, exaucez ma prière. ℟. Et que mes cris arrivent jusqu'à vous.

Prions

O Dieu, qui avez daigné choisir le palais virginal de la bienheureuse Marie pour y habiter : faites, nous vous en prions, que couverts par sa protection, nous célébrions avec joie sa mémoire. Vous, qui, étant Dieu, vivez et régnez avec Dieu le Père, en l'unité du Saint Esprit, pendant tous les siècles des siècles.

℟. Ainsi soit-il.

℣. Seigneur, exaucez ma prière. ℟. Et que mes cris arrivent jusqu'à vous.

℣. Bénissons le Seigneur.

℟. Grâces à Dieu.

℣. Que les âmes des fidèles, par la miséricorde de Dieu, reposent en paix.

℟. Ainsi soit-il.

Durant l'Avent

Ant. Missus est Gábriel Angelus ad Maríam Vírginem desponsátam Joseph.

Ant. L'Ange Gabriel fut envoyé auprès de Marie, fiancée à Joseph.

CAPITULE

Isaïe 7, 14-15

Ecce virgo concípiet, et páriet Fílium, et vocábitur nomen ejus Emmánuel. Butýrum, et mel có-

Voici qu'une Vierge concevra et enfantera un fils qui sera appelé Emmanuel. Il mangera le beurre et le miel, en sorte qu'il sache réprouver le mal et choisir le bien.

℟. Grâces à Dieu.

℣. Daignez agréer mes louanges, ô Vierge sacrée. ℟. Donnez-nous la force contre vos ennemis.

SEigneur, ayez pitié! Christ, ayez pitié! Seigneur, ayez pitié!

℣. Seigneur, exaucez ma prière. ℟. Et que mes cris arrivent jusqu'à vous.

Prions

O Dieu, qui avez voulu que votre Verbe prît chair du sein de la bienheureuse Vierge Marie à la parole de l'Ange, faites, nous vous en supplions, que la croyant véritablement Mère de Dieu, nous soyons secourus auprès de vous par son intercession. Par le même Jésus Christ votre Fils, Notre Seigneur, qui, étant Dieu, vit et regne avec vous en l'unité du Saint Esprit, dans tous les siècles des siècles.

℟. Ainsi soit-il.

℣. Seigneur, exaucez ma prière. ℟. Et que mes cris arrivent jusqu'à vous.

℣. Bénissons le Seigneur. ℟. Grâces à Dieu.

℣. Que les âmes des fidèles, par la miséricorde de Dieu, reposent en paix. ℟. Ainsi soit-il.

medet, ut sciat reprobáre malum, et elígere bonum.

℟. Deo grátias.

℣. Dignáre me laudáre te, Virgo sacráta. ℟. Da mihi virtútem contra hostes tuos.

KYrie, eléison. Christe, eléison. Kyrie, eléison.

℣. Dómine, exáudi oratiónem meam. ℟. Et clamor meus ad te véniat.

Orémus

DEus, qui de beátæ Maríæ Vírginis útero Verbum tuum, Angelo nuntiánte, carnem suscípere voluísti : præsta supplícibus tuis, ut qui vere eam Genitrícem Dei crédimus, ejus apud te intercessiónibus adjuvémur. Per eúmdem Dóminum nostrum Jesum Christum Fílium tuum : Qui tecum vivit et regnat in unitáte Spíritus Sancti Deus : per ómnia sæcula sæculórum.

℟. Amen.

℣. Dómine, exáudi oratiónem meam. ℟. Et clamor meus ad te véniat.

℣. Benedicámus Dómino. ℟. Deo grátias.

℣. Fidélium ánimæ per misericórdiam Dei requiéscant in pace.

℟. Amen.

Après Noël

Ant. O admirábile commércium! Creátor géneris humáni, animátum corpus sumens, de Vírgine nasci dignátus est : et procédens homo sine sémine, largítus est nobis suam Deitátem.

Ant. O merveilleux échange! le Créateur du genre humain, prenant un corps et une âme, a daigné naître d'une Vierge : et homme sans le concours de l'homme, il nous a fait part de sa divinité.

CAPITULE *Cant.* 6, 9

QUæ est ista, quæ progréditur quasi auróra consúrgens, pulchra ut luna, elécta ut sol, terríbilis ut castrórum ácies ordináta? ℟. Deo grátias.

℣. Dignáre me laudáre te, Virgo sacráta. ℟. Da mihi virtútem contra hostes tuos.

QUelle est celle-ci, qui apparaît comme l'aurore, belle comme la lune, pure comme le soleil, terrible comme une armée rangée en bataille? ℟. Grâces à Dieu.

℣. Daignez agréer mes louanges, ô Vierge sacrée. ℟. Donnez-moi la force contre vos ennemis.

KYrie, eléison. Christe, eléison. Kyrie eléison.

SEigneur, ayez pitié! Christ, ayez pitié! Seigneur, ayez pitié.

℣. Dómine, exáudi oratiónem meam. ℟. Et clamor meus ad te véniat.

℣. Seigneur, exaucez ma prière. ℟. Et que mes cris arrivent jusqu'à vous.

Orémus

DEus, qui salútis ætérnæ, beátæ Maríæ virginitáte fecúnda, humáno géneri præmia præstitísti : tríbue quæsumus, ut ipsam pro nobis intercédere sentiámus, per quam merúimus auctórem vitæ suscípere, Dóminum nostrum Jesum Christum Fílium tuum : Qui tecum vivit et regnat in unitáte Spíritus Sancti Deus : per ómnia sæcula sæculórum. ℟. Amen.

℣. Dómine, exáudi oratiónem meam. ℟. Et clamor meus ad te véniat.

Prions

O Dieu, qui par la virginité féconde de la bienheureuse Marie avez procuré au genre humain le prix du salut éternel, nous vous en prions, accordez-nous de ressentir les effets de l'intercession de celle par qui nous avons mérité de recevoir l'auteur de la vie, Notre Seigneur Jésus Christ votre Fils, qui, étant Dieu, vit et règne avec vous en l'unité du Saint Esprit, dans tous les siècles des siècles. ℟. Ainsi soit-il.

℣. Seigneur, exaucez ma prière. ℟. Et que mes cris arrivent jusqu'à vous.

℣. Bénissons le Seigneur.
℟. Grâces à Dieu.
℣. Que les âmes des fidèles, par la miséricorde de Dieu, reposent en paix.
℟. Ainsi soit-il.

℣. Benedicámus Dómino.
℟. Deo grátias.
℣. Fidélium ánimæ per misericórdiam Dei requiéscant in pace.
℟. Amen.

A TIERCE

O Dieu, ✠ venez à mon aide. ℟. Seigneur, hâtez-vous de me secourir.

Gloire au Père, *etc.* Alléluia. *ou* Louange à vous, Seigneur, Roi d'éternelle gloire.

Deus, ✠ in adjutórium meum inténde. ℟ Dómine, ad adjuvándum me festína.

Glória Patri, *etc.* Allelúia. *ou* Laus tibi, Dómine, Rex ætérnæ glóriæ.

HYMNE

Souviens-toi, Créateur du monde,
Qu'un jour en naissant tu as pris,
Dans le sein béni de la Vierge
Un corps au nôtre tout semblable.
O Marie, Mère de grâce,
Mère si douce et si clémente,
Contre l'ennemi défends-nous,
Et à notre mort reçois-nous.
Jésus, qui es né de la Vierge,
Gloire éternelle soit à toi
Avec le Père et l'Esprit-Saint
Durant toute l'éternité.
Ainsi soit-il.

Meménto, rerum Cónditor
Nostri quod olim córporis,
Sacráta ab alvo Vírginis
Nascéndo, formam súmpseris.
María Mater grátiæ,
Dulcis parens cléméntiæ,
Tu nos ab hoste prótege,
Et mortis hora súscipe.
Jesu, tibi sit glória,
Qui natus es de Vírgine,
Cum Patre, et almo Spíritu,
In sempitérna sæcula.
Amen.

Pendant l'Année

Ant. María Virgo. | *Ant.* La Vierge Marie.

Durant l'Avent

Ant. Ave María. | *Ant.* Je vous salue, Marie.

Après Noël

Ant. Quando natus es. | *Ant.* Quand vous naquîtes.

PSAUME 119

Comme Jésus, sachons supporter la haine des méchants

Ad Dóminum cum tribulárer clamávi: * et exaudívit me.

Dómine líbera ánimam meam a lábiis iníquis, * et a lingua dolósa.

Quid detur tibi, aut quid apponátur tibi * ad linguam dolósam?

Sagíttæ poténtis acútæ, * cum carbónibus desolatóriis.

Heu mihi, quia incolátus meus prolongátus est : habitávi cum habitántibus Cedar : * multum íncola fuit ánima mea.

Cum his, qui odérunt pacem, eram pacíficus: * cum loquébar illis, impugnábant me gratis.

Glória Patri, *etc.*

Dans ma détresse, j'ai crié vers le Seigneur, et il m'a exaucé.

Seigneur, délivrez mon âme des lèvres de mensonge et de la langue trompeuse.

Que te sera-t-il donné, et que recevras-tu, ô langue trompeuse?

Les flèches aiguës du Tout Puissant, avec des charbons dévorants.

Hélas! mon exil a été bien long : j'ai vécu avec les habitants de Cédar : trop longtemps j'ai vécu sur la terre étrangère.

J'étais pacifique avec ceux qui haïssent la paix : lorsque je leur parlais, ils s'élevaient contre moi sans sujet.

Gloire au Père, *etc.*

PSAUME 120

Le secours nous viendra de Dieu par Marie

Levávi óculos meos in montes, * unde véniet auxílium mihi.

Je lève les yeux vers les montagnes d'où me viendra le secours.

Mon secours viendra du Seigneur, qui a fait le ciel et la terre.

Il ne permettra point que ton pied trébuche; celui qui te garde ne sommeillera point.

Non, il ne sommeille, ni ne dort, celui qui garde Israël.

Le Seigneur te garde; le Seigneur te protège; il est toujours à ta droite.

Le soleil ne te brûlera point durant le jour, ni la lune pendant la nuit.

Le Seigneur te gardera de tout mal, que le Seigneur garde ton âme.

Que le Seigneur te garde au départ et à l'arrivée, maintenant et dans l'éternité.

Gloire au Père, *etc.*

Auxílium meum a Dómino, * qui fecit cælum et terram.

Non det in commotiónem pedem tuum : * neque dormítet qui custódit te.

Ecce non dormitábit, neque dórmiet, * qui custódit Israël.

Dóminus custódit te, Dóminus protéctio tua, * super manum déxteram tuam.

Per diem sol non uret te : * neque luna per noctem.

Dóminus custódit te ab omni malo : * custódiat ánimam tuam Dóminus.

Dóminus custódiat introítum tuum, et éxitum tuum : * ex hoc nunc, et usque in sæculum.

Glória Patri, *etc.*

PSAUME 121

Gloire de Jérusalem, figure de Marie

Je me suis réjoui quand on m'a dit : nous irons dans la maison du Seigneur.

Nos pieds se sont fixés dans tes parvis, ô Jérusalem !

Jérusalem est bâtie comme une ville, dont toutes les parties se tiennent ensemble.

Lætátus sum in his, quæ dicta sunt mihi : * in domum Dómini íbimus.

Stantes erant pedes nostri, * in átriis tuis Jerúsalem.

Jerúsalem, quæ ædificátur ut cívitas : * cujus participátio ejus in idípsum.

Illuc enim ascendérunt tribus, tribus Dómini : * testimónium Israël ad confiténdum nómini Dómini.

Quia illic sedérunt sedes in judício, * sedes super domum David.

Rogáte quæ ad pacem sunt Jerúsalem : * et abundántia diligéntibus te :

Fiat pax in virtúte tua : * et abundántia in túrribus tuis.

Propter fratres meos, et próximos meos, * loquébar pacem de te :

Propter domum Dómini Dei nostri, * quæsívi bona tibi.

Glória Patri, *etc.*

Là montent les tribus, les tribus du Seigneur, selon la loi d'Israël, pour louer le nom du Seigneur.

Là sont établis des sièges pour la justice : les juges de la maison de David.

Faites des vœux pour la paix de Jérusalem. Que ceux qui t'aiment soient dans l'abondance.

Que la paix règne dans tes remparts, et l'abondance dans tes forteresses.

A cause de mes frères et de mes amis, j'ai appelé sur toi la paix.

A cause de la maison du Seigneur, notre Dieu, j'ai demandé pour toi tous les biens.

Gloire au Père, *etc.*

Pendant l'Année

Ant. María Virgo assúmpta est ad æthéreum thálamum, in quo Rex regum stelláto sedet sólio.

Ant. La Vierge Marie a été élevée au céleste séjour, où le Roi des rois est assis sur un trône étincelant.

CAPITULE *Eccli. 24, 15*

Et sic in Sion firmáta sum, et in civitáte sanctificáta simíliter requiévi, et in Jerúsalem potéstas mea.

℟. Deo grátias.

Et ainsi j'ai eu une demeure fixe dans Sion, j'ai trouvé le repos dans la cité sainte, et Jérusalem est le siège de mon empire.

℟. Grâces à Dieu.

℣. La grâce est répandue sur vos lèvres. ℟. C'est pourquoi Dieu vous a bénie pour l'éternité.

Seigneur, ayez pitié! Christ, ayez pitié! Seigneur, ayez pitié!

℣. Seigneur, exaucez ma prière. ℟. Et que mes cris arrivent jusqu'à vous.

Prions.

O Dieu, qui par la virginité féconde de la bienheureuse Marie, avez procuré au genre humain le prix du salut éternel, nous vous en prions, accordez-nous de ressentir les effets de l'intercession de celle par qui nous avons mérité de recevoir l'auteur de la vie, Notre Seigneur Jésus Christ votre Fils, qui, étant Dieu, vit et règne avec vous dans l'unité du Saint Esprit, pendant tous les siècles des siècles.

℟. Ainsi soit-il.

℣. Seigneur, exaucez ma prière. ℟. Et que mes cris arrivent jusqu'à vous.

℣. Bénissons le Seigneur. ℟. Grâces à Dieu.

℣. Que les âmes des fidèles, par la miséricorde de Dieu, reposent en paix.

℟. Ainsi soit-il.

℣. Diffúsa est grátia in lábiis tuis. ℟. Proptérea benedíxit te Deus in ætérnum.

Kyrie, éleison. Christe, eléison. Kyrie, eléison.

℣. Dñe, exáudi oratiónem meam. ℟. Et clamor meus ad te véniat.

Orémus

Deus, qui salútis ætérnæ, beátæ Maríæ virginitáte fecúnda, humáno géneri præmia præstitísti : tríbue quæsumus, ut ipsam pro nobis intercédere sentiámus, per quam merúimus auctórem vitæ suscípere, Dóminum nostrum Jesum Christum Fílium tuum : Qui tecum vivit et regnat in unitáte Spíritus Sancti Deus : per ómnia sæcula sæculórum.

℟. Amen.

℣. Dñe, exáudi oratiónem meam. ℟. Et clamor meus ad te véniat.

℣. Benedicámus Dómino. ℟. Deo grátias.

℣. Fidélium ánimæ per misericórdiam Dei requiéscant in pace.

℟. Amen.

Durant l'Avent

Ant. Ave, María, grátia plena : Dóminus tecum : Benedícta tu in muliéribus, allelúia.

Ant. Je vous salue, Marie, pleine de grâce, le Seigneur est avec vous : vous êtes bénie entre les femmes, alléluia.

CAPITULE

Isaïe, 11, 1-2

EGrediétur virga de radíce Jesse, et flos de radíce ejus ascéndet. Et requiéscet super eum spíritus Dómini. ℟. Deo grátias.

IL sortira un rejeton de la racine de Jessé, et une fleur s'élèvera de sa souche, et l'Esprit du Seigneur reposera sur lui. ℟. Grâces à Dieu.

℣. Diffúsa est grátia in lábiis tuis. ℟. Proptérea benedíxit te Deus in ætérnum.

℣. La grâce est répandue sur vos lèvres. ℟. C'est pourquoi Dieu vous a bénie pour l'éternité.

KYrie, eléison, Christe, eléison, Kyrie, eléison.

SEigneur, ayez pitié! Christ, ayez pitié! Seigneur, ayez pitié!

℣. Dómine, exáudi oratiónem meam. ℟. Et clamor meus ad te véniat.

℣. Seigneur, exaucez ma prière. ℟. Et que mes cris arrivent jusqu'à vous.

Orémus.

Prions.

DEus, qui de beátæ Maríæ Vírginis útero Verbum tuum, Angelo nuntiánte, carnem suscípere voluísti : præsta supplícibus tuis, ut qui vere eam Genitrícem Dei crédimus, ejus apud te intercessiónibus adjuvémur. Per eúmdem Dóminum nostrum Jesum Christum Fílium tuum : Qui tecnm vivit et regnat in unitáte Spíritus Sancti Deus : per ómnia sæcula sæculórum. ℟. Amen.

O Dieu, qui avez voulu que votre Verbe prît chair du sein de la bienheureuse Vierge Marie à la voix de l'Ange, faites, nous vous en supplions, que la croyant véritablement Mère de Dieu, nous soyons secourus auprès de vous par son intercession. Par le même Notre Seigneur Jésus Christ votre Fils, qui, étant Dieu, vit et règne avec vous en l'unité du Saint Esprit, dans tous les siècles des siècles. ℟. Ainsi soit-il.

℣. Dómine, exáudi oratiónem meam. ℟. Et clamor meus ad te véniat.

℣. Seigneur, exaucez ma prière. ℟. Et que mes cris arrivent jusqu'à vous.

℣. Bénissons le Seigneur. ℟. Grâces à Dieu
℣. Que les âmes des fidèles, par la miséricorde de Dieu, reposent en paix. ℟. Ainsi soit-il.

℣. Benedicámus Dómino. ℟. Deo grátias.
℣. Fidélium ánimæ per misericórdiam Dei requiéscant in pace. ℟. Amen.

Après Noël

Ant. Quand vous naquîtes ineffablement d'une Vierge, alors s'accomplirent les Ecritures. Comme la rosée sur la toison, vous descendîtes pour sauver le genre humain. Nous vous louons, ô notre Dieu.

Ant. Quando natus es ineffabíliter ex Vírgine, tunc implétæ sunt Scriptúræ : sicut plúvia in vellus descendísti, ut salvum fáceres genus humánum; te laudámus, Deus noster.

CAPITULE

ET ainsi j'ai eu une demeure fixe dans Sion, j'ai trouvé le repos dans la cité sainte, et Jérusalem est le siège de mon empire. ℟. Grâces à Dieu.
℣. La grâce est répandue sur vos lèvres. ℟. C'est pourquoi Dieu vous a bénie pour l'éternité.

Eccli. 24, 15

ET sic in Sion firmáta sum, et in civitáte sanctificáta simíliter requiévi, et in Jerúsalem potéstas mea. ℟. Deo grátias.
℣. Diffúsa est grátia in lábiis tuis. ℟. Proptérea benedíxit te Deus in ætérnum.

SEigneur, ayez pitié! Christ, ayez pitié! Seigneur, ayez pitié!
℣. Seigneur, exaucez ma prière. ℟. Et que mes cris arrivent jusqu'à vous.

KYrie, eléison. Christe, eléison. Kyrie, eléison.
℣. Dómine, exáudi oratiónem meam. ℟. Et clamor meus ad te véniat.

Prions

O Dieu, qui par la virginité féconde de la bienheureuse Marie, avez procuré au genre humain le prix du salut éternel, nous vous en prions, accordez-nous de ressentir les effets de l'intercession de celle par qui nous avons mérité de recevoir l'auteur de la vie, Notre

Orémus

DEus, qui salútis ætérnæ beátæ Maríæ virginitáte fecúnda, humáno géneri præmia præstitísti : tríbue quæsumus, ut ipsam pro nobis intercédere sentiámus, per quam merúimus auctórem vitæ suscípere, Dóminum nostrum

Jesum Christum Fílium tuum : Qui tecum vivit et regnat in unitáte Spíritus Sancti Deus : per ómnia sæcula sæculórum.

℟. Amen.

℣. Dómine, exáudi oratiónem meam. ℟. Et clamor meus ad te véniat.

℣. Benedicámus Dómino. ℟. Deo grátias.

℣. Fidélium ánimæ per misericórdiam Dei requiéscant in pace. ℟. Amen.

Seigneur Jésus Christ votre Fils, qui, étant Dieu, vit et règne avec vous en l'unité du Saint Esprit, dans tous les siècles des siècles.

℟. Ainsi soit-il.

℣. Seigneur, exaucez ma prière. ℟. Et que mes cris arrivent jusqu'à vous.

℣. Bénissons le Seigneur. ℟. Grâces à Dieu.

℣. Que les âmes des fidèles, par la miséricorde de Dieu, reposent en paix. ℟. Ainsi soit-il.

A SEXTE

Deus, ✠ in adjutórium meum inténde. ℟. Dómine, ad adjuvándum me festína.

Glória Patri, *etc.* Allelúia. *ou* Laus tibi, Dómine, Rex ætérnæ glóriæ.

O Dieu, ✠ venez à mon aide. ℟. Seigneur, hâtez-vous de me secourir.

Gloire au Père, *etc.* Alléluia. *ou* Louange à vous, Seigneur, Roi d'éternelle gloire.

HYMNE

Meménto, rerum Cónditor,
Nostri quod olim córporis,
Sacráta ab alvo Vírginis
Nascéndo, forman súmpseris.

María Mater grátiæ,
Dulcis parens clementiæ,
Tu nos ab hoste prótege,
Et mortis hora súscipe.

Souviens-toi, Créateur du monde,
Qu'un jour en naissant tu as pris,
Dans le sein béni de la Vierge
Un corps au nôtre tout semblable.

O Marie, Mère de grâce,
Mère si douce et si clémente,
Contre l'ennemi défends-nous,
Et à notre mort reçois-nous.

Jésus qui es né de la Vierge,
Gloire éternelle soit à toi
Avec le Père et l'Esprit Saint [Ainsi soit-il.
Durant toute l'éternité.

Jesu, tibi sit glória,
Qui natus es de Vírgine,
Cum Patre, et almo Spíritu,
In sempitérna sæcula.
Amen.

Pendant l'Année

Ant. Nous courons à l'odeur.

Ant. In odórem.

Durant l'Avent

Ant. Ne craignez point, Marie.

Ant. Ne tímeas María.

Après Noël

Ant. Dans le buisson que vit.

Ant. Rubum quem víderat.

PSAUME 122

Prière de l'âme en butte aux tentations.

J'ÉLÈVE mes yeux vers vous, ô vous qui habitez dans les cieux.

Comme les yeux des serviteurs sont fixés sur les mains de leurs maîtres,

Comme les yeux de la servante sont fixés sur les mains de sa maîtresse, ainsi nos yeux sont tournés vers le Seigneur notre Dieu, jusqu'à ce qu'il ait pitié de nous.

Ayez pitié de nous, Seigneur, ayez pitié de nous, car nous n'avons été que trop rassasiés d'opprobres.

Notre âme n'est que trop rassasiée de la risée des riches insolents et du mépris des orgueilleux.

Gloire au Père, *etc.*

AD te levávi óculos meos, * qui hábitas in cælis.

Ecce sicut óculi servórum, * in mánibus dominórum suórum.

Sicut óculi ancíllæ in mánibus dóminæ suæ: * ita óculi nostri ad Dóminum Deum nostrum donec misereátur nostri.

Miserére nostri Dómine, miserére nostri : * quia multum repléti sumus despectióne :

Quia multum repléta est ánima nostra : * oppróbrium abundántibus, et despéctio supérbis.

Glória Patri, *etc.*

PSAUME 123

Action de grâces après la délivrance

Nisi quia Dóminus erat in nobis, dicat nunc Israël : * nisi quia Dóminus erat in nobis,

Cum exsúrgerent hómines in nos, * forte vivos deglutíssent nos :

Cum irascerétur furor eórum in nos, * fórsitan aqua absorbuísset nos.

Torréntem pertransívit ánima nostra : * fórsitan pertransísset ánima nostra aquam intolerábilem.

Benedíctus Dóminus * qui non dedit nos in captiónem déntibus eórum.

Anima nostra sicut passer erépta est * de láqueo venántium :

Láqueus contrítus est, * et nos liberáti sumus.

Adjutórium nostrum in nómine Dómini, * qui fecit cælum et terram.

Glória Patri, *etc.*

Si le Seigneur n'eût été pour nous, qu'Israël le proclame : si le Seigneur n'eût été pour nous,

Quand les hommes s'élevaient contre nous, peut-être nous auraient-ils dévorés tout vivants.

Quand leur fureur s'irritait contre nous, peut-être l'eau nous aurait engloutis.

Notre âme a traversé le torrent : peut-être notre âme se serait-elle engagée dans un abîme infranchissable.

Béni soit le Seigneur, qui ne nous a pas livrés en proie à leurs dents.

Notre âme, comme le passereau, s'est échappée du filet des chasseurs.

Le filet s'est rompu et nous avons été sauvés.

Notre secours est dans le nom du Seigneur, qui a fait le ciel et la terre.

Gloire au Père, *etc.*

PSAUME 124

Les enfants de Marie (Jérusalem) sont en sécurité

Qui confídunt in Dómino, sicut mons Sion : * non commové-

Ceux qui se confient dans le Seigneur sont comme la montagne de Sion. Il ne sera jamais ébranlé celui qui habite Jérusalem.

Elle a autour d'elle un rempart de montagnes : ainsi le Seigneur entoure son peuple de sa protection maintenant et à jamais.

Car le Seigneur ne laissera pas toujours le sceptre des pécheurs peser sur l'héritage des justes, de peur que les justes ne portent leurs mains vers l'iniquité.

Répandez, Seigneur, vos bienfaits sur les bons, sur ceux qui ont le cœur droit.

Mais ceux qui se détournent en des voies tortueuses, le Seigneur les joindra à ceux qui font le mal. Que la paix soit sur Israël !

Gloire au Père, *etc.*

bitur in ætérnum, qui hábitat in Jerúsalem.

Montes in circúitu ejus : * et Dóminus in circúitu pópuli sui, ex hoc nunc et usque in sæculum.

Quia non relínquet Dóminus virgam peccatórum super sortem justórum : * ut non exténdant justi ad iniquitátem manus suas.

Bénefac Dómine bonis, * et rectis corde.

Declinántes autem in obligatiónes, addúcet Dóminus cum operántibus iniquitátem : * pax super Israël.

Glória Patri, *etc.*

Pendant l'Année

Ant. Nous courons attirés par l'odeur de vos parfums : les jeunes filles vous ont tendrement aimé.

Ant. In odórem unguentórum tuórum cúrrimus : adolescéntulæ dilexérunt te nimis.

CAPITULE

Eccli. 24, 16

J'AI poussé mes racines dans le peuple qui est l'héritage de mon Dieu, et dans l'assemblée entière des Saints est ma demeure. ℟. Grâces à Dieu.

℣. Vous êtes bénie entre les femmes. ℟. Et le fruit de votre sein est béni.

ET radicávi in pópulo honorificáto, et in parte Dei mei heréditas illíus, et in plenitúdine sanctórum deténtio mea. ℟. Deo grátias.

℣. Benedícta tu in muliéribus. ℟. Et benedíctus fructus ventris tui.

Kyrie, eléison. Christe, eléison. Kyrie, eléison.

℣. Dómine, exáudi oratiónem meam. ℟. Et clamor meus ad te véniat.

Orémus

Concéde, miséricors Deus, fragilitáti nostræ præsídium : ut qui sanctæ Dei Genitrícis memóriam ágimus, intercessiónis ejus auxílio, a nostris iniquitátibus resurgámus. Per eúmdem Dóminum nostrum Jesum Christum Fílium tuum : Qui tecum vivit et regnat in unitáte Spíritus Sancti Deus : per ómnia sæcula sæculórum. ℟. Amen.

℣. Dómine, exáudi oratiónem meam. ℟. Et clamor meus ad te véniat.

℣. Benedicámus Dómino. ℟. Deo grátias.

℣. Fidélium ánimæ per misericórdiam Dei requiéscant in pace. ℟. Amen.

Seigneur, ayez pitié ! Christ, ayez pitié ! Seigneur, ayez pitié !

℣. Seigneur, exaucez ma prière. ℟. Et que mes cris arrivent jusqu'à vous.

Prions

Dieu de miséricorde, venez au secours de notre faiblesse, afin qu'en célébrant la mémoire de la sainte Mère de Dieu, nous puissions par l'aide de son intercession, nous relever de nos iniquités. Par le même Jésus Christ votre Fils, Notre Seigneur, qui étant Dieu vit et règne avec vous en l'unité du Saint Esprit, dans tous les siècles des siècles.

℟. Ainsi soit-il.

℣. Seigneur, exaucez ma prière. ℟. Et que mes cris arrivent jusqu'à vous.

℣. Bénissons le Seigneur. ℟. Grâces à Dieu.

℣. Que les âmes des fidèles, par la miséricorde de Dieu, reposent en paix. ℟. Ainsi soit-il.

Durant l'Avent

Ant. Ne tímeas, María, invenísti grátiam apud Dóminum : ecce concípies, et páries fílium, allelúia.

Ant. Ne craignez point, Marie, vous avez trouvé grâce devant le Seigneur : voici que vous concevrez et enfanterez un fils, alléluia.

CAPITULE

LE Seigneur Dieu lui donnera le trône de David son père, et il règnera éternellement sur la maison de Jacob, et son règne n'aura point de fin.

℟. Grâces à Dieu.

℣. Vous êtes bénie entre les femmes. ℟. Et le fruit de votre sein est béni.

SEigneur, ayez pitié! Christ, ayez pitié! Seigneur, ayez pitié!

℣. Seigneur, exaucez ma prière. ℟. Et que mes cris arrivent jusqu'à vous.

Prions

O Dieu, qui avez voulu que votre Verbe prît chair du sein de la bienheureuse Vierge Marie à la parole de l'Ange, faites, nous vous en supplions, que la croyant véritablement Mère de Dieu, nous soyons secourus auprès de vous par son intercession. Par le même Notre Seigneur Jésus Christ, votre Fils, qui, étant Dieu, vit et règne avec vous en l'unité du Saint Esprit dans tous les siècles des siècles. ℟. Ainsi soit-il.

℣. Seigneur, exaucez ma prière. ℟. Et que mes cris arrivent jusqu'à vous.

℣. Bénissons le Seigneur. ℟. Grâces à Dieu.

℣. Que les âmes des fidèles, par la miséricorde de Dieu, reposent en paix. ℟. Ainsi soit-il.

Luc. 1, 32-33

DAbit illi Dóminus Deus sedem David patris ejus : et regnábit in domo Jacob in ætérnum, et regni ejus non erit finis.

℟. Deo grátias.

℣. Benedícta tu in muliéribus. ℟. Et benedíctus fructus ventris tui.

KYrie, eléison. Christe, eléison. Kyrie, eléison.

℣. Dómine, exáudi oratiónem meam. ℟. Et clamor meus ad te véniat.

Orémus

DEus, qui de beátæ Maríæ Vírginis útero Verbum tuum, Angelo nuntiánte, carnem suscípere voluísti : præsta supplícibus tuis, ut qui vere eam Genitrícem Dei crédimus, ejus apud te intercessiónibus adjuvémur. Per eúmdem Dóminum nostrum Jesum Christum Fílium tuum : Qui tecum vivit et regnat in unitáte Spíritus Sancti Deus : per ómnia sæcula sæculórum. ℟. Amen.

℣. Dómine exáudi oratiónem meam. ℟. Et clamor meus ad te véniat.

℣. Benedicámus Dómino. ℟. Deo grátias.

℣. Fidélium ánimæ per misericórdiam Dei requiéscant in pace. ℟. Amen.

Après Noël

Ant. Rubum quem víderat Móyses incombústum, conservátam agnóvimus tuam laudábilem virginitátem : Dei Génitrix intercéde pro nobis.

Ant. Le buisson enflammé, mais non consumé, qui apparut à Moïse, nous l'avons reconnu dans votre virginité admirablement conservée : Mère de Dieu, intercédez pour nous.

CAPITULE *Eccli. 24, 16*

ET radicávi in pópulo honorificáto, et in parte Dei mei heréditas illíus, et in plenitúdine sanctórum deténtio mea. ℟. Deo grátias.

J'Ai poussé mes racines dans le peuple glorifié, dans le peuple qui est l'héritage de mon Dieu, et dans l'assemblée entière des Saints est ma demeure. ℟. Grâces à Dieu.

℣. Benedícta tu in muliéribus. ℟. Et benedíctus fructus ventris tui.

℣. Vous êtes bénie entre les femmes. ℟. Et le fruit de votre sein est béni.

KYrie, eléison. Christe, eléison. Kyrie eléison.

SEigneur, ayez pitié ! Christ, ayez pitié ! Seigneur, ayez pitié !

℣. Dómine, exáudi oratiónem meam. ℟. Et clamor meus ad te véniat.

℣. Seigneur, exaucez ma prière. ℟. Et que mes cris arrivent jusqu'à vous.

Orémus

DEus, qui salútis ætérnæ, beátæ Maríæ virginitáte fecúnda, humáno géneri præmia præstitísti : tríbue quæsumus, ut ipsam pro nobis intercédere sentiámus, per quam merúimus auctórem vitæ suscípere, Dóminum nostrum Jesum Christum Fílium tuum : Qui tecum vivit et regnat in unitáte Spíritus Sancti Deus : per ómnia sæcula sæculórum.

℟. Amen.

Prions

O Dieu, qui par la virginité féconde de la bienheureuse Marie, avez procuré au genre humain, le prix du salut éternel, nous vous en prions, accordez-nous de ressentir les effets de l'intercession de celle par qui nous avons mérité de recevoir l'auteur de la vie, Notre Seigneur Jésus Christ votre Fils ; qui étant Dieu, vit et règne avec vous en l'unité du Saint Esprit, dans tous les siècles des siècles.

℟. Ainsi soit-il.

℣. Seigneur, exaucez ma prière. ℟. Et que mes cris arrivent jusqu'à vous.

℣. Bénissons le Seigneur. ℟. Grâces à Dieu.

℣. Que les âmes des fidèles, par la miséricorde de Dieu, reposent en paix. ℟. Ainsi soit-il.

℣. Dómine, exáudi oratiónem meam. ℟. Et clamor meus ad te véniat.

℣. Benedicámus Dómino. ℟. Deo grátias.

℣. Fidélium ánimæ per misericórdiam Dei requiéscant in pace. ℟. Amen.

A NONE

O Dieu, ✠ venez à mon aide.

℟. Seigneur, hâtez-vous de me secourir.

Gloire au Père, *etc.* Alléluia. *ou* Louange à vous, Seigneur, Roi d'éternelle gloire.

Deus, ✠ in adjutórium meum inténde.

℟. Dómine, ad adjuvándum me festína.

Glória Patri, *etc.* Allelúia. *ou* Laus tibi, Dómine, Rex ætérnæ glóriæ.

HYMNE

Souviens-toi, Créateur du monde,
Qu'un jour en naissant tu as pris,
Dans le sein béni de la Vierge
Un corps au nôtre tout semblable.

O Marie, Mère de grâce,
Mère si douce et si clémente,
Contre l'ennemi défends-nous,
Et à notre mort reçois-nous.

Jésus, qui es né de la Vierge,
Gloire éternelle soit à toi

Meménto, rerum Cónditor,
Nostri quod olim córporis,
Sácrata ab alvo Vírginis
Nascéndo, forman súmpseris.

María Mater grátiæ,
Dulcis parens cleméntiæ,
Tu nos ab hoste prótege,
Et mortis hora súscipe,

Jesu, tibi sit glória,
Qui natus es de Vírgine,

Cum Patre, et almo Spíritu,
In sempitérna sæcula. Amen.

Avec le Père et l'Esprit Saint
Durant toute l'éternité.
Ainsi soit-il.

Pendant l'Année

Ant. Pulchra es.

Ant. Vous êtes belle.

Durant l'Avent

Ant. Ecce ancílla Dómini.

Ant. Voici la servante du Seigneur.

Après Noël

Ant. Ecce María,

Ant. Voici que Marie.

PSAUME 125

Dieu étend à tous, les bienfaits de la Rédemption

In converténdo Dóminus captivitátem Sion : * facti sumus sicut consoláti :

Quand le Seigneur ramena les captifs de Sion, nous avons été consolés.

Tunc replétum est gáudio os nostrum : * et lingua nostra exsultatióne.

Alors notre bouche fit entendre des cris de joie, et notre langue des chants d'allégresse.

Tunc dicent inter gentes : * Magnificávit Dóminus fácere cum eis.

Alors on répéta parmi les nations : le Seigneur a fait pour eux de grandes choses.

Magnificávit Dóminus fácere nobíscum : * facti sumus lætántes.

Le Seigneur a fait pour nous de grandes choses : nous sommes dans la joie.

Convérte Dómine captivitátem nostram, * sicut torrens in Austro.

Ramenez, Seigneur, nos captifs, comme vous faites couler les torrents dans une terre aride.

Qui séminant in lácrymis, * in exsultatióne metent.

Ceux qui sèment dans les larmes moissonneront dans l'allégresse.

En allant, ils marchaient et ils pleuraient, jetant la semence.

Mais, en revenant, ils s'avanceront pleins d'allégresse, portant les gerbes de leur moisson.

Gloire au Père, *etc.*

Eúntes ibant et flebant, * mitténtes sémina sua.

Veniéntes autem vénient cum exsultatióne, * portántes manípulos suos.

Glória Patri, *etc.*

PSAUME 126

Marie est la Maison bâtie par Dieu; elle est Mère d'une innombrable postérité

Si le Seigneur ne bâtit la maison, c'est en vain que travaillent ceux qui la bâtissent.

Si le Seigneur ne garde pas la cité, c'est en vain que le gardien veille.

C'est en vain que vous vous levez avant le jour : levez-vous après avoir pris votre repos, vous qui mangez le pain de la douleur,

Car Dieu donne le sommeil à ses bien aimés. Des enfants sont un héritage du Seigneur, la postérité est une recompense.

Comme les flèches dans la main d'un guerrier, ainsi sont les enfants des persécutés.

Heureux l'homme dont les nombreux enfants comblent les vœux, il ne sera point confondu, qnand il répondra à ses ennemis à la porte de la ville.

Gloire au Père, *etc.*

Nisi Dóminus ædificáverit domum, * in vanum laboravérunt qui ædíficant eam.

Nisi Dñus custodíerit civitátem, * frustra vígilat qui custódit eam.

Vanum est vobis ante lucem súrgere : súrgite postquam sedéritis, qui manducátis panem dolóris.

Cum déderit diléctis suis somnum : * ecce heréditas Dómini fílii : merces, fructus ventris.

Sicut sagíttæ in manu poténtis : * ita fílii excussórum.

Beátus vir qui implévit desidérium suum ex ipsis : * non confundétur cum loquétur inimícis suis in porta.

Glória Patri, *etc.*

PSAUME 127

Les innombrables enfants de Marie sont invités à la table divine

Beáti omnes, qui timent Dóminum, * qui ámbulant in viis ejus.

Heureux tous ceux qui craignent le Seigneur, qui marchent dans ses voies.

Labóres mánuum tuárum quia manducábis : * beátus es, et bene tibi erit.

Vous vous nourrirez du travail de vos mains, vous êtes heureux et comblé de biens.

Uxor tua sicut vitis abúndans, * in latéribus domus tuæ.

Votre épouse est comme une vigne féconde dans l'intérieur de votre maison.

Fílii tui sicut novéllæ olivárum, * in circúitu mensæ tuæ.

Vos enfants sont comme de jeunes plants d'olivier, autour de votre table.

Ecce sic benedicétur homo, * qui timet Dóminum.

Ainsi sera béni l'homme qui craint le Seigneur.

Benedícat tibi Dóminus ex Sion : * et vídeas bona Jerúsalem ómnibus diébus vitæ tuæ.

Que le Seigneur vous bénisse de Sion ! Puissiez-vous voir Jérusalem florissante tous les jours de votre vie !

Et vídeas fílios filiórum tuórum, * pacem super Israël.

Puissiez-vous voir les enfants de vos enfants et la paix régner en Israël !

Glória Patri, *etc.*

Gloire au Père, *etc.*

Pendant l'année

Ant. Pulchra es et decóra, fília Jerúsalem : terríbilis ut castrórum ácies ordináta.

Ant. Vous êtes belle et ravissante, ô fille de Jérusalem, terrible comme une armée rangée en bataille.

CAPITULE *Eccli. 24, 19-20*

In platéis sicut cinnamómum, et bálsamum aromatízans odó-

Comme la cannelle et le baume odorant, dans les places publiques, j'ai exhalé mon parfum, et comme la myrrhe choisie, j'ai répandu une odeur suave. ℟. Grâces à Dieu.

℣. Après l'enfantement, ô Vierge, vous avez conservé votre virginité. ℟. Mère de Dieu, intercédez pour nous.

SEigneur, ayez pitié! Christ, ayez pitié! Seigneur, ayez pitié!

℣. Seigneur, exaucez ma prière. ℟. Et que mes cris arrivent jusqu'à vous.

Prions

PArdonnez, nous vous en prions, Seigneur, les fautes de vos serviteurs, afin qu'étant impuissants à vous plaire par nos actes, nous soyons sauvés par l'intercession de la Mère de votre Fils, Notre Seigneur, qui, étant Dieu, vit et règne avec vous en l'unité du Saint Esprit, dans tous les siècles des siècles. ℟. Ainsi soit-il.

℣. Seigneur, exaucez ma prière.

℟. Et que mes cris arrivent jusqu'à vous.

℣. Bénissons le Seigneur. ℟. Grâces à Dieu.

℣. Que les âmes des fidèles, par la miséricorde de Dieu, reposent en paix. ℟. Ainsi soit-il.

rem dedi : quasi myrrha elécta dedi suavitátem odóris.

℟. Deo grátias.

℣. Post partum Virgo invioláta permansísti. ℟. Dei Génitrix intercéde pro nobis.

KYrie, eléison. Christe, eléison. Kyrie, eléison.

℣. Dñe, éxaudi oratiónem meam. ℟. Et clamor meus ad te véniat.

Orémus.

FAmulórum tuórum, quæsumus Dómine, delíctis ignósce : ut qui tibi placére de áctibus nostris non valémus, Genitrícis Fílii tui Dómini nostri intercessióne salvémur : Qui tecum vivit et regnat in unitáte Spíritus Sancti Deus : per ómnia sæcula sæculórum.

℟. Amen.

℣. Domine, exáudi oratiónem meam

℟. Et clamor meus ad te véniat.

℣. Benedicámus Dómino. ℟. Deo grátias.

℣. Fidélium ánimæ per misericórdiam Dei requiéscant in pace. ℟. Amen.

Durant l'Avent

Ant. Ecce ancílla Dómini, fiat mihi secúndum verbum tuum.

Ant. Voici la servante du Seigneur, qu'il me soit fait selon votre parole.

CAPITULE *Isaie 7, 14-15*

ECce virgo concípiet, et páriet fílium, et vocábitur nomen ejus Emmánuel. Butýrum, et mel cómedet, ut sciat reprobáre malum, et elígere bonum.

℟. Deo grátias.

℣. Angelus Dómini nuntiávit Maríæ. ℟. Et concépit de Spíritu Sancto.

KYrie, eléison. Christe, eléison. Kyrie, eléison.

℣. Dómine, exáudi oratiónem meam. ℟. Et clamor meus ad te véniat.

Orémus

DEus, qui de beátæ Maríæ Vírginis útero Verbum tuum, Angelo nuntiánte, carnem suscípere voluísti : præsta supplícibus tuis, ut qui vere eam Genitrícem Dei crédimus, ejus apud te intercessiónibus adjuvémur. Per eúmdem Dóminum nostrum Jesum Christum Fílium tuum : Qui tecum vivit et regnat in unitáte Spíritus Sancti Deus, per ómnia sæcula sæculórum.

℟. Amen.

℣. Dómine, exáudi oratiónem meam. ℟. Et clamor meus ad te véniat.

VOici qu'une vierge concevra et enfantera un fils qui sera appelé Emmanuël. Il mangera du laitage et du miel, jusqu'à ce qu'il sache rejeter le mal et choisir le bien.

℟. Grâces à Dieu.

℣. L'Ange du Seigneur annonça à Marie. ℟. Et elle conçut du Saint Esprit.

SEigneur, ayez pitié ! Christ, ayez pitié ! Seigneur, ayez pitié !

℣. Seigneur, exaucez ma prière. ℟. Et que mes cris arrivent jusqu'à vous.

Prions

O Dieu, qui avez voulu que votre Verbe prît chair du sein de la bienheureuse Vierge Marie, à la parole de l'Ange, faites, nous vous en supplions, que la croyant véritablement Mère de Dieu, nous soyons secourus auprès de vous par son intercession. Par le même Notre Seigneur Jésus Christ, votre Fils, qui, étant Dieu, vit et règne avec vous en l'unité du Saint Esprit dans tous les siècles des siècles. ℟. Ainsi soit-il.

℣. Seigneur, exaucez ma prière. ℟. Et que mes cris arrivent jusqu'à vous.

℣. Bénissons le Seigneur. ℟. Grâces à Dieu.

℣. Que les âmes des fidèles, par la miséricorde de Dieu, reposent en paix. ℟. Ainsi soit-il.

℣. Benedicámus Dómino. ℟. Deo grátias.

℣. Fidélium ánimæ per misericórdiam Dei requiéscant in pace. ℟. Amen.

Après Noël

Ant. Voici que Marie nous a enfanté le Sauveur, à la vue duquel Jean s'est écrié : Voici l'Agneau de Dieu, voici celui qui ôte les péchés du monde, alléluia.

Ant. Ecce María génuit nobis Salvatórem ; quem Joánnes videns exclamávit, dicens : Ecce Agnus Dei, ecce qui tollit peccáta mundi, allelúia.

CAPITULE

COmme la cannelle et le baume odorant, dans les places publiques, j'ai exhalé mon parfum, et comme la myrrhe choisie, j'ai répandu une odeur suave.

℟. Grâces à Dieu.

℣. Après l'enfantement, ô Vierge, vous avez conservé votre virginité. ℟. Mère de Dieu, intercédez pour nous.

SEigneur, ayez pitié ! Christ, ayez pitié ! Seigneur, ayez pitié !

℣. Seigneur. exaucez ma prière. ℟. Et que mes cris arrivent jusqu'à vous.

Prions

O Dieu, qui, par la virginité féconde de la bienheureuse Marie, avez procuré au genre humain le prix du salut éternel, nous vous en prions, accordez-nous de ressentir les effets de l'intercession de celle par qui nous avons mérité de recevoir l'auteur de la vie, Notre

Eccli. 24, 19-20

IN platéis sicut cinnamómum et bálsamum aromatízans odórem dedi : quasi myrrha elécta dedi suavitátem odóris.

℟. Deo grátias.

℣. Post partum Virgo invioláta permansísti. ℟. Dei Génitrix, intercéde pro nobis.

KYrie, eléison. Christe, eléison. Kyrie, eléison.

℣. Dómine, exáudi oratiónem meam. ℟. Et clamor meus ad te véniat.

Orémus

DEus, qui salútis ætérnæ, beátæ Maríæ virginitáte fecúnda, humáno géneri præmia præstitísti : tríbue quæsumus, ut ipsam pro nobis intercédere sentiámus, per quam merúimus auctórem vitæ suscípere, Dóminum nostrum

Jesum Christum Fílium tuum : Qui tecum vivit et regnat in unitáte Spíritus Sancti Deus : per ómnia sæcula sæculórum.

℟. Amen.

℣. Dómine, exáudi oratiónem meam. ℟. Et clamor meus ad te véniat.

℣. Benedicámus Dómino. ℟. Deo grátias.

℣. Fidélium ánimæ per misericórdiam Dei requiéscant in pace. ℟. Amen.

Seigneur Jésus Christ votre Fils; qui, étant Dieu, vit et règne avec vous en l'unité du Saint Esprit, dans tous les siècles des siècles.

℟. Ainsi soit-il.

℣. Seigneur, exaucez ma prière. ℟. Et que mes cris arrivent jusqu'à vous.

℣. Bénissons le Seigneur. ℟. Grâces à Dieu.

℣. Que les âmes des fidèles, par la miséricorde de Dieu, reposent en paix. ℟. Ainsi soit-il.

A VÊPRES

Deus, ✠ in adjutórium meum inténde.

℟. Dómine, ad adjuvándum me festína.

Glória Patri, *etc.* Allelúia, *ou* Laus tibi, Dómine, Rex ætérnæ glóriæ.

O Dieu, ✠ venez à mon aide.

℟. Seigneur, hâtez-vous de me secourir.

Gloire au Père, *etc.* Alléluia. *ou* Louange à vous, Seigneur, Roi d'éternelle gloire.

Pendant l'Année

Ant. Dum esset Rex. | *Ant.* Pendant que le Roi.

Durant l'Avent

Ant. Missus est. | *Ant.* L'Ange Gabriel.

Après Noël

Ant. O admirábile commércium ! | *Ant.* O merveilleux échange!

PSAUME 109

Filiation divine et Sacerdoce éternel du Christ

Dixit Dóminus Dómino meo : * Sede a dextris meis :

Le Seigneur a dit à mon Seigneur : Asseyez-vous à ma droite

Jusqu'à ce que je fasse de vos ennemis l'escabeau de vos pieds.

Donec ponam inimícos tuos, * scabéllum pedum tuórum.

Le Seigneur étendra de Sion le sceptre de votre puissance: régnez en maître au milieu de vos ennemis.

Virgam virtútis tuæ emíttet Dóminus ex Sion : * domináre in médio inimicórum tuórum.

Avec vous sera l'empire souverain au jour où vous déploierez votre puissance au milieu des splendeurs de vos saints : De mon sein, avant l'aurore, je t'ai engendré.

Tecum princípium in die virtútis tuæ in splendóribus sanctórum : * ex útero ante lucíferum génui te.

Le Seigneur l'a juré, et il ne s'en repentira point : Tu es prêtre pour toujours selon l'ordre de Melchisédech.

Jurávit Dóminus, et non pœnitébit eum : * Tu es sacérdos in ætérnum secúndum órdinem Melchísedech.

Le Seigneur est à votre droite; il brisera les rois au jour de sa colère.

Dóminus a dextris tuis, * confrégit in die iræ suæ reges.

Il jugera les nations; il consommera la ruine du monde, et il brisera contre terre la tête d'un grand nombre.

Judicábit in natiónibus, implébit ruínas : * conquassábit cápita in terra multórum.

Il boira au torrent sur le chemin : c'est pourquoi il relèvera la tête.

De torrénte in via bibet : * proptérea exaltábit caput.

Gloire au Père, *etc.*

Glória Patri, *etc.*

Pendant l'Année

Ant. Pendant que le Roi se reposait, mon nard a exhalé une odeur suave.

Ant. Dum esset Rex in accúbitu suo, nardus mea dedit odórem suavitátis.

Ant. Sa main gauche.

Ant. Læva ejus.

Durant l'Avent

Ant. Missus est Gábriel Angelus ad Maríam Vírginem desponsátam Joseph.

Ant. Ave María.

Ant. L'Ange Gabriel fut envoyé à la Vierge Marie, épouse de Joseph.

Ant. Je vous salue, Marie.

Après Noël

Ant. O admirábile commércium ! Creátor géneris humáni, animátum corpus sumens, de Vírgine nasci dignátus est : et procédens homo sine sémine, largítus est nobis suam deitátem.

Ant. Quando natus es.

Ant. O merveilleux échange ! le Créateur du genre humain prenant un corps et une âme, a daigné naître de la Vierge : et homme sans le concours de l'homme il nous a fait part de sa divinité.

Ant. Quand vous naquîtes.

PSAUME 112

Louons Dieu, qui a regardé l'humilité de Marie pour l'élever à la dignité de Mère de Dieu et des hommes

Laudáte púeri Dóminum : * laudáte nomen Dómini.

Sit nomen Dómini benedíctum, * ex hoc nunc, et usque in sæculum.

A solis ortu usque ad occásum, * laudábile nomen Dómini.

Excélsus super omnes gentes Dóminus, * et super cælos glória ejus.

Quis sicut Dóminus Deus noster, qui in altis hábitat, * et humília réspicit in cælo et in terra?

Súscitans a terra íno-

Louez, enfants de Dieu, le Seigneur, louez le nom du Seigneur.

Que le nom du Seigneur soit béni, maintenant et à jamais !

Du lever du soleil jusqu'à son couchant, loué soit le nom du Seigneur !

Le Seigneur est élevé au-dessus de toutes les nations, et sa gloire est au-dessus des cieux.

Qui est semblable au Seigneur notre Dieu, qui habite dans les hauteurs? C'est de là qu'il regarde les plus humbles dans le ciel et sur la terre.

C'est de là qu'il soulève

de terre l'indigent, et qu'il élève le pauvre de dessus le fumier.

pem, * et de stércore érigens páuperem :

Pour le placer avec les princes, avec les princes de son peuple.

Ut cóllocet eum cum princípibus, * cum princípibus pópuli sui.

Il donne une maison à l'épouse stérile, il en fait une mère joyeuse au milieu de ses enfants.

Qui habitáre facit stérilem in domo, * matrem filiórum lætántem.

Gloire au Père, *etc.*

Glória Patri, *etc.*

Pendant l'Année

Ant. Sa main gauche sera sous ma tête, et sa main droite m'embrassera.

Ant. Læva ejus sub cápite meo, et déxtera illíus amplexábitur me.

Ant. Je suis noire.

Ant. Nigra sum.

Durant l'Avent

Ant. Je vous salue, Marie, pleine de grâce, le Seigneur est avec vous, vous êtes bénie entre les femmes, alléluia.

Ant. Ave María, grátia plena : Dóminus tecum : Benedícta tu in muliéribus, allelúia.

Ant. Ne craignez point, Marie.

Ant. Ne tímeas, María.

Après Noël

Ant. Quand vous naquîtes ineffablement d'une vierge, alors s'accomplirent les Ecritures. Comme la rosée sur la toison, vous descendîtes pour sauver le genre humain : Nous vous louons, ô notre Dieu !

Ant. Quando natus es ineffabíliter ex Vírgine, tunc implétæ sunt Scriptúræ : sicut plúvia in vellus descendísti, ut salvum fáceres genus humánum : te laudámus Deus noster.

Ant. Dans le buisson que vit.

Ant. Rubum, quem víderat.

PSAUME 121

Gloire de Jérusalem, figure de Marie

Je me suis réjoui quand on m'a dit : nous irons dans la maison du Seigneur.

Lætátus sum in his, quæ dicta sunt mihi : * In domum Dómini íbimus.

Stantes erant pedes nostri, * in átriis tuis Jerúsalem.

Nos pieds se sont fixés dans tes parvis, ô Jérusalem !

Jerúsalem, quæ ædificátur ut cívitas : * cujus participátio ejus in idípsum.

Jérusalem est bâtie comme une ville, dont toutes les parties se tiennent ensemble.

Illuc enim ascendérunt tribus, tribus Dómini : * testimónium Israël ad confiténdum nómini Dómini.

Là montent les tribus, les tribus du Seigneur, selon la loi d'Israël, pour louer le nom du Seigneur.

Quia illic sedérunt sedes in judício, * sedes super domum David.

Là sont établis des sièges pour la justice; les juges de la maison de David.

Rogáte quæ ad pacem sunt Jerúsalem : * et abundántia diligéntibus te :

Faites des vœux pour la paix de Jérusalem. Que ceux qui t'aiment soient dans l'abondance.

Fiat pax in virtúte tua : * et abundántia in túrribus tuis.

Que la paix règne dans tes remparts, et l'abondance dans tes forteresses.

Propter fratres meos, et próximos meos, * loquébar pacem de te :

A cause de mes frères et de mes amis, j'ai appelé sur toi la paix.

Propter domum Dómini Dei nostri, * quæsívi bona tibi.

A cause de la maison du Seigneur notre Dieu, j'ai demandé pour toi tous les biens.

Glória Patri, *etc.*

Gloire au Père, *etc.*

Pendant l'Année

Ant. Nigra sum, sed formósa, fíliæ Jerúsalem : ídeo diléxit me Rex, et introdúxit me in cubículum suum.

Ant. Je suis noire, mais je suis belle, ô filles de Jérusalem : c'est pourquoi le Roi m'a aimée et m'a choisie pour Epouse.

Ant. Jam hiems tránsiit.

Ant. Voici que l'hiver est fini.

Durant l'Avent

Ant. Ne craignez point, Marie, vous avez trouvé grâce devant le Seigneur : voici que que vous concevrez et enfanterez un Fils, alléluia.

Ant. Le Seigneur lui donnera.

Ant. Ne tímeas María, invenísti grátiam apud Dóminum : ecce concípies, et páries fílium, allelúia.

Ant. Dabit ei Dóminus.

Après Noël

Ant. Le buisson enflammé, mais non consumé qui apparut à Moïse, nous l'avons reconnu dans votre virginité admirablement conservée. Mère de Dieu, intercédez pour nous.

Ant. La tige de Jessé.

Ant. Rubum quem víderat Móyses incombústum, conservátam agnóvimus tuam laudábilem virginitátem : Dei Génitrix intercéde pro nobis.

Ant. Germinávit radix Jesse.

PSAUME 126

Marie est la Maison bâtie par Dieu : elle est Mère d'une innombrable postérité

Si le Seigneur ne bâtit la maison, c'est en vain que travaillent ceux qui la bâtissent.

Si le Seigneur ne garde pas la cité, c'est en vain que le gardien veille.

C'est en vain que vous vous levez avant le jour : levez-vous après avoir pris votre repos, vous qui mangez le pain de la douleur.

Car Dieu donne le sommeil à ses bien aimés. Des enfants sont un héritage du Seigneur, la postérité est une récompense.

Comme les flèches dans

Nisi Dóminus ædificáverit domum, * in vanum laboravérunt qui ædíficant eam.

Nisi Dóminus custodíerit civitátem, frustra vígilat qui custódit eam.

Vanum est vobis ante lucem súrgere : * súrgite postquam sedéritis, qui manducátis panem dolóris.

Cum déderit diléctis suis somnum : * ecce heréditas Dómini fílii : merces, fructus ventris.

Sicut sagíttæ in manu

potèntis : * ita fílii excussórum.

la main d'un guerrier, ainsi sont les enfants des persécutés.

Beátus vir qui implévit desidérium suum ex ipsis : * non confundétur cum loquétur inimícis suis in porta.

Heureux l'homme dont les nombreux enfants comblent les vœux, il ne sera point confondu quand il répondra à ses ennemis à la porte de la ville.

Glória Patri, *etc.*

Gloire au Père, *etc.*

Pendant l'Année.

Ant. Jam hiems tránsiit, imber ábiit, et recéssit : surge amíca mea, et veni.

Ant. Speciósa facta es.

Ant. Voici que l'hiver est fini; la pluie a cessé, elle a disparu : levez-vous, ma bien aimée, et venez.

Ant. Vous êtes belle.

Durant l'Avent

Ant. Dabit ei Dóminus sedem David patris ejus, et regnábit in ætérnum.

Ant. Ecce ancílla Dómini.

Ant. Le Seigneur lui donnera le trône de David, son père, et il régnera éternellement.

Ant. Voici la servante du Seigneur.

Après Noël

Ant. Germinávit radix Jesse : orta est stella ex Jacob : Virgo péperit Salvatórem : te laudámus Deus noster.

Ant. Ecce María.

Ant. La tige de Jessé a fleuri, l'étoile est sortie de Jacob : la Vierge a enfanté le Sauveur. Nous vous louons, ô notre Dieu.

Ant. Voici que Marie.

PSAUME 147

Jérusalem, c'est Marie; Dieu bénit ses enfants et les rassasie de la fleur du froment : l'Eucharistie

LAuda Jerúsalem Dóminum : * lauda Deum tuum Sion.

Quóniam confortávit seras portárum tuá-

JÉrusalem, loue le Seigneur : Sion, célèbre ton Dieu.

Il a consolidé les verrous de tes portes; il bénit tes enfants dans tes murs.

Il assure la paix à tes frontières, il te rassasie de la fleur du froment.

Il envoie ses ordres à la terre : sa parole court avec vitesse.

Il fait tomber la neige comme une blanche toison : il répand le givre comme de la cendre.

Il jette ses glaces par monceaux : qui pourra soutenir la rigueur de ses frimas ?

Cependant il ordonne, et les glaces se fondent ; son vent souffle et les eaux recommencent à couler.

C'est lui qui a révélé sa parole à Jacob, ses lois et ses préceptes à Israël.

Il n'a pas agi de même pour les autres nations, et il ne leur a point manifesté ses préceptes.

Gloire au Père, *etc.*

rum : * benedíxit fíliis tuis in te.

Qui pósuit fines tuos pacem : * et ádipe fruménti sátiat te.

Qui emíttit elóquium suum terræ : * velóciter currit sermo ejus.

Qui dat nivem sicut lanam : * nébulam sicut cínerem spargit,

Mittit crystállum suam sicut buccéllas : * ante fáciem frigóris ejus quis sustinébit ?

Emíttet verbum suum, et liquefáciet ea : * flabit spíritus ejus, et fluent aquæ.

Qui annúntiat verbum suum Jacob : * justítias, et judícia sua Israël.

Non fecit táliter omni natióni : * et judícia sua non manifestávit eis.

Glória Patri, *etc.*

Pendant l'année.

Ant. Vous êtes belle et ravissante par vos charmes célestes, ô sainte Mère de Dieu.

Ant. Speciósa facta es et suávis in delíciis tuis, sancta Dei Génitrix.

Durant l'Avent.

Ant. Voici la servante du Seigneur, qu'il me soit fait selon votre parole.

Ant. Ecce ancílla Dómini, fiat mihi secúndum verbum tuum.

Après Noël

Ant. Ecce María génuit nobis Salvatórem, quem Joánnes videns exclamávit, dicens : Ecce Agnus Dei, ecce qui tollit peccáta mundi, allelúia.

Ant. Voici que Marie nous a enfanté le Sauveur, à la vue duquel Jean s'est écrié : Voici l'Agneau de Dieu, voici celui qui ôte les péchés du monde, alléluia.

Pendant l'Année et après Noël

CAPITULE *Eccli. 24, 14*

AB inítio, et ante sǽcula creáta sum, et usque ad futúrum sǽculum non désinam, et in habitatióne sancta coram ipsos ministrávi.
℟. Deo grátias.

DÈS le commencement et avant les siècles, j'ai été créée et jusqu'à l'éternité je ne cesserai pas d'exister ; dans le Tabernacle saint j'ai servi en sa présence. ℟. Grâces à Dieu.

Durant l'Avent

CAPITULE *Isaïe 11, 1-2*

EGrediétur virga de radíce Jesse, et flos de radíce ejus ascéndet. Et requiéscet super eum Spíritus Dómini. ℟. Deo grátias.

IL sortira un rejeton de la tige de Jessé, et une fleur s'élèvera de sa souche, et l'Esprit du Seigneur reposera en lui.
℟. Grâces à Dieu.

HYMNE

La 1re strophe se dit à genoux

AVe, maris stella,
Dei Mater alma,
Atque semper virgo,
Felix cæli porta.

Sumens illud Ave
Gabriélis ore,
Funda nos in pace,
Mutans Hevæ nomen.

SAlut, Étoile de la mer
O auguste Mère de Dieu,
Toi, qui toujours demeuras Vierge,
O heureuse porte du ciel.

En agréant le bel *Ave*
De l'Archange Saint Gabriel,
Etablis-nous tous dans la paix,
En transformant le nom d'*Eva*.

Brise les chaînes des coupables, [gles,
Redonne la vue aux aveu-
Ecarte de nous tous les maux, [les biens.
Implore pour nous tous
Montre-toi vraiment notre Mère, [vœux,
Qu'il reçoive par toi nos
Celuiqui,incarnépournous,
A daigné devenir ton Fils.

O Vierge unique, incomparable, [douce,
Entre les Vierges la plus
Fais qu'étant absous de nos fautes [et chastes.
Nous soyons toujours doux

Fais que notre vie soit pure, [sûre
Et que notre route soit
Afin qu'au ciel, voyant Jésus, [sans fin.
Nous goûtions son bonheur

Louange soit à Dieu le Père, [Roi,
Gloire soit au Christ notre
Pareil hommage au Saint-Esprit [honneur.
Aux trois, un seul et même
Ainsi soit-il.

℣. La grâce est répandue sur vos lèvres. ℟. C'est pourquoi Dieu vous a bénie pour l'éternité.

Solve vincla reis,
Profer lumen cæcis,
Mala nostra pelle,
Bona cuncta posce.

[trem,
Monstra te esse ma-
Sumat per te preces,
Qui pro nobis natus,
Tulit esse tuus.

Virgo singuláris,
Inter omnes mitis,
Nos culpis solútos
Mites fac et castos.

Vitam præsta puram,
Iter para tutum,
Ut vidéntes Jesum
Semper collætémur.

Sit laus Deo Patri,
Summo Christo decus,
Spirítui Sancto,
Tribus honor unus.
Amen.

℣. Diffúsa est grátia in lábiis tuis. ℟. Proptérea benedíxit te Deus in ætérnum.

Pendant l'Année

Ant. Heureuse Mère. | *Ant.* Beáta Mater.

Au temps Pascal

Ant. Reine du ciel. | *Ant.* Regína cæli.

Durant l'Avent

Ant. Spíritus Sanctus. | *Ant.* Le saint Esprit.

Après Noël

Ant. Magnum hereditátis mystérium. | *Ant.* Grand mystère.

CANTIQUE DE LA Ste VIERGE *Luc 1, 46-55*

Marie célèbre les merveilles que Dieu a accomplies en elle, ses bienfaits envers les humbles et sa miséricorde sur Israël (l'Eglise).

Magníficat ✠ * ánima mea Dóminum :
Et exsultávit spíritus meus * in Deo salutári meo.
Quia respéxit humilitátem ancíllæ suæ : * ecce enim ex hoc beátam me dicent omnes generatiónes.
Quia fecit mihi magna qui potens est : * et sanctum nomen ejus.

Et misericórdia ejus a progénie in progénies * timéntibus eum.
Fecit poténtiam in bráchio suo : * dispérsit supérbos mente cordis sui.

Depósuit poténtes de sede, * et exaltávit húmiles.
Esuriéntes implévit bonis : * et dívites dimísit inánes.

Mon âme ✠ glorifie le Seigneur :
Et mon esprit tressaille de joie en Dieu mon Sauveur,
Parce qu'il a regardé la bassesse de sa servante. Car désormais toutes les générations me diront bienheureuse,
Parce que le Tout Puissant a fait en moi de grandes choses, et son nom est saint.
Sa miséricorde se répand d'âge en âge sur ceux qui le craignent.
Il a déployé la force de son bras : il a dispersé ceux qui s'enorgueillissaient dans les pensées de leur cœur.
Il a renversé les puissants de leur trône, et il a élevé les humbles.
Il a comblé de biens les affamés, et renvoyé les riches les mains vides.

Il a pris soin d'Israël, son serviteur, se ressouvenant de sa miséricorde.

Comme il l'avait promis à nos pères, à Abraham, et à sa race, pour toujours.

Gloire au Père, et au Fils, et au Saint Esprit.

Comme au commencement, maintenant et toujours, et dans les siècles des siècles. Ainsi soit-il

Suscépit Israël púerum suum, * recordátus misericórdiæ suæ.

Sicut locútus est ad patres nostros, * Abraham, et sémini ejus in sǽcula.

Glória Patri, et Fílio, * et Spirítui sancto.

Sicut erat in princípio et nunc, et semper : * et in sǽcula sæculórum. Amen. Allelúia.

Pendant l'Année

Ant. Heureuse Mère, demeurée Vierge, glorieuse Reine du Monde, intercédez pour nous auprès du Seigneur.

Ant. Beáta Mater, et intácta Virgo, gloriósa Regína mundi, intercéde pro nobis ad Dóminum.

Au temps Pascal

Ant. Reine du ciel, réjouissez-vous, alléluia : car celui que vous avez mérité de porter, alléluia : est ressuscité comme il l'a dit, alléluia : priez Dieu pour nous, alléluia.

Seigneur, ayez pitié ! Christ, ayez pitié ! Seigneur, ayez pitié !

℣. Seigneur, exaucez ma prière.

℟. Et que mes cris arrivent jusqu'à vous.

Prions

Accordez, nous vous en prions, Seigneur Dieu, à nous vos serviteurs, de

Ant. Regína cæli lætáre, allelúia : quia quem meruísti portáre, allelúia : resurréxit sicut dixit, allelúia : ora pro nobis Deum, allelúia.

Kyrie, eléison. Christe, eléison. Kyrie, eléison.

℣. Dómine, exáudi oratiónem meam.

℟. Et clamor meus ad te véniat.

Orémus

Concéde nos fámulos tuos, quæsumus, Dómine Deus, perpétua

mentis et córporis sanitáte gaudére: et gloriósa beátæ Maríæ semper Vírginis intercessióne, a præsénti liberári tristítia, et ætérna pérfrui lætítia. Per Dóminum nostrum Jesum Christum Fílium tuum : Qui tecum vivit et regnat in unitáte Spíritus Sancti, Deus, per ómnia sæcula sæculórum.

℟. Amen.
℣. Dómine, exáudi oratiónem meam.
℟. Et clamor meus ad te véniat.
℣. Benedicámus Dómino.
℟. Deo grátias.
℣. Fidélium ánimæ per misericórdiam Dei requiéscant in pace.
℟. Amen.

jouir toujours de la santé de l'âme et du corps ; et par l'intercession de la bienheureuse Marie toujours vierge, d'être délivrés des tristesses du temps présent, et de goûter les joies de l'éternité. Par Notre Seigneur Jésus Christ votre Fils, qui, étant Dieu, vit et règne avec vous en l'unité du Saint Esprit, dans tous les siècles des siècles.

℟. Ainsi soit-il.
℣. Seigneur, exaucez ma prière.
℟. Et que mes cris arrivent jusqu'à vous.
℣. Bénissons le Seigneur.
℟. Grâces à Dieu.
℣. Que les âmes des fidèles, par la miséricorde de Dieu, reposent en paix.
℟. Ainsi soit-il.

Durant l'Avent

Ant. Spíritus Sanctus in te descéndet, María : ne tímeas, habébis in útero Fílium Dei, allelúia.

KYrie, eléison. Christe, eléison. Kyrie, eléison.
℣. Dómine, exáudi oratiónem meam.
℟. Et clamor meus ad te véniat.

Ant. Le Saint Esprit surviendra en vous, ô Marie, ne craignez point : vous aurez dans votre sein le Fils de Dieu, alléluia.

SEigneur, ayez pitié! Christ, ayez pitié! Seigneur, ayez pitié!
℣. Seigneur, exaucez ma prière.
℟. Et que mes cris arrivent jusqu'à vous.

Prions

O Dieu, qui avez voulu que votre Verbe prît chair du sein de la bienheureuse Vierge Marie à la parole de l'Ange, faites, nous vous en supplions, que la croyant véritablement Mère de Dieu, nous soyons secourus près de vous par son intercession. Par le même Notre Seigneur Jésus Christ votre Fils, qui, étant Dieu, vit et règne avec vous en l'unité du Saint Esprit dans tous les siècles des siècles. ℟. Ainsi soit-il.

℣. Seigneur, exaucez ma prière.

℟. Et que mes cris parviennent jusqu'à vous.

℣. Bénissons le Seigneur.

℟. Grâces à Dieu.

℣. Que les âmes des fidèles, par la miséricorde de Dieu, reposent en paix.

℟. Ainsi soit-il.

Orémus

DEus, qui de beátæ Maríæ Vírginis útero Verbum tuum, Angelo nuntiánte, carnem suscípere voluísti : præsta supplícibus tuis, ut qui vere eam Genitrícem Dei crédimus, ejus apud te intercessiónibus adjuvémur. Per eúmdem Dóminum nostrum Jesum Christum Fílium tuum, qui tecum vivit et regnat in unitáte Spíritus Sancti Deus, per ómnia sǽcula sæculórum. ℟. Amen.

℣. Dómine, exáudi oratiónem meam.

℟. Et clamor meus ad te véniat.

℣. Benedicámus Dómino.

℟. Deo grátias.

℣. Fidélium ánimæ per misericórdiam Dei requiéscant in pace.

℟. Amen.

Après Noël

Ant. O ineffable mystère de notre héritage ! le sein d'une Vierge est devenu le temple de Dieu : il ne s'est point souillé en s'incarnant en elle : toutes les nations viendront et diront : Gloire à vous, Seigneur.

SEigneur, ayez pitié! Christ, ayez pitié ! Seigneur, ayez pitié !

℣. Seigneur, exaucez ma prière.

Ant. Magnum hereditátis mystérium : templum Dei factus est úterus nesciéntis virum : non est pollútus ex ea carnem assúmens : omnes gentes vénient dicéntes : Glória tibi Dómine.

KYrie, eléison. Christe, eléison. Kyrie, eléison.

℣. Dómine, exáudi oratiónem meam.

℟. Et clamor meus ad te véniat.

Orémus

DEus, qui salútis ætérnæ, beátæ Maríæ virginitáte fecúnda, humáno géneri prǽmia præstitísti : tríbue, quǽsumus, ut ipsam pro nobis intercédere sentiámus, per quam merúimus auctórem vitæ suscípere, Dóminum nostrum Jesum Christum Fílium tuum : Qui tecum vivit et regnat in unitáte Spíritus Sancti Deus, per ómnia sǽcula sæculórum.

℟. Amen.

℣. Dómine, exáudi oratiónem meam.

℟. Et clamor meus ad te véniat.

℣. Benedicámus Dómino.

℟. Deo grátias.

℣. Fidélium ánimæ per misericórdiam Dei requiéscant in pace.

℟. Amen.

℟. Et que mes cris arrivent jusqu'à vous.

Prions

O Dieu, qui par la virginité féconde de la bienheureuse Vierge Marie, avez procuré au genre humain le prix du salut éternel, nous vous en prions, accordez-nous de ressentir les effets de l'intercession de celle par qui nous avons mérité de recevoir l'auteur de la vie, Notre Seigneur Jésus Christ, votre Fils, qui, étant Dieu, vit et règne avec vous en l'unité du Saint Esprit, dans tous les siècles des siècles.

℟. Ainsi soit-il.

℣. Seigneur, exaucez ma prière.

℟. Et que mes cris arrivent jusqu'à vous.

℣. Bénissons le Seigneur.

℟. Grâces à Dieu.

℣. Que les âmes des fidèles, par la miséricorde de Dieu, reposent en paix.

℟. Ainsi soit-il.

A COMPLIES

Convertissez-nous, ✠ ô Dieu notre sauveur. ℟. Et détournez de nous votre colère.

℣. O Dieu, ✠ venez à mon aide. ℟. Seigneur, hâtez-vous de me secourir.

Gloire au Père, *etc.* Alléluia. *ou* Louange à vous, Seigneur, Roi d'éternelle gloire.

Convérte ✠ nos, Deus salutáris noster. ℟. Et avérte iram tuam a nobis.

℣. Deus, ✠ in adjutórium meum inténde. ℟. Dómine ad adjuvándum me festína.

Glória Patri, *etc.* Allelúia. *ou* Laus tibi Dómine, Rex ætérnæ glóriæ.

PSAUME 128

Dieu fait triompher (Israël) l'âme fidèle, de tous ses ennemis, dont la ruine totale est prédite

Ils m'ont souvent opprimé depuis ma jeunesse, Israël peut le dire maintenant.

Ils m'ont souvent opprimé depuis ma jeunesse : mais ils n'ont pas prévalu contre moi.

Les pécheurs ont forgé sur mon dos : ils ont prolongé leur iniquité.

Le Seigneur, qui est juste, a abattu l'orgueil des pécheurs. Qu'ils soient confondus, et qu'ils reculent au loin, tous ceux qui haïssent Sion.

Qu'ils soient comme

Sæpe expugnavérunt me a juventúte mea :* dicat nunc Israël.

Sæpe expugnavérunt me a juventúte mea : * étenim non potuérunt mihi.

Supra dorsum meum fabricavérunt peccatóres : * prolongavérunt iniquitátem suam.

Dóminus justus concídit cervíces peccatórum : * confundántur, et convertántur retrórsum omnes, qui odérunt Sion.

Fiant sicut fœnum

tectórum : * quod priúsquam evellátur, exáruit :

l'herbe des toits, qui sèche avant qu'on l'arrache !

De quo non implévit manum suam qui metit : * et sinum suum qui manípulos cólligit.

Le moissonneur n'en remplit pas sa main, ni celui qui lie les gerbes, son sein ;

Et non dixérunt qui præteríbant : Benedíctio Dómini super vos : * benedíximus vobis in nómine Dómini.

Et les passants ne disent pas : Que la bénédiction du Seigneur soit sur vous ! Nous vous bénissons au nom du Seigneur.

Glória Patri, *etc.*

Gloire au Père, *etc.*

PSAUME 129

Demandons le pardon de nos péchés

De profúndis clamávi ad te Dómine : Dómine exáudi vocem meam :

Du fond des abîmes je crie vers vous, Seigneur : Seigneur, écoutez ma voix.

Fiant aures tuæ intendéntes, * in vocem deprecatiónis meæ.

Que vos oreilles soient attentives aux accents de ma prière !

Si iniquitátes observáveris Dómine : * Dómine quis sustinébit?

Si vous prenez garde, Seigneur, à l'iniquité, qui pourra, Seigneur, subsister devant vous?

Quia apud te propitiátio est : * et propter legem tuam sustínui te Dómine.

Mais auprès de vous est le pardon, et à cause de votre loi, je vous attends, Seigneur.

Sustínuit ánima mea in verbo ejus : * sperávit ánima mea in Dómino.

Mon âme attend confiante en votre parole; mon âme a mis son espoir dans le Seigneur.

A custódia matutína usque ad noctem : * speret Israël in Dómino.

Depuis la pointe du jour jusqu'à la nuit, qu'Israël espère dans le Seigneur.

Quia apud Dóminum misericórdia : * et co-

Car auprès du Seigneur est la miséricorde, auprès

de lui une surabondante rédemption.

C'est lui qui rachètera Israël de toutes ses iniquités.

Gloire au Père, *etc.*

piósa apud eum redémptio.

Et ipse rédimet Israël, * ex ómnibus iniquitátibus ejus.

Glória Patri, *etc.*

PSAUME 130

Humilité et abandon à Dieu

Seigneur, mon cœur ne s'est pas enorgueilli, et mes yeux ne se sont point portés en haut.

Je n'ai point recherché les grandes choses, ni ce qui est élevé au-dessus de moi.

Si je n'ai pas d'humbles sentiments, si au contraire je me suis livré à l'orgueil,

Que mon âme soit traitée comme l'enfant qu'on vient de sevrer du sein de sa mère.

Qu'Israël espère dans le Seigneur, maintenant et toujours.

Gloire au Père, *etc.*

Domine, non est exaltátum cor meum : * neque eláti sunt óculi mei.

Neque ambulávi in magnis : * neque in mirabílibus super me.

Si non humíliter sentiébam : * sed exaltávi ánimam meam :

Sicut ablactátus est super matre sua, * ita retribútio in ánima mea.

Speret Israël in Dómino, * ex hoc nunc et usque in sæculum.

Glória Patri, *etc.*

HYMNE

Souviens-toi Créateur du monde, [as pris,
Qu'un jour en naissant tu
Dans le sein béni de la Vierge
Un corps au nôtre tout semblable.

O Marie, Mère de grâce,
Mère si douce et si clémente,

Meménto rerum Cónditor,
Nostri quod olim córporis,
Sacráta ab alvo Vírginis
Nascéndo, formam súmpseris.

María Mater grátiæ,
Dulcis parens cleméntiæ

Tu nos ab hoste prótege,
Et mortis hora súscipe.
Jesu, tibi sit glória.
Qui natus es de Vírgine,
Cum Patre, et almo Spíritu
In sempitérna sǽcula.
Amen.

Contre l'ennemi défends-nous,
Et à notre mort reçois-[nous.
Jésus, qui es né de la Vierge,
Gloire éternelle soit à toi
Avec le Père et l'Esprit-Saint.
Durant toute l'éternité.
Ainsi soit-il.

Pendant l'Année

CAPITULE *Eccli. 24, 24*

EGO Mater pulchræ dilectiónis, et timóris, et agnitiónis, et sanctæ spei.

℟. Deo grátias.

℣. Ora pro nobis, sancta Dei Génitrix. ℟. Ut digni efficiámur promissiónibus Christi.

JE suis la Mère du bel amour, et de la crainte, et de la science, et de la sainte espérance.

℟. Grâces à Dieu.

℣. Priez pour nous, sainte Mère de Dieu. ℟. Afin que nous devenions dignes des promesses de Jésus Christ.

Durant l'Avent

CAPITULE *Is, 7, 14-15*

ECce virgo concípiet, et páriet Fílium, et vocábitur nomen ejus Emmánuel. Butýrum, et mel cómedet, ut sciat reprobáre malum, et elígere bonum. ℟. Deo grátias.

℣. Angelus Dómini nuntiávit Maríæ. ℟. Et concépit de Spíritu Sancto.

VOici qu'une vierge concevra et enfantera un fils qui sera appelé Emmanuel. Il mangera du laitage et du miel, jusqu'à ce qu'il sache éprouver le mal et choisir le bien. ℟. Grâces à Dieu.

℣. L'Ange du Seigneur annonça à Marie. ℟. Et elle conçut du Saint Esprit.

Après Noël

CAPITULE *Eccli. 24, 24*

EGO Mater pulchræ dilectiónis, et timóris, et agnitiónis, et sanctæ spei.

℟. Deo grátias.

JE suis la Mère du bel amour, et de la crainte, et de la science, et de la sainte espérance.

℟. Rendons grâces à Dieu.

℣. Priez pour nous, sainte Mère de Dieu. ℟. Afin que nous devenions dignes des promesses de Jésus Christ.

℣. Ora pro nobis, sancta Dei Génitrix. ℟. Ut digni efficiámur promissiónibus Christi.

Pendant l'Année

Ant C'est sous votre protection.

Ant. Sub tuum præsídium.

Au temps Pascal

Ant. Reine du ciel.

Ant. Regína cæli.

Durant l'Avent

Ant. Le Saint Esprit.

Ant. Spíritus Sanctus.

Après Noël

Ant. O ineffable mystère de notre héritage!

Ant. Magnum hereditátis mystérium.

CANTIQUE DE SIMÉON — *Luc 2, 29-32*

Avant la fin du jour, saluons le Sauveur, la vraie Lumière du monde.

C'EST maintenant, ✠ Seigneur, que selon votre parole, vous laisserez votre serviteur s'en aller en paix.

Car mes yeux ont vu le Sauveur,

Que vous avez préparé devant tous les peuples,

Pour être la lumière qui éclairera les nations, et la gloire d'Israël votre peuple.

Gloire au Père, *etc.*

NUNC dimíttis ✠ servum tuum Dómine, * secúndum verbum tuum in pace :

Quia vidérunt óculi mei * salutáre tuum,

Quod parásti * ante fáciem ómnium populórum.

Lumen ad revelatiónem géntium, * et glóriam plebis tuæ Israël.

Glória Patri, *etc.*

Pendant l'Année

Ant. Nous nous réfugions sous votre protection, ô sainte Mère de Dieu : ne rejetez pas nos

Ant. Sub tuum præsídium confúgimus sancta Dei Génitrix : nostras deprecatiónes ne despícias in necessitátibus, sed a perículis cunctis líbera nos semper Virgo gloriósa et benedícta.

prières dans nos besoins : mais délivrez-nous toujours de tous les dangers, ô Vierge glorieuse et bénie.

Au temps pascal

Ant. Regína cæli, lætáre, allelúia : quia quem meruísti portáre, allelúia : resurréxit sicut dixit, allelúia : ora pro nobis Deum, allelúia.

Ant. Reine du ciel, réjouissez-vous, alléluia. Car celui que vous avez mérité de porter, alléluia : est ressuscité comme il l'a dit, alléluia : priez Dieu pour nous, alléluia.

Kyrie, eléison. Christe, eléison. Kyrie eléison.

Seigneur, ayez pitié ! Christ, ayez pitié ! Seigneur, ayez pitié !

℣. Dómine, exáudi oratiónem meam. ℟. Et clamor meus ad te véniat.

℣. Seigneur, exaucez ma prière. ℟. Et que mes cris arrivent jusqu'à vous.

Orémus

Prions

Beátæ et gloriósæ semper vírginis Maríæ quæsumus Dómine, intercéssio gloriósa nos prótegat : et ad vitam perdúcat ætérnam. Per Dóminum nostrum Jesum Christum Fílium tuum : Qui tecum vivit et regnat in unitáte Spíritus Sancti Deus, per ómnia sæcula sæculórum. ℟. Amen.

Que l'intercession glorieuse de la bienheureuse Marie toujours vierge, nous vous en prions, Seigneur, nous protège et nous conduise à la vie éternelle. Par Notre Seigneur Jésus Christ votre Fils, qui, étant Dieu, vit et règne avec vous dans l'unité du Saint Esprit, dans tous les siècles des siècles.

℟. Ainsi soit-il.

℣. Dómine, exáudi oratiónem meam. ℟. Et clamor meus ad te véniat.

℣. Seigneur, exaucez ma prière. ℟. Et que mes cris arrivent jusqu'à vous.

℣. Benedicámus Dómino. ℟. Deo grátias.

℣. Bénissons le Seigneur. ℟. Grâces à Dieu.

Bénédiction. Que le Seigneur tout puissant et miséricordieux, ✠ Père, Fils, et Saint Esprit, nous bénisse et nous conserve.

℟. Ainsi soit-il.

Benédiction. Benedícat et custódiat nos omnípotens et miséricors Dóminus, ✠ Pater, et Fílius et Spíritus Sanctus.

℟. Amen.

Durant l'Avent

Ant. Le Saint Esprit surviendra en vous, ô Marie, ne craignez point, vous aurez dans votre sein le Fils de Dieu, alléluia.

Ant. Spíritus Sanctus in te descéndet María : ne tímeas, habébis in útero Fílium Dei, allelúia.

SEigneur, ayez pitié ! Christ, ayez pitié ! Seigneur, ayez pitié !

KYrie, eléison. Christe eléison. Kyrie, eléison.

℣. Seigneur, exaucez ma prière. ℟. Et que mes cris arrivent jusqu'à vous.

℣. Dómine, exáudi oratiónem meam. ℟. Et clamor meus ad te véniat.

Prions

O Dieu, qui avez voulu que votre Verbe prît chair du sein de la bienheureuse Vierge Marie à la parole de l'Ange, faites, nous vous en supplions, que la croyant véritablement Mère de Dieu, nous soyons secourus auprès de vous par son intercession. Par le même Jésus Christ votre Fils, Notre Seigneur, qui, étant Dieu, vit et règne avec vous en l'unité du Saint Esprit, dans tous les siècles des siècles.

℟. Ainsi soit-il.

℣. Seigneur, exaucez ma prière. ℟. Et que mes cris arrivent jusqu'à vous.

℣. Bénissons le Seigneur. ℟. Grâces à Dieu.

Orémus

DEus, qui de beátæ Maríæ Vírginis útero Verbum tuum, Angelo nuntiánte, carnem suscípere voluísti : præsta supplícibus tuis, ut qui vere eam Genitrícem Dei crédimus, ejus apud te intercessiónibus adjuvémur. Per eúmdem Dóminum nostrum Jesum Christum Fílium tuum : Qui tecum vivit et regnat in unitáte Spíritus Sancti Deus per ómnia sæcula sæculórum.

℟. Amen.

℣. Dómine, exáudi oratiónem meam. ℟. Et clamor meus ad te véniat.

℣. Benedicámus Dómino. ℟. Deo grátias.

Bénédiction. Benedícat et custódiat nos omnípotens et misericors Dóminus, ✠ Pater, et Fílius, et Spíritus Sanctus.

℟. Amen.

Bénédiction. Que le Seigneur tout puissant et miséricordieux, ✠ Père, Fils, et Saint Esprit, nous bénisse et nous conserve.

℟. Ainsi soit-il.

Après Noël

Ant. Magnum hereditátis mystérium : templum Dei factus est úterus nesciéntis virum : non est pollútus ex ea carnem assúmens : omnes gentes vénient dicéntes : Glória tibi Dómine.

Kyrie, eléison. Christe, eléison. Kyrie, eléison.

℣. Dómine, exáudi oratiónem meam. ℟. Et clamor meus ad te véniat.

Orémus

Deus, qui salútis ætérnæ, beátæ Maríæ virginitáte fecúnda, humáno géneri præmia præstitísti : tríbue quæsumus, ut ipsam pro nobis intercédere sentiámus, per quam merúimus auctórem vitæ suscípere, Dóminum nostrum Jesum Christum Fílium tuum : Qui tecum vivit et regnat in unitáte Spíritus Sancti Deus, per ómnia sæcula sæculórum.

℟. Amen.

℣. Dómine exáudi oratiónem meam. ℟. Et clamor meus ad te véniat.

℣. Benedicámus Dómino. ℟. Deo grátias.

Ant. O ineffable mystère de notre héritage ! le sein d'une Vierge est devenu le temple de Dieu ; il ne s'est point souillé en s'incarnant en elle : toutes les nations viendront et diront : Gloire à vous, Seigneur.

Seigneur, ayez pitié ! Christ, ayez pitié ! Seigneur, ayez pitié !

℣. Seigneur, exaucez ma prière. ℟. Et que mes cris arrivent jusqu'à vous.

Prions

O Dieu, qui, par la virginité féconde de la bienheureuse Marie, avez procuré au genre humain le prix du salut éternel, accordez-nous, nous vous en prions, de ressentir les effets de l'intercession de celle par qui nous avons mérité de recevoir l'auteur de la vie, Notre Seigneur Jésus Christ votre Fils, qui, étant Dieu, vit et règne avec vous en l'unité du Saint Esprit, dans tous les siècles des siècles.

℟. Ainsi soit-il.

℣. Seigneur, exaucez ma prière. ℟. Et que mes cris arrivent jusqu'à vous.

℣. Bénissons le Seigneur. ℟. Grâces à Dieu.

Bénédiction. Que le Seigneur tout puissant et miséricordieux, ✠ Père, Fils et Saint Esprit, nous bénisse et nous conserve.
℟. Ainsi soit-il.

Bénédiction. Benedícat et custódiat nos omnípotens et miséricors Dóminus, ✠ Pater, et Fílius, et Spíritus Sanctus.
℟. Amen.

On ne dit pas Fidélium ánimæ, (Que les âmes des fidèles,) *mais on récite une des Antiennes de la Sainte Vierge selon le temps, avec le* ℣. *et l'Oraison. Puis on dit le* ℣. Divínum auxílium, (Que le secours divin), *etc. La récitation de l'Antienne finale après l'Office est enrichie d'une indulgence de trois ans; de plus, l'Eglise a accordé à tous ceux qui la récitent dévotement après l'Office la rémission de toutes les fautes qu'ils auraient commises par fragilité humaine en le récitant (Décret de la Sacrée Congrégation des Rites du 23 mars 1955).*

ANTIENNES FINALES DE LA Ste VIERGE

Depuis les Complies du Samedi avant le 1er Dimanche de l'Avent, jusqu'aux Complies du 2 Février inclusivement.

Mère du Rédempteur, Porte ouverte du ciel,

Etoile de la mer, qui veilles sur ton peuple,

Relève-le tombé, toi qui as enfanté,

Prodige merveilleux, Jésus ton Créateur,

Vierge avant comme après; recevant le salut

De l'Ange Gabriel, prie pour les pécheurs.

Alma Redemptóris Mater, quæ pérvia cæli

Porta manes, et stella maris, succúrre cadénti,

Súrgere qui curat, pópulo : tu quæ genuísti,

Natúra miránte, tuum sanctum genitórem,

Virgo prius ac postérius, Gabriélis ab ore

Sumens illud Ave, peccatórum miserére.

℣. Angelus Dómini nuntiávit Maríæ. ℟. Et concépit de Spíritu Sancto.

Orémus

Grátiam tuam quæsumus Dómine, méntibus nostris infúnde : ut qui, Angelo nuntiánte, Christi Fílii tui incarnatiónem cognóvimus, per passiónem ejus et crucem ad resurrectiónis glóriam perducámur. Per eúmdem Christum Dóminum nostrum. ℟. Amen.

℣. Divínum auxílium máneat semper nobíscum. ℟. Amen.

℣. L'Ange du Seigneur annonça à Marie. ℟. Et elle conçut du Saint Esprit.

Prions

Répandez, Seigneur, nous vous en prions, votre grâce dans nos âmes, afin qu'ayant connu, par le message de l'Ange, l'incarnation du Christ votre Fils, nous arrivions, par sa passion et sa croix, à la gloire de la résurrection. Par le même Jésus Christ Notre Seigneur.

℟. Ainsi soit-il.

℣. Que le secours divin demeure toujours avec nous. ℟. Ainsi soit-il.

Depuis les Complies du 24 Décembre

℣. Post partum Virgo invioláta permansísti. ℟. Dei Génitrix intercéde pro nobis.

Orémus

Deus, qui salútis ætérnæ, beatæ Maríæ virginitáte fecúnda, humáno géneri præmia præstitísti : tríbue quæsumus, ut ipsam pro nobis intercédere sentiámus, per quam merúimus auctórem vitæ suscípere, Dóminum nostrum Jesum Christum Fílium tuum. ℟. Amen.

℣. Divínum, *etc.*

℣. Après l'enfantement, ô Vierge, vous avez conservé votre virginité.

℟. Mère de Dieu, intercédez pour nous.

Prions

O Dieu, qui par la virginité féconde de la bienheureuse Marie, avez procuré au genre humain le prix du salut éternel, nous vous en prions, accordez-nous de ressentir les effets de l'intercession de celle par qui nous avons mérité de recevoir l'auteur de la vie, Notre Seigneur Jésus Christ votre Fils. ℟. Ainsi soit-il.

℣. Que le secours, *etc.*

Depuis les Complies du 2 Février usqu'au Samedi Saint exclusivement.

Salut, noble Reine des cieux,
Salut, Souveraine des Anges,
Tige de Jessé, Porte sainte,
Qui donna la lumière au monde;
Réjouis-toi, Vierge glorieuse,
Vierge incomparable entre toutes,
Vis sans fin, toi toujours si belle,
Et prie bien Jésus pour nous.

℣. Daignez agréer mes louanges, ô Vierge sacrée.
℟. Donnez-moi la force contre vos ennemis.

Prions

Dieu de miséricorde, venez au secours de notre faiblesse, afin qu'en célébrant la mémoire de la sainte Mère de Dieu, nous puissions par l'aide de son intercession, nous relever de nos iniquités. Par le même Jésus Christ Notre Seigneur.

℟. Ainsi soit-il.

℣. Que le secours divin demeure toujours avec nous.

℟. Ainsi soit-il.

Ave Regína cælórum,
Ave Dómina Angelórum
Salve radix, salve porta,
Ex qua mundo lux est orta :
Gaude Virgo gloriósa,
Super omnes speciósa,
Vale, o valde decóra,
Et pro nobis Christum exóra.

℣. Dignáre me laudáre te, Virgo sacráta.
℟. Da mihi virtútem contra hostes tuos.

Orémus

Concéde, miséricors Deus, fragilitáti nostræ præsídium : ut qui sanctæ Dei Genitrícis memóriam ágimus, intercessiónis ejus auxílio, a nostris iniquitátibus resurgámus. Per eúmdem Christum Dóminum nostrum.

℟. Amen.

℣. Divínum auxílium máneat semper nobíscum.

℟. Amen.

Depuis les Complies du Samedi Saint, jusqu'au Samedi après la Pentecôte exclusivement.

Regína cæli lætáre, allelúia,
Quia quem meruísti portáre, allelúia,
Resurréxit sicut dixit, allelúia.
Ora pro nobis Deum, [allelúia.

℣. Gaude et lætáre Virgo María, allelúia. ℟. Quia surréxit Dóminus vere, allelúia.

Reine du Ciel, réjouissez-vous, alléluia ; car celui que vous avez mérité de porter alléluia, est ressuscité comme il l'a dit, alléluia. Priez Dieu pour nous, alléluia.

℣. Réjouissez-vous et triomphez, ô Vierge Marie, alléluia. ℟. Car le Seigneur est vraiment ressuscité, alléluia.

Orémus

Deus, qui per resurrectiónem Fílii tui Dómini nostri Jesu Christi mundum lætificáre dignátus es : præsta quæsumus, ut per ejus Genitrícem Vírginem Maríam perpétuæ capiámus gáudia vitæ. Per eúmdem Christum Dóminum nostrum.

℟. Amen.

℣. Divínum auxílium máneat semper nobíscum. ℟. Amen.

Prions

O Dieu, qui avez daignez réjouir le monde par la résurrection de votre Fils Notre Seigneur Jésus Christ, accordez-nous, s'il vous plaît, par sa Mère la Vierge Marie, de parvenir aux joies de la vie éternelle. Par le même Jésus Christ Notre Seigneur.

℟. Ainsi soit-il.

℣. Que le secours divin demeure toujours avec nous. ℟. Ainsi soit-il.

Depuis les Complies du Samedi après la Pentecôte jusqu'au Samedi avant le 1er Dimanche de l'Avent exclusivement.

Salve Regína, mater misericórdiæ, vita, dulcédo, et spes nostra salve. Ad te clamámus éxsules, fílii Hevæ. Ad te suspirámus geméntes

Salut, ô Reine, Mère de miséricorde, notre vie, notre douceur et notre espérance, salut. Vers vous nous élevons nos cris, pauvres exilés, malheureux enfants d'Ève. Vers vous nous soupirons, gémissant et pleurant dans cette vallée de larmes. De grâce donc, ô notre avocate, tournez vers nous vos regards miséricordieux. Et après cet exil, montrez-nous Jésus, le fruit béni de vos entrailles. O clémente, ô miséricordieuse, ô douce Vierge Marie.

℣. Priez pour nous, sainte Mère de Dieu. ℟. Afin que nous devenions dignes des promesses de Jésus Christ.

Prions

Dieu tout puissant et éternel, qui par la coopération du Saint Esprit, avez préparé le corps et l'âme de la glorieuse Vierge Marie, pour qu'elle méritât de devenir la digne demeure de votre Fils, faites que celle dont nous célébrons la mémoire avec joie, nous délivre, par sa pieuse intercession, des maux présents et de la mort éternelle. Par le même Jésus Christ Notre Seigneur. ℟. Ainsi soit-il.

℣. Que le secours divin demeure toujours avec nous. ℟. Ainsi soit-il.

Notre Père. Je vous salue, Marie. Je crois en Dieu.

et flentes in hac lacrymárum valle. Eia ergo advocáta nostra, illos tuos misericórdes óculos ad nos convérte. Et Jesum benedíctum fructum ventris tui, nobis post hoc exsílium osténde. O clemens, o pia, o dulcis Virgo María.

℣. Ora pro nobis sancta Dei Génitrix. ℟. Ut digni efficiámur promissiónibus Christi.

Orémus

Omnípotens sempitérne Deus, qui gloriósæ Vírginis Matris Maríæ corpus et ánimam, ut dignum Fílii tui habitáculum éffici mererétur, Spíritu Sancto cooperánte præparásti : da, ut cujus commemoratióne lætámur, ejus pia intercessióne ab instántibus malis, et a morte perpétua liberémur. Per eúmdem Christum Dóminum nostrum.

℟. Amen.

℣. Divínum auxílium máneat semper nobíscum. ℟. Amen.

Pater. Ave. Credo.

L'IMITATION DE J. C.

LIVRE I.

AVIS TRÈS UTILES POUR ENTRER DANS LA VIE SPIRITUELLE.

CHAPITRE 1.

QU'IL FAUT IMITER JÉSUS CHRIST, ET MÉPRISER LES VANITÉS DU MONDE.

CELUI *qui me suit ne marche pas dans les ténèbres.* (S. Jean, viii. 12.) Jésus Christ nous exhorte par ces paroles à marcher sur ses pas, si nous voulons être éclairés de sa lumière, et guéris de l'aveuglement du cœur.

Appliquons-nous donc sur toutes choses à méditer la vie de Jésus Christ.

2. Ce qu'il enseigne est plus excellent que tout ce que les Saints nous peuvent apprendre.

Celui qui posséderait l'esprit de vérité, trouverait la manne céleste qui s'y trouve cachée.

Plusieurs pour n'être pas animés de l'esprit de Jésus Christ, entendent souvent prêcher l'Evangile sans en être touchés.

Quiconque souhaite entendre et goûter les maximes du Sauveur, doit régler sa vie sur la sienne.

3. Que vous sert de parler savamment du mystère de la Trinité, si l'humilité vous manque, et si vous avez le malheur de déplaire à la Trinité?

Certainement, ce ne sont pas les discours sublimes qui vous rendront plus homme de bien; c'est en vivant saintement que vous deviendrez l'ami de Dieu.

J'aime mieux sentir la componction que d'en savoir la définition.

Quand vous sauriez toute l'Ecriture et toutes les maximes des philosophes, quel avantage en retireriez-vous sans la grâce et la charité?

Vanité des vanités, tout n'est que vanité (Eccl. i. 2.); il n'y a rien de solide que d'aimer Dieu, et de le servir.

La souveraine sagesse est d'aspirer au royaume des Cieux, en méprisant le monde.

4. C'est donc une vraie folie d'amasser des biens périssables, et d'y mettre toute son espérance.

C'en est une d'aimer les honneurs du monde, et de vouloir s'élever au dessus des autres.

C'en est une de se laisser aller aux inclinations de la chair, et de porter l'ardeur de nos désirs sur ce qui, dans la suite, attire des peines rigoureuses.

C'en est une de souhaiter une longue vie sans se mettre en peine de bien vivre.

C'est une folie de borner tous ses soins à la vie présente, et de ne point s'inquiéter de la vie future.

Enfin c'est une grande folie d'aimer ce qui passe en un moment, et de n'avoir point d'empressement pour acquérir un bonheur qui dure toujours.

5. Souvenez-vous souvent de cette maxime, que *l'œil n'est pas rassasié de ce qu'il voit, ni l'oreille remplie de ce qu'elle entend.* (Eccl. 8.)

Efforcez-vous de dégager votre cœur de l'amour des choses visibles, et recherchez avec ardeur les biens invisibles. Ceux qui se laissent aller à la sensualité, souillent leur conscience, et perdent la grâce de Dieu.

CHAPITRE 2.

QU'IL FAUT AVOIR D'HUMBLES SENTIMENTS DE SOI-MÊME.

Tout homme a un désir naturel de savoir, mais à quoi sert la science sans la crainte de Dieu?

La simplicité d'un paysan fidèle à Dieu, vaut mieux que toute la science d'un philosophe superbe, qui se néglige lui-même, pour contempler le cours des astres.

Celui qui se connaît parfaitement, se méprise lui-même, et n'est point touché des louanges que les hommes lui donnent.

Quand j'aurais une connaissance parfaite de la nature, sans avoir la charité, de quoi me servirait cette science devant Dieu qui me jugera selon mes œuvres?

2. Modérez le trop grand empressement de tout savoir : cette curiosité dissipe l'esprit, et l'expose à de grandes illusions.

Les savants sont contents d'être connus, et de passer pour sages.

Il y a une infinité de choses dont la connaissance est inutile ou peu nécessaire à l'âme.

C'est une extrême folie de s'appliquer à autre chose qu'à ce qui peut contribuer au salut.

Les grands discours ne contentent pas l'âme ; mais une vie sainte la console, et la pureté de la conscience donne une grande confiance en Dieu.

3. Plus vous aurez eu de lumières, plus vous serez rigoureusement jugé, si vous n'en êtes pas plus saint.

Ne tirez point vanité de votre habileté ou de votre science; mais craignez plutôt d'en faire un mauvais usage.

Si vous vous flattez de savoir et de comprendre beaucoup de choses, soyez assuré qu'il y en a plus encore que vous ignorez.

N'ayez point de pensées présomptueuses (Ép. aux Rom. xi. 20.), mais avouez de bonne foi votre ignorance.

Pourquoi voulez-vous vous préférer aux autres? il y en a une infinité de plus habiles et de plus versés que vous dans la loi de Dieu.

Si vous voulez savoir quelque chose d'utile, aimez à vivre inconnu et à n'être compté pour rien.

La plus sublime et la plus utile de toutes les sciences est la connaissance vraie et le mépris de soi-même.

4. C'est une grande sagesse et une grande perfection que d'avoir d'humbles sentiments de

soi-même, et beaucoup d'estime pour les autres.

Si vous voyez quelqu'un commettre ouvertement une faute grave, vous ne devez pas pour cela vous croire meilleur que lui, car vous ignorez combien de temps vous persévérerez dans la grâce.

Nous sommes tous fragiles; mais vous devez croire que personne n'est plus fragile que vous.

CHAPITRE 3.

DE LA VÉRITABLE DOCTRINE.

Heureux celui que la Vérité même instruit en se montrant telle qu'elle est, et non par des figures et par des paroles qui passent.

Notre esprit et nos sens nous trompent souvent, et nous n'avons qu'une idée confuse des choses.

A quoi sert de disputer toujours sur des matières difficiles et obscures, dont l'ignorance ne nous sera point imputée au jugement de Dieu?

C'est une grande folie que de négliger ce qui est utile et nécessaire, de s'amuser à de vaines subtilités qui nuisent plus qu'elles ne servent. Nous avons des yeux et le plus souvent nous ne voyons pas.

2. De quelle utilité sont toutes ces questions de genre et d'espèce?

Celui à qui la parole éternelle se fait entendre, ne se remplit point l'esprit de vaines opinions.

Cette parole est le principe de toutes choses, c'est à elle que toutes les créatures rendent témoignage; c'est aussi cette parole qui est le principe qui nous parle.

S'il ne nous dirige, nous ne pouvons bien comprendre les choses, ni en bien juger.

Celui à qui ce principe unique tient lieu de tout, qui rapporte tout à lui seul, et qui voit tout à lui seul, peut demeurer ferme et immuable, et jouir d'une douce paix en Dieu.

O Dieu de vérité, unissez-moi pour jamais à vous, dans une éternelle charité!

Je me lasse souvent de lire et d'écouter plusieurs choses; je trouve en vous seul l'accomplissement de tous mes désirs.

Que tous les docteurs

se taisent, que toutes les créatures demeurent devant vous dans le silence; c'est assez que vous me parliez.

3. Plus on est dégagé de tout et recueilli en soi-même, plus on est en état de concevoir les plus grands mystères; parce qu'alors on reçoit du Ciel le don d'intelligence.

Un cœur pur, simple, et constant dans le bien, ne se laisse pas dissiper par la variété des soins et des occupations extérieures : parce qu'en toutes choses, il n'envisage que la gloire de Dieu, sans se rechercher soi-même.

Ce sont vos passions immortifiées qui vous causent le plus d'obstacles et de peines d'esprit.

Un homme vertueux et fidèle à Dieu règle d'avance intérieurement les actions extérieures qu'il doit faire.

Il ne se gouverne que par la droite raison, et il ne se laisse point emporter par les désirs d'une inclination corrompue.

Qu'y a-t-il de plus pénible que de combattre contre soi-même?

Et cependant toute notre occupation devrait être de vaincre sans cesse nos appétits, et de faire de nouveaux progrès dans la vertu.

4. Quelque parfaits que nous soyons, nous ne sommes jamais entièrement exempts de défauts; nos lumières sont toujours mêlées de quelque obscurité.

L'humble connaissance de nous-même est un chemin plus sûr pour nous conduire à Dieu, qu'une profonde érudition.

La science en soi n'est point condamnable : elle est utile et dans l'ordre de Dieu; mais une bonne conscience et une vie vertueuse lui sont toujours préférables.

La plupart des hommes s'appliquent plus à acquérir la science que la vertu, et ainsi ils tombent dans l'égarement, et retirent peu de fruit de leur travail.

5. Ah! si nous avions la même ardeur pour déraciner les vices de notre âme et pour y planter les vertus, que pour examiner de vaines questions, on ne verrait pas tant de maux et de scandales dans le monde, ni tant

de relâchement dans le cloître.

On ne nous demandera point, au jour du jugement, ce que nous aurons lu, mais ce que nous aurons fait; si nous avons été fort éloquents, mais si nous avons été de fervents religieux.

Dites-moi ce que sont devenus ces maîtres et ces docteurs si célèbres, que vous avez connus pendant leur vie.

Leurs chaires et leurs bénéfices ont passé en d'autres mains; à peine se souvient-on d'eux : quand ils vivaient, ils avaient une grande réputation, maintenant on n'en parle plus.

6. Que la gloire du monde est fragile! Plût à Dieu qu'ils eussent été aussi saints que savants! Alors leur science leur eût été profitable.

Que de gens se perdent par la vaine gloire que la science leur inspire, et par le peu de soin qu'ils ont de servir Dieu.

Ils aiment mieux paraître grands qu'humbles, et ainsi ils se perdent dans leurs propres pensées.

La charité est la mesure de la véritable grandeur.

Celui-là est véritablement grand, qui est petit à ses yeux, et n'est point touché des plus grands honneurs.

Celui-là a la véritable sagesse, qui considère toutes les choses de la terre comme des ordures, afin de gagner Jésus Christ.

La vraie science consiste à faire la volonté de Dieu, et à renoncer à la nôtre.

CHAPITRE 4.

QU'IL FAUT ÊTRE CIRCONSPECT DANS SES ACTIONS.

Il ne faut pas croire légèrement tout ce que l'on dit, ni suivre en aveugle tous les mouvements intérieurs ; mais il faut examiner chaque chose mûrement et selon Dieu.

Hélas! que notre faiblesse est grande : nous sommes toujours plus portés à croire et à dire le mal que le bien des autres.

Les parfaits ne croient pas aisément toutes sortes de gens; ils connaissent trop bien la faiblesse humaine, et le penchant que les hommes ont à médire.

2. C'est une grande sagesse de ne rien faire avec précipitation, et de n'être point trop attaché à son propre sentiment.

C'est aussi une grande prudence de ne point croire tout ce que l'on dit, et de ne point raconter aux autres ce qu'on a entendu dire.

Prenez conseil d'un homme sage et probe; et croyez qu'il est plus avantageux de vous laisser gouverner par un homme éclairé, que de suivre vos propres lumières.

La vie réglée rend un homme sage selon Dieu, et lui donne une grande aptitude à beaucoup de choses.

Plus un homme est humble et soumis à Dieu, plus il devient sage et réglé dans sa conduite.

CHAPITRE 5.

DANS QUEL ESPRIT IL FAUT LIRE LA SAINTE ÉCRITURE.

Il faut chercher dans les livres saints la vérité, plutôt que l'élégance ou le charme du style.

Il convient de les lire dans le même esprit qui les a dictés.

Nous y devons chercher les instructions salutaires, et non l'éloquence ou la subtilité des pensées.

Nous devons lire les livres simples et pieux avec le même goût que s'ils étaient composés avec beaucoup d'art, et remplis d'une grande érudition.

Ne vous arrêtez point au mérite de l'auteur, faites peu attention à son plus ou moins de science; mais que le seul amour de la vérité vous porte à le lire.

Ne vous inquiétez point de celui qui a dit telle ou telle chose; ne faites attention qu'à la chose même qui est dite.

2. Les hommes passent; *mais la vérité du Seigneur demeure éternellement* (Ps. cxvi. 2.). Dieu nous parle en mille manières différentes, sans avoir égard au caractère des personnes.

La curiosité nous empêche de tirer profit de la lecture des saints livres; nous voulons examiner et approfondir ce qu'il faudrait croire simplement et avec soumission.

Si vous voulez que cette lecture vous soit utile, lisez avec un esprit simple, humble et soumis, sans vouloir acquérir par cette étude la réputation de savant.

Ecoutez avec respect les sentences des Saints; ne témoignez point de dégoût pour les proverbes des anciens, car ils n'ont pas été dits au hasard et sans sujet.

CHAPITRE 6.

DES AFFECTIONS DÉRÉGLÉES.

Un homme qui se laisse emporter à quelque affection désordonnée, sent aussitôt en lui-même de l'inquiétude.

L'orgueilleux et l'avare n'ont jamais de repos; le pauvre et l'humble de cœur jouissent d'une tranquillité parfaite.

Celui qui n'est pas encore entièrement mort à lui-même, est souvent tenté et succombe dans les moindres occasions.

Un homme dont l'esprit est peu ferme et en quelque sorte encore charnel, a bien de la peine à renoncer entièrement à l'amour des choses terrestres.

Voilà pourquoi il est souvent triste quand il se prive de ce qu'il désire, et il s'indigne aisément des résistances qu'il rencontre.

2. S'il vient à satisfaire ses désirs, le remords de la conscience le trouble, parce qu'en s'abandonnant à sa passion, il n'a point trouvé le repos qu'il cherchait.

C'est donc en résistant à ses passions et non en leur cédant, que l'on acquiert la véritable paix du cœur.

La paix n'est point dans le cœur de l'homme sensuel qui se laisse aller aux choses extérieures; elle est le partage de l'homme fervent et spirituel.

CHAPITRE 7.

IL NE FAUT POINT SE NOURRIR DE VAINES ESPÉRANCES, NI SE LAISSER ALLER A L'ORGUEIL.

C'est se tromper soi-même que de mettre son espérance dans les hommes ou dans quelque créature que ce soit.

N'ayez point honte de servir les autres, pour l'amour de Jésus Christ, ni de paraître pauvre en ce monde.

Ne vous appuyez pas sur vous-même; mais placez en Dieu seul votre espérance.

Faites ce qui dépendra de vous, et Dieu secondera votre bonne volonté.

Ne vous confiez point en votre science ni dans l'habileté d'aucun homme, mais dans le secours de Dieu qui aide les humbles et humilie les présomptueux.

2. Ne vous glorifiez point de vos richesses si vous en avez beaucoup; ni du crédit de vos amis s'ils sont puissants : glorifiez-vous dans le Seigneur qui donne tout, et qui veut se donner lui-même préférablement à toutes choses.

Ne vous flattez ni de votre taille, ni des agréments et de la beauté de votre corps, puisqu'une légère maladie suffit pour tout détruire.

N'ayez point une vaine complaisance de votre esprit ni de vos talents, de crainte de déplaire à Dieu, qui vous a donné tous ces talents naturels.

3. Ne vous croyez pas meilleur que les autres, de peur que Dieu, qui connaît l'intérieur des hommes, ne vous regarde comme le pire de tous.

N'ayez point de vanité de vos bonnes œuvres, car les jugements de Dieu sont bien différents de ceux des hommes, et il condamne souvent ce que ceux-ci approuvent.

Si vous vous reconnaissez quelques bonnes qualités, croyez que les autres en ont de meilleures; et par ce moyen vous vous conserverez dans l'humilité.

Vous ne perdez jamais rien à vous mettre au-dessous des autres; vous perdez tout si vous vous préférez à un seul.

Un cœur humble possède une paix continuelle; mais un esprit vain est à tout moment agité par la jalousie et par la colère.

CHAPITRE 8.

IL FAUT ÉVITER UNE TROP GRANDE FAMILIARITÉ.

N'ouvrez pas votre cœur à toutes sortes de personnes; mais traitez secrètement de vos affaires avec un homme sage et craignant Dieu.

Ne voyez que rarement les jeunes gens et les étrangers.

Ne flattez point les riches, et n'affectez point de vous trouver dans la compagnie des grands.

Recherchez la compagnie des personnes humbles, simples, pieuses, et ne parlez que de choses édifiantes.

Ne voyez familièrement aucune femme; mais recommandez à Dieu en général toutes celles qui sont vertueuses.

N'ayez de commerce qu'avec Dieu et avec les Anges; et ne cherchez point à être connu des hommes.

2. Il faut avoir de la charité pour tout le monde, mais il n'est pas à propos de se familiariser avec tous.

On estime souvent un inconnu sur sa réputation, mais on s'en dégoûte dès qu'on l'a vu.

Nous nous persuadons quelquefois que notre compagnie plaît à ceux que nous voyons; et à peine peuvent-ils nous supporter à cause des défauts qu'ils découvrent en nous.

CHAPITRE 9.

DE L'OBÉISSANCE ET DE LA SOUMISSION.

C'EST quelque chose de grand de pouvoir vivre toujours dans l'obéissance d'un supérieur, et de n'être pas le maître de soi-même.

Il est bien plus sûr d'obéir que de commander.

Plusieurs obéissent plutôt par nécessité que par motif de charité; ils souffrent beaucoup, et murmurent pour des sujets fort légers.

Ils n'acquerront jamais une véritable liberté d'esprit, s'ils ne se soumettent à l'obéissance, de tout leur cœur, et uniquement pour l'amour de Dieu.

Allez où il vous plaira, vous ne trouverez jamais de repos que dans une parfaite soumission à la conduite d'un supérieur; plusieurs ont été trompés par l'espoir d'être mieux, en changeant de demeure.

2. Il est certain que chacun est bien aise de se gouverner selon son caprice, et a du penchant pour ceux qui sont du même sentiment.

Mais si l'esprit de Dieu nous gouverne, quelquefois pour le bien de la paix nous devons renoncer à nos propres lumières.

Y a-t-il un homme assez éclairé pour savoir parfaitement toutes choses?

Ne vous fiez donc point trop à votre propre sentiment; mais si vous êtes sages, déférez volontiers à celui des autres.

Si votre avis est bon, et que vous y renonciez pour l'amour de Dieu, en vous soumettant à celui des autres, vous avancerez dans la vertu.

3. J'ai souvent ouï dire qu'il est plus dangereux de donner un conseil que de le recevoir.

Il peut aussi arriver que le sentiment de chacun soit bon; mais c'est un signe d'orgueil et d'opiniâtreté que de ne vouloir point se rendre à l'avis des autres, lorsque la raison le demande.

CHAPITRE 10.

QU'IL FAUT EVITER LES PAROLES SUPERFLUES.

Fuyez autant que vous le pouvez le tumulte du monde; car bien que vos intentions soient bonnes, les affaires du siècle vous occuperont trop l'esprit.

Ces vanités souillent l'âme, et la retiennent dans une sorte d'esclavage.

Je voudrais souvent avoir gardé le silence, et n'avoir vu personne.

Pourquoi aimons-nous à tant nous entretenir, puisque nous ne sortons presque jamais purs et innocents de ces conversations?

Ce que nous recherchons dans ces entretiens, c'est une consolation mutuelle et un soulagement aux chagrins dont notre cœur est accablé.

Nous trouvons du plaisir à parler de ce que nous aimons et de ce que nous désirons, ou de ce qui nous fait de la peine.

2. Mais hélas! nous n'y gagnons rien la plupart du temps, car les consolations extérieures tarissent la source des consolations qui viennent de Dieu.

Il faut donc veiller et prier, si nous voulons mettre notre temps à profit.

Quand il est à propos de parler, il ne faut dire que des choses édifiantes.

Notre négligence et le peu de soin que nous

avons de notre avancement, sont la cause de cette intempérance et de cette démangeaison de parler.

Cependant les conférences spirituelles peuvent aider à la perfection, surtout lorsque les personnes qui se réunissent sont animées du même esprit pour parler des choses de Dieu.

CHAPITRE 11.

IL FAUT TÂCHER D'ACQUÉRIR LA PAIX, ET TRAVAILLER AVEC ZÈLE A SON AVANCEMENT.

Si nous ne nous embarrassions point de ce que font ou de ce que disent les autres, ni des choses qui ne nous regardent pas, nous jouirions d'une paix profonde.

Un homme qui se mêle des affaires d'autrui, et qui cherche à se dissiper, peut-il demeurer longtemps en repos?

Heureux ceux qui vivent dans la simplicité, parce qu'ils jouissent d'une paix inaltérable.

2. Pourquoi a-t-on vu des Saints si parfaits, et si élevés dans la contemplation?

C'est qu'ils avaient entièrement éteint en eux le désir des choses terrestres, pour s'attacher uniquement à Dieu, et pour ne penser qu'à eux-mêmes.

Nos passions nous occupent trop, et nous avons trop d'ardeur pour les choses passagères.

A peine pouvons-nous nous corriger d'un seul vice; nous n'avons point de zèle pour notre perfection, nous demeurons toujours froids et tièdes.

3. Si nous étions tout à fait mortifiés, et libres des attachements du monde, nous pourrions nous élever à la contemplation des choses célestes et goûter les consolations divines.

Le principal obstacle, c'est que nos passions sont encore vives, et que nous nous écartons de la voie que les Saints ont tenue.

Nous nous laissons trop facilement abattre par la moindre adversité, et nous recherchons trop ardemment les consolations humaines.

4. Si nous avions assez de courage pour demeurer fermes dans le combat, Dieu ne manquerait pas de nous secourir.

Il est toujours prêt à aider ceux qui combattent et qui espèrent en sa grâce; et il leur procure des occasions de combattre afin qu'ils soient vainqueurs.

Si nous croyons que la perfection religieuse consiste dans certaines pratiques purement extérieures, notre dévotion ne durera guère.

Il faut aller jusqu'à la racine du mal afin que notre âme, dégagée de ses passions, jouisse d'une tranquillité parfaite.

5. Si nous pouvions déraciner un vice chaque année, nous acquerrions en peu de temps la perfection.

Mais au contraire nous avons souvent plus de vertu et plus de ferveur au commencement de notre conversion, qu'après plusieurs années de profession.

Notre sainteté devrait croître chaque jour; cependant nous sommes contents de nous-mêmes, si nous ne nous relâchons pas de notre première ferveur.

Si nous nous faisions d'abord un peu de violence, tout dans la suite nous paraîtrait facile et même agréable.

6. On a de la peine à se défaire d'une habitude; mais il est encore plus difficile de combattre toujours ses inclinations.

Si vous avez de la peine à vaincre les plus légers obstacles, comment pourrez-vous surmonter les plus grands?

Résistez d'abord à vos inclinations vicieuses et à vos mauvaises habitudes, de peur que vous n'ayez encore plus de peine dans la suite.

Si vous saviez quelle satisfaction vous éprouveriez, et quelle joie vous procureriez aux autres en vivant bien, vous auriez sans doute plus de zèle pour votre avancement spirituel.

CHAPITRE 12.

DE L'UTILITÉ DES SOUFFRANCES

Il nous est avantageux d'avoir de temps en temps des contradictions et des adversités, parce qu'elles nous font rentrer en nous-mêmes; elles nous apprennent que nous sommes dans un lieu d'exil, et nous empêchent de mettre notre espérance dans les créatures.

Il nous est bon de souffrir les contradictions, les opprobres et le mépris des hommes, quelque bonnes que soient nos actions et nos intentions; cela nous aide à acquérir l'humilité, et nous sert de remède contre la vaine gloire.

Nous recherchons avec plus d'empressement au dedans de nous le témoignage de Dieu, quand les hommes nous méprisent et nous refusent leur approbation.

2. C'est pourquoi l'homme devrait tellement se confier en Dieu, qu'il n'eût pas besoin de rechercher beaucoup les consolations humaines.

Quand un homme de bien est dans l'affliction, ou qu'il se sent accablé par les tentations, il reconnaît mieux que jamais le besoin de l'assistance de Dieu, sans lequel il ne peut rien faire de bon.

Alors son âme s'attriste, elle gémit, et elle demande à être affranchie des maux qui l'accablent.

Alors la vie lui devient ennuyeuse; elle soupire ardemment après la mort afin que, séparée de son corps, il lui soit donné d'être avec Jésus Christ.

Elle reconnaît enfin qu'il n'y a point de sûreté parfaite, ni de paix solide à espérer en cette vie.

CHAPITRE 13.

QU'IL FAUT REPOUSSER LES TENTATIONS

Nous ne pouvons être exempts de peines et de tentations tant que nous vivons sur la terre.

Voilà pourquoi *Job* a dit que la vie de l'homme est une tentation continuelle.

Chacun doit se tenir en garde contre les tentations : veillez et priez sans cesse, de peur que le tentateur ne vous séduise : car il ne dort jamais, et *il rôde sans cesse autour de nous pour nous dévorer*. (I. Ep. de S. Pierre, v. 8.)

Il n'y a personne de si saint et de si parfait, qui ne soit quelquefois tenté, et jamais nous ne serons entièrement exempts de tentations.

2. Quoique les tentations soient fâcheuses, elles sont cependant utiles aux hommes, parce

qu'elles servent à les humilier, à les purifier et à les instruire.

Tous les Saints ont passé par la voie des tentations et des tribulations, et ils en ont profité.

Ceux qui n'ont pu résister ont été réprouvés, et ils se sont perdus.

Il n'y a point d'ordre si saint, ni de lieu si retiré, où l'on soit à couvert des tentations et des peines spirituelles.

3. Personne ne peut en être exempt pendant sa vie, parce que, nés dans la concupiscence, nous en portons le principe en nous-mêmes.

L'une succède à l'autre, et toujours nous aurons quelque chose à souffrir ici-bas, parce que nous sommes déchus de l'heureux état d'innocence.

Plusieurs, cherchant à fuir les tentations, en éprouvent de plus violentes.

Il ne suffit pas de fuir pour vaincre, ce n'est que par l'humilité et la patience que nous triompherons de nos ennemis.

4. Si l'on se contente d'éviter le mal au dehors, sans en arracher la racine, on ne fera pas de grands progrès; au contraire, on se trouvera exposé à de plus cruelles tentations.

Avec le secours du Ciel et une longue patience, vous surmonterez plus sûrement cet ennemi qu'en l'attaquant à force ouverte et avec inquiétude.

Lorsque vous êtes tenté, demandez souvent conseil; ne traitez pas rudement ceux qui souffrent des tentations, consolez-les, et ayez pour eux la même douceur que vous voudriez qu'on eût pour vous.

5. La légèreté de l'esprit et le peu de confiance en Dieu, sont la source des plus dangereuses tentations.

De même qu'un vaisseau sans gouvernail est le jouet des vents et des flots, ainsi un homme lâche et inconstant est sujet à toutes sortes de tentations.

Le feu ôte la rouille du fer, ainsi la tentation éprouve l'homme de bien.

Souvent nous ne connaissons pas nos forces, mais la tentation découvre ce que nous sommes.

Il faut veiller sur soi principalement lorsque la tentation commence : parce qu'il est plus aisé de vaincre l'ennemi, si on lui ferme l'entrée de l'âme sitôt qu'il se présente.

C'est ce qui fait dire à un ancien :

Opposez-vous au mal avant qu'il s'enracine;

S'il séjourne, il rend vain l'art de la médecine.

D'abord il ne se présente à l'esprit qu'une simple pensée, elle passe ensuite dans l'imagination, puis vient le plaisir et le mouvement déréglé, et enfin le consentement de la volonté.

C'est ainsi que l'ennemi s'empare pied à pied de notre cœur, si nous ne lui résistons pas dès le commencement.

Plus nous négligeons de le faire, plus nos forces diminuent, et plus les tentations deviennent violentes.

6. Quelques-uns les éprouvent plus rudes au commencement de leur conversion, d'autres, à la fin.

Plusieurs, au contraire, sont éprouvés pendant toute leur vie.

Il y en a d'autres qui n'ont que de légères tentations, selon l'ordre de la divine Providence, qui considère l'état et le mérite des hommes, et fait tout servir à leur sanctification.

7. Et ainsi il ne faut point perdre courage dans les tentations, mais demander avec plus d'ardeur que jamais le secours de Dieu, afin qu'il nous soutienne dans nos misères, et selon la parole de l'Apôtre, *qu'il nous fasse tirer profit même de nos tentations.* (I Cor. x. 13.)

Humilions-nous donc sous la main de Dieu, dans toutes nos peines et dans toutes nos tentations; parce qu'il sauve et soutient les humbles de cœur.

8. Les traverses et les tentations éprouvent l'âme et font connaître si elle fait des progrès dans la voie de Dieu; ce sont des signes de sa vertu et de ses mérites.

C'est peu qu'un homme ait de la dévotion et de la ferveur, quand il ne souffre rien : mais on doit tout espérer de sa vertu s'il est constant dans l'adversité.

Quelques-uns se soutiennent dans les plus grandes tentations, et sont vaincus dans les plus petites; afin que ces humiliations les empêchent de se laisser aller à des sentiments d'orgueil et de présomption.

CHAPITRE 14.

QU'IL FAUT ÉVITER LES JUGEMENTS TÉMÉRAIRES.

Pensez toujours à vous-même, et ne censurez point les actions d'autrui.

En jugeant les autres l'homme se fatigue vainement; il se trompe souvent et tombe en beaucoup de fautes : au contraire, en s'examinant lui-même, il s'occupe d'une manière utile et fructueuse.

Nous jugeons des choses selon la disposition de notre cœur : l'amour-propre nous éblouit et nous empêche de bien juger.

Si Dieu était l'objet de tous nos désirs, nous ne nous troublerions pas comme nous le faisons à la moindre résistance.

2. Mais il y a souvent au dedans de nous ou au dehors, quelque attache secrète, ou quelque inclination vicieuse qui nous aveugle.

Plusieurs, sans s'en apercevoir, en arrivent à se rechercher eux-mêmes dans tout ce qu'ils font.

Ils paraissent tranquilles quand les choses réussissent selon leurs souhaits; mais ils font paraître du chagrin et de la tristesse, quand quelque chose les contrarie.

La diversité des sentiments cause pour l'ordinaire de grands dissentiments entre les amis et les concitoyens, et même entre les religieux et les personnes pieuses.

3. On se défait difficilement d'une ancienne habitude, et personne n'aime à se laisser conduire contre ses propres sentiments.

Si vous vous appuyez plus sur votre esprit et sur votre pénétration que sur la conduite de Jésus Christ, vous serez peu éclairé dans la vie spirituelle : Dieu demande que nous lui soyons parfaitement soumis, et que nous nous mettions au-dessus de la raison humaine, par l'ardeur de notre amour.

CHAPITRE 15.

DES ŒUVRES FAITES PAR UN MOTIF DE CHARITÉ.

On ne doit jamais faire le mal, ni par complaisance pour les hommes, ni par quelque autre motif que ce soit ; cependant on peut quelquefois pour l'utilité du prochain, interrompre une bonne œuvre, ou la changer en une meilleure.

Car par ce moyen, on ne perd pas le mérite de cette bonne œuvre, mais on fait quelque chose de plus utile.

Les bonnes œuvres sans la charité ne servent de rien; les moindres actions faites par un motif de charité sont toujours d'un grand mérite.

Car Dieu a toujours plus d'égard au motif qui nous fait agir, qu'à l'action même.

2. Celui-là fait beaucoup, qui aime beaucoup et qui fait bien tout ce qu'il fait.

Celui-là fait beaucoup encore, qui a plus d'égard au bien commun qu'à son utilité particulière.

On prend souvent pour la charité ce qui est plutôt la sensualité : car l'inclination naturelle, l'amour-propre, l'espérance du gain et du plaisir, s'insinuent partout.

3. Celui qui a un véritable et parfait amour de Dieu, ne se cherche en rien ; mais il désire que la gloire de Dieu éclate en toutes choses.

Il ne porte envie à personne, ne cherche point sa propre satisfaction, et méprise les biens temporels ; c'est en Dieu seul et non en lui-même qu'il met sa joie et son bonheur.

Il n'attribue point aux créatures la gloire de leurs bonnes actions, il la rapporte toute à Dieu qui en est l'auteur, et dans la possession duquel les Saints se reposent éternellement comme dans la source de tout bien.

Celui qui aurait seulement une étincelle de la véritable charité, connaîtrait en peu de temps la vanité de toutes les choses de la terre.

CHAPITRE 16.

QU'IL FAUT SUPPORTER LES DÉFAUTS D'AUTRUI.

Il faut souffrir patiemment ce que nous ne pouvons réformer soit en nous, soit dans les autres, jusqu'à ce que Dieu en dispose autrement.

Persuadez-vous que cela vous est avantageux pour vous affermir dans la patience, sans laquelle nos bonnes œuvres n'ont que bien peu de prix.

Vous devez cependant prier Dieu de lever ces obstacles, et de vous aider à bien porter cette croix.

2. Si quelqu'un averti une ou deux fois refuse de se rendre à vos avis, ne contestez pas avec lui, mais remettez tout à Dieu, qui tire le bien du mal : demandez-lui que sa volonté s'accomplisse, et qu'il soit glorifié dans ses serviteurs.

Accoutumez-vous à souffrir patiemment les imperfections de votre prochain : croyez que, souvent aussi, il est obligé de souffrir vos faiblesses.

Si vous ne pouvez vous rendre tel que vous voudriez être, comment décideriez-vous les autres à se rendre tels que vous le souhaitez?

Nous souhaitons voir tous les autres exempts d'imperfections; et cependant nous ne voulons pas nous corriger de nos défauts.

3. Nous voulons que l'on reprenne les autres avec rigueur; et nous ne voulons pas souffrir la moindre réprimande.

La liberté dont jouissent les autres nous déplaît; et cependant nous avons du chagrin, quand on nous refuse la moindre chose.

Nous donnons des règles et des préceptes aux autres pour les retenir dans le devoir, et nous ne pouvons souffrir la gêne, et nous voulons vivre en liberté.

Cela prouve que nous n'avons pas pour notre prochain la même indulgence que pour nous-mêmes.

Si tous les hommes étaient parfaits, qu'aurions-nous à souffrir des autres pour l'amour de Dieu?

4. Dieu a permis que chacun ait ses défauts, afin que nous apprenions à *porter les fardeaux les uns des autres* (Gal. vi. 2.); si bien que personne n'est sans imperfection ni sans péché; nul n'est assez sage, ni assez fort pour

se passer d'autrui : c'est pourquoi la charité nous oblige à nous supporter et à nous consoler, à nous secourir, à nous instruire, à nous avertir réciproquement les uns les autres.

L'adversité, mieux que toute autre chose, fait connaître la vertu d'un homme.

Ce ne sont pas les occasions qui rendent l'homme fragile, mais elles lui montrent sa fragilité.

CHAPITRE 17.

DE LA VIE RELIGIEUSE.

Apprenez à vous vaincre en plusieurs choses, si vous voulez vivre en paix avec les autres.

Ce n'est pas peu que de vivre dans un monastère ou dans une communauté, de n'y donner aucun sujet de plainte, et d'y persévérer jusqu'à la mort sans se relâcher dans ses devoirs.

Heureux celui qui, après une vie régulière, y termine heureusement sa course.

Si vous voulez être constant dans la voie de Dieu, et y avancer beaucoup,regardez-vous comme un exilé et un étranger sur la terre.

Il vous faut embrasser la folie de la croix pour l'amour de Jésus Christ, si vous voulez mener une vie religieuse.

2. L'habit religieux et la tonsure ne servent guère : c'est le changement de vie et la mortification des passions, qui font le véritable religieux.

Celui qui cherche autre chose que Dieu et le salut de son âme, trouvera partout des sujets d'amertume et de douleur.

On ne peut guère vivre en paix si l'on ne s'efforce d'être le dernier de tous et d'être soumis à tous.

3. Vous êtes venu pour obéir et non pour commander : vous êtes appelé pour travailler, pour souffrir, et non pour perdre le temps dans des entretiens inutiles.

Les hommes sont éprouvés dans la vie religieuse comme l'or dans le creuset.

Nul n'y peut persévérer, s'il ne s'humilie de tout son cœur pour l'amour de Dieu.

CHAPITRE 18.

QU'ON DOIT IMITER LES SAINTS.

Considérez les grands exemples que vous ont donnés les saints Pères : ce sont des modèles achevés de la perfection religieuse, et vous comprendrez aisément que tout ce que nous faisons est fort peu de chose.

Hélas! que peut-on penser de notre vie comparée à la leur?

Les Saints et les amis de Jésus Christ ont souffert la faim et la soif, le froid, la nudité, les travaux et les fatigues pour la gloire de Dieu : ils ont passé leur vie dans les veilles, dans les jeûnes, dans la prière, exposés aux persécutions et aux opprobres.

2. Oh! que les Apôtres, les Martyrs, les Confesseurs, les Vierges, et tous ceux qui ont voulu marcher dans la voie de Jésus Christ, ont souffert de peines cruelles!

Ils ont haï leur vie en ce monde, afin de la conserver pour l'éternité.

Que la vie des premiers solitaires dans le désert a été pauvre et austère! quelles longues et pénibles tentations ils ont dû souffrir! que de fois l'ennemi leur a livré de rudes attaques! qu'ils ont été assidus à la prière! quelles rigoureuses pénitences ils ont pratiquées! quel zèle ils ont montré pour leur avancement spirituel! quelles peines ils ont prises pour combattre leurs inclinations! que leurs intentions ont été pures et désintéressées dans le service de Dieu!

Ils travaillaient durant le jour et passaient la nuit en prières; leur travail même n'interrompait pas l'union intime qu'ils avaient avec Dieu.

3. Tout leur temps était utilement employé; celui qu'ils donnaient à la prière leur paraissait court.

Les douceurs de la contemplation leur faisaient oublier même les nécessités corporelles.

Ils renonçaient aux richesses, aux dignités, aux honneurs, à leurs parents, à leurs amis, et méprisaient toutes les choses du monde; à peine pouvaient-ils se résoudre à prendre ce qui est nécessaire à la vie; et quelque besoin qu'ils en eussent, ils gémissaient de se voir asservis à cette nécessité.

Ils étaient véritablement dénués des biens du monde, mais ils étaient riches en grâces et en vertus.

Leur indigence des biens extérieurs était extrême : mais au dedans ils étaient comblés des grâces et des consolations spirituelles.

4. Ils n'avaient point de rapports avec le monde, mais ils étaient unis à Dieu.

Ils se regardaient comme abjects et méprisables, le monde ne les estimait guère; mais ils étaient aimés de Dieu et précieux à ses yeux.

Ils étaient affermis dans une parfaite humilité, et obéissaient avec soumission; leur charité et leur patience étaient héroïques; avec le secours des grâces que Dieu leur accordait, ils faisaient tous les jours de grands progrès dans la vertu.

Dieu les a proposés comme exemple à tous les religieux : leur petit nombre doit avoir plus de force pour nous inspirer la ferveur, que le grand nombre des tièdes pour nous faire tomber dans le relâchement.

5. Oh! que le zèle des premiers religieux était grand au commencement de leur institution! quelle ferveur dans la prière! quelle émulation pour la vertu! quelle régularité! quelle soumission aux ordres des supérieurs!

Les vestiges qui nous en restent, témoignent assez de leur sainteté et de leur perfection : ils ont combattu le monde, généreusement et sans relâche; ils l'ont vaincu et foulé aux pieds.

Maintenant on compte pour beaucoup de ne point violer la règle, et de porter patiemment le joug de la vie religieuse.

6. Hélas! quelle est la négligence et la tiédeur de notre siècle! nous avons en peu de temps dégénéré de la ferveur de nos pères; la langueur et la mollesse font que la vie nous est à charge.

Plaise à Dieu qu'après avoir vu de si grands exemples de vertus et de piété, vous ne laissiez pas s'endormir en vous le zèle de votre avancement spirituel!

CHAPITRE 19.

DES EXERCICES D'UN BON RELIGIEUX.

Un bon Religieux doit exceller en toutes sortes de vertus, et s'efforcer d'être intérieurement tel qu'il paraît aux yeux des hommes.

Il faut même qu'il ait plus de soin du dedans que du dehors, parce que Dieu nous regarde, et que nous devons infiniment le respecter en quelque lieu que nous soyons, et marcher devant lui avec la pureté des Anges.

Il est utile de renouveler chaque jour nos bons desseins pour redoubler notre ferveur, comme si nous commencions à nous convertir. Disons à Dieu :

« Aidez-moi, Seigneur, dans la sainte résolution que vous m'inspirez de vous servir : faites-moi la grâce de commencer dès aujourd'hui ; car tout ce que j'ai fait jusqu'à présent n'est rien. »

2. Notre avancement dans la piété dépend du zèle et de la fermeté de notre résolution : il faut beaucoup d'ardeur quand on veut faire de grands progrès.

Si celui qui a pris les meilleures résolutions se relâche souvent, que doit-on attendre de ceux qui n'en forment que rarement, ou qui sont inconstants dans ce qu'ils ont résolu ?

On abandonne en plusieurs manières ses bonnes résolutions : il est difficile d'omettre quelques-uns de ses exercices spirituels sans que l'âme s'en ressente.

Les bons desseins que forment les gens de bien sont fondés plutôt sur les secours de la grâce que sur leur propre sagesse : quelque chose qu'ils entreprennent, ils mettent en Dieu toute leur confiance.

L'homme propose et Dieu dispose : il n'est pas en la puissance de l'homme de se diriger dans ses voies.

3. Si l'on interrompt quelquefois ses exercices ordinaires par un motif de charité pour servir le prochain, il est aisé dans la suite de réparer cette perte.

Mais si on les quitte par pur dégoût ou par négligence, c'est une faute assez grave et qui sera funeste. Quelques efforts que nous fassions, nous tomberons encore dans beaucoup de légers manquements.

Néanmoins il faut toujours prendre quelques résolutions fixes et certaines, principalement contre les vices qui nous suscitent le plus d'obstacles.

Il est nécessaire d'être attentif à la fois à notre intérieur et à notre extérieur : notre avancement dans la piété dépend de l'un et de l'autre.

4. Si vous ne pouvez être toujours recueilli, rentrez de temps en temps en vous-même ; au moins une fois le jour, le matin ou le soir.

Formez dès le matin vos résolutions, examinez le soir votre conscience, vos pensées, vos paroles, vos actions : car peut-être qu'en tout cela vous aurez souvent offensé Dieu et le prochain.

Armez-vous en homme de courage contre le démon, et réprimez la gourmandise : par ce moyen vous dompterez aisément la concupiscence de la chair.

Ne demeurez jamais oisif : lisez, écrivez, priez, ou travaillez à quelque ouvrage qui puisse être utile au prochain.

Il faut user de discrétion dans les exercices du corps, et les mesurer à ses forces.

5. Ne faites point paraître au dehors ce qui sort de l'ordinaire, ni vos dévotions particulières ; il vaut mieux les pratiquer en secret.

Ne vous acquittez point avec négligence de vos devoirs ordinaires pour vous porter avec plus de zèle à ceux que vous choisissez vous-même : quand vous aurez fait fidèlement ce qu'on vous aura commandé, s'il vous reste encore du temps, employez-le selon votre dévotion.

Tous ne peuvent pas faire les mêmes exercices : l'un convient mieux à celui-ci, l'autre à celui-là.

Il est même bon de les diversifier selon le temps; car les uns sont propres aux jours de fêtes, et les autres aux jours ordinaires.

Les uns conviennent mieux au temps de la

tentation, les autres à celui du repos et de la tranquillité ;

Les uns conviennent quand nous sommes tristes, les autres quand nous sommes dans la joie du Seigneur.

6. A chaque grande fête, il est bon de renouveler nos saints exercices, et d'implorer avec plus de ferveur l'assistance des Saints.

C'est encore une pratique très utile de tenir notre âme préparée d'une fête à l'autre, comme s'il fallait bientôt sortir de ce monde et recevoir le prix de nos bonnes œuvres.

Ainsi il faut nous préparer avec soin dans ces temps de piété, redoubler de ferveur, et remplir nos devoirs avec plus d'exactitude, comme si nous étions sur le point de recevoir le prix de nos travaux.

7. Si Dieu diffère la récompense, c'est que nous n'y sommes pas assez préparés, et que nous ne sommes pas encore dignes d'une si grande gloire. Nous n'y entrerons qu'au temps marqué par la Providence : ainsi il faut travailler avec ardeur à nous y bien préparer.

Heureux le serviteur que son maître trouvera veillant : je vous dis en vérité qu'il l'établira sur tous ses biens. (Luc, xii. 37.)

CHAPITRE 20.

DE L'AMOUR DE LA RETRAITE ET DU SILENCE.

Choisissez un temps convenable pour vous recueillir, et pensez souvent aux bienfaits que vous avez reçus de Dieu.

Laissez les choses de pure curiosité ; attachez-vous à la lecture des choses qui sont de nature à toucher le cœur, et faites peu de cas de ce qui ne sert qu'à divertir l'esprit.

Si vous avez soin d'éviter les discours et les visites inutiles, les entretiens frivoles et les affaires du siècle, vous aurez assez de temps pour vaquer à la prière.

Les plus grands Saints ont fui autant qu'ils ont pu la compagnie des hommes, ils ont toujours cherché la retraite pour vivre en secret avec Dieu.

2. Un sage disait : *Toutes les fois que j'ai été parmi les hommes, j'en suis revenu moins homme.*

L'expérience nous apprend assez que les conversations nous gâtent, quand nous nous arrêtons trop.

Il est bien plus aisé de garder le silence que de ne point trop parler.

On a moins de peine à demeurer dans la retraite qu'à se garder de toute faute au dehors.

Celui qui veut s'avancer dans la vie intérieure, doit à l'exemple de Jésus Christ se retirer souvent de la foule.

On ne se produit sûrement que quand on aime la retraite.

On ne parle avec fruit que quand on garde volontiers le silence.

On n'est pas en sûreté dans les premières places, si l'on n'aime pas les dernières.

Il y a du péril à commander, quand on ne sait pas obéir.

3. Nul ne se réjouit avec sécurité s'il ne possède une conscience pure.

Toujours, cependant, les Saints ont appuyé leur confiance sur la crainte de Dieu.

Quelque grandes que fussent leurs vertus et les grâces dont Dieu les comblait, ils n'en étaient ni moins humbles ni moins circonspects.

L'assurance des méchants est un effet de leur orgueil et de leur présomption, elle les jette dans l'erreur et dans l'aveuglement.

Tant que vous serez sur la terre, ne vous croyez jamais en sécurité, même s'il vous semble que vous avez saintement vécu dans un monastère ou dans la solitude.

4. Il est arrivé souvent que ceux qui passaient pour les plus saints dans l'estime des hommes, ont été en grand danger de perdre leur âme, parce qu'ils avaient trop de confiance dans leurs propres forces.

Il est donc quelquefois avantageux pour nous d'être exposés aux tentations, afin qu'un excès de confiance ne nous inspire point la vanité, et que, nous reposant en nous-mêmes, nous ne cherchions pas notre contemplation hors de Dieu.

Oh ! qu'elle serait pure et tranquille la conscience de celui qui renoncerait à tous les plaisirs frivoles et s'interdirait tout rapport avec le monde!

Oh! que la paix dont elle jouirait serait grande, si elle pouvait se débarrasser des soins inutiles qui troublent le repos de l'esprit,

Si elle ne pensait qu'à Dieu et à son salut, et mettait en Dieu seul toute son espérance.

5. On ne peut mériter les consolations célestes, qu'après avoir passé par les exercices les plus pénibles de la pénitence.

Voulez-vous que le regret d'avoir offensé Dieu vous pénètre jusqu'au fond de l'âme? Rentrez en vous-même, éloignez-vous des créatures, selon l'avis du Prophète : *Même sur votre couche soyez touchés de regret et de douleur.* (Ps. iv. 5.)

Dans votre cellule vous trouverez à chaque instant ce que vous perdriez le plus souvent dans le monde.

Plus on reste dans sa cellule, plus elle devient douce et chère; plus on en sort, plus elle ennuie.

Si vous avez soin d'être fidèle à votre cellule dès le commencement, vous y trouverez de la douceur et vous vivrez content.

6. Dans le silence et dans la retraite l'âme fait de rapides progrès; c'est là que le Saint Esprit lui révèle les mystères renfermés dans les saintes Ecritures.

C'est là qu'elle trouve la source des larmes, et se purifie toutes les nuits, pour se rendre plus agréable à son Créateur. C'est là que loin du tumulte du monde, elle est admise dans la plus intime familiarité de son Epoux.

C'est là que cette âme, séparée de ses connaissances et de ses amis, reçoit les visites de Dieu et des Anges.

Il vaut mieux vivre ignoré et veiller sur son âme, que de faire de grands miracles et s'oublier soi-même.

Un religieux doit sortir rarement, et n'aimer ni à voir le monde ni à en être vu.

7. Pourquoi voulez-vous voir ce qu'il vous est défendu de posséder? *Le monde passe et sa concupiscence.* (S. Jean, ii. 17.)

La sensualité nous fait aimer les divertissements;

mais quand nous avons contenté les sens, que rapportons-nous de tout cela? un esprit dissipé et des remords de conscience.

En sortant de sa maison, on est tout au plaisir et à la joie; mais en y rentrant, on se trouve rempli de tristesse : les divertissements du soir préparent les regrets du matin.

Ainsi les plaisirs sensuels, qui nous flattent dans les commencements, produisent de grandes inquiétudes, et finissent par faire à notre âme des blessures mortelles.

Que verrez-vous ailleurs que vous ne voyiez dans le lieu où vous êtes? Le ciel, la terre, tous les éléments, ne sont-ils pas sous vos yeux? Vous voyez tout en les voyant, puisque toutes les créatures en sont composées.

8. En quel lieu du monde pourrez-vous rencontrer quelque chose de stable et de permanent?

Vous espérez peut-être goûter un contentement parfait sur la terre, mais cette espérance vous trompera.

Quand tout ce qu'il y a dans le monde serait présent à vos yeux, cet assemblage ne vous montrerait que la vanité.

Levez les yeux et considérez le Seigneur qui est dans le Ciel; demandez-lui pardon de vos fautes et de vos négligences.

Laissez la vanité aux âmes vaines, et appliquez tous vos soins à faire ce que Dieu demande de vous.

Retirez-vous dans votre cellule, appelez-y Jésus votre bien aimé.

Demeurez-y avec lui, et n'espérez point trouver ailleurs une paix plus douce.

Si vous n'étiez point sorti de votre retraite, et si vous n'eussiez point écouté les bruits et les nouvelles du monde, vous seriez bien plus tranquille; dès qu'on prend du goût pour le monde, le trouble entre aussitôt dans le cœur.

CHAPITRE 21.

DE LA COMPONCTION DU CŒUR.

Si vous voulez avancer dans la vertu, craignez les jugements de Dieu;

ne vous donnez point trop de liberté; réprimez vos sens sous une exacte discipline, et ne vous laissez jamais aller à une joie immodérée.

Tâchez d'avoir la componction du cœur, et vous trouverez la véritable dévotion.

Le relâchement fait souvent perdre les biens que procure cette sainte douleur.

On ne peut comprendre que l'homme se voyant exilé sur la terre et environné de périls puisse avoir quelque joie solide en cette vie.

2. La légèreté de notre cœur et notre négligence à déraciner nos défauts nous empêchent de sentir les maux de notre âme; et nous rions lorsque nous devrions pleurer.

Il n'y a de vraie liberté et de joie véritable que dans la crainte de Dieu, accompagnée d'une bonne conscience.

Heureux celui qui, écartant toutes les distractions, pense sérieusement à exciter en lui la componction.

Heureux celui qui est jaloux de la pureté de son âme et fuit tout ce qui pourrait en troubler la paix.

Combattez avec courage : une habitude se surmonte par l'habitude contraire.

3. Si vous méprisez le monde, il vous laissera faire tout le bien que vous voudrez.

Ne vous embarrassez point des affaires des autres, ni des intérêts des grands.

Ayez toujours les yeux sur vous-même d'abord; et gardez-vous vous-même avec plus de soin que vos plus chers amis.

Si vous n'avez pas la faveur des hommes, ne vous en affligez point, mais voici ce qui doit vous être pénible, c'est de n'avoir pas toute l'exactitude et toute la circonspection nécessaire à un serviteur de Dieu et à un parfait religieux.

Il est souvent plus utile et plus sûr pour l'homme de n'avoir point de grandes consolations en cette vie, principalement de celles qui flattent l'amour-propre.

Cependant c'est notre faute si nous sommes privés de consolations divines, ou si nous les sentons rarement : c'est que nous n'avons pas le soin de chercher la componction du cœur, et de rejeter entièrement les consolations extérieures.

4. Reconnaissez que vous êtes indigne des consolations divines et que vous ne méritez que des peines et des afflictions.

L'homme vivement pénétré du regret de ses fautes, ne trouve que de l'amertume dans le monde.

Le juste trouve toujours assez de sujets de gémir et de pleurer.

Soit qu'il se considère lui-même, soit qu'il envisage le prochain, il s'aperçoit que nul n'est exempt d'épreuves et de tribulations en cette vie.

Plus il s'examine attentivement, plus il trouve de sujets d'afflictions.

Nos péchés et nos vices sont pour nous un juste sujet de tristesse; nous y sommes tellement engagés qu'à peine pouvons-nous nous élever à la contemplation des choses célestes.

5. Si au lieu de vous promettre une longue vie, vous pensiez souvent à la mort, vous vous sentiriez sans doute plus de zèle pour vous corriger.

Si vous réfléchissiez sérieusement aux peines éternelles et à celles du purgatoire, il n'y aurait point d'austérités ni de travaux que vous ne souffrissiez avec joie.

Mais comme vous n'y pensez point, et que vous aimez encore les plaisirs de la vie, il n'est pas étonnant que vous demeuriez toujours dans la tiédeur et dans le relâchement.

6. La faiblesse de l'esprit est souvent cause que notre corps se plaint si facilement.

Adressez à Dieu d'humbles prières afin qu'il vous donne la componction du cœur, et dites avec le Prophète : *Faites-moi manger le pain des larmes et boire le calice des pleurs.* (Ps. lxxix. 6.)

CHAPITRE 22.

DE LA CONSIDÉRATION DES MISÈRES HUMAINES.

De quelque côté que vous alliez, vous serez toujours malheureux, si vous ne vous donnez entièrement à Dieu.

Pourquoi vous troubler, lorsque les choses n'arrivent pas selon vos désirs? Y a-t-il un homme qui ait tout à souhait? Ce n'est ni vous, ni moi, ni personne sur la terre.

Il n'y a point d'homme dans le monde, fût-il Roi ou Pape, qui n'ait quelque chose à souffrir.

Quel est le plus heureux de tous? Evidemment celui qui sait souffrir quelque chose pour l'amour de Dieu.

2. Les faibles et les imparfaits disent souvent : Que cet homme mène une vie agréable, qu'il est riche, qu'il est puissant et élevé!

Contemplez les biens célestes et vous connaîtrez le néant des biens temporels, leur fragilité et les peines que cause leur jouissance : on ne les possède jamais sans inquiétude, et sans crainte de les perdre.

Le bonheur de l'homme ne consiste point dans l'abondance de ses biens temporels; la médiocrité lui suffit.

En vérité la vie présente est une grande misère.

Plus l'homme s'avance dans la vie intérieure, plus il trouve d'amertumes dans la vie présente, parce qu'il en connaît mieux la corruption et les défauts.

C'est une affliction bien sensible à l'homme vertueux, que d'être obligé de boire, de manger, de veiller, de dormir, de travailler, de se reposer et d'être soumis à toutes les incommodités de la nature; quand il lui serait si doux d'être dégagé des liens du corps et de la servitude du péché.

3. L'homme intérieur ne pense qu'avec répugnance à pourvoir aux besoins de son corps.

Voilà pourquoi le Prophète demandait instamment à Dieu qu'il lui plût de l'en affranchir : *Seigneur*, disait-il, *conservez mon âme et délivrez-moi de mes nécessités.* (Ps. xxiv. 17.)

Malheur à ceux qui ne connaissent point leurs misères, malheur surtout à ceux qui sont attachés à cette misérable vie.

On en voit qui, bien que privés des choses les plus nécessaires, ont un si grand amour de la vie, qu'ils voudraient la conserver toujours sans se soucier du royaume de Dieu.

4. Oh! que ces gens sont stupides et insensés! Ils sont tellement plongés dans les choses de la terre, qu'ils n'ont aucun goût pour ce qui n'est pas charnel.

Les infortunés, ils connaîtront à la fin, par leur propre expérience, combien était méprisable ce qu'ils ont cherché avec tant d'ardeur.

Les Saints et les amis de Jésus Christ n'ont point eu d'empressement pour ce qui flatte la chair, et pour ce que le monde estime : tous leurs désirs tendaient aux biens éternels, seul objet de leurs espérances.

Leur cœur tout entier se portait vers les biens du Ciel, vers les biens invisibles et impérissables; ils avaient peur que l'amour des choses sensibles ne les entraînât dans l'abîme.

Mon frère, ne perdez point l'espérance de vous élever à un haut degré de sainteté, puisque vous en avez encore le temps.

5. Pourquoi différer toujours l'accomplissement de vos bonnes résolutions? Levez-vous et commencez dès maintenant; dites-vous à vous-même: Il est temps d'agir et de combattre, voici le temps de se corriger.

Quand vous êtes tombé dans quelque affliction, c'est le temps d'acquérir de nombreux mérites.

Il faut passer par l'eau et par le feu pour arriver au lieu du repos et du rafraîchissement.

Si vous ne vous faites violence, vous ne surmonterez point vos vices.

Aussi longtemps que notre âme est unie à ce corps mortel et fragile, elle ne peut être exempte de péché, d'ennui, ou de douleur.

Nous voudrions être délivrés de nos misères; mais depuis que nous avons perdu notre innocence par le péché, nous ne pouvons plus jouir d'un parfait repos sur la terre.

Il nous faut donc prendre patience, et attendre la miséricorde de Dieu, jusqu'à ce que l'iniquité passe, et que ce qu'il y a de mortel en nous soit comme absorbé par la vie. (2 *Cor.* v. 4.)

6. Oh ! que la fragilité de l'homme est grande, et que le penchant qui le porte au vice est violent et enraciné !

Vous confessez aujourd'hui vos péchés, et le lendemain vous retombez dans les mêmes fautes.

Vous prenez la résolution de veiller sur vous-même, mais un moment après vous oubliez ce que vous avez résolu.

Puisque nous sommes si fragiles, nous avons grand sujet de nous humilier, et de n'avoir que d'humbles sentiments de nous-mêmes.

Nous pouvons perdre un moment par notre négligence, ce que nous avons acquis avec beaucoup de peine par le secours de la grâce.

7. Que serons-nous à la fin de notre vie, si nous commençons de si bonne heure à être tièdes et languissants?

Malheur à nous si nous cherchons à nous reposer, comme si nous étions en paix et que nous n'eussions plus rien à craindre; tandis qu'il ne paraît dans notre conduite aucune marque de véritable sainteté.

Nous aurions bien besoin d'être instruits comme des novices, et d'être formés de nouveau à la piété et à ses pratiques. Peut-être alors y aurait-il lieu d'espérer en nous quelque amendement et quelque progrès dans la vie intérieure.

CHAPITRE 23.

DE LA MÉDITATION DE LA MORT.

Voyez en quel état vous êtes; il vous reste encore peu de temps à vivre; l'homme vit aujourd'hui, et demain il n'est plus; et quand une fois il est disparu de nos yeux, il ne tarde pas à disparaître de notre souvenir.

O aveuglement et insensibilité du cœur humain, qui n'est sensible qu'aux choses présentes, et ne prévoit rien des choses futures !

Vous devriez régler chaque jour toutes vos pensées et toutes vos actions, comme si vous étiez sur le point de mourir.

Si vous aviez la conscience pure, vous ne craindriez guère la mort.

Il vaut mieux éviter le péché, que de se précautionner utilement contre la mort.

Si vous n'êtes pas aujourd'hui préparé à la mort, comment le serez-vous demain? Le jour de demain est incertain, et savez-vous si vous vivrez jusque-là?

2. A quoi sert de vivre longtemps, puisque nous pensons si peu à nous corriger.

Hélas! une longue vie ne fait que multiplier nos fautes, au lieu d'en diminuer le nombre.

Heureux serions-nous, si nous avions passé un seul jour sans péché sur cette terre!

Plusieurs comptent bien des années depuis leur conversion, sans qu'on voie beaucoup de changement dans leur conduite.

Si la mort est redoutable, il est peut-être encore plus dangereux de vivre.

Heureux celui qui a toujours devant les yeux l'heure de sa mort, et qui tous les jours se prépare à mourir.

S'il vous est arrivé de voir mourir, souvenez-vous qu'il vous en arrivera autant.

3. Pensez le matin que vous ne vivrez peut-être pas jusqu'au soir.

De même songez le soir que vous ne verrez peut-être pas le lendemain.

Soyez donc toujours prêt, et vivez de telle sorte que vous ne puissiez jamais être surpris par la mort.

Il en est un grand nombre qui meurent de mort subite, et sans y être préparés; car le Fils de l'homme vient à l'heure où l'on n'y pense pas.

Quand cette dernière heure sera venue, vous aurez bien d'autres sentiments de votre vie passée : vous commencerez alors à vous repentir d'avoir vécu avec tant de négligence.

4. Heureux et prudent celui qui, durant sa vie, tâche d'être tel qu'il désire se trouver à l'heure de la mort.

Le parfait mépris que nous aurons eu du monde, le soin de notre avancement dans la vertu, une exacte régularité, une grande haine de nous-même, un grand amour de la pénitence, une grande promptitude à obéir, et une grande constance à souffrir toutes sortes de peines pour l'amour de Jésus Christ, tout cela nous donne un grand espoir de bien mourir.

Aussi longtemps que vous êtes en santé, vous pouvez faire beaucoup de bonnes œuvres; mais je ne sais de quoi vous serez capable, quand vous serez malade.

Il en est peu que la maladie rende meilleurs, et de même ceux qui voyagent beaucoup, se sanctifient rarement.

5. Ne vous reposez point sur vos parents et vos amis; et ne différez point votre conversion pour quelque motif que ce soit, les hommes vous oublieront plus tôt que vous ne pensez.

Il vaut mieux vous pourvoir à temps et vous faire précéder de bonnes œuvres, que d'attendre le secours des autres.

Si vous n'avez pas maintenant soin de vous-même, qui s'occupera de vous quand vous ne serez plus?

C'est maintenant le temps favorable, c'est maintenant le temps du salut.

Mais hélas, que vous employez peu utilement ce temps qui vous est donné pour mériter la vie éternelle!

Un moment viendra, où vous prierez Dieu peut-être de vous accorder une heure pour vous convertir, et je ne sais si cette heure vous sera donnée.

6. Considérez de quel péril et de quel malheur vous pouvez maintenant vous délivrer, en vivant toujours dans la crainte de la mort.

Tâchez maintenant de régler si bien votre vie que vous ayez plus de sujet de vous réjouir que de craindre à l'article de la mort.

Apprenez maintenant à mourir au monde, afin de commencer alors à vivre avec Jésus Christ.

Accoutumez-vous à mépriser les choses sensibles, afin qu'aucun obstacle ne vous empêche d'aller à Jésus Christ.

Châtiez maintenant votre corps par la pénitence, afin qu'en mourant vous ayez une confiance bien fondée d'être sauvé

7. Insensé ! vous vous promettez une longue vie, et vous ne pouvez répondre d'un jour !

Combien qui ont été trompés, et enlevés par une mort imprévue !

Combien de fois n'avez-vous pas entendu dire : Un tel vient d'être tué d'un coup d'épée, un autre s'est noyé ; celui-ci en tombant s'est rompu le cou ; celui-là s'est étranglé, l'autre est mort en jouant.

L'un a été étouffé dans le feu, l'autre a péri par le fer ; celui-ci est mort de la peste, celui-là a été assassiné par des voleurs. La mort est la fin de tous les hommes, et la vie s'évanouit comme une ombre.

8. Qui se souviendra de vous après votre mort, qui priera pour vous?

Faites maintenant, mon cher frère, faites maintenant tout le bien que vous pouvez, puisque vous ne savez quand il faudra mourir, ni ce que vous deviendrez après la mort.

Tandis que vous avez le temps, appliquez-vous à acquérir des richesses éternelles.

Ne vous souciez que de votre salut, et ne vous occupez que des choses de Dieu.

Tâchez de vous faire maintenant des amis dans le ciel, en honorant les Saints et en imitant leurs vertus, afin qu'après votre mort ils vous *reçoivent dans les Tabernacles éternels.* (Luc. XVI. 9.)

9. Regardez-vous sur la terre comme un hôte et un voyageur que les affaires du monde ne touchent point.

Ayez toujours le cœur libre et élevé vers Dieu, puisque vous n'avez pas de demeure fixe sur la terre.

Adressez au ciel vos prières, vos gémissements et vos larmes, afin que votre âme, dégagée des liens du corps, puisse jouir de la paix et du repos des Bienheureux. Ainsi soit-il.

CHAPITRE 24.

DES JUGEMENTS DE DIEU ET DES PEINES DES PÉCHEURS.

Considérez en toutes choses votre fin dernière, et l'instant où vous paraîtrez devant ce juge redoutable qui sait tout, qui ne se laisse point fléchir, et ne reçoit point de fausses excuses, mais qui jugera selon les rigueurs de la justice.

Pécheurs malheureux et insensés, que répondrez-vous à Dieu qui connaît tous vos désordres, vous qui ne pouvez soutenir les regards courroucés d'un homme?

Pourquoi ne vous préparez-vous pas à ce jour terrible du jugement, où vous n'aurez ni avocat ni intercesseur, où chacun se trouvera embarrassé de son propre fardeau?

Votre travail peut être utile maintenant, votre repentir et vos larmes peuvent être agréables à Dieu : il écoute vos gémissements, et votre contrition peut effacer vos péchés.

2. La patience peut être pour nous en cette vie un utile et salutaire purgatoire, si dans les injures que nous recevons, nous sommes plus affligés du mal commis par les autres que de nos propres souffrances; si nous prions volontiers pour nos ennemis; si nous leur pardonnons de bon cœur; si nous sommes prompts à demander pardon aux autres; si nous sommes plus portés à la compassion qu'à la colère; et si, nous appliquant sans relâche à nous vaincre, nous nous efforçons de soumettre entièrement la chair à l'esprit.

Il vaut bien mieux se purifier maintenant de ses péchés et travailler à détruire ses vices, que de les expier plus tard par le feu.

L'amour désordonné que nous avons pour notre corps, nous jette dans un étrange aveuglement.

3. Vos péchés sont la matière que ce feu dévorera.

Plus vous avez maintenant d'indulgence pour vous-même, plus vous flattez votre corps, et plus vous serez tourmenté, puisqu'ainsi vous accumulez des éléments pour ce feu terrible.

Les tourments seront proportionnés aux crimes : les paresseux se sentiront stimulés par d'ardents aiguillons; les intempérants souffriront une faim et une soif insupportables.

Les voluptueux et les impudiques seront plongés dans les flammes de poix et de soufre; les envieux, dans l'excès de leur douleur, pousseront des hurlements comme des chiens furieux.

4. Il y aura un tourment particulier pour chaque vice.

Les orgueilleux seront remplis de confusion; les avares seront réduits à la plus affreuse misère.

Là une heure de peines sera plus cruelle que cent années de la pénitence la plus austère.

Sur la terre le travail cesse quelquefois, et l'on peut jouir des consolations de l'amitié, mais les réprouvés n'auront ni consolation ni relâche.

Appliquez-vous maintenant à expier vos péchés par la patience, afin qu'au jour du jugement vous soyez en assurance avec les Bienheureux.

Alors *les justes s'élèveront avec une grande fermeté contre ceux qui les auront accablés d'afflictions et d'opprobres.* (Sag. v. 1.)

Ceux qui maintenant se soumettent avec humilité au jugement des hommes, jugeront les autres à leur tour.

L'humble et le pauvre seront en sécurité, le superbe tremblera d'effroi.

5. Alors, on verra qu'il a été sage celui qui aura été traité dans le monde d'insensé et misérable pour l'amour de Jésus Christ.

Alors le juste se réjouira des tribulations patiemment souffertes. *L'iniquité confondue n'osera ouvrir la bouche.* (Ps. cvi. 42.)

Les gens de bien seront dans la joie; les méchants gémiront.

La chair, soumise par l'austérité de la pénitence, aura plus d'éclat et de beauté que si elle avait été toujours nourrie dans la délicatesse et dans les plaisirs.

Les habits simples et pauvres brilleront : les habits somptueux perdront tout leur éclat.

On sera plus heureux d'avoir habité une pauvre cabane qu'un palais brillant d'or.

On estimera plus une patience humble et constante que toute la puissance du monde.

L'obéissance simple et aveugle sera préférée à la plus habile politique des gens du siècle.

6. La bonne conscience donnera plus de satisfac-

tion que la philosophie la plus recherchée.

On sera plus consolé d'avoir méprisé les richesses que d'en avoir amassé.

La méditation et la prière causeront alors plus de plaisir que le souvenir des joies mondaines.

Vous serez plus content d'avoir gardé le silence que d'avoir parlé longtemps.

Vos bonnes œuvres seront plus utiles que les beaux discours.

Enfin vos austérités vous causeront plus de joie que les plaisirs et les divertissements du monde.

Accoutumez-vous maintenant à souffrir dans les petites choses, pour éviter des peines plus cruelles en l'autre vie.

Eprouvez vos forces, et voyez de quoi vous êtes capables.

Si vous êtes si sensible aux peines les plus légères, comment pourrez-vous supporter des tourments horribles et éternels?

Si une souffrance légère vous cause tant d'impatience, comment supporterez-vous les peines de l'enfer?

Il vous est impossible d'être doublement heureux : de goûter maintenant les joies du monde, et, dans le Ciel, de régner avec Jésus Christ.

7. Si vous aviez toujours vécu dans les honneurs et dans les plaisirs, et que vous fussiez arrivé à votre dernier jour, de quoi vous serviraient tous ces plaisirs et cette gloire?

Ainsi tout n'est que vanité, excepté aimer Dieu et ne servir que lui.

Celui qui aime Dieu de tout son cœur ne craint ni la mort, ni les supplices, ni le jugement, ni l'enfer, parce que le parfait amour bannit la crainte, et donne un libre accès auprès de Dieu.

Celui qui trouve son plaisir dans le péché, a bien sujet de redouter la mort et le jugement.

Mais si l'amour n'est pas encore assez fort pour vous retirer du vice, il est toujours bon qne la crainte de l'enfer vous retienne.

Celui qui néglige cette crainte salutaire, ne persévérera pas longtemps dans la vertu, et tombera bientôt dans les pièges du démon.

CHAPITRE 25.

QU'IL FAUT TRAVAILLER AVEC ARDEUR A L'AMENDEMENT DE SA VIE.

Soyez vigilant et exact dans tout ce qui regarde le service de Dieu, demandez-vous souvent pourquoi vous êtes venu dans la solitude, et pour quel motif vous avez abandonné le monde.

N'est-ce pas pour vous consacrer à Dieu, et pour devenir un homme intérieur?

Ayez donc du zèle pour votre avancement, vous ne serez pas longtemps sans recevoir la récompense de vos peines, alors vous n'aurez plus ni à craindre ni à souffrir.

Un peu de travail vous acquerra un repos et une joie qui dureront toujours.

Si vous servez Dieu avec ferveur et fidélité, Dieu aussi sera fidèle et généreux dans la récompense.

Vous devez toujours conserver l'espérance de terminer heureusement votre course; il ne faut pas cependant vous en tenir trop assuré, de peur que vous ne tombiez dans la tiédeur ou dans la présomption.

2. Un homme se sentant accablé de tristesse et flottant entre la crainte et l'espérance, alla prier Dieu dans une église. Là, prosterné devant l'autel, il répétait ces paroles : Oh! si j'étais assuré de persévérer dans la grâce! A quoi Dieu lui répondit intérieurement : Que feriez-vous si vous en étiez assuré? Faites maintenant ce que vous feriez alors, et vous serez infailliblement sauvé.

Consolé et rassuré par cette réponse, il s'abandonna de bon gré à la volonté de Dieu et se trouva entièrement délivré des troubles qui l'agitaient.

Il n'eut plus la curiosité de savoir ce qu'il deviendrait, et s'appliqua uniquement à chercher en toutes choses la volonté de Dieu, ce qui pouvait davantage lui plaire, afin de commencer et de finir saintement toutes ses actions.

Espérez en Dieu, dit le Prophète, *et faites le bien; habitez la terre et vous serez nourri de ses richesses.* (Ps. xxxvi. 3.)

3. Un obstacle retient et ralentit chez un grand nombre, l'ardeur qu'ils ont de s'avancer entièrement dans la voie de Dieu : c'est la crainte des difficultés et la peine qu'ils trouvent de se combattre eux-mêmes.

Et en effet ceux-là font de plus grands progrès dans la voie de Dieu, qui s'appliquent avec plus de courage à surmonter les obstacles les plus pénibles et les plus contraires à leurs désirs.

Plus l'homme remporte de victoires sur l'amour-propre et s'avance dans l'humilité, plus il croît en grâce et en vertu.

4. Tous n'ont pas les mêmes difficultés pour se vaincre et se mortifier.

Cependant un chrétien fervent, eût-il d'ailleurs de violentes passions, s'avancera toujours plus qu'un autre qui, doué de meilleures inclinations, fait preuve de moins de zèle pour la vertu.

Deux choses servent principalement à nous corriger : l'une est la résistance courageuse au penchant vicieux qui nous domine: et l'autre, le soin d'acquérir les vertus dont on a le plus besoin.

Ayez un soin tout particulier d'éviter vous-même tout ce qui vous déplaît et que vous condamnez dans les autres.

5. Songez toujours à votre avancement, et s'il se fait une bonne œuvre ou qu'on la loue en votre présence, prenez la résolution de l'imiter.

Au contraire, si quelqu'un fait une faute, soyez attentif à l'éviter ou à vous en corriger si vous y êtes tombé vous-même.

De même que vous remarquez les actions d'autrui, ainsi les autres ont les yeux sur vous.

Qu'il est doux et consolant de vivre avec de bons et fervents religieux, réglés dans leurs mœurs, exacts à remplir les devoirs de la discipline !

Qu'il est triste au contraire, et scandaleux, d'en voir vivre dans le désordre, et s'acquitter mal des obligations de leur état !

Qu'il est dangereux de négliger les devoirs de sa vocation, et de s'appliquer à des choses dont on n'est pas chargé !

6. Pensez souvent aux devoirs de votre profession, et ayez toujours devant les yeux l'image de Jésus Christ crucifié.

Vous devez avoir une grande confusion en pensant à la vie de votre Maître, de vous y être si peu conformé, quoique vous soyez depuis longtemps dans le chemin de la perfection.

Un religieux qui s'occupe à méditer la vie et les travaux de ce divin Sauveur, y trouve tout ce qui peut être avantageux ou nécessaire à son salut; et c'est en vain qu'il cherche quelque chose de meilleur.

Oh! que nous serions parfaitement éclairés et en peu de temps, si Jésus Christ crucifié entrait bien avant dans notre cœur!

7. Un religieux qui a de la ferveur et du zèle, fait promptement et avec joie tout ce qu'on lui commande.

Le religieux tiède et négligent a à supporter tribulations sur tribulations; de toutes parts il ne voit qu'affliction et angoisse; il est privé des consolations intérieures, et son état lui défend d'en chercher à l'extérieur.

Celui qui n'observe pas la règle, est exposé à de grandes chutes.

Celui qui aime sa liberté ne trouvera jamais de repos; il aura toujours quelque sujet de tristesse et de déplaisir.

8. Comment font tant de religieux, qui observent si exactement la discipline de leur monastère?

Ils vivent dans la retraite et n'en sortent que rarement; ils sont nourris pauvrement, ils portent des habits rudes et grossiers, ils travaillent beaucoup et parlent peu, ils veillent tard et se lèvent matin; ils font de longues prières, s'appliquent à la lecture et observent exactement tous leurs devoirs.

Considérez l'ordre des Chartreux, voyez celui de Citeaux, et plusieurs autres ordres de religieux et de religieuses; ils emploient les nuits à chanter les louanges de Dieu.

C'est une honte pour vous de vous acquitter avec tant de négligence de ces saints devoirs, quand une infinité de saintes âmes s'y emploient avec tant d'ardeur et tant de zèle.

9. Quel bonheur! si nous n'avions autre chose à faire qu'à louer de cœur et de bouche le Seigneur notre Dieu!

Oh! si vous n'aviez jamais besoin de manger, ni de boire, ni de dormir, et si vous pouviez sans cesse louer Dieu et vaquer à vos exercices spirituels! vous seriez bien plus heureux que d'être obligé de pourvoir aux nécessités du corps.

Que nous serions heureux d'être affranchis d'une servitude si pénible, et de pouvoir donner à notre âme la nourriture qui lui est si nécessaire et qu'il nous est si rare de goûter!

10. Lorsqu'un homme est parvenu au point de se refuser toutes les consolations des créatures, il commence à bien goûter les choses de Dieu; quoi qu'il arrive il est toujours content.

Alors aucune prospérité ne le réjouit, aucun revers ne l'abat; il s'abandonne tout entier avec une pleine confiance à Dieu qui lui est tout en toutes choses, pour qui rien ne périt, mais pour qui, au contraire, tout vit, et à qui tout obéit au moindre signe.

11. Souvenez-vous toujours de votre fin, et de l'impossibilité de regagner le temps perdu; les vertus ne s'acquièrent qu'avec beaucoup de soin et de travail.

Dès que vous commencerez à vous relâcher, vous sentirez de l'inquiétude.

Mais si vous avez de la ferveur, vous goûterez un parfait repos; la grâce de Dieu et l'amour de la vertu vous rendront le travail facile et agréable.

Le religieux fervent et courageux est toujours prêt à tout.

Il faut se faire plus de violence pour résister aux vices et aux passions que pour supporter les plus grands travaux du corps.

Quiconque néglige les petites fautes tombe peu à peu dans les grandes.

Si vous employez utilement la journée, vous vous réjouirez le soir.

Veillez sur vous-même, excitez-vous à la

vertu, ne vous pardonnez rien; et quoi qu'il en soit des autres, ne vous négligez jamais.

Plus vous vous ferez violence, et plus vous avancerez dans la vertu. Ainsi soit-il.

Fin des avis utiles pour entrer dans la vie spirituelle ou intérieure.

LIVRE II.

INSTRUCTION SUR LA VIE INTÉRIEURE.

CHAPITRE I.

DE LA VIE INTÉRIEURE.

*E royaume de Dieu est au dedans de vous*, dit le Seigneur (Luc, xvii. 21.); convertissez-vous à Dieu de tout votre cœur; laissez-là ce monde malheureux, et votre âme trouvera le repos.

Apprenez à mépriser les choses extérieures, pour ne vous occuper que des intérieures; bientôt le royaume de Dieu viendra en vous. *Ce royaume consiste dans la paix et dans la joie que donne le Saint Esprit* (Rom, xiv. 17.); ce qui n'est point le partage des impies.

Si vous préparez à Jésus Christ une demeure digne de lui, il fera son séjour dans votre cœur, et il vous comblera de ses consolations.

Toute la beauté et toute la gloire qu'il recherche, vient du dedans; et c'est là qu'il met son affection.

Il visite souvent l'homme intérieur, se communique à lui, le comble de ses consolations, lui donne sa paix, et le traite avec une familiarité vraiment admirable.

2. Courage donc, âme fidèle, préparez votre cœur afin que ce divin Epoux y entre et y établisse sa demeure.

C'est lui-même qui a dit : *Si quelqu'un m'aime, il gardera ma parole; et nous ferons en lui notre demeure* (S. Jean, xiv. 23)

Fermez la porte de votre cœur, à tout autre qu'à Jésus.

Si vous possédez Jésus, vous êtes riche, et il vous tiendra lieu de tout. Il vous soulagera dans toutes vos nécessités, en sorte que vous n'aurez plus besoin du secours des hommes.

Les hommes sont inconstants et légers; Jésus

est toujours le même (S. Jean, xii. 34.) et il assiste jusqu'à la fin ceux qui l'aiment.

3. Ne placez pas votre confiance sur l'homme toujours fragile et mortel, quoiqu'il vous soit utile et soit votre ami ; de même ne vous affligez pas quand il vous contrarie ou vous cause quelque déplaisir.

Ceux qui sont aujourd'hui pour vous, se déclareront demain contre vous; au contraire ceux qui sont aujourd'hui vos ennemis, vous deviendront favorables : les hommes changent comme le vent.

Mettez toute votre confiance en Dieu; ne craignez et n'aimez que lui. Il sera votre protecteur, et conduira toute chose à votre plus grand avantage.

Vous n'avez pas de demeure fixe sur la terre : en quelque lieu que vous soyez, vous y êtes comme un étranger et un voyageur; vous ne trouverez le repos que dans une union parfaite avec Jésus Christ.

4. Pourquoi jetez-vous les yeux sur tout ce qui vous environne? Ce n'est point ici le lieu de votre repos. Votre demeure doit être dans le Ciel, et vous ne devez regarder que comme en passant les choses d'ici-bas.

Toutes passent, et vous passerez comme elles.

Ne vous attachez point à la terre, cette attache serait la cause de votre perte.

Elevez votre esprit vers Dieu, et offrez sans cesse vos prières à Jésus Christ.

Si vous ne pouvez vous tenir à la contemplation des mystères du Ciel, arrêtez-vous à la passion de Jésus Christ, et cachez-vous dans ses plaies sacrées.

Si vous en faites votre asile, vous supporterez avec plus de courage toutes vos afflictions, vous ne vous soucierez guère des mépris du monde, et vous supporterez sans murmure les injures et les médisances.

5. Jésus Christ a été méprisé du monde : ses amis et ses proches l'ont abandonné au milieu des opprobres.

Il a souffert les derniers outrages; et vous osez vous plaindre ?

Il a eu des ennemis et des calomniateurs; et vous voulez que tout le monde vous aime et vous fasse du bien?

Comment voulez-vous que votre patience soit couronnée, si elle ne rencontre jamais l'occasion de combattre?

Comment serez-vous l'ami de Jésus Christ, si vous ne voulez souffrir aucune contradiction?

Souffrez avec Jésus Christ et pour Jésus Christ, si vous voulez régner avec Jésus Christ.

6. Si vous pouviez entrer dans le sein de Jésus, et goûter les douceurs de son amour, vous ne vous soucieriez guère de ce qui peut vous être commode ou incommode, et vous vous réjouiriez des opprobres dont on vous abreuve : l'amour de Jésus inspire le mépris de soi-même.

Celui qui aime Jésus et la vérité, est véritablement intérieur : il est affranchi des affections désordonnées, peut s'attacher librement à Dieu et s'élever au-dessus de soi-même, pour se reposer dans la jouissance de son Bien-Aimé.

7. Celui qui estime les choses ce qu'elles valent, et n'en juge pas selon le mérite ou l'estime des hommes, possède la vraie sagesse : et il met en pratique les enseignements de Dieu plutôt que ceux du monde.

Celui qui sait vivre dans un grand recueillement, et qui n'a que peu de souci des choses extérieures, ne cherche point de lieu ni de temps particulier pour s'appliquer aux exercices de la piété.

Un homme intérieur rentre bientôt en lui-même, parce qu'il ne s'abandonne jamais entièrement aux choses extérieures.

Les travaux extérieurs et les occupations auxquelles il est parfois obligé de se livrer ne le dissipent point : il s'accommode aux affaires selon le temps et l'occasion.

Quand l'intérieur est bien réglé, on se soucie peu de ce que les autres font de mal ou d'extraordinaire.

L'homme n'est distrait qu'autant qu'il se distrait lui-même par les occupations qu'il se crée.

8. Si vous aviez bien la droiture et la pureté de cœur, tout contribuerait à votre avancement.

Beaucoup de choses vous troublent, parce que vous n'êtes pas encore mort à vous-même, ni détaché des choses de la terre.

Rien ne corrompt et n'embarrasse le cœur de l'homme comme l'amour désordonné des créatures.

Si vous ne cherchez point les consolations extérieures, vous pourrez contempler les choses célestes et goûter en vous-même une joie parfaite.

CHAPITRE 2.

QU'IL FAUT SE SOUMETTRE HUMBLEMENT A DIEU.

Ne cherchez pas avec inquiétude qui est pour vous ou contre vous; mais faites en sorte que Dieu soit avec vous dans toutes vos œuvres.

Si vous avez la conscience pure, Dieu saura bien vous défendre.

Toute la malice des hommes ne peut nuire à celui qui est sous la protection de Dieu.

Si vous savez souffrir et vous taire, sans aucun doute le Seigneur viendra à votre secours.

Il sait le temps et la manière de vous délivrer de vos peines; vous devez donc vous abandonner entièrement à sa conduite.

C'est à Dieu qu'il ap partient de soulager nos maux et de nous épargner toute confusion.

Il est quelquefois avantageux pour nous conserver dans l'humilité, que nos défauts soient connus et que l'on nous en reprenne.

2. L'homme qui s'humilie par l'aveu de ses fautes, adoucit facilement ceux qui les lui reprochent, et apaise facilement leur courroux.

Dieu protège et sauve les humbles, il les aime et les console, il s'incline vers eux et les comble de ses grâces, il les tire du plus profond abaissement pour les élever à un haut degré de gloire.

Dieu révèle ses secrets aux humbles et les attire doucement à lui.

Les humbles possèdent toujours la paix parce qu'au milieu de la confusion, ils s'appuient sur Dieu et non pas sur le monde.

Ne croyez pas être fort avancé, si vous n'êtes intérieurement persuadé que vous êtes le dernier de tous.

CHAPITRE 3.

DE LA PAIX INTÉRIEURE.

Commencez par avoir la paix en vous-même, et vous pourrez la procurer aux autres.

L'homme pacifique vaut mieux que l'érudit et le savant.

Celui que les passions aveuglent change le bien en mal, et croit plus facilement le mal que le bien.

Au contraire l'homme doux et pacifique tourne tout en bien.

L'homme qui se possède ne forme jamais de jugement contre personne; mais celui qui est inquiet et mécontent de lui-même est toujours agité de soupçons : il ne peut vivre en repos, et il trouble le repos des autres.

Il lui échappe souvent des paroles qu'il ne devrait pas dire, et il néglige bien des œuvres qu'il serait avantageux de faire.

Il examine les obligations des autres, et il oublie ses propres devoirs.

Que votre zèle s'étende d'abord à vous-même, vous pourrez ensuite l'exercer sur les autres.

Vous ne manquez pas d'excuses pour cacher vos fautes et vous ne savez pas excuser celles du prochain.

Vous pourriez avec plus de justice vous accuser vous-même et excuser vos frères.

Si vous voulez qu'on vous supporte, supportez les autres.

Voyez combien vous êtes encore loin de la vraie charité et de l'humilité, qui font qu'on ne s'indigne et qu'on ne s'élève que contre soi-même.

Ce n'est pas merveille de vivre en paix avec des personnes douces et tranquilles : il n'y a rien de plus naturel : chacun aime la paix et préfère ceux qui sont du même sentiment.

Mais il faut avoir beaucoup de vertu, pour vivre en paix avec des esprits durs, intraitables, méchants et qui s'opposent à toutes vos volontés.

Il y a des personnes qui conservent la paix avec elles-mêmes et avec les autres.

Il y en a d'autres qui ne sont point en paix avec elles-mêmes, et n'y laissent point les autres, et ont encore plus de peine à se souffrir qu'à souffrir le prochain.

D'autres enfin conservent la paix avec eux-mêmes, et s'efforcent de la communiquer aux autres.

Toute la paix que nous pouvons espérer en cette malheureuse vie, consiste plutôt dans la souffrance humble et patiente des peines qui nous arrivent, que dans une tranquillité complète.

Le plus patient goûte une paix plus parfaite; il triomphe de lui-même et du monde, il devient ami de Jésus Christ, et héritier du royaume céleste.

CHAPITRE 4.

DE LA PURETÉ ET DE LA DROITURE DU CŒUR.

L'HOMME s'élève au Ciel, sur deux ailes : la droiture et la pureté.

La droiture doit régler ses intentions, la pureté ses affections : la droiture tend à Dieu, la pureté l'embrasse et le goûte.

Jamais une bonne action ne vous causera de peine, si votre cœur est libre de toute affection déréglée.

Si vous n'avez point d'autre but que la volonté de Dieu et l'utilité du prochain, vous jouirez d'une parfaite liberté d'esprit.

Toutes les créatures vous exciteront à la vertu, si vous avez une parfaite droiture de cœur.

Il n'y a point dans le monde de créature si méprisable qui ne fasse connaître la bonté du Créateur, et qui n'en soit une image.

2. Si votre intérieur était pur, rien ne vous empêcherait de voir et de comprendre les choses telles qu'elles sont.

Un cœur pur pénètre les mystères du ciel et les secrets de l'enfer.

On juge des choses extérieures selon la disposition où le cœur se trouve.

Si l'on trouve de la joie solide ici-bas, c'est dans un cœur pur.

Et s'il y a quelque tristesse et quelque tribulation, c'est sûrement dans une mauvaise conscience.

Comme le fer jeté dans le feu perd sa rouille et devient incandescent, de même l'homme qui est attaché parfaitement à Dieu se défait de sa tiédeur, et se change en un homme nouveau.

3. Quand on commence à se relâcher, le moindre travail effraie et l'on cherche avec empressement les consolations extérieures.

Mais quand on s'applique sérieusement à se vaincre et à marcher courageusement dans la voie de Dieu, on trouve léger et facile ce qui paraissait pesant et insupportable.

CHAPITRE 5.

DE LA CONSIDÉRATION DE SES PROPRES DÉFAUTS.

Nous ne devons pas beaucoup nous fier à nous-mêmes, parce que souvent la grâce et la raison nous abandonnent.

Nos lumières sont bien faibles, et nous perdons encore par notre négligence le peu que nous en possédons.

Souvent même nous ne reconnaissons pas notre aveuglement intérieur.

Nous faisons mal, et nous faisons plus mal encore en nous excusant,

C'est souvent la passion qui nous fait agir, et nous croyons que c'est du zèle.

Nous reprenons dans le prochain des fautes légères; et nous nous en pardonnons à nous-mêmes de plus grandes.

Nous ressentons vivement ce que les autres nous font souffrir; et c'est à peine si nous remarquons ce qu'ils ont à souffrir de notre part.

Celui qui serait fort attentif à peser ses propres actions, ne porterait point de jugements au désavantage des autres.

2. L'homme intérieur préfère le soin de son âme à tout autre soin; comme il porte toute son attention sur lui-même, il s'abstient aisément de parler des autres.

Vous ne parviendrez jamais à un haut degré de spiritualité et de dévotion, si vous ne vous accoutumez à veiller sur vous, et si vous ne vous abstenez de mal parler des autres.

Si vous ne pensiez qu'à Dieu et à votre salut, les choses du dehors vous toucheraient très peu.

Où êtes-vous quand vous n'êtes pas présent à vous-même, et qu'avez vous gagné quand vous vous êtes occupé de tout excepté de vous-même?

Si vous voulez être en paix et demeurer uni à Dieu, ne pensez qu'à vous et oubliez tout le reste.

3. Si vous êtes entièrement dégagé du soin des choses temporelles, vous ferez de grands progrès dans la vie intérieure.

Votre zèle se ralentira beaucoup, pour peu que vous attachiez de prix aux choses de la terre.

Ne regardez comme grand, élevé, agréable, utile, que Dieu même, ou ce qui vient de Dieu.

Méprisez toutes les consolations que les créatures peuvent vous donner.

Une âme qui aime Dieu s'élève au-dessus de tout, et compte pour rien ce qui ne vient pas de Dieu.

Seul le Dieu éternel et immense, qui remplit le Ciel et la terre, peut consoler une âme et lui donner une joie solide.

CHAPITRE 6.

DE LA JOIE QUE DONNE UNE BONNE CONSCIENCE.

Le témoignage d'une bonne conscience fait la gloire de l'homme de bien.

Ayez la conscience pure, et vous possèderez toujours la joie.

La bonne conscience peut supporter beaucoup; elle se réjouit dans l'adversité.

La mauvaise conscience est toujours inquiète et timide.

Si votre conscience ne vous reproche rien, vous éprouverez les douceurs de la paix.

Ne vous réjouissez que de vos bonnes œuvres.

Les méchants sont incapables d'une véritable joie; ils ne possèdent point la paix intérieure, parce qu'*il n'y a point de paix pour les impies, dit le Seigneur*. (Is. xlviii. 22.)

S'ils vous disent : nous sommes en paix; il ne nous arrivera point de mal : qui aurait l'audace de nous troubler? n'en croyez rien : car la colère de Dieu tombera sur eux tout à coup. Il dissipera leurs projets et les réduira à néant.

2. Une âme pénétrée de l'amour de Dieu n'a point de peine à se soutenir au milieu des adversités; car se glorifier de la sorte, c'est se glorifier dans la croix de Jésus Christ.

La gloire qui vient des hommes dure peu, et elle est toujours mêlée de quelque chagrin.

Les gens de bien placent toute leur gloire dans la pureté de leur conscience et non dans les applaudissements des hommes; leur joie vient de Dieu, et toute en Dieu, et elle n'a d'autre objet que la vérité.

Celui qui cherche la gloire véritable et immortelle ne se soucie guère des honneurs temporels.

Mais quiconque recherche encore la gloire du monde et ne la méprise pas du fond de son cœur, fait assez connaître qu'il estime peu celle du Ciel.

Quand on ne cherche point les louanges, et qu'on n'est point touché des mépris du monde, on possède la tranquillité du cœur.

3. Il est aisé de vivre content et sans inquiétude, quand on a la conscience tranquille.

Vous n'en êtes pas meilleur parce qu'on vous loue, ni plus méchant parce qu'on vous blâme.

Vous demeurez tel que vous êtes, et quoi qu'il arrive, vous n'en serez ni plus grand ni plus petit devant Dieu.

Si vous examinez ce que vous êtes intérieurement, vous vous soucierez peu de tout ce que les hommes diront de vous.

L'homme voit le visage, mais Dieu voit le cœur. L'homme considère l'extérieur des actions, mais Dieu pénètre dans les plus secrètes intentions.

C'est la marque d'une âme véritablement humble que de persévérer à faire le bien, tout en n'ayant qu'une médiocre estime de soi-même.

On reconnaît qu'un homme a l'âme pure et la confiance en Dieu, quand il ne cherche point de consolation dans les créatures.

4. Celui qui méprise les louanges et l'approbation des hommes, fait bien voir qu'il s'est entièrement abandonné à la volonté de Dieu.

Car *ce n'est pas celui qui se loue qui mérite d'être estimé*, dit S. Paul. *mais celui que* Dieu *même loue*. (2. Cor. x. 18.)

Chercher Dieu en soi-même et n'avoir aucune

attache aux choses sensibles, c'est être dans la voie d'un homme véritablement intérieur.

CHAPITRE 7.

QU'IL FAUT AIMER JÉSUS CHRIST PAR DESSUS TOUTES CHOSES.

HEureux celui qui comprend ce que c'est que d'aimer Jésus, et de se mépriser pour l'amour de Jésus.

Il faut que tout autre amour cède à l'amour de Jésus, parce qu'il veut être aimé seul et par-dessus toutes choses.

L'amour des créatures est trompeur et passager; l'amour de Jésus est fidèle et permanent.

Celui qui conserve de l'attache pour les créatures tombera comme elles; celui qui s'attache à Jésus demeurera éternellement inébranlable.

Aimez-le donc et conservez son amitié, car lorsque tout le monde vous abandonnera, il vous restera fidèle, et ne permettra pas que vous périssiez au dernier jour.

Que vous le vouliez ou non, il faudra nécessairement vous séparer un jour de toutes les choses de la terre.

2. Demeurez uni à Jésus durant la vie, et à la mort reposez-vous sur sa fidélité; lui seul peut vous aider, quand tout autre secours vous manquera.

Cet ami, c'est un ami jaloux et qui ne souffre point de rival; il veut régner seul dans votre cœur, comme un roi sur son trône.

Si vous pouviez renoncer entièrement à l'amour des créatures, Jésus prendrait plaisir à demeurer avec vous.

Tout ce que vous confierez aux hommes, sera perdu pour vous, si Jésus n'y a point de part.

Ne vous appuyez point sur un roseau que le vent agite, *car la chair est comme l'herbe des prairies et toute la gloire de l'homme tombera comme la fleur de l'herbe.* (Is. xl. 6.)

Vous serez trompé, si vous vous fiez à l'extérieur que les hommes vous font paraître.

Si vous ne cherchez que votre consolation et votre avantage, vous perdrez plus que vous ne gagnerez.

Si vous cherchez Jésus en toutes choses, sans

aucun doute c'est Jésus que vous trouverez.

Mais si vous vous recherchez vous-même, vous vous trouverez pour votre malheur.

L'homme se fait plus de tort à lui-même, lorsqu'il ne cherche pas Jésus, que le monde entier et tous ses ennemis ne pourraient lui en faire.

CHAPITRE 8.

DE L'UNION INTIME AVEC JÉSUS.

Lorsque Jésus est présent, tout est doux et rien ne paraît difficile; mais dès qu'il se retire, tout devient dur et insupportable.

Quand Jésus ne parle point au fond du cœur, toute consolation est vaine; mais s'il nous dit seulement une parole, nous sentons aussitôt une grande joie.

Madeleine ne se leva-t-elle pas sur le champ du lieu où elle pleurait, lorsque *Marthe* lui dit: *Le Seigneur est arrivé, et il vous demande?* (S. Jean, xi. 28.)

Heureux moment que celui où Jésus fait passer une âme de la tristesse à la joie!

Que vous êtes sec et aride sans Jésus; que vous êtes insensé, quand vous cherchez autre chose que Jésus.

Il vaut mieux perdre le monde entier, que de perdre Jésus.

2. Quel avantage le monde peut-il vous procurer sans Jésus?

Vivre sans Jésus, c'est l'enfer : vivre avec Jésus, c'est le paradis.

Tant que Jésus sera avec vous, vos ennemis n'auront aucune puissance sur vous.

Qui a trouvé Jésus, a trouvé un trésor : que dis-je, il a trouvé un bien qui surpasse tous les autres biens.

La perte de Jésus est plus funeste que celle de tous les biens de ce monde.

Vivre sans Jésus, c'est être dans une pauvreté extrême; c'est être très riche que de le posséder.

3. C'est un grand secret que de savoir vivre avec Jésus, il faut de la prudence pour ne point le perdre.

Soyez humble et pacifique, soyez doux et pieux, et il fera sa demeure en vous.

Si vous vous laissez aller aux choses extérieures, vous éloignez Jésus de vous, et vous perdrez bientôt sa grâce.

Si vous avez le malheur de chasser Jésus et de le perdre, à qui aurez-vous recours, et quel autre ami trouverez-vous?

On ne peut vivre heureux sans un ami; mais si vous ne préférez l'amitié de Jésus à toutes les autres, vous serez toujours rempli de chagrin et de tristesse.

C'est donc une extrême folie que de mettre sa confiance et son bonheur dans quelque autre affection.

Il vaudrait mieux que tous les hommes se fussent déclarés contre vous, que d'avoir Jésus seul pour ennemi.

Entre tous vos amis, que Jésus soit le premier.

4. Aimez-les tous pour l'amour de Jésus, mais aimez Jésus pour lui-même.

On doit aimer Jésus seul d'un amour particulier parce que seul il est bon et fidèle plus que tous les amis.

Aimez en lui seul et pour lui seul tous les hommes, vos amis comme vos ennemis; priez pour tous, afin que tous le connaissent et l'aiment.

Ne cherchez point à attirer à vous seul les louanges et l'amitié des hommes : ce privilège n'appartient qu'à Dieu à qui rien ne peut être comparé.

Ne désirez posséder seul le cœur de personne, et n'accordez à personne la possession du vôtre; mais souhaitez que Jésus règne absolument, et en vous et en tous les justes.

5. Ayez le cœur pur et dégagé de tout attachement aux créatures.

Il faut que vous soyez complètement détaché de toutes choses, et que votre cœur tende uniquement à Dieu, si vous voulez goûter combien le Seigneur est doux.

Vous n'arriverez jamais à cet état, si sa grâce ne vous prévient, si elle ne vous attire, et si elle ne purifie votre cœur pour vous attacher uniquement à Dieu.

Quand la grâce de Dieu s'empare d'une âme, elle la rend capable de tout; mais quand elle l'abandonne, cette âme devient pauvre, faible, et exposée à toutes sortes de misères.

Il ne faut point qu'elle se laisse abattre, ni qu'elle perde courage; mais qu'elle se résigne à la volonté de Dieu, et souffre tout avec patience pour l'amour de Jésus Christ : le printemps vient après l'hiver, le jour succède à la nuit, et le calme à la tempête.

CHAPITRE 9.

DE LA PRIVATION DE TOUTE CONSOLATION.

Il n'est pas difficile de se passer des consolations humaines, lorsqu'on est rempli des consolations divines.

Mais c'est une grande et héroïque chose que de se soutenir sans aucune consolation ni de la part de Dieu ni de la part des hommes, et de souffrir avec courage cette espèce d'abandon, sans se chercher soi-même, et sans avoir égard à son propre mérite.

Qu'y a-t-il d'extraordinaire à être joyeux et fervent, quand la grâce de Dieu anime notre âme? Tous doivent souhaiter cet état.

Il est doux et facile de courir quand c'est la grâce de Dieu qui nous porte.

Faut-il s'étonner qu'on ne sente point de fardeau, quand le Tout-puissant nous conduit et nous guide?

2. On aime naturellement les consolations, et l'on a bien de la peine à se dépouiller de ses inclinations naturelles.

Le glorieux Martyr saint *Laurent*, à l'imitation du saint Pape *Sixte*, triompha du monde, en foulant aux pieds tous les plaisirs mondains; il consentit, pour l'amour de Jésus Christ, à être séparé du saint Pape qu'il aimait, et supporta patiemment cette séparation.

Ce saint rendit l'amour de Dieu victorieux de l'amour des hommes, et au lieu des consolations humaines, il ne rechercha que l'accomplissement de la volonté divine.

Apprenez, à son exemple, à renoncer à vos amis pour l'amour de Dieu.

Ne vous alarmez point quand vos amis vous abandonnent; vous savez bien que la mort doit un jour séparer tous les hommes.

3. L'homme n'apprend à se vaincre lui-même et à rapporter toutes ses affections à Dieu, que par de longs et pénibles combats.

L'homme qui met sa confiance en lui-même, cherche naturellement les consolations humaines.

Mais celui qui a un véritable amour pour Jésus Christ et du zèle pour la vertu, ne cherche pas les consolations sensibles. Il leur préfère les exercices les plus pénibles, et les grands travaux pour Jésus Christ.

4. Lorsque Dieu vous donne des consolations spirituelles, recevez-les avec reconnaissance, et ne les regardez pas comme des récompenses de votre mérite.

Ne vous en glorifiez pas, ne vous en réjouissez pas avec excès, mais que ce soit plutôt un sujet de vous humilier; soyez-en plus retenu et plus vigilant dans toutes vos actions, parce que le temps de la tranquillité passe, et la tentation ne tarde pas à lui succéder.

Lorsque la consolation vous sera ôtée, ne perdez pas l'espérance; attendez avec patience et humilité que Dieu vous visite de nouveau; lui seul peut vous rendre au centuple les joies qu'il vous a enlevées.

Il n'y a rien en cela d'extraordinaire ni de surprenant pour les personnes expérimentées dans la conduite de Dieu sur ses amis. Il a souvent éprouvé les plus grands Saints et les Prophètes par ces vicissitudes de consolation et d'abandon.

5. C'est ce qui faisait dire à *David*, lorsqu'il sentait la présence de la grâce : *J'ai dit dans mon abondance : Je ne serai jamais ébranlé.* (Ps. xxix. 7.)

Mais lorsque ce Prophète ajoute : *Vous avez détourné vos yeux de moi et j'en ai été tout troublé*, (Ibid. 8.) il fait connaître par ces paroles le triste état de son âme en l'absence de la grâce.

Cependant le Prophète ne perd point l'espérance, mais il redouble ses prières : *Mon Dieu*, dit-il, *j'élèverai mes cris vers vous, et ne cesserai d'im-*

plorer votre miséricorde. (Ibid. 9,)

Il voit l'effet de sa prière, et témoignant que Dieu l'a exaucé, il s'écrie: *Le Seigneur m'a écouté, il a eu pitié de moi, il est devenu mon protecteur.* (Ibid. 11.)

En quoi l'a-t-il protégé? Ecoutez : *Vous avez changé mes gémissements en joie, et vous m'avez comblé d'allégresse.* (Ibid. 12.)

Si Dieu traite de la sorte les grands Saints, nous qui sommes pauvres et remplis de faiblesse, nous ne devons pas nous décourager si nous sommes tantôt tièdes et tantôt fervents. L'esprit de Dieu vient et se retire quand il lui plaît; c'est ce que *Job* a expliqué par ces paroles : *Vous visitez l'homme dès le matin, et aussitôt vous l'éprouvez.* (Job, vii. 18.)

6. En quoi donc dois-je mettre ma confiance et mon espoir? N'est-ce point uniquement en la grâce et en la miséricorde de Dieu?

Que je vive avec des gens de bien et des âmes saintes, ou avec des amis fidèles; que je lise des livres de piété, ou que j'entende le doux chant des hymnes, qu'importe tout cela et quel goût puis-je y trouver si la grâce m'abandonne et me laisse à ma propre faiblesse.

La patience et la résignation à la volonté de Dieu sont alors le meilleur remède.

7. Je n'ai jamais vu d'homme, quelles qu'aient été d'ailleurs ses vertus et sa ferveur, qui n'ait été quelquefois privé de consolation, et n'ait senti diminuer sa piété.

Il n'y a point eu de Saint si élevé dans la contemplation, qui n'ait passé par l'épreuve des tentations.

Il n'est pas digne de contempler les mystères divins, celui qui ne sait rien souffrir pour Dieu.

La tentation est comme le signal de la consolation qui la suit.

Dieu promet le bonheur du Ciel à ceux dont la vertu a été éprouvée : *Je donnerai*, dit le Seigneur, *à celui qui vaincra, le fruit de l'arbre de vie.* (Apoc. ii. 7.)

8. Dieu donne ses consolations pour rendre l'homme plus fort et plus

capable de supporter les tribulations.

La tentation suit de près, pour empêcher qu'il ne s'enorgueillisse du bien qu'il fait.

Le démon ne s'endort point et la chair n'est pas encore morte; préparez-vous donc toujours à combattre, vous avez à droite et à gauche des ennemis qui ne se reposent jamais.

CHAPITRE 10.

DE LA RECONNAISSANCE QUE L'ON DOIT AVOIR POUR LES BIENFAITS DE DIEU.

Pourquoi cherchez-vous le repos, puisque vous êtes né pour le travail?

Préparez-vous à la patience plutôt qu'aux consolations, et aux croix plutôt qu'à la joie.

Y a-t-il un homme du monde qui ne s'estimât heureux d'avoir des consolations spirituelles, s'il pouvait les avoir toujours?

Les délices du monde et les plaisirs de la chair n'ont rien qui approche de la douceur de ces consolations.

Les plaisirs des sens sont passagers et honteux, les délices spirituelles seules sont douces et honnêtes; elles naissent de la vertu, et Dieu ne les donne qu'aux âmes pures.

Personne ne peut jouir toujours selon son désir de ces consolations spirituelles; parce que le moment de la tentation ne tarde pas à venir.

2. La fausse liberté de l'esprit et l'excès de confiance en soi-même, mettent obstacle aux communications divines.

Dieu fait une grande grâce à l'homme quand il lui donne ses consolations; mais l'homme s'en rend indigne quand il néglige d'en rapporter à Dieu toute la gloire par de dignes actions de grâces.

L'ingratitude que nous témoignons à Dieu tarit la source de ses grâces.

Quiconque est reconnaissant des faveurs qu'il a reçues, mérite d'en recevoir de nouvelles. Dieu donne à l'humble ce qu'il ôte à l'orgueilleux.

3. Je ne veux point de ces consolations qui m'ôtent la componction du cœur : je ne veux point non plus de contemplation qui m'inspire de la présomption.

Toute élévation n'est pas sainteté et toute douceur n'est pas salutaire; tous les désirs ne sont pas purs; tout ce qu'on aime n'est pas toujours agréable à Dieu.

Je reçois volontiers les grâces qui m'inspirent l'humilité et la crainte de Dieu, et me détachent de moi-même.

Celui que la grâce instruit, et qui sait par expérience quel malheur c'est que d'en être privé, ne s'attribuera jamais aucun bien; il reconnaîtra toujours sa misère et sa pauvreté.

Rendez à Dieu ce qui est à Dieu, et gardez pour vous ce qui est à vous; c'est-à-dire remerciez Dieu de ses bienfaits, et reconnaissez que par vos péchés et vos négligences, vous ne méritez que des châtiments.

4. Mettez-vous toujours au dernier rang, et l'on vous donnera le plus élevé : car l'élévation ne subsiste que par l'abaissement.

Les plus grands Saints aux yeux de Dieu, paraissent les plus petits à leurs propres yeux : plus ils méritent de louanges, plus ils se jugent dignes de mépris.

Ils sont remplis de la vérité et de la gloire de Dieu, et ainsi la vanité ne trouve point de place dans leurs cœurs.

Toute leur confiance est en Dieu; c'est pourquoi ils ne se laissent jamais entraîner par l'orgueil.

Ils reconnaissent que Dieu est l'auteur de tout le bien qu'ils ont reçu : ils ne recherchent point la gloire que se prodiguent les hommes; ils ne veulent que celle qui vient de Dieu; ils souhaitent que ce Dieu soit loué par-dessus toutes choses, et en eux-mêmes et dans tous les Saints.

5. Soyez donc reconnaissant pour les grâces les plus légères et vous en mériterez de plus grandes.

Estimez les moindres grâces, comme les plus grandes; et les plus communes, comme des dons très précieux.

Quand on considère la dignité de celui qui donne, tout ce qui vient de lui est considérable : rien de ce qu'il nous donne ne doit nous paraître petit.

Il faut recevoir volontiers de sa main les croix et les peines, parce que son intention en nous envoyant ces afflictions est de procurer notre salut.

Celui qui veut conserver la grâce doit remercier Dieu quand il la reçoit, et ne pas se plaindre quand il en est privé. Une prière fervente lui en obtiendra le retour, de même que la vigilance et l'humilité la lui conserveront.

CHAPITRE 11.

DU PETIT NOMBRE DE CEUX QUI AIMENT LA CROIX DE JÉSUS CHRIST.

JÉSUS trouve ici-bas assez d'hommes amateurs du royaume céleste, mais il n'en trouve guère qui veuillent porter sa croix.

Il y en a beaucoup qui désirent goûter les douceurs de ses consolations, mais peu qui veuillent avoir part à ses souffrances.

Il en trouve beaucoup qui voudraient partager l'abondance de sa table, mais bien peu qui veulent imiter son abstinence.

Tous désirent se réjouir avec lui, mais presque personne ne veut avoir part à ses souffrances.

Beaucoup le suivent jusqu'à la fraction du pain, mais peu jusqu'à boire avec lui le calice de sa passion.

Beaucoup ont du respect pour la grandeur de ses miracles, mais peu embrassent les opprobres de sa croix.

Beaucoup aiment Jésus, tant que tout leur réussit et qu'ils n'ont point d'adversité.

Beaucoup le louent et le bénissent, au milieu des consolations.

Mais s'il se cache et s'il les abandonne un moment, ils se plaignent ou perdent courage.

2. Mais ceux qui aiment Jésus pour l'amour de lui-même, et non à cause des consolations qu'ils reçoivent, le bénissent dans toutes les tribulations, dans l'angoisse du cœur aussi bien que dans les plus grandes joies.

Quand même il ne leur donnerait jamais de consolation, ils le loueraient toujours, et lui rendraient de perpétuelles actions de grâces.

3. Oh ! que l'amour de Jésus est puissant quand

il est pur, dégagé de tout intérêt et de tout amour-propre !

Ne sont-ils pas des mercenaires ceux qui ne cherchent jamais que la consolation ?

Ne s'aiment-ils pas plus eux-mêmes qu'ils n'aiment Jésus Christ, puisqu'ils n'ont en vue que leur satisfaction particulière ?

Où trouver un homme qui veuille servir Dieu et l'aimer sans récompense ?

4. Il en est peu d'assez fervents pour vouloir se dépouiller de tout.

Qui me montrera un homme vraiment pauvre d'esprit et entièrement détaché des créatures? *C'est un trésor précieux, et qui vient des pays les plus éloignés.* (Prov. xxxi. 10.)

Si l'homme donnait tous ses biens pour acquérir cette vertu, ce ne serait pas encore assez.

Quand il ferait la pénitence la plus austère, ce serait encore trop peu.

Quand il aurait toute la science du monde, il en serait encore fort éloigné.

Quand il serait doué de toutes les vertus, quand il aurait la piété la plus ardente, il lui manquerait encore une chose souverainement nécessaire.

Quelle chose? C'est qu'après avoir tout quitté, il se quittât encore lui-même, sans rien retenir de sa volonté propre; et qu'après avoir rempli tous ses devoirs, il crût n'avoir rien fait.

5. C'est enfin qu'il fît peu de cas de ce que le monde estime, et se regardât plutôt comme un serviteur inutile, selon cette parole du Sauveur : *Quand vous aurez fait tout ce qu'on vous aura commandé, dites : Nous sommes des serviteurs inutiles.* (Luc, xvii. 10.)

C'est le moyen de parvenir à la véritable pauvreté d'esprit et de pouvoir dire avec le Prophète : *Je suis seul et pauvre.* (Ps. xxiv. 16.)

Cependant personne n'est plus riche, plus puissant, plus libre, que celui qui renonce à tout, et qui se compte pour rien.

CHAPITRE 12.

DE LA VOIE ROYALE DE LA CROIX.

CETTE parole semble dure à beaucoup de gens : Renoncez à vous-mêmes, prenez votre croix et suivez Jésus.

Mais il sera bien plus dur encore d'entendre cette sentence : *Retirez-vous de moi, maudits, allez au feu éternel.* (Matthieu, xxv, 41.)

Ceux qui entendent maintenant avec plaisir parler de la croix et qui l'embrassent de tout leur cœur, ne craindront point au jour du jugement d'entendre l'arrêt de damnation éternelle.

Ce signe de la croix, il paraîtra dans le Ciel lorsque le Seigneur viendra juger le monde.

Alors les amants de la croix qui se seront rendus semblables à Jésus crucifié pendant leur vie, approcheront de leur juge avec une grande confiance.

2. Pourquoi donc redoutez-vous la croix, puisqu'elle est le chemin qui conduit au ciel?

La croix est notre salut, notre vie, notre refuge contre nos ennemis; c'est la source des consolations célestes, la force et la joie spirituelles : enfin la croix est le trésor de toutes les vertus et la perfection de la sainteté.

Sans la croix, on ne peut espérer le salut ni la vie éternelle.

Portez donc votre croix, suivez Jésus, et vous arriverez au bonheur éternel.

Il a marché devant vous portant sa croix, afin de vous apprendre vous aussi à porter votre croix, et à y mourir attaché comme lui.

Car si vous mourez avec lui, si vous prenez part à ses souffrances, vous aurez part à sa gloire.

3. Tout est dans la croix, tout consiste à mourir à soi-même : il n'y a point d'autre voie à la vie et à la paix intérieure, que celle de la croix et de la mortification continuelle.

Allez où il vous plaira, cherchez de tous côtés : vous ne trouverez point de voie plus élevée ni plus sûre que celle de la croix.

Disposez et réglez toutes choses selon vos désirs : vous trouverez toujours à souffrir, ou volontairement, ou contre votre gré ; vous trouverez donc partout la croix.

Ou ce sera dans votre corps que vous sentirez quelques douleurs, ou ce sera votre âme qui aura à supporter les afflictions spirituelles.

4. Tantôt vous serez abandonné de Dieu, tantôt vous serez éprouvé par le prochain, et ce qui est plus fâcheux encore, vous deviendrez insupportable à vous-même.

Vous ne trouverez ni remède ni soulagement à vos maux : il vous faudra les endurer avec patience, autant qu'il plaira à Dieu.

Dieu veut que vous appreniez à souffrir les tribulations sans aucun adoucissement, afin que les afflictions vous rendent plus humble et plus soumis à la volonté divine.

Il n'est personne qui comprenne mieux et qui ressente plus vivement les souffrances de Jésus Christ, que celui qui en a souffert de semblables.

Il y a partout des croix qui vous attendent.

Vous ne pouvez les éviter, en quelque endroit que vous alliez, puisque vous vous portez partout, et que vous vous retrouvez toujours.

Regardez au-dessus de vous, ou au-dessous, au dehors, au dedans; vous verrez des croix partout : vous aurez donc toujours besoin de patience, si vous voulez vivre en paix et mériter les récompenses éternelles.

5. Si vous portez de bon cœur votre croix, elle vous soutiendra et vous conduira infailliblement à ce terme tant désiré où l'on ne souffrira plus; mais ce ne sera point sur cette terre.

Si vous portez votre croix à regret, elle vous deviendra un pesant fardeau, et vous redoublerez vos peines sans pouvoir vous en délivrer.

Si vous rejetez une croix, vous en trouverez infailliblement une autre, et peut-être une plus pénible.

6. Croyez-vous pouvoir vous affranchir d'une loi dont personne n'a encore été exempt? A-t-on jamais vu un Saint dans le monde sans tribulations et sans croix?

Toute la vie de Jésus Christ Notre Seigneur a été un enchaînement de peines : *Il a fallu*, disait-il, *que le Christ souffrît, qu'il ressuscitât*, (Luc. xxiv. 46.) *et entrât ainsi dans sa gloire.* (Ibid. 26.)

7. Pourquoi cherchez-vous une autre voie que celle de la croix?

Toute la vie de Jésus Christ n'a été que croix et martyre, et vous, vous cherchez le repos et la joie.

Erreur, erreur profonde! si vous pensez trouver en cette vie autre chose que des peines : la vie de l'homme est tout entière remplie de misères et semée de croix.

Plus un homme est avancé dans la vie spirituelle, plus il se trouve surchargé de croix parce que l'amour lui fait sentir davantage la peine de son exil.

8. Mais une âme dont les souffrances se multiplient n'est pas cependant privée de toute consolation, et elle s'aperçoit avec bonheur des fruits de vertu que sa patience lui fait recueillir.

Lorsqu'elle se soumet de bon cœur à la volonté de Dieu, tout ce que les souffrances ont de pénible et de dur lui devient un sujet de consolation et de confiance.

Plus la chair est domptée par les souffrances, plus l'esprit est fortifié intérieurement par la grâce.

Celui qui, pour se conformer à Jésus Christ crucifié, s'attache de tout son cœur à la croix, se trouve si fort, si plein de courage, qu'il ne voudrait pas être sans douleur et sans tribulations; persuadé qu'il se rendra d'autant plus agréable à Dieu que ses souffrances seront plus grandes.

Ces sentiments sont moins un effet de la vertu de l'homme que de la grâce du Sauveur. Il agit dans cette chair fragile avec tant d'efficacité, qu'elle aime et embrasse avec ferveur les choses même dont elle a une horreur naturelle.

9. Il n'est point dans les penchants de l'homme de porter la croix et de la rechercher, de réduire son corps en servitude, de fuir les honneurs, de souffrir avec joie les mépris et les opprobres, de supporter les afflictions et les pertes, et de ne désirer aucune prospérité dans ce monde.

Si vous ne considérez que votre néant, vous ne serez jamais capable de cette vertu.

Mais si vous mettez votre confiance en Dieu, il vous donnera assez de force pour triompher du monde et de la chair.

Vous ne redouterez plus les attaques du démon, si vous êtes armé de la foi, et marqué du signe de la croix.

10. Prenez donc la résolution de porter courageusement la croix comme un bon et fidèle serviteur de Jésus Christ; puisque votre Maître a voulu être crucifié pour vous.

Préparez-vous à souffrir de grandes adversités en cette malheureuse vie; car en quelque état que vous soyez, en quelque lieu que vous vous portiez, vous trouverez à souffrir.

C'est une nécessité : et la patience est le seul remède contre les maux et les adversités qui nous arrivent.

Buvez avec délices le Calice du Seigneur, si vous voulez avoir part à son amitié et à son royaume.

Laissez à la bonté de Dieu le soin de vous consoler; n'enviez point le bonheur de ceux qui sont dans les consolations.

Mais pour vous, prenez le parti de souffrir les tribulations. Regardez-les comme des faveurs : car lors même que vous souffririez seul tous les maux dans ce monde, croyez *que les souffrances de cette vie n'ont aucune proportion avec la gloire qui vous est promise dans l'autre vie.*(Rom. viii. 18.)

11. Quand vous en serez venu à ce point de perfection que les peines vous sembleront douces et agréables pour l'amour de Jésus Christ, vous pourrez vous estimer heureux, car vous aurez trouvé le Paradis sur la terre.

Aussi longtemps que vous regarderez la souffrance comme un mal et que vous chercherez à la fuir, vous serez toujours malheureux, et les peines que vous fuirez vous suivront partout.

12. Si vous vous mettez dans l'état où vous devez être; si vous souffrez patiemment, et si vous vous mortifiez, vous vous trouverez soulagé, et vous aurez la paix du cœur.

Quand vous seriez élevé jusqu'au troisième Ciel comme saint Paul, vous ne seriez pas pour cela exempt de souffrir : *Je lui montrerai*, disait le Sauveur, *combien il doit souffrir pour la gloire de mon nom.* (Act. ix. 16.)

Il faut donc vous résoudre à souffrir, si vous voulez aimer Jésus Christ et le servir toujours.

13. Plût à Dieu que vous fussiez digne de souffrir quelque chose pour son nom ! quelle gloire pour vous ! quelle joie pour tous les Saints ! quel exemple pour vos frères !

Tous recommandent la patience aux autres; mais il en est peu qui aiment à souffrir.

Vous devriez bien supporter avec joie les peines légères que vous avez à souffrir pour Jésus Christ, puisque tant d'autres en souffrent de si grandes pour le monde.

14. Soyez persuadé que votre vie doit être une continuelle mortification : on ne commence à vivre pour Dieu, que lorsqu'on meurt à soi-même.

On n'est capable de comprendre les choses célestes, qu'après s'être résigné à tout souffrir pour l'amour de Jésus Christ.

Rien n'est plus agréable à Dieu, rien ne vous est plus avantageux en ce monde, que de souffrir avec joie pour l'amour de Jésus Christ.

Si le choix dépendait de vous, vous devriez préférer les adversités aux consolations, parce qu'alors vous seriez plus semblable à Jésus Christ et à ses Saints.

Notre mérite et notre perfection ne dépendent pas des consolations et des douceurs spirituelles, mais du courage avec lequel nous supportons nos peines et nos adversités.

15. S'il y avait eu un chemin plus sûr que celui des souffrances pour sauver les hommes, Jésus Christ nous l'aurait montré par ses paroles et par son exemple.

Mais il a exhorté ses disciples et ceux qui désirent le suivre, à porter la croix; il leur a dit : *Si quelqu'un veut marcher sur mes pas, qu'il renonce à lui-même, qu'il prenne sa croix, et qu'il me suive.* (Matthieu, xvi. 24.)

Après avoir mûrement pesé toutes choses, nous en devons tirer cette conclusion : *Qu'il est nécessaire de passer par beaucoup de peines et d'afflictions pour entrer dans le royaume de Dieu.* (Act. xvi. 21.)

Fin des instructions sur la vie intérieure.

LIVRE III.

DES CONSOLATIONS INTÉRIEURES.

CHAPITRE I.

DE L'ENTRETIEN FAMILIER DE JÉSUS CHRIST AVEC L'AME FIDÈLE.

'*Ecouterai ce que le Seigneur me dira au fond du cœur.* (Ps. lxxxiv. 9.)

Heureuse l'âme qui écoute le Seigneur lorsqu'il parle, et qui entend de sa bouche des paroles si consolantes!

Heureuses les oreilles toujours attentives à cette voix divine, et toujours fermées aux bruits du monde!

Heureuses, encore une fois, les oreilles qui écoutent, non pas la voix trompeuse qui retentit au dehors, mais la vérité qui se fait entendre au dedans!

Heureux les yeux qui, fermés aux objets extérieurs, sont ouverts sur ce qui se passe à l'intérieur de l'âme!

Heureux ceux qui savent pénétrer dans les voies intérieures, et se préparent chaque jour à mieux comprendre les enseignements divins!

Heureux celui qui ne s'occupe que de Dieu seul, et qui se dégage des vains amusements du monde!

Considérez ces vérités, ô mon âme, et fermez les portes de vos sens, afin d'écouter ce que Dieu dit intérieurement.

2. Le Seigneur. — *Je suis votre salut* (Ps. xxxiv. 3.), votre paix, votre vie.

Attachez-vous à moi, et vous trouverez le repos : renoncez à tous les biens passagers, ne cherchez que les biens éternels.

Que sont les biens temporels sinon des biens trompeurs? A quoi servent les créatures si le Créateur vous abandonne?

Renoncez donc à tout pour vous rendre agréable à votre Créateur, et pour lui être fidèle : vous parviendrez ainsi au véritable bonheur.

CHAPITRE 2.

LA VÉRITÉ PARLE AU DEDANS DE NOUS SANS AUCUN BRUIT DE PAROLES.

1. LE FIDÈLE.

P*Arlez, Seigneur, parce que votre serviteur vous écoute.* (1. Reg. iii. 10.) *Je suis votre serviteur, donnez-moi l'intelligence, afin que je comprenne vos commandements.* (Ps. cxviii. 125.)

Faites-moi entendre votre divine parole, et qu'elle tombe dans mon cœur comme une douce rosée.

Les enfants d'Israël disaient autrefois à Moïse : *Parlez-nous vous-même, et nous vous écouterons : que le Seigneur ne nous parle point, de peur qu'il ne nous fasse mourir.* (Exod. xx. 19.)

Non, mon Dieu, ce n'est point là ce que je vous demande; mais je vous en prie humblement avec le Prophète Samuel : *Parlez, Seigneur, votre serviteur vous écoute.* (1. Reg. iii. 10.)

Que ce ne soit ni Moïse ni les Prophètes qui me parlent; parlez-moi vous-même, Seigneur, vous qui avez inspiré et éclairé les Prophètes : vous seul, sans leur secours, vous pouvez m'instruire parfaitement, tandis qu'eux ne peuvent rien m'apprendre sans vous.

2. Ils peuvent bien faire entendre le son de leurs paroles, mais ils n'en donnent point l'intelligence.

Ils disent de belles choses, mais si vous ne touchez vous-même les cœurs, rien ne peut les émouvoir.

Ils donnent la lettre, mais c'est vous qui en découvrez le sens; ils proposent des mystères mais c'est vous qui les expliquez.

Ils publient vos saintes lois, mais vous donnez la force de les accomplir.

Ils montrent la voie qu'il faut suivre, mais vous donnez les forces pour y marcher.

Leur action ne s'exerce qu'à l'extérieur, mais

vous, vous instruisez et illuminez les cœurs !

Ils arrosent l'arbre, mais c'est vous qui lui donnez la fécondité.

Leurs paroles frappent les oreilles, mais c'est vous qui donnez l'intelligence.

3. Que ce ne soit donc pas Moïse qui me parle ; que ce soit vous, Seigneur, vous qui êtes la vérité éternelle, de peur que je ne meure et que je ne sois comme un arbre stérile, si je ne suis averti qu'extérieurement sans être touché intérieurement.

Faites que je ne mérite point d'être condamné, pour avoir entendu votre divine parole et ne l'avoir point gardée, pour l'avoir connue et ne l'avoir pas pratiquée.

Parlez donc, *Seigneur parce que votre serviteur vous écoute* (I. Reg. iii. 10.), *et que vos paroles donnent la vie éternelle.* (S. Jean, vi. 69.)

Parlez pour la consolation de mon âme, et pour l'amendement de ma vie, pour l'honneur et la gloire de votre saint Nom.

CHAPITRE 3.

QU'IL FAUT ÉCOUTER LA PAROLE DE DIEU AVEC HUMILITÉ, ET QUE PLUSIEURS N'Y SONT PAS ASSEZ ATTENTIFS.

1. LE SEIGNEUR.

Mon fils, écoutez mes paroles, elles sont pleines de douceur, et surpassent toute la science des philosophes et des sages du monde.

Mes paroles *sont esprit et vie* (S. Jean, vi. 64.) ; il n'en faut pas juger selon les lumières des hommes.

Il ne faut point les entendre par une vaine curiosité ; mais les écouter en silence, et les recevoir avec affection et humilité.

2. LE FIDÈLE. — *Heureux celui que vous instruisez, Seigneur, et à qui vous enseignez votre loi ; il ne reste pas sans consolation au milieu des misères de cette vie.* (Ps. xciii. 12. 13.)

3. LE SEIGNEUR. — C'est moi, dit le Seigneur, qui ai instruit les Prophètes dès le commencement, et qui n'ai point cessé jusqu'à présent de parler aux hommes, mais il y en a beau-

coup qui sont sourds et rebelles à ma voix.

Ils aiment mieux écouter le monde que Dieu : ils suivent avec plus d'ardeur les appétits de la sensualité que ma volonté.

Le monde promet des biens frivoles et de peu de durée, et on le sert avec empressement; je promets des biens immenses et éternels, et c'est à peine si le cœur des hommes en est ému.

Quel est le chrétien qui fait paraître autant de zèle pour mon service que pour celui du monde et des grands? *Rougissez de honte, Sidon, dit la mer* (Isaïe, xxiii. 4.); et si vous demandez la raison de cette parole, la voici :

On entreprend de grands voyages pour obtenir un petit bénéfice : et c'est à peine si l'on veut faire un pas pour acquérir la vie éternelle.

On fait beaucoup de démarches pour un intérêt fort léger; on entreprend un long procès pour une bagatelle, on travaille nuit et jour pour une espérance incertaine, et pour une vaine promesse.

4. Quelle honte! on ne veut pas se donner la moindre gêne pour un bien incomparable, pour un honneur suprême, pour une gloire immense et éternelle.

Rougissez donc, serviteur lâche et paresseux, de ce que les gens du monde ont plus d'ardeur pour se perdre, que vous pour gagner la vie éternelle.

Ils mettent plus d'ardeur à chercher la vanité que vous n'en mettez à chercher la vérité.

Leurs espérances les trompent souvent, mais mes promesses ne trompent personne; l'attente de ceux qui espèrent en moi n'est jamais confondue.

Je suis toujours fidèle à mes promesses; j'accomplis ce que j'ai dit, pourvu que l'on persévère jusqu'à la fin dans mon amour.

C'est moi qui récompense les bons; mais je mets leur constance à de fortes épreuves.

5. Gravez mes paroles dans votre cœur, méditez-les souvent : elles

vous seront très nécessaires au temps de la tentation.

Ce que vous ne comprenez pas à la simple lecture, vous le comprendrez quand je vous visiterai.

Je visite mes élus de deux manières : par la tentation et par la consolation.

Je leur fais chaque jour une double leçon : je les reprends de leurs vices, et je les excite à la vertu.

Celui qui connaît mes commandements et qui ne les observe pas, trouvera en moi au dernier jour un juge inexorable.

Prière pour demander à Dieu la grâce de la dévotion.

6. LE FIDÈLE.

O mon Seigneur et mon Dieu, vous êtes tout mon bien ; et qui suis-je pour oser vous parler? Je suis le plus abject de vos serviteurs, et un misérable ver de terre, mille fois plus malheureux que je ne le pense et que je ne puis l'exprimer.

Souvenez-vous donc, Seigneur, que je ne suis rien, que je n'ai rien, et que je ne suis capable de rien.

Vous seul êtes bon, juste et saint ; vous pouvez tout, vous remplissez tout, hormis le pécheur que vous laissez vide.

Souvenez-vous de vos miséricordes (Ps. xxiv. 6.), remplissez mon cœur de votre grâce, vous qui ne voulez pas que vos œuvres soient vaines.

7. Comment puis-je me supporter dans cette malheureuse vie, si vous ne me soutenez par votre grâce et par votre miséricorde ?

Ne détournez pas vos yeux de moi, ne différez point votre visite, ne retirez point vos consolations de peur que *mon âme ne soit devant vous comme une terre aride et sans eau.* (Ps. cxlii. 6.)

Enseignez-moi, Seigneur, *à faire votre volonté;* (Ps. cxlii. 10,) apprenez-moi à marcher devant vous, dans la sainteté et l'humilité : vous êtes ma lumière ; vous me connaissiez parfaitement avant ma naissance et avant même que le monde fût créé.

CHAPITRE 4.

IL FAUT SE CONDUIRE DEVANT DIEU AVEC SINCÉRITÉ ET HUMILITÉ.

1. LE SEIGNEUR.

QUE la vérité soit la règle de votre conduite ; cherchez-moi toujours avec une grande simplicité de cœur.

Celui qui n'a point d'autre règle que la vérité, sera en sûreté contre les attaques des méchants ; la vérité le délivrera de toute séduction et de la médisance des hommes pervers.

Si la vérité vous délivre, vous jouirez d'une parfaite liberté, et vous ne vous mettrez guère en peine des vains discours des hommes.

2. LE FIDÈLE. — Seigneur, ce que vous dites est très vrai : faites, je vous prie, que je l'éprouve en moi, que votre vérité m'enseigne, qu'elle me conserve et me conduise à une heureuse fin.

Délivrez-moi de toute aflection déréglée, et de tout amour désordonné ; et je marcherai devant vous avec une entière liberté d'esprit.

3. LE SEIGNEUR. — Je vous apprendrai, dit la Vérité éternelle, ce qui est juste et ce qui m'est agréable.

Pensez à vos péchés avec le regret et la douleur du repentir, et que vos bonnes œuvres ne vous inspirent jamais d'orgueil.

Vous êtes en réalité un pécheur tourmenté par de nombreuses passions, et engagé dans leurs liens.

De vous-même vous ne tendez qu'au néant, vous êtes faible ; peu de chose suffit pour vous abattre ; un rien vous fait tomber dans le trouble et le découragement.

Vous n'avez en vous-même rien dont vous puissiez vous glorifier ; vous avez au contraire bien des raisons de vous humilier : reconnaissez que vous êtes plus faible que vous ne sauriez le comprendre.

4. Ne croyez donc jamais avoir fait quelque chose qui mérite l'estime : que rien ne vous paraisse précieux, sublime, admirable, ou digne de louanges, à l'exception de ce qui est éternel.

Que la Vérité éternelle vous plaise par-dessus toutes choses ; que votre bassesse vous inspire toujours des sentiments de mépris.

Ne craignez, ne condamnez, ne fuyez rien autant que vos défauts et vos vices; vous devez les détester plus que tous les maux du monde.

Il en est qui ne marchent pas devant moi en toute sincérité; poussés par l'orgueil et la curiosité, ils veulent pénétrer mes secrets, et comprendre les plus sublimes mystères de la Divinité, mais ils négligent de s'occuper d'eux-mêmes et de leur salut.

Ces gens-là, à cause de leur curiosité et de leur orgueil, sont exposés à de grandes tentations et à des chutes graves, parce que je résiste aux âmes superbes.

5. Craignez les jugements de Dieu, redoutez la colère du Tout Puissant; n'examinez point les œuvres du Très Haut, pensez à vos iniquités, aux maux que vous avez faits, au bien que vous avez négligé.

Il en est qui placent la dévotion dans les livres, les images, ou autres signes extérieurs.

Quelques-uns me confessent de bouche, mais bien peu m'aiment du fond du cœur.

Il y en a d'autres qui, ayant l'esprit éclairé et les affections pures, n'ont de soupirs que pour les choses éternelles, n'entendent parler qu'à regret des choses de la terre, et ont de la peine à s'assujettir aux besoins de la nature : ceux-là comprennent ce que l'Esprit de la Vérité leur dit dans le fond du cœur.

Il leur apprend à mépriser les choses de la terre, à n'aimer que les biens célestes, à se détacher du monde, et à ne désirer nuit et jour que la gloire du Ciel.

CHAPITRE 5.

DES EFFETS ADMIRABLES DE L'AMOUR DIVIN.

1. LE FIDÈLE.

Je vous bénis, Père céleste, Père de mon Sauveur Jésus Christ, parce que vous avez bien voulu vous souvenir de moi, qui suis si pauvre et si malheureux.

O Père des miséricordes et source de toute consolation, je vous rends grâces de ce que vous daignez me consoler de temps en temps, malgré mon indignité.

Je veux vous bénir et vous louer sans cesse, avec votre Fils unique et le Saint Esprit.

O mon Seigneur et mon Dieu, qui avez tant d'amour pour moi, quand vous viendrez dans mon cœur, mon âme sera comblée de joie.

Vous êtes ma gloire, ma consolation, mon espérance *et mon refuge dans le temps de la tribulation.* (Ps. lviii, 17.)

2. Mais parce que mon amour est encore faible, et que mes vertus sont imparfaites, j'ai toujours besoin de vos consolations et de votre soutien; visitez-moi souvent, et apprenez-moi à connaître votre sainte loi.

Délivrez-moi de mes mauvaises passions, et guérissez mon cœur de ses affections déréglées; afin qu'ayant l'âme saine et pure, je sois capable de vous aimer, que je sois fort pour souffrir, et constant pour persévérer.

3. Le Seigneur. — Certes l'amour est quelque chose de grand et un bonheur inexprimable; il rend léger ce qui est pesant, il demeure toujours le même au milieu des inégalités de cette vie.

Il ne sent point la pesanteur des plus lourds fardeaux, il change en douceur les plus grandes amertumes.

L'amour de Jésus Christ est généreux : il excite l'homme aux grandes choses, et lui inspire des désirs ardents pour la perfection.

L'amour tend toujours vers ce qu'il y a de plus élevé, et ne se laisse arrêter par rien de terrestre.

L'amour veut être libre et dégagé de toute affection terrestre, pour ne point mettre obstacle aux communications intimes; pour n'être point séduit par quelque avantage temporel, ou arrêté par la crainte de quelque peine.

Rien n'est plus doux, plus fort, plus élevé, plus étendu, plus agréable, plus plein, plus excellent dans le Ciel et sur la terre que l'amour divin, parce qu'il tire son origine de Dieu même : il s'élève au-dessus de toutes les créatures pour ne se reposer qu'en Dieu.

4. Celui qui aime, court, vole, bondit de joie; il est libre et rien ne l'arrête.

Il donne tout pour posséder tout, il trouve tout en toutes choses : parce qu'il se repose en Dieu seul, source et auteur de tout bien.

Il n'envisage point ce qu'on lui donne, mais il s'élève jusqu'à celui qui fait le présent.

L'amour souvent ne connaît point de bornes, son ardeur l'entraîne au-delà de toute limite.

L'amour ne sent point le fardeau qu'il porte, il compte pour rien sa peine; il veut aimer même au-delà de ses forces; jamais il ne s'excuse sur sa faiblesse parce qu'il se croit tout possible et tout permis.

Il est en effet capable de tout, et il réalise ses desseins dans les circonstances où ceux qui n'aiment point perdent courage, et demeurent dans l'abattement.

5. L'amour est vigilant, et ne se laisse point aller au sommeil.

Le travail ne le lasse point, il n'est point embarrassé de la multitude des affaires, la crainte ne le trouble point, il est vif et ardent comme le feu; il s'élève au-dessus de tout, et franchit tous les obstacles.

Ceux qui connaissent l'amour par expérience, comprennent le langage de l'amour.

Elle est elle-même un cri puissant aux oreilles de Dieu, cette affection embrasée de l'âme qui lui dit : O mon Dieu, ô mon unique amour, je suis tout à vous, et vous, vous êtes tout à moi.

Prière pour demander l'amour de Dieu.

6. Le Fidèle.

Augmentez mon amour, afin que je puisse goûter et comprendre combien il est doux de vous aimer et de sentir son cœur se fondre dans un océan d'amour.

Que votre amour m'enflamme et m'élève au-dessus de moi par de doux transports.

Que je chante le cantique de l'amour, que je suive mon bien-aimé dans le ciel, et que, pénétré d'amour, je ne cesse jamais de le louer.

Que je vous aime plus que moi-même, et que

j'aime en vous seul et pour vous seul tous ceux qui ont un véritable amour pour vous, selon que l'ordonne la loi de la parfaite charité, dont vous êtes le principe.

7. Le Seigneur. — L'amour est prompt, sincère, pieux, doux, agréable, patient, fort, prudent, fidèle, constant, sage, héroïque, ne cherchant point ses intérêts.

Celui qui se cherche lui-même, ne saurait avoir un amour véritable.

L'amour agit avec circonspection, il est droit et humble, il n'est ni mou, ni léger, la vanité ne le touche point; il est sobre, chaste, stable, tranquille, toujours appliqué à contenir les sens.

L'amour est soumis et obéissant, il se croit méprisable et vil; il a de grands sentiments de reconnaissance pour Dieu; il met en lui toute son espérance, lors même qu'il paraît en être délaissé, parce qu'il sait qu'on ne peut aimer sans souffrir.

8. Celui qui n'est pas dans la disposition de tout souffrir, et de suivre partout son bien-aimé, ne mérite pas le nom d'amant.

Celui qui a un amour parfait, souffre avec joie pour son bien-aimé tous les tourments et toutes les amertumes, et ne lui manque jamais de fidélité dans les épreuves qui lui arrivent.

CHAPITRE 6.

DE L'ÉPREUVE DE L'AMOUR PARFAIT.

1. Le Seigneur.

Mon fils, votre amour n'a pas encore assez de force et de prudence.

2. Le Fidèle. — Pourquoi, Seigneur?

3. Le Seigneur. — C'est que le moindre obstacle vous fait abandonner vos résolutions, et que vous recherchez les consolations avec trop d'avidité.

Celui qui a un amour constant, reste ferme dans les tentations; il ne se laisse point séduire par les artificieuses persuasions de l'ennemi. Dans la prospérité comme dans l'adversité, son cœur est toujours à moi.

4. L'amour sage a moins d'égard à la qualité du don qu'à l'amour de celui qui donne.

C'est l'amour bien plus que le présent, qu'il estime, et tous les dons ne sont rien en comparaison de son bien-aimé.

L'amour noble et généreux ne trouve point son repos dans les faveurs dont il est l'objet, mais il s'élève jusqu'à moi qui en suis le principe.

Ne croyez pas que tout soit perdu, quand vous n'avez pas pour moi toute la dévotion que vous souhaiteriez.

Cette affection douce et tendre que vous sentez quelquefois, est un effet de ma grâce et un certain avant-goût du Paradis; mais il ne faut pas trop s'y appuyer, parce qu'elle vient et passe en un moment.

C'est la marque d'un grand mérite et d'une vertu solide, de combattre les inclinations au mal, et de mépriser les suggestions du démon.

5. Ne vous alarmez point à cause des pensées extravagantes qui vous viennent, sur quelque matière que ce soit.

Soyez ferme dans vos bonnes résolutions, et que Dieu soit l'objet de vos affections.

Ce n'est pas une illusion, si quelquefois vous vous sentez comme ravi tout d'un coup et comme absorbé en Dieu, et que peu de temps après vous retombiez dans l'aridité, et que vous soyez dissipé par les futilités ordinaires de votre imagination.

Car vous subissez ces impressions, plutôt que vous ne les causez; et aussi longtemps qu'elles vous déplaisent et que vous y résistez, elles sont une occasion de mérite plutôt que de péché.

6. Sachez que l'antique ennemi de votre salut ne songe qu'à étouffer en vous tous les désirs qui vous portent au bien, et à vous retirer de vos pieux exercices : de la dévotion que vous devez aux Saints, de la méditation de ma passion, de la pensée salutaire de vos fautes, de la vigilance que vous devez avoir à garder votre cœur, et du ferme propos d'avancer dans la vertu.

Il vous suggère les mauvaises pensées, en foule, afin de produire en vous l'ennui et le dégoût et de vous amener ainsi à abandonner la prière et les saintes lectures.

Ce qu'il a le plus en horreur est l'humble confession de vos fautes et l'usage de la sainte communion; s'il le pouvait, il en détournerait tous les fidèles.

Ne l'écoutez pas et ne craignez pas, quoiqu'il vous tende des pièges en grand nombre.

Renvoyez-lui toutes les pensées mauvaises et impures qu'il vous suggère; dites-lui :

Retire-toi, esprit impur et malheureux, il faut que tu sois bien infâme pour me présenter des images si abominables.

Eloigne-toi de moi, méchant séducteur, tu n'auras jamais aucun pouvoir sur moi : Jésus sera toujours avec moi comme un guerrier invincible, et tu seras confondu.

J'aime mieux mourir et souffrir les plus cruels tourments, que de consentir au péché.

Tais-toi, garde le silence, je ne t'écouterai plus, quoi que tu fasses pour m'inquiéter. *Le Seigneur m'éclaire et me protège. qu'ai-je à craindre?* (Ps. xxvi. 1.)

Quand toute une armée s'élèverait contre moi, mon cœur n'en serait point ébranlé. (Ibid. 3.) *Le Seigneur est mon protecteur et mon Rédempteur.* (Ps. xviii, 15.)

7. Combattez comme un généreux soldat : si la fragilité vous fait tomber quelquefois, reprenez de nouvelles forces, et espérez que ma grâce vous soutiendra; mais surtout défendez-vous de l'orgueil et d'une vaine complaisance en vous-même.

C'est ce qui en a séduit plusieurs, qui sont tombés dans une illusion, un aveuglement incurables.

Que la chute de ces orgueilleux vous rende plus humble et plus vigilant.

CHAPITRE 7.

QU'IL FAUT CACHER LA GRACE SOUS LES VOILES DE L'HUMILITÉ.

1. LE SEIGNEUR.

MON fils, lorsque la grâce vous inspire des sentiments de piété, il est plus avantageux et plus sûr pour vous de cacher cette grâce, de n'en avoir point de vanité, d'en parler sobrement, de ne pas vous y arrêter avec complaisance, d'avoir de bas sentiments de vous-même, et de croire que vous ne la méritez pas.

Il ne faut pas trop s'attacher à ces sentiments de piété qui passent vite, et qui se changent en des sentiments contraires.

Quand la grâce vous soutient, rappelez-vous combien vous êtes faible et pauvre sans elle.

L'avancement spirituel ne consiste point dans ces grâces sensibles, mais dans l'abnégation et dans la patience avec laquelle vous en supportez la privation : de sorte que vous ne vous relâchiez point alors de l'ardeur que vous aviez pour la prière, et pour les autres exercices de piété.

Faites toujours ce que vous croirez le plus avantageux, et tout ce qui dépend de vous; dans quelque aridité et dans quelque peine que vous vous trouviez, ne vous relâchez jamais.

2. On en voit beaucoup qui s'impatientent et qui se découragent quand les choses ne tournent point selon leurs désirs.

L'homme n'est pas toujours le maître des dispositions de son cœur; il dépend de Dieu de le consoler, quand il le juge à propos et autant qu'il lui plaît.

Quelques dévots indiscrets se sont laissés séduire par la grâce même de la dévotion : ils ont voulu faire plus qu'ils ne pouvaient, sans mesurer leur faiblesse, suivant le penchant inconsidéré de leur cœur, plutôt que la droite raison.

Ils ont aspiré dans leur présomption à un état plus élevé que celui où Dieu les voulait, et ils ont ainsi perdu la grâce.

Ils croyaient s'élever jusqu'au ciel, et ils se sont trouvés abandonnés à leur pauvreté et à leur misère : afin que par l'humiliation et le dénûment ils apprissent à ne plus prendre leur vol d'eux-mêmes, et à abriter leurs espérances sous mes ailes.

Ceux qui sont encore nouveaux et sans expérience dans les voies du Seigneur, sont exposés à de grands égarements, s'ils ne se conduisent selon les avis de personnes prudentes.

3. S'ils sont assez présomptueux pour s'atta-

cher à leur propres sentiments plutôt qu'aux avis de ceux qui ont une longue expérience, il est à craindre qu'ils ne finissent par se perdre, à moins qu'ils ne reviennent de leur entêtement.

Il est rare que ceux qui s'estiment sages, aient assez d'humilité pour se laisser gouverner par les autres.

Un savoir médiocre avec de l'humilité, vaut mieux qu'une grande science sans humilité.

Il vous est plus avantageux d'avoir peu de talents, qu'un grand mérite qui vous donne de l'orgueil.

C'est agir avec peu de discernement que de s'abandonner à la joie au point d'oublier sa misère d'autrefois, et de perdre la crainte de Dieu, qui redoute de perdre la grâce.

C'est aussi faire preuve de peu de vertu, que de perdre tout espoir dans le temps de la tribulation et de l'adversité, et de n'avoir pas en moi la confiance que l'on doit avoir.

4. Celui qui s'abandonne à trop de sécurité en temps de paix est souvent le plus lâche et le plus timide pendant la guerre.

Si vous étiez toujours humble, et si vous aviez de bas sentiments de vous-même, si vous pouviez modérer et régler les mouvements de votre esprit, vous ne seriez pas à tout moment exposé à pécher.

C'est une bonne pratique de penser, au temps de la ferveur, à ce que vous serez, quand ma grâce se retirera.

Lorsque ce temps d'épreuve sera arrivé, soutenez-vous par l'espérance de revoir la lumière que je vous ai ôtée pendant un temps pour votre bien et pour ma gloire.

Cette épreuve est souvent plus utile que si tout réussissait selon vos souhaits.

Pour juger du mérite de quelqu'un, on ne doit pas regarder s'il est favorisé de visions et de consolations, s'il a l'intelligence des Écritures, ou s'il surpasse les autres en élévation.

Il faut plutôt examiner s'il est affermi dans une humilité parfaite, et rempli de la charité divine;

s'il cherche Dieu en toutes choses, s'il renonce à sa propre estime, et se réjouit d'être méprisé plutôt qu'estimé des hommes.

CHAPITRE 8.

QU'IL FAUT S'HUMILIER DEVANT DIEU.

1. LE FIDÈLE.

JE *parlerai au Seigneur, moi qui ne suis que cendre et poussière.* (Gen. xviii. 27.) Si je m'estime quelque chose de plus, vous vous opposez à moi, ô mon Dieu : mes iniquités portent témoignage contre moi, sans que je puisse rien dire pour ma défense.

Mais si je rentre dans mon néant, et si je prends les véritables sentiments que doit m'inspirer ma misère; si je reconnais que je ne suis qu'une vile poussière, alors votre grâce me sera propice; votre lumière éclairera mon cœur, et tout sentiment d'estime de moi-même se perdra dans l'abîme de mon néant.

Dans cet abîme vous me montrez ce que je suis, ce que j'ai été, ce à quoi je suis maintenant réduit; vous me faites voir que je ne suis rien, et que je l'ignorais.

Abandonné à moi-même, je ne suis que corruption et faiblesse; mais si vous laissez tomber sur moi l'un de vos regards, je deviens fort, et je suis animé d'une nouvelle et joyeuse ardeur.

C'est une chose surprenante que je me relève ainsi soudain et que vous m'embrassiez avec tant de bonté, moi qui suis sans cesse entraîné vers la terre par mon propre poids.

2. C'est l'effet de votre amour qui me prévient gratuitement et m'assiste dans mes besoins, qui m'affranchit de très grands périls et d'une infinité de maux.

Je me suis perdu par un amour déréglé de moi-même, mais je vous ai retrouvé et je me suis retrouvé moi-même en n'aimant que vous, en ne cherchant que vous; votre amour m'a fait pénétrer encore plus profondément dans mon néant.

O Dieu de mon cœur, vous m'avez accordé infiniment plus de grâces que je n'en mérite, et plus que je n'oserais espérer ou demander.

Soyez béni, ô mon Dieu, car tout indigne que je suis de vos dons, votre bonté ne cesse jamais de me faire du bien, à moi qui suis un ingrat, et qui me suis éloigné de vous.

Convertissez-nous, vous qui êtes notre salut, notre vertu, notre force, afin que nous soyons toujours fervents et reconnaissants de vos bienfaits.

CHAPITRE 9.

QU'IL FAUT RAPPORTER A DIEU TOUTES CHOSES, COMME A NOTRE DERNIÈRE FIN.

1. LE SEIGNEUR.

MON fils, vous devez me regarder comme votre fin dernière, si vous voulez être véritablement heureux.

Cette intention purifiera vos affections, qui vous inclinent sans cesse vers vous-même et vers les créatures.

Si vous vous recherchez en quelque chose, vous tombez aussitôt dans la sécheresse et la langueur.

C'est à moi que vous devez rapporter tout, puisque je vous ai tout donné.

Considérez toutes choses, et chacune en particulier, comme émanant du souverain bien; et ainsi faites-les remonter jusqu'à moi, comme à leur origine.

2. C'est à cette source que les grands et les petits, les riches et les pauvres doivent puiser l'eau vive; ceux qui me servent avec un cœur libre, et par un motif d'amour, recevront de nouvelles grâces en retour de leur bonne volonté.

Mais ceux qui cherchent hors de moi l'honneur et le plaisir, ne goûteront point de joie stable; ils n'auront jamais une véritable liberté de cœur; ils se trouveront pressés et embarrassés en mille manières.

Ne vous appropriez rien du bien que vous faites, et n'attribuez à aucun homme la vertu qu'il montre; rapportez tout à Dieu, sans lequel l'homme n'a rien de bon.

Je vous ai tout donné, je veux aussi que vous soyez tout à moi, et que vous me rendiez fidèlement les actions de grâces qui me sont dues.

3. Voilà les vérités qui fermeront l'entrée à la vaine gloire.

Si la grâce et la charité vous conduisent, vous ne serez sujet ni à l'envie, ni à la tristesse, ni à l'amour-propre.

La divine charité triomphe de tout; elle redouble les forces de l'âme.

Si vous êtes sage, vous ne vous réjouirez qu'en moi, je serai l'objet de votre espérance; car *il n'y a que* Dieu *seul qui soit bon* (Luc, xviii. 19.) : c'est lui qu'il faut louer toujours, et bénir en toutes choses.

CHAPITRE 10.

QU'IL EST DOUX DE SERVIR DIEU APRÈS AVOIR RENONCÉ AU MONDE.

1. LE FIDÈLE.

Je vous parlerai encore, Seigneur, et je ne demeurerai point dans le silence; je dirai à Dieu et à mon Roi qui est dans le Ciel :

O quelle abondance de douceurs vous réservez à ceux qui vous craignent! (Ps. xxx. 20.) Que gardez-vous donc pour ceux qui vous aiment, pour ceux qui vous servent de tout leur cœur?

Il est vraiment ineffable ce bonheur si doux de votre contemplation, que vous accordez à ceux qui vous aiment!

Vous m'avez donné des marques d'une infinie charité, en me tirant du néant, en me ramenant à vous; après tous mes égarements vous m'avez commandé de vous servir.

2. O source d'un éternel amour, que dirai-je de vous?

Comment pourrais-je vous oublier, puisque vous avez eu la bonté de vous souvenir de moi lorsque j'étais dans le désordre et sur le point de périr?

Votre miséricorde a surpassé mes espérances : vous avez accordé votre grâce et votre amitié à votre serviteur, sans qu'il la méritât.

Que ferai-je pour reconnaître un si grand bienfait? Il n'est pas donné à tout le monde de renoncer au siècle pour embrasser la vie religieuse.

Je ne fais rien d'extraordinaire, quand je me consacre à votre service; puisque toutes les créatures sont obligées de vous servir.

Qu'y a-t-il d'étonnant que la créature doive vous servir? mais ce qui est admirable, c'est que vous ayez la bonté de recevoir au nombre de vos serviteurs, une créature aussi pauvre et aussi misérable.

3. Tout ce que je possède vous appartient, et ce que j'emploie à votre service est à vous.

Mais vous faites bien plus, car c'est vous, Seigneur, qui me servez plutôt que je ne vous sers.

Vous avez créé le ciel et la terre pour le service de l'homme, et chaque jour ils obéissent à vos ordres avec la plus parfaite docilité.

Ce n'est pas encore tout, vous avez préparé même des Anges pour le service des hommes.

Mais ce qui surpasse tout, vous vous êtes vous-même abaissé jusqu'à servir les hommes, et vous leur avez promis de vous donner à eux.

4. Que vous rendrai-je, Seigneur, pour toutes ces faveurs? Que ne puis-je employer tous les moments de ma vie à vous servir!

Oh! si je pouvais seulement vous servir d'une manière parfaite pendant un jour entier!

Vous méritez tous les hommages, tous les honneurs, et une gloire éternelle.

Vous êtes mon souverain Seigneur, et moi je suis le plus indigne de vos serviteurs; je dois vous servir de tout mon pouvoir, sans me lasser jamais de chanter vos louanges.

Voilà ce que je souhaite, voilà ce que je désire le plus; ayez la bonté de suppléer à ce qui me manque.

5. C'est un grand honneur et une grande gloire de vous servir, et de mépriser tout pour vous.

Ceux qui se soumettront de bon cœur à votre volonté, seront comblés de vos dons et de vos grâces.

Vous consolerez par les douceurs de l'Esprit Saint ceux qui renonceront pour l'amour de vous à tous les plaisirs charnels.

Ils jouiront d'une vraie liberté d'esprit, si, pour

l'amour de votre nom, ils entrent dans la voie droite, et se dégagent des soins du siècle.

6. O douce et agréable servitude qui rend l'homme libre et saint !

O précieux état de la vie religieuse, qui rend l'homme égal aux Anges, agréable à Dieu, redoutable aux démons, et respectable aux yeux de tous les fidèles !

O aimable et heureuse servitude qui nous fait mériter le souverain bien, et acquérir une joie éternelle !

CHAPITRE 11.

IL FAUT EXAMINER ET MODÉRER LES DÉSIRS DU CŒUR.

1. LE SEIGNEUR.

MON fils, il faut encore apprendre bien des choses que vous ignorez.

2. LE FIDÈLE. — Quelles sont ces choses, Seigneur?

3. LE SEIGNEUR. — Vous devez conformer entièrement vos désirs à ma volonté, n'avoir point d'amour-propre, et chercher en tout ce qui me plaît.

L'ardeur de vos désirs vous emporte souvent; mais examinez si ces mouvements ont pour motif ma gloire ou vos propres intérêts.

Si vous ne songez qu'à me plaire, vous serez toujours content, quelles que soient les dispositions de ma providence; mais si l'amour-propre se cache au fond de votre cœur, vous n'aurez que de l'embarras et du trouble.

Prenez donc bien garde de mettre vos propres desseins à exécution sans m'avoir consulté, de peur que vous n'ayez lieu de vous en repentir, et que vous ne soyez dégoûté dans la suite de ce que vous aviez poursuivi d'abord comme un plus grand bien.

Il ne faut pas accepter immédiatement tout ce qui paraît bon ; ni rejeter sur-le-champ tout ce qui ne le paraît pas.

Il est à propos d'user de modération dans l'exécution de vos bons desseins, afin que l'empressement ne vous entraîne pas dans la distraction; que vous ne scandalisiez pas les autres par quelque dérèglement ; ou qu'enfin l'opposition que vous rencontrez de leur part, ne vous jette pas dans l'impatience et dans le trouble.

5. Il faut au contraire quelquefois user de violence, et résister vigoureusement aux appétits de la chair, sans se soucier de ce qu'elle cherche ou de ce qu'elle fuit. Il faut surtout faire en sorte de l'assujettir à l'esprit malgré sa résistance.

Il est nécessaire de la châtier de temps en temps pour la réduire en servitude, jusqu'à ce qu'elle soit prête à tout; qu'elle se contente de peu, même des choses les plus communes, et qu'elle ne s'échappe point en murmures contre les contradictions qu'elle a à supporter.

CHAPITRE 12.

QU'IL FAUT S'EXERCER A LA PATIENCE, ET LUTTER CONTRE SES PASSIONS.

1. LE FIDÈLE.

Seigneur, je vois combien la patience m'est nécessaire : car cette vie est pleine de contrariétés.

Quoi que je fasse pour avoir la paix, ma vie ne peut être exempte de luttes et de douleur.

2. LE SEIGNEUR. — Vous dites vrai, mon fils; mais je ne veux pas que vous cherchiez une paix qui soit exempte de tentations ou de traverses.

Vous devez croire que vous avez trouvé la paix alors même que vous souffrez de grandes tribulations, et que vous êtes exposé à de rudes épreuves.

3. Si vous dites que vous n'avez pas assez de force pour beaucoup souffrir, comment pourrez-vous supporter plus tard le feu du purgatoire?

De deux maux il faut toujours choisir le moindre.

Si vous voulez éviter dans l'avenir des supplices éternels, souffrez maintenant avec patience et pour l'amour de Dieu les maux de la vie.

Croyez-vous que les gens du monde n'aient rien à souffrir, ou que leurs maux soient légers? Vous ne trouverez point cela, même chez ceux qui paraissent le plus heureux.

4. LE FIDÈLE. — Mais ils sont environnés de plaisirs, ils suivent leurs inclinations, et ainsi leurs

peines sont faciles à supporter.

5. Le Seigneur. — Quand même ils auraient tout ce qu'ils souhaitent, combien de temps durera ce bonheur?

L'abondance des heureux du siècle *s'évanouira comme la fumée* (Ps. xxxvi. 20.), sans qu'il reste la moindre trace de leurs plaisirs.

Leur vie n'est pas même exempte de peine, d'amertume et de crainte.

Ce qui a servi à leurs plaisirs devient pour eux un sujet de douleur : et ils le méritent bien, parce qu'ils cherchent des plaisirs honteux et criminels, dont ils ne peuvent jouir sans amertume et sans confusion.

6. Oh! que ces plaisirs déréglés sont courts, faux et criminels!

Mais ils ne s'en aperçoivent point, tant ils sont aveugles et enivrés; ils ressemblent aux animaux sans raison : pour un plaisir passager, ils exposent leur âme à une mort éternelle.

Pour vous, *mon fils*, *gardez-vous de suivre vos passions et vos désirs*, *détachez-vous de votre volonté*. (Eccli. xviii. 30.) *Mettez votre joie dans le Seigneur*, *et il vous accordera tout ce que vous désirez*. (Ps. xxxvi. 4.)

7. Si vous voulez jouir d'un plaisir pur, et recevoir mes consolations en abondance, eh bien, c'est dans le mépris et l'abandon complet des plaisirs du monde que vous trouverez la mesure des bénédictions et des consolations que je veux répandre sur vous.

Plus vous renoncerez aux plaisirs que donnent les créatures, plus vous trouverez que mes consolations sont douces et efficaces.

Mais avant de les goûter, il faut combattre et souffrir.

Vos mauvaises habitudes vous arrêteront, mais vous les surmonterez par de meilleures.

La chair se révoltera, mais la ferveur de l'esprit la remettra dans son devoir.

L'ancien serpent vous troublera par de mauvaises pensées : vous le chasserez par la prière, et vous lui fermerez la porte par des occupations utiles.

CHAPITRE 13.

QU'IL FAUT OBÉIR AVEC HUMILITÉ A L'EXEMPLE DE JÉSUS CHRIST.

1. Le Seigneur.

Mon fils, celui qui veut se soustraire à l'obéissance, se soustrait à la grâce; celui qui veut vivre en particulier, se prive des avantages de la communauté.

Celui qui ne se soumet pas de bon cœur à son supérieur, donne à entendre que sa chair n'est pas encore entièrement soumise, mais que souvent elle murmure et se révolte.

Si donc vous voulez mettre votre chair sous le joug, accoutumez-vous à obéir promptement à vos supérieurs.

Il est bien plus aisé de triompher de l'ennemi du dehors, quand on est bien réglé au dedans de soi-même.

Vous n'avez point d'ennemi plus importun et plus dangereux que vous-même. Pourquoi? Parce que votre chair ne s'accorde pas avec l'esprit.

Il faut que vous ayez un véritable mépris de vous-même, si vous voulez vaincre la chair et le sang.

Vous avez encore un amour trop déréglé pour vous-même, voilà pourquoi vous avez si peur de vous soumettre à la volonté d'autrui.

2. Est-ce une chose si difficile de vous soumettre à un homme pour l'amour de Dieu, vous qui n'êtes que cendre et que poussière; puisque le Tout Puissant et le Très Haut, qui a tiré toutes les créatures du néant, s'est humilié jusqu'à obéir aux hommes pour l'amour de vous?

Je me suis fait le plus humble et le plus petit de tous, afin que mon humilité vous apprît à dompter votre orgueil.

Apprenez donc, poussière, à obéir; apprenez, terre et limon, à vous mettre sous les pieds de tout le monde.

Apprenez à dompter votre volonté propre et à vous soumettre en toutes choses.

3. Animez-vous d'une sainte indignation contre vous-même, et ne souffrez pas en vous le moindre orgueil; faites-vous si petit et si soumis, que tout

le monde puisse vous fouler aux pieds comme de la boue. Eh! ne sommes-nous pas un pur néant, et quel droit avons-nous de nous plaindre?

Misérable pécheur, qui avez offensé Dieu tant de fois et qui avez mérité si souvent l'enfer, qu'avez-vous à répondre à ceux qui vous reprochent vos crimes?

Je vous ai pardonné, parce que votre âme a été précieuse à mes yeux : j'ai voulu vous donner des marques de mon amour, afin que toujours vous fussiez reconnaissant de mes bienfaits, que vous fussiez prêt à vous soumettre toujours, et à supporter avec patience la confusion et le mépris.

CHAPITRE 14.

IL FAUT MÉDITER LES SECRETS DESSEINS DE DIEU, POUR N'AVOIR POINT DE VANITÉ DE SES BONNES ŒUVRES.

1. LE FIDÈLE.

SEIGNEUR, vous faites tonner sur moi vos jugements, mon âme est pénétrée de crainte, tous mes os en sont ébranlés.

Je suis saisi d'épouvante quand je songe que les cieux eux-mêmes ne sont pas purs devant vous.

Si, ayant trouvé des souillures dans les Anges eux-mêmes, vous ne leur avez pas pardonné, que deviendrai-je ?

Ces astres sont tombés du ciel; moi, qui ne suis que poussière, que dois-je donc attendre?

Des personnes qui paraissaient avancées dans la vertu ont fait des chutes funestes; ceux qui se nourrissaient du pain des Anges, ont fait leurs délices de la nourriture des animaux immondes.

2. Seigneur, il n'y a donc point de sainteté assurée, si vous retirez votre main protectrice.

Toute sagesse est inutile, si vous cessez de la conduire.

Toute force est vaine, si vous ne la soutenez.

Il n'y a point de chasteté assurée si vous ne la protégez.

Toutes les peines que nous prenons pour éviter le péché sont inutiles, à moins que vous ne veilliez pour nous.

Abandonnés de vous, nous périssons submergés; mais, aussitôt que vous reparaissez, vous nous rendez le courage et la vie.

Sans doute nous sommes fragiles et inconstants, mais vous nous inspirez de la constance; nous sommes tièdes, mais vous nous enflammez.

3. Oh que je dois avoir de moi-même des sentiments humbles et bas! Oh que je dois compter pour peu de chose le bien que je fais!

Oh que je dois m'humilier à la vue de la profondeur de vos jugements, et ne trouver en moi que corruption et néant!

O poids immense, ô mer sans fond, où je ne trouve rien qui m'appartienne que le pur néant!

Où peut se cacher en moi la vaine gloire? Quelle confiance puis-je avoir en mes propres forces?

Toute vanité doit s'évanouir et se perdre dans la profondeur de vos jugements.

4. Qu'est-ce que l'homme en votre présence?

L'argile se soulèvera-t-elle contre celui qui l'a formée?

Un cœur véritablement soumis à la volonté de Dieu, serait-il donc touché des vains applaudissements du monde?

Pourrait-elle se laisser toucher par les flatteries du monde, l'âme que la vérité a soumise à son empire et qui a mis toute son espérance en Dieu?

Car ceux-là même qui louent ne sont rien, ils passeront avec le bruit de leurs paroles; *mais la vérité du Seigneur demeure éternellement.* (Ps. cxvi. 2.)

CHAPITRE 15.

COMMENT ON DOIT RÉGLER SES DÉSIRS.

1. Le Seigneur.

Mon fils, dites en toutes choses : Seigneur, que votre volonté s'accomplisse.

Seigneur, que cela se fasse en votre nom, si c'est pour votre gloire.

Seigneur, si vous jugez que cette chose me soit avantageuse ou utile, permettez-moi d'en user pour votre honneur et votre gloire.

Mais si vous savez qu'elle doive être contraire ou utile à mon salut, étouffez en moi ce désir.

Car tous les désirs ne viennent pas du Saint Esprit, bien que les hommes les trouvent justes et bons.

Il est difficile de discerner, si c'est le bon ou le mauvais esprit qui excite en vous tel ou tel désir, ou si vous y êtes porté par votre propre inclination.

Beaucoup ont été le jouet d'illusions, qui croyaient d'abord avoir pour guide l'esprit de vérité.

2. Il faut donc que vos désirs soient réglés par la crainte de Dieu, par l'humilité, et par une entière soumission à ma volonté; quelque désirable que la chose vous paraisse, abandonnez-moi tout et dites :

Seigneur, vous connaissez ce qui m'est le plus avantageux, que la chose arrive selon votre bon plaisir.

Donnez-moi ce que vous voudrez, quand vous le voudrez, et de la manière que vous le voudrez.

Faites de moi ce qui vous plaira pour mon plus grand bien et pour votre plus grande gloire.

Placez-moi où vous voudrez, et en toutes choses disposez de moi selon votre volonté.

Je suis entre vos mains, tournez-moi et retournez-moi en tous sens.

Je suis prêt à tout, et ne veux plus vivre pour moi-même, mais pour vous; oh! que ce soit avec toute la perfection que vous demandez de moi.

3. O mon aimable Jésus, donnez-moi votre grâce! qu'elle soit avec moi, qu'elle agisse avec moi, qu'elle demeure avec moi jusqu'à la fin!

Faites que je désire toujours ce qui vous est le plus agréable et le plus cher.

Que votre volonté soit toujours la mienne, que je la suive et que je m'y conforme en toutes choses.

Que je n'aie avec vous qu'une même volonté, et qu'il ne soit pas en mon pouvoir de désirer autre chose que ce que vous voulez.

4. Faites que je meure à toutes les choses du monde, et que j'aime à vivre inconnu et méprisé pour l'amour de vous.

Mais surtout, faites que je ne désire rien tant que de m'unir à vous, et que mon cœur ne cherche de paix qu'en vous.

Car vous êtes la véritable paix, le véritable repos du cœur, hors de vous il n'y a que peine et inquiétude ; *c'est dans cette paix, c'est en vous*, ô mon souverain bien,*que je dormirai et que je me reposerai.* Ainsi soit-il.

CHAPITRE 16.

ON NE DOIT CHERCHER QU'EN DIEU LA VÉRITABLE CONSOLATION.

1. Le Fidèle.

Ce n'est point en cette vie, c'est dans l'autre que j'attends ma consolation.

Quand je jouirais seul de tous les plaisirs et de toutes les joies du monde, il est certain que cela ne durerait pas longtemps.

Par conséquent, ô mon âme, il n'y a qu'en Dieu que vous pourrez trouver une consolation parfaite et un parfait contentement : il est le consolateur des pauvres et le protecteur des humbles.

Attendez encore un peu, ô moe âme, attendez la divine promesse, et dans le ciel vous posséderez l'abondance de tous les biens.

Si vous avez trop d'ardeur pour les biens présents, vous perdrez les biens célestes et éternels.

Usez des choses temporelles comme en passant, mais n'attachez vos désirs qu'aux biens éternels.

Les biens de la terre ne peuvent remplir votre cœur parce que vous n'avez point été créée pour eux.

2. Quand vous posséderiez tous les biens du monde, vous ne pourriez pas être heureuse et contente ; mais c'est en Dieu, qui a tout créé, que se trouvent renfermés votre bonheur et votre félicité.

Cette félicité n'est pas telle que les amants insensés du monde se la figurent ; mais c'est elle qu'attendent les véritables serviteurs de Jésus Christ, et que les âmes pieuses et les cœurs purs goûtent par avance.

Toutes les consolations que donnent les hommes sont vaines et de peu de durée.

La solide et parfaite consolation est celle que nous sentons intérieurement dans la vérité.

Une âme fidèle porte partout en elle-même Jésus son consolateur; elle lui dit : Seigneur Jésus, assistez-moi en tout temps et en tout lieu.

Faites que ma consolation soit d'être prête à me passer de toute consolation humaine.

Et si vous m'ôtez aussi les vôtres, que votre volonté et cette épreuve, que je mérite, soient ma suprême consolation.

Car *vous ne serez pas toujours en courroux et vos menaces ne dureront pas toujours.* (Ps. cii. 9.)

CHAPITRE 17.

QU'IL FAUT S'ABANDONNER ENTIÈREMENT A LA PROVIDENCE.

1. Le Seigneur.

Mon fils, laissez-moi disposer de vous selon ma volonté : je sais ce qui vous convient.

Vous pensez à la manière des hommes, et vous jugez beaucoup de choses selon les inclinations de l'humanité.

Le Fidèle. — Seigneur, ce que vous dites est vrai : vous avez plus de soin de tout ce qui me regarde que je n'en saurais avoir moi-même.

Celui-là est en danger de tomber, qui ne met pas toute sa confiance en vous.

Oui, Seigneur, du moment que ma volonté demeure toujours ferme et droite, faites de moi tout ce qu'il vous plaira.

Tout ce qui m'arrivera par vos ordres sera toujours pour mon bien.

2. Si vous voulez que je sois dans les ténèbres, soyez-en béni; si vous voulez que je sois dans la lumière, soyez encore béni. Si vous voulez me consoler, soyez béni; si vous voulez que je sois dans la tribulation, soyez toujours béni.

Le Seigneur. — Voilà la disposition où vous devez être, si vous voulez marcher avec moi.

Vous devez accepter avec la même promptitude la souffrance et la joie.

Vous devez être indifférent à la pauvreté et aux richesses, à l'indigence et à l'abondance.

3. Le Fidèle. — Seigneur, je souffrirai volontiers pour vous toutes les peines qu'il vous plaira de m'envoyer.

J'accepte de votre main avec le même esprit le bien et le mal, la douceur et l'amertume, la joie ou la tristesse, et je vous rendrai grâces également de toutes les choses qui m'arriveront.

Préservez-moi de tout péché, et je ne craindrai ni la mort ni l'enfer.

Pourvu que vous ne me rejetiez pas pour toujours, et que vous ne m'effaciez pas du livre de vie, aucune affliction ne pourra me nuire.

CHAPITRE 18.

QU'IL FAUT SOUFFRIR AVEC PATIENCE LES MISÈRES HUMAINES, A L'EXEMPLE DE JÉSUS CHRIST.

1. LE SEIGNEUR.

MON fils, je suis descendu du Ciel pour votre salut, je me suis exposé à vos misères, non point par nécessité, mais par amour : pour vous former à la patience, et vous apprendre à supporter sans murmures les peines de cette vie.

Je n'ai jamais été sans douleur, depuis ma naissance jusqu'à ma mort.

J'ai vécu dans une continuelle privation des choses temporelles; j'ai entendu souvent des plaintes contre moi; j'ai souffert avec douceur les indignités et les opprobres. J'ai reçu pour mes bienfaits l'ingratitude, pour mes miracles des blasphèmes, pour ma doctrine d'amères critiques.

2. LE FIDÈLE. — Seigneur, puisque vous avez tant souffert pendant votre vie, et que vous avez en cela si bien accompli les volontés de votre Père, il est juste que moi, pauvre pécheur, je me soumette entièrement à votre volonté, et que je supporte tant qu'il vous plaira pour ma sanctification, les misères de cette vie passagère.

Car si le poids de la vie présente est difficile à porter, les peines qu'on y souffre sont méritoires par votre grâce; votre exemple et celui de vos Saints la rendent même supportable et douce aux plus faibles.

On y trouve bien d'autres consolations que sous l'ancienne loi, lorsque la porte du Ciel était encore fermée, et que la voie qui y conduit semblait obscure et cachée;

tellement que peu de gens se mettaient en peine de chercher le royaume céleste.

Les justes mêmes et les prédestinés ne pouvaient y entrer avant votre passion et votre mort.

3. Quelles actions de grâces ne vous dois-je pas pour avoir montré à tous les fidèles, et à moi en particulier, la voie droite et facile qui conduit au royaume éternel.

Votre vie est la voie que nous devons suivre, et c'est par la patience que nous irons à vous qui êtes notre félicité.

Si vous ne nous eussiez pas montré le chemin, qui eût songé à le parcourir?

Hélas, combien en verrait-on qui demeureraient en arrière bien loin de vous, s'ils n'étaient excités par la sublimité de vos exemples!

Nous sommes encore languissants après tant de miracles que vous avez faits, et tant d'instructions que vous avez données; que serait-ce donc, si nous n'avions pas cette lumière pour nous guider à votre suite?

CHAPITRE 19.

DE LA SOUFFRANCE DES INJURES, ET DE LA VÉRITABLE PATIENCE.

1. Le Seigneur.

Qu'avez-vous à me dire, mon fils? cessez de vous plaindre, en considérant mes souffrances et celles de mes Saints.

Vous n'avez pas encore combattu jusqu'à verser votre sang.

Ce que vous souffrez est peu de chose, en comparaison de ce qu'ont souffert tant de Saints exposés à de violentes tentations, à des peines si cruelles, et à des épreuves si rudes.

Rappelez donc à votre souvenir l'héroïsme des Saints dans la souffrance, cela vous aidera à supporter patiemment vos petites contrariétés.

Ou si celles-ci vous paraissent considérables, prenez garde que cela ne vienne de votre peu de courage.

Après tout, que vos peines soient grandes ou petites, supportez-les toujours avec patience.

2. Plus vous serez prêt à souffrir avec courage, plus vous aurez de sages-

se et de mérite, et moins vous sentirez le poids de vos maux.

Ne dites point : Il m'est impossible d'endurer ceci ou cela d'un tel homme, ces affronts sont trop cruels; cette personne m'a fait un tort considérable; elle me reproche des choses auxquelles je n'avais jamais pensé : je le souffrirais plus volontiers d'un autre, et dans d'autres circonstances.

C'est une folie de ne tenir compte ni de la vertu de patience ni de celui qui doit la couronner, pour s'arrêter uniquement à la personne qui offense et à l'injure qu'on reçoit.

3. Ce n'est pas être véritablement patient, que de ne vouloir accepter la souffrance que comme il vous plaît et de la part de qui il vous plaît.

L'homme véritablement patient ne considère point qui le fait souffrir, si c'est un supérieur, ou un égal, ou un inférieur, si c'est un homme de bien, ou un méchant homme.

Mais, indifférent aux créatures, il reçoit avec reconnaissance les épreuves de la main de Dieu et les regarde comme un grand avantage.

Les plus petites peines supportées pour l'amour de Dieu, ne seront pas sans récompense.

4. Soyez donc toujours prêt à combattre, si vous voulez remporter la victoire.

Votre patience ne sera couronnée qu'après de pénibles épreuves.

Si vous ne voulez rien souffrir, n'espérez point de récompense.

Mais si vous voulez obtenir la couronne, combattez généreusement, et souffrez avec patience.

On ne jouit du repos qu'après avoir travaillé : il faut combattre pour remporter la victoire.

Le Fidèle. — Faites, Seigneur, que ce qui m'est impossible par la faiblesse de la nature, me devienne possible par votre grâce.

Vous savez que j'ai peu de force pour souffrir : je succombe à la moindre adversité.

Faites, Seigneur, que toutes les tribulations me paraissent douces et aimables, puisqu'il n'est rien de plus salutaire à mon âme que de souffrir pour l'amour de vous.

CHAPITRE 20.

IL FAUT RECONNAÎTRE SES FAIBLESSES, ET LES MISÈRES DE CETTE VIE.

1. LE FIDÈLE.

SEigneur, *je confesserai moi-même mon injustice* (Ps. xxxi. 5.); je vous découvrirai mes faiblesses.

Souvent un rien m'afflige et me décourage.

Je prends la résolution de faire le bien, mais à la moindre tentation, je me sens troublé et découragé.

La moindre des choses parfois, devient la matière d'une grande tentation.

Lorsque je me crois un peu en sûreté, et que je ne vois plus le péril présent, tout à coup un léger souffle m'abat.

2. Considérez donc, Seigneur, ma fragilité et ma faiblesse, qui vous sont si bien connues.

Ayez compassion de moi, *retirez-moi du bourbier*, *afin que je n'y demeure point enfoncé* (Ps. lxviii. 15.), jusqu'à ne pouvoir plus m'en relever.

Ma fragilité et ma faiblesse à résister à mes passions me remplissent de confusion devant vous.

Quoique je n'y donne pas un plein consentement, leur opiniâtreté me fatigue, et c'est pour moi un sujet de tristesse et d'ennui que d'être ainsi exposé à de continuels combats.

Un signe évident de ma faiblesse, c'est que les mauvaises pensées entrent dans mon esprit plus aisément qu'elles n'en sortent.

3. O Dieu d'Israël, Dieu tout puissant qui avez tant d'amour pour les âmes fidèles, considérez les peines de votre serviteur, secourez-le dans ses besoins.

Fortifiez-moi par votre grâce, de peur que le vieil homme, cette misérable chair qui n'est pas encore soumise à l'esprit, ne prenne le dessus. Il faudra lutter contre elle aussi longtemps que durera cette misérable vie.

Hélas! qu'est-ce que cette vie pleine d'afflictions et de misères, environnée de pièges et d'ennemis!

Une tentation succède à l'autre; on n'est pas encore sorti d'un combat, que d'autres se présentent tout à coup.

4. Comment peut-on avoir quelque attache pour une vie remplie de tant d'amertumes, exposée à tant de misères, à tant de calamités?

Peut-on même l'appeler une vie, quand elle n'enfante que la misère et la mort!

Cependant on l'aime, on s'y plaît et beaucoup de gens y cherchent leur félicité.

On se plaint souvent que le monde est faux et trompeur; cependant on ne peut s'en détacher. Pourquoi? parce qu'on est dominé par les convoitises de la chair.

D'un côté il paraît aimable, de l'autre on le trouve digne de mépris.

La concupiscence des yeux, l'orgueil de la vie, portent à aimer le monde; les peines et les misères qui les suivent, en inspirent le dégoût et l'éloignement.

5. Mais hélas! le plaisir triomphe de l'âme livrée au monde, elle croit trouver des délices sous des épines; et cela parce qu'elle n'a jamais goûté la douceur de Dieu, ni connu la beauté de la vertu.

Ceux qui, ayant un parfait mépris du monde, ne veulent vivre que pour Dieu, connaissent par expérience les douceurs promises à ceux qui renoncent entièrement au monde, et ils voient clairement les erreurs et les égarements des mondains.

CHAPITRE 21.

QU'IL FAUT ÉTABLIR SON REPOS EN DIEU PLUTÔT QU'EN TOUT AUTRE BIEN.

1. LE FIDÈLE.

C'EST en Dieu seul, ô mon âme, que vous devez trouver votre repos; parce que c'est lui qui fait le bonheur des Saints.

Faites, ô mon très doux Jésus, que je méprise toutes les créatures, pour me reposer en vous seul; que je vous préfère à la beauté et à la santé, à la gloire et à l'honneur, à la puissance et aux dignités, à la science et à l'habileté, aux arts et aux richesses, à la joie et aux plaisirs, à la réputation et aux louanges, aux douceurs et aux consolations, aux promesses et aux espérances, au mérite et à tous les désirs du cœur.

Faites que je vous préfère aux dons mêmes et aux récompenses que vous pouvez m'accorder; à tous les agréments et à toutes les délices que l'esprit est capable de sentir; aux Anges, aux Archanges et à tous les esprits bienheureux; à toutes les choses visibles et invisibles; enfin à tout ce qui n'est pas vous-même, ô mon Dieu.

2. Car, ô mon Seigneur et mon Dieu, vos perfections surpassent infiniment celles de toutes les créatures ensemble; vous êtes élevé au-dessus de tout; vous êtes seul tout-puissant; vous avez en vous seul la source inépuisable et la plénitude de tous les biens, de toutes les joies et de toutes les consolations.

Vous seul êtes beau et aimable; votre grandeur et votre gloire sont sans bornes et sans mesure; c'est en vous que tous les biens se réunissent; vous les possédez de toute éternité et vous les posséderez éternellement dans toute leur perfection.

Et ainsi tout ce que vous me donnez hors de vous, toutes les lumières dont vous éclairez mon âme, et tous les biens que vous me promettez, ne me contentent point, si vous ne vous donnez vous-même, et si je ne jouis pleinement de vous.

Mon cœur ne peut trouver un véritable repos ni un contentement parfait, s'il ne s'élève au-dessus de toutes les créatures pour se reposer en vous.

3. O aimable Jésus, chaste époux des âmes pures, Maître souverain du monde, qui me donnera des ailes, qui me délivrera de mes liens pour voler et pour me reposer en vous seul?

O Seigneur mon Dieu, quand donc serai-je assez heureux pour ne m'occuper qu'à goûter combien vous êtes doux?

Quand serai-je tellement recueilli en vous, que tout possédé de votre amour, je m'oublie moi-même, que je ne sente et ne voie que vous dans cette union ineffable que si peu d'âmes connaissent.

Je ne fais maintenant que gémir, et ce n'est

qu'avec douleur que je supporte le poids de ma misère.

En cette vallée de larmes, je suis exposé à une infinité de maux qui me troublent, m'affligent sans cesse, et répandent les ténèbres dans mon esprit; certains objets sont pour moi une source permanente d'embarras et de distractions de toute espèce; d'autres me flattent et m'empêchent d'approcher de vous avec liberté, et de jouir des embrassements ineffables que vous prodiguez aux esprits célestes.

Que mes soupirs vous touchent, ô mon Dieu; laissez-vous attendrir par les maux que je souffre sur la terre.

4. O Jésus, splendeur de la gloire éternelle, unique consolation de mon âme dans cette vallée de larmes : ma bouche est muette en votre présence, mais mon cœur supplée au défaut de ma langue, et mon silence vous parle.

Jusqu'à quand mon Seigneur différera-t-il sa venue?

Qu'il s'abaisse jusqu'à mon indigence et qu'il daigne me consoler; qu'il me tende sa main secourable et me retire du plus profond abîme de ma misère.

Venez, venez, ô mon Dieu : car sans vous il n'y a pour moi ni jour ni moment heureux; vous êtes toute ma joie, ma nourriture et ma vie.

Je suis malheureux et comme emprisonné, je languis dans les fers; j'attends que la lumière de votre présence me ranime, et que vous me regardiez d'un œil favorable.

5. Que les autres cherchent hors de vous tout ce qu'ils voudront; pour moi je n'aime, et je n'aimerai jamais que vous, ô mon Dieu, qui êtes mon espérance et ma félicité éternelle.

Je ne cesserai ni mes prières, ni mes cris de détresse, jusqu'à ce que votre grâce me soit rendue, et que vous me disiez au fond du cœur :

Le Seigneur. — Me voici, je suis venu parce que vous m'avez appelé; vos larmes, les désirs de votre cœur, votre humilité, et votre repentir, m'ont attiré et m'ont fait descendre jusqu'à vous.

LE FIDÈLE. — Il est vrai, Seigneur, que je vous ai appelé, j'ai désiré être uni à vous, prêt à tout mépriser pour l'amour de vous.

Mais c'est vous-même qui m'avez inspiré ce saint désir, et qui m'avez excité à chercher partout votre présence.

Soyez béni, ô mon Dieu, d'avoir été si bon, si miséricordieux envers votre serviteur.

Que peut-il vous dire davantage? Il ne peut que s'humilier devant vous dans le souvenir de son néant et de ses péchés?

Il n'y a rien qui vous soit comparable parmi les merveilles du ciel et de la terre.

Vos œuvres sont admirables; vos jugements sont vrais, et c'est votre providence qui gouverne toutes choses.

Que toute louange et toute gloire vous soient rendues, ô sagesse éternelle du Père : que ma langue, que mon âme, que toutes les créatures ensemble vous louent et vous bénissent, ô mon Dieu.

CHAPITRE 22.

DU SOUVENIR ET DE LA RECONNAISSANCE DES BIENFAITS DE DIEU.

1. LE FIDÈLE.

SEigneur, disposez mon âme à la pratique de votre loi, et apprenez-moi à marcher dans la voie de vos commandements.

Faites que je connaisse votre volonté; que je conserve avec soin dans mon cœur le respectueux souvenir de tous vos bienfaits, et qu'ainsi je puisse vous en rendre de ferventes actions de grâces.

Je sais et je confesse de bonne foi, que je ne suis point capable de vous remercier dignement de la moindre de vos faveurs.

Je suis très indigne des faveurs que vous m'accordez, et quand je considère votre majesté, mon âme s'étonne et se confond.

2. Tout ce que nous avons de bon en nous, dans notre âme et dans notre corps; tout ce que nous possédons, soit au dedans, soit au dehors, soit par la nature, soit par la grâce, ce sont autant

de bienfaits que nous avons reçus de vous, et chaque jour ils nous rappellent votre bonté, votre magnificence et votre libéralité.

L'un reçoit plus et l'autre moins ; cependant tout vient de vous, et sans vous il est impossible de posséder quoi que ce soit.

Celui qui est plus favorisé ne doit pas pour cela se glorifier de son mérite, ni mépriser les autres qui reçoivent moins : le meilleur et le plus grand à vos yeux c'est celui qui s'humilie davantage, et vous remercie avec le plus de ferveur.

Celui qui s'estime le plus indigne de tous est par cela même le mieux disposé à recevoir les plus hautes faveurs.

3. Celui qui en reçoit de moindres ne doit ni s'affliger, ni se plaindre, ni porter envie à celui qui est mieux partagé; il doit considérer plutôt votre bonté, et la louer de ce qu'elle se communique abondamment et gratuitement, sans avoir égard à la qualité des personnes.

Vous êtes la source de tout bien, c'est pourquoi il faut vous louer en toutes choses.

Vous savez ce qu'il convient de donner à chacun, et pourquoi l'un reçoit plus que l'autre : mais c'est à vous seul qu'il appartient de faire ce discernement, parce que c'est vous qui mesurez le mérite de chacun.

4. Seigneur mon Dieu, je regarde comme une grâce de n'avoir pas ces qualités éclatantes qui frappent les yeux des hommes, et attirent leurs louanges. Au lieu de s'affliger de la privation de ces talents extérieurs et d'en être abattu, il faut plutôt s'en réjouir : parce que, mon Dieu, vous avez choisi pour vos amis et vos serviteurs, les pauvres, les humbles, et ceux que le monde regarde avec mépris.

Nous avons pour exemple vos Apôtres mêmes, que vous avez établis princes sur toute la terre.

Ils ont vécu dans le monde sans reproche, avec une simplicité et une humilité parfaites, éloignés de toute tromperie et de toute malice, se réjouissant de souffrir des opprobres pour votre gloire, et embrassant avec amour ce que le monde a le plus en horreur.

5. Rien ne doit plus réjouir celui qui vous aime et qui est reconnaissant de vos bienfaits, que de voir que sa vie est en tout l'accomplissement de votre volonté, et l'exécution de vos desseins éternels.

Cette volonté divine, elle doit être toujours sa joie et sa consolation, en sorte qu'il mette autant d'ardeur à être le dernier de tous qu'on en met souvent à être le premier.

Il doit être aussi satisfait de se voir au dernier rang, qu'un autre au plus élevé; il doit s'estimer aussi heureux de se voir méprisé, qu'un ambitieux le serait d'être connu et honoré de tout le monde.

L'accomplissement de votre volonté, et le désir de procurer votre gloire, doivent l'emporter sur tout, et lui donner plus de consolation et de joie que tous les biens qu'il possède, et qu'il peut posséder.

CHAPITRE 23.

QUATRE MOYENS POUR ACQUÉRIR LA PAIX DU CŒUR.

1. LE SEIGNEUR.

MON fils, je veux vous enseigner maintenant le chemin de la paix et de la vraie liberté.

2. LE FIDÈLE. — Faites, Seigneur, ce que vous dites, je vous écouterai avec bonheur.

3. LE SEIGNEUR. — Accoutumez-vous, mon fils, à faire la volonté d'autrui plutôt que la vôtre.

Choisissez plutôt le moins que le plus dans les biens de cette vie.

Mettez-vous toujours à la dernière place, audessous de tout le monde.

Que vos désirs et vos prières se réunissent pour obtenir que la volonté de Dieu s'accomplisse entièrement en vous.

Celui qui pratiquera ces maximes jouira d'un parfait repos.

4. LE FIDÈLE. — Seigneur, ces quelques préceptes renferment une grande perfection.

Ils contiennent peu de paroles, mais ils sont

pleins de sens et d'une admirable utilité.

Si je pouvais les mettre exactement en pratique, je ne serais pas sujet comme je le suis à tant d'inquiétudes.

Toutes les fois que je sens du trouble et de l'agitation dans mon cœur, c'est que je me suis écarté de cette voie.

Mais vous qui pouvez tout, qui désirez notre avancement spirituel, redoublez le secours de votre grâce : afin que je puisse mettre en pratique vos maximes, et mener à bonne fin l'œuvre de mon salut.

Prière pour obtenir d'être délivré des mauvaises pensées.

5. Seigneur, *ne vous éloignez pas de moi, soyez toujours prêt à me secourir* (Ps. lxx. 12.) : parce que je suis troublé par mille pensées qui jettent l'épouvante dans mon âme.

Comment pourrai-je m'en délivrer et empêcher qu'elles ne m'entraînent au mal?

6. Vous dites, Seigneur : *Je marcherai devant vous, j'humilierai les superbes de la terre* (Isaïe, xiv. 1.); j'ouvrirai les portes de la prison, je vous découvrirai les mystères les plus cachés.

7. Seigneur, accomplissez vos promesses, et que toutes ces mauvaises pensées s'évanouissent.

Je n'ai point d'autre espérance ni d'autre consolation dans mes peines que de recourir à vous, de mettre ma confiance en vous, d'implorer et d'attendre patiemment votre secours.

Prière pour demander à Dieu la lumière

8. Répandez, mon Jésus, répandez votre lumière dans mon âme, dissipez les épaisses ténèbres de mon cœur.

Mettez un frein aux égarements de mon esprit, domptez les tentations qui me pressent.

Combattez victorieusement pour moi, protégez-moi contre ces bêtes furieuses, c'est à dire contre les attraits de la concupiscence : afin *que la paix s'introduise dans mon âme* par votre secours (Ps. cxxi. 7.) : et qu'avec une conscience pure je chante continuellement vos louanges dans votre sanctuaire.

Commandez aux vents et aux tempêtes, dites à la mer : sois calme; à l'aquilon : apaise-toi; et aussitôt la tranquillité se fera.

9. *Faites luire votre lumière et votre vérité sur la terre* (Ps. xlii. 3.) : car je ne suis qu'une terre sèche et inculte, et qui attend votre lumière.

Répandez sur moi votre grâce, faites descendre dans mon cœur la rosée céleste; inspirez-moi les sentiments d'une tendre dévotion; arrosez cette terre sèche, afin qu'elle produise de bons fruits.

Relevez mon âme abattue sous le poids de ses crimes, faites qu'elle porte ses désirs aux choses célestes; afin qu'ayant goûté les véritables plaisirs, elle ne puisse plus désirer ceux de la terre.

10. Arrachez-moi à toutes ces vaines consolations que donnent les créatures; il n'y en a pas une seule qui puisse remplir mes désirs, ni me rendre heureux.

Unissez-moi à vous par l'indissoluble lien de votre amour; vous suffisez à ceux qui vous aiment, et sans vous tout est frivole.

CHAPITRE 24.

QU'IL FAUT ÉVITER TOUTE CURIEUSE RECHERCHE SUR LA CONDUITE DES AUTRES.

1. LE SEIGNEUR.

MON fils, ne soyez point curieux, et ne vous créez pas de vaines sollicitudes.

Pourquoi vous embarrasser de ceci ou de cela? *Suivez-moi seulement.* (S. Jean, xxi, 22.)

Que vous importe de savoir que telle personne a tel ou tel défaut, qu'une autre parle ou agit de telle manière?

Vous n'avez pas à répondre des autres; vous rendrez compte de vous seul. De quoi vous embarrassez-vous donc?

Je connais tous les hommes, je vois tout ce qui se passe sous le ciel, je connais les dispositions de chacun, ce qu'il pense, ce qu'il désire, et le motif de toutes ses actions.

Reposez-vous donc de tout sur ma providence, et demeurez en paix; laissez les esprits inquiets s'agiter tant qu'ils voudront.

Ils seront jugés rigoureusement sur toutes leurs paroles et sur toutes leurs actions, car il est impossible de me tromper.

2. Ne vous mettez pas en peine d'acquérir la vaine gloire d'un grand nom, ni la popularité, ni la possession sans partage de l'amitié des hommes.

Tout cela vous distrairait, et produirait des ténèbres dans votre cœur.

Je prendrais plaisir à m'entretenir avec vous et à vous révéler mes mystères, si vous étiez toujours attentif à observer le moment de mon arrivée, pour m'ouvrir la porte de votre cœur.

Tenez-vous sur vos gardes, veillez et priez, et humiliez-vous dans toutes les occasions.

CHAPITRE 25.

EN QUOI CONSISTE LA SOLIDE PAIX DU CŒUR, ET LE VÉRITABLE AVANCEMENT SPIRITUEL.

1. LE SEIGNEUR.

MON fils, je l'ai déjà dit : *je vous laisse ma paix, je vous donne ma paix, je ne vous la donne pas comme le monde la donne*, (S. Jean, XIV, 27.)

Tous souhaitent la paix, mais ils ne font pas ce qu'il faut pour se procurer une paix solide.

La paix est réservée à ceux qui sont doux et humbles de cœur : vous la trouverez surtout dans la souffrance.

Vous la possèderez, si vous écoutez ma parole, et si vous la mettez en pratique.

2. LE FIDÈLE. — Seigneur, que faut-il que je fasse?

3. LE SEIGNEUR. — Veillez toujours attentivement sur vos actions et vos paroles, songez uniquement à me plaire, ne souhaitez et ne cherchez rien hors de moi.

Ne jugez point témérairement des actions ni des paroles d'autrui, et ne vous ingérez pas dans les affaires qui ne vous regardent pas; c'est le seul moyen d'être à peu près exempt d'inquiétudes.

4. Ce n'est point en cette vie, mais dans l'éternité qu'on doit espérer d'être à l'abri de toute peine du corps et de l'esprit.

Ne vous flattez point d'avoir trouvé la paix,

parce que vous ne sentez aucune adversité; ni de posséder le souverain bien, parce que personne ne vous contredit, et que tout réussit selon vos souhaits.

Ne vous croyez pas un grand mérite aux yeux de Dieu, quand vous avez une dévotion fort tendre; ce n'est pas ce qui prouve le véritable zèle pour la vertu, et ce n'est pas en cela que consiste la perfection de l'homme, ni son avancement spirituel.

5. Le Fidèle. — En quoi donc, Seigneur?

6. Le Seigneur. — Elle consiste à être parfaitement résigné à la volonté de Dieu, sans chercher jamais vos intérêts, ni dans les petites choses, ni dans les grandes, ni pour le temps, ni pour l'éternité :

De sorte que vous remerciiez Dieu également dans l'adversité et dans la prospérité, envisageant avec la même sérénité, les biens et les maux de cette vie.

Il faut encore que vous ayez assez de courage et d'espérance pour accepter les plus grandes épreuves, après que les consolations intérieures vous auront été ôtées, et que vous ne vous plaigniez point au milieu des peines les plus cruelles.

Si vous approuvez ma conduite en toutes choses, si vous louez ma justice, soyez persuadé que vous possédez la véritable paix; et que vous pouvez espérer de jouir de nouveau de la joie que donne ma présence.

Si vous parvenez à avoir un véritable mépris de vous-même, vous possédez la paix la plus douce qu'il soit possible de posséder en ce monde.

CHAPITRE 26.

DE LA LIBERTÉ DU CŒUR, QUI S'ACQUIERT PLUTÔT PAR LA PRIÈRE QUE PAR LA LECTURE.

1. Le Fidèle.

Seigneur, il faut être parfait, pour s'appliquer sans relâche aux choses du ciel, et pour passer au milieu des soins du monde sans aucune affection désordonnée pour les créatures; non point sans doute par le fait de l'indolence ou de la paresse, mais par le privilège particulier d'une âme vraiment libre.

2. Préservez-moi, mon Dieu, des soins de cette vie : faites que je ne m'attache point trop à satisfaire les nécessités du corps, de peur que je n'y prenne plaisir ; délivrez-moi de tout ce qui peut être un obstacle au bien de mon âme, afin qu'elle ne succombe pas sous le poids de l'affliction.

Je ne parle point de ces choses que la vanité désire avec tant de passion ; je parle des misères qui, par un effet de la malédiction commune, sont attachées à la condition humaine et empêchent l'âme de posséder, autant qu'elle le voudrait, la liberté d'esprit.

3. O mon Dieu, ô douceur ineffable, changez en amertume tous les plaisirs des sens qui peuvent me détourner de l'amour des biens célestes, et m'entraîner au mal par l'espérance d'un bien frivole et passager.

Que la chair et le sang ne triomphent point de moi, ô mon Dieu ! que le monde et sa gloire passagère ne me séduisent point, que le démon avec toute sa malice ne puisse me tromper.

Donnez-moi la force pour résister, la patience pour souffrir, la constance pour persévérer.

Donnez-moi, au lieu des fausses consolations du monde, la douce onction de votre esprit ; remplissez mon cœur de l'amour divin, et que l'amour charnel en soit banni.

4. Un homme fervent regarde comme des nécessités importunes le boire, le manger, le vêtement, et tout ce qui est nécessaire à la vie du corps.

Faites-moi la grâce d'user modérément de toutes ces choses, et de ne point les désirer avec trop d'ardeur.

On ne peut absolument se priver de tout, parce qu'il faut soutenir le corps ; votre sainte loi défend de chercher le superflu et ce qui flatte les sens ; autrement la chair se révolterait contre l'esprit.

Que votre grâce me conduise entre ces deux extrêmes, qu'elle m'éclaire afin que j'évite tout excès.

CHAPITRE 27.

QUE L'AMOUR-PROPRE NOUS ÉLOIGNE DU SOUVERAIN BIEN.

1. LE SEIGNEUR.

MON fils, il faut que vous donniez tout pour tout, sans réserver rien pour vous-même.

Sachez que l'amour-propre vous est plus nuisible que tout le reste.

Vous êtes plus ou moins attaché à une chose, selon le penchant et l'affection que vous avez pour elle.

Si votre amour est pur, simple et bien réglé, vous ne serez point l'esclave des créatures.

Ne désirez point ce qu'il ne vous est pas permis d'avoir; ne gardez point ce qui peut embarrasser votre âme et lui faire perdre la liberté intérieure.

Il est étrange que vous ne vous abandonniez point entièrement à moi, avec tout ce que vous pouvez avoir et souhaiter en cette vie.

2. Pourquoi vous laisser consumer par des chagrins futiles? pourquoi vous fatiguer par tant de soins superflus?

Conformez-vous à ma volonté, et rien ne sera capable de vous nuire.

Si vous vous attachez à ceci ou à cela, si vous voulez demeurer dans un lieu plutôt que dans un autre pour votre utilité et pour votre satisfaction particulière, vous n'aurez jamais de repos, l'inquiétude vous suivra partout; vous trouverez toujours quelque chose qui vous manque, et quelqu'un qui traverse vos desseins.

3. Ce n'est donc point l'abondance des biens extérieurs qui fera votre félicité; vous trouverez au contraire votre bonheur à les mépriser et à détruire l'affection qui vous y attache.

Cette maxime doit s'entendre non seulement des richesses, mais encore des honneurs et du désir des vaines louanges qui passent avec le monde.

La sainteté du lieu ne sert à rien, si l'esprit de ferveur fait défaut; cette paix extérieure ne sera pas de longue durée, si elle n'est fondée sur la stabilité du cœur, c'est-à-dire si vous n'êtes affermi en moi : vous pouvez changer de demeure, vous n'en serez pas plus homme de bien.

A la première occasion qui se présentera, vous trouverez les mêmes peines, et peut-être de plus grandes que celles que vous vouliez éviter.

Prière pour obtenir la pureté du cœur et la sagesse céleste.

4. Fortifiez-moi, Seigneur, par la grâce du Saint Esprit.

Faites que mon cœur, fortifié intérieurement, se dégage des soins et des soucis inutiles, et que, ne se laissant point entraîner par de vains désirs, il regarde tous les biens du monde comme frivoles et passagers.

Il n'y a rien de stable sous le soleil. Ici-bas tout est *vanité et afflictions d'esprit.* (Eccl. i. 14.) Oh que c'est être sage que de juger ainsi des choses du monde !

Mon Dieu, donnez-moi votre sagesse, afin que j'apprenne à vous chercher et à vous trouver, à vous aimer uniquement, à connaître les choses telles qu'elles sont en elles-mêmes, et selon l'estime que vous en faites.

Apprenez-moi à éviter avec prudence ceux qui me flattent, et à souffrir avec patience ceux qui se montrent mes ennemis.

C'est agir fort sagement que de ne point se laisser emporter à tout vent, et de ne point prêter l'oreille aux flatteries de ces *Sirènes*, qui enchantent ceux qui les écoutent. C'est là le moyen de marcher toujours avec assurance dans la voie de Dieu.

CHAPITRE 28.

CONTRE LES LANGUES MÉDISANTES.

1. Le Seigneur.

Mon fils, ne vous chagrinez point de ce que l'on pense mal de vous, et que l'on en dise des choses désagréables.

Vous devez avoir de vous-même des sentiments encore plus humbles, et croire que vous êtes le plus imparfait de tous les hommes.

Si vous êtes vraiment intérieur, vous attacherez peu d'importance aux paroles qui se perdent en l'air.

C'est faire preuve de prudence que de savoir se taire dans certaines circonstances fâcheuses, de savoir se tourner vers moi intérieurement, sans s'alarmer des jugements des hommes.

2. Que votre paix ne dépende point des discours du monde; vous n'en demeurez pas moins ce que vous êtes, parce qu'on interprète bien ou mal vos actions. Où est la vraie paix et la véritable gloire? N'est-ce pas en moi?

Celui qui ne cherche point à plaire aux hommes, mais qui ne craint pas non plus de leur déplaire, jouira d'une véritable paix.

Les inquiétudes du cœur et les égarements de l'esprit viennent de l'amour déréglé et d'une vaine crainte.

CHAPITRE 29.

COMMENT IL FAUT BÉNIR DIEU, ET L'INVOQUER DANS L'ADVERSITÉ.

1. Le Fidèle.

Seigneur, *que votre nom soit éternellement béni* (Tob. iii. 23.) : parce que vous avez voulu m'éprouver par cette tentation et cette adversité.

Je ne puis l'éviter, mais il est nécessaire que j'aie recours à vous : afin que vous m'aidiez et que j'en retire quelque utilité.

Seigneur, me voici dans l'angoisse, mon cœur est agité par ses passions.

Que vous dirai-je, Père plein de tendresse? je suis dans l'affliction; *protégez-moi dans l'accablement où je me trouve.* (S. Jean, xii. 27.)

Le temps de calamités est arrivé (ibid.), afin que vous fassiez éclater votre gloire en me délivrant de mes humiliations.

Ayez la bonté, Seigneur, de me secourir (Ps. xxxix. 14.) : que puis-je faire dans mon indigence, et où puis-je aller sans vous?

Seigneur, donnez-moi la patience cette fois encore; aidez-moi, ô mon Dieu, et je ne craindrai rien, quel que soit le poids qui m'accable.

2. Que vous dirai-je dans mon accablement? Seigneur, *que votre volonté soit faite* (Matth. vi. 10. et xxv. 42.); j'ai bien mérité les malheurs et les peines que vous m'envoyez.

Il faut que je souffre, et puissé-je le faire avec

patience, jusqu'à ce que la tempête soit passée, et que le calme revienne.

Votre grâce toute-puissante peut me délivrer de cette tentation et en diminuer la violence, afin que je ne succombe pas entièrement; vous l'avez déjà fait souvent, ô Dieu plein de miséricorde.

Plus le combat m'est difficile, plus *votre puissance éclatera en me secourant.* (Ps. lxxvi. 11.)

CHAPITRE 30.

QU'IL FAUT IMPLORER LE SECOURS DE DIEU, ET ESPÉRER RECEVOIR SA GRACE.

1. LE SEIGNEUR.

MON fils, je suis le Seigneur *qui console dans le temps de l'affliction.* (Nahum i. 7.) Venez à moi quand vous serez dans la détresse.

Ce qui vous empêche de recevoir les consolations célestes, c'est que vous attendez trop tard pour avoir recours à la prière.

Avant de prier avec ferveur, vous cherchez du soulagement près des créatures.

Ces remèdes vous sont inutiles, et vous êtes enfin obligé de reconnaître que seul je sauve ceux qui mettent leur confiance en moi; que hors de moi tout secours est inefficace et tout remède peu assuré.

Maintenant que la tempête est passée, commencez à respirer, rassurez-vous à la vue de ma miséricorde; car je suis proche de vous, non seulement pour vous rendre ce que vous avez perdu, mais encore pour vous combler de nouvelles grâces.

2. Y a-t-il quelque chose qui me soit difficile? ou suis-je semblable à ceux qui promettent et qui ne donnent rien?

Où est votre foi? soyez ferme et persévérant.

Ne vous lassez point, prenez courage : je vous consolerai quand il sera temps.

Attendez-moi, vous dis-je, attendez-moi, je viendrai et je vous guérirai.

Ce qui vous tourmente n'est qu'une épreuve.

Pourquoi vous tourmenter des événements incertains? c'est vous attirer affliction sur affliction : *à chaque jour suffit son mal.* (Matth. vi. 34.)

C'est une faiblesse que de se réjouir ou de s'affliger de ce qui n'arrivera peut-être pas.

3. Cependant on se laisse tromper par ces illusions; le peu de résistance qu'on oppose aux suggestions de l'ennemi, est la marque d'une âme faible.

Pourvu qu'il nous trompe, celui-ci se met peu en peine de nous présenter des chimères ou des réalités; de nous vaincre par l'amour du présent, ou par la crainte de l'avenir.

Que votre cœur ne se trouble point, qu'il ne craigne rien.

Croyez en moi, et confiez-vous en ma miséricorde.

Quand vous vous croyez loin de moi, c'est alors souvent que je suis proche.

Quand vous vous figurez que tout est perdu, c'est alors que se présentent pour vous les occasions de mérite.

Ne vous persuadez pas que tout soit perdu à la première épreuve qui vous arrive.

Vous ne devez point juger de vous-même par la situation où vous vous trouvez, ni vous laisser abattre par l'affliction, comme si vous n'aviez plus l'espérance d'en sortir.

4. Ne croyez pas que ma grâce vous ait entièrement abandonné, quand je vous envoie des peines pour un temps, ou que je vous prive de mes consolations; c'est par cette voie que l'on arrive au royaume des cieux.

Et sans aucun doute cet état vous est avantageux à vous et à tous mes serviteurs; il vaut mieux être éprouvé par des afflictions, que d'avoir tout à souhait.

Je connais le secret des cœurs; il est utile pour votre salut d'être privé quelquefois de consolations, de peur que la vaine gloire ne vous rende présomptueux, et que vous ne pensiez être ce que vous n'êtes pas.

Ce que je vous ai donné, je peux vous l'ôter et vous le rendre quand il me plaira.

5. Ce que je vous donne est à moi; quand je vous l'ôte, je ne vous fais aucun tort, car tout bien et tout don parfait m'appartiennent.

Si je vous envoie quelques afflictions ou quelques peines, ne vous impatientez pas, et ne vous laissez point abattre : il m'est aisé de vous soulager sans retard, et de changer votre chagrin en joie.

Je suis juste, et je mérite d'être béni toujours de quelque manière que je vous traite.

6. Si vous êtes sage, et si c'est la vérité qui vous gouverne, vous ne devez point perdre courage dans les adversités; vous devez plutôt vous réjouir et m'en remercier.

Vous devez regarder comme une consolation et une joie, que je vous afflige sans vous épargner.

Je vous aime comme mon Père m'a aimé (S. Jean, xv, 9), ai-je dit à mes disciples; quand je les ai envoyés, ç'a été pour combattre, non pour jouir; pour souffrir des mépris, non pour recevoir des honneurs; pour travailler, non pour être oisifs; pour être toujours dans l'action, et pour produire de grands fruits par une longue patience : mon fils, souvenez-vous de ces paroles.

CHAPITRE 31.

QU'IL FAUT MÉPRISER LES CRÉATURES POUR TROUVER LE CRÉATEUR.

1. Le Fidèle.

Seigneur, j'ai besoin que vous augmentiez encore en moi votre grâce, pour arriver à un état où les créatures ne soient plus capables de me troubler.

Tant que quelque créature me retient, je ne peux voler librement jusqu'à vous.

Le prophète souhaitait cette liberté lorsqu'il disait : *Qui me donnera les ailes de la colombe, afin que je vole et que je me repose?* (Ps. liv. 7.)

Quoi de plus tranquille que l'homme dont les intentions sont pures? Quoi de plus libre que celui qui ne désire rien sur la terre?

Il faut donc s'élever au-dessus de toutes les créatures, se quitter soi-même parfaitement, et par ce détachement universel reconnaître qu'il n'y a rien de semblable à vous dans toute la création.

Quiconque n'est pas tout à fait détaché du

monde, ne pourra s'appliquer comme il convient aux choses célestes.

Il est si rare de trouver des personnes vraiment contemplatives, précisément parce qu'il en est peu qui sachent se séparer parfaitement des créatures.

2. Pour cela, il faut une grâce spéciale qui élève l'âme au-dessus d'elle-même.

Si l'homme n'a pas brisé tous les liens qui l'attachent aux créatures, pour s'unir parfaitement à Dieu, tout ce qu'il sait et tout ce qu'il a acquis est de peu de mérite.

Il sera toujours petit et toujours rampant, s'il trouve quelque chose de grand en dehors du bien unique, souverain et éternel.

Tout ce qui n'est point Dieu n'est rien, et doit être compté pour rien.

Il y a une grande différence entre la sagesse d'un saint que Dieu éclaire, et la science d'un docteur acquise par l'étude.

La science qui vient d'en haut, et que Dieu répand dans les âmes, est bien plus noble que celle que les hommes acquièrent par leur travail et par leurs études.

3. Plusieurs désirent arriver à la contemplation; mais ils ne veulent point pratiquer ce qu'il faut pour y arriver.

C'est un grand obstacle que de s'arrêter aux choses extérieures et sensibles, sans s'appliquer à la mortification intérieure.

Je ne sais quel esprit nous conduit, ni ce que nous prétendons, nous qui passons pour des hommes spirituels, lorsque nous témoignons plus d'empressement pour des choses passagères que pour le soin de notre intérieur, et pour une vie recueillie.

4. Hélas! à peine sommes-nous un moment rentrés en nous-mêmes, que notre âme s'échappe au dehors sans se mettre en peine de bien examiner ses actions.

Nous ne considérons pas combien nos affections sont basses, et nous n'éprouvons aucune tristesse de l'impureté de nos désirs.

Tous les hommes autrefois étaient tombés dans la corruption (Gen. vi. 12.), voilà pourquoi ils périrent par un déluge universel.

Comme nos inclinations sont fort corrompues, nos actions, qui en sont la suite, se sentent de cette mauvaise disposition.

La pureté de la vie est le fruit de la pureté du cœur.

5. On considère ce qu'un homme fait de grand, mais on n'examine point par quels motifs il agit.

On s'informe s'il a du courage, de la fortune, de la beauté, s'il écrit ou s'il chante bien, s'il excelle dans les arts; mais on ne demande pas s'il est pauvre en esprit, s'il est pieux, doux et patient, s'il est dévot et intérieur.

La nature ne considère que les dehors et les apparences; mais la grâce examine l'intérieur.

La nature se trompe le plus souvent; la grâce espère en Dieu, afin de n'être jamais trompée.

CHAPITRE 32.

DE L'ABNÉGATION DE SOI-MÊME, ET DE LA MORTIFICATION DE SES DÉSIRS.

1. LE SEIGNEUR.

MON fils, vous ne jouirez jamais d'une parfaite liberté, si vous ne renoncez entièrement à vous-même.

Ils sont esclaves ceux qui aiment les richesses et se recherchent eux-mêmes. On les voit curieux, remuants et vagabonds, désirer avidement ce qui flatte les sens, et non ce qui plaît à Jésus Christ; ils forment mille vains projets qu'ils ne sauraient accomplir.

Tout ce qui ne vient pas de Dieu périra en peu de temps.

Pénétrez-vous de cette profonde maxime : quittez tout et vous trouverez tout, domptez vos passions et vous jouirez du repos.

Méditez souvent ce principe, et quand vous l'aurez mis en pratique, vous comprendrez toutes choses.

2. LE FIDÈLE. — Seigneur, ce n'est pas là l'ouvrage d'un jour, ni un jeu d'enfant: ce peu de mots renferme toute la perfection religieuse.

3. LE SEIGNEUR. — Vous ne devez pas pour cela vous rebuter, ni perdre courage; au contraire, vous devez vous élever à ce qu'il y a de plus su-

blime, ou du moins y aspirer.

Oh ! qu'il serait à souhaiter que vous fussiez déjà parvenu au point de ne plus vous aimer vous-même, que vous me fussiez entièrement soumis à moi et à celui qui tient ma place ! Alors vous me seriez agréable, et toute votre vie se passerait dans la joie et dans la paix.

Vous avez encore bien des choses à quitter : et vous ne jouirez jamais du repos que vous cherchez, si vous ne vous abandonnez entièrement à ma providence.

Si vous voulez devenir riche, je vous conseille d'acheter de moi l'or éprouvé par le feu (Apoc. iii. 18.) : c'est-à-dire la sagesse céleste, qui vous apprenne à fouler aux pieds les choses humaines.

Méprisez la sagesse de la terre, et toute complaisance en vous-même et dans les hommes.

4. Je vous l'ai dit, en échange des choses que les hommes estiment grandes et précieuses, procurez-vous celles qu'ils méprisent.

Car la vraie et céleste sagesse paraît basse et méprisable. Elle est presque oubliée, car elle ne se complaît point dans l'exaltation d'elle-même, et ne recherche point les louanges des hommes. Plusieurs en parlent avec éloges, mais ils ne sont guère persuadés de ce qu'ils disent, et leur vie ne répond guère à leurs paroles. C'est cependant là cette pierre précieuse inconnue à tant de gens.

CHAPITRE 33.

DE L'INCONSTANCE DU CŒUR HUMAIN, ET COMMENT NOUS DEVONS TOUT RAPPORTER A DIEU.

1. LE SEIGNEUR.

MON fils, ne vous reposez point sur les sentiments que vous éprouvez en ce moment, car ils ne tarderont pas à changer.

Tant que vous vivrez, vous serez sujet malgré vous à beaucoup de changement; tour à tour triste et gai, calme et inquiet, fervent et tiède; tantôt zélé, tantôt languissant; tantôt grave, tantôt léger.

Un homme sage et intérieur est toujours ferme au milieu de ces inconstances; il ne fait point attention à ce qui se passe en lui-même, et il ne se laisse point emporter par le vent de l'instabilité : il ne pense qu'à bien diriger son intention vers la fin à laquelle il doit tendre, et à faire tout ce qu'il faut pour y parvenir.

Par ce moyen il restera inébranlable et toujours le même, ses intentions seront toujours pures, et il ne songera qu'à me plaire en tout.

2. Plus cet œil de l'intention est pur, plus l'homme a de fermeté dans les divers événements qui lui arrivent.

Mais il arrive souvent que cet œil s'obscurcit, et qu'il s'arrête avec complaisance à ce que les choses lui présentent d'agréable.

Il est rare de trouver un homme entièrement libre et qui ne se cherche point lui-même.

C'est ainsi que les Juifs vinrent à Béthanie chez *Marthe et Marie, non pas seulement pour voir* Jésus, *mais aussi pour voir Lazare.* (S. Jean, xii. 9.)

Ainsi donc il faut purifier l'intention, afin qu'elle soit droite et pure, et n'envisager que moi seul.

CHAPITRE 34.

COMBIEN DIEU EST DOUX POUR CEUX QUI L'AIMENT EN TOUT ET PAR-DESSUS TOUTES CHOSES.

1. LE FIDÈLE.

Voici mon Dieu et mon tout. Que puis-je souhaiter davantage, et que me reste-t-il à désirer?

O douce et agréable parole pour celui qui aime Dieu et non pas le monde, ou ce qui est du monde!

Mon Dieu et mon tout : cela suffit à celui qui l'entend ; mais quand on aime, il est doux de le répéter souvent.

Tout est agréable quand vous êtes là, tout déplaît quand vous êtes absent.

C'est vous qui mettez le calme dans le cœur, qui donnez la paix et la joie.

Vous faites que, jugeant favorablement tout le monde, nous vous bénissons en tout. Rien ne peut plaire longtemps sans vous ; mais si quelque chose nous charme, il faut que votre grâce s'y trouve, et que votre sagesse y mette je ne sais quel assaisonnement.

2. Celui qui a goûté combien vous êtes doux, peut-il trouver rien d'a-

mer? Et que peut-il y avoir d'agréable pour qui ne vous connaît pas?

Les sages du monde ne goûtent point votre sagesse, parce qu'ils n'aiment que ce qui flatte les sens; mais les sens ne leur offrent que ces vanités où se rencontre la mort.

Ceux qui méprisent les choses humaines et se mortifient pour vous suivre, sont véritablement sages; parce qu'ils quittent la vanité pour la vérité, et la chair pour l'esprit.

Ces hommes ont un véritable goût de Dieu, et ils rapportent au Créateur tout ce qu'ils trouvent de bon dans les créatures.

Ils trouvent une grande différence entre le Créateur et la créature, entre le temps et l'éternité, entre la lumière increéée et celle qui n'en est que le faible reflet.

3. O splendeur éternelle, qui effacez toutes les autres lumières! éclairez-moi du plus haut des cieux, et que votre lumière pénètre jusque dans les replis les plus secrets de mon cœur.

Purifiez, vivifiez, éclairez, réjouissez mon âme, et faites qu'elle s'attache à vous avec toutes ses puissances, dans de continuels transports de joie.

Oh quand donc arrivera ce bienheureux moment, où vous remplirez tous mes désirs par votre présence, et où vous me tiendrez lieu de tout!

Jusque-là ma joie ne sera point parfaite.

Hélas! le vieil homme vit encore en moi : il n'y est pas encore entièrement crucifié ni parfaitement mort.

Sa concupiscence s'insurge contre l'esprit, il soulève des révoltes intestines et trouble le repos de l'âme.

4. Mais vous, Seigneur, *qui commandez aux flots de la mer, et qui en calmez l'impétuosité* (Ps. lxxxviii. 10,), venez à mon secours.

Dissipez les peuples qui aiment la guerre (Ps. lxvii. 31) : détruisez-les par votre toute-puissance.

Faites éclater à leurs yeux la force de votre bras; parce que je n'ai de refuge et d'espérance qu'en vous, mon Seigneur et mon Dieu.

CHAPITRE 35.

ON N'EST JAMAIS EXEMPT DE TENTATION EN CETTE VIE.

1. LE SEIGNEUR.

MON fils, vous ne pouvez être en sécurité durant cette vie ; tant que vous vivrez, vous aurez toujours besoin d'armes spirituelles.

Vous êtes environné d'ennemis qui vous attendent de tous côtés.

Si vous n'êtes armé de la patience comme d'un bouclier, vous ne pourrez résister longtemps sans blessure.

Il faut que votre cœur soit toujours fixé et arrêté en moi, avec une volonté déterminée de tout souffrir pour moi ; sinon vous ne pourrez jamais soutenir la violence d'un tel combat, ni parvenir à la gloire des bienheureux.

Il faut affronter courageusement toutes sortes de périls, et employer tous vos efforts pour surmonter les obstacles.

La manne du Seigneur est pour celui qui remporte la victoire, le lâche n'a que la misère pour son partage.

2. Si vous voulez vous reposer en cette vie, comment arriverez-vous au repos éternel ?

Ne songez point au repos, préparez-vous plutôt à la patience.

Cherchez la véritable paix non sur la terre, mais dans le ciel ; non point dans les hommes ou dans les créatures, mais en Dieu seul.

Vous devez tout souffrir patiemment pour Dieu : les peines, les chagrins, les tentations, les fatigues, les injustices, la pauvreté, les maladies, les injures, les médisances, les reproches, les humiliations, les confusions, les corrections et les mépris.

Tout cela porte à la vertu, et c'est ainsi qu'un digne soldat de Jésus Christ conquiert les récompenses éternelles.

Une peine passagère sera suivie d'un bonheur éternel ; et une confusion d'un moment, d'une gloire qui n'aura point de fin.

3. Croyez-vous avoir toujours à votre gré des consolations spirituelles ?

Mes Saints n'ont pas été traités ainsi ; ils ont eu à supporter de grandes tentations et de grandes afflictions.

Ils les ont toujours endurées avec patience, se confiant dans le secours de Dieu plutôt que dans leurs propres forces; persuadés *que toutes les souffrances de la vie présente n'ont point de proportion avec la gloire* qui en est le prix. (Rom. viii. 18.)

Voulez-vous avoir en un instant, ce que les autres n'ont obtenu qu'après beaucoup de larmes et de pénibles travaux?

Attendez le Seigneur, montrez du courage (Ps. xxvi. 14.), ayez de la confiance, ne reculez point, exposez généreusement votre vie pour ma gloire.

Je vous en récompenserai dignement, et je serai toujours avec vous dans toutes vos tribulations.

CHAPITRE 36.

CONTRE LES VAINS JUGEMENTS DES HOMMES.

1. LE SEIGNEUR.

MON fils, attachez votre cœur à Dieu, et si votre conscience ne vous fait point de reproches, ne craignez point les jugements des hommes.

C'est un avantage et un bonheur pour vous de souffrir ainsi; vous n'y verrez rien de pénible, si vous avez de l'humilité, et plus de confiance en Dieu qu'en vous-même.

On dit beaucoup de choses à la légère, il ne faut donc pas trop ajouter foi à ce qu'on entend.

Il est impossible de satisfaire tout le monde.

Quoique l'*Apôtre* se soit efforcé de plaire à tous selon Dieu, et qu'il se soit fait tout à tous, il n'en a pas moins été indifférent aux jugements des hommes.

2. Il n'a rien épargné pour l'édification et pour le salut de ses frères; mais il n'a pu se garantir du mépris et des mauvais jugements des hommes.

Il s'est entièrement abandonné à la providence de Dieu, qui connaissait le fond de son cœur; il s'est armé de patience et d'humilité contre les reproches injustes que la passion des méchants leur suggérait.

Il a cependant quelquefois répondu aux calomnies, afin que son silence ne fût point une cause de scandale pour les faibles.

3. Qui êtes-vous, et qu'avez-vous à craindre d'un homme mortel? il vit aujourd'hui, et demain il n'est plus.

Craignez Dieu, et vous n'aurez point à craindre les hommes.

Quel mal vous peuvent-ils faire par leurs discours et leurs injures? Ils se font plus de tort qu'à vous; quels qu'ils soient, ils ne pourront jamais éviter les jugements de Dieu.

Ayez toujours Dieu devant les yeux; ne vous amusez point à contester ou à vous plaindre.

Que si vous succombez quelquefois, si vous avez à souffrir des outrages que vous n'avez point mérités, ne vous en alarmez point et ne diminuez point votre gloire par votre impatience.

Elevez vos yeux vers moi, qui saurai bien vous délivrer des affronts et de l'injustice, et rendre à chacun selon ses œuvres.

CHAPITRE 37.

IL FAUT SE RÉSIGNER ENTIÈREMENT A DIEU POUR AVOIR LA VRAIE LIBERTÉ DU CŒUR.

1. Le Seigneur.

Mon fils, quittez-vous vous-même, et vous me trouverez : n'ayez point de volonté propre, et vous ferez de grands progrès dans la vertu.

Vous recevrez un surcroît de grâces, dès que vous aurez entièrement renoncé à vous même.

2. Le Fidèle. — Seigneur, combien de fois faut-il que je me résigne, et en quoi faut-il que je me quitte?

3. Le Seigneur. — Toujours et à tout moment, dans les grandes et dans les petites choses; je n'excepte rien, car je veux vous voir détaché de tout.

Du reste, comment pourrez-vous être à moi, et moi à vous, si vous ne vous défaites de toute volonté propre au dehors et au dedans?

Plus vous vous hâterez d'arriver à ce renoncement, plus vous avancerez; et plus votre résignation sera pleine et sincère, plus vous serez digne de mon amour et de mes dons.

4. Il en est qui n'ont qu'une résignation imparfaite ; ils n'ont pas une entière confiance en Dieu, et demeurent attachés aux biens temporels.

D'autres se donnent d'abord sans réserve ; mais vaincus par la tentation, ils reprennent ce qu'ils ont donné ; de là vient qu'ils ne font point de progrès dans la vertu.

Ils n'arriveront jamais à la parfaite liberté du cœur, ni à la douceur de mon intimité, sans une résignation entière et un continuel sacrifice ; sans ce sacrifice il est impossible d'être vraiment uni à moi.

Je vous l'ai dit souvent, et je vous le répète : quittez-vous vous-même, abandonnez-vous entre mes mains, et vous trouverez la paix intérieure.

Donnez tout pour tout, ne redemandez et ne reprenez jamais ce que vous m'avez donné ; attachez-vous fermement à moi, demeurez en moi, et vous jouirez de moi.

Votre cœur sera libre, et vous ne marcherez point dans les ténèbres.

Que vos efforts, vos prières et vos désirs tendent à ce but, débarrassez-vous de tout intérêt propre ; suivez Jésus nu sur la Croix, mourez à vous-même, pour vivre éternellement avec moi.

Alors se dissiperont toutes vos vaines imaginations, vos inquiétudes et vos empressements inutiles.

Alors votre cœur sera délivré de ses craintes immodérées, et de tout amour déréglé.

CHAPITRE 38.

COMMENT ON DOIT SE CONDUIRE DANS LES CHOSES EXTÉRIEURES ET RECOURIR A DIEU DANS LE PÉRIL.

1. LE SEIGNEUR.

MON fils, vous devez vous efforcer en tout temps, en toute action, dans vos occupations extérieures, d'être toujours intérieurement libre, sans être jamais esclave de quoi que ce soit.

Soyez comme un vrai *Israélite*, jouissez de la liberté des enfants de Dieu, qui négligent les choses temporelles pour ne considérer que les éternelles, et n'ont que du mépris pour ce qui ne dure pas toujours.

Les biens temporels ne les asservissent point, ils s'en servent, au contraire, selon l'ordre établi par Dieu, et selon la fin à laquelle il les a destinés, lui qui ne souffre rien de déréglé dans ses créatures.

2. Si dans les événements qui se présentent, vous ne vous arrêtez pas à l'apparence extérieure, si vous ne réglez pas votre jugement sur ce qui frappe nos yeux, ni sur ce que vous entendez, mais si vous entrez dans le Tabernacle, à l'exemple de *Moïse*, pour consulter le Seigneur, il vous fera connaître sa volonté sur le présent et sur l'avenir.

Moïse avait toujours recours au Tabernacle dans les doutes qui lui survenaient; la prière était son refuge contre les périls et la malignité des hommes.

C'est ainsi que vous devez vous réfugier dans le secret de votre cœur, et implorer avec ferveur l'assistance de Dieu.

Josué et les enfants d'*Israël* furent séduits par les *Gabaonites*, parce qu'*ils ne consultèrent pas* d'abord le *Seigneur* (Jos. ix. 14.); ils se laissèrent abuser par des paroles flatteuses et par une fausse piété.

CHAPITRE 39.

QU'ON DOIT ÉVITER L'EMPRESSEMENT DANS LES AFFAIRES.

1. Le Seigneur.

Mon fils, abandonnez-moi vos intérêts, et je disposerai bien toutes choses en leur temps.

Attendez l'ordre de ma providence, si vous voulez avancer dans la vie intérieure.

2. Le Fidèle. — Seigneur, je vous confie volontiers tout ce qui me regarde, car je n'espère pas grand secours de mon habileté.

Oh! puissé-je ne point m'inquiéter du succès, et me résigner sans réserve à votre sainte volonté!

3. Le Seigneur. — Mon fils, l'homme fait souvent paraître beaucoup d'impatience pour obtenir ce qu'il désire, mais à peine y est-il parvenu qu'il s'en dégoûte; son inconstance le porte à d'autres objets, car il

ne peut s'attacher longtemps à la même chose. Ce n'est pas peu que de se quitter soi-même dans les petites choses.

4. L'avancement véritable consiste dans l'abnégation de soi-même; un homme en cet état jouit d'une liberté et d'une sécurité parfaites.

L'antique ennemi de tout bien ne cesse point de tenter les hommes; jour et nuit, il ne cesse de combiner ses efforts pour les faire tomber dans ses pièges.

Veillez et priez, dit le Seigneur, *de peur que vous n'entriez en tentation.* (Matth. xxvi. 41.)

CHAPITRE 40.

L'HOMME N'A DE SOI-MÊME RIEN DE BON, ET IL NE DOIT SE GLORIFIER DE RIEN.

1. LE FIDÈLE.

SEigneur, *qu'est-ce que l'homme pour que vous daigniez vous ressouvenir de lui? et qu'est-ce que le fils de l'homme, pour que vous vouliez bien le visiter?* (Ps. viii. 5.)

Comment l'homme a-t-il pu mériter votre grâce?

De quoi puis-je me plaindre, ô mon Dieu, si vous m'abandonnez; pourrais-je vous faire des reproches, si vous n'écoutez pas mes prières?

Je peux toujours penser et dire avec vérité : Seigneur, je ne suis rien, je ne peux rien, je n'ai rien de bon, je sens ma faiblesse, et je tends toujours au néant.

Si vous ne me secourez et si vous ne me fortifiez par votre grâce, je tomberai bientôt dans la tiédeur et dans le péché.

2. Vous, Seigneur, vous êtes toujours le même, toujours également bon, juste et saint; votre bonté paraît en toutes vos œuvres, et vous disposez toutes choses avec sagesse.

Pour moi je suis porté au relâchement plutôt qu'à la perfection; je ne demeure pas longtemps dans le même état, et je suis sujet à de continuelles vicissitudes.

Mais je suis moins faible lorsque vous avez la bonté de me tendre la main; vous seul, sans aucun secours humain, vous pouvez nous aider et nous affermir de telle sorte, que nous ne soyons plus sujets au changement, et que notre cœur se repose entièrement en vous.

3. C'est pourquoi, si je savais rejeter toute consolation humaine, me donner à la dévotion et vous rechercher uniquement; alors je pourrais espérer vos grâces, et me réjouir des nouvelles consolations que vous me donneriez.

4. Je vous remercie de tout ce qui m'arrive de bon, puisque vous êtes la source de tout bien.

Il n'y a en moi que néant et vanité (Psaume xxxviii. 6.); je suis faible et inconstant.

Quel sujet ai-je donc de me glorifier; pourquoi tant d'ardeur pour les louanges?

Est-ce à cause de mon néant? ce serait un étrange aveuglement.

La vaine gloire est un grand mal, puisqu'elle nous dépouille de la grâce.

L'homme vous déplaît dès qu'il se complaît en lui-même; et s'il recherche avec avidité les louanges des hommes, il se prive des véritables vertus.

5. La véritable gloire et la sainte joie de l'âme consistent à se glorifier en vous seul, et non en soi-même; à se réjouir de votre grandeur, et non de sa propre vertu, et à n'aimer les créatures que pour vous.

Que votre nom soit loué, et non le mien : que vos œuvres soient admirées, et non les miennes : que toutes les louanges des hommes s'adressent à vous, et non à moi.

C'est vous seul qui êtes ma gloire, ma joie, et tout mon bonheur.

Toujours je me glorifierai en vous, et je ne me glorifierai jamais *que de mes faiblesses et de mes infirmités.* (Cor. xii. 5.)

6. Laissons les *Juifs* chercher la gloire que les hommes se donnent les uns aux autres; pour moi je ne veux que *celle qui vient de Dieu.* (S. Jean, v. 44.)

Toute gloire humaine, tout honneur passager, toute grandeur du monde n'est que folie et vanité en comparaison de la gloire éternelle.

O mon Dieu qui êtes la vérité et la bonté éternelle, ô bienheureuse Trinité! à vous soit honneur, louange, vertu, gloire, dans tous les siècles.

CHAPITRE 41.

DU MÉPRIS DES HONNEURS TEMPORELS.

1. LE SEIGNEUR.

Mon fils, ne vous affligez pas quand vous verrez les autres honorés, élevés, et que vous serez méprisé et humilié.

Elevez votre cœur vers moi, et les mépris des hommes n'auront aucun empire sur vous.

2. LE FIDÈLE. — Seigneur, nous sommes aveuglés, et la vanité nous séduit.

Quand je me considère, je vois bien qu'aucune créature ne m'a jamais fait d'injustice, et je n'ai pas sujet de me plaindre de vous.

3. Je suis tombé dans bien des fautes graves, c'est donc avec raison que toutes les créatures s'arment contre moi.

La confusion et le mépris me sont dûs; mais la louange, l'honneur et la gloire vous appartiennent.

Si je ne suis pas disposé à souffrir que toutes les créatures me méprisent, m'abandonnent et me comptent pour rien, je ne trouverai jamais une paix durable, je ne recevrai point vos divines lumières, et je ne serai jamais parfaitement uni à vous.

CHAPITRE 42.

QU'IL NE FAUT POINT CHERCHER LA PAIX PARMI LES HOMMES.

1. LE SEIGNEUR.

Mon fils, si la paix de votre cœur dépend de quelque personne, pour qui vous ayez de la complaisance, et avec qui vous viviez, vous serez toujours dans le trouble et l'inquiétude.

Mais si vous avez recours à la vérité éternelle, l'éloignement ou la mort d'un ami ne vous affligera point.

L'amour que vous avez pour votre ami doit se rapporter à moi; les personnes qui vous sont chères ne doivent l'être que pour l'amour de moi.

L'amitié ne sera durable, que si elle est fondée sur moi; les affections dont je ne suis pas le lien sont trompeuses.

Vous devez être tellement mort à toutes les

affections humaines, que vous souhaitiez même, autant que cela se peut, être séparé de la société des hommes.

Plus l'homme s'approche de Dieu, plus il s'éloigne de toute consolation humaine.

Plus il s'élève vers Dieu, plus il s'estime vil et méprisable.

2. Celui qui s'attribue quelque bien, ferme la porte à la grâce de Dieu; l'Esprit Saint ne cherche que l'humilité du cœur.

Si vous saviez vous anéantir parfaitement et vous dépouiller de tout amour humain, je vous comblerais de mes grâces.

Quand vous vous tournez vers les créatures, vous vous privez de la vue du créateur.

Apprenez à vous vaincre en tout pour l'amour de Dieu, si vous voulez vous élever à la connaissance des choses divines.

Tout amour déréglé en quelque petite chose que ce soit, est toujours un obstacle à la perfection et une occasion de péché.

CHAPITRE 43.

CONTRE LA SCIENCE VAINE ET PROFANE.

1. Le Seigneur.

Ne vous laissez pas éblouir par le charme et la beauté des discours des hommes : *le Royaume de Dieu ne consiste pas dans les paroles, mais dans la vertu.* (1. Cor. iv. 20.)

Ecoutez attentivement mes paroles: elles enflamment le cœur, éclairent l'esprit, inspirent la componction, et remplissent l'âme de consolation.

Ne lisez jamais par désir de passer pour savants.

Appliquez-vous à mortifier vos vices, cela vous sera plus utile que la connaissance des questions les plus épineuses.

2. Après avoir beaucoup lu et beaucoup appris, il faudra toujours en revenir à ce principe, que toute science vient de moi. J'inspire aux humbles une plus parfaite intelligence que celle que tous les docteurs pourraient donner.

Celui à qui je parle devient savant en peu de temps et fait de grands progrès dans la vie spirituelle.

Malheur à ceux qui s'occupent de vaines curiosités, et qui ne cherchent pas les moyens de me servir.

Viendra le temps où Jésus Christ, le souverain maître et le Seigneur des Anges, examinera la conscience de tous les hommes.

Alors il fera luire les lampes dans *Jérusalem*, ce qui aura été caché dans les ténèbres, sera manifesté, et toutes les excuses devront se taire.

3. C'est moi qui en un moment élève l'âme humble, et lui fais mieux comprendre les vérités éternelles, que si elle eût étudié pendant plusieurs années.

J'enseigne sans bruit de parole et sans embarras d'opinions, sans dispute, sans faste et sans orgueil.

J'apprends à mépriser les choses humaines, pour n'aspirer qu'aux éternelles, à fuir les honneurs, à souffrir les opprobres, à mettre toute confiance en moi, à ne désirer rien hors de moi, et à m'aimer ardemment et par-dessus toutes choses.

4. Il y a eu des âmes qui, pénétrées de mon amour, ont appris les choses divines, et en ont parlé d'une manière merveilleuse.

Elles ont plus profité par le renoncement à toutes choses, que par de profondes études.

J'enseigne aux uns des choses ordinaires, et aux autres de plus relevées : j'instruis les uns par des symboles et par des figures; aux autres je révèle les plus sublimes mystères.

Les livres parlent tous également, mais tous les hommes n'en tirent pas les mêmes lumières. C'est à moi qu'il appartient d'inspirer intérieurement la vérité, de sonder les replis du cœur et d'en connaître les pensées, d'exciter aux bonnes œuvres et de distribuer les grâces comme je le juge à propos.

CHAPITRE 44.

QU'IL NE FAUT PAS S'EMBARRASSER DES CHOSES EXTÉRIEURES.

1. LE SEIGNEUR.

MON fils, il vous est avantageux d'ignorer bien des choses, et de vous regarder comme un homme mort au monde, et pour qui *le monde est crucifié.*

Vous devez aussi fermer l'oreille à bien des discours, pour ne vous appliquer qu'à ce qui peut vous procurer la paix du cœur.

Il vaut mieux fermer les yeux à tout ce qui vous blesse, et laisser à chacun la liberté de penser ce qu'il voudra, que d'en venir à de vaines contestations.

Si vous étiez bien uni à Dieu, si vous aviez ses jugements devant les yeux, vous supporteriez facilement qu'on vous donne tort.

2. Le Fidèle. — Seigneur, où en sommes-nous venus? On pleure une perte temporelle, on se tourmente pour un gain médiocre, et l'on n'est pas touché de la perte de son âme.

On est attentif aux choses de peu d'importance et l'on néglige les biens souverainement nécessaires : c'est que les hommes se répandent entièrement au dehors, et qu'ils s'attachent aux choses extérieures, à moins qu'ils ne rentrent promptement en eux-mêmes.

CHAPITRE 45.

QU'IL NE FAUT PAS CROIRE TOUT LE MONDE, ET QU'ON PÈCHE SOUVENT EN PAROLES.

I. Le Fidèle.

SEigneur, secourez-moi dans l'adversité, parce que le salut ne vient pas des hommes. (Ps. lix. 12.)

Combien de fois ai-je trouvé peu de fidélité où j'espérais en trouver beaucoup?

Combien de fois en ai-je trouvé beaucoup où j'espérais en trouver moins?

C'est donc en vain que l'on met son espérance dans les hommes; c'est vous, ô mon Dieu, qui êtes le salut des justes.

Soyez béni, Seigneur, dans toutes les choses qui nous arrivent.

Nous sommes faibles et volages, nous nous trompons, et nous changeons souvent.

2. Quel est l'homme qui agit toujours avec assez de prudence et de circonspection, pour ne pas tomber quelquefois dans l'illusion et dans le trouble?

Mais celui qui a mis sa confiance en vous, Seigneur, et qui vous cherche avec un cœur simple, ne tombe pas si facilement.

S'il éprouve quelque affliction, vous l'en retirez de suite, ou vous le consolez; vous n'abandonnerez jamais celui qui a une ferme confiance en vous.

Il est rare de trouver un ami assez fidèle pour ne pas abandonner son ami dans l'adversité.

Vous seul, Seigneur, êtes constamment fidèle, et il n'est pas d'ami qui vous soit comparable.

3. Oh! que cette Sainte parlait sagement lorsqu'elle disait: mon âme est solidement affermie, appuyée qu'elle est sur Jésus Christ.

Si j'étais en cette situation, je ne serais pas alarmé par les craintes humaines, et je ne serais pas tant ému par les traits de la langue.

Qui peut tout prévoir et se précautionner contre tous les accidents de cette vie? Si les choses que l'on a prévues nous blessent, quelles blessures ne feront point celles qui nous prennent à l'improviste?

Mais, malheureux que je suis, pourquoi n'ai-je pas mieux pris mes mesures? pourquoi ai-je cru si légèrement ce qu'on me disait?

La faiblesse des hommes est extrême; et nous sommes tous fragiles, alors même qu'on nous regarde comme des anges.

Qui croirai-je, ô mon Dieu, qui croirai-je sinon vous seul? Vous êtes la vérité qui ne pouvez ni être trompée, ni tromper.

Au contraire *tout homme est menteur* (Ps. cxv. 2.), faible, inconstant, fragile, surtout en paroles; il ne faut donc pas croire légèrement lors même que ce qu'on nous dit paraît vraisemblable.

4. Que vous avez fait sagement quand vous nous avez avertis de nous tenir sur nos gardes, *et que l'homme a pour ennemis ses propres domestiques* (Michée, vij. 6.); quand vous nous avez dit de ne pas croire ces imposteurs qui nous disent: *le Christ est ici*, ou *il est là*. (Marc, xiii. 21.)

Je suis devenu sage à mes dépens. Plaise à Dieu que mes fautes passées me rendent plus circonspect à l'avenir!

Quelqu'un me dit : gardez bien le secret que je vous confie; mais tandis que j'en fais un mystère, il le divulgue et il ne garde pas le silence qu'il m'a recommandé, il me trahit et se trahit lui-même.

Délivrez-moi, Seigneur, de ces confidences trompeuses; ne permettez pas que je tombe entre les mains de ces hommes indiscrets, ni que je suive leur exemple.

Faites que je parle toujours selon la vérité, et que je ne me laisse point aller au péché de la langue.

Je dois éviter tout ce que je condamne dans les autres.

5. Oh! qu'il est utile pour la paix de ne point parler des autres, de ne pas croire indifféremment tout ce que l'on dit, et de ne rien divulguer!

Il ne faut communiquer ses secrets qu'à peu de gens, et avoir soin de prendre toujours Dieu pour confident de son cœur.

On ne doit pas se laisser emporter par le vent des paroles humaines, mais désirer que nos ordres s'accomplissent toujours parfaitement en nous et hors de nous.

C'est encore un bon moyen pour conserver la grâce de fuir l'éclat, de ne point souhaiter ce qui fait naître l'admiration; de chercher tous les moyens de se corriger et de profiter dans la vertu.

A combien de gens a été funeste une vertu connue, et louée trop tôt!

Et qu'il a été avantageux à d'autres d'avoir caché la grâce sous un humble silence en cette vie fragile, où l'on est exposé à des combats et à des tentations perpétuelles.

CHAPITRE 46.

DE LA CONFIANCE QU'ON DOIT AVOIR EN DIEU QUAND ON EST CALOMNIÉ.

1. LE SEIGNEUR.

MON fils, demeurez ferme et mettez votre confiance en moi; les paroles des hommes ne sont qu'un vain bruit.

Elles frappent l'air, mais n'entament pas la pierre.

Si vous êtes coupable, appliquez-vous à vous corriger; si votre conscience ne vous reproche rien, souffrez patiemment cette injure pour l'amour de Dieu.

Ce n'est pas grand chose que de supporter quelques paroles de mépris, pour vous qui ne savez pas souffrir de rudes tourments.

Pourquoi vous chagrinez-vous pour de si petites choses, si ce n'est parce que vous êtes encore charnel, et que vous appréhendez trop les faux jugements des hommes?

Comme vous craignez le mépris, vous ne voulez pas qu'on vous reprenne de vos fautes, et vous cherchez toujours quelque excuse.

2. Appliquez-vous à vous mieux connaître, et vous verrez que l'esprit du monde et le désir de plaire aux hommes sont encore vivants dans votre cœur.

La répugnance que vous témoignez à souffrir le mépris et la confusion, est une preuve que vous n'avez pas une véritable humilité, que vous n'êtes pas mort au monde, et que le monde n'est pas crucifié pour vous.

Ecoutez ma parole, et peu vous importeront les discours des hommes de toute la terre.

Quand on inventerait contre vous les calomnies les plus atroces, quel mal vous feraient-elles, si vous les laissiez passer sans vous alarmer? en perdriez-vous seulement un seul cheveu de votre tête?

3. Celui qui n'est point recueilli et qui n'a pas Dieu toujours présent, se trouble aisément au moindre reproche.

Au contraire, celui qui met sa confiance en moi, et ne se conduit point par ses propres lumières, ne craindra pas le jugement des hommes.

Je connais et je juge tout ce qu'il y a de plus secret; je sais la vérité sur toute chose; je connais également celui qui la souffre.

C'est par ma permission que telle chose se dit ou se fait, *afin de découvrir les pensées secrètes de plusieurs*. (Luc, ii. 35.)

Je jugerai le coupable et l'innocent; mais avant ce temps-là j'ai voulu éprouver l'un et l'autre.

4. Le témoignage des hommes trompe souvent, mais mon jugement est toujours vrai, et il le sera éternellement.

Il est caché le plus souvent, et peu de gens le découvrent; quoiqu'il ne semble pas toujours juste aux yeux des insensés, cependant il n'est jamais faux, et ne peut l'être.

Il faut donc avoir recours à moi, et se défier de son propre jugement.

Le juste ne sera pas troublé, *quoi qu'il lui arrive par la permission de Dieu.* (Prov. xii. 21.) Il ne se souciera guère des calomnies que l'on répandra contre lui.

Il n'aura pas de joie excessive quand les autres l'excuseront.

Il se souviendra que c'est moi qui *sonde les replis les plus cachés des cœurs* (Ps. vii. 10.), et que je ne règle pas mes jugements sur les apparences.

Ce qui paraît louable au jugement des hommes, est souvent criminel à mes yeux.

5. LE FIDÈLE. — Seigneur, mon Dieu, juge infiniment équitable, fort et patient, vous qui connaissez la faiblesse et la corruption des hommes, soyez toute ma force et toute mon espérance.

Vous connaissez ce que j'ignore, et ainsi j'ai dû m'humilier sous les reproches, et souffrir avec douceur.

Pardonnez-moi, Seigneur, pour toutes les fois que je n'ai pas agi de la sorte; et donnez-moi la grâce de souffrir avec plus de patience à l'avenir.

Votre miséricorde m'est infiniment plus nécessaire pour obtenir mon pardon, que toute la vertu que je crois avoir, pour apaiser les remords de ma conscience.

Car bien qu'*elle ne me reproche rien* (1. Cor. v. 4), je ne suis pas justifié pour cela; parce que sans votre miséricorde *nul homme vivant ne sera juste devant vous.* (Ps. cxlii. 2.)

CHAPITRE 47.

QU'IL FAUT SOUFFRIR LES CHOSES LES PLUS PÉNIBLES POUR GAGNER LA VIE ÉTERNELLE.

1. LE SEIGNEUR.

MON fils, que les travaux ne vous étonnent point, et que les afflictions que vous endurez pour ma gloire n'abattent point votre courage; mais que mes promesses vous consolent et vous fortifient contre tout ce qui arrive.

Je suis assez puissant pour vous récompenser au delà de toute mesure.

Vos travaux ici-bas ne dureront pas longtemps, et vos douleurs ne seront pas éternelles.

Attendez encore un peu, et vous verrez la fin de tous vos maux.

Un jour viendra où l'embarras et les travaux cesseront.

C'est bien peu de chose que ce qui passe avec le temps.

2. Faites bien tout ce que vous faites, travaillez fidèlement à ma vigne, je serai votre récompense.

Ecrivez, lisez, chantez mes louanges, gémissez, gardez le silence, supportez vos peines avec courage; la vie éternelle mérite bien qu'on s'expose à ces épreuves et à ces combats.

Un jour, connu de Dieu seul, vous amènera la paix, et ce temps-là ne sera ni le jour ni la nuit; ce sera une lumière éternelle, une clarté infinie, une paix ferme, et un repos durable.

Vous ne direz plus alors : *Qui me délivrera de ce corps mortel?* (Rom. vii. 24.) Vous ne vous écrierez plus : *Hélas! que mon exil est long!* (Ps. cxix. 5.) l'empire de la mort sera détruit, le salut sera éternel; on sera rempli de joie dans la compagnie des Bienheureux.

3. Oh! si vous aviez vu les Saints couronnés d'une gloire éternelle, si vous aviez considéré quelle est la gloire de ceux que le monde méprisait, vous vous humilieriez jusqu'à terre, et vous aimeriez mieux vous soumettre à tous que de commander à un seul.

Vous ne souhaiteriez point des jours heureux en cette vie; vous seriez content de souffrir pour l'amour de Dieu; vous regarderiez comme un avantage d'être compté pour rien parmi les hommes.

4. Oh! si vous pouviez bien goûter ces maximes, et si elles étaient gravées bien avant dans votre cœur, oseriez-vous

jamais vous plaindre de ce qui vous arrive?

Ne faut-il pas supporter de bon cœur tous les travaux, pour acquérir la vie éternelle?

Est-ce une chose de peu d'importance, que de perdre ou de gagner le royaume de Dieu?

Levez les yeux au Ciel, contemplez-y votre Sauveur au milieu de ses Saints qui ont soutenu les grands combats de ce monde; ils sont maintenant comblés de joie et de consolations; ils sont en repos et en sûreté et demeureront éternellement avec moi dans le royaume de mon Père.

CHAPITRE 48.

DE L'ÉTERNITÉ BIENHEUREUSE ET DE LA BRIÈVETÉ DE CETTE VIE.

1. Le Fidèle.

O Bienheureux séjour de la céleste Jérusalem! O jour éclatant de l'éternité! jour que les ténèbres n'obscurcissent point, et que l'astre de la vérité éclaire toujours! jour de joie pure et immuable que ne trouble aucune vicissitude.

Plût à Dieu que ce jour eût déjà lui, et que toutes les choses du temps fussent déjà passées!

Les Saints voient maintenant la clarté éternelle. Pendant notre voyage sur cette terre, elle ne nous apparaît que de loin et comme à travers un miroir grossier.

2. Les Bienheureux goûtent une joie ineffable; les enfants d'*Eve* exilés en ce monde gémissent dans l'amertume et dans la douleur.

Les jours de notre vie sont courts et mauvais, remplis de chagrin et de misère.

L'homme agité par ses passions tombe dans beaucoup de péchés : il est agité par la crainte, distrait par la curiosité, embarrassé par une foule de soins inutiles, environné d'erreurs, exténué par les travaux, tourmenté par les tentations, amolli par les plaisirs, accablé par la pauvreté.

3. Quand finiront tous ces maux? quand, délivré de la malheureuse servitude de mes vices, pourrai-je ne penser qu'à vous, ô mon Dieu, et me réjouir pleinement en vous?

Quand jouirai-je d'une liberté parfaite, exempt des peines du corps et de l'esprit?

Quand posséderai-je cette paix solide et assurée, cette paix durable et inaltérable au dedans et au dehors?

O mon Jésus, quand serai-je en état de vous voir? quand contemplerai-je la gloire de votre royaume? quand me tiendrez-vous lieu de tout?

Quand serai-je avec vous dans le royaume que de toute éternité vous avez préparé à vos élus?

Je suis abandonné, et exilé dans une terre ennemie, en proie à des luttes continuelles et désastreuses.

4. Adoucissez les peines de mon exil, adoucissez mes douleurs, vous, le seul objet de mes désirs.

Tout ce que le monde m'offre pour me consoler me paraît insupportable.

Je voudrais vous posséder entièrement; mais je ne puis arriver à ce bonheur.

Je voudrais ne m'attacher qu'aux choses célestes, mais mes passions immortifiées m'entraînent vers la terre.

L'esprit tâche de s'élever au-dessus de tout ce qui est sensible; mais la chair m'appesantit malgré moi.

Malheureux que je suis! Quand l'esprit veut s'élever, la chair aspire à descendre, à tel point que ma vie est une lutte perpétuelle contre moi-même et que *je suis à charge à moi-même.* (Job, vii. 20.)

5. Que de combats je souffre en moi-même lorsque mon âme, voulant s'appliquer aux choses de Dieu, est inquiétée durant sa prière par le tourbillon des pensées mondaines!

Mon Dieu, ne vous éloignez point de moi; *dans votre colère ne vous détournez point de votre serviteur.* (Ps. xxvi. 9.)

Lancez vos foudres sur ces ennemis, et dispersez-les; lancez vos flèches, et dissipez leurs artifices.

Aidez-moi à concentrer sur vous tous mes sens et toutes mes facultés, faites que j'oublie toutes les choses du monde et que je rejette avec mépris ces pensées criminelles.

Secourez-moi, éternelle vérité, afin que je ne

me laisse point séduire par la vanité.

Venez en moi, suavité céleste, et chassez de votre présence tous ces impurs fantômes.

Que votre miséricorde me pardonne toutes les pensées étrangères qui m'arrivent dans la prière, et me détournent de vous.

Je reconnais que je me laisse souvent aller aux distractions.

Mon esprit est bien loin du lieu où est mon corps ; parce que souvent mes pensées et mon imagination m'emportent.

Je suis où est ma pensée ; et ma pensée suit ce que j'aime.

Que j'aime, par inclination, ou par habitude, c'est de mon amour que je suis occupé.

6. Voilà pourquoi vous avez dit, ô Vérité éternelle : *Où est votre trésor, là est aussi votre cœur.* (Matth. vi. 21.)

Si j'aime le ciel, je pense avec plaisir aux choses célestes.

Si j'aime le monde, les prospérités du monde font ma joie, et je m'afflige de ses disgrâces.

Si j'aime ce qui touche les sens, je ne pense qu'aux plaisirs des sens.

Si j'aime l'esprit, je fais mon bonheur de penser aux choses de l'esprit.

Je parle et j'entends parler avec joie de ce que j'aime, et j'en emporte partout le souvenir.

Heureux, Seigneur, celui qui, dégagé au dedans et au dehors de toute attache terrestre, pour l'amour de vous, renonce à toutes les créatures, se fait une continuelle violence, et mortifie la concupiscence de la chair par la ferveur de l'esprit. Alors, ayant la conscience en repos, il peut vous offrir des prières pures et dignes d'être mêlées aux concerts des Anges.

CHAPITRE 49.

DU DÉSIR DE LA VIE ÉTERNELLE, ET DES BIENS QUE DIEU A PROMIS A CEUX QUI COMBATTENT GÉNÉREUSEMENT.

1. Le Seigneur.

Mon fils, lorsque vous sentez s'allumer en vous le désir de la félicité éternelle, et que vous souhaitez voir votre âme dégagée de votre corps, pour contempler sans ombre et sans vicissitude la divine clarté, dilatez votre cœur, et acceptez ces inspirations avec toute l'ardeur des plus saints désirs.

Remerciez la souveraine bonté de ce qu'elle vous témoigne tant d'amour, de ce qu'elle vient à vous avec tant de clémence, de ce qu'elle vous inspire des désirs si ardents et vous soutient par sa puissance, afin que vous ne retombiez pas vers la terre.

Ces pieux mouvements ne viennent pas de vous, ce sont des effets de la grâce divine. Et elle vous est donnée, cette grâce, pour vous avancer dans l'humilité et dans toutes les autres vertus, pour vous préparer aux combats qui vous attendent, afin que, vous attachant à moi de tout votre cœur, vous ne pensiez plus qu'à me servir fidèlement.

2. Mon fils, souvent le feu est ardent, mais la flamme ne s'élève pas sans fumée.

C'est ainsi que quelques-uns ont des désirs ardents pour le ciel : mais ils ne sont pas entièrement affranchis des tentations de la chair.

C'est pourquoi ils n'agissent pas tout à fait purement pour la gloire de Dieu, même dans les choses qu'ils lui demandent avec tant d'insistance.

Tels sont souvent vos désirs, que vous croyez si vifs et si purs.

La raison en est que ce qui est vicié par l'amour-propre et par l'intérêt n'est jamais saint ni parfait.

3. Demandez, non ce qui vous est agréable ou commode, mais ce qui me plaît et me glorifie; si vous voulez agir sagement, vous préférerez toujours ma volonté à la vôtre.

Je connais vos désirs, et j'ai entendu vos gémissements.

Vous voudriez être maintenant dans la liberté des enfants de Dieu, et dans cette céleste patrie où l'on goûte des joies si pures; mais l'heure n'est point encore venue: maintenant c'est le temps de la souffrance, des peines et du travail.

Vous voudriez être déjà dans la possession

du souverain bien, cela est impossible.

C'est moi qui suis le souverain bien; attendez-moi, dit le Seigneur, attendez que le règne de Dieu arrive.

4. Vous avez besoin de supporter encore bien des épreuves et bien des luttes ici-bas.

Sans doute vous aurez le temps des consolations, mais vous ne serez jamais pleinement satisfait.

Faites donc *paraître votre fermeté et votre courage* (Deut. xxxi. 7.), et supportez ce qui répugne à la nature.

Il faut vous revêtir de l'homme nouveau, pour devenir un autre homme.

Il faut que souvent vous fassiez ce que vous ne voulez pas, et que vous renonciez à ce que vous désireriez faire.

Les autres réussiront dans leurs entreprises, et vous n'aurez aucun succès.

On écoutera ce qu'ils diront; ce que vous direz, on le regardera pour rien.

On accordera aux autres tout ce qu'ils demanderont; vous demanderez et vous n'obtiendrez pas.

5. On comblera les autres de louanges; vous, vous demeurerez dans l'oubli.

On confiera aux autres des emplois; vous, on ne vous jugera capable de rien.

Ces contrariétés affligeront la nature, et ce sera admirable, si vous savez les supporter sans vous plaindre.

C'est par des afflictions de ce genre que Dieu éprouve la fidélité de ses serviteurs. On connaît par là s'ils sont capables de se vaincre en toutes choses.

Jamais il ne vous sera plus nécessaire d'être mort à vous-même, que lorsqu'il s'agira de faire ou de souffrir ce qui est contraire à votre inclination, ou à votre volonté, et cela arrivera souvent.

Lorsque, assujetti à la volonté d'un supérieur, vous n'osez lui résister, vous n'en sentez pas moins de la répugnance à vous mettre sous la conduite d'un autre, et à renoncer à vos propres lumières.

6. Faites réflexion, mon fils, que vos peines ne seront pas de longue durée, et que la récompense sera grande dans le ciel; ces pensées vous consoleront, et adouciront toutes les peines que vous aurez à supporter.

Car, en récompense du sacrifice que vous aurez fait de votre volonté sur la terre, vous ferez éternellement votre volonté dans le ciel.

Tous vos souhaits y seront accomplis; vous y trouverez l'abondance de tous les biens, sans aucune crainte de les perdre.

C'est là que votre volonté sera toujours d'accord avec la mienne, et que vous ne souhaiterez rien que je ne souhaite avec vous.

Personne ne vous résistera, personne ne se plaindra de vous; nul ne mettra obstacle à ce que vous voudrez: vous obtiendrez tout ce que vous pouvez désirer, et vous jouirez d'un contentement parfait.

Vous serez comblé de gloire en récompense des opprobresque vous aurez endurés; une joie éternelle sera le prix de vos souffrances; et pour vous être mis à la dernière place, vous aurez dans mon royaume un trône éternel.

C'est là que vous trouverez les fruits de votre obéissance, le prix de vos pénitences, la couronne de votre humilité.

7. Soumettez-vous donc maintenant à la volonté de tout le monde, et ne vous mettez pas en peine de savoir qui a parlé ou ordonné.

Ayez soin surtout, quand un supérieur ou un égal vous témoigne quelque désir, de l'exécuter avec joie et promptitude.

Les uns souhaiteront une chose, les autres une autre; les uns se glorifieront de ceci, les autres de cela : pour vous, ne vous glorifiez de rien, mais réjouissez-vous d'être parfaitement mort à vous-même, et d'accomplir uniquement ma volonté.

Ce doit être là le seul objet de vos désirs, et ainsi, que ce soit dans la vie, que ce soit dans la mort, vous contribuerez toujours à ma gloire.

CHAPITRE 50.

COMMENT UN HOMME AFFLIGÉ DOIT SE METTRE ENTRE LES MAINS DE DIEU.

1. LE FIDÈLE.

SEigneur Dieu, Père saint, soyez béni maintenant et toujours : votre volonté s'est accomplie en moi, et ce que vous faites est bon.

Que votre serviteur trouve sa joie en vous, non pas en lui-même, ni en quelque autre que ce soit : vous êtes seul l'objet de ma joie, mon espérance, ma gloire, ma couronne, mon bonheur.

Que possède votre serviteur, sinon ce que vous lui avez donné, sans qu'il le mérite ?

Tout vous appartient, puisque c'est vous qui avez tout fait et tout donné.

Je suis pauvre et accablé de peines dès mes premières années. (Ps. lxxxvii. 16.) Je m'afflige quelquefois jusqu'aux larmes : les maux qui m'accablent me jettent dans le trouble.

2. Je souhaite la douceur de la paix, j'aspire, ô mon Dieu, à la paix de vos enfants, que vous remplissez de lumières et de consolations.

Si vous me donnez cette paix et cette joie sainte, mon âme pénétrée de dévotion et de consolation ne cessera de vous louer.

Si vous m'en privez, comme il arrive souvent, je ne pourrai courir dans la voie de vos saints commandements. Je succomberai sous le poids de ma propre faiblesse, en me voyant déchu de cet état heureux où j'étais éclairé de votre lumière, et où je trouvais sous vos ailes un abri contre les tentations.

3. Père juste et digne de toute louange, c'est maintenant que vous voulez éprouver votre serviteur.

Père infiniment aimable, il faut aujourd'hui que votre serviteur soit affligé pour votre gloire.

Père adorable, voici le moment que vous avez prévu de toute éternité, où votre serviteur doit souffrir des peines extérieures, pour mériter la vie éternelle.

Qu'il soit méprisé, humilié, abandonné des hommes, accablé de souffrance et de langueur, afin qu'il ressuscite à la lumière toujours nouvelle de votre grâce et qu'il soit illuminé des célestes clartés.

Père saint, c'est vous qui l'avez ordonné de la sorte, qui l'avez voulu ainsi, vos ordres sont accomplis.

4. C'est ainsi que vous traitez vos amis; vous voulez qu'ils souffrent ici-bas pour votre amour, autant de fois que vous le voulez et par le ministère de tous ceux que vous désignez.

Rien ne se fait dans le monde sans raison, et sans l'ordre de votre Providence.

Il m'est avantageux, ô mon Dieu, que vous m'ayez humilié, afin que j'apprenne votre sainte loi (Ps. cxviii. 71.), et que je bannisse de mon cœur la vanité et la présomption.

La confusion a couvert mon visage, mais elle a eu pour avantage de me faire chercher vos consolations plutôt que celles des hommes.

J'ai appris par là à redouter vos jugements impénétrables; vous affligez le juste et l'impie, mais toujours avec équité et justice.

5. Je vous rends grâces, ô mon Dieu, de ce que vous ne m'avez point épargné; vous m'avez sévèrement frappé, vous m'avez accablé de douleur et m'avez plongé dans un océan d'angoisses.

Aucune créature sous le ciel ne peut me consoler; vous seul pouvez le faire, ô mon Seigneur et mon Dieu. Céleste médecin des âmes, *vous frappez et guérissez, vous conduisez l'homme jusqu'aux portes de l'enfer, et vous l'en retirez.* (Tob. xiii. 2.)

Vos châtiments seront pour moi des leçons salutaires.

6. O Père bien-aimé, me voici entre vos mains, je m'incline sous la verge qui me châtie.

Frappez-moi sans ménagements, redressez ma volonté déréglée et rebelle à la vôtre.

Faites, par votre toute-puissance, que je sois un disciple humble et soumis, afin que tous mes pas soient réglés selon votre volonté.

Je m'abandonne entièrement à vous, moi et tout ce qui me regarde. J'aime mieux être châtié en cette vie que dans l'autre.

Vous connaissez tout, et la conscience des hommes n'a rien qui vous soit caché.

Vous prévoyez l'avenir, et rien de ce qui se passe dans le monde ne vous est inconnu.

Vous savez ce qui est utile pour mon avancement dans la vertu, et combien l'adversité contribue à faire disparaître l'habitude invétérée du vice.

Que votre volonté s'accomplisse en moi; ne détournez pas vos regards de ma vie pécheresse que vous connaissez si bien, que vous connaissez mieux que personne.

7. Donnez-moi les connaissances nécessaires, faites-moi aimer ce qu'il faut aimer, louer ce qui vous plaît, estimer ce qui est précieux à vos yeux, blâmer ce que vous condamnez.

Ne permettez pas que je juge des choses selon les apparences, ni d'après ce que j'entends dire à des personnes insensées; faites-moi la grâce de juger sainement des choses visibles et des choses spirituelles, et de rechercher avant tout votre volonté.

8. Ils se trompent, les hommes qui ne jugent que d'après les impressions des sens. Ils se trompent surtout les amants du siècle qui n'aiment que les choses visibles.

Un homme a-t-il plus de vertu, pour avoir l'estime d'un autre homme?

Que voyons-nous dans la louange? Deux trompeurs, deux insensés, deux aveugles, deux malades qui se trompent mutuellement. Et la tromperie est d'autant plus honteuse que la louange a moins de fondement.

Un homme n'est que ce qu'il est à vos yeux, et rien de plus, selon la maxime de l'humble saint *François*.

CHAPITRE 51.

IL FAUT S'OCCUPER DES EXERCICES EXTÉRIEURS, QUAND ON EST FATIGUÉ DES EXERCICES SPIRITUELS.

1. LE SEIGNEUR.

MON fils, il n'est pas en votre pouvoir d'avoir toujours un ardent désir de toutes les vertus, ni de persévérer dans un haut degré de contemplation : il est nécessaire, à cause de la faiblesse de votre nature, que vous descendiez quelquefois à des exercices moins relevés.

Tant que votre âme sera unie à votre corps, vous aurez toujours des dégoûts et des peines intérieures à supporter.

Vivant dans la chair, vous aurez souvent à gémir des infirmités de la chair, et de l'impossibilité où vous êtes de vaquer toujours à la contemplation.

2. Alors il faut vous abaisser à des exercices plus humbles et à des occupations extérieures, en attendant que je vienne et que je vous visite : supportant patiemment votre exil et la sécheresse où vous êtes, jusqu'à ce que je vous délivre de vos peines.

La paix intérieure et le bonheur que je vous donnerai feront oublier tous vos travaux passés.

Je vous révélerai les mystères de l'Ecriture, afin que votre cœur, dilaté par la joie, vous excite à courir dans la voie de mes commandements.

Vous direz alors que *les souffrances de cette vie n'ont aucune proportion avec la gloire qui nous est réservée en l'autre.* (Rom. vii. 18.)

CHAPITRE 52.

ON DOIT S'ESTIMER DIGNE DE CHÂTIMENTS PLUTÔT QUE DE CONSOLATIONS.

1. LE FIDÈLE.

Seigneur, je ne mérite pas vos consolations et vos visites spirituelles : aussi c'est avec justice que parfois vous me laissez dans la misère et l'affliction.

Quand même il me serait possible de verser autant de larmes qu'il y a de gouttes d'eau dans la mer, je ne serais pas encore digne de vos consolations.

Je ne mérite que des peines et des châtiments, car mes offenses ont été graves, diverses, et souvent répétées.

Après un strict examen, je ne me trouve digne d'aucune consolation.

Mais vous, ô mon Dieu, dont la clémence et la miséricorde sont infinies, vous ne voulez pas voir périr les œuvres de vos mains; vous faites éclater vos bontés sur votre serviteur très indigne, et vous le consolez d'une manière toute divine.

Vos consolations sont bien différentes de celles que l'on trouve dans les vaines conversations des hommes.

2. En quoi, Seigneur, ai-je pu mériter la douceur de vos célestes consolations?

Je reconnais que je n'ai rien fait de bon, que je suis enclin aux vices, et que j'ai été négligent à m'en corriger.

C'est l'exacte vérité, je ne puis le nier; si je parlais autrement, vous vous élèveriez contre moi, sans que personne pût me défendre.

Quel châtiment ont mérité mes crimes si ce n'est l'enfer et le feu éternel?

Je confesse de bonne foi que je mérite le mépris, et qu'il ne m'appartient point d'être au nombre de vos fidèles serviteurs. Quelque pénible que me soit cet aveu, je rendrai témoignage contre moi-même, et je m'accuserai de mes péchés, pour fléchir plus aisément votre miséricorde.

3. Qu'ai-je à dire, moi coupable et couvert de confusion? Je n'ai pas la force de parler, si ce n'est pour m'écrier : j'ai péché, Seigneur, j'ai péché; ayez pitié de moi, pardonnez-moi.

Accordez-moi quelques moments pour pleurer, avant que je passe dans cette région de ténèbres, qui est le séjour de la mort. (Job. x. 20. 21.)

Que pouvez-vous demander à un misérable pécheur, sinon qu'il s'humilie, et que son cœur se brise de douleur au souvenir de ses péchés?

La véritable contrition et l'humiliation du cœur font naître l'espérance d'obtenir le pardon, apaisent les troubles de la conscience, et font recouvrer la grâce divine : par elle Dieu et l'âme pénitente se réconcilient dans une douce union.

4. Seigneur, l'humble contrition des péchés est à vos yeux un sacrifice plus agréable que l'odeur des parfums les plus doux.

C'est ce parfum précieux qui fut autrefois répandu sur vos pieds : vous n'avez jamais rebuté un cœur contrit et humilié.

Cette contrition, c'est un asile contre la colère de l'ennemi; c'est un remède efficace pour effacer toutes les souillures du péché.

CHAPITRE 53.

LA GRÂCE NE SE COMMUNIQUE POINT A CEUX QUI ONT LE GOÛT DES CHOSES TERRESTRES.

1. LE SEIGNEUR.

MON fils, ma grâce est précieuse, et ne souffre point le mélange des choses étrangères, ni des consolations de la terre.

Il faut éloigner tous les obstacles, si vous voulez vous préparer à la recevoir.

Aimez la retraite et la solitude, ne recherchez point le commerce des hommes, faites à Dieu de ferventes prières, pour obtenir une sainte componction et une grande pureté de conscience.

Comptez pour rien le monde entier; et à toutes les choses extérieures, préférez le bonheur d'être avec Dieu.

Vous ne pouvez vous unir à moi, et en même temps prendre plaisir aux choses sensibles.

Il faut vous éloigner de vos amis, et des personnes qui vous sont le plus chères, et rejeter les consolations humaines.

C'était ce que recommandait aux fidèles le bienheureux apôtre *saint Pierre*, lorsqu'il les exhortait à vivre comme des étrangers sur la terre.

2. Quel sujet de confiance au lit de la mort, pour l'homme que nulle affection n'attache au monde !

Une âme faible et immortifiée n'est point capable d'un détachement si parfait; l'homme sensuel ne comprend pas ce que c'est que la liberté de l'homme intérieur.

Cependant si vous voulez avancer dans la vie spirituelle, il faut renoncer à vos proches aussi bien qu'aux étrangers, et ne vous défier de personne plus que de vous-même.

Quand vous aurez remporté une victoire complète sur vous-même, vous dompterez aisément tout le reste.

Triompher de soi-même, voilà la victoire la plus parfaite.

Celui qui, maître de soi-même, soumet la concupiscence à la raison, et la raison à ma volonté, est le vainqueur de lui-même, et le maître du monde.

3. Si vous désirez vous élever à cette perfection, il faut commencer avec courage, mettre la cognée à la racine de l'arbre, et détruire l'amour déréglé que vous avez pour vous-même et pour tous les biens sensibles.

De cet amour désordonné naissent dans le cœur de l'homme tous les vices qu'il doit détruire; il doit donc le dompter s'il veut jouir d'une paix profonde et d'une tranquillité inaltérable.

Mais peu de gens meurent entièrement à eux-mêmes, il en résulte qu'ils sont toujours esclaves de leurs passions, et ne peuvent s'élever au-dessus des sens.

Celui qui veut me suivre librement, doit mortifier toutes ses inclinations vicieuses, et n'avoir point d'amour déréglé pour quelque créature que ce soit.

CHAPITRE 54.

DES DIVERS MOUVEMENTS DE LA NATURE ET DE LA GRÂCE.

1. Le Seigneur.

Mon fils, observez attentivement les mouvements de la nature et de la grâce; bien qu'ils soient différents, il faut être éclairé dans la vie intérieure pour les discerner.

Tous les hommes aiment naturellement le bien, c'est la fin qu'ils se proposent dans leurs paroles et dans leurs actions; mais l'apparence les trompe souvent.

La nature est pleine d'artifices; elle séduit et attire, elle n'a d'autre fin qu'elle-même.

La grâce agit plus simplement, elle évite jusqu'aux moindres apparences du mal, elle n'emploie jamais la ruse, elle n'a d'autre fin que Dieu, et se repose uniquement en lui.

2. La nature ne veut point mourir; il lui répugne de se faire violence et de se soumettre.

La grâce porte à la mortification de soi-même, résiste à la sensualité, aime à être vaincue et assujettie ; elle ne veut point jouir de sa propre liberté, et préfère la dépendance ; elle ne veut commander à personne, mais vivre sous l'obéissance de Dieu, toujours prête à se soumettre aux hommes pour l'amour de lui.

La nature n'a en vue que ses propres intérêts et cherche à s'enrichir aux dépens d'autrui.

La grâce envisage plutôt le bien public que son intérêt particulier.

La nature recherche l'estime et les honneurs.

La grâce, au contraire, renvoie fidèlement à Dieu tout honneur et toute gloire.

3. La nature craint la confusion et le mépris.

La grâce se réjouit *de souffrir des opprobres pour l'amour de* Jésus Christ. (Act. v. 41.)

La nature aime le repos et l'oisiveté.

La grâce ne veut point être oisive, elle accepte le travail avec joie.

La nature recherche les choses belles et curieuses, elle a horreur de ce qui est vil et grossier.

La grâce se complaît dans les choses les plus simples et les moins précieuses ; elle choisit ce qu'il y a de plus rude, et n'a point de peine à se vêtir de haillons.

La nature aime les biens de la terre, et se réjouit des avantages temporels ; les pertes l'affligent, une parole un peu aigre l'irrite.

La grâce ne considère que les biens éternels, elle n'a point d'attache pour ceux d'ici-bas et ne craint jamais de les perdre. Les paroles dures ne l'aigrissent point : sa joie et son trésor sont dans le ciel où rien ne peut périr.

4. La nature est avide : elle reçoit plus volontiers qu'elle ne donne, elle aime tout ce qui lui est propre et particulier.

La grâce est charitable et aime le bien commun ; elle évite la singularité, et se contente de peu : elle croit que *c'est un plus grand bonheur de donner que de recevoir*. (Act. xx. 35.)

La nature s'attache volontiers aux créatures, et à ce qui flatte les sens : elle aime les vanités du siècle et les divertissements.

La grâce élève à Dieu et porte à la vertu : elle renonce aux créatures, fuit le monde, et a en horreur les désirs impurs de la chair; elle aime la solitude et rougit de paraître en public.

La nature cherche ce qui flatte les sens.

La grâce ne cherche de consolations qu'en Dieu : elle le regarde comme son souverain bien, et met en lui tout son bonheur.

5. La nature agit toujours pour ses intérêts et pour son avantage particulier; elle ne fait rien gratuitement et recherche en tout les louanges et les honneurs; elle veut que l'on ait beaucoup de considération pour tout ce qu'elle fait, et pour tout ce qu'elle donne.

La grâce ne recherche rien de temporel, elle ne désire que Dieu seul pour récompense, et elle ne veut des biens temporels que ce qu'il lui en faut pour acquérir les biens éternels.

6. La nature se complaît dans le grand nombre des amis et des parents; elle se glorifie d'une naissance illustre, elle flatte les grands et ceux dont la condition ressemble à la sienne.

La grâce aime ses ennemis, et ne s'enorgueillit point du nombre de ses amis; elle ne considère en eux ni le rang ni la naissance, mais l'avancement dans la vertu.

Elle a plus d'égards pour le pauvre que pour le riche; elle favorise l'innocent plutôt que le puissant; elle donne ses louanges à ceux dont le cœur est droit et simple.

Elle exhorte les bons à la recherche des vertus les plus hautes, à l'imitation des vertus du Fils de Dieu.

La nature se plaint dès que la moindre chose lui manque ou la blesse.

La grâce souffre patiemment la pauvreté.

7. La nature rapporte tout à soi, elle conteste et dispute avec chaleur pour ses intérêts.

La grâce rend tout au principe de toutes choses : elle ne s'attribue aucun bien, n'a point de présomption, ne dispute point, et ne préfère point son opinion à celle des autres; elle soumet le tout à l'éternelle sagesse et au souverain juge.

La nature est curieuse de secrets et de nouvelles, elle aime l'éclat et désire être connue; elle recherche en tout l'estime et l'admiration des hommes.

Mais la grâce néglige les curiosités et les nouvelles, parce que ce désir naît de la corruption du vieil homme; et elle sait qu'il n'y a rien de nouveau ou de stable sur la terre.

Elle nous apprend donc à réprimer nos sens et à n'avoir point de vaines complaisances, à fuir l'ostentation et à cacher sous les voiles de l'humilité les plus grandes faveurs; elle nous fait rechercher dans toutes nos actions l'édification du prochain et la gloire de Dieu.

Elle ne dit rien à son avantage, et ne se glorifie point de ce qu'elle fait; elle veut que Dieu soit loué de tout, puisque c'est lui qui donne tout par un effet de sa pure bonté.

Cette grâce est une lumière surnaturelle et un don spécial de Dieu : c'est le caractère des élus et le gage de la vie éternelle; elle élève l'homme au-dessus de la terre vers les choses célestes, et le rend spirituel, de charnel qu'il était.

Plus la nature est domptée et assujettie, plus la grâce est abondante; et par ses visites de chaque jour elle réforme l'homme intérieur, le rapprochant de plus en plus de l'image même de Dieu.

CHAPITRE 55.

DE LA CORRUPTION DE LA NATURE, ET DE L'EFFICACITÉ DE LA GRÂCE.

1. Le Fidèle.

Seigneur mon Dieu, qui m'avez créé à votre image et à votre ressemblance, accordez-moi cette grâce dont vous m'avez fait connaître l'importance et la nécessité pour mon salut, afin que je puisse vaincre avec son secours la nature corrompue qui m'entraîne au vice.

Je sens dans ma chair une loi du péché qui s'oppose à la loi de mon esprit, et qui me tient captif dans les chaînes de la sensualité. Et je ne puis résister à sa tyrannie, si votre grâce ne me soutient, si elle ne communique son ardeur à mon âme.

2. J'ai besoin de votre grâce, mais d'une grâce particulière, pour vaincre la nature toujours portée au mal dès son adolescence.

Depuis qu'elle a perdu son innocence dans *Adam*, la tache du péché a passé dans tous les hommes; en sorte que cette nature que vous aviez créée dans la justice originelle, est maintenant corrompue et sujette à des infirmités et à des inclinations vicieuses, et son penchant la porte tout entière aux choses de la terre.

Le peu de force qui lui est demeurée n'est que comme une faible étincelle cachée sous la cendre.

La raison naturelle enveloppée d'une grande obscurité, discerne encore le bien du mal, le vrai du faux; mais elle est dans l'impuissance d'exécuter ce qu'elle trouve meilleur, n'ayant plus la pleine connaissance de la vérité, ni la pureté des affections.

3. C'est pour cela, ô mon Dieu, que *selon l'homme intérieur je me plais à accomplir votre loi* (Rom. vii. 22.), sachant que vos commandements sont bons, justes et saints, qu'ils condamnent tout ce qui est mauvais, et nous apprennent à fuir le péché.

Mais je suis soumis à la loi du péché, puisque j'obéis à la sensualité plutôt qu'à la raison.

De là vient qu'*ayant la volonté de faire le bien, je n'ai pas la force de l'accomplir.* (Rom. vii. 18.)

Ainsi je prends souvent de bonnes résolutions, mais comme votre grâce n'est pas là pour soutenir ma faiblesse, la moindre résistance me fait perdre courage.

Je connais la voie de la perfection, et je vois clairement tout ce que je dois faire.

Cependant il se fait qu'entraîné par le poids de la corruption humaine, je ne puis m'élever à ce qui est le plus parfait.

4. Ah! Seigneur, que votre grâce m'est nécessaire pour commencer le bien, pour le poursuivre, et pour l'achever!

Je ne puis rien faire sans elle, mais je suis capable de tout avec le secours de votre grâce.

O grâce divine, sans laquelle il n'y a point de véritable mérite, sans laquelle toutes les qualités de la nature sont de nulle valeur.

Les arts, les richesses, la beauté, la force, l'esprit, l'éloquence, ne sont rien devant vous sans la grâce.

Les dons de la nature sont le partage des méchants aussi bien que des bons : mais la grâce est le don spécial des élus; c'est elle qui les rend dignes de la vie éternelle.

Cette grâce est si excellente, que le don de prophétie ou celui des miracles et les plus sublimes méditations ne sont rien sans elle.

Ni la foi même, ni l'espérance, ni les autres vertus ne peuvent vous être agréables sans la charité.

5. O très heureuse grâce, qui faites riches en vertus ceux qui sont pauvres d'esprit, et qui rendez humbles de cœur ceux qui sont comblés de richesses.

Venez, descendez dans mon cœur, remplissez-moi de consolation : afin que mon âme ne tombe pas en défaillance, accablée de lassitude et de sécheresse.

Faites, Seigneur, que je trouve grâce devant vous : votre grâce seule me suffit, quand je n'aurais rien de tout ce que la nature désire.

Quand je serais exposé aux tentations et accablé de disgrâces, je ne craindrais rien, tant que votre grâce ne m'abandonnera pas.

Elle est ma force, mon conseil, ma ressource.

Elle est plus puissante que tous mes ennemis, elle a plus de sagesse que tous les sages ensemble.

6. C'est elle qui enseigne la vérité, règle les mœurs, éclaire l'esprit, console dans les peines, bannit la tristesse, ôte la crainte, entretient la dévotion, et fait couler les larmes de la componction.

Que suis-je sans elle? un bois sec, une branche inutile.

“ Faites donc, Seigneur, que votre grâce me prévienne et me poursuive, qu'elle me rende sans cesse attentif à la pratique des bonnes œuvres, par les mérites de Jésus Christ, votre Fils unique." Ainsi soit-il.

CHAPITRE 56.

DE L'ABNÉGATION DE SOI-MÊME, ET DE L'IMITATION DE JÉSUS CHRIST CRUCIFIÉ.

1. LE SEIGNEUR.

MON fils, plus vous vous éloignerez de vous-même, plus vous serez en état de vous approcher de moi.

De même que le renoncement aux choses extérieures procure la paix du cœur, ainsi le parfait détachement des créatures nous unit intimement à Dieu.

Je veux vous apprendre le parfait renoncement à vous-même, et la soumission à ma volonté sans plainte et sans murmure.

Suivez-moi : *je suis la voie, la vérité et la vie.* (S. Jean, xiv. 6.)

Sans voie, on ne marche pas, sans vérité on ne connaît rien, sans vie on ne peut vivre : je suis la voie que vous devez suivre, la vérité que vous devez croire, la vie que vous devez espérer.

Je suis la voie sûre, la vérité infaillible, la vie éternelle.

Je suis la voie droite, la vérité suprême, la vie bienheureuse et increéée.

Si vous demeurez dans ma voie, vous connaîtrez la vérité, la vérité vous sauvera, et vous obtiendrez la vie éternelle.

2. *Si vous voulez obtenir la vie, gardez mes commandements.* (Matth. xix. 17.)

Si vous voulez connaître la vérité, croyez en moi.

Si vous voulez être parfait, vendez tout ce que vous possédez. (Ibid. 21.)

Si vous voulez être mon disciple, renoncez à vous-même.

Si vous voulez posséder la vie éternelle, renoncez aux plaisirs de la vie présente.

Si vous voulez être élevé dans le ciel, humiliez-vous sur la terre.

Si vous voulez régner avec moi, portez votre croix avec moi.

Il n'y a que les serviteurs de la croix qui puissent trouver le chemin de la béatitude et de la véritable lumière.

3. Le Fidèle. — O mon Sauveur, puisque votre vie a été si austère et si méprisée du monde, faites-moi la grâce de vous imiter en méprisant le monde.

Car le disciple n'est pas plus grand que son maître, ni le serviteur, plus que son seigneur. (Matth. x. 24.)

Que votre serviteur règle sa vie sur les épreuves de la vôtre, car là est véritablement sa perfection et son salut.

Toute lecture qui ne me parle point de votre vie, ne peut ni me distraire ni me réjouir pleinement.

4. Le Seigneur. — Mon fils, puisque vous savez et que vous avez lu toutes ces choses, vous serez heureux si vous les mettez en pratique.

Celui qui connaît mes commandements, et qui les observe véritablement, m'aime, je l'aimerai, et je me ferai connaître à lui (S. Jean, xiv. 21), et je le ferai asseoir avec moi dans le royaume de mon Père.

5. Le Fidèle. — Seigneur Jésus, que vos paroles et vos promesses s'accomplissent, et rendez-moi digne de cette grâce.

J'ai reçu la croix de votre main, je la porterai jusqu'à la mort comme vous le souhaitez.

La vie d'un bon religieux est une croix continuelle, mais elle conduit au ciel.

J'ai commencé, il n'est plus temps de reculer, ni de quitter la voie de Jésus Christ.

6. Courage, mes frères, marchons ensemble, Jésus sera avec nous.

C'est pour l'amour de Jésus que nous avons pris cette croix ; demeurons-y toujours attachés pour l'amour de lui.

Comme il a été notre guide, il sera notre protecteur.

Voilà notre roi qui marche devant nous, et qui combattra pour nous.

Suivons-le généreusement : que personne ne craigne, soyons prêts à mourir dans le combat, *et ne flétrissons point notre gloire* (1 Mach. ix. 10) en prenant la fuite loin de la croix.

CHAPITRE 57.

ON NE DOIT PAS SE DÉCOURAGER, LORSQU'ON TOMBE EN QUELQUE FAUTE.

1. Le Seigneur.

Mon fils, l'humilité et la patience dans l'adversité me plaisent plus que la dévotion et la ferveur dans la prospérité.

Pourquoi vous affligez-vous d'une faute légère dont on vous accuse?

Si la chose était plus considérable, il ne faudrait point vous alarmer.

Laissez parler; cela n'est point nouveau; ce n'est pas le premier reproche qu'on vous fait; ce ne sera pas le dernier, si vous vivez longtemps.

Vous témoignez du courage quand vous n'avez rien à souffrir.

Vous donnez de très bons conseils, vous rassurez les autres par vos paroles; mais quand vous êtes tombé dans quelque tribulation, vous voilà aussitôt sans force et sans conseil.

Voyez combien est grande votre fragilité, à la moindre occasion vous en faites l'expérience : cependant c'est pour votre salut que ces disgrâces vous arrivent.

2. Supportez-les le plus courageusement que vous pourrez, et si vous en êtes touché, au moins ne vous laissez point entièrement abattre, et que votre chagrin ne dure pas longtemps.

Souffrez patiemment, si vous ne pouvez souffrir avec joie.

Si votre cœur se soulève, et si vous sentez de l'indignation, réprimez ces mouvements, et qu'il ne vous échappe aucune parole indiscrète qui puisse scandaliser les faibles.

Le calme se remettra bientôt dans votre cœur, votre chagrin s'adoucira par le retour de la grâce.

Je suis encore, dit le Seigneur, prêt à vous aider et à vous donner de plus grandes consolations qu'à l'ordinaire, pourvu que vous ayez de la confiance en moi, et que vous m'invoquiez avec ferveur.

3. Soyez plus constant, et préparez-vous à supporter plus encore.

Tout n'est pas désespéré si vous êtes exposé à de plus fréquentes disgrâces et à de plus grandes tentations.

Vous êtes homme et non pas Dieu; vous êtes chair, et non pas Ange.

Comment pourriez-vous demeurer toujours dans le même degré de vertu, puisque l'Ange ne l'a pu faire dans le ciel, ni le premier homme dans le paradis terrestre?

C'est moi qui soutiens les personnes affligées qui connaissent leur faiblesse; je les élève jusqu'à moi.

4. LE FIDÈLE. — Seigneur, soyez béni pour votre divine parole, elle m'est plus douce que le miel.

Que ferais-je en tant de misères et de tribulations, si vous ne me souteniez par vos saints conseils?

Pourvu que j'arrive enfin au port du salut, que m'importe ce que j'aurai souffert!

Donnez-moi une bonne mort, et faites-moi la grâce de sortir heureusement de ce monde.

Souvenez-vous de moi, mon Dieu, et conduisez-moi par le droit chemin en votre royaume. Ainsi soit-il.

CHAPITRE 58.

QU'IL NE FAUT POINT EXAMINER CE QUI EST AU-DESSUS DE NOUS, NI LES SECRETS JUGEMENTS DE DIEU.

1. LE SEIGNEUR.

MON fils, n'occupez pas votre esprit de matières subtiles, ni des secrets jugements de Dieu; ne recherchez pas pourquoi celui-ci est abandonné, pourquoi celui-là est comblé de grâces; pourquoi celui-ci est si affligé, pourquoi cet autre est si favorisé.

Tout cela est au-dessus de l'intelligence humaine : ni la raison ni les réflexions ne peuvent pénétrer les secrets jugements de Dieu.

Lorsque l'ennemi vous suggère ces pensées, ou que les hommes vous font des questions curieuses, répondez-leur avec le Prophète : *Vous êtes juste, Seigneur, et vos jugements sont équitables.* (Ps. cxviii. 37.)

Ou bien : *Les jugements du Seigneur sont véritables, ils sont justes par eux-mêmes.* (Ps. xviii. 10.)

Il faut redouter mes jugements et non pas les examiner, parce que l'esprit humain ne peut les comprendre.

2. Ne disputez point non plus sur les mérites des Saints; ne cherchez point qui est le plus grand, ou le plus élevé en gloire.

Cela engendre souvent des débats et des contestations inutiles, nourrit l'orgueil et la vaine gloire, et devient une cause de jalousie et de dissension; les uns mettant leur orgueil à exalter les mérites d'un Saint, les autres ceux d'un autre.

Cet examen n'est d'aucune utilité, et déplaît aux Saints eux-mêmes; car je ne suis pas le Dieu de la discorde, mais le Dieu de la paix. Cette paix, elle consiste plutôt dans une parfaite humilité que dans un zèle aveugle et ambitieux.

3. Certains hommes ont plus de dévotion pour un Saint que pour un autre; mais cette distinction est purement humaine, et n'a rien de divin.

C'est moi qui les ai fait devenir tous Saints, et qui leur ai donné la grâce et la gloire.

Je connais les mérites de chacun, je les ai prévenus par les bénédictions de ma douceur.

J'ai connu avant tous les siècles ceux que j'ai prédestinés; ce n'est pas eux qui m'ont choisi, c'est moi qui les ai séparés du monde.

Je les ai appelés par ma grâce, je les ai attirés par ma miséricorde, je les ai conduits à travers toutes sortes d'épreuves.

Je les ai comblés de consolations extraordinaires; je leur ai donné la persévérance, j'ai couronné leur patience.

4. Je les connais tous depuis le premier jusqu'au dernier, je les aime tous d'un amour incomparable.

Il faut me louer dans tous les Saints, il faut me bénir et m'honorer en eux tous, puisque je les ai prédestinés et élevés à ce degré de gloire, sans égard à leur propre mérite.

Celui qui méprise le dernier d'entre eux, se trompe s'il croit ainsi honorer le premier : le plus petit est mon ouvrage, aussi bien que le plus grand.

On ne peut faire injure à aucun Saint, sans qu'on m'offense, et sans qu'on offense en même temps tous les Saints qui sont dans le ciel.

Ils sont tous unis par les liens de la charité : ils ont les mêmes sentiments, la même volonté, en un mot, tous ensemble ils s'aiment les uns les autres.

5. Et ce qui est bien plus beau encore, ils m'aiment plus qu'eux-mêmes et que tous leurs mérites; n'ayant plus d'amour-propre, ils sont élevés au-dessus d'eux-mêmes et n'aiment que moi; c'est en cela qu'ils trouvent une félicité parfaite.

Rien n'est capable de les détourner de moi : parce qu'étant pénétrés de la vie éternelle, ils sont enflammés de l'amour divin comme d'un feu que rien ne peut éteindre.

Ces hommes sensuels et charnels qui n'aiment qu'eux-mêmes, qu'ils se taisent sur l'état des Saints; ils rabaissent ou exaltent leurs mérites selon leur caprice, et non pas conformément à la vie éternelle.

6. La plupart sont ignorants et peu éclairés; ils ne savent pas aimer d'un amour pur et vraiment spirituel.

Une inclination naturelle et une affection tout humaine les portent à honorer un Saint plutôt qu'un autre; ils raisonnent des choses du ciel comme de celles de la terre.

Mais il y a une distance inconcevable entre les pensées des hommes imparfaits, et celles des personnes éclairées à qui Dieu révèle ses mystères.

7. N'ayez donc point, mon fils, de curiosité sur toutes ces choses, elles surpassent votre intelligence; mais plutôt, appliquez-vous sérieusement à mériter dans le ciel au moins la dernière place.

Quand on parviendrait à connaître quel est le plus grand Saint, à quoi servirait cette connaissance, si on ne s'en humiliait davantage devant moi, et si l'on n'en concevait plus d'ardeur pour me louer?

Celui qui pense à la grièveté de ses péchés, à son peu de vertu et à la distance qui le sépare de la perfection des Saints, est bien plus agréable à Dieu que celui qui dispute sur le degré plus ou moins élevé de leur gloire.

Il vaut mieux adresser aux Saints nos prières et nos larmes, en implorant humblement leur intercession, que de rechercher avec trop de curiosité le secret de leurs mérites.

8. Les Saints sont parfaitement contents de leur sort; que les hommes se contentent du leur, et s'abstiennent de discours inutiles.

Ils ne se glorifient point de leurs propres mérites, ils ne s'attribuent point le bien qui est en eux, ils m'en rapportent toute la gloire; car je leur ai tout donné par un effet de ma bonté.

Ils sont pénétrés d'un si grand amour de Dieu, et d'une joie si parfaite, qu'il ne manque rien à leur gloire et à leur félicité.

Plus les Saints sont élevés dans la gloire, plus ils s'humilient en eux-mêmes; c'est ce qui les rapproche le plus de moi, et me les rend plus chers.

C'est pourquoi l'Ecriture a dit qu'ils mettent leurs couronnes au pied du trône de Dieu, qu'ils se prosternent sur leur face devant l'Agneau, et *qu'ils adorent celui qui a vie dans les siècles des siècles.* (Apoc. v. 14.)

9. Plusieurs cherchent à savoir qui est le plus grand dans le royaume de Dieu, et ils ignorent s'ils y occuperont, eux-mêmes, ne fût-ce qu'une des dernières places.

C'est un grand honneur d'être le plus petit dans le Ciel où tous sont grands, puisque tous y sont appelés et y sont en effet les enfants de Dieu.

Le moindre d'entre eux en vaut mille autres (Isaïe, lx. 22.), *un pécheur de cent ans sera maudit.* (Ibid. lxv. 20.)

Les disciples demandant un jour lequel d'entre eux serait le plus grand dans le royaume du Ciel, on leur fit cette réponse :

Si vous ne vous convertissez, et si vous ne devenez semblables à des enfants, vous n'entrerez pas dans le royaume des

Cieux. Celui donc qui sera humble et petit comme un enfant, sera le plus grand dans le royaume du Ciel. (Matth. xviii. 3, 4.)

10. Malheur à ceux qui dédaignent de s'humilier avec les petits; la porte du Ciel est basse, et il ne leur sera pas possible d'y passer!

Malheur aux riches qui trouvent leur consolation en ce monde, car tandis que les pauvres entreront dans le royaume de Dieu, ils resteront à gémir au dehors.

Humbles, réjouissez-vous; pauvres, abandonnez-vous à la joie, parce que le royaume de Dieu vous appartient, pourvu que vous marchiez selon la vérité.

CHAPITRE 59.

QU'IL FAUT METTRE TOUTE SON ESPÉRANCE EN DIEU.

1. LE FIDÈLE.

SEIGNEUR, en qui mettrai-je ma confiance ici-bas? et quelle consolation puis-je attendre des choses sensibles?

C'est en vous seul que je la trouverai, ô mon Dieu, en vous, dont la miséricorde est infinie.

Ai-je jamais été bien sans vous? Ai-je jamais été mal avec vous?

J'aime mieux être pauvre pour l'amour de vous, que riche sans vous.

J'aime mieux être voyageur et banni sur la terre avec vous, que d'être dans le ciel sans vous : où vous êtes, là est le bonheur; où vous n'êtes point, c'est la mort et l'enfer.

Vous êtes l'objet de mes désirs; ainsi je dois soupirer, gémir et prier en votre présence.

Vous êtes mon espérance : et qui mieux que vous peut me secourir dans mes nécessités?

C'est en vous que je mets toute ma confiance; vous êtes un consolateur, et un ami constant et fidèle.

2. *Chacun cherche ses intérêts* (Philipp. ii. 21.); mais vous, vous n'envisagez que mon avancement et mon salut, et vous faites disposer toutes choses à mon avantage.

Lors même que vous m'exposez à des tentations et à des disgrâces, c'est pour mon bien; car vous avez coutume d'éprouver vos élus en mille manières.

Vous ne devez pas être moins aimé et loué dans ces épreuves, que si vous nous combliez de vos consolations.

3. Je vous regarde donc, ô mon Dieu, comme mon unique espérance et mon refuge : c'est en vous que je mets toutes mes peines et tous mes ennuis; car tout est faible et inconstant hors de vous.

Le nombre de mes amis servira peu : quels qu'ils soient, ils ne pourront m'aider ni me conseiller utilement, les livres des docteurs ne pourront me consoler, les trésors ne pourront me rendre heureux! aucune retraite ne me garantira, si vous-même, Seigneur, vous ne daignez me soutenir, m'assister, m'instruire, me consoler, me protéger.

4. Tout ce qui semble contribuer à notre repos et à notre bonheur n'est rien sans vous, et ne peut nous rendre véritablement heureux.

Vous êtes donc le principe et la fin de tous les biens, de tout ce qu'il y a de grand dans la vie, de sublime dans les sciences; la plus grande consolation de vos serviteurs est d'espérer en vous.

Mes yeux sont sans cesse tournés vers vous, c'est en vous que je me confie, Père des miséricordes.

Donnez-moi votre bénédiction, sanctifiez mon âme, afin que vous puissiez y faire votre demeure; qu'elle soit le siège de votre gloire, un temple pur, où rien ne blesse les yeux de votre majesté.

Que votre miséricordieuse bonté jette sur moi un œil propice; écoutez les prières de votre pauvre serviteur exilé loin de vous dans la région des ténèbres et de la mort.

Protégez mon âme, sauvez-la des dangers de cette vie corruptible, et que votre grâce la conduise par le chemin de la paix dans le séjour de la gloire éternelle. Ainsi soit-il.

Fin du livre de la consolation intérieure.

LIVRE IV.

DU SACREMENT DE L'AUTEL.

Jésus exhorte les fidèles à la sainte Communion.

JÉSUS CHRIST.

Enez à moi, vous tous qui travaillez et qui êtes chargés, et je vous soulagerai, dit le Seigneur. (S. Matt. xi. 28.)

Le pain que je donnerai pour la vie du monde est ma chair. (S. Jean, vi. 52.)

Prenez et mangez, ceci est mon Corps, qui sera livré pour vous; faites ceci en mémoire de moi. (S. Matth. xxvi. 26. et I. Cor. xi. 24.)

Celui qui mange ma chair et qui boit mon sang, demeure en moi, et je demeure en lui. (S. Jean, vi. 57.)

Les paroles que je vous ai dites sont esprit et vie. (Ibid. 6. 4.)

CHAPITRE I.

AVEC QUELLE RÉVÉRENCE IL FAUT RECEVOIR JÉSUS CHRIST.

1. LE FIDÈLE.

Ce sont là vos paroles, ô mon Sauveur, Vérité éternelle. Sans doute, elles n'ont pas été dites en un seul discours, ni consignées dans le même passage des Ecritures.

Mais puisque vous en êtes l'auteur et qu'elles sont vraies, je dois les recevoir avec une très humble et très fidèle reconnaissance.

Ce sont vos paroles, c'est vous qui les avez prononcées; elles m'appartiennent aussi, puisque vous les avez dites pour mon salut.

Je les reçois avec joie de votre bouche, afin qu'elles se gravent profondément dans mon cœur.

Ces paroles si pleines de tendresse, d'amour et

de bonté m'animent; mais mes crimes m'épouvantent; et les souillures de ma conscience m'empêchent de comprendre un si auguste mystère.

La douceur de vos paroles m'excite; mais le poids de mes iniquités m'accable.

2. Vous m'ordonnez d'approcher de vous avec confiance, si je veux avoir part à votre gloire; et de recevoir le pain d'immortalité, si je veux mériter la gloire éternelle.

Venez à moi, dites-vous, *venez à moi, vous qui travaillez et qui êtes chargés, et je vous soulagerai.* (S. Matth. xi. 28.)

O paroles douces et consolantes pour le pécheur! Seigneur mon Dieu, vous invitez le pauvre et l'indigent à la participation de votre Corps adorable.

Mais qui suis-je, Seigneur, pour oser m'approcher de vous?

L'immensité des cieux ne saurait vous contenir, et vous dites : *Venez tous à moi.* (S. Matth. xi. 28.)

3. D'où vient cette bonté excessive et cette invitation si tendre?

Comment oserai-je approcher de vous, ne trouvant rien en moi qui m'en donne la hardiesse?

Comment oserai-je vous recevoir dans mon cœur, moi qui vous ai si souvent offensé?

Les Anges, les Archanges, les Saints et les justes tremblent devant vous; et vous nous dites : *Venez tous à moi.* (S. Matt. xi. 28.)

Si vous ne le disiez expressément, qui oserait le croire, Seigneur?

Et si vous ne l'ordonniez, qui oserait approcher?

4. *Noé*, cet homme si juste, employa cent années à construire l'arche, pour s'y sauver avec peu de personnes : comment pourrai-je me préparer en une heure à recevoir dignement le Créateur du monde?

Moïse, votre serviteur et votre ministre, fit une arche de bois incorruptible, qu'il revêtit d'un or très fin, pour y garder les tables de la loi : et moi qui ne suis qu'un amas de corruption, oserai-je recevoir l'auteur de la loi et de la vie?

Salomon, le plus sage des rois d'*Israël*, mit sept années à bâtir un temple magnifique qu'il vous dédia.

Il en célébra la dédicace pendant huit jours; il offrit mille hosties pacifiques; il fit placer solennellement l'arche d'alliance dans le lieu qu'on lui avait préparé, au bruit des trompettes et des cris de joie de tout le peuple.

Et moi, le plus pauvre et le plus malheureux de tous les pécheurs, qui suis à peine capable de donner une demi-heure à la prière, comment vous recevrai-je en moi?

5. O mon Dieu, combien ces saints personnages se sont efforcés de vous plaire !

Hélas! que c'est peu de chose ce que je fais, et qu'ils sont courts les moments que j'emploie à me préparer à la réception de vos divins mystères !

Il est rare que je sois bien recueilli en moi-même; plus rare encore que je sois sans distraction.

Je ne devrais avoir en votre présence aucune pensée profane, ni être occupé d'aucune créature; ce n'est pas seulement un Ange, c'est le Seigneur des Anges que je dois recevoir.

6. Il y a cependant une grande différence entre l'arche d'alliance avec toutes ses richesses, et votre corps très pur avec ses ineffables vertus; entre les sacrifices de la loi, figures de l'avenir, et votre véritable corps, parfait accomplissement de ces figures.

7. Pourquoi donc n'ai-je pas plus d'ardeur et de zèle en votre présence?

Pourquoi ne me préparé-je pas avec plus de soin à recevoir en moi vos saints mystères, puisque tous ces anciens, patriarches, prophètes, rois, princes, avec tout le peuple, ont montré pour votre culte tant de zèle et de véritable dévotion?

8. *David*, ce roi si pieux, dansa en présence de l'arche, en reconnaissance des biens que vous aviez répandus sur ses ancêtres; il fit faire des instruments de musique, composa des Psaumes et les fit chanter dans les

fêtes; inspiré du Saint Esprit, il les chanta souvent lui-même sur la harpe; il apprit aux enfants d'*Israël* à louer Dieu de tout leur cœur, et à s'unir chaque jour pour le bénir. Si l'on avait devant l'arche tant de fidélité et de reconnaissance pour les bienfaits de Dieu, quel respect, quelle dévotion ne dois-je pas avoir, avec tous les chrétiens, quand je suis devant le Saint Sacrement, et que je reçois le précieux Corps de Jésus Christ!

9. Plusieurs font des pèlerinages pour visiter les reliques des Saints; ils sont ravis d'admiration au récit de leurs actions, ou à l'aspect des magnifiques églises qu'on leur a dédiées; ils baisent leurs os enveloppés dans l'or et dans la soie.

Et vous, vous êtes réellement présent sur l'autel, ô mon Dieu, le Saint des Saints, le Créateur des hommes, et le Seigneur des Anges.

C'est souvent par curiosité qu'on entreprend ces pèlerinages, et l'on n'en rapporte aucun fruit, surtout quand on y cherche une distraction plutôt qu'un changement de vie.

Mais vous êtes présent dans le Sacrement de l'autel : vous y êtes tout entier, ô mon Jésus, vrai Dieu et vrai homme; et quiconque vous reçoit dignement, reçoit avec abondance les fruits précieux du salut éternel.

Ce n'est ni la curiosité, ni la légèreté, ni la sensualité qui l'attire; mais une foi vive, une ferme espérance, un amour pur et sincère.

10. O Dieu invisible, Créateur du monde! quelle bonté vous avez pour nous! que votre conduite est douce et aimable envers vos élus, quand vous les nourrissez de votre chair dans la sainte Communion!

O bienfait inestimable et incompréhensible, par lequel vous attirez spécialement les cœurs pieux et les enflammez de votre amour!

Les justes qui travaillent continuellement à leur perfection, reçoivent dans ce divin Sacrement la grâce d'une grande dévotion et l'amour de la vertu.

11. O grâce incomparable, grâce connue des justes et des fidèles, mais cachée aux infidèles et aux pécheurs! Ce mystère ineffable confère la grâce divine, rend à l'âme la force et la beauté que ses péchés avaient détruites.

Cette grâce est quelquefois si abondante, et répand dans l'âme tant de ferveur, que le corps lui-même y prend de nouvelles forces.

12. N'est-ce pas une chose déplorable de voir notre tiédeur et notre indolence, et d'avoir si peu de zèle pour recevoir Jésus Christ, qui fait toute l'espérance et tout le mérite des prédestinés?

C'est lui qui nous a rachetés et qui nous sanctifie; il nous console durant notre exil, il est la félicité des Saints dans l'éternité.

Hélas! combien de personnes connaissent peu l'excellence de ce Sacrement, qui fait la joie du ciel et qui conserve l'univers tout entier!

O aveuglement et dureté du cœur humain, qui fait si peu de cas d'un si grand bienfait, et que l'habitude conduit à l'indifférence!

S'il n'y avait dans le monde qu'un seul prêtre et un seul endroit où l'on pût recevoir la communion, avec quelle ardeur n'accourrait-on pas vers ce lieu et vers ce prêtre pour assister à la célébration des saints mystères?

Maintenant le corps de Jésus Christ est immolé dans tous les endroits de la terre, et par une infinité de prêtres, Dieu faisant éclater davantage sa grâce et son amour à mesure que l'usage s'en répand.

Je vous rends grâces, ô mon aimable Jésus, de ce que, nous voyant pauvres et exilés sur la terre, vous avez bien voulu nous nourrir de votre Corps et de votre Sang précieux; vous nous exhortez vous-même à la participation de ce saint mystère : *Venez à moi, vous tous qui travaillez et qui êtes chargés, je vous soulagerai.* (S. Matth. xi. 28.)

CHAPITRE 2.

DIEU FAIT ÉCLATER SA BONTÉ DANS LE SACREMENT DE L'EUCHARISTIE.

1. LE FIDÈLE.

SEIGNEUR, je me confie en votre bonté et en votre grande miséricorde : malade, je viens à mon médecin; affamé et altéré, à la fontaine de vie; pauvre, au Roi du ciel; esclave, à mon maître; créature, à mon Créateur; affligé, je me jette entre les bras de mon consolateur.

Mais d'où me vient le bonheur de votre visite? Qui suis-je, pour mériter que vous vous donniez à moi?

Comment un pécheur ose-t-il se présenter devant vous? et vous, comment vous abaissez-vous jusqu'à venir vers un pécheur?

Vous connaissez votre serviteur et vous savez qu'il n'y a rien en lui qui puisse mériter cette faveur.

Je reconnais mon indignité et votre bonté, je loue votre miséricorde, je vous rends grâces de votre infinie charité.

C'est votre pure bonté, ce ne sont point mes mérites qui vous font agir de la sorte; ainsi vous me faites mieux connaître votre amour et votre humilité.

Puisque c'est votre désir et que vous l'ordonnez, j'accepte avec joie ce témoignage de votre bonté; mais je crains que mon ingratitude ne vous rebute et ne vous éloigne.

2. Quelles louanges, quelles bénédictions vous offrirai-je, ô mon Jésus, pour un si grand bienfait, pour le don de votre sacré Corps, dont personne ne peut exprimer l'excellence?

Quelles pensées dois-je avoir à la sainte Communion, lorsque je m'approche d'un Dieu que je ne puis assez honorer, et que cependant je désire recevoir dignement?

Puis-je mieux faire que de m'humilier devant vous, Seigneur, et d'exalter votre bonté infinie?

3. Je vous bénis, ô mon Dieu, et je ne cesserai jamais de vous louer; je me soumets à votre volonté, je m'abîme dans la profondeur de mon néant.

Vous êtes le Saint des Saints, et je ne suis qu'un indigne pécheur.

Vous vous abaissez jusqu'à moi, et je ne suis pas digne de lever les yeux vers vous.

Vous venez me visiter, vous voulez être avec moi, vous m'invitez à prendre part à votre banquet.

Vous voulez me donner une céleste nourriture, et *le pain des Anges* (Ps. lxxvii. 25.) qui n'est autre que vous-même; le pain vivant descendu du ciel, et qui donne la vie au monde.

4. Voilà une preuve sensible de votre amour! et quelles actions de grâces ne vous doit-on pas pour un si grand bienfait?

Quel trésor pour nous dans l'institution de ce mystère ! que ce festin où vous vous donnez vous-même est agréable et délicieux !

Que vos paroles sont efficaces! que votre puissance est grande, et votre vérité ineffable!

Une seule parole, un seul ordre de vous a tiré du néant toutes les créatures.

5. C'est une chose étonnante et qui passe l'intelligence humaine, mais très digne de notre foi, que vous, vrai Dieu et vrai homme, vous soyez caché sous le faible voile des espèces du pain et du vin, et que le chrétien vous reçoive et vous mange sans que vous disparaissiez ou que vous souffriez de diminution.

Vous êtes le maître absolu de toutes choses, vous n'avez besoin de personne; cependant vous voulez habiter parmi nous dans ce Sacrement auguste.

Aidez-moi à conserver la pureté de mon cœur et de mon corps, afin que dans la joie et la paix d'une bonne conscience je puisse célébrer souvent vos divins mystères, et recevoir dignement pour ma sanctification ce sacrement que vous avez établi pour la gloire de votre nom, et comme mémorial de votre amour dans tous les siècles.

6. Réjouissez-vous, mon âme, et remerciez Dieu de cette consolation si sublime qu'il vous a laissée dans cette vallée de larmes.

Toutes les fois que vous mangez le pain de vie, vous renouvelez le mystère de la rédemption, et vous participez à tous les mérites de Jésus Christ.

La charité de notre Sauveur ne diminue point; le trésor de ses grâces est inépuisable.

Vous devez sans cesse renouveler votre ferveur pour vous disposer à ce mystère de votre salut, et le méditer avec toute l'attention dont vous êtes capable.

Lorsque vous célébrez, ou que vous assistez au Saint Sacrifice, il vous doit paraître aussi grand, aussi nouveau, aussi agréable que si ce même jour Jésus Christ s'incarnait dans le sein de la Vierge Marie, ou était attaché à la croix pour le salut du genre humain.

CHAPITRE 3.

QU'IL EST UTILE DE COMMUNIER SOUVENT.

1. LE FIDÈLE.

JE viens à vous, Seigneur, pour recevoir vos bienfaits, et pour participer au banquet que *vous avez préparé pour le pauvre dans votre bonté*. (Ps. lxvii. 11.)

Vous possédez en vous-même tout ce que je puis désirer : vous êtes mon salut et ma rédemption, mon espérance, ma force, mon honneur et ma gloire.

Répandez donc aujourd'hui *la joie dans l'âme de votre serviteur parce que j'ai élevé mon cœur vers vous*. (Ps. lxxxv. 4.)

Je désire vous accueillir avec respect dans ma demeure, recevoir votre bénédiction comme *Zachée*, et être mis au nombre des enfants d'*Abraham*.

Mon âme souhaite avec ardeur de recevoir votre divin Corps, et mon cœur désire être uni à vous.

2. Donnez-vous à moi et cela me suffit; sans vous, toutes les consolations sont inutiles.

Je ne puis vivre sans vous, ni me passer de la douceur de vos visites.

Il faut donc que je vienne souvent à vous, et que je reçoive votre divin Corps comme un remède pour mon âme, de peur que, privé de cette céleste nourriture, les forces ne me manquent en chemin.

Lorsque vous instruisiez les peuples et que vous guérissiez les malades, vous disiez : *Je ne veux pas les renvoyer dans leurs maisons sans qu'ils aient mangé, de peur qu'ils ne tombent en défaillance sur les chemins.* (S. Matth. xv. 32.)

Traitez-moi de la même manière, Seigneur, puisque vous nous avez laissé ce Sacrement pour notre consolation.

Vous êtes la douce nourriture de notre âme; celui qui vous reçoit dignement devient l'héritier de la vie éternelle.

Comme je suis faible et languissant, et que je tombe dans le péché, il est nécessaire que je me prépare par la prière et la confession fréquente à la communion de votre Corps sacré; ainsi, je me renouvellerai, je me purifierai, et je m'enflammerai, et la privation de ces mystères ne ralentira pas mes saintes résolutions.

3. Car les sens portent l'homme au mal dès sa jeunesse, et sans l'assistance de la grâce divine, il se laisserait aller à tous les vices.

L'usage de la sainte Communion nous empêche de tomber dans le mal, et nous affermit dans le bien.

Si je suis si négligent et si tiède lors même que je communie, ou que je célèbre les divins mystères; que serais-je donc, si je me privais de ce souverain remède, si je négligeais un si puissant secours?

Si je n'ai pas les dispositions nécessaires pour m'approcher tous les jours des saints Mystères, je tâcherai de m'y préparer au moins pour certains jours, et de me rendre digne d'une si grande grâce.

La principale consolation de l'âme fidèle, en exil dans un corps mortel, est de penser souvent à son Dieu, et de le recevoir dévotement.

4. O merveilleux effet de votre bonté envers nous! vous, Dieu et homme, qui donnez l'être et la vie à tous les esprits, vous ne dédaignez pas de venir dans une pauvre âme : vous la comblez en vous donnant à elle avec votre divinité et votre humanité tout entière.

Heureuse l'âme qui vous reçoit dignement, et qui est pénétrée de joie dans la possession de son Dieu!

Oh! qu'il est grand le Seigneur qu'elle reçoit!

qu'il est aimable l'hôte qu'elle accueille! qu'il est aimable le compagnon dont elle reçoit la visite! qu'il est beau et aimable l'époux auquel elle s'attache!

Que le Ciel et la terre se taisent devant vous, ô Dieu de mon cœur, que toute leur beauté disparaisse; car tout ce qu'ils ont de beau et de précieux, ils le tiennent de vous. Votre beauté surpasse infiniment la leur, vous *dont la sagesse est infinie.* (Ps. cxlvi. 5.)

CHAPITRE 4.

QUE DIEU FAIT DE GRANDES GRÂCES A CEUX QUI COMMUNIENT DIGNEMENT.

1. Le Fidèle.

Seigneur, mon Dieu, prévenez-moi *de vos douces bénédictions* (Ps. xx. 4.), afin que je sois digne d'approcher de votre auguste Sacrement.

Réveillez-moi du profond assoupissement où je suis : *Visitez mon âme, répandez-y votre grâce salutaire* (Ps. cv. 4.), afin que je goûte en esprit la douceur ineffable, qui est cachée dans ce Sacrement comme dans sa source.

Eclairez mes yeux, afin qu'ils puissent contempler un si grand mystère; fortifiez ma foi, afin que j'y croie fermement.

Ce mystère est votre ouvrage, ce n'est pas l'effet de la puissance humaine; c'est vous qui l'avez institué, ce n'est pas une invention des hommes.

Personne ne peut en concevoir l'excellence; quand même son intelligence surpasserait celle des Anges.

Que pourrais-je donc comprendre d'un mystère si élevé, moi pauvre pécheur, cendre et poussière?

2. Seigneur, je viens à vous avec un cœur simple, avec une foi ferme, avec une confiance et un respect profonds; je crois que vous êtes réellement présent, Dieu et homme, dans cet adorable Sacrement.

Vous voulez donc, mon Dieu, que je vous reçoive, et que je m'unisse à vous dans une parfaite charité.

Je vous conjure, par votre bonté infinie, de me donner la grâce spéciale de m'y disposer;

afin que toute mon âme se fonde, s'écoule, et s'abîme tellement dans l'océan de votre amour, qu'elle ne soit plus capable de recevoir aucune consolation terrestre.

Car cet auguste Sacrement est le salut de l'âme et du corps; c'est un remède souverain pour toutes les infirmités spirituelles. Il guérit mes vices, modère mes passions, affaiblit mes tentations; il est pour moi une source de grâces abondantes, il fortifie la vertu, augmente la foi, affermit l'espérance, et dilate la charité.

3. Vous avez accordé, et vous accordez encore tous les jours dans le Saint Sacrement, les plus grandes grâces à ceux de vos élus qui s'en approchent dignement. O mon Dieu, vous êtes le protecteur de mon âme, le soutien de ma faiblesse, et la source de toute consolation.

Vous consolez vos serviteurs dans leurs tribulations, vous relevez leur espérance dans l'abattement, vous les éclairez de nouvelles lumières; et tel qui avant la sainte Communion gémissait sur la sécheresse de son âme, se sent tout changé dès qu'il s'est nourri de ce breuvage et de cette nourriture célestes.

Voilà comment vous traitez vos élus, afin qu'ils connaissent par expérience combien leur infirmité est grande, et quels sont les grâces et les bienfaits qu'ils reçoivent de vous.

Par eux-mêmes ils se sentent froids, insensibles et sans dévotion; mais vous, Seigneur, vous les rendez pieux, fervents, et pleins d'un joyeux zèle.

Quel est celui qui, venant avec humilité à une fontaine de douceur, n'y puiserait pas un peu de douceur?

Ou qui, demeurant auprès d'un feu ardent, n'en ressentirait pas un peu de chaleur?

Vous êtes une source toujours pleine et toujours abondante; vous êtes un feu qui brûle toujours et ne s'éteint jamais.

4. Si je ne puis encore me désaltérer entièrement à cette source, j'approcherai ma bouche de ce canal : j'en recevrai du moins quelques gouttes

qui étancheront ma soif et m'empêcheront de périr dans la sécheresse.

Si je ne puis être tout céleste et tout de feu, comme les Chérubins et les Séraphins, je me préparerai au moins avec toute la dévotion dont je suis capable; ainsi mon cœur, participant avec humilité à ce saint mystère, ressentira quelque étincelle de ce feu divin.

Suppléez, mon Dieu, par votre bonté et par votre grâce, à tout ce qui me manque; puisque vous avez bien voulu appeler à vous les hommes en leur disant : *Venez à moi, vous tous qui travaillez et qui êtes chargés, et je vous soulagerai.* (S. Matth. xi. 28.)

5. Je travaille à la sueur de mon front, mon cœur est brisé de douleur, le poids de mes péchés m'accable, les tentations m'inquiètent, je suis tourmenté par mes passions; *je ne vois personne qui puisse me secourir* (Ps. xxi. 12.) et me sauver, si ce n'est vous-même, mon Seigneur et mon Dieu, vous à qui je m'abandonne entièrement, afin que vous me conduisiez à la vie éternelle.

Recevez-moi, ô mon Dieu, pour la gloire de votre saint nom, puisque vous avez eu la bonté de me nourrir de votre Corps et de votre Sang.

Faites, mon Dieu et mon Sauveur, que par le fréquent usage de ce Sacrement, le zèle de la piété et de la dévotion s'allume de plus en plus dans mon cœur.

CHAPITRE 5.

DE L'EXCELLENCE DU SACREMENT DE L'AUTEL, ET DE LA DIGNITÉ DU SACERDOCE.

1. LE SEIGNEUR.

Quand vous auriez la pureté des Anges et la sainteté de saint Jean Baptiste, vous ne seriez pas encore digne de recevoir ou d'administrer ce Sacrement.

Car c'est une chose bien au-dessus du mérite des hommes que de consacrer le Corps de Jésus Christ, de manger le pain des Anges, et de le distribuer aux autres.

Que ce mystère est grand, et que la dignité sacerdotale est sublime, puisque les Prêtres jouissent d'un privilège qui n'a pas été accordé aux Anges eux-mêmes !

Car il n'y a que les Prêtres légitimement ordonnés qui aient le pouvoir de célébrer, et de consacrer le Corps de Jésus Christ.

Le Prêtre est le ministre de Dieu, il parle au nom du Seigneur, selon l'ordre qui lui en a été donné ; mais Dieu est le principal auteur, et l'invisible opérateur ; il soumet à sa puissance tout ce qu'il veut, et quand il ordonne tout lui obéit.

2. Quand il s'agit de ce mystère, il vaut mieux croire la parole de Dieu que le rapport des sens, ou quelque signe visible.

Ainsi vous ne devez célébrer ce mystère redoutable qu'avec un respect mêlé de crainte.

Veillez sur vous, et considérez quel est le caractère dont vous êtes revêtu par l'imposition des mains de l'Evêque.

Vous êtes Prêtre consacré pour célébrer l'auguste mystère que Jésus Christ a institué ; ayez soin d'offrir dévotement à Dieu ce sacrifice dans le temps convenable ; que votre vie par conséquent soit sans reproche.

Vous n'avez pas diminué le poids de vos obligations : au contraire vous vous êtes engagé à vivre d'une manière plus régulière, et à tendre à un plus haut degré de perfection.

Un Prêtre doit être orné de toutes les vertus, et donner aux autres l'exemple d'une vie sainte.

Il ne doit point marcher sur les traces des autres hommes, ni se mêler à leurs conversations ordinaires ; il doit converser avec les Anges dans le ciel, ou avec les hommes parfaits sur la terre.

3. Un Prêtre revêtu des saints ornements, tient la place de Jésus Christ : il est le médiateur entre Dieu et le peuple.

Il porte devant et derrière lui le signe de la croix, en mémoire de la passion de Jésus Christ.

La croix est marquée sur le devant de la chasuble, afin que le Prêtre marche sur les traces de Jésus Christ, et le suive avec ferveur.

Elle est aussi représentée sur le dos, afin qu'il supporte patiemment, pour l'amour de Dieu, tous les maux que les hommes lui feront.

Il porte la croix devant lui, afin qu'il se souvienne de pleurer toujours ses propres péchés; derrière lui, afin qu'il ait compassion des péchés des autres, et qu'il sache qu'il est le médiateur entre Dieu et les pécheurs.

Qu'il ne se relâche point de prier et d'offrir le saint Sacrifice, jusqu'à ce qu'il ait fléchi la miséricorde de Dieu.

Le Prêtre, lorsqu'il célèbre, honore Dieu, réjouit les Anges, édifie l'Eglise; il procure des grâces aux vivants, et le repos aux fidèles trépassés; il participe lui-même à tous ces biens.

CHAPITRE 6.

PRIÈRE DU CHRÉTIEN AVANT LA SAINTE COMMUNION.

1. Le Fidèle.

Seigneur, lorsque je pense à votre majesté et à ma bassesse, je suis saisi d'effroi et de confusion.

Si je ne m'approche point de votre Sacrement, je me prive de la vie; si je m'y présente indignement, je vous offense.

Que dois-je donc faire, ô mon Dieu, qui êtes mon unique ressource et mon conseil dans mes perplexités?

2. Montrez-moi le chemin que je dois suivre, inspirez-moi quelque pratique efficace, pour me bien disposer à la sainte Communion.

Il est très important que je sache comment je dois me préparer dignement à m'approcher de cet auguste mystère, ou à offrir un sacrifice si grand et si redoutable.

CHAPITRE 7.

DE L'EXAMEN DE CONSCIENCE, ET DE LA RÉSOLUTION DE SE CORRIGER.

1. Le Seigneur.

Il faut avant tout que le Prêtre qui veut célébrer dignement les saints mystères, s'y prépare avec une véritable humilité, un profond respect, une foi vive, et une sincère intention d'honorer Dieu.

Examinez avec soin votre conscience, et faites tous vos efforts pour la purifier par une contrition véritable et une humble confession; en sorte que rien ne vous inquiète et ne vous empêche d'approcher de l'autel avec confiance.

Ayez un regret sincère de tous vos péchés en général, et gémissez en particulier de toutes les fautes où vous tombez chaque jour.

Si le temps vous le permet, confessez à Dieu, dans le secret de votre cœur, toutes les misères que vous causent vos passions.

2. Gémissez de vous voir encore si sensuel, si mondain, si peu mortifié dans vos passions, si plein de mauvais désirs et de mouvements déréglés;

Si peu attentif à veiller sur votre extérieur, si souvent troublé par de vains fantômes;

Si enclin aux choses extérieures, si négligent pour les intérieures;

Si facile et si léger pour tout ce qui excite la joie, si peu disposé aux larmes et à la componction;

Si porté à rechercher vos aises et tout ce qui flatte la chair, si lâche pour supporter les peines et les austérités;

Si en peine de rassasier vos yeux de spectacles et vos oreilles de discours, si peu disposé aux exercices d'humilité;

Si avide d'amasser, si ardent pour recevoir, si avare pour retenir;

Si inconsidéré dans vos paroles, si peu capable de vous taire;

Si déréglé dans vos mœurs, si imprudent dans vos actions;

Si porté à la bonne chère, si sourd à la parole de Dieu;

Si empressé pour le repos, si lâche pour le travail;

Si attentif à de vains récits, si endormi pendant les saintes veilles, si impatient pour en voir la fin;

Si négligent en récitant l'Office divin, si tiède en célébrant, si aride en communiant;

Si aisément distrait, si rarement bien recueilli;

Si prompt à vous mettre en colère, si enclin à blesser les autres;

Si téméraire dans vos jugements, si sévère dans vos réprimandes;

Si transporté dans la prospérite, si faible dans l'adversité ;

Prenant si souvent de bonnes résolutions, et les mettant si rarement en pratique.

3. Après que vous aurez confessé et déploré ces fautes avec les sentiments d'une vive douleur, faites un ferme propos d'amender votre vie et d'avancer dans la vertu.

Offrez-vous vous-même à ma gloire, sur l'autel de votre cœur, comme un holocauste perpétuel, me sacrifiant votre corps et votre âme.

C'est ainsi qne vous vous disposerez à offrir dignement à Dieu le saint sacrifice, et à recevoir pour votre salut le Sacrement de mon Corps.

4. Il n'y a point d'offrande plus agréable à Dieu, ni de satisfaction plus capable d'effacer les péchés, que celle que l'on fait de soi-même avec une intention pure et parfaite, en l'unissant à l'oblation du Corps de Jésus Christ dans le sacrifice de la sainte Messe, ou dans la sainte Communion.

Si l'homme apporte de son côté les meilleures dispositions, s'il a un véritable repentir; toutes les fois qu'il se présentera devant moi pour obtenir grâce, *je jure par moi-même, dit le* Dieu *vivant, que je ne désire point la mort du pécheur, que je souhaite* plutôt *qu'il se convertisse et qu'il vive* (Ezéc. xxxiii. 2.); s'il se convertit, j'oublierai entièrement ses iniquités.

CHAPITRE 8.

DE L'OBLATION DE JÉSUS CHRIST SUR LA CROIX, ET DE LA RÉSIGNATION DE SOI-MÊME.

1. LE SEIGNEUR.

Comme je me suis volontairement offert, les bras étendus et le corps nu sur la croix, pour les péchés du monde; en sorte qu'il n'est rien demeuré en moi qui n'ait été offert dans le sacrifice de mon incarnation :

Ainsi vous devez vous offrir tous les jours volontairement à moi dans le sacrifice de la Messe, comme une oblation pure et sainte, avec toutes les forces et toutes les affections de votre cœur.

Qu'est-ce que je souhaite de vous avec plus

d'ardeur, sinon que vous vous résigniez entièrement à ma volonté?

Tout ce que vous donnez sans vous donner vous-même n'est compté pour rien; c'est vous que je cherche, et non pas vos dons.

De même que ce serait bien peu pour vous de posséder toutes choses sans me posséder : ainsi tout ce que vous pourriez me donner, sans vous donner vous-même, ne me tenterait point.

Offrez-vous à moi, donnez-vous tout entier pour Dieu, et votre offrande sera agréable.

Je me suis offert tout entier à mon Père pour l'amour de vous; je vous ai laissé pour nourriture mon Corps et mon Sang; afin d'être tout à vous, et de vous posséder tout entier.

Mais si vous avez trop l'amour de vous-même, et que vous ne vous abandonniez pas à ma volonté, votre offrande ne sera pas entière, et notre union ne sera pas parfaite.

Si vous voulez acquérir une entière liberté et mériter ma grâce, il faut avant toutes choses vous mettre sans réserve entre mes mains.

On trouve si peu de fidèles véritablement libres et éclairés, parce qu'ils n'ont pas le courage de renoncer entièrement à eux-mêmes.

C'est une sentence irrévocable : *que quiconque n'abandonne pas tout ce qu'il a, ne peut être mon disciple.* (Luc, xiv. 33.)

Si donc vous voulez être véritablement mon disciple, sacrifiez-vous à moi avec tous vos désirs et toutes vos affections.

CHAPITRE 9.

QUE NOUS DEVONS NOUS OFFRIR A DIEU AVEC TOUT CE QUE NOUS AVONS, ET PRIER POUR TOUT LE MONDE.

1. Le Fidèle.

Seigneur, tout vous appartient dans le ciel et sur la terre.

Je désire me donner à vous tout entier, et demeurer éternellement à votre service.

Seigneur, je me consacre aujourd'hui à vous dans la simplicité de mon cœur. Je me constitue pour toujours votre serviteur fidèle, et la victime d'un sacrifice de louange éternelle.

Recevez-moi avec l'offrande de votre Corps sacré, que je vous offre aujourd'hui en présence des Anges qui assistent invisiblement à ce sacrifice; faites qu'il me soit propice à moi et à votre peuple tout entier.

2. Seigneur, je vous offre encore sur cet autel de propitiation tous les péchés que j'ai commis devant vous et devant vos Anges, depuis le jour où j'ai commencé à vous offenser, jusqu'à cette heure. Brûlez tout par le feu de votre charité, effacez toutes les taches de mes crimes, purifiez ma conscience de toute souillure, rendez-moi votre grâce que j'ai perdue par le péché, pardonnez-moi toutes mes fautes, et recevez-moi dans votre miséricorde, au baiser de la paix.

3. Que puis-je faire pour expier tant de crimes? Je ne puis que les confesser humblement, les pleurer, et vous en demander continuellement pardon.

Soyez propice, ô mon Dieu, à la prière que je fais, quand je viens en votre présence.

Je déteste tous mes péchés, je n'y veux plus retomber à l'avenir, j'en ai une douleur qui durera toute ma vie. Je suis prêt à en faire pénitence, et à y satisfaire autant qu'il me sera possible.

Pardonnez-moi, mon Dieu, pardonnez-moi mes péchés pour la gloire de votre nom; sauvez mon âme que vous avez rachetée par votre Sang précieux.

Je me mets entre les mains de votre miséricorde, et je me résigne entièrement à votre volonté.

Traitez-moi selon votre bonté, et non selon ce que méritent mes iniquités.

4. Je vous offre aussi le peu de bonnes œuvres que j'ai faites, tout imparfaites qu'elles sont; afin que vous les sanctifiez vous-même. Agréez-les, Seigneur, et quoique je sois un serviteur paresseux et inutile, conduisez-moi à une fin heureuse.

5. Je vous offre aussi tous les saints désirs des âmes vertueuses, tous les besoins de mes parents, de mes amis, de mes frères, de mes sœurs, de tous ceux qui m'ont fait

du bien, ou qui en font aux autres pour l'amour de vous :

De ceux qui se sont recommandés à mes prières, ou qui ont souhaité que je dise la Messe pour eux, soit qu'ils vivent encore ou qu'ils aient déjà quitté ce monde.

Qu'ils sentent les effets de votre grâce et la douceur de vos consolations: protégez-les dans les périls, délivrez-les de leurs peines afin qu'affranchis de tous maux, ils vous rendent d'éternelles actions de grâces.

Je vous offre aussi mes prières et cette hostie de propitiation, principalement pour ceux qui m'ont fait quelque offense, qui m'ont causé du chagrin, qui m'ont insulté ou m'ont fait quelque tort considérable.

Je vous prie encore pour ceux que j'ai offensés, chagrinés, blessés, scandalisés par mes paroles ou par mes actions, de propos délibéré ou sans le savoir : pardonnez-nous nos péchés et nos offenses mutuelles.

Eloignez, Seigneur, de notre esprit le soupçon, la discorde, la colère, les contentions, et tout ce qui peut blesser la charité fraternelle.

Ayez pitié, Seigneur, ayez pitié de ceux qui implorent votre miséricorde, donnez vos faveurs à ceux qui en ont tant besoin; rendez-nous dignes de recevoir votre grâce en ce monde, et la gloire éternelle dans l'autre. Ainsi soit-il.

CHAPITRE 10.

QU'IL NE FAUT PAS AISÉMENT OMETTRE LA SAINTE COMMUNION.

1. Le Seigneur.

Il faut puiser souvent à la fontaine de grâce et de miséricorde, de toute bonté et de toute pureté, si vous voulez être guéri de vos passions et de vos vices, et vous fortifier contre les tentations et les artifices du démon.

L'ennemi de votre salut connaissant de quel secours est le Sacrement de l'autel, n'épargne rien pour en détourner les âmes pieuses.

2. Certaines personnes, en effet, lorsqu'elles se disposent à la sainte Communion, ont à supporter les plus violentes attaques du démon.

Cet esprit malin (comme il est écrit au livre de *Job*) vient parmi les enfants de Dieu pour les troubler par ses artifices, et les jeter dans le doute et la perplexité : il s'efforce de diminuer leur dévotion, d'affaiblir leur foi, et il cherche à les faire renoncer entièrement à la Communion, ou du moins à s'en approcher avec tiédeur.

Il ne faut se mettre en peine, ni de ses artifices, ni de ses suggestions, quelque hideuses et horribles qu'elles puissent être ; il faut en faire retomber sur lui toute la honte et toute l'impureté.

Il faut traiter avec mépris un ennemi si misérable, et ne pas s'éloigner de la Communion, à cause des attaques et des mouvements qu'il excite.

3. C'est un obstacle encore pour quelques-uns que le désir inquiet d'avoir une dévotion sensible, et de se confesser.

Réglez-vous sur le conseil des sages, défaites-vous de votre inquiétude et de vos scrupules : parce que tout cela est un obstacle à la grâce de Dieu, et détruit la dévotion.

Ne laissez pas la Communion pour un trouble léger et une peine d'esprit : confessez-vous au plus tôt, et pardonnez de bon cœur toutes les offenses qu'on vous a faites.

Si vous avez offensé quelqu'un, demandez-lui humblement pardon, et Dieu vous pardonnera volontiers.

4. Pourquoi différer la Confession ou la Communion ?

Purifiez-vous par la pénitence, rejetez le poison mortel du péché, hâtez-vous de recourir au remède, vous en serez bien mieux que si vous hésitiez plus longtemps.

Si vous manquez aujourd'hui de communier pour une raison, demain vous trouverez un autre prétexte encore plus fort, et ainsi vous pourrez être longtemps privé de ce Sacrement, et devenir par là plus incapable de le recevoir.

Défaites-vous le plus tôt que vous pourrez de cette tiédeur et de cette indolence ; il ne sert à rien de demeurer si longtemps dans l'inquiétude et dans le trouble, et de s'éloigner des divins mystères à cause des obstacles qui se rencontrent chaque jour.

Bien plus, il est très pernicieux de différer trop longtemps la Communion, parce que ce retard jette l'âme dans une dangereuse torpeur.

Hélas! combien d'hommes tièdes ou libertins accueillent avec plaisir les occasions qu'ils ont de remettre la Confession et diffèrent volontiers la Communion pour ne pas être obligés de vivre avec plus de régularité!

5. C'est avoir une charité bien languissante et une dévotion bien faible, que de différer la sainte Communion sous des prétextes si frivoles.

Qu'il est heureux et agréable à Dieu, celui qui vit avec une assez grande pureté de conscience pour être en état de communier tous les jours, s'il pouvait le faire sans une espèce de singularité!

Si quelqu'un s'abstient de la Communion par un sentiment d'humilité, ou pour quelqu'autre cause légitime, cette réserve est louable.

Mais si c'est par négligence, il doit rallumer son zèle autant que possible; Dieu secondera ce bon désir, lui qui regarde principalement la bonne volonté.

6. Celui qu'un obstacle légitime empêche de communier, doit conserver l'intention de le faire; de cette manière, il ne sera pas privé du fruit du Sacrement.

Rien n'empêche les personnes vertueuses de faire chaque jour et à quelqu'heure que ce soit la Communion spirituelle; cette pratique est fort utile, et rien ne peut l'empêcher.

Mais il faut choisir certaines époques, certains jours plus solennels, pour recevoir réellement Notre Seigneur Jésus Christ; mais il faut le faire alors, avec un respect plein de tendresse, et chercher plutôt la gloire de Dieu que sa propre satisfaction.

C'est communier mystiquement, et participer d'une manière invisible à ce grand mystère, que de penser dévotement à l'incarnation et à la passion de Jésus Christ.

7. Ceux qui ne se préparent à la sainte Com-

munion qu'à l'approche des grandes fêtes et comme par la force de l'habitude, sont souvent mal disposés.

Heureux celui qui s'offre à Dieu en holocauste toutes les fois qu'il célèbre le Saint Sacrifice, ou qu'il communie.

Ne soyez ni trop long ni trop court dans la célébration de la sainte Messe; mais ayez égard à l'usage du lieu où vous vivez.

Vous ne devez point causer de l'ennui ou de l'impatience aux autres, mais il faut suivre la coutume établie par vos pères : soyez plus soucieux de l'utilité du prochain que de votre dévotion particulière.

CHAPITRE II.

QUE LE CORPS DE JÉSUS CHRIST ET L'ÉCRITURE SAINTE SONT TRÈS NÉCESSAIRES A L'ÂME FIDÈLE.

1. LE FIDÈLE.

SEIGNEUR Jésus, qu'il est doux à une âme vertueuse de s'asseoir à votre table, où vous ne lui présentez d'autre mets que vous-même, objet de ses désirs et de son amour.

Certes il me serait doux de verser, en votre présence, des larmes d'amour, et, comme la fervente *Madeleine*, d'arroser vos pieds de mes pleurs.

Mais où est cette dévotion? où trouver cette abondance de larmes?

Je devrais avoir le cœur enflammé, et pleurer de joie en votre présence et en celle des Anges.

Car vous êtes réellement présent dans l'Eucharistie, quoique caché sous d'autres espèces.

2. Mes yeux ne pourraient soutenir l'éclat de votre divinité, et tout l'univers rassemblé ne pourrait supporter la splendeur et la gloire de votre majesté.

C'est par pitié pour ma faiblesse que vous vous cachez sous les voiles de l'hostie.

J'ai devant moi, et j'adore celui que les Anges adorent dans le ciel; mais moi je ne le vois encore que des yeux de la foi, tandis qu'ils le voient à découvert et sans aucun voile.

Je dois cependant me contenter de marcher à la lumière de la vraie foi, jusqu'à ce que l'éternelle clarté m'éclaire, et que les ombres des figures se dissipent.

Lorsque nous serons en ce parfait état (I Cor. viii. 10.), l'usage des Sacrements cessera; les Bienheureux dans la gloire n'ont plus besoin de ces remèdes.

Ils sont pénétrés de joie en la présence de Dieu, ils le contemplent face à face dans sa splendeur; transformés et comme plongés dans un abîme de lumière, ils goûtent le Verbe de Dieu incarné tel qu'il était dès le commencement, et qu'il sera durant toute l'éternité.

3. La pensée de ces merveilles m'empêche de goûter pleinement les consolations spirituelles; car je compte pour rien tout ce que j'entends dans le monde, jusqu'à ce que je voie mon Dieu à découvert dans sa gloire.

Vous savez, mon Dieu, que rien ne peut me consoler, que nulle créature ne peut me donner un parfait repos, et que c'est vous seul que je désire contempler éternellement.

Mais cela est impossible, tant que je serai dans cette vie mortelle.

Ainsi, il faut m'armer de patience, et soumettre tous mes désirs aux vôtres.

Les Saints qui règnent maintenant dans le ciel, ont attendu ici-bas avec foi et patience l'avènement de votre gloire.

Je crois ce qu'ils ont cru, j'espère ce qu'ils ont espéré, et j'ai confiance d'obtenir, avec votre grâce, le même bonheur.

Il faut cependant qu'à l'exemple de vos Saints je me conduise par la foi.

Les livres sacrés seront aussi ma consolation et mon instruction; par-dessus tout, votre saint Corps sera mon refuge et le remède à mes maux.

4. J'ai principalement besoin en cette vie de deux choses, sans lesquelles elle me serait un fardeau insupportable.

Etant comme emprisonné dans le corps, j'ai besoin de nourriture et de lumière.

Vous m'avez donné votre très saint Corps pour soutenir ma faiblesse, et pour me nourrir;

votre parole me sert de lumière. (Ps. cxviii. 105.)

Sans ces deux secours, je ne pourrais vivre chrétiennement : car la parole de Dieu est la lumière de l'âme ; l'Eucharistie est le pain de vie.

On pourrait les appeler les deux tables que vous avez mises dans le trésor de l'Eglise.

L'une est la table de l'autel qui porte le Pain sacré, c'est-à-dire le précieux Corps de Jésus Christ.

L'autre est la loi divine qui contient la sainte doctrine, qui nous instruit dans la vraie foi, et nous conduit sûrement jusqu'au delà du voile qui cache le Saint des Saints.

O mon Jésus, ô divin rayon de la lumière éternelle, soyez béni à jamais pour cette doctrine que vous avez enseignée au monde, par le ministère de vos Prophètes, de vos Apôtres et des docteurs de votre Eglise.

5. Je vous rends grâces, ô mon Créateur et mon Rédempteur, de ce que pour communiquer à tous les hommes des marques de votre amour, vous nous avez préparé ce grand festin, nous donnant au lieu de l'agneau mystique, votre Corps et votre Sang précieux. Vous enivrez les fidèles de votre Calice salutaire qui contient toutes les délices du paradis ; les Anges y participent également, mais d'une manière toute spéciale.

6. Qu'il est grand et auguste le ministère des Prêtres, auxquels il a été donné de consacrer le Corps de Jésus Christ, de le bénir par les paroles de leurs lèvres, de le tenir dans leurs mains, de le manger eux-mêmes, et de le distribuer aux fidèles !

Que les mains du Prêtre doivent être pures, que sa bouche doit être chaste, que son cœur doit être immaculé, puisque l'auteur même de la pureté y entre si souvent !

Rien ne doit sortir de la bouche du Prêtre qui ne soit saint, honnête et utile, puisque ses lèvres sont si souvent sanctifiées par le Sacrement de Jésus Christ.

7. Ses yeux doivent être humbles et chastes, puisqu'ils sont attachés si souvent sur le Corps chaste de Jésus Christ ;

ses mains doivent être pures et élevées au ciel, puisqu'elles tiennent le Créateur du ciel et de la terre dans ce Sacrement adorable.

C'est aux Prêtres que s'adressent principalement ces paroles : *Soyez saints, parce que je suis saint, moi qui suis votre Seigneur et votre* Dieu. (Lévit. xix. 2.)

8. " Dieu tout puissant qui nous avez élevés à la dignité de votre sacerdoce, que votre grâce nous soutienne, afin que nous puissions vous servir dignement, et dans toute la pureté d'une bonne conscience.

" Et si nous n'avons pas encore toute l'innocence que nous devrions avoir, aidez-nous du moins à pleurer amèrement nos péchés, dans un sentiment d'humilité, et dans un ferme propos de vous servir avec plus de ferveur. "

CHAPITRE 12.

QU'IL FAUT SE PRÉPARER AVEC UN GRAND SOIN A LA SAINTE COMMUNION.

1. LE SEIGNEUR.

J'AIME la pureté, et c'est moi qui donne la sainteté.

Je cherche les cœurs purs, et c'est là que je prends mon repos.

Préparez-moi *un grand cénacle dans votre âme* (S. Marc. xiv. 15.), afin que j'y fasse la Pâque avec mes disciples.

Si vous voulez que je vienne à vous, et que je fasse ma demeure dans votre cœur, purgez-le du vieux levain et ôtez-en toutes les taches.

Bannissez-en l'esprit du siècle et le tumulte des vices, demeurez dans la retraite comme *le passereau solitaire sur un toit*, (Ps. ci. 8.) gémissez sur les désordres et sur les égarements de votre vie.

Un véritable ami n'épargne rien pour préparer à celui qu'il aime une demeure belle et agréable et c'est en cela qu'il lui donne des marques de son amour.

2. Soyez persuadé que par vous-même vous ne sauriez vous disposer à me recevoir dignement; quand vous ne feriez pas autre chose, et que ce fût là votre unique occupation.

C'est donc par un pur effet de ma grâce, qu'il

vous est permis de vous présenter à ce divin banquet. Semblable à un mendiant qu'un riche admettrait à sa table, vous êtes incapable de témoigner votre reconnaissance autrement que par l'humilité et la constance de vos remerciements.

Faites tout ce qui dépend de vous, et faites-le avec soin, non point par coutume ou par nécessité; mais recevez avec crainte, avec respect, avec amour, le Corps de votre bien-aimé, de votre Sauveur qui daigne venir à vous.

C'est moi qui vous ai appelé et qui en ai ordonné de la sorte, je suppléerai à ce qui vous manque: venez et recevez-moi.

3. Quand je vous inspire des sentiments de dévotion, rendez-en grâces à votre Dieu; ce n'est pas que vous en soyez digne, mais j'ai compassion de vous.

Si vous n'éprouvez point de ferveur, et que vous vous sentiez aride, priez, gémissez, frappez à la porte; ne vous rebutez point jusqu'à ce que vous ayez obtenu quelque goutte, ou quelque miette de cette grâce si salutaire.

Vous avez besoin de moi, et je n'ai pas besoin de vous.

Vous ne venez pas pour me sanctifier, c'est moi qui veux vous sanctifier et vous rendre meilleur.

Vous venez à moi pour y trouver votre sanctification, pour vous unir à moi, pour recevoir de nouvelles grâces, et vous mettre en état d'avancer de plus en plus dans la vertu.

Ne méprisez point cette grâce; mais préparez votre cœur avec tout le soin possible à recevoir votre bien-aimé.

4. Ce n'est pas assez de s'exciter à la dévotion avant de communier, mais il faut encore y persévérer après la Communion; il ne faut pas moins veiller sur soi après qu'avant.

Cette vigilance sur soi-même est la meilleure disposition pour recevoir de nouvelles grâces.

Celui qui, après la Communion, se laisse aller aux consolations extérieures, se dispose mal à participer de nouveau au sacrement du Corps de Jésus Christ.

Evitez alors les entretiens inutiles, retirez-vous en secret pour jouir de la présence de Dieu : vous possédez celui que rien au monde ne peut vous enlever.

C'est à moi que vous devez vous donner tout entier afin que, vivant plus en moi qu'en vous-même, vous jouissiez d'un parfait repos.

CHAPITRE 13.

QUE L'ÂME FIDÈLE DOIT, DANS CE SACREMENT, DÉSIRER S'UNIR INTIMEMENT A JÉSUS CHRIST.

1. LE FIDÈLE.

QUI pourra me procurer le bonheur de vous trouver seul (Cant. viii. 1.), ô mon Dieu, pour vous ouvrir mon cœur, et vous posséder, comme mon âme le désire; *afin que personne ne me méprise plus* (Ibid.), que toutes les créatures me soient indifférentes, que vous me parliez vous seul, et que je vous parle comme un bien-aimé à celui qui l'aime, un ami à son ami?

Ce que je vous demande, ce que je désire, c'est d'être uni entièrement à vous, et de me détacher de toutes les créatures, afin que la participation fréquente à ce saint mystère m'accoutume à goûter les choses célestes et éternelles.

Ah! mon Seigneur et mon Dieu, quand serai-je uni parfaitement à vous, et comme absorbé en vous jusqu'à m'oublier entièrement moi-même?

Vous êtes en moi et je suis en vous, faites que cette union subsiste toujours.

2. Vous êtes *mon bien-aimé, choisi entre mille* (Cant. v. 10.); vous êtes l'objet des complaisances de mon âme, qui veut demeurer éternellement unie à vous.

C'est en vous seul que je veux trouver ma paix et mon repos; hors de vous il n'y a que peine, douleur et misère.

Vous êtes véritablement un Dieu caché, vous ne faites pas société avec les impies; mais votre conversation est avec les simples et les humbles.

Oh! que votre esprit est doux, qu'il est aimable, Seigneur! (Sag. xii. 1.) Pour prouver à vos enfants votre tendresse, vous les nourrissez du pain délicieux qui descend du ciel.

En vérité il n'y a point de peuple si puissant, dont les dieux soient aussi proches de lui que vous l'êtes de vos fidèles (Deut. iv, 7.); pour les consoler et pour élever leur cœur vers le ciel, vous leur servez de nourriture.

3. Y a-t-il un peuple aussi heureux que le peuple chrétien?

Y a-t-il sous le ciel quelque créature aussi chérie de Dieu que l'âme fidèle? le Seigneur fait en elle sa demeure et il la nourrit de sa chair glorieuse.

O grâce ineffable, ô bonté surprenante, ô amour sans bornes que Dieu témoigne aux hommes!

Que rendrai-je au Seigneur en reconnaissance d'un si grand bienfait, et des témoignages de sa charité infinie?

Que puis-je faire de plus agréable, que de lui donner mon cœur tout entier, et de m'unir parfaitement à lui?

C'est dans cette union parfaite que mon âme trouvera le bonheur.

Alors mon Dieu me dira : Si vous êtes à moi, je veux aussi être à vous. Et je lui répondrai : Ayez la bonté, Seigneur, de demeurer avec moi; pour moi, je veux de tout mon cœur demeurer avec vous; c'est là mon seul désir.

CHAPITRE 14.

DU DÉSIR ARDENT QUE LES ÂMES PIEUSES ONT DE COMMUNIER.

1. LE FIDÈLE.

S*Eigneur, quelles douceurs vous réservez à ceux qui vous craignent!* (Ps. xxx, 20.) Quand je pense à la ferveur avec laquelle certains fidèles s'approchent de la sainte Communion, je rougis de me présenter à vos saints autels avec tant de tiédeur et de négligence :

Je rougis d'être si aride et si froid; de n'être point embrasé d'amour en votre présence, comme tant de saintes âmes qui ne peuvent retenir leurs larmes, tant est grand le désir qu'elles ont de recevoir la sainte Communion.

Leur bouche aussi bien que leur cœur se dilate,

tant elles brûlent du désir de s'approcher de vous qui êtes la source de la vie; elles ne peuvent rassasier leur faim qu'en recevant dans la joie et avec une sainte avidité votre Corps sacré.

2. O foi ardente et véritable, signe évident de votre présence réelle dans ce Sacrement!

Ils reconnaissent véritablement leur maître *à la fraction du pain* (S. Luc, xxiv. 35.), et leur cœur est tout brûlant d'amour pour Jésus qui marche avec eux.

Je suis bien éloigné de cette dévotion affectueuse et de cet amour ardent.

O Jésus qui êtes la douceur et la bonté même, soyez-moi propice! je suis pauvre et mendiant, faites-moi ressentir un peu de cet amour lorsque je communie, afin que ma foi s'augmente, que mon espérance devienne plus ferme, et que la charité, allumée en moi par cette manne céleste, ne se refroidisse jamais.

Votre miséricorde, Seigneur, peut m'accorder cette grâce, et me remplir de ferveur au jour de sa visite.

Bien que je n'aie pas en moi l'ardeur de ces saintes âmes, vous l'y excitez, et vous m'enflammez du désir d'être mis au nombre de ces fidèles serviteurs, et de vivre dans leur société.

CHAPITRE 15.

QUE LA GRÂCE DE LA DÉVOTION S'ACQUIERT PAR L'HUMILITÉ ET L'ABNÉGATION DE SOI-MÊME.

1. LE FIDÈLE.

Il faut que vous recherchiez avec ardeur la grâce de la dévotion, que vous la demandiez avec empressement, que vous l'attendiez avec soumission et confiance. Vous devez la recevoir avec un cœur reconnaissant, la conserver sous le voile de l'humilité, et y coopérer fidèlement, en attendant que Dieu vienne à vous dans le temps qu'il a marqué, et selon son bon plaisir.

Vous devez vous humilier surtout lorsque vous n'avez point de dévotion, ou que vous en avez peu; cependant ne vous laissez point abattre à l'excès.

Dieu donne quelquefois en un moment ce qu'il a refusé longtemps; il donne quelquefois à la fin de la prière ce qu'il n'a pas voulu donner au commencement.

2. Si l'on obtenait toujours la grâce au moment de la demande, l'homme encore faible n'en ferait pas bon usage.

Ainsi il faut attendre cette grâce avec une confiance ferme et une humble patience; si l'on en est privé, il ne faut pas en chercher la cause en dehors de soi-même.

C'est souvent peu de chose qui prive l'âme de la grâce; si toutefois on peut appeler ainsi ce qui prive l'homme d'un si grand bien.

Si vous surmontez parfaitement cet obstacle quel qu'il soit, vous obtiendrez ce que vous souhaitez.

Aussitôt que vous vous serez résigné entre les mains du Seigneur, et que sans vous rechercher vous-même vous ne penserez qu'à lui plaire, vous vous trouverez tranquille et entièrement uni à lui, parce que toute votre joie sera dans l'accomplissement de sa divine volonté.

Celui qui aura toujours son intention dirigée vers Dieu et qui se délivrera de tout amour déréglé en même temps que de toute haine pour les créatures, sera en état d'obtenir la grâce de la dévotion.

Dieu répand les bénédictions dans les vases qu'il trouve vides.

Plus on renonce aux choses de la terre, plus on meurt à la nature par le mépris de soi-même, plus aussi on est disposé à recevoir avec abondance la grâce céleste et à s'élever à la liberté des enfants de Dieu.

Alors le fidèle qui cherche Dieu sera comblé de bénédictions, parce que le Seigneur est avec lui, parce qu'il s'est entièrement abandonné à la divine Providence.

Voilà comment Dieu bénit l'homme qui, le cherchant de tout son cœur, n'a pas, selon la parole de l'Ecriture, *reçu son âme en vain.* (Ps. xxiii. 4.)

Celui qui reçoit ainsi la sainte Eucharistie s'unit intimement à Dieu, parce qu'en toutes choses, il cherche à lui rendre honneur et gloire, avant même que de se rendre en peine des consolations que sa propre piété lui donnera.

CHAPITRE 16.

NOUS DEVONS EXPOSER NOS BESOINS A JÉSUS CHRIST, ET DEMANDER SA GRÂCE.

1. LE FIDÈLE.

O très doux et très aimable Jésus, que je désire recevoir en ce moment, vous connaissez ma faiblesse et les tentations dont je suis accablé, mes troubles, mes inquiétudes et les souillures de mes péchés.

Je viens à vous pour chercher le remède ; je vous supplie de me consoler et de me soulager.

Je parle à un Dieu qui connaît tout, qui lit au fond de mon cœur, qui seul peut me consoler et me secourir.

2. Me voici devant vous pauvre et nu, demandant votre grâce, implorant votre miséricorde.

Je ne suis qu'un mendiant affamé, rassasiez-moi, réchauffez mon cœur insensible par le feu de votre amour, dissipez par vos divines lumières les ténèbres de mon esprit.

Que toutes les choses du monde me paraissent amères, que toutes les peines de ma vie me semblent douces, et les créatures méprisables !

Faites que toutes mes pensées soient pour le ciel, et ne permettez pas que mon cœur s'attache çà et là sur la terre.

Que dès ce moment je ne trouve de douceur qu'en vous, parce que vous seul êtes ma nourriture, mon breuvage, mon amour, ma joie, ma consolation, et tout mon bien.

3. Que votre présence m'enflamme, me brûle et me transforme en vous, afin que je devienne un même esprit avec vous, par la force de l'union intérieure, et d'un ardent amour.

Ne souffrez pas que je m'éloigne de vous avec ma faim et ma soif ; faites-moi sentir les effets de votre miséricorde, que vos Saints ont tant de fois éprouvés dans ce Sacrement.

Est-il étonnant que je devienne tout de feu en

vous, et que je m'anéantisse en moi-même, puisque vous êtes un feu toujours ardent, un amour qui purifie le cœur et éclaire l'intelligence?

CHAPITRE 17.

DE LA FERVEUR ET DE L'AMOUR ARDENT AVEC LEQUEL IL FAUT RECEVOIR JÉSUS CHRIST.

1. Le Fidèle.

Seigneur, je désire vous recevoir avec une grande dévotion et un amour ardent, avec toute l'affection d'un cœur pur et fidèle, comme l'ont fait en communiant beaucoup de Saints et de pieuses personnes, qui vous ont été agréables par l'innocence de leur vie et leur fervente piété.

O mon Dieu! mon amour, mon bien et mon unique félicité, je brûle du désir de vous recevoir avec un respect digne de vous, semblable à celui dont les Saints étaient pénétrés.

2. Je suis sans doute très indigne d'éprouver tous ces grands sentiments de dévotion, cependant je vous offre mon cœur et tous ses mouvements, comme s'il renfermait en lui ces désirs enflammés qui vous sont si agréables.

Je vous offre avec un profond respect tout ce qu'une âme pure peut concevoir et désirer de plus parfait pour votre gloire.

Je ne veux rien me réserver, mais je veux me sacrifier et m'immoler tout entier.

Seigneur, mon Dieu, mon Créateur et mon Rédempteur, je désire vous recevoir aujourd'hui avec les sentiments de respect, d'amour et de reconnaissance, avec la foi vive, l'espérance, la pureté, avec lesquels votre glorieuse Mère vous reçut, lorsque l'Ange lui annonçant le mystère de votre incarnation, elle répondit avec humilité : *Je suis la servante du Seigneur, qu'il me soit fait selon votre parole.* (S. Luc, i. 38.)

3. Je voudrais me présenter devant vous comme saint *Jean Baptiste* votre bienheureux précurseur, qui, étant encore dans le sein de sa mère, tressaillit de joie en votre présence; et depuis, vous voyant converser avec

les hommes, dit avec humilité et avec une tendre affection : *L'ami de l'époux qui se tient en sa présence et qui l'écoute, est ravi d'entendre sa voix.* (S. Jean, iii. 29.) Oh ! que je voudrais être animé de semblables désirs !

Voilà pourquoi je vous offre tous les transports de joie, toutes les lumières surnaturelles, toutes les visions célestes et divines dont vous favorisez les âmes fidèles, tous les hommages et tous les honneurs que toutes les créatures vous rendent et vous rendront à jamais sur la terre et dans le ciel. Acceptez l'offre que je vous en fais, pour moi et pour ceux qui se sont recommandés à mes prières, afin que vous soyez à jamais glorifié.

4. Seigneur, recevez mes vœux et mes désirs pour les louanges et les bénédictions ineffables que mérite votre majesté.

Je vous les rends, et je désire vous les rendre tous les jours et à tous les moments de ma vie ; j'invite de tout mon cœur les esprits célestes et tous les fidèles à s'unir à moi pour vous bénir.

5. Que tous les peuples de l'univers, toutes les tribus, toutes les langues vous louent, et glorifient votre nom, dans les transports d'une sainte joie et d'une ardente ferveur.

Que tous ceux qui célèbrent avec foi vos saints mystères, ou vous reçoivent avec respect, soient comblés de vos grâces et de vos miséricordes; qu'ils prient pour moi pauvre pécheur, lorsqu'ils seront unis avec vous dans ce Sacrement; et lorsque, pleins de consolations et divinement rassasiés, ils se retireront de la table sainte, qu'ils daignent se souvenir de ma misère et de ma pauvreté.

CHAPITRE 18.

QU'IL NE FAUT POINT EXAMINER CURIEUSEMENT LE MYSTÈRE DE L'EUCHARISTIE, MAIS IMITER L'HUMILITÉ DE JÉSUS CHRIST, ET SOUMETTRE SA RAISON A LA FOI.

1. LE SEIGNEUR.

Vous devez vous garder de vouloir approfondir ce mystère impénétrable, si vous ne voulez point tomber dans l'abîme du doute.

Celui qui veut sonder la souveraine majesté de Dieu *sera accablé par sa gloire.* (Prov. XXV. 27.) La puissance de Dieu surpasse l'intelligence de l'homme. On ne blâme point une humble et pieuse recherche de la vérité, dans celui qui est toujours porté à recevoir les instructions et à suivre la doctrine des Pères.

2. Heureuse la simplicité qui s'écarte des voies difficiles et embarrassées, et qui marche avec assurance dans la voie des commandements de Dieu...

Plusieurs ont perdu l'esprit de dévotion, en voulant approfondir les mystères.

On ne vous demande que la foi et une vie régulière, et non la haute intelligence des divins mystères.

Vous ne comprenez pas les choses qui sont sous vos yeux, comment pourrez-vous comprendre celles qui sont infiniment au-dessus de vous?

Soumettez-vous à Dieu, humiliez votre raison sous l'autorité de la foi, et la lumière de la science vous sera donnée autant que vous en aurez besoin.

3. Il en est qui ont de violentes tentations sur la foi en ce mystère ; c'est au démon plutôt qu'à eux qu'il faut l'imputer.

Ne vous inquiétez point des pensées qui vous viennent, ne répondez point aux doutes que le démon vous suggère ; reposez-vous sur la parole de Dieu, croyez les Saints et les Prophètes, et vous mettrez l'ennemi en fuite.

Il est utile bien souvent aux serviteurs de Dieu de soutenir ces sortes de combats.

Le démon ne se met pas en peine de tenter les infidèles et les pécheurs qui lui appartiennent déjà ; mais il emploie toutes les ruses dont il dispose pour séduire les personnes vertueuses.

4. Approchez donc de la sainte table avec une foi simple et inébranlable, avec un respect plein d'humilité.

Reposez-vous sur la parole de Dieu de tout ce que vous ne pouvez comprendre.

Dieu ne vous trompera point, mais celui qui présume trop de lui-même tombera dans l'illusion.

Dieu aime les simples et se découvre aux humbles, il donne l'intelligence aux petits, il révèle ses mystères aux âmes pures; mais il cache sa grâce aux curieux et aux superbes.

La raison humaine est faible, et peut aisément se tromper; mais la foi véritable est toujours infaillible.

5. Il faut que la raison avec toutes ses lumières se soumette à la foi et qu'elle la suive, sans vouloir la précéder ni la détruire.

La foi, jointe au pur amour, opère dans ce très auguste Sacrement des effets merveilleux, d'une manière secrète et impénétrable.

Le Dieu éternel, immense, dont la puissance est infinie, a fait des choses sublimes et incompréhensibles dans le ciel et sur la terre, et l'esprit humain ne saurait les comprendre.

Si les œuvres de Dieu étaient telles que la raison humaine pût aisément y atteindre, on ne devrait point les regarder comme admirables et ineffables.

FIN

TABLE DES MATIÈRES.

IV — PETIT OFFICE DE LA Ste VIERGE

V — IMITATION DE JÉSUS-CHRIST [1] à [200]

TABLE SPÉCIALE DE L'IMITATION.

IMITATION DE JÉSUS CHRIST.

LIVRE PREMIER.

AVIS TRÈS UTILES POUR ENTRER DANS LA VIE SPIRITUELLE.

LIVRE SECOND.

INSTRUCTIONS SUR LA VIE INTÉRIEURE.

LIVRE TROISIÈME.

DES CONSOLATIONS INTÉRIEURES.

LIVRE QUATRIÈME.

DU SACREMENT DE L'AUTEL.

LECTURES CHOISIES DE L'IMITATION.

Le chiffre romain indique le livre et le chiffre arabe le chapitre.

Principales Prières de l'Imitation.

Le 1er chiffre indique le livre, le 2e le chapitre, le 3e le paragraphe.

TABLE ASCÉTIQUE ET HISTORIQUE

DES PSAUMES, DU NOUVEAU TESTAMENT ET DE L'IMITATION.

ABRÉVIATIONS PRINCIPALES : Ps. : *Psaumes;* Matth., Marc, Luc, Jean : *Evangile selon S. Matthieu, S. Marc, S. Luc, S. Jean;* Im. : *Imitation de J. C.*

Les chiffres romains indiquent les Epîtres des Apôtres ou les Livres de l'Imitation; les chiffres arabes qui suivent un texte ou un point-virgule indiquent les Chapitres ou les Psaumes; les autres chiffres indiquent les Versets.

Abandon à la Providence : Ps. 54, 22. — Matth. 6, 25-34; I Pierre, 5, 7. — Im. III, 17.
Abnégation de soi-même : Matth. 10, 39; 16, 24-25; Marc, 8, 34-35; Luc 9, 23-24; 14, 26; 17, 33; Jean, 12, 25; Gal. 5, 24. — Im. III, 32; 39; 56.
Absolution (les pasteurs de l'Église ont le pouvoir d'accorder l'—) : Jean, 20, 22-23; Matth. 16, 19; 18, 18.
Abus des grâces (Voy. *Grâces.*)
Actions de grâces : Ps. 17; 20; 27; 29; 33; 39; 47; 64; 65; 75; 113; 114; 115; 117; 123; 125; 135; 137. (Voy. *Reconnaissance.*)
Adam (le premier —; le second —) : Rom. 5, 14-21; I Cor. 15, 20-22, 45-49.
Adoption ou filiation divine et son esprit : I Jean, 3, 1; Rom. 8, 14-17; Gal. 4, 6.
Adoration des bergers : Luc, 2, 8-20; — des Mages : Matth 2, 1-12.
Adversité (dans l'—) : Ps. 85. — Im. I, 12; III, 18; 29; 47; 59.
Affections déréglées : Im. I, 6; III, 27; 31; 39; 55.
Affliction (dans l'—) : Ps. 68; 141; 142. — Im. I, 12; II, 11; 12; III, 12; 15 à 21; 29; 30; 35; 41.
Affliction (utilité ou nécessité de l'—) : Matth. 5, 5; II Cor. 4, 17; I Pierre, 4, 12-13.
Agonie de N. S. : Matth. 26, 36-46; Marc, 14, 32-42; Luc, 22, 39-46.
Aimer J. C. par dessus tout (il faut —) : Im. II, 7.
Ambassade de Jean Baptiste à Jésus : Matth. 11, 2-11; Luc, 7, 18-23.
Ambassade du Sanhédrin à Jean Baptiste : Jean, 1, 19-28.
Ame : Ps. 10, 5; 61, 5; 114, 4. — Matth. 10, 28, 39; 11, 29; 16, 26; 22, 37; Marc, 8, 36-37; 12, 30; Luc, 9, 24-25, 56; 10, 27; 12, 20; 21, 19; Jean, 12, 25; II Cor. 12, 15; Hébr. 13, 17; Jac. 1, 21; 5, 20; I Pierre, 1, 9, 22; 2, 11, 25.

OMNIA AD MAJOREM DEI GLORIAM
IMMACULATÆQUE VIRGINIS MARIÆ HONOREM !

Imprimé en Belgique par la Société S. Jean l'Évangéliste,
DESCLÉE & Cie, Tournai. — 4526

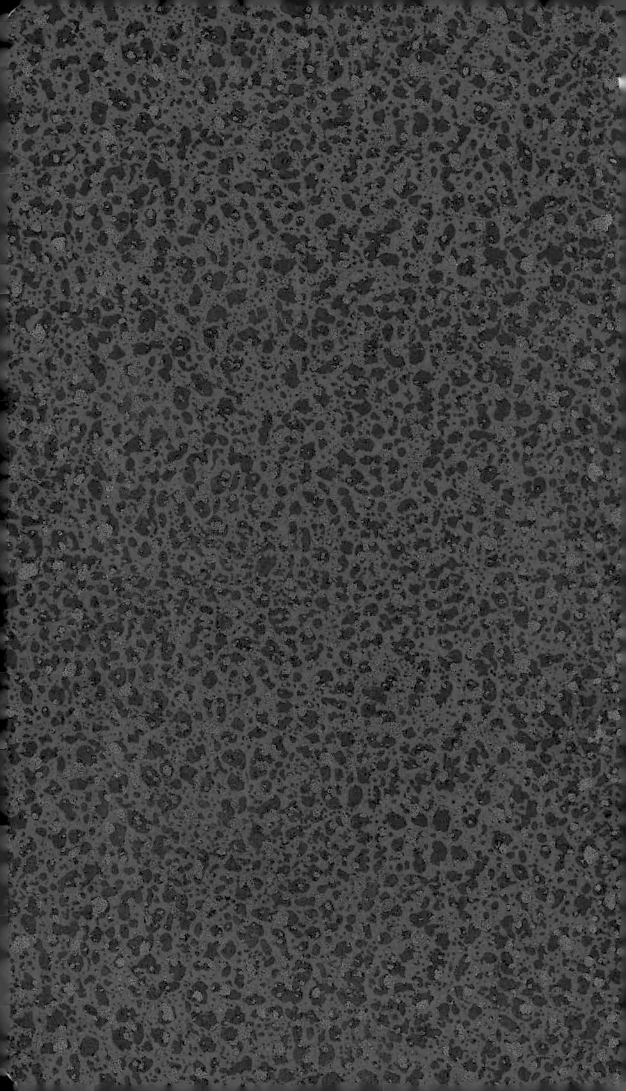